为学与为道

——中国学人的学术之路

上

主　编　◎郝正　邵汉明

副主编　◎王卓　于德钧

人民出版社

责任编辑:李之美　方国根

版式设计:顾杰珍

图书在版编目(CIP)数据

为学与为道——中国学人的学术之路/邴正　邵汉明著.
-北京:人民出版社,2006.8
ISBN 7-01-005680-3

Ⅰ.为… Ⅱ.①邴…②邵… Ⅲ.社会科学-名人-生平事
迹-中国-现代　Ⅳ.K820.7

中国版本图书馆 CIP 数据核字(2006)第 072817 号

为 学 与 为 道
WEIXUE YU WEIDAO

邴　正　邵汉明　著

人 民 出 版 社 出版发行
(100706　北京朝阳门内大街166号)

北京瑞古冠中印刷厂印刷　新华书店经销

2006 年 8 月第 1 版　2006 年 8 月北京第 1 次印刷
开本:880 毫米×1230 毫米 1/32　印张:47.625
字数:1062 千字　印数:0,001-3,000 册

ISBN 7-01-005680-3　定价:90.00 元(上下卷)

邮购地址 100706　北京朝阳门内大街 166 号
人民东方图书销售中心　电话 (010)65250042　65289539

序

站在 19 世纪与 20 世纪之交的中国学人的精神是极其痛苦的。老大帝国被西方列强一次又一次打败，满眼是割地赔款、丧权辱国的惨景。变法维新失败，六君子的头颅被当街砍下悬街示众。那是一个充满黑暗的年代。就是在那样一个年代，梁启超奋笔疾书，大声呼吁："变亦变，不变亦变。变而变者，变之权操诸己；不变而变者，变之权让诸人。"

20 世纪的中国人文社会科学研究，就是从"变"字开始的。第一个"变"字是以梁启超、严复为代表的翻译介绍西方人文社会科学著作的学术思潮，从此中国学人走出中国古代圣贤典籍的狭隘樊篱，开始做法学、政治学、经济学、社会学等专业的学术探索。第二个"变"字是以李大钊、陈独秀、鲁迅、胡适为代表的五四新文化运动，从学术精神上告别封建文化传统，从此中国学人走上了追求科学与民主的学术精神之路。

20 世纪的 100 年，是中国现代人文社会科学从无到有的 100 年。严格意义上讲，中国传统学术研究没有经历学科分化，只是一种以伦理为中心的精神文化追求。进入 20 世纪，中国学人在总结继承前人相关成果与积极引进国外学术成就的基础上，大胆创新，深入探索，陆续建立了中国的人文社会科学学科专业体系，终于使中国的人文社会科学与自然科学一样，进入了分门别类的研究时代。

20 世纪的 100 年,是中国现代人文社会科学探索中国特色学术之路的 100 年。从五四运动始,中国学人在告别封建思想禁锢的同时,相继走出了搬运他山之石的窘境,努力把世界性与民族性相结合,创建了中国特色的马克思主义——毛泽东思想、邓小平理论,形成了紧密结合中国社会实际、发扬和改造优秀民族文化传统、旨在解决中国社会发展现实的中国特色的哲学、文学、史学、法学、政治学、经济学、管理学、社会学、教育学,使中国跻身于人文社会科学大国的行列。

20 世纪的 100 年,是中国现代人文社会科学人才辈出的 100 年。哲学家孙中山、毛泽东、李大钊、陈独秀、胡适、熊十力、冯友兰、梁漱溟、金岳霖、朱光潜、贺麟、李达,文学家鲁迅、林语堂、闻一多、朱自清、吕叔湘、王力、钱钟书、季羡林,史学家郭沫若、翦伯赞、范文澜、王国维、陈寅恪、钱穆、吴晗、顾颉刚、夏鼐,经济学家马寅初、孙冶方、陈翰笙,社会学家费孝通、吴文藻,民俗学家钟敬文,翻译家严复、傅雷……。可谓群星璀璨,大师如林。正是他们的辛勤耕耘与不断创新,为我们留下了现代中国学人宝贵的精神文化遗产。

站在 21 世纪之初的中国学人是幸福和欢乐的,因为中华民族走上了一条和平发展的道路,中国已作为一个长期稳定快速增长的经济大国崛起于世界的东方;因为 20 世纪的中国学人已经用他们的抗争、呐喊、探索与创造,为我们开辟了广阔的道路。站在 21 世纪之初的中国学人也面临新的挑战。在全球化、信息化、大众文化崛起的今天,人文社会科学的社会地位、功能、研究方法、传播方式已发生了翻天覆地的变化。总结过去,正视现实,放眼未来,探讨在新形势下中国人文社会科学发展的道路、模式和发展趋势,是摆在当代中国人文社会科学界面前的历史使命。

我们有过辉煌。在世纪转折的那些激动人心的年代，一批矢志于创建现代中国人文社会科学的学人崛起于乱世，呐喊于黑夜，耕耘于尺牍，授业于蒿蓬，为我们树立了光辉的榜样。他们的见解虽有时代之局限，但他们求知之执著，治学之严谨，知识之渊博，学贯中西之气魄，当为后世敬仰与仿效。我常想，再过几十年，后人来追忆我们这一代，追问我们都做了些什么，又留给他们些什么的时候，我们会把那些学界前辈的思想和风范传给我们的学生们吗？这是历史留给我们这一代人文社会科学学者的宝贵财富，也同样是我们必须面对，无法推拒的重负。

因此，我们根据《社会科学战线》杂志创刊以来发表的学术人物介绍，编撰了《为学与为道——中国学人的学术之路》一书。除了那些老一代大师泰斗之外，我们还选取了一部分近年来较活跃的中青年学者，以使读者可以从中了解当代中青年学者的学术走向。仅凭一本杂志的介绍，选取的人物十分有限，仅仅是中国人文社会科学众多学者中的九牛一毛。好在管中可以窥豹，本书汇集的也仅仅是20世纪中国人文社会科学学术人物思想风范的一个侧面。相信读者能理解我们的有限选择。

邴　正

2006 年 2 月 26 日

目　录

试上高峰窥皓月　可怜身是眼中人

——对王国维与叔本华思想关系的全面考察

单　世　联

　　近代中国危机频仍,几至灭国,故而中国人学习、接受西方思想大多出于明确的功利考虑。但王国维确是一个例外,纯粹的知识兴趣和强烈的主体关切是他认同叔本华哲学的主要原因。他的出身,"故中产人也,一岁所入,略足以给衣食"(《自序》一),属于社会下层。像许多乡村平民少年一样,王国维天资聪颖,心志高远,如果在封建盛世,他本可以通过读诗书、习举业进入社会上层的,然而时移境迁,"甲午之役,始知世尚有所谓新学者,家贫不能以资供游学,居恒怏怏"(同上)。1894 年,与中国一衣带水的蕞尔小国日本居然大败北洋水师,甲午悲剧拉开了中国人全面学习西方的序幕。王国维说:"十年以前,西洋学术之输入,限于形而下学之方面,……数年以来,形而上学渐入于中国"(《论新学说之输入》)。叔本华哲学就是在这种新的文化氛围中走进王国维精神视野的。

　　王国维开始知道叔本华是 1898 年,此时他在罗振玉主持的东文学社服务,从日籍教师所作的文集中,读到叔本华哲学的片段,"心甚喜之"。1900 年冬,王国维得罗振玉之助留学日本,次年因病回国,编辑杂志的同时独立治学,"体素赢弱,性复忧郁,人生问题日往复于前,自是始决从事于哲学"(《自序》一)。其《静安文集·自序》记载了他与叔本华关系的全部始末:

> 余之研究哲学始于辛(丑)壬(寅)之间(1901—1902)。癸卯(1903)春,始读汗德(即康德——引按)之《纯理批评》,苦其不可解,读几半而辍。嗣读叔本华之书而大好之。自癸卯之夏,以至甲辰(1904)之夏,皆与叔本华之书为伴侣之时代也。……后渐觉其有矛盾之处,去夏(1904)所作《红楼梦评论》,其立论虽全在叔氏之立脚地,然于第四章内已提出绝大之疑问。旋悟叔氏之说,半出于其主观之气质,而无关于客观之知识。此意于《叔本华与尼采》一文中始畅发之。

与一般哲学家不同的是,王国维还是一位情感丰富、思致深微的诗人,在他对叔本华、甚至整个哲学失望之后,悲观情怀仍一如既往,此时的诗词作品中也留下了叔本华哲学的浓厚阴影。另外,王国维的自杀虽不能说是叔本华哲学所致,但一个曾迷恋过叔本华的人自杀,总需要一番特殊的解脱。这样,本文自然地分成三部分:理论发挥、诗境显现、昆明自沉,希望能对王国维与叔本华的思想关系作一全面考察。

一、纯粹知识:叔本华哲学的理论发挥

王国维的忧郁天性及其耽于人生问题思考的独特心态,决定了他在世纪之交扑面而来的西方"形而上学"中选择叔本华。尽管叔本华上承康德,精心构建了一套包括认识论、美学、伦理学的哲学系统,但其独特之处主要是其悲观主义的人生哲学,他

在 19 世纪下半叶思想史上的贡献，也就在于提前昭示了理性主义文明的根本危机。这本来是和王国维的"期待视野"若合符契的，但王国维特别强调："其所尤慊心者，则在叔本华之知识论，汗德之说得因之以上窥。然于其人生哲学观，其观察之精锐，与议论之犀利，亦未尝不心释神怡也"（《静安文集·自序》）。先知识论而后人生哲学，这一点并非无关宏旨，它实际上透露了叔本华哲学对于王国维的特别意义。

王国维是从康德开始研究哲学的，因为读不懂康德才去读叔本华。叔本华一方面以通俗、显豁的语言发挥康德学说，另一方面又揭发康德的二元论矛盾，并以意志本体论解决康德留下的问题。他认为，人并非只是一个理智的生物、一个观察的主体，我们本来就属于这个世界，我们自身就置身这个世界。人一方面是主体，另一方面又是客体。当我内察时，我面对意志，当我外观时，我知觉我作为肉体的意志。我之为我有两种形态：内在的我是意志，外在的我是表象——身体的一系列动作和行为，"意志活动和身体活动不在因和果的关系中，却是二而一，是同一事物"。依此推之，作为我们表象的世界其实都是意志的客体化，结论是："现象就叫作表象，再不是别的什么……唯有意志是自在之物"。① 康德哲学中那神秘而重要的物自体原来就是意志，意志虽不能为知性范畴所认识，却可以通过内省直观把握到，这是叔本华知识论的主要结论。王国维特别欣赏的也是这一点，他有一段对叔本华知识论的总体评价："汗德矫休蒙（即休谟——引按）之失，而谓经验的世界有超绝的观念性与经

---

① 叔本华著，石冲白译：《作为意志和表象的世界》，商务印书馆 1983 年版，第 151 页、第 164—165 页。

验的实在性者,至叔本华而一转,即一切事物,由叔本华氏观之,实有经验的观念性而有超绝的实在性者也"(《叔本华之哲学及其教育学说》)。康德的知识论,由于其认识形式和结构不是从客体经验产生,而是主体先验地赋予对象,所以是"超绝的观念性";同时认识的材料都是"物自体"所经验地提供的,所以是"经验的实在论"。叔本华由于回答了本体是什么的问题,认为经验的一切不过是主体的表象,所以是"经验的观念性",而先验存在的意志才是实在的本体,所以又是"超绝的实在性"。于是,被康德知识论放逐的形而上学,通过叔本华又大摇大摆地回到了知识论。

早在写作《作为意志与表象的世界》之前,叔本华就表示他的中心任务是使形而上学与伦理学合而为一,以形而上学来论证、推导伦理学。所以"经验的观念性"也好,"超绝的实在性"也好,归根到底是要说明本体意志是无止境的盲目冲动,说明在意志的操纵下人只能在永恒的痛苦中挣扎,从而应当选择弃欲解脱的人生理想。叔本华苦心孤诣地重建形而上学原是为其人生观鸣锣开道的,前者是引子,后者才是主体。这与近代西方其他形而上学体系是一致的。然而对于王国维来说,叔本华历历描绘、反复推演的悲惨景象原是一个自明的事实,身逢乱世,他本人的体验远比叔本华沉重深刻,在《红楼梦评论》一开始,他就引用老子"人之大患,在我有身"来说明"忧患与劳苦之与生相对待也久矣"。(老子对生命还有一种看法:"深根固柢,长生久视之道"(《老子》59章),王国维只取其悲观之说。)可见人生痛苦早已普遍为人所体认,叔本华的意义在其用形而上学对之进行了彻底论说,使之具有一种真理性特质。王国维"所尤惬心"于此的,因为它不但可以推导出伦理学,而且还有另一重功用,这就是人可以借此而从事一种摆脱意志欲望、超越现实功利的"纯粹知识"。

康德说本体不可知,叔本华说本体是意志;康德说本体不可知是因为知性范畴无法掌握本体,后康德意义上的形而上学必然要求一种非逻辑的方法,叔本华说这就是直观。王国维对直观的重要性心领神会,认为是整个叔本华哲学的最重要的一点,否则就无法重建形而上学。至于直观是什么,王国维曾在直观之后加括号说"即知觉",又说"真正之新知,必不可不由直观之知识,即经验之知识得之"(《叔本华之哲学及其教育学说》)。把直观等同于知觉和经验,抓住了直观的整体性,非概念性特点,但就直观能够洞察、体会宇宙本体而言,它远非知觉、经验可比。无论是叔本华还是王国维,直观都被视为天才特权,既无须逻辑推论,也不要经验证实,却能洞见终极实在和人性本质。通过叔本华在知识论上的这一番努力,王国维找到了人类精神的一个高尚领域——"纯粹知识"。依叔本华看来,人之优于禽兽者,在其有更高的精神之力,得以从滚滚欲海中超升出来,从事某种客观的、纯认识性的活动,创建形而上学体系和审美世界,回答人生的意义问题。这是叔本华给予王国维的最大启示。王国维传播叔本华哲学的真正意义,也就是要建立现代中国的"纯粹知识",使中国人也能够在现实人间之中有较高贵神圣的追求,也能够在实用功利之上省察生命存在的意义和宇宙本体的奥秘。

"纯粹知识"一为哲学,一为艺术。王国维在《叔本华与尼采》中指出:"叔本华之慰藉之道,不独存于其美学,而亦存于其形而上学。"何以故? 真正体验人生痛苦的均非常人,"彼之所缺陷者与人同,而独能洞见其缺陷之处",天才就是在常人觉得完满的地方感到不完满,在常人以为正常的地方发现不正常。但尽管他心志高于常人,情感锐于常人,受到的种种限制却并不少于常人,如此"彼之慰藉,不得不反求诸己",改变世界是不可能的,只好改变自己,"纯粹知识"对于人生的意义就在于推进主体的变换。关于艺术,王国维在《红楼梦评论》中有详细发挥,他首先把叔本华的意志翻译成更具冲动性和意向性的"欲",指出生活的本质就是无止境的"欲",因而也就是无止境的痛苦,不过"有兹一物焉,使吾人超然于利害之外而忘物我之关系,此时也,吾人之心,无希望,无恐怖,非复欲之我,而但知之我也"。这个物就是艺术,艺术的对象不是现实中的个别存在,与主体没有直接利害关系,可以使人从"欲之我"转变成"知之我",从名缰利锁的现实个体转变成"纯粹的认识主体",在审美静观中得到暂时的慰藉。至于哲学,王国维以叔本华的形而上学来说明。叔本华之形而上学一言以蔽之曰"意志同一论",即我与万物均同一意志之表现,万物之意志都是我的意志,"我"才是这个世界的中心和主体,是"担荷大地之阿德拉斯(Atlas),孕育宇宙之婆罗麦(Biahma)"。在这种夸大了的主体意志面前,对人生各种痛苦的倾诉和抉发不过表明主体要求有更完美的生活而已。叔本华的"形而上学需要在此,终身慰藉在此。"应当说,王国维用叔本华哲学的具体内容来分析哲学对人生的一般慰藉,并不具有充分的普遍性。事实上,就是其他形态的形而上学,由于以世界的大全和人生的究极为思考对象,也能使人忘却小我营营,在理想之境驻足徜徉。比较起来,王国维讲得更多也更充分的还是艺术,但其基本方法都是首先斩断它们与实际人生的具体关联以明其"纯粹",然后再追索它们与人生更普遍、更本质的联系以明其对人生的拯救功能。幸运的是,中国有一部《红楼梦》，确实大大便利了王国维对"纯粹知识"意义的彰显。

如果说"纯粹知识"的慰藉功能主要与王国维本人的"人生问题"有关的话，那么，把"纯粹知识"作为标准，还可以使中国传统思想得到新的评估，因而具有文化批判的意义。"中国之哲学史，凡哲学家无不欲兼为政治家者，……诗人亦然"（《论哲学家与美术家之天职》）；"理论哲学之不适于吾国人之性质，而我国人之性质，其彻头彻尾实际的有如是也"（《国朝汉学派戴阮二家之哲学说》）；"一切学业，一以利用之大宗旨贯注之"（《孔子之美育主义》）……无论哲学还是艺术，若不有助于社会政治，或有益于道德教化，便以侏儒倡优自处。王国维对中国文化精神的这一评断，确实抓住了传统文化把知识附属于价值的特点。越来越多的研究者确认，中国文化是"实用理性"，即不热衷于抽象思辨，也不希企解脱出世，而是执著于人间世道的实用探求，以现实人生为依归。这有其必然之因和高明之处，但也限制了理性的无尽探索和想象的自由翱翔，思辨哲学、美的艺术等"纯粹知识"基本上没有形成，一旦政治——道德秩序瓦解，知识——文化也就无从维系，人生仿佛一无可为，近代悲观主义的盛行即与此有关。从"纯粹知识"出发批评中国传统，显示了王国维作为哲学家的独特视角。无论在当时还是后世，引进科技、振兴实业和武装斗争、政治革命，是拯救中国的两条基本道路。他们都不重视"纯粹知识"，仍然以有用与否衡量知识、评判传统。王国维从"纯粹知识"出发，指出传统文化成问题的不是其具体学说，而是其思维方式和致思倾向。在《书辜氏汤生英译〈中庸〉后》中，他批评孔子"仁义"之说缺乏"哲学之根柢"；在《论性》中他向孟荀程朱的道德学说索取"名学上必然之根据"；在《奏定经学科文学科大学章程书后》中把"缺乏哲学"作为章程的根本之误。在王国维看来,具体学说正确与否是一回事,这种学说是否具有合乎逻辑的哲学依据又是一回事,哲学家所做的是对后一方面的考辨。王国维之特别推崇《红楼梦》,就因为它是中国唯一的悲剧作品,不以虚假的团圆和廉价的慰藉取悦于国民,是纯粹的艺术。在《文学小言》中,他义正辞严地宣布:"铺缀的文学,绝非真正之文学。""纯粹知识"的社会意义,是要荡涤传统文化中服务于特定王朝政治的功利内容,召唤国民心理的彻底改造。

当王国维向传统学说索取哲学根据的时候,表明理知性的可信是他的批评尺度之一。然而,这实际上与他向往的"纯粹知识"也有矛盾。艺术与形而上学的方法是直观,它既无经验标准,也无逻辑规范,要取得一致只能靠"人同此心,心同此理",细究起来,很难令人信服。王国维没有回避这一令人不安的矛盾。一般说来,他对叔本华的知识论、美学始终比较欣赏,但对其伦理学,也即禁欲解脱的人生观,却颇存疑问。这不是偶然的。事实是释迦示寂、耶稣献身之后,世界痛苦依然,"故如叔本华之言一人之解脱,而未言世界之解脱,实与其意志同一之说,不能两立者也"(《红楼梦评论》)。解脱能否作为伦理学上之理想,取决于解脱是否可能,解脱既不可能,则以之作为伦理学理想只能是叔本华个人的幻想,"徒引经据典,非有理论之根据"。

标准是"可信"。静心息欲,彻悟人生,洞见本体,沉浸于审美,希冀着涅槃,所有这些对于个体来说是有巨大吸引力的。奈何人类总体上不可能放弃欲求,否则意志就不是本体了。王国维是诚实的学者而非浪漫的诗哲,他有炽热的理想追求,也有清明的理性标准;在严重的生存危机关头,他努力构想理想的境界来抵御现实的痛苦,但要真正委身于某种价值理想,他又不得不审度其是否可信。对叔本华伦理学的质疑，引发了他的形而上学冲动与确定性寻求的冲突。

这个冲突，王国维把它归结为"可爱"与"可信"的对立。下面是一段很著名的话：

> 余疲于哲学久矣，哲学上之说大都可爱者不可信，可信者不可爱，余知真理，余又爱其谬误，伟大之形而上学，高严之伦理学与纯粹之美学，此吾所嗜酷也。然求其可信则宁在知识论上之实证论、伦理学上快乐论与美学上之经验论，知其可信而不可爱，觉其可爱而不能信，此近二三年中最大之烦恼。（《自序》二）

王国维曾把哲学和艺术称为"纯粹知识"，此处又把哲学分为"可爱"与"可信"两种，其实并无矛盾。"纯粹知识"的哲学实为形而上学，属于"可爱"的哲学，"可信"的哲学指与实际事物相关的经验论哲学，不属于"纯粹知识"。这实际上是近代文化中知识与价值分裂的必然。一般而言，"可爱"与"可信"的矛盾在中国传统中并不存在，尤其是儒家学说强调"天人合一"，宇宙本体就是价值之源，终极实在就是人生意义的根据，可爱的必可信，可信的也必可爱，它实际上是以牺牲可信为代价把本体道德化、人情化的结果。王国维不能满足于这种虚假的"可爱"，但又不可能重建"可爱"与"可信"的统一，而哲学既无助于解决他的人生问题，他就只好"渐由哲学而移于文学，而欲于其中求直接之慰藉"（《自序》二）。

二、人间诗境：叔本华哲学的审美显现

转向审美是叔本华哲学的必然归宿。既然痛苦是永恒如斯

的,彻底解脱又不可能,那么在审美静观中暂时忘却一下,就是唯一可行的选择了。王国维在文学中的著述有两种:一是理论性的《人间词话》;二是创作性的《人间词》、《人间诗》。前者以叔本华美学建构词学系统,后者以叔本华哲学入诗,都是一种独特形态的哲学文本。

《人间词话》的中心是"境界"说。王国维本人于1908年编定发表的六十四则《人间词话》(即通行本第一部分)中,前九则是"境界"的理论构架,第十则以下是具体评论。前九则中的第一则提出的"境界"作为评词之最高标准,后八则围绕着"造境"与"写境"、"有我之境"与"无我之境"、"邻于理想"与"合于自然"、"真感情"与"真景物"、"优美"与"宏壮"等对待关系,对"境界"作具体探讨,从这几种对待关系本质上都是主客体关系在"境界"中的具体呈现来看,"境界"的建构是以一种特殊的主客体关系为基础和前提的。王国维本人说过:"文学之事,其内足以摅己,而外足以感人者,意与境二者而已,上焉者意与境浑,其次或则以境胜,或以意胜,苟缺其一,不足以言文学"(《人间词乙稿·序》)。意(主体)与境(客体)浑然一体,融洽无间,是"境界"的基本形态。

从主客体关系着手分析"境界"是符合王国维的主观意图的。他在《论哲学家美术家之天职》、《人间词乙稿·序》中始用"意境"一词,而在《词话》则改用"境界",其后在《宋元戏曲史》中又用回"意境"。本文认为,造成此一差异的原因在于王国维在不同场合对"境界"中主客体的不同侧重。《词话》有云:"沧浪所谓兴趣,阮亭所谓神韵,犹不过道其面目,不若鄙人拈出'境界'二字为探其本也。""境界"之为优,在于"兴趣"偏于诗人主体的情感意兴,"神韵"重在作品的言外之意,都忽视了对诗作中客体的直接观照和领悟,未能建立恰当的主客关系。因此《词话》中选用更侧重客体的"境界"而不是主客平衡的"意境",是出于对传统诗学概念过于缥缈、虚廓的一种纠正。为突出客体,王国维甚至以"无我之境"为词的最高格。后来的《宋元戏曲史》中,针对戏曲历来因其情节故事为人所轻,王国维又用"意境"来评其文章,以突出戏曲中诗的质素和抒情成分。

那么"境界"究竟指什么样的主客体关系呢? 王国维说:"原夫文学之所以有意境者,以其能观也"(《人间词乙稿·序》)。"观"是境界诞生的关键,这不是通常意义上的看,而是一种特殊意义上的审美静观。叔本华美学的出发点就是"观":

> 如果人们由于精神之力而被提高了,放弃了对事物的习惯看法,不再按根据律诸形态的线索去追究事物的相互关系,……而代替这一切的却是把人全副精神能力献给直观,浸沉于直观,并使全部意识为宁静地观审在眼前的自然对象所充满。(叔本华《作为意志和表象的世界》第249页;参见拙作《叔本华美学的悲观主义》,《外国美学》第五辑)

于是,主体就摆脱了意志的操纵,作为纯粹的认识主体,作为客体的镜子来观审客体;与此相应,客体也已不再是如此这般的个别事物,而是代表该事物全体族类本质的个体,是永恒的形式。主客体的这种转变是互为因果、和谐统一的,一旦形成,主客就不再是对峙的两极,叔本华称为"人们自失于对象之中",[1]另一

---

① 叔本华著,石冲白译:《作为意志和表象的世界》,商务印书馆1983年版,第250页。

处又称"栖息"。① 王国维所谓的"观",当是指主体能"自失于"、"栖息"于对象之中;所谓"境界",当是指这种主客体合一的审美静观在文学中的具体呈现。

在对"境界"的具体解说中,王国维更充分地利用了叔本华美学。第一是"造境"和"写境","大诗人所造之境,必合乎自然,所写之境,亦必邻于理想"。"造境"指诗人的想象创造,本偏于理想方面,但如叔本华所说天才的最大性能就是其最完美的客观性,能够成为自然的一部分,故所造之境"必合乎自然"。王国维据此称赞清初纳兰容若"以天赋之才,崛起于方兴之族",是"自然之眼,自然之舌"。"写境"指自然的客观摹写,本偏于自然方面,但审美静观中的客体已从时空因果的限制中解放出来,是柏拉图意义上的"理念"。王国维模仿叔本华说:"自然中之物,互相关系,互相限制,然其写于文学及美术中,必遗其关系、限制之处,故虽写实家,亦理想家也"。第二是"有我之境"与"无我之境",前者是"以我观物,故物皆著我之色彩",属于古诗中的移情于景。叔本华在论抒情诗时描述过意志和纯粹认识相互争夺主体的状态,此时"主观的心境、意志的感受把自己的色彩反映在直观看到的环境上,后者对前者亦复如是"。②王国维更欣赏的是"无我之境",这种境界需要自我意志的彻底否定,因此王国维以为"古人为词,写有我之境者为多,然未写不能写无我之境,此在豪杰之士能自树立耳",北宋词之所以高,原因在此。第三是"真景物"与"真感情"。"真景物"非指

---

① 叔本华著,石冲白译:《作为意志和表象的世界》,商务印书馆1983年版,第249页。
② 同上书,第346页。

具体实在的个别事物,而是指作为意志直接客体化的"理念"。叔本华说:"艺术复制着由纯粹的观审而掌握的永恒理念,复制着世界一切现象中的本质的和常住的东西。"①王国维举例说冯延己《南乡子》中的"细雨湿流光","能摄春草之魂者";周邦彦《青玉案》中的"叶上初阳干宿雨,水面清圆,一一风荷举","真能得荷之神理",所谓"魂"、"神理"即指以具体个象代全体本质的"永恒的形式"。至于"真感情"亦非指个体寻常之喜怒哀乐,而是指具有本质意义的普遍情感,"真正之大诗人则又以人类之情感为其一己之情感"(《人间嗜好之研究》),王国维在《词话》中反复致意的"忧生"、"忧世"、"悲欢离合,羁旅行役之感"等均是"通古今而言之"的人类感情。第四是"优美"与"宏壮"。王国维在《红楼梦评论》和《叔本华之哲学及其教育学说》中都引述了叔本华的有关论述,如"今有一物,因人忘利害之关系,而玩不厌者,谓之曰优美之感情。若其物不利吾人之意志,而意志为之破裂,唯由知识冥想其理念者,谓之曰壮美之感情。"前者是主客契合的宁静状态,后者谓主客冲撞的动荡过程。对这四组对待关系的简要分析表明:王国维对境界的展开完全是以叔本华美学为理论范式的,可以说,不懂叔本华,就不可能读懂《人间词话》。

"境界"论兼有美学和词学的双重含义。叶嘉莹曾指出《词话》研究中的一个矛盾现象,也可旁证这一点。她认为,当王国维说"词以境界为最上"时,是以"境界"来表述词不同于诗的一种特质的,但后来研究者在讨论"境界"时所得的"往

---

① 叔本华著,石冲白译:《作为意志和表象的世界》,商务印书馆1983年版,第258页。

往只是对文学及美学方面的一些一般性的观点，而对于王氏标举'境界'来作为评词之术语其所意谓的对于词之特质的一种体认反而忽略了。"①叶嘉莹本人又以"词之为体，要眇宜修"等数则来补充分析"境界"与词之特质的关系。所以出现这种普遍的"误读"，确因王国维对"境界"的理解首先具备一般美学意义。即使在理论层面，王国维也不是引经据典，照抄叔本华，对词史的充分研究和自己的创作甘苦，使王国维可以用"观"、"境界"等典型的中国美学的语汇来融会贯通叔本华的美学义理，这是王国维吸收叔本华哲学的更成熟的阶段。

如果说《词话》虽隐而不显但毕竟还是理论著述的话，那么《人间诗》、《人间词》则干脆以其审美境界来显示叔本华的哲学精神。王国维集中写作诗词是 1904 年到 1909 年，正是他对哲学感到苦恼却不能彻底抛弃的时期，故其诗境中有浓郁的哲学意味。他在这方面的成功，首先与叔本华哲学的特殊性质有关，也就是那些人生悲苦的描绘和解脱出世的祈向，以叔本华哲学入诗，不用深奥术语，无须抽象议论，其本身就是一种诗化的人生智慧；第二，叔本华大讲人生如梦、苦海无边，与中国古诗中的"忧生之嗟"非常接近，便于诗词表现；第三，王国维对叔本华哲学并非作为一种"可信"的体系来接受，而是当做"可爱"的人生智慧来设身体验，他是真正把叔本华融进自己生命的，悲观忧郁、超越憧憬早已成为他心性和人格的特质。王国维有一首名诗《蚕》，几乎是叔本华悲观主义的形象描绘：

①　叶嘉莹：《中国词学的现代观》，岳麓书社 1990 年版，第 20 页。

……年年三四月，春蚕盈筐筐。蠕蠕食复息，蠢蠢眠又
起。口腹虽累人，操作终自己。丝尽口卒瘏，织就鸳鸯被。
一朝毛羽成，委委如敝屣。……明年二三月，倮倮长孙子。
儵千万载，辗转自复始……

当然，人生如梦的悲歌绝非要到王国维才奏响，但他确以叔
本华哲学为心理背景，赋予这种古老的咏叹以一种本体意义。
在描摹"人间"真相的同时，王国维也不断地以诗词来外化他寻
求人生出路的心灵历程。他有一首《浣溪沙》，写尽了哲人觉悟
的艰难和失望：

山寺微茫背夕曛，鸟飞不到半山昏，上方孤磬定行云。

试上高峰窥皓月，偶开天眼觑红尘，可怜身是眼中人。

首句标举一个静谧渺茫之境界，"山寺微茫"已够崇高遥
远，"背夕曛"益增其幽微暗淡，仿佛一块诱人向往的天国。虽
然"鸟飞不到半山昏"，胜境难临，但心向往之，"上方孤磬定行
云"，孤寂之磬声清脆悠扬，响遏行云，平添了许多神秘魅力，更
令人心神悸动。"试上高峰窥皓月"，为超越苦境也就不得不作
出极大努力，"试上"之中包含了多少期望与艰难？但正像王国
维在别处所说："于解脱之途中，彼生活之欲，犹时时起而与之
相抗"（《红楼梦评论》），因此人竟不能制此一念，还想"偶开天眼
觑红尘"，如此则"试上高峰"陡然增加了人生痛苦而已。"可怜
身是眼中人"，纷纭人世都不过是忧患劳苦之众生罢了，其悲哀
失望该是多么沉重！

在发现叔本华哲学的根本矛盾后，王国维曾对尼采表示过
兴趣。尼采承认人生和世界本无意义，但他不满足于悲观主义，
为了肯定世界和人生，他把叔本华的美学进一步运用到整个人
生观上，认为"只有作为一种审美现象，人世和世界才显得是有

充足理由的"。① 王国维赞赏尼采在一定程度上解决了叔本华伦理学中的矛盾,他认为尼采学说是叔本华哲学的完成。王国维是在告别哲学之际接触尼采的,故而尼采的审美人生在他的思想中没有得到充分发展,真正代表王国维诗词特色的,还是那些揭呈人生痛苦、寻求精神解脱的作品,它们是叔本华哲学与古典文艺形式的完美统一。

三、昆明自沉:叔本华哲学的最后完成

王国维的自省意识非常强烈,从事文学创作不久就体会到:"余之性质,欲为哲学家则感情苦多而知力苦寡,欲为诗人则又感情苦寡而理性苦多"(《自序》二)。问题不是究竟感情多还是理智多,感情求可爱,理智求可信,哲学和文学之间的游离,仍然是可爱与可信的冲突。结束王国维学术生涯的,是史学。

从文学、哲学的"纯粹知识"转入实证的"考据之学",从形式上看,是王国维的自我否定,但从其思想逻辑及其史学意义来看,却又有相当的必然性。外因方面首先有罗振玉的劝导,同时世纪之交地下材料的发现使古史新解获得广阔前景。在王国维自身,"可爱"和"可信"的紧张一直萦回在心头脑际,无论是思考宇宙本源和人生意义的形上学,还是表现情感、创造意境的文学,都未能真正缓和其心理紧张。最后起作用的,倒是没有被他列入"纯粹知识"的史学,"可信"是没有问题的,至于"可爱",首先传统史学历来具有价值意义,延续人文意识,传播人伦理想,史学在塑造中国人的道德精神和思考模式方面具有难以逾

---

① 尼采:《悲剧的诞生》,三联书店 1986 年版,第 105 页。

为意志和表象的世界》第 563 页）。非但不是对生命本质的觉悟和
弃绝，反而是生命意志的强化，它以取消它的表象（身体）来突
出自己。应当说，叔本华的这个意见是能够解释不少自杀现象
的，通常的自杀常常是珍惜生命，不堪对生命尊严的损害而不得
已的选择。王国维原则上同意叔本华，他认为《红楼梦》中的金
钏儿、司棋等人的自戕"非解脱也，求偿其欲而不得者也"，如果
林黛玉死后贾宝玉也"感愤自杀"，《红楼梦》就一文不值。王国
维还对辛亥革命前后国人中某些"自杀狂"作了谴责，认为自杀
"实原于意志之薄弱"，美化自杀为"意志薄弱之社会"的罪恶
（《教育小言》十则）。这从王国维前期虽极度悲观却并未自杀也
可得到印证。

那么，是否可以提出一个"叔本华意义上的自杀"呢？对于
叔本华来说，生或死并非问题的关键，他强调的是人应当清醒地
认识到生存的悲剧本质，放弃人生的多种幻想，"在不可剥夺的
宁静、极乐和超然物化的心境中甘愿抛弃他前此极激烈地追求
过的一切而欣然接受死亡。"①叔本华要分辨的是：意志唯有借
助于主体的自觉的认识才能取消，不是阻遏，而是让它充分显现
出来，以便使主体在意志张扬之时认识它的本质，达到彻悟。到
这个阶段，"死，作为渴望的解脱，就是极受欢迎而被欣然接受
的了"。② 王国维干脆把它挑明："苟无此欲，则自杀亦未始非解
脱之一者也"（《红楼梦评论》）。就此而言，王国维的自杀属于叔
本华意义上的自杀，而无论其自杀的具体原因为何。一般而言，

---

① 叔本华著,石冲白译:《作为意志和表象的世界》,商务印书馆 1983 年
版,第 538 页。
② 同上书,第 524 页。

中国读书人对声色货利看得比较轻,王国维一则由于叔本华的影响,再则由于对当时混乱无序的社会世事感到厌倦,因此对生存的理由和意义早已产生彻底的怀疑。"书成付与炉中火,了却人间是与非"(《书古书中故纸》),年未而立已有毁灭此生而无顾惜之意。后来在史学中勤奋治学,心理有了一定安顿,但终日与远离现实的遗文断简相对,更拉大了他与实际人生的距离。觉悟人生、否定意志等叔本华的自杀条件他早已具备,至于他究竟在何时,为何因而自杀,实际上并不重要。

只是王国维到底选择自杀,确实说明他的悲观不同于叔本华的悲观。王国维的悲观,既是某种社会现实的表征,又是他精神状态的一贯特征,叔本华哲学不过从形而上学的立场给他作了论证和支持。叔本华生活在19世纪西方,虽然启蒙主义的乐观理想已开始褪色,但他具体生存的德国,正是民族意识高涨、普鲁士日益强大的时代。这是王国维无法比拟的,在他的形而上的悲观主义中充满了形而下的悲剧事实,想躲进"可爱"的"纯粹知识"的天地也因各种"可信"的痛苦遭遇和环境限制而不可能。人生悲苦如此,不可解脱又如彼,一有风吹草动,自杀只能是唯一的选择。王国维生前与人谈过:"人言自杀者能于一刹那顷,重温其一生阅历,信否?"①也许,当王国维在颐和园石舫中兀坐时,当他在鱼藻轩中吸烟时,正往事历历、不堪回首吧!

不同的文化传统也是一个重要方面。叔本华首倡悲观哲学,反复申说人生如梦,但他本人的生活如何呢?那完全是另一种情景,听音乐,看歌剧,参观艺术馆,华服美食,尽情享受,乃至

---

① 谷永:《论王静安先生之自沉》,《学衡》第64期。

和母亲抢生意,和黑格尔争教席,"他并没有率先过一种禁欲的、圣洁式的生活,而是过着一种细心研究怎样好好生活的、伊壁鸠鲁派信徒式的生活"。① 用中国哲学的话说,显然是知行两途。中国人提倡的是格物致知与修齐治平的统一,知识通向价值,实践高于理论,所谓"知而不行只是不知"。天天讲人生痛苦却又逍遥享受人生,在中国人看来不是虚伪也是矫情,非但其学说不可取,其人也无足道。从王国维推尊"纯粹知识"来看,他是能够理解叔本华的知行分裂的,《叔本华与尼采》一文就有过比较;而且他对叔本华哲学的批评是"不可持处"——本身就有矛盾,不可能落实到生活实践中。但由此也反映出王国维对人生哲学原本有着"持处"和实践的期望,他并未摆脱"知行合一"的传统规范,与叔本华在当时激动人心的德国解放战争中无动于衷不同,王国维始终有着入世的关切,时代的风暴不时冲击着他那宁静的书房。就其把悲观主义哲学彻底落实到伦理实践中而言,王国维比叔本华更是一个叔本华主义者。

尽管迟了 30 年才得到承认,但叔本华是 19 世纪当之无愧的大哲学家。奇怪的是,开始狂热信奉叔本华的人,后来都背叛了他。叔本华对西方的影响,主要是参与改变了时代的精神氛围,至于重建形而上学、倡导人生解脱等具体学说,并未得到发扬光大。在此背景下,远在东方古国的王国维确实是叔本华一位难得的知音。现代中国思想史差不多是西方各种思想的轮番传播,但在救亡图存的压力下,纯粹的人生哲学输入较少,未能得到应有发展。与此相对的是随着传统社会秩序的瓦解,意义和价值的危机使人生问题空前严重,迫切需要人生哲学在社会

① 包尔生:《伦理学体系》,中国社会科学出版社 1988 年版,第 180 页。

政治哲学之外帮助解决那些仅仅属于个体存在的生命问题,这个要求不能满足,结果一方面是悲观主义盛行,另一方面是传统文化观念在社会政治层面受到猛烈批判的同时,却在人生哲学方面保留了一些地盘,现代新儒家就是从生命意义、存在价值等方面人手"返本开新"的。叔本华哲学之所以为一部分人所接受,也部分地由于它可以和老庄、佛教等传统人生哲学相互解释。王国维悲剧的意义在于:巨大的社会变革需要相应的人生哲学,而重新沟通知识和价值是确立现代中国人生理想的基本前提。

当然,这样说也并不意味着王国维的悲剧是叔本华哲学在现代中国的必然命运。在王国维放弃哲学之后,20 世纪另一位哲学家、诗人宗白华在 1917 年的处女作《萧彭浩(即叔本华——引按)哲学大意》一文中,再一次向中国读者介绍叔本华;1919 年又在《说人生》中赞扬叔本华"以天才之笔,写地狱现象",俨然是王国维第二,他有一句座右铭:"拿叔本华眼睛看世界,拿歌德的精神做人"。① 世界如同地狱,但叔本华教会他在审美中把握人生的意义:

> 我生命的流/是琴弦上的音波/永远地绕住了松间的秋
> 星明月(《生命的流》)

> 绝代的天才/从人生的愁云中/织成万古诗歌(《诗人》)

> 生命的河/是深蓝色的夜流/映带着几点金色的星光
> (《生命的河》)

诗情、乐韵、星光、明月……,玲珑剔透,生机盎然,对前程充满新鲜的憧憬,对人生自我觉醒式的探索,错愕而不困惑,忧郁而不

---

① 宗白华:《美学与艺境》,人民出版社 1987 年版,第 173 页。

悲观,《流云小诗》始终洋溢着春天的、浪漫的气息,与《人间词》中年的、深秋的抒怀恰成对照。如果说前者是刚刚从传统社会母胎中挣脱出来的少年对新世界的敏感和礼赞,那么后者则是饱历沧桑的旧时代人在扰攘新时代里的悲鸣和挽歌。同一个叔本华,在同一社会环境中依然可以有完全不同的形象,这只能证明,自杀是王国维自己的人生抉择。

结　语

蔡元培和冯友兰都认为王国维是有哲学头脑的人,然而,与《人间词话》持续几十年引发兴盛不衰的学术讨论相反,王国维的哲学一直没有得到应有重视。只是,王国维的名字可以不提,但他提出的问题却依然缠绕着人们,这正是思想史的逻辑。著名的"科玄论战"就可以在"可爱"与"可信"的对峙中发现端倪。科学有经验的可信,但如果把它意识形态化,推演到人生观方面,则等于把活泼泼的人僵化为物,绝无"可爱"之处;但玄学派无视科学对人类生活的巨大影响,又夸大了人生问题的非主体性,使之成为神秘的直觉,没有任何"可信"的标准。他们各执一端,相互辩难,把王国维那里引而未发的心理紧张演变成一场激烈的文化论争。最后得胜的是科学派,它以一种确定的信仰来消除旧秩序崩溃以后人们必然产生的焦虑和不安,满足了社会心理的需求。严格地讲,科学在此已不只是一种方法、一些学科,而是一种意识形态。尽管科学派统一知识和价值的是现代"科学"而非传统的道德理想,但它仍然沿袭了传统的一元论整合的思维模式。本文认为,把科学方法当做到处可用的科学主义式的意识形态实际上远不如王国维分离"可爱"与"可信"

那样更有哲学意义和现代色彩。因而现代中国哲学的有效展开,重要的一环是消化王国维,这个至死也拖着一根辫子的文化遗民,今天和今后都值得深入研究。

(原载《社会科学战线》1993 年第 2 期)

阐旧邦以辅新命　极高明而道中庸

——冯友兰先生哲学探索历程述评

张　跃

　　在中国现代思想文化界,冯友兰先生是公认的哲学大师。在 20 世纪二三十年代,他撰写了被誉为"里程碑"的两卷本《中国哲学史》,开创了科学研究中国哲学史的格局。在 20 世纪三四十年代,出于对民族危机的深刻感受,他建立了"新理学"体系,以其融会中西、体大思精,成为当时中国最负盛名的哲学家。1949 年以后,在社会巨变的旋流中,冯先生重新探寻安身立命之道。一方面作为历次政治运动的靶子,在很长一段时间里不得不在批判和自我批判中过日子;另一方面,又满怀报国之心,总想用自己的学术成就使社会进步。直到九十多岁高龄,他仍在潜心思考,勉力写作,终于在临终前完成了七册巨著《中国哲学史新编》。1990 年 11 月 26 日,冯先生不幸与世长辞了,但他在七十余年的哲学和哲学史研究中,以缜密的思辨和深刻的历史洞察力,给我们留下了大量宝贵的精神遗产。今天我们了解冯先生的思想和经历,可以使我们更好地继承他留下的遗产,或许还有助于从一个独特的视角把握 20 世纪中国社会变迁的意义。

一、面对中西文化冲突

鸦片战争以后,中国的进步人士越来越明确地认识到,应该向西方学习,使中国尽快近代化。然而如何在引进西方文明的同时,使中国固有的文化传统得以延续,则是一个长期未得到解决的课题。中西文化在价值观上的巨大差异,导致社会在观念形态上的激烈冲突,五四运动时这种冲突达到极点,并对后来中国思想文化的发展产生深远影响。正是在这样的背景下,冯友兰先生形成了他的早期生活轨迹,开始了他的学术生涯。

冯友兰,字芝生,1895 年 12 月 4 日生于河南省唐河县一个士绅家庭。父亲为光绪戊戌(1898 年)科进士,曾任职武昌著名的新式学校"方言学堂",1908 年病殁于湖北崇阳县知县任上。冯友兰先生随寓湖北,"幼承庭训",打下了深厚的中学基础,同时由于当时当地的社会风气影响和家庭的开明,对所谓西学也有所涉猎。这就为他日后接受新式学校的正规教育做了准备。

1910 年,冯先生考入唐河县立高等小学,次年考入开封中州公学,1912 年夏转到武昌中华学校,年底又考入上海中国公学的大学预科。当时的中国公学完全是西学的天下,各门课程都用英文讲授,教科书也全是英文原版,这使冯先生学到了更多的新知识。在中国公学开设的课程中,冯先生对逻辑学特别感兴趣,深为其中讲述的思维形式的规律所吸引,因而"决心以后要学哲学"。①

---

① 《三松堂自序》,《三松堂全集》第一卷,河南人民出版社 1985 年版,第 185 页。

1915 年夏，冯先生从中国公学毕业，考入北京大学哲学系（当时称为哲学门），报名时曾有人劝他改报法科，说法科毕业生的出路好，但冯先生已立志学习哲学，所以最终还是选择了文科的哲学专业。冯先生在北大学习的三年，正是新文化运动发生和发展的时期。他初入北大时，北大基本上是一个封建主义占统治地位的学校。他从本系教授学习中国哲学史，也选修外系的中国文学和中国历史。虽然课程内容未超出封建时代的治学之道，但已使他大开眼界。他从中开始知道，"在八股、试帖诗和策论之外，还有真正的学问，这就像是进入了一个新的天地"。[①] 1917 年 1 月，蔡元培先生出任北京大学校长，聘任了陈独秀、李大钊等进步教授，提倡"学术第一"、"讲学自由"、"教授治校"和"兼容并包"，把北大改造成为新文化运动的中心。这是新文化运动深入发展的标志，也是中国大学教育的一次重大转折。这一重大变化引起了学风的转变，使当时北大的学生看到，在原来"那个新天地之外，还有一个更新的天地"，因而"觉得更上了一层楼"。[②] 冯先生后来回忆在美国留学的情况时说："我们这些北京大学毕业的和其他经过五四运动的人，同当时别的中国留学生显然有些不同，不同的是，对于中国的东西知道得比较多一点，对于中国政治和世界局势比较关心。"[③]

像当时一般的"好学深思之士"一样，冯先生也意识到，在北大三年所见识的两重"天地"是有矛盾的，但他不像大多数

① 《三松堂自序》，《三松堂全集》第一卷，河南人民出版社 1985 年版，第 187—188 页。
② 同上书，第 188 页。
③ 同上书，第 53 页。

人那样,把两者之间的矛盾简单地归结于中西文化的差异。1918 年冯先生从北大毕业后,回到开封。在担任省第一工业学校教员的同时,为响应五四运动,创办并主持了河南第一家宣传新文化的刊物《心声》。在发刊词中他写道:"本志之宗旨,在输入外界思潮,发表良心上之主张,以期打破社会上、教育上之老套,惊醒其迷梦,指示以前途之大路,而促其进步"。① 由此可见,他倾向于认为,那两重"天地"有高下之分,有先进和落后的不同。至于造成这种不同的根本原因是什么,中国如何才能正确地找到"前途之大路",则是当时冯先生百思不解的问题。这也是当时中国知识界众说纷纭、莫衷一是的中心议题。面对中西文化的冲突所带来的问题,冯先生决定辞家去国,到西方继续学习哲学和实地考察,寻求全面系统的解答。

1919 年,冯先生通过公费留学考试,年底到美国纽约,进入哥伦比亚大学研究院当研究生,师从著名的实用主义哲学家杜威、新实在论哲学家伍德布里奇和孟太格。在美国他更深地体会到西方的繁荣和中国的贫弱。经过一段时间的学习和认真思考,1921 年他写了一篇哲学论文,题为《为什么中国没有科学——对中国哲学的历史及其结果的一种解释》。他认为,富强或贫弱的根源在于有没有近代自然科学,而有或没有近代自然科学则又为哲学的不同趋向所决定。受柏格森关于西方学术过于重物的说法启发,他指出:西方哲学重在对自然界的认识和改造,是向外的,所以终于产生近代科学,创造了先进的物质文

---

① 《三松堂自序》,《三松堂全集》第一卷,河南人民出版社 1985 年版,第 46 页。

明。中国哲学重在人的精神修养,是向内的,用不着科学,所以在物质文明方面慢了一步。① 把文化的差别视为东方与西方在某些方面相异的根源,这种观点当时很容易为人接受。此前不久,冯先生在纽约访问泰戈尔,在这一点上也颇为相合。

冯先生很快就觉出这种见解的局限性。通过对中西哲学史的深入了解,他进一步认识到,东西哲学有许多相通的观念,"向来认为是东方哲学的东西在西方哲学史里也有,向来认为是西方哲学的东西在东方哲学史里也有",因为"人类有相同的本性,也有相同的人生问题"。② 以此观点为主题,冯先生完成他的博士论文《天人损益论》(在中国出版时易名为《人生理想之比较研究》,后又补入《一种人生观》,被列入高中教科书,题为《人生哲学》)。在论文中他列举了中外十个重要哲学派别的思想,把古今中外的人生哲学归纳为损道、益道和中道,指出:损道偏于"天然",益道重在"人为",两者各有所见,也各有所蔽。中道则主张"人为辅助天然",把两者统一起来。这篇论文有两个显著特点,一个是强烈的理性精神,再一个是对中道哲学的偏爱。这两点对于他日后接着宋明理学建立自己的哲学体系,有重要影响。

通过博士论文答辩后,冯先生放弃了博士后研究的机会,也未等到学位授予仪式的举行,即按照事先的约定,于1923年夏动身回国,来到河南开封,担任正缺师资的中州大学哲学系教授兼文科主任。当时冯先生面前有两条路,一条是从政,

---

① 参见《三松堂学术文集》,北京大学出版社1984年版,第23—59页。
② 《三松堂自序》,《三松堂全集》第一卷,河南人民出版社1985年版,第338页。

这种机会不是没有的。1924年第一次国共合作初期,冯先生就被推选为国民党河南省党部的第一届候补执委,后又递补为执委。同时也不断有朋友约请他到别处做事。另一条是致力于学术研究和人才培养。他选择了后一条路。为了获得较好的研究条件,他决定到当时中国学术文化的中心——北京去。1926年下半年,他先到广州的广东大学教了一学期的课,实地考察国民革命的中心。第二年年初转到北京,担任燕京大学哲学系教授。

冯先生在学术方面的志愿本来是向中国介绍西方哲学。在美留学时就曾在国内刊物上发表过《柏格森的哲学方法》、《评柏格森的〈心力〉》,还介绍过桑塔耶纳的思想。回国后又翻译了《赫拉颉利图斯残句》,撰写了《柏拉图哲学略述》、《欧洲十八及十九世纪思想之比较》和《孟特叩论共相》等。可是在燕京大学,他却被指派担任中国哲学史的课程。开始他觉得这项工作对于实现他的学术初衷是一个负担。深入进去以后却发现,要解决现代中国的文化矛盾,离不开对中国哲学的理解和发掘,在这一领域里是可以大有作为的。

冯先生曾说:"我生活在不同文化矛盾冲突的时代。我所要回答的问题是如何理解这种矛盾冲突的性质;如何适当地处理这种冲突,解决这种矛盾;又如何在这种矛盾冲突中使自己与之相适应。"①出于这种强烈的使命感,20世纪一二十年代冯先生经历了多次人生选择,终于找到了自己的"安身立命之地"——在时代的新高度继承和发扬中国哲学。

---

① 《三松堂自序》,《三松堂全集》第一卷,河南人民出版社1985年版,第338页。

二、从"照着讲"到"接着讲"

冯先生说过,哲学工作有两种。一种是"照着讲",即讲别人的哲学,这是哲学史家的任务;另一种是"接着讲",即在了解前人哲学的基础上,建立自己的哲学体系,这是哲学家的任务。从 20 世纪 20 年代末到 20 世纪 40 年代中期,冯先生先后做了这两样工作。

1927 年冯先生在燕京大学时开始研究和讲授中国哲学史。1928 年 9 月到清华大学任哲学系教授后,继续从事这方面的工作。这期间他开始撰写两卷本《中国哲学史》,费时五六年才告完成。

当时流行的中国哲学史著作很少,除了编译自日文的几种外,主要就是胡适的《中国古代哲学史大纲》(上册)。冯先生的两卷本与当时一般的哲学史著作有一个显著的不同,就是试图透过复杂纷纭的历史现象,"用客观的社会原因,说明中国哲学史的发展和变化"。[①] 他认为,中国历史上有两个社会大转变的时代,"于其时政治制度、社会组织及经济制度,皆有根本的改变"。[②] 第一个时代自春秋至汉初,随着井田制的破坏,"农奴及商人在经济上之势力,日益增长,故贵族政治破坏,而'王制灭','礼法堕'"。[③] 在这种情况下,原来为贵族服务的"士"流入民间,形成不同的学派,为不同的"时君世主"服务,因而出现

---

① 《四十年的回顾》,科学出版社 1959 年版,第 23 页。
② 《中国哲学史》上册,中华书局 1984 年版,第 30 页。
③ 同上书,第 34—35 页。

了百家争鸣的繁荣局面。冯先生名之为"子学时代"。到了汉代，随着大一统的巩固，客观上要求定思想于一尊，于是反映封建时代僵化停滞特点的经学就取代了子学。到清代后期，"中国与西洋交通后"，又出现了"极新的环境"，这是第二个大转变的时代，"为适应环境之需要"，人的思想也应改变。这是冯先生受唯物史观影响，对中国哲学史研究的一个重要贡献，在当时颇使人耳目一新。

冯先生的两卷本的另一大贡献，是变"疑古"为"释古"。五四运动时期，钱玄同、胡适等人开始提倡"疑古"精神，冲击封建经典的神圣地位，批判旧学者的泥古不化，可有时话说过了头。例如，胡适认为，《六经》除《诗经》外都是伪作，诸子"差不多没有一部是完全可靠的"。这样一来，中国哲学史可讲的就不多了。冯先生认为，既不能盲目信古，也不能一味疑古，而应辩证地对待史料，这就是释古。他指出，对于研究哲学史的人来说，伪书未必无价值，真书未必有价值，关键在其内容。有些真正有思想价值的书，尽管是伪作，但只要确定了成书的年代，就可视为那个时代的思想资料。对《列子》这部书，他就是照这个原则处理的，他的释古后来得到了普遍的认可。

冯先生有一个特别的长处，就是善于运用西方哲学的逻辑分析方法，一层层地解剖中国哲学的概念、命题，把"没有形式上的系统"的乱麻理成秩序井然的思想体系，使其现出"实质上的系统"。在两卷本中，他的这个长处表现得极为充分，并以此解决了一些含糊不清的重要问题。例如，过去人们往往笼统地把先秦名家概括为"坚白同异之辩"。冯先生以深入的分析，指出：先秦名家实有二大派，一派以惠施为代表，主张"合同异"；另一派以公孙龙为代表，主张"离坚白"。再者，人们一直把北宋二程统称为"程门"。冯先生则指出：两者的思想是不同的。程颢是"以后心学的先驱"，程颐是"以后理学的先驱"。这类孤发先明之见，大大增加了两卷本的学术价值。

两卷本《中国哲学史》问世后，人们多拿它与胡适的《中国古代哲学史大纲》相比较，认为《中国哲学史》大大超过了《中国古代哲学史大纲》。今天看来，这两部著作各有其时代意义。《中国古代哲学史大纲》问世于新文化运动，是中国第一部以现代学术眼光研究哲学史的著作，有创始之功。《中国哲学史》则在更高的水平上全面开创了中国哲学史的现代研究格局，使中哲史真正成为一个独立的学科。尽管两卷本有一些失当之处，也不再作为教科书流传（国外仍有用此教材的），但在当时，它确实代表了中国哲学史研究的最高成果，影响了不止一代的学者，而且也为冯先生创立自己的哲学体系积累了材料。

完成《中国哲学史》的写作后，冯先生利用休假一年的机会，前往欧洲游历。1933 年夏出国，先后到过意大利、英国、法国、德国、瑞士、捷克等国。为了了解十月革命的情况，也曾去苏联旅游。他在英国停留的时间最长，除了应邀到十几所大学讲学外，还认真考察了英国社会的情况。在这个产业革命的发源地，他对工业文明的巨大成就及其社会意义有深刻的感受。后来写《新事论》时，他用理论的方式表达了这一感受。同时他对英国人既善于保护传统又注意加之以新的内容和做法很赞赏，称之为"旧瓶装新酒"，认为这是解决传统与现实矛盾的好办法。

在欧洲期间，他考察了西方的现代文明，比较了两种不同的社会制度，形成了一些新想法，1934 年 10 月回国后，他在几次讲演中谈了他的新想法。一次讲在苏联的见闻，指出苏联既不是人间地狱,也不是天国乐园。他所讲的与当时官方所宣传的迥然不同,一般人更容易相信像他这样没有政治色彩的人所讲的情况。在另一次题为《秦汉历史哲学》的讲演中,他借总结汉人的历史哲学,阐述生产力决定生产关系、经济基础决定上层建筑的唯物史观。他强调,社会的发展变化不依人的意志为转移,生产力发展到一定水平,必定引起经济制度的改变,社会的上层建筑"也一定跟着要变"。听了讲演的人都感到"冯先生变了"。

冯先生的讲演遭到了当局的嫉恨,特务秘密逮捕了他。消息传出,引起了社会震动。经多方营救,他很快获释。经过这一事件,冯先生被迫回到了书斋,但他并未消沉,他仍要努力实现自己在哲学上的抱负。在《中国哲学史》的结尾处他曾写道:"此新时代之思想家,尚无卓然能自成一系统者。故此时代之中国哲学史,尚在创造之中"。当时他就已经不满足于只做一名哲学史家,专讲别人的哲学。1932 年他发表了几篇《新对话》,开始提出自己的哲学观点。从欧洲回来后,他又开始了系统思考。

1937 年抗战爆发,冯先生随清华南渡至长沙,加入西南联合大学,以后又撤到昆明。在民族危亡的关头,冯先生怀一腔爱国之情,以一个真正哲学家的宏大气魄加紧进行哲学创作。他要在继承传统的同时,用新的哲学体系体现时代的发展,振兴民族精神,推动抗战胜利,促进国家重建。他用了八年时间先后撰写了《新理学》(1939 年出版)、《新事论》(1940 年)、《新世训》(1940 年)、《新原人》(1943 年)、《新原道》(1944 年)、《新知言》(1946 年),这六部书统称为"贞元之际所著书",或称为"贞元六书",取《周易》"贞下起元"之义,寄托对抗战胜利和中国再度富强昌盛的希望。

在六部书中,《新理学》是冯先生"新理学"体系的总纲,探讨了关于自然、社会和理想人格的普遍性问题。其核心是一般与特殊、共相与殊相的关系问题,冯先生认为这是哲学的根本问题。《新事论》把《新理学》对体用关系的认识应用于现实社会,以社会生产方式为体,政治、文化等上层建筑为用,强调体改变了,用也要跟着改变,并指出:中国的紧要任务是工农业的现代化,即把以家庭为本位的自然经济改造成以社会为本位的现代经济形态,这是人类在一定发展阶段上的"共相"。《新世训》主要讲处理现实的社会关系的态度和方法。《新原人》提出了人生的四种精神境界。指出人类有四种层次不同的境界,即自然境界、功利境界、道德境界和天地境界。哲学的目的和作用是使人最终达到最高层次的天地境界,在日常生活中体验到生命的永恒意义,与天地同流,与宇宙同在。这也就是中国传统哲学中所说的"极高明而道中庸"。《新原道》则以"极高明而道中庸"为线索,勾画中国历代哲学反思内圣外王之道的历程,以此说明"新理学"确是接着中国传统哲学的发展路子而出现的新体系。《新知言》是"新理学"体系的方法论,其主要意思是:哲学的一些基本概念不可思议、不可言说,无法用正的方法(逻辑分析法)得出;但可通过负的方法,即懂得为什么不可思议、不可言说,而有更深刻的了解。上述六部书讨论了中国现代文化发展的几乎所有大问题,构成了完整的体系。

冯先生的哲学在肯定事物存在客观性的基础上,把统一的客观世界区分为两个基本方面:一个是多样的实际事物,即殊相;另一个是事物中蕴涵的规定性,即共相,也即规定某事物为某一类的固然之理。事物之间有不同的规定性,所以有不同质的类。事物的类又有不同层次,其最高层次是"实际",相对于

"实际"的称为"真际"。"实际"表明有事物实际存在,"真际"表明其存在有存在之理。人们在认识客观世界时,可以感觉到具体的事物,但无法感觉到事物的存在之理,即其共相。这就要用抽象思维的方式,靠逻辑分析得来。因此,"哲学对于真际,有所肯定,而不特别对于实际,有所肯定"。①

冯先生不止于对于共相和殊相的一般意义的探讨,而是将其引向对于人生意义的认识。他认为,一个完整的哲学必须能够说明个人与其周围各方面的关系,以及如何处理好这些关系,要做到这一点,就必须以纯粹的共相作为思考的对象,"以心静观真际"。这"可使我们对于真际,有一番理智底,同情底了解。对于真际之理智底了解,可以作为讲'人道'之根据。对于真际之同情底了解,可以作为入'圣域'之门路"。② 由观"真际"而在思维中把握宇宙大全,达到"完全觉解",就可以在有限的时空中体验到宇宙人生的永恒,在精神生活上进入"天地境界"。有"天地境界"的人不必做什么特别的事情,他的生活就是普通人的生活,但对于他来说,这样的生活已经有了与一般人完全不同的意义。过这样生活的人才能真正体会到人性的解放自由的"至乐"。这是冯先生为"极高明道中庸"所立的新义。"高明"指人对宇宙的完全觉解和人生的最高精神境界,"中庸"指日常生活。两者的统一就是中国传统哲学中所说的"内圣外王之道",也就是超越了自然和人类界限的"天人合一"。

冯先生的哲学体系提出后,引起了广泛的注意和争论,有赞

---

① 《新理学》,《三松堂全集》第四卷,河南人民出版社 1986 年版,第 14 页。

② 同上书,第 15 页。

成的,也有批评和疑问的,有人说他讲的是旧思想、旧道德,也有人说他讲的"不是先儒的意思"。有人批评他,"同情于唯物论",也有人指责他是客观唯心论。有人赞扬他写了"空前好的书",也有人斥责他"毒害青年"。这些议论从不同的侧面反映了冯友兰哲学在当时的影响。用贺麟先生当时的话说:冯先生建立"新理学"体系,"使他成为抗战期中,中国影响最广、声名最大的哲学家"。①

贺先生说的是当时的实际情况。现在我们可再补充一点。近代以来,西学东渐。在西方哲学的冲击下,中国传统哲学能否跨入新的时代,重新焕发出活力,这是中国哲学界共同关心的问题。新文化运动以后,随着文化讨论的深入,中西哲学融合已成必然趋势。在20世纪三四十年代,终于出现了三位建立了完整的哲学体系的哲学大师,熊十力、金岳霖和冯友兰。其中熊先生的哲学以中学为主,西学较少;金先生的哲学以西学为主,中学较少;而在冯先生那里,中学和西学并无偏重,他比较完整地融合了中国传统哲学和西方哲学中的理性主义,使中国哲学传统中的理性精神得以显扬。这是独具特色的。从中国现代哲学的这一发展脉络看,冯友兰哲学确实是中国现代哲学史上的一座高峰。

在冯友兰先生的一生中,20世纪20年代后期到20世纪40年代中期,是他成就最大的阶段。他从"照着讲"到"接着讲",为中国文化及其哲学的发展倾注了全部心血。他这样做的动力来自他对祖国的深厚感情和对中华民族将自立于世界先进民族之林的殷切希望。他深信:"真正底'中国人'已造成过去底伟

---

① 贺麟:《五十年来的中国哲学》,辽宁教育出版社1989年版,第33页。

大底中国。这些'中国人'将要造成一个新中国。在任何方面，比世界上任何一国，都有过无不及"。① 为此他努力"保持旧邦的同一性和个性，而又同时促进实现新命"。② 人们或可以不赞成他的观点，甚至完全否定他的哲学体系，但对于他的努力所体现出的精神，每一个有良知的中国人都应该由衷地表示钦敬。

三、"道术多迁变"

经过八年艰苦的哲学创作，冯先生完成了他的思想体系，同时也迎来了抗战的胜利。他和当时大多数知识分子一样，希望保持抗战中振奋起来的民族精神，同心同德，建设一个富强民主的新中国。然而社会现实的发展使他很失望。他意识到，社会矛盾将会越来越激化。恰在此时，他接到了赴美讲学的邀请。1946 年 8 月，在内战的紧锣密鼓中，他前往美国，暂时离开了"是非之地"。

到美国后，冯先生在宾夕法尼亚大学讲授中国哲学史。他用英文写了一部讲稿，内容取自他的两卷本，但有些观点和论述更为深刻精当。1948 年在美出版，题名《中国哲学小史》(1984年北京大学出版社出版了中译本)。

在美期间，冯先生最关心的就是国内时局的发展。从 1947年起，国内形势急速变化，国民党失败已成定局。在这种情况下，冯先生的一些好友劝他选择美国为长期居留地，也有些学校

---

① 《新事论》，《全集》第四卷第 365 页。
② 《三松堂自序》，《三松堂全集》第一卷，河南人民出版社 1985 年版，第343 页。

要给他发聘书。他则表示，"俄国革命以后，有些俄国人跑到中国居留，称为'白俄'。我决不当'白华'。解放军越是胜利，我越是要赶回去，怕的是全中国解放了，中美交通断绝"。[①] 这时的冯先生对共产党所知甚少，他的态度是："无论什么党派当权，只要它能把中国治理好，我都拥护。"他还相信："共产党当了权，也还是要建设中国的，知识分子还是有用的。"[②]他怕走晚了，回不成国，失去为国家建设尽力的机会。因此，他谢绝了一些地方的邀请，于1948年初回国。出美国海关时，他主动交还了美国的永久居留签证。

1948年12月初，北平已处于解放军的包围之中。这时南京政府派飞机来接北平的知名学者，冯先生坚决不走。因校长南去，冯先生又被推举为校务会议临时主席，处理日常事务。在他的主持下，学校的机构照常运转，秩序井然，学校的财产得到保护，安然度过了国共双方都无暇顾及的一段时间，把著名学府清华大学完整地保存下来，交给来接收的北平军管会。

解放后，冯先生辞去了清华大学的领导职务，只任哲学系教授。1952年院系调整，他又转到北京大学哲学系任教，当时被定为四级教授，1954年改评为一级教授。冯先生看到，在共产党领导下，短短几年中迅速稳定了物价，清理了社会垃圾，全面恢复了生产，提高了人民的生活水平。经历过清末和民国的冯先生，感受到新旧社会的鲜明对比，自然相信这个社会将变得更好。同时他还有一个更深的感受，就是中国人站起来了。过去

---

① 《三松堂自序》，《三松堂全集》第一卷，河南人民出版社1985年版，第117页。
② 同上书，第119页。

上海黄埔公园门口挂着"华人与狗不得入内"的牌子,是世人皆知的。冯先生早年在美国留学时,亲眼看见许多歧视中国人的现象,有的店铺拒不接待华人,有些房屋上写着不出租给华人,还有人在街上对着华人叫骂"Chinaman(支那佬)"。冯先生等一大批知识分子之所以放弃国外的优裕生活而回国,就是要尽力使祖国走向繁荣。他们觉得这个愿望在新社会可以实现了。

海内升平和国家富强,是中国历代知识分子梦寐以求的社会理想。20世纪50年代,绝大多数从旧社会过来的知识分子感到他们的理想有希望成为现实,因而在政治上衷心拥护共产党的领导,赞成搞社会主义。冯先生也是如此。他当时不计较个人的进退得失,积极参加土改,自觉学习马克思主义,努力使自己适应新社会的要求。

冯先生当时在政治上的变化是自觉自愿的,他在哲学和学术思想方面也有变化,却颇为曲折痛苦。在解放后的思想战线,冯友兰先生是大批判的靶子之一。1950年哲学界即发动了对"新理学"的批判,冯先生写了《"新理学"底自我检讨》等三篇文章,检讨自己的哲学。1955年学术界批判胡适、梁漱溟时,又捎带批判冯先生,他写了《从批判胡适到自我批判》。1959年,哲学界再度批判"新理学",冯先生又发表了自我批判的文章《新理学原形》,同时撰写了《四十年的回顾》一书,对自己从20世纪20年代到20世纪40年代的思想历程作全面批判。在极"左"的风气下,批判者往往不满意于冯先生从学术角度作出的自我修正,而要从政治上批判他的哲学思想。他不能辩解,只能靠给自己上纲上线过关。有时他也沉默以示反对。

在20世纪五六十年代,冯先生一方面觉得身处新社会,学术思想和观点应有改变;另一面这些思想和观点是经过长期的学术研究得来的,不是说改就改的。所以有时冯先生还是根据自己的一贯理解提出一些看法。1956 年"双百"方针提出后,冯先生先后发表了《中国哲学遗产底继承问题》和《再论中国哲学遗产底继承问题》。他说,"近几年来在中国哲学史的教学研究中,对中国古代哲学似乎是否定的太多了一些。否定的多了,可继承的遗产就少了。"①当时哲学界受苏联教条主义影响很深,把丰富多彩的哲学史看成两军对垒、阵营分明的斗争史,而且由于给大多数哲学家贴上了唯心主义的标签,所以哲学史的大部分内容是否定和批判。冯先生含蓄地批评了这种简单化、片面化的倾向,提出:应区分过去哲学命题的抽象意义和具体意义,其具体意义不必继承,抽象意义则是可以继承的。这种说法后来被称为"抽象继承法"。不久陈伯达就率先发难,硬说冯先生的主张是"企图经过某种形式保留中国历史上的唯心论体系,企图把中国封建时代统治阶级的一套道德都当作永恒不变的道德"。② 还有人指责冯先生为反对共产党提倡的批判继承而标新立异,是制造混乱。对这种强词夺理地"扣帽子"、"打棍子",除了自我批判外,是没有别的办法的。1958 年,冯先生提出:大学哲学系应该培养一些专门的理论工作者,他们的职业就是理论研究,不是做实际工作。这使他又遭到由陈伯达发动的批判。

解放以后,冯先生不再从事哲学创作,只参加中国哲学史的教学和研究。他曾想在学习马克思主义的基础上,以自己的心得,写一部新的《中国哲学史》。1949 年 10 月 5 日,他给毛泽东写信,表达了这个意思。同年 10 月 13 日,毛泽东亲笔回了一封

---

① 《光明日报》1957 年 1 月 7 日。
② 陈伯达:《批判的继承与新的探索》,《红旗》1957 年第 13 期。

信,表示欢迎冯先生"改正错误",但要他"以采取老实态度为宜"。① 后来由于种种客观的原因,冯先生只能按照流行的观点和方法写作。在20世纪五六十年代,先后出版了《中国哲学史论文初集》、《中国哲学史论文二集》、《中国哲学史史料学初稿》,以及《中国哲学史新编》的第一册和第二册。

1966年"文化大革命"发生,中断了冯先生写作《中国哲学史新编》的工作。后来社会上传言:毛泽东在一次会上提到冯友兰等学者的名字,并说这些人都是有用的。冯先生的处境才有所改变。此后又发生了批林批孔运动。一开始冯先生很紧张,因为他已尝过在大规模群众运动中作为批判对象的滋味。他以为,自己过去一直尊孔,所以这次一定会成为批判的靶子。可又一想:"我和群众一同批孔批尊孔,这不就没有问题了吗。"于是他也写了批判文章。发表后,受到毛泽东的肯定,也有很多人写信来表示支持。在上下的鼓励下,他又进一步对孔子作了全面否定。

从20世纪50年代到70年代,冯先生似乎一步步地放弃了自己原来的思想,这使许多了解他的过去的人,尤其是身居海外的学者,深感不解。1972年,一位毕业于清华哲学系的美籍华人学者回国访问时,向冯先生问起哲学思想变化的经过,冯先生以诗作答:"去日南边望北云(按指清华南渡未返),归时东国拜西邻(冯先生自注:其时日本田中首相访华)。若惊道术多迁变,请向兴亡事里寻。"这个回答看似简单,其实包含了很多的意思。

---

① 《三松堂自序》,《三松堂全集》第一卷,河南人民出版社1985年版,第147页。

四、晚年赋"新编"

打倒"四人帮"后,冯先生对自己作了深刻反思。他说:"一个学术工作者所应该写的就是他所想的。不是从什么地方抄来的,不是依傍什么样本摹画来的。"①这时他还牵挂一件大事,"那就是祖国的旧邦新命的命运,中华民族的前途"。② 于是他"重理旧业",决心再写一部中国哲学通史。当时他订了一个写作七册本《中国哲学史新编》(以下简称《新编》)的计划。

重写的《新编》第一册完成于1980年,出版于1982年。其中收有一篇很长的全书"绪论"。在这篇"绪论"中,冯先生提出了对哲学和哲学史的一些基本看法,强调了"哲学的内容是人类精神的反思",指出"它的作用是锻炼、发展人的理论思维,丰富、发展人的精神境界"。③ 由于他的看法是自己反复思考的体会,所以引起了哲学界的广泛关注。重写的《新编》第二册完成于1983年,出版于1984年。第三册完成于1984年,出版于1985年。其中指出:董仲舒的春秋公羊学是为以汉朝为代表的封建社会制定一套上层建筑,为新出现的全中国封建社会的经济基础服务,因而有很大的积极意义。在当时这么说是需要勇气的。

在《新编》的写作过程中,冯先生逐渐摸索出一个写哲学史的方法。他认为,哲学的发展是在讨论一些真正的哲学问题的

---

① 《中国哲学史新编》第一册,人民出版社1982年版,第2页。
② 《三松堂自序》,《三松堂全集》第一卷,河南人民出版社1985年版,第183页。
③ 《中国哲学史新编》第一册,人民出版社1982年版,第28页。

过程中实现的,因此写哲学史就"要抓时代思潮,要抓思潮的主题,要说明这个主题是一个什么样的哲学问题"。① 在他看来,"每一个时代思潮都有一个真正的哲学问题成为讨论的中心,哲学史以讲清这个问题为要,不以堆积资料为高"。② 从第四册开始,冯先生有意识地照这个方法写作。第四册问世于1986年,主要讲魏晋玄学和隋唐佛学。由于用了新方法,"与两卷本的有关内容比较起来,材料没有加多,篇幅没加长,但是分析加深了"。③ 所以他觉得新方法有提纲挈领、提要勾玄之功。第五册完成于1986年底,出版于1988年,指出宋明道学在批判、融合佛学和玄学之后,使中国封建哲学发展到新的高峰,因此曾推动中国封建社会的发展。第六册完成于1988年,1989年出版,内容是近代变法。其中心意思是:鸦片战争后,中国的大门被迫打开,中国历史又进入一个大转变的时代。这个时代的主题是"以夷为师",使中国由中世纪进为近代文明。在此过程中,进步人士对向西方学习的认识不断深化,由学兵器到学宗教,到学工业科技,到学政治维新,戊戌变法是其高潮。变法的失败说明改良的路不通,流血革命不可避免,近代变法就转向现代革命。第七册的内容就是现代革命。

冯先生制订《新编》的写作计划时,已经年过八十。以这样的高龄,本应颐养天年。况且他已经有了"两卷本"和"贞元六书"那样的大作品。一个学者一生中只要能写出一种那样的著作,就可以成为一代名家了。可冯先生却立志重写一部中国哲

---

① 《中国哲学史新编》第四册,人民出版社1986年版,第2页。
② 《中国哲学史新编》第五册,人民出版社1988年版,第1页。
③ 《中国哲学史新编》第四册,人民出版社1986年版,第1页。

学通史,把中国哲学从传统到未来的来龙去脉讲清楚,把古典哲学中有永久价值的东西阐发出来,推动中国哲学的进一步发展,为振兴中华作出新的贡献。1982 年他在美国哥伦比亚大学接受名誉博士学位时表示过这个志愿。他在年复一年、月复一月、日复一日的漫长写作过程中实现着这个志愿。尽管在这期间,他经历了失去亲人的悲痛,又常常为各种疾病所缠扰,但他仍坚持了下来。由于视力逐渐全失,他只能听人念材料。他的听力又很差,可他却总是不厌其烦地一遍一遍地听。由于年高体弱,他只能每天上午工作,他力争不浪费这半天的每一分钟,甚至为了不因上厕所而中断工作,他上午几乎不喝水。这些年他从未休息过一个寒暑假。如果他有休息一段时间的时候,那一定是因劳累过度躺在医院的病床上了。就这样,他提出了一个又一个新见解,写出了一本又一本新著作。

1989 年下半年起,冯先生的身体状况日渐不佳,生病住院的次数也较以往多起来。这时他想的仍然不是延年益寿,而是如何加紧完成《新编》的最后一册。1990 年 4 月,第七册初稿写完,冯先生又勉强作了修改,终于在 7 月上旬定稿。这时冯先生已是心力交瘁。9 月 30 日冯先生又病重住院。亲友们都希望他能尽早康复,再回到他住了近四十年的燕南园 57 号寓所,再过一次生日。哲学界同仁也期待着 12 月 4 日聚会,庆祝他的九五华诞。可是这一次人们的愿望竟没有实现……

冯先生在晚年耳目渐失其聪明的情况下,终于写完了七册 150 万字的巨著,这是学术史上的奇迹。唐朝李商隐有两句诗:"春蚕到死丝方尽,蜡炬成灰泪始干"。冯先生曾用这两句诗表示自己写作《中国哲学史新编》的决心,这两句诗也确实是冯先生的写照。

冯先生探索哲学的旅程长达七十余年。"这个旅程充满了希望和失望,成功和失败,被人理解和被人误解,有时受到赞扬和往往受到谴责"。① 他从来是成功而不故步自封,失败而不沮丧委靡。

冯先生终生努力不懈,与他在哲学上的体验和追求分不开。1933 年他为两卷本《中国哲学史》作的自序中引了北宋张载的四句话:"为天地立心,为生民立命,为往圣继绝学,为万世开太平"。接着说,这是"吾一切先哲著书立说之宗旨。无论其派别为何,而其言之字里行间,皆有此精神之弥漫"。他体会到,这四句话表达了中国古代大哲学家的崇高追求,体现了哲学工作的真正意义。1943 年他在为《新原人》写的自序中再引了这四句话,说:"此哲学家所应自期许者也。"他把这四句话看成是自己的追求。待到他完成《新编》时,他又在第七册的结尾引了这四句,并加引了《史记·孔子世家》赞语的四句:"'高山仰止,景行行止',虽不能至,然心向往之"。表示了他一生的信念和追求。

冯先生又曾把他的哲学工作及其追求用一副对联概括为:"阐旧邦以辅新命,极高明而道中庸"。前一句表现了他的历史使命感,说明他把个人的工作与国家民族的命运紧密联系在一起,要在新旧相续的时代作出哲学家应有的贡献。后一句说的是他对哲学的理解,表明他要反思人类精神生活,通过对宇宙、社会和人生的全面理解,在促进社会实现"新命"的过程中,积极而又平静自如地生活。这两者的统一,就使张载的四句话有

---

① 《三松堂自序》,《三松堂全集》第一卷,河南人民出版社 1985 年版,第343 页。

了新的时代意义。

中国哲学史有一优良的传统,即真正的哲学家总是力求其哲学与人格的一致。冯先生也是如此。他的哲学追求与人生理想是统一的,其中不仅有理念,还有真情实感和他对生活的态度。这也就是冯友兰先生留给我们的精神遗产。

(原载《社会科学战线》1992 年第 1 期)

阐幽探微　上下求索

——记哲学家逻辑学家金岳霖

宋　志　明

在今天,形式逻辑已成为每一所大学讲堂上极普通的一门必修课,人们对"判断"、"推理"、"三段论式"等字眼不再感到陌生。可是,在20世纪20年代的中国,却没有几个人弄得懂这门学问。北京大学哲学系初建时,竟聘不到一位能讲授逻辑学的教师,这门学问被视为畏途。有一位勇敢的开拓者,几经艰辛,终于把畏途化为坦途,他就是金岳霖教授。20世纪被哲学史家称为"分析的时代",分析哲学也是中国现代哲学论坛上的一支劲旅。率领这支劲旅驰骋奔腾的领袖就是金岳霖教授。他勤于思考,勇于创新,在中国学术界辛勤耕耘了半个多世纪。在本体论、认识论、逻辑学等领域均有重大的创获和建树。他沉潜在思维的底层,洞隐发微,每每有新的发现,为中国现代的学术宝库增添了许多瑰宝。他的一生,是清白正直的一生,是学术上独辟蹊径的一生,是不断进取、追求真理、锲而不舍的一生。

一、游学古今中外

金岳霖,字龙荪,1895 年 7 月 14 日生于湖南省长沙市一个官宦家庭。他的父亲是一位有维新思想的官员,热心投身于洋务运动。先在湖南为官,后调到边陲黑龙江省漠河金矿任总办,主持金矿开采事务。在一次沙俄军队入侵的战事中,他被掳到彼得堡,他经营的事业同洋务运动一样,半途夭折了。被释放后他带着惆怅返回故里长沙。

湖南是晚清维新思潮最活跃的省份之一,著名的资产阶级改革家、戊戌蒙难"六君子"之一的谭嗣同曾在湖南开办时务学堂,编辑出版《湖学新报》、《湘学报》,协助湖南巡抚陈宝箴筹办内河轮船、开矿、修铁路等新政。这样的思想氛围对金岳霖的成长自然有极大的影响,他自幼受到两个方面的教育:一方面,接受西学的濡染;另一方面,又接受传统文化的熏陶,他秉承家学渊源,熟悉四书五经,擅长做对联,常常与哥哥及其他小朋友在一起做对联,调侃取乐。他经常浏览报章杂志,从中汲取新知识。

1911 年,在辛亥革命的前夕,金岳霖以优异的成绩毕业于长沙雅礼中学。他离开家乡,考入北京刚刚创办的清华学堂(今清华大学的前身)。这是清政府外交部利用美国"退还庚款"办的一所学校,专门培养赴美留学的预备生。学制 8 年,毕业相当于大学一二年级,然后到美国大学插班读学士学位。金岳霖是清华学堂首批录取的学生。首批录取的学生共 468 名,程度参差不齐,只好分开来编班。其中五分之三编入中等科,五分之二编入高等科。金岳霖入学考试成绩较好,被编入高等科。

　　清华学堂(辛亥革命后改名清华学校)是按照美国教育模式办的学校。金岳霖在这里接受着典型的欧美式现代教育。为了适应将来出国学习的需要,他对英语的学习抓得很紧,每天用大量的时间进行读、听、写、译等练习,打下了良好的功底。此外,他还学习自然科学、社会科学以及所谓"人文科学",其中包括数学、物理、化学、政治、经济、美国史、英国文学、西方文化和第二外国语等课程。这样的知识结构为他后来从事哲学研究打下了良好的基础。金岳霖学习刻苦努力,头脑机敏,成绩优良。当时,他对逻辑学很感兴趣。中国有句谚语是"金钱如粪土,朋友值千金",意思是说,朋友之间的友谊比金钱还珍贵。对于这条谚语,大家经常引用,习以为常,没有发现有什么说不通的地方。有一天,金岳霖忽然对这条谚语发生了疑问。他发现,它在逻辑上经不起推敲,存在着明显的破绽,并不能说明友谊比金钱还珍贵。他分析说,若把这两句话当做前提,那么从中得出的结论应该是"朋友如粪土",刚好同大家通常理解的意思相反。因为"金钱"与"千金"可以视为同一个概念,既然"粪土"与"朋友"分别与这一概念等值,那么依据传递关系,"朋友"自然应与"粪土"等值。同学们听了他的分析,不能不表示由衷的佩服。从这件事可以看出,学生时代的金岳霖就表现出很高的逻辑天赋,他能够在别人感到没有问题的地方发现问题。

　　1914年,年仅19岁的金岳霖结束在清华的学习生活,越过浩瀚的太平洋,到美国宾西法尼亚大学求学,亲友们告诉他:美国是商人的世界,所以,到美国留学最好学习经商,掌握生财之道。听了亲友的劝告,他选学了经济学专业。学了一段时间,越来越觉得乏味,怎么也引不起兴趣来,只得改弦更张转学政治学。1917年他在宾西法尼亚大学本科毕业,获学士学位。此后,他又考入哥伦比亚大学研究院读研究生,继续学习政治学。学习的主要课程有比亚德著《美国宪法》、邓铃著《政治学说史》等。1918 年获硕士学位。1920 年他在邓铃教授的指导下,完成博士论文《论格林的政治思想》,顺利地通过毕业论文答辩,又拿到博士学位。英国学者格林,不仅是一位政治学家,而且也是一位哲学家,是位著名的新黑格尔主义者。金岳霖在研究格林的政治思想的过程中,不知不觉地对哲学产生越来越浓的兴趣,以至于不能自已。他的治学方向渐渐地由政治学转到哲学,同哲学结下不解之缘。拿到博士学位后,他对政治学反倒淡漠了。他不想成为一名政治家,而想成为一名哲学家。为了深入研究欧洲哲学,他离开美国,到英、法、德、意等国游学。他在《论道》一书的"绪论"中这样回顾自己在学习哲学时所经过的思想转变过程:

"我最初发生哲学上的兴趣是在民国八年底夏天。那时候我正在研究政治思想史,我在政治思想史底课程中碰着了 T·H·Green(格林)。我记得我头一次感觉到理智上的欣赏就是在那个时候,而在一两年之内,如果我能够说有点子思想的话,我底思想似乎是徘徊于所谓'唯心论'底道旁。民国十一年在伦敦念书,有两部书对于我的影响特别的大,一部是罗素底《Principles of Mathematics》(《数学原理》),一部是休谟底《Treatise》(《人性论》)。罗素底那本书我那时虽然不见得看得懂,然而它使我想到哲理之为哲理不一定要靠大题目,就是日常生活中所常用的概念也可以有很精深的分析,而此精深的分析也就是哲学。从此以后我注重分析,在思想上慢慢地与 Green(格林)分家。休谟底《Treatise》给我以洋洋大观的味道,尤其是他讨论因果的那几章。起先我总觉得他了不得,以后才发现他底毛病非常之多。虽然如此，他以流畅的文字讨论许多他自己所无法解决的问题，一方面表示他底出发点太窄，工具太不够用，任何类似的哲学都不能自圆其说，另一方面，也表示他虽然在一种思想底工具上自奉过于俭约的情况之下，仍然能够提许多的重大问题，作一种深刻的讨论，天才之高，又使我不能不敬服。"

金岳霖清晰地描绘出他思想变化的轨迹：最初比较欣赏格林的新黑格尔主义，可又无法接受格林的内在关系学说。告别格林后他转向罗素的分析哲学和休谟的经验论，尤其是休谟，更能博得他的敬意。不过，他很快发现休谟哲学也有问题。第一，休谟把因果律说成"习惯的联想"，无法解释因果律的必然性；第二，休谟回避知识的外在来源，无法担保知识的确实性；第三，休谟把知识仅仅归结为知觉，没有正确地说明概念在认识过程中的作用和地位，"思想底工具过于俭约"。

休谟哲学存在的问题像一把钥匙，打开了金岳霖哲学思维的心扉。这些问题长时间地困扰着他，使他陷入深沉而痛苦的思考之中。他终于冲破休谟经验论的樊篱，转向了穆尔和罗素的新实在论，找到了新的哲学天地。穆尔曾撰写《驳斥唯心主义》，发起有名的"反叛唯心主义"运动，在穆尔的影响下，金岳霖摆脱了格林新黑格尔主义思想的纠缠。他在《知识论》一书中批评"唯主出发方式"，对主观唯心主义的看法同穆尔大体相似；他还在《哲学评论》上发表《外在关系》一文，批评格林的内在关系说，表示赞成穆尔的外在关系说。当时哲学界的同行戏称金岳霖是"中国的穆尔"。金岳霖拜访过罗素，同他在一起交流学术思想，罗素的逻辑分析方法、摹状词理论、共相独立的观点对他的启发很大。新实在论对金岳霖的影响确实比任何哲学都大，不过，他并没有照搬照抄这种哲学。他是一位善于独立思考、具有原创力的哲学家,理论上有许多创新之处。贺麟先生在《当代中国哲学》一书中曾中肯地评论说:"金先生及冯先生虽多少受了些英、美现代新实在论的影响,然而他们主要的志趣,是在于自己创立哲学系统。"

金岳霖留学欧美十多年,可是从未忘掉自己的"根"。他十分关心中国传统文化的命运,很喜欢诗歌和绘画,对中国古典艺术有很高的鉴赏力,颇能领悟其中特有的韵味。北京大学邓叔存教授家里收藏许多中国画的珍品,金岳霖经常到邓先生家观赏、玩味,一饱眼福。在中国哲学家当中,他最喜欢庄子。他心目中的庄子既是一位大哲学家,又是一位大诗人。冯友兰先生同金岳霖在一起共事多年,他对金岳霖的评论是:"金先生的风度很像魏晋大玄学家嵇康","'越名教而任自然',天真烂漫,率性而行;思想清楚,逻辑性强,欣赏艺术,审美感高。"

1943 年,金岳霖用英文写了一篇论文,题目是《中国哲学》,自印成油印本,赠送同行,以文会友。这篇文章不算长,是他多年来研究中国哲学的心得,其中有许多精辟独到的见解。他认为,中国哲学的第一个特点是逻辑和认识论的意识不发达。"中国哲学没有打扮出理智的款式,也没有受到这种款式的累赘和闷气。"不过这并不影响中国哲学的原创精神。正因为中国哲学没有受到"理智款式"的限制,才特别适宜发挥独创力,形成生动活泼的风貌。中国哲学的第二个特点是倡导"天人合一"。所谓"天人合一",就是主体融入客体,或者客体融入主体,实现两者根本上同一。这是一种泯除一切差别、个人与宇宙不二的玄妙的精神境界。由于这一特点,使中国哲学没有像西方哲学那样把人与自然分隔开来,也没有导致"彰明昭著的人类中心论"。在中国哲学中,人与自然的关系是和谐的,而不是对立的。中国哲学的第三个特点是强调哲学与政治合一,强调个人不能离开社会而生活。中国哲学家往往集伦理、政治、反思与认识于一身,也就是同他的哲学合而为一。金岳霖认为这是中国哲学的优良传统,他指出,倘若"哲学家与哲学分离",那将会"改变了哲学的价值,使世界失去了绚丽的色彩"。

金岳霖对中国哲学的特点所作的概括是否恰当,我们姑且不论,但至少反映出他对中国哲学所采取的学术立场,他既不像国粹派那样盲目吹捧,也不像西化派那样鄙薄固有。他解析中国哲学抱着一个明确的目的,也就是努力探索中国哲学实现现代化的道路。他有意识地把哲学研究的重点放在逻辑学和认识论方面,显然有取西方哲学之长补中国哲学之短的用意,他极重视哲学的民族性,努力提炼中华民族的中坚思想,挖掘表现这一中坚思想的最崇高的理念,捕捉最基本的原动力。他主张,对于哲学的民族性,不仅要求得理智的了解,而且要求得情感的满足。这正是他从事哲学研究的重要指导思想。他在写作《论道》一书时,除自创创能、式等范畴外,大量地使用诸如道、无极、太极、几、数、理、势、情、性、体、用等中国哲学传统范畴。这使他的哲学表现出浓烈的中国味道。他把这种写法叫做"旧瓶装新酒",刻意追求传统与现代的融会贯通。

二、执 教 清 华

1925 年,金岳霖结束十几年的留学生活,回到自己的祖国。他被自己的母校清华大学聘为教授。从此开始了数十年的教书生涯。

他最初开设的课程是政治学和西方政治思想史。没过多久，讲逻辑学的赵元任教授因故不能再担任这门课的主讲了，校方请金岳霖接替赵元任的教职。金岳霖深知这不是好教的一门课程，况且自己也不是学逻辑学专业的，能行吗？心里没有底。尽管如此，他还是接受了这一教职。凭着他特有的逻辑学天赋，他开动脑筋，刻苦钻研，一边学一边教，居然顺利地完成了教学任务。他越教越感到兴味，竟深深地爱上了逻辑学专业。为了提高业务水平，他再次渡过太平洋，到美国哈佛大学进修。他在谢非教授的指导下，扎扎实实地钻研了一年逻辑学。

1926 年，金岳霖受校方委托组建清华大学哲学系。刚刚成立的哲学系只有他一名教授，也只招到了一名学生。一师一生，号称一系。金岳霖的开山弟子就是沈有鼎先生。他不负师望，后来也成为我国著名的逻辑学家。金岳霖为学生讲授西洋哲学和逻辑学，请梁启超先生讲授儒家哲学。直到 1929 年以前，金岳霖一直担任哲学系主任。后来他辞掉系主任职位，由冯友兰先生接任。但他始终是哲学系当之无愧的学术带头人。金岳霖在学术思想方面受穆尔和罗素的影响比较大，倾向于新实在论。他的设想是把清华大学哲学系办成"东方的剑桥学派"。在这一思想指导下，清华大学哲学系的确办出了自己独特的风格。清华大学哲学系和北京大学哲学系在解放前是中国两个最著名的哲学系。北京大学哲学系比较重视中外古典哲学，以"史"见长；清华大学哲学系比较重视现代哲学和创立新体系，以"论"行世。

在金岳霖等人的苦心经营下，清华大学哲学系已初具规模。在 1937 年清华大学举校南迁以前，哲学系的教师最多时有 11 人。除了金岳霖以外，担任教职的还有冯友兰、陈寅恪、邓以蛰、沈有鼎、张荫麟等著名的教授，北大哲学系教授贺麟也在清华大学哲学系兼职。学生最多时达到 19 人。在兵荒马乱、哲学备受冷落的年月里,能取得如此成绩,也是相当的不容易。为创办哲学系和培养更多的哲学人才,金岳霖真是做到了鞠躬尽瘁、全力以赴。他曾为本科生和研究生开设过哲学概论、知识论、形上学、西洋哲学、逻辑学、洛克哲学、休谟哲学、罗素哲学、康德哲学、哲学问题、数理逻辑等十几门课程。

金岳霖在清华大学享有很高的威望,被视为清华的"台柱子"之一。他担任过文学院院长,与理学院院长叶企孙、法学院院长陈岱孙齐名。叶企孙、陈岱孙的名字里都有一个"孙"字,金岳霖字龙荪,字中有一个"荪"字。这三个人都是清华的"台柱子",号称"清华三孙"。也许是精研政治学的缘故吧,金岳霖看透了旧中国政治的腐败与黑暗。他视名利官职如粪土,宁肯当一个清贫的教授,决不愿意混迹于官场。等哲学系办起来之后,他索性辞掉一切职务,抱定"为学术而学术"的宗旨,一心一意地搞他所热爱的学问。国民党政府几次拉拢他,他始终不肯下水。在"左"的思潮流行的时候,"为学术而学术"的口号被当做"白专道路"加以批判。对"为学术而学术"不加分析地一概加以否定是很不公正的,因为金岳霖这样做是针对当时"为当官而学术"的世风所发的,应当说是有进步意义的。他不屑与官僚政客、御用文人为伍,恰恰表现出他为人正直、廉洁清白的大家风范。

金岳霖在长期的教学生涯中,积累了丰富的教学经验。他是一位十分出色的教授。他讲课清晰明白,深入浅出。那些枯燥的理论一经他的口,竟变得生动有趣,引人入胜。同学们很愿意听他的课。他常常运用日常生活中的例子或成语典故解释难点、要点,使抽象的理论变得形象化、具体化,变得令人易于接受。有一次，他给学生讲"排中律"，他没有开口就讲定义、概念，而是闭上眼睛随便用手一指，对同学们说："这里或者是桌子，或者不是桌子。你们说我说的对不对？""对"，同学们齐声回答。课堂气氛一下子变得活跃起来。"为什么对呢？"同学们回答不出来了。金岳霖这才告诉大家："无论我指的是什么东西，'这里或者是桌子，或者不是桌子'这句话都能成立。如果此物是桌子，它不能同时不是桌子；如果此物不是桌子，它不能同时又是桌子，这就叫做'排中律'。"金岳霖喜欢动脑筋，拥有哲学家所独具的慧眼，从"没问题"处看出问题，从小问题中看出大道理。二郎庙的碑文中有一句："庙前有一树，人皆谓'树在庙前'，我独谓'庙在树后'。"人们读后往往一笑了之，认为"树在庙前"与"庙在树后"不过是同义反复而已。金岳霖却不这样看。他分析说，"树在庙前"是说树对于庙的关系；而"庙在树后"是说庙对于树的关系。在这两句话中，所强调的"关系者"不一样，不完全是同义反复。他认为这段碑文可以说是解释新实在论"外在关系"说的一个好例证。在《世说新语》上有这样一个故事：有一个人小时候很聪明，长大之后却没作出什么成绩。某君发感慨说："小时了了，大未必佳。"孔融嘲讽此君说："看你现在'不佳'，想必你小时一定'了了'。"金岳霖认为两个人的说法都不能成立。因为这两句话没有必然的逻辑联系：从"小时了了"不能得出"大未必佳"的结论，同样，从"大未必佳"也得不出"小时了了"的结论。由这两件小事可以看出，金岳霖的确具有很强的逻辑思维能力和理论分析能力。

金岳霖待人诚恳和善，深受广大师生的爱戴。他终生未婚，无家室之累，他的寓所便成了青年朋友们在一起聚会交谈的学术沙龙。每逢春节，他都要把尚未成家的青年教师请到自己的家中聚餐联欢,宛如一家人。大家戏称他是"我们的光棍司令"。

三、玄圃耕耘

金岳霖是中国现代哲学史上最活跃的哲学家之一。1927年,张东荪、瞿世英、黄子通等人组织了一个以研究哲学为主的"尚志学会",创办了《哲学评论》。后来中国哲学会接办了这个刊物,作为学会的会刊。《哲学评论》是旧中国哲学界理论水平最高的专刊,在上面能经常读到金岳霖的论文。在创刊初期,几乎每一期都有金岳霖的文章。他发表的重要论文有:《Prolegomena》、《论自相矛盾》、《同,等与经验》、《休谟知识论的批评》、《外在关系》、《知觉现象》、《A·E·L·O 的直接推论》、《势至原则》、《思想》、《$A_H E_H$ 的理解》等数十篇,在学术界影响很大。

《清华学报》也是金岳霖经常发表文章的论坛。在清华大学南迁之前,他在《清华学报》上发表的英文和中文论著有《Ineernaland External Relations》、《思想律与自相矛盾》、《释必然》、《不相融的逻辑系统》、《论学术论》等,每一篇都是金岳霖切磋琢磨,反复推敲的精心之作。

1935 年,旧中国哲学界成立了全国性学术组织中国哲学会。在第一届年会上,颇孚众望的金岳霖当选为学会理事。在第二、三、四届年会上又当选为常务理事。他与另两位常务理事冯友兰、贺麟一起,负责主持学会的日常工作。为卓有成效地开展学会的工作,金岳霖付出了许多精力。

1937 年,金岳霖积十几年的教学经验和研究心得,写成《逻辑》一书,公开出版。在这本书中,他从西方系统地引进演绎逻辑、数理逻辑，还提出了他本人关于逻辑学基本理论问题的看法。他在此书的"序言"中声明：归纳逻辑与演绎逻辑应当分开来讲述。本书只谈演绎逻辑，不谈归纳逻辑。《逻辑》一书由四个部分组成。第一部分的标题是"传统的演绎逻辑"。在这一部分里，金岳霖准确地介绍了概念论、直接推理、间接推理、三段论式等形式逻辑的基本知识。第二部分的标题是"对于传统逻辑的批评"。在这一部分，金岳霖把眼光一下子从传统推进到现代，站在逻辑学研究的最前沿回过头来反思传统逻辑的局限性。他指出，传统逻辑没有充分地形式化，各部分之间的联系也不够紧密，这些缺点有待进一步加以克服。第三部分的标题是"介绍一逻辑系统"。他详细地绍述刚刚问世不久的罗素系统的数理逻辑，把读者领入逻辑学的新天地。第四部分的标题是"关于逻辑系统之种种"。他论述了逻辑学研究中尚未解决的尖端问题，提出他自己关于解决逻辑哲学问题的一系列看法和设想。如果说前三部分主要是介绍逻辑学现成的成果和知识，那么这一部分却是金岳霖自己多年来潜心研究的心得。他提出许多原创性的逻辑哲学思想，引起国内外同行们的重视。

金岳霖自己对《逻辑》一书并不满意，尤其觉得第四部分有许多论点都没有展开。在他看来，这本书只不过是攀登逻辑学高峰的一个小小的台阶。平心而论，此书当然并不是尽善尽美，但它的确是中国人自己写的第一本高水平的逻辑学教科书。在金岳霖之前，严复、章士钊等人也零零碎碎地介绍过逻辑学知识，然而真正登堂入室，金岳霖却是第一人。正如有的研究者指出的那样，"金岳霖是当时能深入西方逻辑学堂奥的最具有阐释能力的中国哲学家。"《逻辑》一书被当时的教育部纳入"大学丛书"，许多高等学校都把此书当作权威的教材使用。

　　1937 年卢沟桥的炮声拉开了抗日战争的序幕。在日军铁蹄的蹂躏下,偌大的华北竟放不下一张平静的书桌。清华大学只得举校南迁。1939 年,清华、北大、南开三校组成西南联合大学,历经千辛万苦,总算暂时在昆明落了户。在西南联合大学期间,金岳霖的学术造诣进入了一个新的境界:他开始建立自己的哲学思想体系。在颠沛流离、资料缺乏、敌机不断袭扰的情况下,他克服重重困难,竟写成了《论道》一书,1940 年由商务印书馆出版。

　　金岳霖一反近代以来"经过认识论建构本体论"的思路,试图采取逻辑分析的方法建立本体论。他在《论道》一书中提出,现存世界是无观的本然世界,它不以任何生物类对它的认识与否为转移,是纯粹的独立存在。现存世界的本原是什么? 它如何形成? 它的内在联系是什么? 它遵循的规律是什么? 针对这样一系列问题,金岳霖提出以"道、式—能"为框架的本体论学说。他认为,现存世界不是由各种物体机械地堆积起来的总和,而是有规律的、不断运动着的发展过程。他把这个总的过程和总的规律叫做"道"。在他的本体论学说中,"道"是最高范畴,然而也是最抽象的范畴。仅用"道"这一个范畴还不能解释世界,于是,他对现存世界加以逻辑分析,又抽象出两种"最基本的分析成分":一个叫做"能",另一个叫做"式"。"能"是构成现存世界的必要条件。他强调,"能"是构成万物的材料,但不是电子一类的粒子。它不是任何"相",无法以语言表述它。有时金岳霖用"×"这一符号表示"能"。金岳霖所说的"能"有似于亚里士多德哲学中的质料,但它没有质的规定性,只是构成现实世界的逻辑起点。构成现实世界的另一个逻辑起点叫做"式"。"式"又叫做"可能"。他解释说:"这里所谓可能是可以有而不必有'能'的'架子'或'样式'，一部分是普通所谓空的概念，另一部分是普通所谓实的共相。""式"或"可能"是规范"能"的样式，它是"能"由潜在变为现实的充分条件。金岳霖所说的"式"有似于亚里士多德哲学中的形式，但更加抽象。金岳霖指出，仅靠"能"这一必要条件不能构成现存世界，仅靠"式"这一充分条件也不能构成现存世界，只有两者结合起来，才能构成现存世界。两者相结合的过程就是"道"。

金岳霖眼里的世界是一个动态的世界。"居式由能莫不为道"。"道"是他的本体论思想的核心。"无极是道，太极是道，无极而太极也是道；宇宙是道，天地日月山水土木也莫不是道。"这就是金岳霖的结论。金岳霖眼里的世界是一个有秩序的世界。他以逻辑学家的眼光透视宇宙，看到的是一谨严的逻辑结构。他强调宇宙的有序性，追求确定的知识，试图为科学研究提供坚实的哲学基础，这是他本体论中的积极因素。但他把概念之间的形式方面的逻辑联系看成客观世界的一般联系，却不能说不是理论上的失误。

金岳霖的本体论思想受亚里士多德影响较大，但也与之有别。他没有把理论重点放在形式方面。在他的本体论中，"道"不是一个分析的范畴，而是一个综合的范畴。由此来看更倾向于中国传统哲学。他强调说，"道"是浑然一体的境界，"万物一齐，孰短孰长，超形脱相，无人无我，生有自来，死而不已"。"道"虽然是抽象思维的产物，但也可以使人得到情感上的慰藉，"道"的境界也就是中国传统哲学常说的"天人合一"的神妙境界。这才是人之所以为人的安身立命之地。

《论道》是一部融贯中西哲学、立意宏远、体大思精的上乘之作，但因文字艰涩、索解为难，出版后竟如石沉大海。当时唯一表示意见的是北京大学哲学教授林宰平先生,他不同意金岳霖"新酒旧瓶"的提法,认为中国哲学不是"旧瓶",也无须装什么西洋的"新酒"。曲高和寡是暂时的现象,妙曲总会找到知音的。过了几年之后,学术界终于发现《论道》的理论价值。贺麟先生在《当代中国哲学》中肯定《论道》是一部最有独创性的玄学著作。"金先生以独创的且习于'用英文想'的元学思想,而又多少采取一些宋明理学的旧名词以表达之,往往增加理解的困难,而未能达到他所预期的感情的满足。"《论道》一书曾被当时的教育部评为优秀学术著作,获二等奖金 5000 元。

几乎在写作《论道》的同时,金岳霖就着手写《知识论》。这是一本关于认识问题的哲学专著。此书完稿后,正赶上敌机空袭。金岳霖匆匆忙忙地把稿子包好,带在身上,赶紧跑到昆明北边的蛇山躲避。他生怕稿子丢失,就坐在稿子上。万万没想到因一时紧张忙乱,竟出了问题。等警报解除后,金岳霖起身就走,却忘记了带书稿。等想起来回来找时,稿子早已不见踪影。就这样,几年来的心血付诸东流,他不能不感到痛苦万分。写在纸上的书稿虽不见了,可是心中的思想并没有丢。他决心从头干起。几十万字的东西重写出来谈何容易!他凭着一股锲而不舍的韧劲,又奋斗了几个春秋,到 1948 年底再一次将《知识论》一书写出来。

金岳霖这样概括《知识论》一书的基本思想:"本书底主旨是以经验之所得还治经验,或以得自官觉者还治官觉。知识者实在是以所与摹状所与,在多数所与中抽出意念以为标准,然后引用此标准于将来的所与,以为接受将来的所与底方式。"围绕这条主旨,金岳霖系统地论述了知识的来源、意念在知识形成过程中的作用等问题,构成客观主义的知识论学说体系。

金岳霖站在客观主义的立场上,认为外物是知识的来源。外物是独立的客观实在,不以认识者的认识与否为转移。他断言:"在实在主义的立场上,'有独立存在的外物'是一不可怀疑的命题。"接着,他进一步指出,知识者的感觉可以认识外界对象,认为"所与是客观的呈现"。他所说的"所与",是指感觉经验或经验材料。"所与"是把知识者同外物联系起来的可靠的桥梁,它的一头连着认识对象,另一头连着认识主体。通过所与,外界对象转化为认识的内容,这就是他的"所与是客观的呈现"这一命题的基本含义。金岳霖认为,"所与是知识底材料",感觉经验是"知识的大本营"。从外物到所与再到知识,这就是金岳霖关于知识来源问题的基本观点。

金岳霖认为,所与只是知识的来源,所与本身还不是知识。要使感性的所与上升到理性的知识,必须对它进行加工,他把这叫做"所与底收容与应付"。意念是收容与应付所与的主要工具。意念对所与的收容与应付表现在两个方面:一是"摹状",把所与之所呈现,符号化地安排于意念图案之中,使此所呈现得以保存或传达;一是"规律"(意即规范),以意念上的安排去等候或接受新的所与。这两种作用是相辅相成的。无规范不能摹状,因为摹状是意念上的安排,这种安排同时就是规范。反过来说,无摹状不能规范,因为离开摹状,意念太抽象,别人无法接受。向别人介绍新的意念免不了举例子,举例子就是摹状。

金岳霖所说的"意念"也就是我们现成所说的"概念"。他提出的关于概念双重作用的理论在哲学史上是有贡献的。他提出这一理论,是想解决休谟经验论解决不了的难题。他认为休谟的失败,就在于他只有"意象"而没有"意念",没有充分估计到概念在认识形成过程中的能动作用。他主张经验与理性兼重。"这两方面兼重,就表示我们不但注重经验,而且注重理性。说所与中本来有形形色色,这这那那,种种等等,就表示我们注重经验,官觉者得到意念底根据就是这些。说所与本来无'名',在官觉者以意念去接受所与之后,所与对于官觉者有意念上的秩序,就是说我们注重理性;我们实在是纳所与于意念结构之中,使所与对于官觉者得到一种条理化。"金岳霖力图辩证地看待所与意念、感性与理性的关系,把经验论与唯理论综合起来。由于他把意念看成凝固的认识结构,对概念的理解有些僵化,使他未能完全达到这一目标。但应当承认,他的知识论研究对于加强中国哲学的薄弱环节、推动思维方式的现代转换是有积极意义的。

《知识论》一书洋洋七十万言,迄今为止仍是中国人写的部头最大的哲学专著。这本书以理论分析见长,用冯友兰先生的话说,"《知识论》可以算作一部技术性很高的哲学专业著作"。金岳霖本人对这本书也非常重视。他自述:"《知识论》是我花精力最多、时间最长的一本书。"他把书稿交给商务印书馆,不久全国就解放了,未能如期出版。直到1983年,商务印书馆为纪念金岳霖从事哲学和逻辑学教学和研究56周年,才正式出版。《知识论》从写作到出版几经周折,正如他自己所说,真是一本"多灾多难的书"。

四、归宗马列

1948年12月15日,中国人民解放军接管清华大学。清华回到人民的怀抱,金岳霖从此也获得新的学术生命和政治生命。凭着一个正直的哲学家唯真理是从的良心,他毅然决然地改变自己几十年来形成的哲学信仰,尽弃前学,真诚地接受马克思主义哲学。

金岳霖解剖自己从前的唯心主义思想,十分严格,毫不留情。他的《对旧著"逻辑"一书的自我批判》诚恳地检讨从前学术思想上的错误,对自己的要求近乎苛刻。平心而论,他的自责确实有过火之处,这同他在解放初受"左"的思想的影响有关。但他绝不是违心地应付局面,以求过关。他勇于自我否定,正是他一贯追求真理的"逻辑必然"。亲炙于金岳霖门下的冯契教授回忆说,金岳霖即便在私下的谈话里,也屡屡表示自己从前的哲学体系远不如马克思主义哲学高明。可见,他服膺马克思主义哲学,完全是出以真心。

在旧社会过来的大学教授中,金岳霖进步的脚步迈得最快。1956年他光荣地加入中国共产党,终于找到了光明的归宿。

金岳霖很快从唯心主义大师转变为坚定的马克思主义理论家,但绝不是看风使舵、人云亦云的风派人物。他从未失掉自己的学术良心。他敢于接受真理,也敢于抵制错误。解放初期,一些从解放区过来的哲学理论工作者由于受苏联的影响,把形式逻辑当做形而上学一概加以否定,金岳霖坚决反对这种错误观点。他在理论学习会上多次发言,力陈形式逻辑与形而上学的区别,充分肯定形式逻辑的科学价值。许多人听了他的发言改变了原来的看法。20世纪50年代末60年代初,逻辑学界热烈讨论真实性与正确性的关系问题。周谷城等人认为,形式上的对错可以同内容上的真假分开来;只要形式上对,在逻辑上就是正确。沈秉元等人认为,真实性与正确性是一致的,形式上对、内容真才算逻辑上正确,这就是"分家说"与"一致说"的论争。据说,毛泽东同志当时是赞成分家说的。金岳霖也知道这个情况。但他坚信真理越辩越明，并不盲目地唯上是从。他坚持独立思考，没有简单地表态。经过反复琢磨，终于提出他的看法。他在《哲学研究》上发表《论真实性与正确性底统一》、《论"所以"》、《客观事物的确实性和形式逻辑的头三条基本思维规律》、《论推论形式的阶级性和必然性》等学术论文，阐述了自己的见解。他一针见血地指出，争论的双方都犯了混淆"那么"与"所以"的错误，没有把蕴涵关系与推理关系区别开来。

新中国成立以后，金岳霖把逻辑学作为理论研究的重点。他既主编高等学校的逻辑学教材，也写《逻辑通俗读本》，向广大群众普及逻辑学知识。他在 1963 年主编的高校文科教材《形式逻辑》因"文化大革命"遭难未能及时出版，直到 1979 年才得以面世。现在，许多高等学校仍采用他主编的这本教材。

金岳霖在解放前不肯做国民党政府的官，解放后却甘当人民的公仆。从 1952 年起，他先后担任过北京大学哲学系主任、中国社会科学院学部委员、哲学所副所长、全国政协委员、民盟中央常委、中国逻辑学学会理事长、中国逻辑与语言函授大学名誉校长等职务。

1984 年 10 月 19 日，89 岁高龄的金岳霖在北京溘然逝世。他的著作将与世长存，他的大家风范将永留人间。为纪念这位杰出的哲学家、逻辑学家，中国逻辑学会特设"金岳霖研究基金"，奖励那些有成绩的逻辑学工作者。

（原载《社会科学战线》1992 年第 1 期）

默而好深湛之思　诚而创综合之论

——张岱年学术生涯录

李 存 山

我国现代著名的哲学家和哲学史家张岱年先生,字季同,别署宇同,河北省献县人,1909 年 5 月出生在一个书香之家。其父亲是清末进士,曾任翰林院编修。其兄长张申府先生是我国最早接受马克思主义的先驱者之一,对张岱年先生哲学思想的形成和发展有重要影响。张岱年先生幼年随母乡居,后来到北京入小学、中学。他自幼勤奋好学,博览群书,尤其对哲学发生浓厚兴趣。1926 年,他的第一篇哲学史论文《评韩》在《师大附中月刊》上发表。1928 年,他同时被北平师范大学和清华大学录取。在清华上课月余,因生性好静默沉思,不习惯于当时清华的军事训练,而从清华退学到师大就读。

1931 年,冯友兰先生的《中国哲学史》上卷出版,随即使 20 世纪 20 年代开始的关于孔老孰先孰后的讨论转趋热烈。张岱年先生在此之前曾用两个假期的工夫对老子的年代问题作过考证。他于 1931 年 6 月写成《关于老子年代的一假定》,连续发表在《大公报·文学副刊》上。此文后被收入《古史辨》第四册,罗根泽先生在《附跋》中曾说:“在我见到的讨论老子及《老子》

书的论文,与我见解同点最多者为张季同先生此文,他说老子的年代在孔墨之后,孟庄之前,是我极表同意的。"冯友兰先生在报刊上读此文后,"心颇异之",意作者必为"一年长宿儒也","后知其为一大学生,则大异之"。冯先生在回忆与张先生初次会面的印象时说:"其为一忠厚朴实之青年,气象木讷,若不能言者,虽有过人聪明而绝不外露,乃益叹其天资之美。"张先生旋即与冯先生之堂妹订婚。此后,两位当代中国哲学史界的巨擘虽然哲学观点各异,承继的学术源流不同,但一直保持着亲密的友谊。

在《关于老子年代的一假定》的文末,张先生曾写道:"我自己二年前对于考证发生过兴趣,现在却久已离考证国土了,并已离开古书世界了。"此话反映了张先生青年时期的学术志趣:他立志要成为一个哲学家,而不是考据学家、哲学史家。虽然他以后的学术生涯一直没有"离开古书世界",但他在20世纪三四十年代主要致力的是建立一个新唯物论的哲学体系,他的中国哲学史研究是为这样一个体系的建立而展开的。

1932年秋至1933年秋,这是张先生在大学就读的最后一年,他致力于哲学研究的最旺盛时期就是从这一年开始的。在此期间,他先后在《大公报·世界思潮》副刊上发表了《破"唯我论"》、《知识论与客观方法》、《辩证法与生活》、《辟"万物一体"》、《辩证法的一贯》、《谭"理"》、《关于新唯物论》、《论外界的实在》等哲学论文。这些论文标志着张先生在大学学习期间接受了辩证唯物主义的思想,他"为之心折",确认马克思主义哲学是"现代最可信取之哲学"。

1932年9月,冯友兰先生在《大公报·世界思潮》副刊上连续发表三篇《新对话》,论证"理"是超时空而独立存在的,"在甲物之前已有甲物之理"。这是冯先生继承程朱传统,建立新理学哲学体系的嚆矢。张荫麟先生随后发表文章对冯先生"理在事先"的思想进行批评,张岱年先生被这一争论所吸引,写出《谭"理"》一文,解析"理"至少有"形式"、"规律"、"秩序"、"所以"、"应当的准则"五种意义;就事理关系而言,他强调要把"所以"与"规律"区别开来,"所以乃一物所根据之规律,而不得谓之即某物之规律",换言之,"一物之规律有二:一、所根据并遵循之规律,二、所只遵循之规律。如以生物现象而论,物理规律是其所根据并遵循之规律,而生物学的公律则是所只遵循的规律"。张先生的这一区分充分显示了他卓越的理论洞察和分析能力,此说不仅瞄准了"理在事先说"的要害,而且开了他以后"一本多级之论"思想的先河。张先生指出,只有把"理"当做"所以"解时,才能说"未有甲物之前已有甲物之理"(如未有飞机之前已有飞机所根据的空气力学规律);而甲物所只遵循的规律在甲物之前是不存在的(如飞机的共相只有在制造飞机之后才有)。张先生强调,"大多数的理是随一类个体之生灭而生灭的","只有最根本的理(如对立统一、矛盾发展等)才可言永存不易"。他又指出,没有超时空的、独立自存的理,"理并不是不在时空之中,而是不限于在特定的时空之中","理依附于个别的事物,并没有理的世界,理只在事物的世界中"。《谭"理"》一文用辩证唯物主义的观点阐述了事理关系,批驳了新实在论和中国传统的唯心主义,为张先生以后一直坚持并不断加强论证的"理在事中"的思想奠定了坚实的基础。

1933 年 5 月 25 日,《大公报·世界思潮》副刊发表了张先生青年时期的一篇代表作——《论外界的实在》。他写道:"在生活上不承认外界的实在是不可能的,而在理论上怀疑或否认外界的实在却很易,证明外界的实在则甚难。"这段话使人们不由得想起狄德罗在批判贝克莱主观唯心论时发出的感慨:"这种体系虽然荒谬之至,可是最难驳倒,说起来真是人类智慧的耻辱,哲学的耻辱。"张先生的这篇论文可以说就是要洗刷这一耻辱,用理论分析来证明外界的实在,批判"存在就是被感知"和"离识无境"的唯心主义观点。他首先从对知觉这个事实的分析出发,指出"物有不随心俱变者,心变物可不变,物变而心未有变",以此证明"物之有,非缘于心"。他接着从对知觉主体的分析来证明我之身是实在的,"内外实并无绝对的判隔","我如承认我身之实在,则不得不承认他人身体之实在,亦即不得不承认外物之实在"。这一论证方式是从我感进至我实(我并非常知常觉,当我无思无感觉之时我仍然存在),再从我实进至人、物亦实,是颇具理论说服力的。张先生在这篇文章中还说:"物原非心造,心只能知之;如欲将物改造之,当由身有所动作。"这说明他对外界实在的理论证明是同实践的观点密切结合在一起的。《大公报》在发表这篇文章时特加了一条编者按语:"季同此篇,析事论理,精辟绝伦。切望平津读者不可因敌迫城下,心神不宁,遂尔忽之。同时更宜信:有作出这等文字的青年的民族,并不是容易灭亡的。"

张先生在宣传、论述辩证唯物主义思想的同时,还有针对性地开展了对中国哲学史的研究。他于 1932 年 9 月至 12 月间,连续发表了《先秦哲学中的辩证法》和《秦以后哲学中的辩证法》。这两篇文章比较系统地考察了中国古代辩证法的固有范畴、基本思想和发展历程,是研究中国古代辩证法史的奠基性文献。在 1933 年 2 月,他又发表《颜李之学》一文,突出强调了颜李之学"与科学精神相结合,即一重事物,二重习行"的特点。

他指出"颜李是唯物的思想家,他们的基本理论是唯物的,反对唯心的",并且问道:"探索了颜李的思想,我们是不是更觉得唯物论是应信取的呢?"显然,他对颜李之学的论述,以及对中国古代辩证法的论述,并不是单纯的中国哲学史研究,而是要为辩证唯物主义在中国的传播提供历史的依据,建立一个理论的结合点。

在此期间,张先生还形成了他对辩证唯物主义理论的独具特色的看法。在《辩证法与生活》一文中,他说:现在所讲的辩证法"形式未免粗疏,尚待精密化"。在《哲学的前途》一文中,他说:"我不相信将来哲学要定于一尊,……但我相信,将来哲学必有一个重心或中心。"这为将来哲学之重心或中心的哲学当有三个特点:一、唯物的或客观主义的;二、辩证的或反综的;三、批评的或解析的。这后一个特点即是针对着当时新唯物论的"粗疏"而言。在《关于新唯物论》一文中,他诠解辩证唯物主义在宇宙论方面的精义有三点:一、宇宙为一发展历程之说;二、宇宙根本规律(即辩证规律)之发现;三、一本多级之论(即物质为一本,宇宙事物之演化有若干级之不同,各级有各级之特殊规律)。知识论方面的精义也有三点:一、从社会与历史以考察知识;二、经验与超验的矛盾之解决;三、以实践为真理准衡。他认为,"新唯物论之特长,尤在其方法,即唯物的辩证法。……唯应用辩证法,然后能连一切'见',去一切'蔽';乃不至于以偏赅全,乃不至于顾此失彼。"他还指出:"现在形式之新唯物论所缺乏者实为解析方法,而罗素哲学则最能应用解析方法者","将来之哲学,必以罗素之逻辑解析方法与列宁之唯物辩证法为方法之主,必为此二方法合用之结果。而中国将来如有新哲学,必与以往儒家哲学有多少相承之关系,必以中国固有的精粹之思想为基本。"以上观点表明,张先生当时已经开始为发展辩证唯物主义进行新的探索,并初步形成了自己的理论特色。

1933 年秋,张先生在师大毕业后任教于清华大学哲学系,讲授哲学概论。1936 年起兼授中国哲学问题课程。在此期间,张先生先后发表了《科学的哲学与唯物辩证法》、《逻辑解析》、《辩证唯物论的知识论》、《辩证唯物论的人生哲学》、《中国思想源流》、《中国知论大要》、《论现在中国所需要的哲学》、《哲学上一个可能的综合》、《生活理想之四原则》等重要文章。在《哲学上一个可能的综合》一文中,他提出了自己的哲学思想的基本纲领:"今后哲学之一个新路,当是将唯物、理想、解析,综合于一。"他通过论述新唯物论与旧唯物论之区别、物质与理想之关系、哲学与解析之关系、中国哲学思想之趋向等等,证明"唯物、理想、解析之综合,实乃新唯物论发展之必然的途径"。他说:这样一种综合"乃是以唯物论为基础而吸收理想与解析,以建立一种广大深微的唯物论","也可以说是中国哲学与西洋哲学之新的综合,实际上更可以说是唯物论之新的扩大"。在这篇文章的最后部分,他提出了这个"三综合"哲学体系的理论雏形,在当时发生了较大的影响。孙道升在发表于 1936 年 10 月 7 日《北平晨报》上的《现代中国哲学界之解剖》一文中,将其称为"解析法的新唯物论"。

在《哲学上一个可能的综合》发表之后,张先生原拟刊印他在 1931 年至 1935 年间写的一部分思想札记——题为《人与世界》(又名《宇宙观与人生观》,即"研思札记之一"),目的是要为"新哲学之纲领"作进一步的论证。但是,由于当时抗日战火迫在眉睫,此计划未能实现。这篇直至 1988 年才公开发表的札记共有 46 节,内容基本按方法论、知识论、宇宙论、人生论的次序排列。这篇札记包含了张先生20世纪30年代哲学思想的丰富内容,同时又为他20世纪40年代的五部哲学论稿奠定了基础。在这篇札记中,张先生提出了一个不同凡响、意蕴精深的观点:"在哲学的战斗中,应夺取对方之精锐的武器。"这一观点鲜明地表明了他创立"唯物、理想、解析"综合之论绝不是搞折中调合,而是充满战斗性的,他的目的不是要为唯心主义保留一席之地,而是要更加增强辩证唯物主义的战斗力。他还提出:"哲学家须有寻求客观真理之诚心。"这一点在他20世纪40年代写的《哲学思维论》"哲学之修养"一节中表述为:"存诚,即有求真之诚。哲学乃所以求真。既已得真,然后可由真以达善。如无求真之诚,纵聪明博辩,亦止于成为粉饰之学。""求真之诚,为哲学工夫之基础。""诚"之一字代表了张先生一生的治学之道和人格风范。1988年春,冯友兰先生在为《张岱年文集》写的"序"中说:"张先生治学之道为'修辞立其诚',立身之道为'直道而行'","立身与为学,初非两橛。'修辞立其诚'、'直道而行'只是一事。一事者何?诚而已矣"。

1936年9月15日,张先生在为以上札记写的"后记"中说:"我生平最喜沉思,有如庄子所讥'无思虑之变则不乐'。"50年过后,他在《自述四十岁前为学要旨》中又写道:"昔扬雄自称'默而好深湛之思'。我三四十岁时亦喜思考深湛的问题。"庄子所讥和扬雄自谓恰到好处地表达了张先生所富有的哲学家的职业性格。正如一位青年学者在描述张先生七十多年的学术生涯时所说:"任他纵横驰骋的疆场是书斋、教室,他得心应手的武器是钢笔、粉笔,哲学是他的专业,思索是他的天职。"

在20世纪30年代中叶,张先生还积极参与了关于中国文化建设的大讨论。他在《世界文化与中国文化》、《关于中国本位的文化建设》、《西化与创造》等文章中提出:"一个民族的文化,如果不与较高的不同的文化相接触,便易走入衰落之途。……但若缺乏独立自主精神,也有被征服被消灭的危险。"他主张对东西方文化"加以分别抉择",将东西方文化的优秀遗产作为发展之基础,进行"创造的综合"。他指出:"凡创造的综合,都必对于所综合的东西加以进一步的发展而综合之,同时并有新创造以为主导的因素,……文化创造主义之目标,是社会主义的新中国文化的创成。"这些观点在他参与 20 世纪 80 年代的文化讨论时被继承和发展。

在 1935 年至 1936 年间,张先生还完成了他在中国哲学史研究领域的一部代表性巨作——近六十万字的《中国哲学大纲》。此书以中国哲学问题为纲,分门别类地叙述其源流发展,以显出中国哲学的固有范畴和条理系统,无论从内容还是从体例上说都是独创性的。关于此书的方法,张先生说"我所最注重者有四点":第一,审其基本倾向;第二,析其辞命意谓;第三,察其条理系统;第四,辨其发展源流。其中,第二点"可以说是解析法在中国哲学上之应用",第四点"可以说是辩证法在中国哲学上之应用"。由此我们可以说,《中国哲学大纲》是张先生在 20 世纪 30 年代应用其初创的哲学体系的方法论而在中国哲学史研究领域取得的重大成果。此书写成后经冯友兰、张荫麟审阅而推荐给商务印书馆。正当商务印务馆做成纸型准备付印时,抗日战争爆发,此书的出版第一次受阻。1943 年,北平私立中国大学将此书印成讲义。1948 年,商务印书馆再次决定将此书付印,但战争又使此书的出版第二次受阻。1957 年,商务印书馆第三次决定出版此书,而张先生却在这一年的"反右运动"中因言罹祸,商务印书馆冒着政治风险于 1958 年将此书出版,而作者"张岱年"却不得不改署为"宇同"。1974 年,此书的日文译本在日本出版,译者在"后记"中特注明:"宇同"即北京大学教授张岱年。直到 1982 年,署名为"张岱年"的《中国哲学大纲》才由中国社会科学出版社出版。此书历经坎坷而终能以作者的真姓实名而见诸学术界,它的经历伴随着中国现代史的几次重大转折,它的沉浮也正是作者历经磨难而自强不息的学术生涯的一个缩影。当《中国哲学大纲》正在张先生的脑海里处于孕育阶段时,它的作者在前面提到的那篇札记中写下了他一生学术文章中的可能唯一的一次"游记":"尝与友人同游北平郊野,至右安门,见城墙之上有一树,生于砖隙之中,乃将城上之砖挤落十数,曲干挺出,甚具雄姿,因悟生命之本性,而叹此树真能表现生命力者……"不知作者是否想到,他这一"悟"就使这棵"树"成为他的一生及其学术著作的生命力的一个象征。

1937 年抗日战争爆发,张先生未能随校南行,在北京蛰居读书。1943 年,他受私立中国大学之聘,任哲学教育系讲师,次年改任副教授,讲授中国哲学概论。1946 年,他复回清华大学哲学系,任副教授,讲授哲学概论和中国哲学史等课程。在1937 年至 1948 年期间,张先生的哲学体系由初创阶段进入基本成熟时期。

1942 年,张先生完成了他的哲学专著《天人新论》中的三部论稿——《哲学思维论》、《知实论》、《事理论》。《哲学思维论》是《天人新论》的第一部分即方法论部分。《知实论》是《天人新论》的第二部分即致知论部分的上篇,此论的主题是通过对感觉的分析来证明客观世界的实在,亦即"离识有境"。致知论部分原拟有下篇《真知论》,论证经验与理性、知与行的关系和真知标准等,但在当时困难的条件下此论没有完成,部分思想保存在 1937 年以后的一部分札记——题为《认识、实在、理想》(即"研思札记之二")中。《事理论》是《天人新论》的第三部分即天论(宇宙论)部分的上篇,此论的主题是系统地阐述事与理俱属实有而"理在事中"的思想。张先生特注明:他的思想与冯友兰先生思想之不同,"颇近于王船山天下唯器论、李恕谷理在事中论与程朱学派理在气先论之不同";他还指出:他的思想与主观唯心论者用心统赅理"乃以冯先生舍心言理为病"之说,"益加冰炭之相异矣"。这清楚地表明张先生是以接续张载、王夫之、李塨、戴震的唯物主义传统为己任,既坚决地反对接续程朱传统的客观唯心主义,又坚决地反对接续陆王传统的主观唯心主义。在《事理论》之后,张先生原拟写天论部分的下篇——《心物论》,重点阐述事物、理与心之关系,强调"如无人,如无心,而事物之理依然自有","陆王学派讲心即理,实为大谬"。但《心物论》在当时也没有完成,只是在"研习札记之二"中谈到了此论的主要思想。

1943 年以后,由于物价昂腾,张先生的家庭经济状况十分窘迫,他原拟要写的《天人新论》的第四部分即人论部分已没有从容完成的可能。于是在艰苦的条件下,他以文言的形式写成了一个简略的提纲——《品德论》,重点提出了人生之道在于"充生以达理"、"胜乖以达和"等命题。

1945 年抗战胜利,张先生欢欣之至,但经济窘迫的压力并没有因此而减轻。1946 年返回清华任教后,在课务繁忙和生活困顿的双重压力下,张先生愈感书稿难成,最后竟至辍笔。然而,对真理的追求和探索在他的心中是不可抑止的。1948 年夏,他对自己 20 年来所思考的各个方面的哲学问题作了一次系统的反思和总结,并且写了一篇概括性的简述,这就是作为他40岁前哲学思想总纲的《天人简论》。在此论中,张先生明确界定:"哲学为天人之学。……哲学所研究者即自然之根本原理与人生之最高准则。哲学即根本原理与最高准则之学。"此论提出的十大命题即张先生对"自然之根本原理与人生之最高准则"进行深入探索而作的最集中、最简要的表述。《天人新论》终没有最后完成,而《天人简论》作为《天人新论》的一个概要便成为张先生所创"分析的辩证唯物论"哲学体系的纲领性代表作。《天人简论》与张先生在此之前完成的四部哲学论稿合称为"天人五论"。

1949年新中国成立以后,由于种种原因,张先生的学术生涯又经历了几次大的曲折。1950年至1951年间,他曾撰写了《关于哲学的统一战线》、《唯物观点的应用》、《论哲理科学之意义》、《学习"实践论"》等论文,但这些论文均未能在杂志上发表。1951年,张先生在清华大学哲学系改任教授,1952年院系调整后到北京大学哲学系任教授。1953年秋,张先生自觉他在20世纪40年代未完成的《天人新论》内容颇异于时论,于是将"天人五论"和有关札记收入箱箧之中,告别了他曾上下求索的哲学原理研究领域。直到1988年,这些书稿才以《真与善的探索》为题由齐鲁书社出版。

从1954年起,张先生专门从事中国哲学史的教学与研究。在1954年至1957年间,他陆续发表了《王船山的唯物论思想》、《张横渠的哲学》、《中国古代哲学中若干基本概念的起源与演变》、《中国古代哲学的几个特点》等论文,并出版了单行本《中国伦理思想发展规律的初步研究》和两本通俗性著作《张载——十一世纪中国唯物主义哲学家》、《中国唯物主义思想简史》。仅从著述的题目就可以看出，张先生在这一时期的中国哲学史研究继承了《中国哲学大纲》的主要特点，即注重阐明中国哲学中的唯物主义传统，注重分析中国哲学固有的范畴和特点。

正当张先生在中国哲学史研究领域焕发出其深入探索的学术激情时，这个一生与进步的政治保持着密切的学术联系而又一生没有参与直接的政治活动的学者，竟然在新中国成立以后的一场政治运动中遭受到直接的无情的政治打击。1957 年 9 月，他被诬以"反对知识分子思想改造"的罪名，受到公开点名的批判，他的学术文章也被定性为"中国哲学史研究方向上的右派纲领"。他研究中国哲学史的权利被剥夺了，他原拟要撰写的《王廷相哲学研究》和《明代唯物论史》被浸入一片冰水之中。在蒙受奇耻大辱的岁月里，他下决心以"自强不息"的精神活下去，等待着洗去身上污水的那一天。在 1959 年至 1965 年间，他所从事的主要工作是中国哲学史教学资料的注释。1966 年以后的十年期间，资料注释工作也被无休止的自我检查所代替。

1978 年 12 月中共十一届三中全会召开。1979 年 1 月北京大学党委宣布张先生的右派问题属于错划。已届耄耋之年的张先生在政治上、思想上、学术研究上获得了解放，由此开始了他学术生涯的第二个高峰时期。1980 年中国哲学史学会成立，张先生被推为会长，1989 年被选为名誉会长。1983 年，张先生加入中国共产党。在近十余年间，他壮心不已，笔耕不止，培养出十几名硕士、博士，发表了数十篇学术论文，出版了三部论文集——《中国哲学发微》、《玄儒评林》和《文化与哲学》，撰写了四部专著——《中国哲学史史料学》、《中国哲学史方法论发凡》、《中国伦理思想研究》和《中国古典哲学概念范畴要论》，并且与他的学生合著了《中华的智慧》、《中国文化与文化论争》等等。张先生自谓"垂垂老矣"，但他对中国哲学和文化的探索与建树仍在继续之中，全面评价张先生的学术成果还有待于将来，而我们今天可以肯定的是：他始终以"求真之诚"致力于中国哲学和文化的"创造的综合"。在哲学上，张先生自谓"主要坚持三点"：第一，唯物论的基本观点"世界的统一性在于物质性"以及辩证法的三规律、十六条要素，是必须肯定的真理；第二，对于中国古代唯物论和辩证法的优秀传统，特如王夫之的哲学遗产，应深入研究、继承发扬；第三，对于现代西方各流派的哲学思想，亦应加以考察分析，注意摄取其中符合科学精神的观点和方法。他认为，"这三点之间是没有矛盾的"，也就是说它们是可以而且应该进行"创造的综合"的。在文化问题上，他认为"中国文化是一个包含多方面、多层次内容的体系，其中哲学思想居于主导地位"。"自强不息"、"厚德载物"是中华民族得以延续发展的思想基础和内在动力，亦即是"中华精神"。中国传统文化与现代化的冲突主要有四个方面：一、尊官贵长与民主精神的冲突；二、因循守旧与革新精神的冲突；三、家庭本位与个性自由的冲突；四、悠闲散漫与重视纪律、效率的冲突。中国文化发展的根本途径是"综合创新"，即综合中西文化之所长，创新出符合新时代要求的中国新文化，"民主、科学、社会主义"是中国文化综合创新的主导要素和根本原则。

57 年前，张先生曾说："中国能不能建立起新的伟大的哲学，是中国民族能不能再兴之确切的指标"；"创造的综合是拔夺东西两方旧文化而创成新的文化"，"文化创造主义之目标，

是社会主义的新中国文化的创成"。张先生的一生可以说就是
为创成中国"新的伟大的哲学"和社会主义的新文化而不停息
地奋斗的一生。

（原载《社会科学战线》1992 年第 4 期）

自强不息　厚德载物

——悼念张岱年先生

张立文

张岱年先生曾多次用这两句话来概括中华文化的精神,其实这两句话也体现了张先生的人格魅力。他的为人为学,确实是"下手处是自强不息,成就处是至诚无息"。道德文章,都堪称人范、人师。

一、离　去

2004 年 4 月 24 日,我出席首都师范大学出版社召开的"20世纪西学东渐史学术座谈会",我见北大各教授脸色沉重,得知张先生于凌晨逝世,当时我真不敢相信。自言:这怎么可能呢!记得在正月初三(2004 年 2 月 22 日)我与罗安宪副教授曾到张先生家拜年,张师母骨折卧床,他坐在床边,我们问候师母后,他示意到客厅,我准备扶他起来,他不要扶,要自己起来走,我说,张先生你是中国哲学界的泰斗,你长寿,我们就可以大树底下好乘凉。他说:冯先生(友兰)活到 95,梁先生(漱溟)也活了 95,我今年也 95 了。我赶紧说:你一定会超过冯先生和梁先生的。

一会儿全国政协委员王晓秋和贾庆国教授等3人来拜年,他们走的时候,张先生要起来送,我们都劝他不要起来,他坚持要送到门口。我向他请教,孔子研究院今后应做些什么? 他说:你们要做的事情太多了,儒家经典要整理,国外儒家著作要整理,儒家思想要研究、要普及,特别是儒家道德教育在青少年中要加强。我们表示一定按张先生说的去做,并合影。我们告别时,张先生又坚持把我们送到门口,怎么劝也不听,我们深受感动。张先生礼数是周到的,心是火热的。后来我们还通过一次电话,真想不到竟那么快离我们而去!

二、赠 书

张先生学富五车,使我敬仰不已。1960 年我从中国人民大学党史系毕业分配到哲学系中国哲学史教研室。在那做"驯服工具"的时代,这次分配不仅暗圆了我的心愿,而且为我的教研提供了广阔的天地。我在党史系读书时,虽我是学习班长,但不是党员,于是我把大量时间花在学习中国哲学史上,除了读胡适的《中国哲学史大纲》、冯友兰的《中国哲学史》外,就是读张先生的《中国哲学大纲》,特别是仔细读了张先生发表在《新建设》上的《中国哲学史讲授提纲(宋元明清)》(1957—1958 年刊出),并做了笔记。1961 年中宣部组织编写高校教材,北京大学中国哲学史教研室、中国人民大学中国哲学史教研室以及中国科学院哲学研究所中国哲学史室的教授参加"中国哲学史"教材的编写。在一次讨论会上我见到了张先生,他很少发言。后因学校教学需要,我就回来了,但一些讨论会我们还参加。张先生当时负责《中国哲学史教学资料汇编》工作,对中国哲学史资料非常熟悉，我曾就《周易》的一些字义请教过张先生，张先生都非常耐心与我讲解。他知识渊博，旁征博引，使我茅塞顿开。后来由于接连政治运动，就失去了联系。

约在1974年，中华书局召开《荀子新注》审稿小型讨论会，该书由楼宇烈和原中国人民大学的庄福龄、马绍孟负责定稿，张先生参加了该书稿修改和做《荀况生平大事简表》的工作，因此张先生亦出席了这次会议，我在会上见到张先生，非常高兴，并记下蔚秀园的住址。此后我曾多次登门请教《周易》中的问题和宋明理学中遇到的问题。我百思不得其解的问题，一经张先生的点拨，便迎刃而解。张先生看我对《周易》思想有所体认，便送我线装的胡朴安著的《周易古史观》（上下册）。成为我珍藏的书，他鼓励我把《周易思想研究》写好。写好后我送给他看，他逐字逐句地看，并记下需修改的稿子页码，我遵照张先生的意见做了修改。我在1979年9月1日写的《周易思想研究》的"前言"中说："改写后，张岱年教授在百忙中认真、仔细地审阅了一遍，提了很多宝贵的意见，给我以很大的帮助，使本书得以与读者见面。在这里，我表示衷心地感谢。"1979年张先生已70岁，他对后辈这样诲人不倦，帮助提携，无私奉献，使我铭记在心。《周易思想研究》于1980年8月出版，也是我第一本专著的出版，它增强了我科学研究的自信心，也激起了我修改《朱熹思想研究》的热情，张先生之功大矣。

三、推　荐

在修改《朱熹思想研究》过程中，我又经常去请教张先生。譬如"朱熹对抗金的态度"、"理一元论抑或理气二元论"、"朱熹自己主张改革,为什么批判王安石变法"、"朱熹陈亮王霸义利之辨的实质"、"朱熹的'存天理,灭人欲'应如何理解"、"'理一分殊'是否是一般与个别、整体与部分的关系"、"戴震的'以理杀人'应如何理解"、"冯友兰先生的逻辑在先和造飞机的原理与飞机的关系是否有冲突"等问题。张先生有时就一个问题就讲了一个小时,他条分缕析,追根溯源,就一个问题的来龙去脉,讲得一清二楚,使我对这些问题的体认大大提高了一步。

特别是我向张先生请教中国哲学史研究方法问题,这也是再三向他请教的问题。我曾详细地谈了自己的看法。我认为几十年来,对哲学家哲学思想的研究,曾采取自然观、认识论、方法论、历史观等"四大块"分门别类的整理和研究,这种研究方法往往把一个哲学思想的有机整体肢解为"几大块",这种肢解犹如把一个活的肌体分为头做头,脚做脚,这个活的肢体也就死了,这样中国哲学家的哲学思想都成为死思想了。我想以中国哲学概念范畴为中心,深入提示哲学体系的诸概念、范畴内在逻辑结构的发展和联系,以能如实地呈现哲学体系的本来面目,这个看法,得到张先生的认同,并说这是创新的思想。因此,我在《朱熹思想研究》一书中专写了一章"朱熹哲学的逻辑结构",作为把握朱熹哲学思想的总纲。

《朱熹思想研究》写成后,当时学校还没有复印机,即使有的地方有,也非常贵,负担不起,我只得把手写的稿子轮流送给张先生、任继愈教授、石峻教授和辛冠洁教授审阅,征求意见。任公为该书写序。张先生对其作了评价,写了推荐信:"张立文同志《朱熹思想研究》是解放以来关于朱熹思想学说的最详细的论述。朱熹学说有两个特点:一是体系庞大;二是内容比较细密。所以清代学者全祖望说朱氏是'致广大而尽精微'。张立文同志此书对于朱氏体系的各个方面作了比较全面的说明；对于朱氏学说中细微曲折之处作了比较深入细致的分析。条理清楚，论证详明。书中有许多发前人所未发的独到之处，如朱氏关于理与事物的关系的思想，朱氏关于太极动静问题的思想，都不是简单的，此书对之作了比较详尽的论述，提出了自己的新见解。总之此书是一本有价值的著作，希望早日出版。张岱年1980年12月25日。"我当时征求张先生意见，能否把此信作为书的序。张先生说：已经有任先生的序，就不必了。

1983年在"清除精神污染"中，《朱熹思想研究》遭到了批判；认为在唯物主义与唯心主义问题上产生了偏差，有与"恩格斯当年批评过的施达克的观点可以说是异曲同工"，就是说《朱熹思想研究》和施达克的《路德维希·费尔巴哈》在唯物、唯心原则问题犯了同样的错误，恩格斯写了《路德维希·费尔巴哈和德国古典哲学的终结》，提出全部哲学的最高问题和划分唯物、唯心的标准问题，批判了施达克的谬误。《朱熹思想研究》既与施达克"异曲同工"，又发生在恩格斯批判施达克之后，问题的性质就更严重了。引起了我思想很大震动，我当即去请教张先生："怎么办？"张先生毫不犹豫地说，"写文章回答，批驳其不实之词。"我写出回答文章后，就拿给他看，他不仅提了意见，而且修改了文章的不妥之处及修辞。我修改后又请他修改，才定稿发表。张先生的字斟句酌，蕴涵着无限的恩情，和对我深深的庇佑，也使我真正体会到大树底下好乘凉的真谛。

《朱熹思想研究》遭批判，影响到责任编辑评职称，我心里觉得非常歉疚，也觉得对不起德高望重为我作序的任先生。从此以后，我就再也不请前辈作序，以免由于自己的错误而有损别人的声誉。

四、恩　师

我是把张先生作为慈祥而严格的恩师的,因此,有问题就向他请教,有想法就说给他听,请他指教。20世纪80年代初中期,我家没有电话,张先生好像也没有。所以去请教也不能事先与他约定时间。我记得他说上午精神好,要写作。于是我基本是下午4点以后去请教。我问:先秦哲学的重要命题,他说:"先秦有两个命题值得注意:一是'天行有常'。水有气而无生,草木有生而无知,禽兽有知而无义,人有气、有生、有知,亦且有义。二是通天下一气耳。气有两层:常识的,如空气;哲学的,如从水火、草木、禽兽中抽象出来的气,成为构成万物的基本元素、材料。西方有人解气为生命,这不对,'水火有气而无生'。《管子》讲:有气则生,是讲生命的条件,本身不是生命。"我问:张载太虚即气,其关系是什么? 他说:庄子、《淮南子》以元始为无,道为虚廓,虚有能生气之意。张载第一次把虚与气统一起来,以气统虚。虚是无的状态。"知太虚即气,则无无",合乎现代物理学思想。气具有运动性和广大性。我问:记得先生说民初以来,时贤论学,述颜元、戴震,宋陆九渊、王守仁、程颐、朱熹等的学说,都已有人,先生说自己是与张载、王夫之学说的宗旨最接近,是否是继承张、王气的学说? 他说:是的,不过我是对气作了唯物论和解析哲学的解释。我问:解放以来,先生在张载的唯物论、唯心论的论争中,坚持气的唯物论,是否是弘扬中国哲学中气的唯物论思想。他说:是的。我问:先生说自己思想与横渠、船山之旨为最近,是否可以说先生的思想为新气学? 他说:也可以这样说,但我与冯先生不同,冯先生是"理在事上","理在气先"。我主张"理在事中"、"理在气中",不在气先的气学。

我在思考撰写《传统学》一文的时候,想到中国传统社会历史的发展与哲学思想的关系问题,以及传统的哲学思想对传统社会历史发展的反哺和作用问题。我带着这些问题去请教张先生。他说:中国传统社会历史是发展的,哲学思想也是发展的,因此,每个社会历史发展阶段都不同。譬如先秦社会历史发展反映在哲学思想上有因革、古今、王霸、常变等问题的讨论,这些问题的讨论,又指导了社会历史的发展。汉唐时,社会面临着如何巩固统一的中央集权的国家问题,反映在哲学思想上,有变与常(不变)、经与权、损与益、公与私、势等问题的讨论。宋元明时,唐代藩镇割据,社会矛盾暴露无遗,为了社会的稳定和发展,虽仍然存在损益、因革、新故、古今等问题,但主要是探讨社会的物质生活与精神生活的关系问题,即理与欲、王与霸、圣与王、理与势的关系问题。张先生的教导,使我对传统社会历史与传统哲学思想的关系有了深一层的体认。张先生还特别要我注意两点:一是要以发展的观点来考察两者的关系;二是要以辩证的观点来分析问题和分辨优缺。这对我思想很有启发。后来我写成《传统学引论——中国传统文化的多维反思》,拿给张先生看,请他指导。他认为建立传统学意义很大,能纠正以传统为保守、落后等片面、错误看法,使大家对传统有正确的认识。他赞扬传统学的建立具有原创性,世界学界还没有谁提出传统学。

当时《传统学引论》是作为我和周文柏共同主编的《传统文化与现代文化丛书》中的一种,由中国人民大学出版社出版。于是我便邀请张先生写一本全面阐述"综合创新"文化观的书,使读者加深对先生文化观的理解。后来便由其学生程宜山根据张先生的思想写成《中国文化与文化论争》一书出版,在学术界产生了广泛的影响,为这套丛书增光添彩。

传统学说说到底是人学,只有人的自我认识、自我超越,才会有传统的自我认识、自我超越;同样,只有人的自我创造,才会有传统的综合创造。现代人一方面延续着人类历史丰富的传统,另一方面借助于传统进行新创造。因此,一个否定自己传统的民族是没有前途的民族,当然,一个不吸收外来传统的民族也是不会发展的民族。我准备编《传统人与现代人丛书》,便向张先生请教人的价值、价值的来源、怎样实现人的价值等问题。张先生说,人的价值,西方在十五六世纪文艺复兴时期,复兴古希腊的文化。古希腊就有人的价值的思想。中国君主专制时代本质上是贬低人的尊严,抹杀人的价值。但同时也讲人的价值,可以说是矛盾的统一。先秦时期,肯定人的价值和人格尊严,讲己欲立而立人,己欲达而达人。立人、达人意蕴着独立的人格,孟子讲人人有贵于己者,这贵是本然的贵,不是别人给的,是人内在的有价值。人的价值包括人类价值、个人价值以及一个人怎样生活才能有价值。"天地之性、人为贵",天地人三才,"道大,天大,地大,人亦大,域中有四人,而人居其一焉",都是讲人的类价值。中国传统中对人的个体价值有所忽视,这与西方以个人为本位不同,后来我写成《新人学导论——中国传统人学的省察》一书,就吸收了张先生的思想。

五、支　持

在20世纪80年代的传统与现代化关系大讨论的激荡下,各家见仁见智,各说齐陈,有中体西用、西体中用、中西互为体用说;有抽象继承、选择继承、具体继承、批判继承说;有创造性转化、分析地扬弃与综合性创造;还有彻底决裂论、全盘西化论、复兴儒学论等。但我觉得这些都是文化整合的方法,就像唐和宋初对儒、释、道三教文化提出"兼容并蓄"的方法一样,当前我们也面临中、西、马文化的整合问题。因此,20世纪80年代以来我殚思竭虑这些文化整合方法的落实,特别是怎样把张先生的"综合创新"落到实处,就像程颢自我体贴出"天理"两字那样,既落实了儒、释、道"兼容并蓄"的文化整合方法,又开创了理学的新理论思维。1988年我构思了"和合学",便去请教张先生。张先生听了很高兴,并很赞同把"综合创新"落到实在层面。最后他问:"和合"有没有根据? 我说:有根据,语出《国语·郑语》。他要找《国语》,但张先生在中关园的三间房里地上地下都是书,一时不好找。我说:我明天拿来给你看。第二天我就拿着《国语》去请教,他仔细看了讲"和合"的地方,以及后面讲"和同"问题。看后他连说:很好! 很好! 我说:和合学提出后,可能会遭到人的反对。他说:有新的见解,遭到别人的反对、批评,这是正常的事。冯先生"新理学"不是遭到左右两派的批判吗? 远点讲,朱子理学不是也遭到反道学者的批判吗?

1995年《和合学概论——21世纪文化战略的构想》完稿后,我联系出版社出版,第一个联系的出版社说拿不准,不接受。我便联系第二个出版社,编辑同意,但说需要出版社领导同意,我怕领导又变卦,便把这情况与张先生说了。张先生说:要么我写封推荐信,可能有作用。于是张先生看了我的书稿后,写了推荐信。信说:"在此世纪之交,国内外学术界都在思考21世纪的文化战略问题。张立文同志经过深思熟虑,写了《关于21世纪文化战略的构想——和合学概论》一书,提出了许多创造性的意见。该书从文化战略的高度透视中国文化的现代化和如何把中国文化推向世界,使中国文化的人文精神被世界所接受。批判美国亨廷顿《文明的冲突》一文对儒家文明的无知。儒家文明主张'和为贵',中国文化的人文精神讲'保合太和'。因此,提出了和合学的思想。和合学植根于中国文化的深厚土壤,从《国语》一直到近代,都讲和合。和合是解决人类所共同面临的五大冲突(人与自然冲突——生态危机,人与社会冲突——战争、民族种族歧视、贫富不均、黑社会、贩毒、恐怖组织等,人与人的冲突——道德危机,人的心灵的冲突——孤独、苦闷、神经分裂,文明之间的冲突等)的文化的选择。并提出和生(共生)、和处(共处)、和立(共立)、和达(共达)、和爱(兼爱)五大文化原理,以回应人类所面临的五大冲突。张立文同志对于和合观念作了新的解释,提出了和合学的概念范畴,是当前讲21世纪文化战略问题的佳作,是对于中国传统文化与现代化论争的贡献。该书条分缕析、见解深刻、论证详密,具有重要的理论意义和现实价值,建议从速出版,特此推荐。此致。首都师范大学出版社。张岱年,1995年12月1日。"当时我曾考虑把张先生的"推荐信",作为《和合学概论》的"序",但一转念,该书出版后的命运究竟如何,受批评是肯定的,批评的程度拿不准,而没有向张先生提作为"序"的要求,后来果然受到批评。1998年上面有人征求他对和合学的批评意见,他毫不犹豫地说:我同意和合学的观点。于是他把"推荐信"稍加修改,以《理想价值和超前预见——推荐〈和合学概论——21世纪文化战略的构想〉》为题,发表在《中国图书评论》1998年第6期上,坚定地表明了他支持和合学的态度。张先生的支持给我以极大的鼓舞,也更坚定了我的信心。

从《周易思想研究》到《传统学引论》、《新人学导论》,深受张先生的指导和教诲；从《朱熹思想研究》到《和合学概论》，又蒙张先生的帮助和庇佑。我的整个学术历程是与张先生的培养分不开的，我的学术生命的成果是与张先生浇灌相联系的。张先生的逝世，不仅是中国学术界的巨大损失，也使我失去了学术生命中的指导者、领路人。

（原载《社会科学战线》2004 年第 4 期）

探寻人的精神家园

——我走过的哲学历程

高清海

一

我读哲学研究生的时期，正值我国开始"全面向苏学习"，当时是在中国人民大学，指导我们学习的导师都是直接从苏联聘请来的"专家"。老师是苏联人，不用说，教材自然也是苏联带来的，包括教学培养的全套方式，都是"苏制"或"苏式"的。两年的学习，要求得很严格。被称做"习明纳尔"的讨论，不准许发挥个人见解，只要求牢记讲课内容，我们必须在互相补充中直到讲课内容复述完满，"专家"才会满意地点头；五分制抽签口试的考试办法，关口更是严厉，考签题目之大，往往要把整本书的内容或提纲背诵出来，所以每经历这样的一次考试，不扒下一层皮，至少也得掉几斤分量。这样的学习，当然有它好处的一面，就是书念得非常扎实，记忆得特别牢固。应该说这对我后来的学习和研究打下了一个较好的基础。但由此却很容易使人失却"自我"，思想僵化，头脑变懒，养成照本宣科，人云亦云的毛病。

我身上的"教条主义"习气，我自己并感觉不出来，只有别人才看得清楚。研究生毕业后，1952年我回到母校（当时的校名是"东北人民大学"）开始担任教学工作，我们教研室的主任是刘丹岩教授。他是早年曾经留学英国后来又奔赴延安参加革命的老干部、老学者。在他身上不但看不到教条的影子，而且他最为痛恨的就是"教条主义"。他的信条是，"看问题要抓住'根儿'，学理论必须注重'精神'和'实质'"。对我从苏联学者学来的那套不求甚解、照本宣科的学风和文风，他很难容忍，这使他不得不花出很大力量来"改造"我。在他的教育和帮助下，我经受了再次"洗礼"，又重新念了一次"研究生"。我非常庆幸我的这一际遇，大概我与我的某些同窗的不同，就在于我有幸遇到了刘丹岩老师，经受了这第二次洗礼，及时清洗了"教条霉菌"，使我很快醒悟，没有愈陷愈深。

二

我在同辈青年教师中是发表文章较早的，任课两年以后，我就连续在本校学报发了两篇文章，还由辽宁人民出版社出版了两本小册子。但最初写出的这些东西，真正说来还算不上什么科研成果，不过是些练笔的习作，那里并没有称得上"见解"的内容。真正有见地而且在哲学界发生了较大影响的文章，是在1957年发表的《论辩证唯物主义与历史唯物主义的关系》一文。而这篇文章正是在刘丹岩教授的指导下，针对苏联学者通行的观点写成的，其中的基本观点还是直接接受的刘丹岩教授的看法。

情况是这样的，在我回校任教以后，刘丹岩教授从我了解到苏联关于马克思主义哲学(教学)体系的观点,他就立即敏感地指出,把"辩证唯物主义"和"历史唯物主义"并列为平行的两个组成部分,这种体系结构是不符合马克思的哲学本性的。他的观点是:在"辩证唯物主义"理论中就应该内在地包含了"历史唯物主义"的基本观点,否则它就不能成为马克思的哲学;至于"历史唯物主义",按照苏联学者讲的内容,那不过是属于马克思主义的社会学即"科学社会学"的内容。起初我很难改变从苏联学者学来的观点,接受他提出的见解。但经他再三启发和我深入思考,特别是在我认真研究了哲学发展的历史材料之后,我不但接受了,而且愈想愈觉有道理。于是在他帮助下便写成了这篇文章,他也在我的促进下写出了自己的一篇,两篇同时发表在 1957 年第 1 期学报上。文章发表后,很快便产生了影响。不久,上海人民出版社哲学编辑室来函,认为这个观点很重大也很有意义,建议我们再作进一步发挥,他们准备为我们出书。我们在前两文的基础上又合作写了一篇,这就是 1958 年出版的那本同名著作。

我们关于"辩证唯物主义"与"历史唯物主义"关系问题的观点,从现在的认识看来,还并没有脱出旧哲学"本体论"思维的模式,我们提出的观点因而很难完全成立。尽管如此,它毕竟是我国学者对苏联通行的哲学观点首次发出的不同声音,提出的不同见解,这就是它的重大的意义。对我个人来说,也正是由此起始,才奠定了我后来以推动哲学观念的总体变革和哲学体系的根本改造为旨志的理论研究方向。

我明确地沿着这个方向从事研究工作是在 20 世纪 70 年代以后,20 世纪 50 年代到 60 年代我还处在探索和准备的阶段。这一期间我虽发表了不少文章,也出过书,但涉及的内容很广泛,很难说有一个什么中心。我的兴趣是多方面的,辩证法问题、认识论问题、历史观问题、哲学史问题都有所涉猎。我也曾设想以某个具体领域比如"辩证法"为主攻方向,但随后便发现,要彻底解决辩证法问题,必须同时解决认识论的问题;当我选定认识论领域时又发现,这里存在的问题同样不能单独去解决;最后我认识到,哲学中无论哪个领域的问题,都是互相牵连着的,只有从哲学的总体上,也就是实现了哲学观方面的根本变革之后,那些具体领域中的问题才能得到真正的和彻底的解决。这样,我就又回到最初的"哲学体系"思考,确立了以哲学总体观念变革为方向的研究路数。

在这个过程中,我愈来愈强烈地感受到,苏联学者搞的这套"教科书"哲学,不但"体系"有问题,观点内容更有问题;它不但严重地脱离了现实的生活实际,而且许多理论观点,尤其是在哲学体现的基本倾向上,并不符合马克思倡导的理论精神,反而与马克思所否定的旧哲学的基调颇为合拍。这在我经历了"文化大革命"之后,认识就更加清楚了。

我们本来生活于现实世界,为什么思想和行动却常常为空幻的虚假观念所控制;我们是最讲究"实事求是",最重视"理论与实践统一"的,为什么却又总是难以从现实出发,理论也总是与实践相脱节;许多年来我们不断地批判和反对"主观主义",为什么却总是摆脱不了这个恶魔的纠缠;我们十分重视辩证法的理论,为此做了大量的普及工作,为什么辩证法在人们的思想中很难扎下根,在现实中不是"主观地"去运用,就是陷入片面性的形而上学;我们最反对公式化、形式化、僵化的教条主义,多次历史经验证明极"左"思想给我们事业带来了巨大的危害,为什么却又总是克服不了,反不下去,到头来人们还是觉得"宁左

"勿右"好？造成如此等等现象,原因当然可以有许多,无可否认,按照传统思维模式去理解马克思的哲学,把马克思植根于生活实践的理论变成某种类似于神学的前定论、天定论、客体论、顺从论,即一种追求终极存在、先定本质、永恒真理的抽象本体论理论,多年来我们以这样的哲学为原则,这不能不说是思想理论方面的一个重要原因。后来"实践是检验真理的唯一标准"这一本属纯理论性的讨论,对我国历史的转折却起了那样重大的作用,就有力地说明了这点。

逐渐地关于造成理论如此状况的根源,也愈来愈清楚了。"教科书哲学"所以成了具有前定论、顺从论、客体决定论、替天行道论等思想倾向的理论体系,完全是"为政治服务",适应苏联集权中央、计划指令的政治经济体制需要的结果。因为"计划经济"就是一种权力经济、命令经济、前定经济、服从经济、主观决策性经济,要赋予主观决策以绝对的客观权威性,那就必须给这种意志找出超观念性的根据,把我们的"主观性"一律加以"客观化",说成"客观规律的反映"。这就是造成哲学极力排除"主观性"、强调"客观性",而我们在现实中却又不断地犯"主观主义"、"唯意志论"错误的根本原因。

基于这样的认识和理解,我逐渐明确了自己研究工作的目标和任务,这就是:(1)必须突破苏式僵化模式,根本改革"教科书哲学"的体系和内容;(2)克服"本体论化"哲学倾向,确立"实践观点"的思维方式,重新去理解马克思哲学思想的实质;(3)适应改革实践要求,体现时代发展精神,变革陈旧的哲学观念,推动哲学理论进一步发展。

三

我所以选定变革现有哲学体系为突破口，是因为"体系"关联着哲学理论的全局，属于哲学实质的逻辑化体现。在我看来，哲学理论的重要意义主要是体现在它所创立的理念思维方式里的。一种新的哲学，就意味着它给人们认识和对待外部世界提供了一种新的观察方式、认识视野和精神意境。而哲学体系也就是思维方式的逻辑展开。所以改革一种哲学，如果体系不改变，再增加新内容也不会使理论面貌根本改观，在哲学史上哲学理论或观点的每次重大变革总要伴随体系的更迭，就是这个道理。

哲学教科书作为"体系化"的"马克思主义哲学"，在苏联和我国都具有"准经典"的性质，一向被赋予了特殊重要的地位和使命。人们都是以它为蓝本，去了解马克思的哲学理论，教育青年学生的。其实，被看做"马克思主义"的这一教科书的"哲学体系"根本不是马克思制定的，它不过是一批苏联学者在 20 世纪 30—40 年代根据当时的政治需要而制定出来的。然而它一经定型，便再难改变，一直延续至今。这个体系，可以说完全是那个时期历史政治斗争的产物，所以它才能够适应苏联集权中央专制体制的要求，对高度集中的计划经济体制服务得那样得力，以致造成人们把抽象原则看得比生活更重要，总是去追逐脱离现实的空幻目标。

体系改革的任务，是通过编写新教科书的形式实现的，这是教育部高教一司 1980 年给我们下达的任务。大约用了七年时间，由我主编，就完成了《马克思主义哲学基础》一书的编写工作，上册 1985 年、下册 1987 年由人民出版社先后出版。这部书打破了苏联教科书的传统模式，以"主体——客体——主体客体的统一"为框架，自觉贯彻了实践观点的思维方式，内容、观点和范畴都有很大的革新。书出版后立即引起广泛反响，《人民日报》、《光明日报》、《文汇报》、《北京日报》、《吉林日报》、《文艺报》、《社会科学报》、《哲学研究》、《哲学动态》和其他许多学术刊物都作了报道或发表了评论。一些评论认为，该书"是我国第一部真正突破30年代传统教科书体系，令人耳目一新的著作"，它"开了体系改革的先河"，"为哲学的改革和研究创出了一条新路"。苏联《共产党人》杂志也发表文章予以评介。该书上册1988年获国家优秀教材奖。

这部书虽然获得了许多赞誉，我对它并不完全满足。体系革新对我来说，只不过是个"突破口"，一开始我就有很明确的意识，我们并不想加给人们一个新框框，我们的目的只是要打破束缚思想的旧框框，为哲学认识开拓更为广阔的新领域。应该说这个目的是达到了，但随之在我的面前也就展现出更多有待深入思考和研究的新课题。事实上，在我主持编写这部教材的同时，一个庞大的研究计划就已经形成。那时我就发表了一系列专题论文，完成了一部专著，[①]并应邀在大江南北、长城内外许多地方作过专题学术报告。所以教材任务结束以后，我便全力以赴地开始了新一阶段的研究工作。

四

马克思使整个哲学发生了根本变革，我们只有从变革了的

---

① 即《哲学与主体自我意识》，吉林大学出版社1988年版。

哲学观念才能理解这个新的哲学。因此我认为决不能限于马克思的思想去理解马克思的哲学，"重新理解马克思的哲学"，实质就是要去"重新理解全部哲学及其历史发展"的问题，而这也就意味着根本改变影响我们多年的那些业已陈旧的传统哲学观念，意味着适应时代的要求去推进哲学理论的进一步发展。于是，20世纪80年代后半期我的研究工作就以推动"哲学观念的变革"为主题而进一步展开了。

我是以马克思提出的"实践"理论为基点去重新理解马克思的哲学的。在这点上我与国内大多数学者的看法是一致的。不同的是，我不认为马克思的实践观点仅仅是为哲学增加或补充了一条新的原理（哪怕是认为很重要的原理），或以一种新的"本体"取代了旧的本体理论；而是理解为，马克思提出的实践观点，首先是意味着改变了哲学对人从来就有的抽象化的看法，进而也就根本改变了在人与自然的关系、人们对待外部世界的态度、看待世界事物的观点等这一切问题上的理论。一句话，根本改变了哲学对待事物的观察视角、看待问题的理念模式。在我看来，这是"哲学思维方式"的根本变化。从来的哲学理论，在对待人与世界关系的问题上，不是把它们看做直接同一的，——在这个意义上人就被还原为与物或动物没有原则分别的存在；再不然就是把它们看做绝对对立的，——在这一意义上人又被变成超脱自然的神灵或精神。马克思实践观点的意义就在于，它根本打破了这种互不相容和两极对立的思维模式，为人们从肯定与否定对立统一的视角即双重性和两重化的观点去理解人及其与自然的关系，提供了一个现实的基础，这就是哲学思维方式的意义。

许多年来，我们对于什么是"马克思主义哲学"，它与其他一切学派区别的实质究竟是什么这个问题,一直难以说得很清楚。我们说它是"彻底的唯物论"和"彻底的辩证法",这还并没有脱出旧日传统哲学的理论巢穴,很难从根本性质上把它与旧哲学区别开来;而且这里还有一个问题难以说明白,就是为什么唯物论和辩证法在先前的哲学中统一不到一块,到了马克思的哲学就很容易地统一起来? 这些,离开实践的观点是不可能说清楚的,不把实践观点理解为思维方式也很难说得清楚。

从我的观点看来,这点是十分明白的。如果说马克思的伟大贡献是在于创立了实践观点的思维方式,那么,马克思哲学之所以为马克思的哲学,它与一切其他哲学最为根本的区别,也就集中体现在这个以实践为基点,表达新时代人们看待事物的态度和方式的"思维逻辑"中。具体说来就是,哲学不应再去追求什么万物的终极存在,宇宙的永恒本体,人的不变本质之类东西,而应植根人的现实生活世界,从历史和现实的发展出发,按照"实践"体现的内在本性,突出人的主体性,发挥人的创造能力,以改变世界为根本目的的思维逻辑。判定是否属于马克思的哲学,就应以是否合于这一思维逻辑为准,而不在是否合于马克思说过的某句话或某个具体观点。即或把马克思的话背诵下来,如果背离了这一思维逻辑,那也很难算做马克思的观点。所谓的"坚持"或"发展",也都在于这一思维的逻辑,坚持是坚持这一思维逻辑,发展也是发展这一思维逻辑。

五

一种新的思维方式,意味着开拓一个新视野,启开一个新世界,进入一个新意境。彻底转变了思维方式以后,再去看哲学和哲学的历史发展问题,就会引起一系列根本观点的变化。这就是我在这一时期所发表的论文和所写的专著①的基本内容。归纳起来我提出的主要有以下一些观点:

(1)"人是哲学的奥秘",哲学实质上只是人的自我意识理论。这是我对哲学的根本看法。我认为,人总是从人出发,以人的态度和人的观点去看待一切事物的,哲学面对的虽是客观世界,他从中所要了解的却主要是人自己的本性、地位、价值和意义。哲学所以必须从对象世界去了解人,是因为人以整个世界为对象,人就是一个世界性的存在,人属于世界、世界也属于人的缘故。

(2)人是以"实践"为本性,具有自然性与超自然性、生命性与超生命性、个体性与超个体性、自我同一性与自我超越性等两重本质的复杂存在。这是我对人的看法。从来人们不是从与自然的直接同一关系就是绝对对立关系去理解人的本性,因而总是抽象化地把人了解为单一的绝对本性。人以"实践"为本性,这就意味着人是一种自我创造性的两重化存在。人必须突破物种限制,从自然中区分出来,人才能形成为人,——在这一意义上,人始终是以自我为主体的"自我中心主义者";然而另一方面,人又必须把自我本性投射于外,对象化为客观存在,才能转化自然力量为自我的力量,达到改造自然对象的目的,——在这一意义上,人又是最为外向和开放的"为他主义者"。从最为根本的意义说,人从自然中走出来还得融回大自然中去,走出自然人才是人,融进自然人才能成为正直的人。人就是这样的一种

①　即《哲学的憧憬——〈形而上学〉的沉思》,吉林大学出版社 1993 年版。

存在,他总是肯定自身于自我否定之中,在不断的否定性中去肯定自我存在。按照这样的看法,就必须根本转变人们通常关于"人"的观念,建立自我、小我、大我、他我、非我、超我相统一的以普遍的"类"为本性的新人观。

(3)哲学面对的世界是人所生存和生活的世界,并不是与人无关的洪荒宇宙,人的生活世界是经人参与二次生成过的世界,哲学世界观所要解决的就是经人所分化了的那些不同世界的矛盾,诸如自然世界与属人世界、物质世界与精神世界、现实世界与理想世界、客观世界与观念世界、意义世界与价值世界、必然世界与自由世界等等。这是我所提出的对于哲学对象和性质的看法。

从我的观点看来,不但人自己是在人的活动中创造的,人所生活的对象世界也是由人的活动参与创造的,我把它称为"属人世界",以与本来的"自然世界"相区别。人为了人的生活,需要认识自然世界,更需要认识属人世界,特别是这两个世界的关系。前者属于科学研究的领域,后者便属于哲学的研究对象。哲学世界和科学世界可以说是一个世界,又不是一个世界,正是这两种世界的不同,构成了哲学与科学的不同学科性质。按照过去的说法,哲学和科学研究的是一个世界,区别只在于一个研究的是整体,一个研究的是局部领域,这种说法不但混淆了哲学与科学的理论性质,也难以说明马克思哲学与旧哲学在对象和性质上的根本区别。事实上,马克思哲学的变革,不但体现在哲学观点而且也体现在哲学的对象、性质、主题、功能等一切方面的变化中。

(4)哲学发展的历史,由此可以归结为理念思维模式的演变、更替和发展的历史。适应实践分化与统一世界的活动,哲学也总是先把世界分裂开来,在可见世界之上设定一个不可见的世界,然后再去寻求它们的统一性。这是哲学理论活动的基本方式。哲学发展到今天,可以认为主要经历了三次分裂、三次统一、三个发展圆圈:从本体论基础把世界分裂为自然物质世界与超自然精神世界;从认识论基础把世界分裂为心内观念世界与自在客观世界;从人本学立场把世界分裂为主体人化世界与客体自然世界。这三种理论形式就代表了人们用以观察世界事物的三种最基本的哲学思维方式:以直观认识为特征,从融化了人的自然出发;由本原去把握事物本性的"存在论"思维方式;以思辨认识为特征,由脱离自然的人出发,从最高发展形态把握事物本性的"精神论"思维方式;以上述两者的简单综合为特征,由抽象的人出发,从意识与存在的机械结合去把握事物本性的"人本学"思维方式等。毫无疑问,这些思维模式都具有各自的片面性,但从发展的总体趋势说,应当看做是在一步一步从自发地贯彻人的观点日益走向人的全面观点的自觉过程。这就是我对哲学历史的基本看法。

(5)依据上述,于是我提出了应当重新去评价"唯物论与唯心论的对立"的问题。已往的哲学,面对的是具有两重化性质的人和事物,它们要追求的却是单一化的绝对本性,这样就必然会陷入彼此对峙而又相互补充的两极化观点,这就是旧哲学中唯物论和唯心论两个派别的相互对立。这种对立在旧哲学中是不可避免的。但在打破了"或这——或那"两极化的思维框框,确立了中介化的实践思维方式以后,就不能再把唯物论和唯心论看做不可超越,我们也无须从一个极端的观点去反对另一个极端的观点。唯心论哲学当然是错误的,旧唯物论哲学也需要超越。在人的生存活动即实践中,物质和精神是处在双向的交互作用中,我们已很难去断言哪个是绝对第一性,哪个是绝对第二性的。就人和自然的终极始原关系我们必须说,先有自然然后才会有人,物质是第一性的,精神是第二性的;但怎能把终极始源上的关系,无条件地推广到后来的一切方面,这样岂不完全抹杀了人的能动的创造性吗?

基于此,我提出了这样的看法:"实践观点既超越了抽象的自然观点,又超越了抽象的人本观点,它是二者在合理形式中的具体统一。既然如此,就必然会逻辑地引申出一个结论,那就是:马克思主义哲学再也不能被容纳于传统的唯物论与唯心论派别对立的模式,既不能从唯心观点去理解它,也不能从唯物论观点去理解它,马克思主义哲学诞生的秘密,变革的实质,恰恰就在于对唯物论和唯心论的超越。"

(6)在主观性和客观性的关系问题上,我们过去使用的也是两极化的思维方式,常常这样地提出问题:"从主观出发,还是从客观出发?。"我们以为,只要根除了主观性人们就可以不再犯错误。所以在我们的教科书中从来不给主观性以应有地位,我们的"唯物论"哲学就是教导人们要从客观出发而决不能从主观出发的理论。事实如何呢?在人的现实生活中,主观性不但不能根除,我们还必须依赖主观性去发挥人的创造性作用。历史事实表明,我们排斥主观并不能根除主观,而只不过把大量主观性转化成了客观性,由于泯灭了主观与客观的真实关系,以致我们便常常把从主观出发就当做是在从客观出发,因而犯了许多唯意志论的错误而不自知。我们经常是打着"唯物论"的旗号在犯唯心论的错误,就是这个道理。在我看来,主观性有双重作用,它能引人犯错误,也能发挥创造性,这犹如一把双刃剑,不能使人陷入错误的东西,也不可能引人进入创造天地。问题在于应该正确对待主观与客观的具体关系,而不是要去简单地排除主观性。因此,我提出了应当重新认识主观性的作用,有必要"为主观性正名"。

(7)"真理"问题在我们的哲学中是很被看重的问题,然而由于我们受传统理性主义思潮的影响,一向仅限于从知识论的角度去谈论真理问题,只讲科学认知的一种真理,只强调主观符合客观的一面关系,致使我们的哲学严重脱离了生活的真实,很难反映出人们多方面的真理追求。如果立足现实生活我们就会看到,不只观念领域有真假问题,对象和存在,乃至生活本身也都有真假和实幻的区别问题;事实上人们为真理前赴后继奋斗牺牲,决不只是仅仅为了去认同客体、适应外部世界、实现先定的客观本性,更重要的是要改造客观世界,实现人的崇高理想。哲学的这种状况,说明我们尚未完全摆脱直观认识论的局限,克服科学理性主义的深重影响,把思想彻底转到实践观点上来。为此,我提出了应当"突破真理论的传统狭隘视界",重新审视我们的哲学真理观。

(8)如果说真理表现的主要是人性的本质,那么,"价值"问题就更加应该如此。过去的教科书从来不谈价值问题,价值是近些年兴起的热点问题。在我看来,近年价值问题所发生的争论,在很大程度上仍然同"客体中心论"的思想影响有关。人们虽然承认人是价值的主体,自觉不自觉地还是习惯于从客体的本性去理解价值,因而在需要说明人自身的价值问题时便陷入困境,不得不另外设定一个主体(通常是把"社会"加以人格化),从人作为"工具"的意义去说明人的价值。人们对这样的理论当然不会满意。其实,在我看来,价值可以看做是能够满足人的需要的那种东西,但对"人"来说,人所追求之物尽管无限众多而且各不相同,在归根结底的意义上,人作为人的最高追求物不是别的,正是人自己,是人的自身本质,也就是要使自己成为人;人把其他一切能够满足需要的东西看做价值物也不是由于别的,只因为它们是实现人的本质的必需之物。因而,价值可以说也就是人对自身本质的一种追求。人所以还需要去追求自己的本质,这是因为人的本质不是像动物那样由物种预先规定,而是未确定的理想本性、要由人自己去创生。我认为,只有从这样的观点去理解价值,才能不断升华人性,避免一味追求物欲的倾向。

(9)人在自然世界中创建了"属人世界",属人世界虽然仍受自然世界的制约,它们的运动规律已经不同。这个不同主要体现在,在属人世界中,除了因果性规律,还有目的性规律也在同时起作用。因和果之间插进了目的,运动的方式和方向、时间的先后次序便发生了变化,它不再是纯由过去决定现在,而是过去和未来共同支配着现在,因而发展也就由纯自发的随机过程转化为具有某种自觉因素的创造过程。过去我们不区分两者的不同,只讲因果必然性,不讲目的应然性,试图把自然规律直接推广应用于社会过程,我们的公式是:既然自然界是如何如何,"由此可见",社会也就应该如何如何。由此使我们的哲学不但完全脱离了现实的社会生活,而且径直退回到"自然物质本体论",变成与二百年前的法国唯物论无别的理论。在我看来,这就是我们的哲学所以失去生活活力和现实解释力的重要理论原因。因此我提出了,对属人世界必须运用"合目的性"与"合规律性"相统一的观点去认识和理解。

(10)基于上述认识我认为,在我们今天的哲学中存在的主要问题仍然是,还要进一步清除传统哲学观念的影响,彻底转变哲学思维方式,使我们的思想真正地回到现实生活中来。为此,就要大力破除"本体论化"和两极对立的思维模式,克服本质先定论、客体中心论、客观命定论等哲学倾向,确立以实践为本性的具体的人的观点。这就是我所以要去大力推动"转变哲学观念"的主要出发点。

六

进入 20 世纪 90 年代以后,我的思想自觉更加明确了。我意识到,一切问题都集中在"人的问题"上,都决定于对人的基本看法,马克思的实践观点也首先是用来表征人的本性的。于是,"人"就成为我这一阶段思考的主题。

关于人,我思考得较多的是人的本性和人的未来发展的问题,当然这都是从哲学角度的思考,最终也还是为了解决哲学的问题,这点我是很明确的。在这里,马克思关于人的三形态或三阶段的理论给了我很大的启发。这三个形态就是:(1)"人的依赖关系"形态;(2)"以物的依赖性为基础的人的独立性"形态;(3)建立在个人全面发展基础上的"自由个性"的联合形态。人生成为"人"的这三个历史形态,在我看来也就是人作为主体依次形成的三种"主体"形态。人只有经历了"群体主体"和"个体主体"的发展阶段之后,才可能真正形成普遍性的"类主体"。

依据这一理论来看待我们中国的问题,我得出了这样的认识:我们的落后,当然首先是表现在经济、社会、技术、生产等方面,但根本的还是落后在"人"的发展方面。长期的封建宗法统治,造成我国从未形成独立人格的"个人"(个人主体),我们有的只是达官贵人和布衣小民。缺乏独立个人的自主性和创造性,这是我国社会近代以来落后的重要原因。当前我们确立的社会主义市场经济体制,在我看来就应当以解决这一问题为根本任务。于是我提出了"在我国社会主义的现阶段解放生产力首要的就是解放个人,解放个人就是发展市场经济的根本"的命题。

然而从全球范围来说,我认为历史已经进入个人本位支配的时代。不仅如此,当今暴露的各种社会弊端和提出的一系列全球性问题表明,人类已开始向"类本位"时代迈进。如果说在此之前"类"还只是一个理想性的前景,在经过了 20 世纪的发展之后,它就已经成为解决当前社会问题的现实目标。

人是哲学的真正主题,哲学不过是人的自我意识理论。人在走向未来,哲学也必将走向未来。随着人转向自觉的类存在,哲学也必然会由个人体验的理论转向以类为本位的理论。"类哲学"既是适应人的未来发展的哲学的未来本质,也是哲学发展趋向成熟的最高理论形态。中国是富有文明传统的大国,我们应当对世界文明的未来发展作出我们应有的贡献,创造出与我们国家地位相称,属于我们自己的先进的现代中国哲学。在我看来,类哲学就可以作为这一哲学的核心和基础。这就是我在这一阶段思考的主要课题。

七

总结哲学走过的发展历程,集中到一句话可以这样说:就是从非人走向人,从追求虚幻的"本真人"走向活生生的现实人,从抽象化的片面的人走向全面具体的人,最后完成类本质理论的发展过程;与此相适应地,同时也就是从非人的世界走向人的世界,从追求虚幻的"本体世界"走向现实的生活世界,从抽象化和永恒化的彼岸世界走向充满矛盾的此岸人间世界,最后实现类存在哲学的过程。

想一想我国半个世纪来所走过的,不也正是从虚幻抽象的人及其幻化的所谓理想世界,转回到现实具体的人及其真实的生活世界的历程吗?

哲学走过的历程如此,我国历史走过的历程如此,我个人的思想历程同样如此。我从"本体论"接受哲学,经过了从"认识论"和"实践论"理解哲学的发展阶段,最后才捕捉到现实和具体的"人",由此确立了"类哲学"的观念。我的思想当然还在变化中。从这一意义说,许多年来我发表的许多见解,其中肯定会有这样或那样的不少偏失。但我思想的演进与哲学和历史的走向进程能够大体保持一致,这就是我个人得以宽慰的根本之点。

(原载《社会科学战线》1996 年第 6 期)

我的导师高清海教授

孙利天

在高清海教授身边学习和研究哲学已快到二十年了,作为他的研究生,我们较多地了解他的学术思想、心路历程和个性特征。《社会科学战线》的"学术人物"专栏约我写篇介绍高清海教授的文章,也许因为离先生太近,反倒说不出多少真知灼见。好在他的学术著述和学术活动已在广大哲学工作者和爱好者中确立了自己的形象,不会因为这篇文字扭曲或改变。

高清海教授 1930 年出生于黑龙江省虎林县,幼年时随父亲统率的一支抗日队伍经苏联境内辗转到新疆,在新疆度过了童年和少年时期。抗日战争胜利以后,全家迁往沈阳,中途滞留兰州两年。少年时期的后几年,家庭生活日渐困窘,十六七岁时,已开始担负起养家糊口的生活重担,为生计做过小工,摆过香烟摊,备尝生活的艰辛。这一段艰难的生活可能是高清海教授最为宝贵的财富,不仅磨炼了他的意志,养成了他深沉刚毅的性格,为后来勇敢面对人生命运的兴衰变化打下了意志品格的基础,而且使他切身体会到社会底层劳动人民的生活艰辛,使他几十年来始终葆有强烈的社会责任感和使命感,使他成为一位社会哲学家、政治哲学家、马克思主义哲学家。这段艰苦生活的另一收获是由于中途辍学有了一段自学的经历,尽管为生活忙碌奔波,但仍挤时间借书、抄书、博览群书,为以后的治学打下了很好的基础。

1948 年高清海考入吉林大学的前身东北行政学院,1950 年至 1952 年在中国人民大学研究生班学习,他学的专业是逻辑学,但主要课程是哲学。1952 年回母校任教至今。和许多著名专家学者一样,高清海教授的履历十分简单,除少年时期一段辍学时间外,他的绝大多数生活是在校园中度过的。但是履历表的简单恰恰与其实际生活的波澜起伏成了显明的对照,他所从事的马克思主义哲学专业和他从事这个专业的独立思考态度、求真精神,注定了他要与我国近半个世纪社会生活和政治生活的急剧变化一起,经历他波澜壮阔的人生。这不仅是指与其他思想家、哲学家一样所经历的内在的紧张激越的精神生活,也指他外在人生际遇的潮起潮落。

高清海 1952 年回母校哲学教研室任教。当时的教研室主任刘丹岩教授是一位资深老干部,他曾留学英国,或许多少受到英国经验主义哲学传统的影响,刘丹岩教授对当时苏联专家讲授的教条式的马克思主义哲学教学体系十分厌恶,主张从马克思主义经典作家的著作中去理解马克思主义哲学。他认为教科书把辩证唯物主义和历史唯物主义平置并列起来,不符合两者的逻辑关系,辩证唯物主义原理是关于自然、社会、思维普遍规律的科学,历史唯物主义中的一些原理应上升到普遍规律的高度,而其他表达具体规律的原理应单独作为一门学科即理论社会学而存在,这样才能使哲学原理避免不同理论层次的混淆。经过较长时期的思考和研究,高清海接受了刘丹岩教授的观点,并于 1956 年写作了《论辩证唯物主义与历史唯物主义的关系》

一文公开发表,从此开始了长达40年对传统哲学教科书体系的批判和改造。高清海教授今天认为,20世纪50年代中期这一段学术经历的意义并不在于上述一些具体理论观点,而在于通过刘丹岩教授的影响在同辈学者中间较早地挣脱了教条主义的束缚,较早地进入了符合哲学研究本性的开放的、自由的、独立思考的研究状态,亦即较早地进入了哲学研究的门槛。1956年高清海被破格晋升为副教授,当时年仅26岁。从1956年到1959年高清海有《什么是唯心主义》、《剖析唯心主义》、《论辩证唯物主义与历史唯物主义的关系》(与刘丹岩合作)、《唯物辩证法的实质与核心》共四部著作出版。这些论著的发表和当时国内为数极少的哲学副教授职称使他在同辈学者中脱颖而出,步入了国内资深学者的行列。

从1957年的反"右"斗争开始,我国社会生活的各个领域日益受到"左"的错误影响,马克思主义哲学教学研究领域自然是首当其冲。高清海和刘丹岩教授关于辩证唯物主义和历史唯物主义关系的观点,被指斥为是割裂马克思主义哲学一整块钢铁的"分家论",是资产阶级的反动学术观点。1960年,高清海被取消讲授马克思主义哲学的资格,改派他到西方哲学史教研室。用当时的价值尺度衡量这是一种政治上的惩处,高清海教授后来却认为这是因祸得福,不仅使他可以有充分的时间研读大量的西方哲学史原著,从而打下了坚实的西方哲学史基础,同时也使他能够从哲学史发展的逻辑重新理解马克思主义哲学。对西方哲学史的研究也大大提高了他的哲学思辨能力和理论的洞察力。可能从这段时期开始,高清海教授形成了他学术风格的重要方面即史论结合,这是他后来一再要求研究生遵循的治学方法。研读西方哲学史原著与读马列原著一样是学习和研究哲学的基本功，这段时间他写下了大量的读书笔记，有的笔记后来整理成专著出版，大量的内容成为后来编写哲学史教材的素材。笔者依稀记得在十七年前，高清海教授为我们讲授西方哲学史的第一课，他熟练地在黑板上画出古希腊的地图，并提问荷马史诗和古希腊神话知识，今天仍记得当时既敬佩又紧张的心情。

在20世纪60年代初期，高清海尽管喜欢、热爱西方哲学史专业，但他并不能全身心地投入到哲学研究中。当时"左"的思潮严重影响高校的教学研究工作，有时课堂都难以维持。至1966年"文化大革命"爆发后，高清海的罪名再次升级，长期失去人身自由，除了接受批斗以外，大部分时间用于清扫厕所或在农场劳动。1969年全家去农村插队落户，1972年从农村回到学校，到1977年之前主要任务仍是接受教育和改造。翻看他的著述目录，可看到一个从1964年至1977年长达15年的空白期。我们常常为老师感到惋惜，也对他在这样一段漫长的艰难岁月中仍能坚持默默读书、深沉思考，以至能够在"文化大革命"后厚积而发，连续取得重大成果而感到由衷的敬佩。

高清海教授很少谈及20世纪六七十年代这段不幸的经历，即使是对我们这些常在他身边的学生也是如此。只是从其他一些老师的闲谈中听说些他所经历的精神和肉体折磨。这段沧桑岁月给我们的老师留下了什么？我们七七级同学入学后见到的高清海教授已是一位硕学的长者，其实这时他还不到五十岁。身高超过1米80的高大身材并未因多年的磨难而变曲，只是有明显的秃顶。举止沉稳老练，讲课从内容到板书、声音都一丝不苟，甚至可说字正腔圆。高老师给我们的最初印象是严峻、严谨，总之是位严师。在经历了十余年的严酷的政治斗争之后，在几十年刻苦研读、深沉思考之后,我们见到的似乎也只能是一位严峻甚至有些冷峻的哲学家。按照存在哲学的思路,十余年特殊的生活际遇必然对哲学家的思想留下深刻的影响。用"文化大革命"时期的语言说这种既触及肉体也触及灵魂的斗争对哲学思考不无益处,因为它刺激哲学思考,使哲学家免于向日常生活的沉沦;"左"的错误特别是"文化大革命"十年浩劫的灾难给予高清海教授的深刻教训就是对教条主义、对"左"的思潮要不妥协地进行抗争。总结他大半生的学术生活,高清海教授曾写下这样一句话:"为学做人,其道一也",用以勉励自己和他的学生。

高清海教授认为,马克思主义哲学是我们党和国家意识形态的哲学基础,经过一个多世纪的理论传播和宣传教育,马克思主义哲学已成为我们民族文化的重要组成部分,它是中国的"主流哲学"。由于马克思主义哲学在我国社会生活中这种特殊作用,它的思维方式、理论形态、价值取向必然广泛地影响人们的政治生活、经济生活和文化生活,在一定意义上甚至关乎民族命运的兴衰。因此作为一个马克思主义哲学工作者,必须有开阔的眼界,博大的胸怀,深厚的学养,更重要的要有强烈的社会责任感和坚持真理、修正错误的勇气,勇于独立思考,不随流俗,勇于担当自己的理论选择所带来的人生命运。法国作家雨果说过,文人有文人的勇敢。在高清海教授身边流连愈久,愈能体会到他内在的刚强。数十年来他愈挫愈奋,真诚地践履着自己的青春理想,为中国马克思主义哲学的改革和发展作出了他特有的、不可替代的贡献。

哲学史也曾留下一些著名哲学家日常生活的生动记录。以"绝对理念"和思辨辩证法而闻名的黑格尔特别重视所谓"健康的常识",黑格尔喜欢喝啤酒、爱跳舞,也喜欢远足出游。终生未娶的哲学家康德也不乏温暖的人生情趣,持续几小时的康德家的午宴是当地社交界的楷模,主人康德机智幽默,妙语连珠,康德之后的德国哲学家费希特就是在康德的午宴上体认到这位老人的伟大。和高清海教授相处日久,我们这些学生也逐渐少了敬畏,多了亲切和庸常。高老师喜欢书法、摄影、旅游,有时也下厨烹调。在高老师家聚餐是我们的一大享受,我们多次吃到高老师亲手制作的"八宝饭",有时也能吃到他做得很精致的小点心。高老师有关东人的爱好,喜饮高度数的白酒,酒量几乎不可测度,因为他似乎从未醉过,这也许是哲学家的理性节制了他的豪情。在酒桌上我们也有些风雅的游戏,联成语,诌几句诗,偶尔也唱唱歌(一律是清唱,没有卡拉OK),高老师常常有意破坏游戏规则,被罚酒一杯。记得有一次他朗诵了一首现代诗,全诗只有一字:网。

　　从20世纪80年代开始,高清海教授进入哲学创造的新高峰期,在沉寂了近二十年之后,多年理论思考孕育的成果陆续发表,马克思主义哲学研究的思路不断得到澄清,在国内外学术界的影响和声望日益上升。据不完全统计,高清海教授自1978年以来共发表各种学术文章110余篇,其中在《哲学研究》、《中国社会科学》、《哲学动态》、《光明日报》、《人民日报》等重要报刊上发表的论文达40多篇,被《新华文摘》全文转载的论文有12篇之多。在同期他出版了几部重要的个人学术专著,1988年出版的《哲学与主体自我意识》获吉林省优秀图书一等奖,国家教委首次人文、社会科学成果评奖优秀著作一等奖;1993年出版的《哲学的憧憬——形而上学的沉思》获吉林省长白山优秀图书一等奖、吉林省优秀著作一等奖、第二届国家图书奖(提名奖);他主编的《马克思主义哲学基础》(上册)获国家优秀教材奖,吉林省优秀著作奖。高清海教授丰富的、高水平的理论著述,使他进入当代中国哲学家队伍的领先行列。他是国家遴选的首批博士生导师,是第一届、第二届国务院学位委员会哲学学科组成员,是吉林省学位委员会委员,是吉林省社科联副主席、吉林省哲学学会理事长,是吉林大学学位委员会副主任、文科学术委员会主任,他还曾兼任过吉林大学副校长等党政事务。

高清海教授用"走创新哲学之路"概括自己学术思想和学术活动的历程,也曾讲到他从本体论入手学习哲学,中间经过认识论的反省和转折,而达到实践观点的思维方式。近年来他特别重视从类哲学的角度理解马克思主义哲学。与几乎所有重要哲学家一样,很难用某一部论著作为他学术思想的代表,创新哲学之路即是不断地自我否定、自我超越之路。年逾九十的德国哲学家伽达默尔还在思考哲学也许不是他原来认为的那样。因而,可以肯定高清海教授的学术观点和学术思想还将在不断地创新中发生新的变化。

然而,哲学家的理论创新绝不是朝三暮四的随意遐想,只能是在自己已有理论成果的基础上自我突破、自我发展,从而使他们的学术思想始终具有可辨认的个性特征。高清海教授的学术思想近二十年来经历了几次重大的变化,我们跟随高老师从哲学原理教科书体系的改革,到哲学观念和哲学理论内容的变革,再到近年来关于类哲学的思考,哲学观点和倾向也几经变化,有时跟不上他的思路也有些困惑和茫然。但是变易之中仍有不变,高老师的学术思想毕竟是他的思想,经过一段思考即可大致理清思路。按照我的体会高清海教授的学术思想大致有下面几个主要特征。

首先,高清海哲学工作的主要内容是一种世界观的哲学。哲学是系统化、理论化的世界观,这是每个高中生都知道的哲学常识;但在较小的哲学专业圈内的人们知道,20世纪的西方哲学主流反对的恰恰就是这种世界观的哲学。人们也许会想西方哲学原本就是反对马克思主义的,中国的马克思主义哲学研究都是世界观的理论,特殊地强调高清海哲学工作的世界观性质还有什么意义? 高清海教授认为,传统哲学原理教科书遵循的是一种本体论化的思维方式,它用知性的抽象思维抽象出世界的最普遍规律,用还原论的方法把世界万物还原为某种不变的本体,并用这种本体和规律规范人们的全部认识和行为,这导致否定人的自由和能动性的绝对客观主义哲学,导致马克思主义哲学的公式化、教条化。这样的世界观理论是主客二元对立的科学主义认知方式的产物,但由于它所抽象的规律和本体不具有经验科学的效准,因而是恩格斯早已宣布终结了的自然哲学的变种,是西方现代哲学所说的形而上学。高清海教授认为,现代西方哲学对传统哲学作为形而上学的拒斥,对实体本体论的拆解和解构是有一定道理的。但是现代西方哲学基本上没有超出知性思维方式的限制,不懂得人与世界是否定性统一关系,不懂得人是在实践中不断创造自己本质,不断改变人与人、人与世界关系的类存在,因而只能消极地拒斥、拆解传统哲学,而不能像马克思那样在批判旧世界中发现新世界,在批判传统哲学中给出改造世界的世界观理论和积极的生活理想。

高清海教授对马克思主义哲学的重新理解和阐释,恢复和弘扬了马克思主义哲学的主体性原则,冲破了多年来由传统哲学教科书作为"准经典"而凝固化的种种教条,使马克思主义哲学的世界观在当代具有了新的生机和活力。苏联《共产党人》

杂志曾发表文章认为他领导的科研群体充当了马克思主义哲学改革的开路先锋。高清海教授的哲学改革和哲学创造始终围绕着如何从整体上重新理解和发展马克思主义哲学这个核心,他是哲学思想家,而不是哲学技术专家,尽管在他的论著中也有细腻的专门化的分析。多年的马克思主义哲学和西方哲学史研究,使他强烈关注自己理论活动的社会实践意义,关注哲学理论的世界观意义。他最初从认识论理解辩证法、建构马克思主义哲学教科书的新框架,是挣脱本体论化旧教科书体系的重要一步。从本体论转向认识论,才能确立人的主体地位,才能从人类认识史的进展理解哲学,破除哲学的僵死化、凝固化,也才能为中国的现代化建设提供科学世界观的支持。从认识论转向实践观点的思维方式或如日本学者所说转向"实践超越论",这是高清海教授自 20 世纪 80 年代中期以后的又一次重大哲学转向,这时他把马克思主义哲学创立的实质,看做是哲学思维方式的根本转变。实践是人类存在的形式,首先是无产阶级和劳动人民的存在样式,实践使主体与客体、主观与客观、人与世界分裂开来又统一起来,哲学作为世界观的理论所要解决的就是实践基础上产生的这些矛盾,否则哲学世界观就没有真实的理论内容和实践意义。他认为,实践既不是一个单纯的认识论概念,也不是一个本体概念,而是重新理解人,理解世界的新的思维方式。它超越了近代哲学本体论化的思维方式,因而也就超越了旧唯物主义和唯心主义的对立,也超越了用机械唯物主义观点所理解的马克思主义唯物论。在实践中生成和创造了人的本质,世界中没有什么先行决定了人的本质,人就不再从世界中寻找不变的本体,从而世界就是对人生成、开放(用海德格尔的术语是"绽放")的世界。这是一种充满生机和活力的世界观。经过几年来对市场经济和社会发展问题的思考与研究,也经过对西方后现代主义哲学冷静的批判性的思考,高清海教授近年来提出类哲学的理论。他认为,人在实践中不断生成和提高自己的本质力量,按照马克思的划分人在自己创造的经济形态的制约下经过人的依赖性,到以物的依赖性为基础的人的独立性,最后达到个人全面发展基础上的自由个性,亦即达到人的类存在,这是人的本质生成和发展的基本历程。社会主义市场经济的根本作用就在于确立人的独立性、自主性,从而为人全面占有类的本质力量创造条件。他认为,后现代主义哲学只是看到了语言、文化、权力等对个人独立性的支配和侵犯,从而主张拆解、解构和摧毁,而不懂得个人正是通过对这些类属性的占有而使自己成为类存在。对高老师类哲学的理论我了解尚少,但可肯定这是一种十分切近马克思本意的哲学世界观,它对我国的社会主义市场经济建设和精神文明建设有十分重大的潜在价值。

高清海教授学术风格的第二个显著特点是他所思考和解决的理论问题的重大性和根本性。他多年来从事的马克思主义哲学改革工作已使自己置身于我国主流哲学的中心,而他对马克思主义哲学创新性的总体理解,必然更多地受到国内外理论界的关注。十余年来他的一些理论观点几度成为我国哲学界理论争鸣的焦点,对此他处之泰然,坚持走自己的创新哲学之路。他并不认为自己所有理论观点都是科学的或正确的,他认为哲学理论既不是像数学和逻辑那样的形式真理,也不是像物理、化学那样的事实真理,因而不能用逻辑和经验直接判定;哲学真理是认知和信念、现实与理想、事实和价值的统一,对哲学真理进行检验是十分复杂的过程,而理论的论辩和争鸣是有效的形式之一,当然争鸣要有追求真理的诚意。高清海教授经常和我们这些学生说,哲学理论研究工作者首先要有不断否定自己、超越自己的勇气和能力,这样才能超过前人作出理论贡献;要做一位哲学思想家而不是注释者,就必须有强烈的理论创新意识,哲学的生命在于创新;由于哲学理论的世界观性质,哲学创新往往是思维方式和世界观的变化,所以具有根本性和总体性。

高清海教授的哲学创新具有很大的思想冲击力,我们作为他一些重要论著的第一批读者经常感受到强烈的思想震撼,这首先是由于他论述的课题的重大性和根本性。从哲学原理教科书体系的改革,到哲学思维方式和哲学观念的变革,再到渐趋温和的对马克思主义哲学作为类哲学的理解,每次都给我们一种新的哲学视野,甚至是一种新的哲学观。我们在高老师身边学习和工作多年,深知这些全新的哲学理论绝不是偶发的奇想,它是经过几年、十几年漫长的思想酿造和艰难的思辨而逐渐成熟的。至今仍受到理论界注意的《重新评价唯物论唯心论的对立》一文,从写成初稿到1988年公开发表,中间经历了近两年的反复修改。去掉枝节之论,牢牢捕捉住重大的、根本的理论课题,持之以恒地梳理、探索从而作出原创性的理论创造,这是高清海教授的学术风格,可能也是每位重要哲学家的共同特点。问题的关键是怎样把握住一些哲学的真问题。高老师在他的学生中倡导一种叫"笨想"的方法,大致意思是当面对一个已有的或自己提出的理论课题时,抛开所有的相关文献,用自己的理论直觉,自己的思路和自己的语言把问题阐述出来,或叫开显出来,以使问题初步得到清理,弄清它的真假、疑难,尔后才有对问题的深入研究。高老师近些年来阅读一些现象学的著作,认为现象学的方法,也是一种"笨想"的方法,面向事情本身与面向问题本身虽然意义大不相同,但"悬搁"本文却是一致的。

　　高清海教授的学术思想是世界观的理论，是时代精神、一定意义上也是民族精神的理论表达，他所研究的理论课题的重大性和根本性，主要在于这些理论对我国社会主义现代化建设实践的意义是重大的、根本的。所以高清海教授学术风格的第三个显著特点就是马克思主义哲学所固有的实践性。

　　我国多年来的马克思主义哲学教育和宣传，把实践性作为马克思主义哲学的两个显著特点之一，把理论与实际相结合作为马克思主义的重要方法论原则。但由于我们并未深入发掘理论和实践相互关系的复杂结构，往往造成对理论和实践的双重损害。一方面我们长期把马克思主义哲学教条化、公式化，堵塞了从鲜活的社会实践中丰富、发展马克思主义的通道，同时也把马克思主义哲学工具化、实用化，不懂得哲学理论社会功能的实现要通过漫长的教化过程，才能提高全民族的理论思维能力和改变人们的思维方式，而企图让马克思主义哲学直接使花生增产，技术提高乃至用它去攻克科学难关，结果既损害了实践的效益又损害了理论的威信。另一方面我们放弃了理论对实践的批判维度，理论指导实践当然也包括规范实践的意义，但当实践的激情得到意识形态狂热的支持时，我们的哲学理论也抛弃了清醒的理性和逻辑而同样陷入非理性的迷狂中。1989年高清海教授与秦光涛合作的《理论的命运与中国的命运》一文，对此作了深沉的反思。

　　高清海教授从青年时代起就有强烈的独立思考和批判意识。在1958年的"大跃进"浪潮中他似乎是比较清醒的，针对当时"人有多大胆、地有多高产"的唯意志论和主观主义，他写了《只有依据客观规律才能发挥人的主观能动作用》一文；针对当时人们论证"两条腿走路"只有统一和促进而无扯腿或排斥的关系,他与雷振武合作《关于"两条腿走路"中的排斥、斗争与统一的辩证关系问题》,提出不同的看法。今天看来,这些观点都是马克思主义哲学的常识,甚至也是日常意识的健康常识,但在那个时代说出这些不合时宜的常识,却需要理论良知和理论勇气的。经过"文化大革命"十年浩劫的惨痛教训,高清海教授更加自觉地保持哲学思考中的批判意识。对传统哲学原理教科书的批判和改革,对陈旧的哲学观念和哲学思维方式的批判,总是包含着对现实生活和社会实践的批判和矫正,而批判的尺度和依据不仅是逻辑的和学理的理由,更多地是来自对我国社会实践理论需求的感受。1988年他与孟宪忠合写了《中国需要自己的社会发展理论》一文,该文获"全国纪念党的十一届三中全会理论研讨会"优秀论文奖,从此高清海教授开始涉足社会发展理论研究。经过几年对市场经济和人的关系的思考,他提出社会主义市场经济的哲学意义在于促进个人独立性的确立并为人的全面的自由发展创造条件,以此为尺度他对我国的经济生活和社会生活提供了新的批判视野。以理论批判的形式介入生活,介入中国的现实是高清海教授鲜明的学术个性,从而使他的著述具有很强的时代气息和论战风格。

按照当代哲学对存在的一种理解,哲学理论活动也是一种存在样式或生活方式,哲学的对话与交往也是一种实践形式,理论和实践的界限日益模糊,哲学家的学术思想和生活日益紧密地联系在一起。在一定意义上可以说,高清海教授的学术经历和学术思想也就是他生活的传记。他从1948年考入吉林大学的前身东北行政学院,一直生活在这所校园里,他是典型的学院派哲学家。但是由于多年政治生活和社会生活的急剧动荡,我国高校的校园生活也少有平和与宁静,高清海教授和同辈人一起经历了波谲云诡的人生。应该说他是幸运的,他的专业、他的个性使他在滚滚大潮中没有随波逐流,从而也才有真正属于自己的生活史和心灵史。高清海教授用他四十多年的理论活动实际地参与了新中国社会主义建设的各个阶段,他的理论成就部分地在于他比其他哲学工作者更多地关注和正视我们时代的社会现实生活,也更多地对社会生活产生了影响。

高清海教授现在身体健康、精神舒畅,他的体力和精力使他能把自己的思想及时变为理论著述,1995 年一年他发表了 13 篇论文,其中有 4 篇被《新华文摘》全文转载。他的工作能力和理论成果使我们这些学生自愧弗如。高老师对新东西总有探索的欲望和热情,他在哲学圈内以敢于吃各种地方小吃而知名。近年来他对"电脑"产生了兴趣,我手头的一份《高清海著作论文目录》就是他自己打印的。高老师为我国社会主义改革的成就感到高兴,对他能够在晚年专心研究学术感到幸运,也为他每一个学生取得的成就感到欣慰。他的思想依然深邃、敏锐,仍然常为社会生活中不如意处而忧虑或恼怒,但总的心境却日趋平和。近年来他多次和我们讲,他的一些理论观点并不是通过严格的逻辑推导和论证而得出的,也并没有全面的经验依据,而多是基于一种理论本能或理论直觉作出的,因而很难保证这些理论观点的可靠性。他欢迎理论界与其进行真诚的争鸣和对话,也希望甚至要求我们这些学生提出不同的意见。其实任何哲学理论都没有可靠的推理程序和检验程序,没有什么能够保证哲学理论的绝对可靠性,但知道这一点并勇于承认这一点的人恐怕并不很多。高老师近几年也练练"气功",原来喜爱的烟、酒减少了许多。也许是通过"气功",也许是因为心境日趋平淡,他对中国传统文化有了更深切地体认和同情。在他近年来关于类哲学的思考中注意到中国传统哲学"天人合一"的理论,他认为真正全面自由发展的人格也就是荀子所讲的"天民"或冯友兰先生所说的"宇宙的公民"。

从1952年7月回校任教,高老师已在吉林大学任教第45个年头了。祝我们的老师健康长寿,取得更大的理论成就。

（原载《社会科学战线》1996年第6期）

汤一介与中国哲学研究

胡 军

一、学贵自得的创新精神

从汤一介治学的范围来看,很容易给人一种家学渊源的感觉,因为其父汤用彤先生就是一位久负盛名的国学大师,其力作《魏晋玄学论稿》和《汉魏两晋南北朝佛教史》至今仍是研究魏晋玄学与佛学不可不读的经典性著作。但汤一介却不是简单直接的子承父学,相反他却一贯坚持独立思考,力图提出一套新的观点来。

汤一介从事中国哲学史的教学与研究一开始就受到极"左"思潮的干扰和教条主义的束缚。当时,日丹诺夫关于哲学史是唯物主义和唯心主义斗争的历史的看法是哲学史研究的指导思想。汤一介也曾一度信服这样的教条主义,以唯物进步、唯心反动的二元框架来分析中国哲学。在这种教条主义的束缚下,不可能有真正的学术研究。早在20世纪80年代初,他就有意识突破这种思想的束缚,特别强调哲学史就是认识史,应该着重研究哲学史自身特有的问题。他的力作《郭象与魏晋玄学》就是这一看法具体运用于中国哲学史研究的第一次尝试。

这本书紧扣魏晋玄学的一个重要课题:如何调和"自然"与"名教"之间的冲突,来研究整段玄学的发展史。任何哲学家的哲学都不可能解决所有的哲学问题,因此在他的哲学体系中就必然存在着其自身的内在矛盾。找出并分析这种内在的矛盾就可以看到哲学的发展是一环扣一环,而不是一个个哲学家的并列。汤一介指出,王弼企图用"体用一如"的观点来说明"无"(道家的自然)和"有"(儒家的名教)的关系,认为"无"不能离开"有"而存在于其先或其外,"无"并非如一在"万有"之上的造物主而和"万有"对立,而即在"万有"之中,作为"万有"之本体。但是,在王弼的著作中又有"崇本息末"的说法,过分强调本体的绝对性,以至于强调本体之"无"似乎成了在"万有"之上的绝对。这就造成了其思想体系的矛盾。从这一矛盾本身就可引发出两种思想发展的可能:一是进一步否定"末"、"有"的作用,而强调"本体"的绝对性;另一便是更强调"末"、"有"和"本体"的一致性,进一步发挥"体用如一"的思想。前者即是竹林时期的嵇康、阮籍所发挥的"越名教而任自然"的思想,后者则是向秀所提倡的"以儒道为一"的观点。由向秀思想向前发展的最主要的玄学代表人物是郭象。郭象注庄盛言"圣人虽在庙堂之上,然其心无异于山林之中",则是经过向秀而发展了的王弼哲学。郭象经过对"有"和"无"、"名教"和"自然"的一系列论证,认为"自然"即"名教","山林之中"就在"庙堂之上","外王"即是"内圣"。因此,儒家和道家从根本上说是"一而二"、"二而一"的了。郭象哲学可以说是魏晋玄学发展的高峰。

此外,《郭象和魏晋玄学》一书还仔细地考证了向秀与郭象《庄子注》的异同,一反"向郭二庄,其义一也"的旧说,并提出郭象注庄对庄子旧注的批评以及郭象哲学与庄子哲学的重大差异问题，实为发前人所未发之创见。

此书固然反映了汤一介的细腻工巧的哲学思辨的性格，更为重要的是他已自觉地跳出了唯物、唯心这一二元框架的教条束缚，而着重哲学史自身演进轨迹的探求，在方法论上，无论在当时还是现在，这都是有价值的，是中国哲学史研究方法论上的一个突破。

由玄学而涉及道教，汤一介花了很大的工夫认真考订各种道藏中属于魏晋南北朝时期的道教著作，再根据一些比较可靠的材料来撰写《魏晋南北朝时期的道教》一书。全书由较抽象的宗教定义层层析论至较具体的佛道之争及对《太平经》的与一般流行说法颇有不同的看法，确实是一部研究道教不可多得的佳作。

汤一介的《郭象与魏晋玄学》和《魏晋南北朝时期的道教》两部著作表明他在治学态度和研究方法上坚持独立思考、不随波逐流、实事求是、学贵自得的创新精神。

二、对中国传统哲学特质的探求

汤一介既擅长对中国传统哲学作深入细致、条分缕析的辨名析理的哲学分析，又能驾轻就熟地从宏观上把握住中国传统哲学总体特质和基本精神。

近十余年来，汤一介尤用心考察儒、道、释三家的共法，以求能对中国哲学的特质有一总体上的把握。

汤一介对这一问题切入的角度的新颖独特之处是从研究中国传统哲学的概念入手。也就是说，对中国传统哲学特质的总体把握须以对哲学概念的条分缕析的微观分析为前提。他认为，一个哲学体系必然由一套概念（范畴）、判断（命题）和一系列推理组成。哲学体系也就是概念体系。中国传统哲学中确实没有像西方哲学家那样有他们比较严密的概念体系，但是不能否认中国传统哲学有自己一套独特的概念和范畴。中西哲学在这一方面的不同，是因为中国古代哲学家没有自觉到应该建立一套自己的概念体系，因为中国古代哲学家并不重视对自己的思想作分析，也并不认为有建立概念体系的必要，中国传统哲学的主题是追求一种人生境界，而不是追求知识的体系化。但既然中国传统哲学有自己特殊的概念和范畴，那么要对中国传统哲学作总体上的哲学思考，就必须基于对中国传统哲学中固有的概念的分析来为它建构一概念体系。

那么如何来研究中国哲学的概念呢？早在 1981 年写的《论中国传统哲学范畴体系的诸问题》一文中，汤一介已提出可以从五方面着手研究中国哲学的概念：(1)分析概念的含义；(2)分析概念的发展；(3)分析哲学家（或哲学派别）的概念范畴体系；(4)分析不同概念的种类，如"天"、"人"、"道"、"器"等属于实体性的概念，"体"、"用"、"本"、"末"等属于关系性的概念等；(5)比较中西哲学概念的不同。我们不应用西方哲学概念去套中国哲学的概念。我们只能在对中西哲学概念的含义作出具体的比较分析之中，来揭示中国哲学不同于西方哲学的特点，这样我们才可以避免"削足适履"，而使我们可以对中国哲学作较为合乎实际的哲学思考。

对中国传统哲学概念的含义作分析、研究的工作仅仅是第一步。第二步的工作就是从总体上为中国哲学建构一概念体系，这是一个更为艰难的工作。我们可以从不同的角度来为中国传统哲学建构适当的概念体系。汤一介一开始是从存在的本源、存在的形式、人们对存在的认识这三个方面来建构这样的概念体系。但是，这样的角度似乎仍然反映了 1949 年以来哲学教科书的某些影响。深入的哲学思考促使他从另一更有意义的角度，即从"真"、"善"、"美"这样的角度来建构中国传统哲学的概念体系。

照汤一介看来，在中国传统哲学中，"天"（天道）和"人"（人道）是一对最基本的概念，它是关于宇宙人生的最基本的概念，它属于"真"的问题；由"天"、"人"这对概念可以推演出"知"和"行"这对概念来，它应属于"善"的问题；由"天"、"人"这对概念还可以推演出"情"和"景"这对概念来，它应属于"美"的问题。如果把"天"和"人"这对概念看做是中国传统哲学最基本的概念，那么就可以说天人关系是中国传统哲学的最基本的问题，这样就可以否定长期以来把"思维和存在"的关系作为中国传统哲学的基本问题的教条，而能根据中国传统哲学的实际来考察中国传统哲学了。

顺着上述的思路，汤一介认为，现代新儒学不免夸大了儒学的现代意义，又在有意和无意之间地用西方哲学的框架来套中国哲学。新儒学的代表人物把很大的力量花在论证"内圣"之学可以得出适合现代民主政治要求的"外王"之道来，以维护中国传统哲学中的"内圣外王之道"的格局，同时又在论证"心性"之学经过"良知坎陷"可以得出科学的认知系统，以便使中国哲学也有一个可以与西方哲学并立的知识论体系。这是一条思路，但绝不是唯一的，也不是必要的。

于是，汤一介独具匠心地指出，儒学第三期发展的可能性可以从"天人合一"、"知行合一"、"情景合一"上来探讨。所谓"天人合一"，它的意义在于解决人和整个宇宙的关系问题，也就是探求世界的统一性的问题。"知行合一"是要求解决人在一定的社会关系中如何认识自己、要求自己，以及如何处理人与人、人与社会之间的关系问题，这就是关乎人类社会的道德标准和认识原则的问题。"情景合一"是要求解决在文学艺术创作中人和其创作物之间的关系问题，它涉及文学艺术的创作和欣赏等各个方面。在这三个命题中，"天人合一"是中国哲学的最根本的命题，它最能表现中国哲学的特点，它是以人为主体的宇宙总体统一的发展观。"知行合一"和"情景合一"是由"天人合一"这个根本命题派生出来的。1983年在加拿大蒙特利尔召开第十七届世界哲学会议，这次会议特设了"中国哲学圆桌会议"。汤一介在这次圆桌会议上以上述的理论为内容作了《儒家哲学第三期发展可能性的探讨》的报告，报告引起了强烈的反响。香港学者刘述先在《蒙特利尔世界哲学会议纪行》一文中记述了当时会议的情形：会议的最高潮是由北大汤一介教授用中文发言，探讨当前第三期儒学发展的可能性，由杜维明教授担任翻译。汤一介认为，儒学的中心理念如"天人合一"、"知行合一"、"情景合一"在现代都没有失去意义，理应有更进一步发展的可能性。这一番发言虽然因为通过翻译的缘故而占的时间特长，但出乎意料的清新立论通过实感的方式表达出来，紧紧地扣住了观众的心弦，讲完之后全场掌声雷动，历久不息。

汤一介认为，"天人合一"、"知行合一"、"情景合一"不仅是儒家哲学的基本命题，而且也是道家甚至中国化的佛教（如禅宗）思想的基本命题。总之，这三个命题是中国传统哲学的基本命题。这三个命题可以总括中国哲学的特质。这三个命题亦正是中国传统哲学对"真"、"善"、"美"的表述。那么，中国传统哲学关于"真"、"善"、"美"的问题为什么追求这三个"合一"呢？汤一介认为，中国传统哲学与西方哲学不同，它并不偏重于对外在世界认知的追求，而是偏重于人自身价值的探求。由于"人"和"天"是统一的整体，而在宇宙中只有人才能体现"天道"，"人"是天地的核心，所以人的内在价值就是超越性"天道"的价值。因此，中国传统哲学的独特价值在于教人如何"做人"，在于提供了一种"做人"的道理。"做人"对自己应有个要求，要有一个理想的"真"、"善"、"美"的境界，达到了"天人合一"、"知行合一"、"情景合一"的真、善、美境界的人就是圣人。

在《再论中国传统哲学的真善美问题》一文中，汤一介再从比较哲学的观点立论说："中国传统哲学所注重的是追求一种真、善、美的境界，而西方哲学则注重在建立一种论证真、善、美的价值的思想体系。前者可以说是追求一种'觉悟'，而后者则是对'知识'的探讨。"

对上述三个基本命题的探索进一步引发汤一介以建构三套相互联系的理论来深化其对中国哲学的深层次的透视。这就是：（1）普遍和谐观念，这是中国哲学的宇宙人生论；（2）内在超越精神，这是中国哲学的境界修养论；（3）内圣外王之道，这是中国哲学的政治教化论。其实，过去研究中国哲学而试图总括其体系特色者亦有人在。例如梁漱溟在《东西文化及其哲学》一书中综括儒、道、释三家之共法为：（1）心力向内而不向外；（2）学有志愿真切，有不容已；（3）为学重在亲证离言。若与这些不同说法相比较，则尤可见汤一介不落前辈学者旧套之可贵，凭其独立工巧的远思，另辟蹊径，胜义迭出，这是他深湛功力之明证也。

三、文化转型的反思

20 世纪 80 年代中期国内掀起了一股文化热,这可以说是一个客观的机缘,使汤一介从传统哲学的重建整理工作转向思考中国现代化、中西文化的交流以及转型时期中国文化的发展路向等问题。汤一介对这些问题都发表了自己的独特的有意义的理论见解。他认为,中国的现代化不仅只是一个科学技术和政治制度层面的问题,而且更深层的应是一个价值取向和思维方式的文化问题。如果现代化只限于技术层面,所得到的结果只能是现代化的失败,因为没有政治制度的现代化,特别是没有思想观念的现代化,现代化必然会落空。为了说明现代化主要不是科技问题而是一种价值取向,是一种创造精神,他从理论上深入地讨论了什么是"现代"。他不同意"中学为体、西学为用"、"以西学为体,西学为用"、"西体中用"等种种说法,而颇有新意地指出,所谓"现代"就是"以自由为体,民主为用"。不仅仅西方社会,而且东方社会都应该"以自由为体,民主为用"。这是一切现代社会的共性。他认为,"自由"是一种现代的精神,人类的创造力源于自由。而"民主"则是一种制度,它的功用应是保证人民的自由得以实现,得到保证。

中国的现代化在理论探讨的层面上必然牵涉不同文化相遇、相交的课题。从考察佛教输入中国的历史经验,他得出不同文化间的交流存在着双向选择的结论。任何一种文化在与其他文化相比较中,既要保存其最基本的特点,又往往会发现其自身的不足方面,所以为了保持其文化的活力,就必须不断吸收外来文化以滋养自己。一种文化传到另外一种文化环境之中,往往一方面是原有文化会因受到外来文化的刺激而发生变化;另一方面,外来文化也要适应原有文化的某些要求(特性)而有所变形。因此,在两种不同文化传统相遇时,文化的发展就有一个双向选择的问题。

在文化交流双向选择理论的基础之上,他更提出了一种"既能充分吸收外来文化,又能保持自身文化特性"的理论和方法。这就是要采取一种"在非有墙与非无墙之间"的态度。一种文化的存在从时间、空间、状态上看是一个综合体。一种有生命力的文化在与其他文化发生关系时,从中国哲学的角度看,它往往呈现为"非有非无"、"非常非断"、"非实非虚"。在中国哲学中,这种不用肯定的方式来说明问题的方式叫"负的方式"。它不直接说明某种事物是什么,或者说不能肯定地说明事物。因此,这种方法是在否定中表现肯定。这种方法往往用"非有"来表现"无",用"非无"来表现"有"。据此,中国哲学往往要求在两极之间找一"中道",但这"中道"又不是另立一"中",只是在对两极的否定中显现的。如果用中国哲学的这种思维方式来看文化之间的"墙"的问题,说"在有墙与无墙之间"不很确切,而应该说"在非有墙与非无墙之间"才更为准确。所以,一种文化或一种文化在多种文化关系之中如果能在"非有墙与非无墙之间"来发展,可能更为理想。至于不同文化交流时总不可免的"误读",汤一介认为,只要误读是一种创造性的解读,那实际上反而可能有助于促进文化间的相融。

此外,对于现时正处于转型阶段的中国文化应如何发展的问题,汤一介同样回到历史中去寻找解答的启示。仔细分析比较在中国历史上先后出现过的三段文化转型时期,即春秋战国、魏晋六朝和五四运动以降;可以发现在文化转型时期对传统文化的态度往往并存着三种力量,即文化的保守主义、文化的自由主义和文化的激进主义。人们常常认为,在文化转型时期只有激进主义对文化的发展才有推动作用,而自由主义特别是保守主义则是阻碍文化发展的。汤一介认为,这样的看法是不正确的。他认为,在文化转型时期,在学术文化领域内,学术文化的发展只能是多元的,正是由于有激进主义派、自由主义派和保守主义派并存,在这三种力量的张力和搏击的推动下,学术文化才能得到发展。因此,根据历史经验,当前中国文化应该走上一条多元发展的路才是正途。他的这些见解是独到精辟、发人深省的。

四、新问题的探索

在即将进入 21 世纪之际,汤一介为自己提出了一个新的研究课题,这就是"创建中国解释学"的问题。近来我国的众多学者都在运用西方解释学(Hermeneutics)的理论和方法研究中国的哲学、宗教学、伦理学、社会学、文学、艺术学等等学科的问题。我们知道,西方的解释学大体上是从解释《圣经》开始的,它经过了十几个世纪漫长的酝酿过程到德国哲学家兼神学家施莱尔马赫(Friedrich Schleirmacher,1768—1834)和历史学家兼社会学家狄尔泰(W. Dilthey,1835—1911)才真正成为一有重要影响的学说。汤一介认为,中国有更长的解释经典的历史,其时间至少可以上溯到战国时代。因此,如果对中国解释经典的历史作一梳理,并参之以西方解释学理论,能否建立起与西方解释学不同的中国解释学理论? 这是应该认真研究的问题。一两年来,汤一介为此发表了四篇论文。《能否创建中国解释学?》发表于

《学人》杂志第十三辑(江苏文艺出版社 1998 年),《再论创建中国解释学问题》刊于《中国社会科学》2000 年第 1 期,《三论创建中国解释学问题》刊于《中国文化研究》2000 年夏之卷,《关于僧肇注〈道德经〉问题——四论创建中国解释学问题》刊于《学术月刊》2000 年第 7 期。其中第一篇是把问题提出请大家讨论。第二篇分析了先秦四种对经典注释的类型:《左传》对《春秋》是历史事件的叙述式解释;《系辞》对《易经》是整体性的哲学解释;《韩非子》的《解老》、《喻老》是对《韩非子》的社会政治运作型的解释;《墨经》的《经说》是对《经》的名词概念的具体化说明。第三篇主要讨论了中国虽有很长解释经典的传统,但还没有建立起系统的解释学理论。第四篇说明创建中国解释学必须具备中国训诂学、文字学、目录学、考据学等等方面的知识。据汤一介先生说,他打算花三五年的时间,把"创建中国解释学"的问题继续研究下去。希望他在这方面能为中国学术再作新贡献。

五、在非有非无之间

汤一介将其学术生命贡献给中国文化研究时,中国文化的受用性也同时即在他具体的生命存在中留下了深刻的印记,这就是他对"非有非无"这一观念的体悟。1995 年,他就是以《在非有非无之间》为主题来回顾自己学思历程的。"非有非无"这一观念原发端于魏晋玄学的"本无为体,诡辞为用"的玄理。无而不无,则不沦于无,有而不有,则不滞于有。沦于无则不能成化;滞于有则皆为物累。是故非有非无始能体用两义,无不赅尽。魏晋时期的名士便是据此申言"圣人体无"之浑化和"老庄在有"之不足,阳尊儒圣阴崇道家。后来佛教传入,"非有非无"
更成为接引大乘佛教搬若学双遣中道之圆通的渠道。但汤一介
对"非有非无"的觉解却是扣紧他自身真实的存在体会。他说:
"人(特别是知识分子)往往是生活在'自由与不自由之间',而
在中国大陆学者更是处于'有我和无我之间'。我们一生中能
真的有个'自我'吗?能真的认识其'自我'吗?我的回答是:
'不能'和'不能说不能'。'不能'是'非有','不能'说'不能'
是'非无'或'非非有'。我常常想,很可能所有的人都生活在
'非有非无之间'。因为没有一个人可以完全掌握他自己的命
运,可以完全随心所欲地做他想做的事,但是他总是能生活下
去,企图找回'自我',认识'自我'。不过由于处境不同,他们的
生活样式和追求的目标也不同罢了。这就是生活,是真实的而
不是虚构的生活。从主观上说,你对自己的生活道路可以有所
选择;但从客观上说,你对你的生活道路又不可能有所选择。所
以,人应该学会'在自由与不自由之间'生活,'在非有非无之
间'找寻'自我'。"以"非有非无"来总括自己的学思历程,并以
之来审视"自我"或人的社会存在的真实含义,反映出了汤一介
深遂的哲学智慧。

(原载《社会科学战线》1996 年第 6 期)

赵纪彬先生六年祭

汪 玲 玲

　　赵纪彬先生于 1982 年 2 月 17 日逝世于北京,享年 77 岁。没有隆重的追悼仪式,报上没有介绍他的生平业绩,更没有纪念文章。对于这位 21 岁入党的革命老战士,对于这位在学术上造诣很深的马克思主义者、著名的中国哲学史专家,他身后的冷况,使我的悲痛更深了,同时感到压抑。我觉得,对于自己素所景仰的老师应当写篇文章,以破沉寂。可是,临到动笔,却又受到政治和学术这个老问题的困扰,深感对这位曾卷入当年那场批孔闹剧因而是非难明的老专家,作出恰切的评价,是十分困难的。对于这个问题,我经过较长时间的学习与思考,还是得到了初步的解决。我认为:第一,对待学人在政治斗争中表现的评价,应与政治家有所区别;第二,对于一个人的评价,必须坚持实事求是的原则。姑且不论赵先生由于多年的学术观点而被卷入"批孔"闹剧,他究竟有多大的责任,难道仅仅因为他与"批孔"闹剧的纠葛,就可以抹杀他一生的革命活动与学术业绩吗? 所以,虽为时已晚,还是献上这篇祭文。

一、突来的风暴和由衷的感激

回忆先生,我想从我最后和他两次相见时谈起。

1977年4月27日,我到颐和园中央党校91楼去拜谒我阔别多年的恩师赵纪彬先生。一进院门,迎面见有一张关于他是"叛徒"的大字报,这是我事前完全没有想到的。然而,经过"文化大革命"洗礼的人,对此已司空见惯,不动声色了。说真的,我不相信它,直奔先生书房。

他正在书房大厅北窗下伏案写作。一别二十余年了,在这种情况下突兀相见,先生惊喜而忧伤。他和夫人李慎仪同志,都已鬓发染霜,有些发胖了。当然,我也经过多年的挫折,无复青年时期的神采了。然而岁月的流逝,人世的沧桑并不能妨碍我们师生之间的情谊。双方激动得不知话从何起。很明显,先生的目光和语言都在问:"你怎么这时候来看我?这样好吗?"我说:"大字报贴不住我的脚步。我看我的老师,此与政治无关!"他欣慰地平静下来,关切地问到我离开河南以后的情况。他还是那样平易近人,和蔼可亲。进门时他那全神贯注伏案思考的一瞬间,和此刻叙旧时的音容笑貌,唤回了我对先生昔日的情感。就连他所留的简爽的平头和带有忠厚气质的圆润的面颊,也依然是我印象中的中国式的哲学家的风范。他朴素得什么服饰都没有,就连两寸短发也不留下,而充分突出了大脑接受阳光的幅度和面积。他把自己智慧的头脑全部献给了党和科学事业,已经半个多世纪了。而他现在所遇到的问题,就连他善于思考的哲学家的头脑,也无法解决了。……想到跟随先生读书、工作的几年,我不禁心潮起伏,充满激情。然而先生是忧伤的。慎仪同志告诉我:他们已经很久无人来访,自己也早足不出户了。党校让他们回河南老家,要把这套房子让给某先生住。电话最近也拆了。只是因为先生重病在身,不能动弹,也动不了啦,才未动。……再有,这些书往那里放? ……接着她又告诉我,先生多年来患肝囊肿和糖尿病。这时我才注意到先生果然大腹便便,走路时有些蹒跚了。我环视一下那间宽阔的书房,和像图书馆一样丰富的藏书,不禁怆然。因建议说:"无论如何也不能动,等问题搞清时再说。组织总会照顾的。"看眼前相依为命的两位老人,回忆到先生抗日时期流亡四川,在东北大学给我们讲"物本论"(唯物论)时的景况;在重庆把一些进步同学输送到陕北的地下工作者的形象;解放后在新乡河南师院前身平原大学建校时住的泥壁草屋时,不觉已满眼泪水:这样一位把自己的一切献给革命事业的哲学家,他能是"叛徒"?

谈话的内容也一下子就接触到这个问题。先生第一次和我谈起他的历史:他 1926 年入党,1929 年和 1933 年两次由于叛徒出卖而被捕入狱。但他在狱中三四年光景,从未暴露过自己的共产党员身份,也没有出卖过组织和同志。出狱后,怕敌人跟踪暴露组织而脱党了。到 1937 年才又找到组织。从那以后,一直在党的领导下做工作。他又谈到,现在被人误解的是在狱中他写过《孙中山的思想体系》一文,被国民党拿去,改头换面,大加篡撰,改题为《唯生论的历史观》给予发表了。这已经不是他原来的观点,而是经过特务机关修改过的。如今却有人把这些乌七八糟的东西强加于他,硬定罪名。他说什么也搞不通。"除非找到原稿",他说。然而他一想到在所谓儒法斗争讨论中他被利用,也有错处,就极端痛苦。他说:"丧失警惕了,哪知道他们的背景呵? 那时找我们几个搞哲学的到中央办公厅去开会，江青又是毛夫人，谁想到以后发生的事！……"显然当时在追查他和江青、康生的关系，揪"叛徒"也与此有关。然而江青和康生知道赵纪彬，却是因为毛主席对《论语新探》的肯定。于是先生从一本《论语新探》中拿出一份简短的抄件给我看。这是毛主席写给康生的信，原文如下：

康生同志：

此书（按指《论语新探》）有暇可以一阅，有些新见解。本年九月《哲学研究》有他的一篇文章，也可以一看。

毛泽东

一九六五年十月十七日

后面先生小字注明：这是武葆华同志于 1974 年 11 月 1 日抄录给他的，准备作为修改《论语新探》三版校样的准则。

可见先生极为谦虚地对待毛主席的肯定，并以此自励，敬谨工作。而康生、江青之流，也正因主席对此书的肯定妄图把它的作者拉来为儒法斗争张目。作为一个学者他怎能预知以后发生的事？问题不是先生搞"影射史学"，而是那些丧心病狂的野心家利用毛主席的威信和赵纪彬的哲学研究成果搞政治阴谋！

《论语新探》并不是新著作，它是先生 20 世纪 40 年代在东北大学给我们上《论语》专题课时的讲义。而且其中《释人民》、《君子·小人辨》二章曾在东北大学文科研究所学刊《志林》上发表过的。只是长期未被人们注意，而如今被毛主席给予新的评价而已。受到党的领袖的肯定和赞扬，本来是一个哲学家的光荣，然而它在一场特殊的阶级斗争中，竟成了灾难的根源，连人带书一并遭到批判，这真是天大的冤枉！

先生感到大惑不解的是，某些批判他的人，恰正是当初向他请教，从他索取古文献资料搞大批判的那些人。他为此特别苦痛。

他一阵痛苦的徘徊,回到南房卧室。大约是他的肝区不适,他把左手按在肋下。这里壁上悬挂着周总理的巨幅相片,周围书案和书架上也全是纪念总理的书籍和图片。到这里我有意识地把话题转到周总理身上。他情不自禁地说:"我非常想念周总理。"先生坐在书案后边的靠椅上。一边顺手展开王引之的《经义述闻》,一边又合上了。然后他抬头注视着我,满怀思绪,热泪盈眶了。良久,他缓慢地说:"四十年代初,在重庆讨论民族形式的时候,有人围攻我,周总理力证'民族形式'是理论之争,无政治问题";1956 年社会科学院选学部委员时,周总理和统战部说:"我们决不把向林冰(先生笔名)拿出去,以后还有用处。(平杰三语)现在他们是'拿出来了'。许多正直的知识分子靠总理保护下来,而总理自己却这般委屈地,在一场混乱的政治阴谋和致命的疾病折磨下离开了人世……这是我们无法弥补的损失!"

这一次就是在这样一种极为沉郁的气氛中,谈到了我们最关心的问题,从而我也第一次这样深刻地理解了我的老师。这一次他亲自签赠给我一部《论语新探》,我如获至宝,好像又回到 30 年前听他讲《论语》课时一样的幸福。

1980 年初我借在京编书的机会,邀了当年东北大学的两位老同学去给先生拜年。这时由于党的政策的进一步落实,和这两位早年入党的老同志的"开导",先生的精神好多了,对于政治结论的改正和重过组织生活充满了信心。没想到,这就是我和先生最后一面了。

1981 年 10 月,收到慎仪同志的来信,她告诉我说:纪彬先生已于 1980 年 3 月恢复了二级教授的学衔,并于 1981 年 9 月 21 日恢复了党籍(滑稽的是,未经校党委批准,他就被停止了四年党籍)。我高兴极了,如释重负;由衷地感谢我们党的伟大英明,感谢党的实事求是的政策。当即寄信祝贺,安慰先生晚年可以安心著述了。谁知先生竟于次年2月溘然长逝!

从那时起,我一直在想念慎仪同志,寻找去京的机会。今年6月中旬,终于在西郊先生的书房里和慎仪同志相聚数日,得有了解先生全部革命事迹和恭读他的鸿篇遗著的机会,披阅先生的手迹,墨痕洒然在目,而人已渺无寻处……忽然展现在我眼前一首诗:

> 拒狼进虎亦何忙? 奔走十年此下场! 岂独桑田能变海,似怜蓬鬓已添霜。死如嫉恶当为厉,生不逢时甘作殇;偶倚明窗略凝睇,水光山色剧凄凉!

（辛亥革命诗人宁调元《狱中诗》）

先生为什么抄下这首诗呢? 这大约正是他最后几年愤慨忧伤心境的写照吧!

"四人帮"垮台后,先生清醒过来,本来可以和全国人民一道投入四化建设高潮:再活十年,给我们的文化宝库里添上几本新书;也可以使他改正一度搞错了的某些哲学观点或不恰当的提法,还其本来面目:使一时的失误,不致成为终身之玷。然而,灾难和痛苦夺去了他的健康,时光对他太吝啬了! 好在毕竟在最后的几个月里,他渴望回到党内的愿望终于实现了。他唯一的安慰是他终于以一个共产党员的身份去见他所敬爱的周总理和马克思了。

二、一个党员教育家奋战的一生

赵纪彬先生小字兰同,笔名向林冰、纪玄冰(和他同时入党的,有李玄冰者,其人早死,此笔名想是纪念他的)。1905年生于河南省内黄县一个读书人家。祖父是拔贡。父亲是秀才。他幼时从父亲学文化,并上了几年私塾,熟读四书五经,有很好的古文根底。

先生于1922年考入河北省大名中学,读了半年书,就因闹学潮被开除了。此时恰值父亲早逝,衣食难继,便辍读了。他从外地买回几本《新青年》和鲁迅的书,回家自学,这也使他接受了五四时期新思潮的影响。1923年秋报考大名七师,因文笔出众,被七师校长视为天才,指名录取。在校很快受外语教师共产党员冯品逸(李大钊同志派至七师做组织工作者)的共产主义思想熏陶,并于1926年由冯介绍加入中国共产党,曾任特支宣传委员,为大名党组织创始人之一。当时七师校长谢苔岑、教导主任晁哲甫(著名史学家、曾任河南省主席)和同学王从吾(曾任中央纪律检查委员会党务书记)等同志都是赵纪彬先生介绍入党的。

1927年到1929年间,先生曾担任濮阳县委委员和大名中心县委宣传部长,1929年因叛徒蔡兆麟出卖,在家乡被捕入狱。这期间先生的母亲(张栋)由于经常给他送饭,往返于儿子和组织之间,老太太受儿子影响,懂得了革命道理,被组织发展入党。如此,先生虽被关在牢房里,他母亲却代替了儿子继续干革命工作,并且由她发展了她的女儿入了党。后来赵纪彬先生的弟弟赵纪普牺牲在太行山抗日游击队里,母亲和妹妹赵云风长期坚持党的地下工作。赵家在河南当地(大名、内黄一带)是有名的革命之家,赵老太太几乎被传为"双枪老太婆"式的人物。

先生在1931年为七师校长谢苔岑营救出狱后,又积极投入战斗。1932年任陕西省宣传部长及北平高教联秘书长、组织部长。他亲自编写《农民夜校课本》，做农村调查，写《农村破产浪潮中冀南一个畸形繁荣的农村》（发表在《益世报》1934年农村副刊，后为千家驹编入《中国农村经济问题论文集》中华书局版）。1933年参加察哈尔抗日民众同盟军，撰写《华北九省民众抗日代表大会宣言》，提出"变抗日同盟军为土地革命武力"的口号，1933年10月即以此思想回北平向省委汇报。在等候通知时，第二次为叛徒出卖被捕。因从身上搜出《波格达诺夫〈社会意识学大纲〉批判》被送往杭州反省院。未暴露身份。他在狱中自学日语，达到独立阅读、翻译的水平。出狱后脱党，直到1937年才在冀南找到党组织，并在党的领导下做地下工作。在革命低潮时期，党组织为了保存革命力量，没有马上恢复先生党籍，但他却以一个自觉的马克思主义者去夺取文化教育阵地。他选择了通过哲学研究去宣传马克思主义的途径。他一开始就翻译了日本唯物论者秋泽修二的《东方哲学史》。此书稿很受艾思奇同志的重视，他把它介绍给读书生活书店准备出版。不幸书稿在出版社毁于战火，至今未与读者相见。由此引起先生研究哲学史的兴趣，他开始写《中国哲学史纲要》，在作者后记里说："本书由一九三八年五月二十日在武汉动笔，1939年1月13日在重庆完成，为时七个月又十三天。全书二十四万四千字。前后得胡绳及林舒帮助特多。记于脱稿之日。"1939年他终于以平均每月25000字的高速度完成并出版了中国第一部马克思主义中国哲学史专著（生活书店出版）。从此他这个没读过大学的人一跃而登上了大学讲坛，任复旦大学哲学教授。可以说，赵纪彬先生把社会与监狱当做了大学课堂，是一位自学成材的哲学专家。

20世纪40年代初，他来到四川三台东北大学教哲学课。

名义上是顾颉刚先生写信给陆侃如,名家荐贤;实际上是董老(董必武)派来的党的地下工作者,连路费也是党组织给拿的。到校后他很快团结了一批进步教授和学生,一方面通过课堂讲哲学,宣传马克思主义;另方面组织学生进步社团,领导学生运动。

他为了掩蔽自己地下工作者的身份,讲义用文言写,称"唯物论"为"物本论",称"唯心论"为"心本论",把"辩证法"叫做"对理法"。讲课也拐弯抹角,使那些不学无术的国民党特务们,摸不着头脑。但真正追求马列主义的大学生们,却像海绵吸水一样,把他讲的唯物主义哲学原理贮存在自己的知识武库里。消息灵通人士也会从重庆新华社得知这位哲学教授不平凡的"来历"。在他来校不到半月的时候,选哲学课的学生突然增加了好几倍,课外阅读马列主义著作的人也多了起来。

1943年到1945年,先生在东北大学同时开过四门课。除了《哲学概论》和《中国哲学史》外,还要讲《逻辑学》和《论语》专题。这时的哲学讲义后来分三集出书:一是《哲学要论》;一是《中国哲学思想》;一是《古代儒家哲学批判》,再版时改名为《论语新探》。皆由中华书局出版。还有一本《先秦逻辑史》尚未出版。

除了课堂上通过中国文献讲唯物论、辩证法,宣传马克思主义观点之外,他还经常出没在学生集会和文化活动团体,组织进步学生成立"读书会"、"学习社",辅导他们学习马列主义;还团结了一些进步教授如叶丁易、董每戡、杨荣国等人,立志于学术改革,宣传进步思想。当时丁易先生是民盟成员,他到东北大学后,首先找赵先生联系,两人合作指导学生运动,经常谈到深夜。

赵纪彬先生生活朴素,为人诚恳,平易近人,诲人不倦,并且刻苦读书,治学严谨。在三台他成年穿一件灰土布长衫或夹袍,家做布鞋。在抗战期间十分艰苦的条件下,他每夜在菜油灯下工作到一两点钟,在黄色的土纸上,写下自己的哲学讲义。第二天还要去上四节课。下午他有时领着刚两三岁的小女儿(贞元)去坐茶馆,借此机会了解民情,和进步学生接触。就是在这两三小时闲下来的书桌上,他的爱人李慎仪同志还要为他整理资料,帮他抄写讲义草稿,而夜里先生备课占用这张桌子时,她则借他小小油灯的余晖,为丈夫纳鞋底,用大人衣服改做孩子的斗篷。那时大学教授的工资还不如市场上一个卖大饼的收入多!而他们的妻子即使如慎仪同志受过高等教育的女性,也不易找到工作而不得不做家庭妇女。她在解放前就一直把自己的精力用于协助丈夫的著述上,先生谢世之后,她也是他上三百万字书稿的唯一整理者。凡是和先生交往较深的人都对她表示诚挚的敬意,先生的每一部著作都凝结着这位无名女英雄的劳绩!然而就是在这种艰苦的条件下,也有些流亡学生绕过东北大学新生院特务的眼睛,从侧门到先生家去,听讲革命道理,吃上一顿美味的水饺(笔者就有幸叨扰过先生),去陕北的革命者拿去他家仅有的一点菜金,在上海,被打散的新四军、他的学生胡仁就密藏在他家里。这一切,如果放在一个没有充分了解丈夫工作的意义和没有共同革命理想的妻子身上,是难以想象的。

但是先生的活动即使再隐蔽,也难免为东北大学反动当局所觉察,所以于1946年夏,终于解聘了以赵纪彬先生为首的一批教授(如叶丁易、董每戡、杨荣国、陆侃如、冯沅君等人),重庆新华社还为此特发过一条消息。

离开东北大学后,先生受党的派遣,去上海"占据大学讲坛"。经过一段失业后,于1947年任东吴大学哲学教授。这期间,他除了讲授逻辑学,与侯外庐、杜国庠等人合著《中国思想通史》外,还参加"高教联",举行反内战、反饥饿游行示威。结果不久又被解聘。后来辗转来到青岛山东大学。到山东大学,他仍是国民党上百名黑名单上第一个被通缉的人物,安身不得,终于在青岛解放前夕,化装成工友逃到解放区。送他出卡子的青岛地下工作者毕中杰同志现在就在中国社会科学院世界历史研究所工作。1949年青岛解放时,赵纪彬先生随解放军一起入城,这时他才公开以革命者身份出现在山东大学,并担任了山东大学校务委员会副主任委员、文学院院长的职务。

来山东大学不到一年,他又接受了党的新的战斗任务。他被调任平原省(今河南省)任秘书长,筹建平原大学(新乡河南师院前身)去了。为了创建这所新型大学,他从一砖一瓦筹办起,四面八方邀集人才,终于在卫河沿岸、武王伐纣的古战场上,平地起高楼,建筑起一所社会主义高等学府。而先生作为一个马克思主义教育家、哲学家,也正在这一年(1950年)第二次入党。他像赤子一样,重新投入党的母亲的怀抱,感到浑身有使不完的力气……是啊,这时他才45岁,正是有为时期!在1950年到1955年河南师院建校办学期间,先生完全停止了他的哲学著作,显示了一个教育家的才能。他很好地团结了一批朴实能干的老干部和充满革命朝气的教师队伍,艰苦创业。凭新乡一个普通农村的艰苦条件,很难招徕教授,但以先生的威望,却请来了不少国内知名的学者。也有些新毕业的研究生、大学生慕先生之名而来,一下子办起了五六个系。先生办学的指导思想首先是抓教师队伍的建设,次抓图书仪器设备,而把行政设施放在末位。他的院长办公室只三人编制:一院长、一主任,一秘书。而他这个院长兼院党委书记又常常不在办公室里。他经常深入教学第一线,要听每个教师的两堂课,并提出他听课的意见。也经常到学生宿舍、职工食堂去,他关心教师和学生的生活、学习,像家长关怀自己子女的健康、成长一样。在他的革命作风影响下,新乡河南师院一开始就是一个朴实团结的战斗集体,一所文明向上的新型大学。有人给赵纪彬先生"提意见",说他"不像个大学教授,倒像个农民,像个老干部"。这真是对人民教育家崇高的评价。

他亲自给大学教师们上课,讲辩证唯物主义和历史唯物主义,把日常生活和教学中所遇到的问题,一下子提到理论高度,使学生豁然开朗,感到由衷的满足。有时他还用文学家的口吻,说明某种哲理:"人在沉溺大海时,不要靠稻草救命呵!"他随时用辩证方法分析问题,企望人们思想上有个质的突变。因此他很能赢得知识分子的崇敬,毫无顾忌地和他吐露心曲,同时在他身上体会到党的温暖和无私的关怀。正因如此,当先生20世纪60年代调到北京中央党校任哲学教研室顾问时,河南的教授、讲师和他的学生们,不管怎样忙,每年都有人借到北京开会的机会,特到西郊匆匆看他一面。

三、一个马克思主义哲学史家的卓越成就

大家熟知,赵纪彬先生是造诣很深的、全国知名的马克思主义哲学家和中国哲学史专家。他特别精通先秦典籍,旧经新解,自成一家;他对中国唯物论史和无神论史有多年的研究和深湛的见解。他的《论语新探》及有些论文曾为毛主席所肯定。赵纪彬先生从1924年写作,至逝世时止,共发表论文120余篇,出版哲学著作15种,给社会主义祖国留下了近300万字哲学及哲

学史方面的著作。其主要著作有：

《中国哲学史纲要》生活书店，1938 年。

《中国知行学说史》中国文化服务社，1943 年。

《中国思想通史》（与侯外庐、杜国庠等合著）人民出版社，1957 年（初版在 1949 年出版）。

《古代儒家哲学批判》中华书局，1950 年。

《论语新探》人民出版社，1958 年初版，1962 年再版，1976年三版。

《关于孔子诛少正卯问题》人民出版社，1974 年初版，通俗本于 1974 年出版。

《困知录》（哲学论稿）上下册，中华书局，1963 年初版，1982 年 9 月 2 版。

《赵纪彬文集》四卷，第一、二卷已由河南人民出版社出版。

未出版的有《中国先秦逻辑史》、《柳下跖考》等。

当然，探索赵纪彬先生的哲学思想和他对中国学术思想史上的重大贡献，首先还是要从 1938 年他所著的《中国哲学史纲要》谈起。这本书是在翻译了日本秋泽修二《东方哲学史》的基础上，用马克思主义思想探索中国哲学史的开端。正如本书"序言"所说："中国唯物论史的写作，以本书为第一次。"这是一项极为有意义的开拓工作。此书从先秦诸子到孙中山共 4 编 18 章 24 万多字，把中国二千多年的思想财富作了扼要的论述，是研究中国唯物论发展史纲要性的著述。它对于 1928 年出版的胡适《中国哲学史大纲》的唯心主义思想体系是个全面的批判；而在奴隶制的考查和研究方法上继郭沫若《中国古代社会研究》之后，更系统地运用马克思、恩格斯的观点研究中国古代社会大量哲学资料得出的科学结论。"序言"中特别强调"唯物论史的建立,应以社会发展史及自然科学史的建立为前提"。所以书中有专章论述社会发展和中国自然科学(天文学、数学等)对哲学发展的影响。在"诸子时代的哲学"一章,由老子至荀子,在社会发展上相当于奴隶制全部形成过程。在哲学上,也正是中国唯物论发展第一个阶段的完结。而本书的中卷和下卷,则发掘了由秦汉至现代的唯物史观的发展,这些论述,在抗战时期具有社会指导意义。所以引起当时思想界的注意。在《理论与现实》刊物上,刊登了关于《中国哲学史纲要》的介绍,认为"它对中国哲学史的阶段性和根本特征"都得到了初步的解决。

赵纪彬先生哲学著作一个显著的特点是他坚决遵照马列主义的普遍真理和中国革命实际相结合的原理,用辩证唯物主义和历史唯物主义观点方法,解决中国哲学史上的实际问题,让唯物论和辩证法和中国文献资料相结合,放置在具体的历史条件下,在生产力与生产关系发展的基础上,解决思想史问题;他坚决依据"哲学史从属于社会史"的原则,从中国实际出发,创造出自己独特的中国哲学史思想体系。他十分注意到中国哲学史的阶级性、传承性和自己民族思想的特点。例如他认为中国哲学家不像西洋古代哲人更多"智者气象",而多"贤者作风"、"先王观念"、"经学态度",而且他说,我们之所以强调"贤者作风"是和中国古代著作缺乏自然科学基础有关。因而他特别注意发掘我国古文献中,关于自然科学和生产发展方面的论述。例如他在《墨家的分裂与〈墨经〉成书年代》一文中,断言《墨经》的自然科学思想是战国晚期生产经验与军事技术的结晶,进而证明墨家与工农业生产及战争发展的紧密联系。从民间生产着眼,把自然科学成就和对于名辩思潮的逻辑总结联系起来,确定后期墨家在先秦逻辑史上的崇高地位,都是发掘中国古代自然科学成就的重要论述,很有独到见解。可惜收入《中国思想通史》时,只保留个别论点,大部分论述都被删削,新版《赵纪彬文集》中,将恢复其著作原貌。

在论到唯物主义和唯心主义思想斗争时,他把它放在地主和农民两个阶级对待农民革命运动中来考察,从而表现了中国哲学史的斗争性和实践性。如在撰写《董仲舒〈公羊春秋学〉的中世纪神学思想》时强调把神学化的经学思想钦定为正宗,宣传"天不变,道亦不变"的神权政治,是针对农民战争"可取而代"和"将相无种"的革命口号而发;同时,用天人合一的推理方法把中世纪的等级特权和超经济的封建剥削说成为"道之大原出于天",是思孟、邹衍学派的"无类"逻辑堕落为神学奴婢的标志。这就更能看出汉代唯心主义的渊源及其阶级实质。

总之,赵纪彬先生与侯外庐、杜国庠、邱汉生等人合著的《中国思想通史》是以赵纪彬的唯物论史为骨架的。他执笔撰写了其中的墨子、王充、范缜、吕才、柳宗元、刘禹锡、叶水心、章太炎等重要章节。这时的赵纪彬先生已是十分成熟了的马克思主义中国哲学史专家。他的见解很被学术界重视,作为各大学的教材或引起专题研究。其中的《王充的唯物主义无神论思想》、《柳宗元和刘禹锡的唯物主义无神论及其战斗性格》两章为毛主席所肯定;《章太炎的哲学思想》一文又被侯外庐收入他的《中国近世思想学说史》第十六章,改题为"反映十九世纪末叶社会全貌底太炎哲学思想"。

先生著文一方面注意对祖国哲学遗产中唯物论、无神论思想的挖掘,同时展开对唯心主义传统的批判。即使是在哲学界一般的研究讨论中,他也是旗帜鲜明的唯物论者。早在20世纪

40 年代初,他在《模写论中的感觉与思维问题》一文中,对潘梓年《逻辑学与逻辑术》的商榷,指出潘梓年断言"感觉是欺骗"的唯心主义和不可知论的实质,又根据感性对理性的基础地位,提出学与术的关系问题。文章发表后,一度引起误会,旋因毛主席的肯定,问题得到合理解决。其后,先生更撰写《现代唯心论批判》,对冯友兰等人哲学研究中唯心论观点,也给予有理有据的批驳。他提倡自由讨论的风气,在学术上他总是本着追求真理的精神据理力争;自己立论有错误,也能虚心接受别人的批评。而他的哲学见解也正是在和各种唯心论、机械唯物论的斗争中以及不断和自己的错误观点斗争中发展起来的。

20 世纪 40 年代初赵纪彬先生积极参加了重庆关于民族形式的讨论。赵纪彬先生提出,"民间形式是民族形式的中心源泉说"的观点,他的目的在于利用民间文艺形式宣传抗日战争内容,这也是鲁迅所提到的"旧形式利用"或"旧瓶装新酒"的问题。文章的观点确有偏颇,但作为争论中的一家之言,"向林冰"的名字是受到党的保护的。

特别值得重视的,赵纪彬先生 20 世纪 40 年代开始形成、60 年代更臻成熟的关于《论语》的新见解,受到毛主席的充分肯定。并介绍他发表在《哲学研究》1965 年第 2 期和第 4 期的两篇论文:《关于'一'、'二'范畴的形成过程问题》和《孔子'和而不同'的思想来源及其矛盾调和论的逻辑归宿》。这是 20 世纪 60 年代学术界传闻的一件盛事。后来杨向奎和尹达先生都向赵纪彬先生争相传告:"你的书和文章毛主席都已肯定,很赞扬呵! 今后可不要骄傲起来。"当然先生诚惶诚恐,从此更勤奋、更谨慎了。

任继愈同志还特意撰文推荐他的《释'一'、'二'》等有关论文。他在《哲学研究》1966 年第 1 期上发表了《旧经新解》一文,肯定"赵纪彬同志对先秦哲学史下过多年的工夫,自成一家之言"。杨向奎先生在《赵纪彬文集》"序言"中说他是老马克思主义者,盛赞他"在辩证唯物主义和历史唯物论方面的修养是深湛的"。这些评价是公正的,并无溢美之词。这有他大量哲学著作可以查证。他在这点上,也正和郭沫若、艾思奇等同志一样,集科学家和革命家于一身,使学术研究与革命思想兼而有之。而赵先生的特点,是从大量史料考证和文字剖析做起,所以他的每一新说,都有不可辩驳的说服力。如他写的《孔子诛少正卯问题》一书,他从《荀子·宥坐》所载"孔子为鲁摄相,朝七日而诛少正卯"查起,到晚清止,列出六种说法:(1)荀况"七日而诛说",19 人;(2)韩婴、班固"为鲁司寇而诛说",13 人;(3)王充"称恶说",2 人;(4)朱熹"伪造说",15 人;(5)孙星衍"诛训责说",1 人;(6)司马迁"三月而诛说",1 人。然后他把这 52 人的 55 项资料归纳为"实有说"和"伪造说"两种,排除伪造说之无据,实有说之可取,提出自己的七点看法,最后更从荀子所记孔子诛少正卯的五大罪状——心达而险、行辟而坚、言伪而辩、记丑而博、顺非而泽的词语训诂、翻译、辨析做起,使他从大批文献资料得出自己的结论。姑不论把少正卯说成是法家先驱是否正确,这种以辩证唯物主义和历史唯物主义为指导原则,从文献本身探索事物发展的规律;不做空泛的议论,而做实事求是的比较研究,其治学方法是严谨可取的。所以国内外学者,不管是否赞成其学说,无不赞之以"深湛"、"渊博"。外国学者推崇他是"马列主义历史观,卓越地与哲学洞识相结合"的中国哲学史专家。

《论语新探》一书在国外得到强烈反响。1978 年奥尔·隆金发表了《评一位马克思主义者〈论语〉研究》一文（发表在美国马萨诸塞州查理蒙特01339号《关心亚洲学者公报》第10卷第1期，1978年1至3月）全面评价了《论语新探》的价值。这位居住在挪威的汉学家，分12节、万余言论述了赵纪彬先生这部著作。认为"赵在每一步都是细心底依据文献资料作出他的结论。他的马克思主义历史观，卓越地与哲学洞识相结合，以及他对前代特别是清代中国学者的运用，使他得以置身于一个悠久的博学传统之中，他批判地运用一些好的，而摒弃一切坏的"。奥尔·隆金还说："赵的读者不论是否接受其以《论语》中'人'为奴隶主阶级，'民'为奴隶阶级的论据，但都无法忽视他所发现人与民之间的系统性的差别，再如任何关于孔子教育观点的讨论，如不考虑赵对《论语》第15篇第38章的分析，最低限度说，必定被视为陈旧之见。"他肯定地说："对《论语》中许多章，赵提出了新颖而坚实的解语。""关于孔子的社会地位，在以后1979年修改本基本上说，他的结构和解释并未改变。"这些评语切合实际地说明赵纪彬先生此书观点的形成由来已久，并且有他的历史根据。他对孔子世界观认识论及逻辑学进行全面的考察，说明孔子哲学的阶级属性——奴隶主阶级的代言人。它是春秋末叶奴隶制向封建制转化过程中生产关系在上层建筑领域的必然产物。这是历史科学，有什么可以"影射"的呢？此书在学术史上的地位是任何政治曲解也抹杀不了的，而先生在哲学史研究上的功绩也必须得到公正的评价。

特别感人的是，在"文化大革命"中和以后受"审查"的日子里，先生还写了5万多字的读毛主席著作的哲学笔记：《读〈矛盾论〉笔记》、《毛主席、列宁论〈资本论〉的逻辑》、《毛主席〈逻辑语录义证〉》，还写出了晚年著述计划交给党组织。在他病危、完全不能伏案时，他还亲自口述，由儿子赵明因笔录，完成了《中国权说史·序》和《高拱权说辨证》的写作（后者发表在《中州学刊》1982年2期）。如此，他把最后一点心血献给了人民，在闭目前夕向党和人民交出了自己最后一篇战斗性学术论文，又开辟了哲学史上一个新的领域——由秤锤的权，到"道"的权、"政"的权，以及对宋儒"常则守经，变则行权"的批判，在破立双行中，成其一家之言。

赵纪彬先生在生命的最后时刻，还制订出《关于哲学史教师进修的规划》（其纲目见于《史学月刊》1982年6月号）。可以想象，若天假以年，不被灾难和疾病夺去生命，他完全可以像其他专家一样，培养出大批别具一格的硕士研究生、博士研究生。可惜先生过早地离开了我们，这真是学术界的莫大损失！好在他所保留的一份"哲学史教师培养规划"。这说明他对革命事业真正做到了鞠躬尽瘁，死而后已。

（原载《社会科学战线》1988年第3期）

在综合创新中实现中华
文化的现代复兴

——记方克立教授的中国哲学与文化研究

李 翔 海

　　方克立教授是 20 世纪中后期以来一直活跃在中国哲学与文化研究领域的著名学者。早在 20 世纪 60 年代初，初涉学坛的方先生就在与李景春先生、冯友兰先生的学术讨论中崭露头角。20 世纪 80 年代初，他又与张岱年先生、汤一介先生等学者一起在国内首先倡导开展中国哲学范畴的研究，并撰著和出版了"文化大革命"后第一部中国哲学范畴史专著《中国哲学史上的知行观》。在 20 世纪 80 年代中后期的文化讨论中，方克立教授成为大陆现代新儒学思潮研究的学术带头人和马克思主义"综合创新"文化观的积极倡导者之一。进入新世纪，全球化时代中国哲学与文化的走向问题又成为方先生关注与思考的焦点。在迄今四十多年的学术生涯中，方先生为促进中国哲学与文化研究的深入开展，为推动中国哲学与文化走向现代、走向世界作出了重要贡献，受到国内外学界的高度评价。由于方先生的学术活动及其理论内涵非常丰富，这里只能选取其中的一个片段，即就其 20 世纪 80 年代中期以来所从事的中国哲学与文

化研究试作绍介,以期从一个侧面反映他的学术思想与学术
贡献。

一、中国大陆现代新儒学研究的学术带头人

众所周知,方克立教授是中国大陆现代新儒学研究的倡导
者和学术带头人。在今天,现代新儒学已成为大陆人文学界耳
熟能详的一派"显学",不仅其主要代表人物及其代表著作已为
人们所熟知,而且其围绕中国文化现代化所进行的理论探索也
已引起广泛关注。但在十多年前,"现代新儒学"在中国大陆尚
可谓"绝学"。不用说普通民众,即使是学术界的许多人也根本
不知道存在着这样一个已有半个多世纪的学脉传承,1949 年以
后在港台地区仍继续得到发展的思想学派。在 20 世纪 80 年代
中期的文化讨论中,美籍华裔学者杜维明教授虽积极推动"儒
学第三期发展",但在一个以《河殇》为代表的激烈反传统思潮
甚嚣的特殊文化氛围中,"复兴儒学"之论往往被简单地归结为
复古守旧而遭到批判和否定。与此相关联,由于长期批儒的消
极影响,在不少人看来,"儒"本身就有贬义,因而在大陆有关研
究开展之初,有的学者竟以此为理由反对将梁漱溟、熊十力、冯
友兰等人称为"现代新儒家"。

透过这样的思想文化氛围,作为哲学史家的方先生却清楚
地洞见到了开展现代新儒学研究的重要意义。在 1986 年初的
一次会议上,他明确指出:"在 20 世纪的中国思想界,除马克思
主义这个最强大的思想潮流之外,较有影响的和生命力较长久
的还有西化派和中体西用派。现代新儒家就是本世纪中体西用
派的主要代表。它从 20 年代产生以来,至今已有 60 多年的历

史,预计到本世纪末以至下个世纪(引者按:指 21 世纪),还会有一定的影响。研究 20 世纪的中国思想史,这个流派是绝对不能忽略的。"①为此,他向国内思想文化界发出了"要重视对现代新儒家的研究"的呼吁。正是在方先生的大力推动下,1986 年 11 月,"现代新儒学思潮研究"被确立为国家社科基金"七五"规划重点课题,以方克立教授和中山大学李锦全教授为主持人的全国性课题组随之成立,由此拉开了在中国大陆有组织、有计划地开展现代新儒学研究的序幕。作为课题组的主要负责人,方先生花费了大量的时间和精力,进行精心的组织和协调工作。从课题组成员的选定与联络到课题组整体研究计划的制订与落实,乃至有关研究成果的发表与出版,事无巨细,他都倾注了大量心血。正如有的课题组成员所指出的:"大陆学者中最早倡导此项研究的是南开大学方克立教授。他本人在学术界的地位和声望也对于推动大陆的新儒学研究产生了很大影响。"②的确,方先生的学术地位和学术声望对于此项研究的推动作用,他所做的卓有成效的组织和领导工作,无疑是此项研究能够在较短时间内取得引人瞩目的巨大成绩的一个重要因素。

在组织和领导大陆新儒学研究中,方先生始终十分注重把握正确的研究方向,强调"一是要详细占有资料,准确理解原意,这是实事求是地进行科学研究的基础和前提;二是要运用马克思主义的立场、观点和方法,对现代新儒学进行一分为二的分

---

① 方克立:《现代新儒学与现代化》,天津人民出版社 1997 年版,第 13 页。

② 郑家栋:《大陆近年来的新儒学研究与我的一点看法》,香港《法言》 1990 年 12 月号。

析评论,既不盲目崇扬,也不抹杀它的贡献和历史地位"。① 为此,方先生要求,在研究工作中要以马克思主义辩证法为指导,既要立足于对新儒学学理内涵之相对合理性的肯定,以同情的态度入乎其内而窥其堂奥;又要在入乎其内后能出乎其外,在社会历史与整体的思想文化背景下,对新儒学的是非得失作出客观的、符合历史实际的评价。与此同时,更要自觉地站在一个比研究对象更高的基点上,既吸取其优长又克服其缺失,力图在新的创造中实现对现代新儒学的超越。②

这一研究方法包括了一个由表入里、由浅入深,既入乎其内,又出乎其外的完整过程,既避免了仅仅停留在"外在批判"阶段的肤浅和偏颇,又避免了能入而不能出、无批判地认同研究对象的陷阱和缺失,较好地体现了客观性、全面性和深刻性的要求,因而得到学界的广泛认同,对大陆新儒学研究坚持客观、平实、公正、全面的研究方向起到了重要的指导作用。

作为大陆现代新儒学研究的学术带头人,方先生始终比较关注该研究领域中的宏观问题,为把此项研究不断引向深入作出了许多开创性的贡献。他的有关研究成果,涉及"现代新儒学"与"现代新儒家"概念之界定、主要代表人物的确认、基本思想义涵与理论特质的厘清、现代新儒学在中国儒学发展史上的定位、现代新儒学发展历程的回省、现代新儒学发展之逻辑与趋向的梳理、现代新儒学是非得失之评鉴、现代新儒学的意识形态特征、现代新儒学在中国现代思想史上的地位、现代新儒学与中

① 方克立:《现代新儒学与现代化》,天津人民出版社 1997 年版,第 451 页。
② 参见方克立:《现代新儒学与现代化》,天津人民出版社 1997 年版,第 208—209 页。

国现代化的关系、关于"儒家资本主义"问题等内容,几乎涉及了此项研究的所有主要领域。与此同时,方先生还对梁漱溟、冯友兰、唐君毅、牟宗三、杜维明、成中英等新儒家主要代表人物的学术思想专门为文作了具体评析。由于他学养深厚、识见超卓,因而有关工作往往不仅意味着新的研究领域的开拓,而且还能以深刻的洞见为进一步的研究确立基本精神方向。大陆现代新儒学研究之所以能在短短的十余年间从宏观到微观、从专人到专题,在各个领域都取得了相当可观的成绩,显然与方先生的开拓、引领之功是分不开的。

方先生从事新儒学研究的一个重要特点,就是自始至终坚持了马克思主义的基本理论立场,特别是突出强调了实事求是和一分为二地具体分析具体问题的要求。应当说,这一理论立场是代表了大陆新儒学研究之主流的。坚持马克思主义的立场、观点和方法是此项研究能够顺利开展并取得令世人瞩目之成绩的基本前提和保证。也正是在这个意义上,杜维明、余英时等海外新儒家学者都把方先生看做是大陆新儒学研究中"坚持马列"派的代表。但是,也有一些港台新儒家却对方先生等大陆学者的研究立场很不理解甚至有很深的误解,以至于将大陆新儒学研究简单地归结为是在搞"意识形态的斗争"。

这种归结显然是不符合实际的。以方先生而言,尽管他从不回避自己与新儒家之间实际上存在着的意识形态分歧,但是其有关研究所具有的丰富的科学内涵却又不是所谓"意识形态的斗争"所能涵盖得了的。马克思主义确实构成了方先生开展新儒学研究的基本理论立场。

之所以如此,乃是因为他无论是在学问的宗主还是信仰的归趋上都是坚定地信奉马克思主义的。他在谈到自20世纪30

年代以来,一直坚持运用唯物辩证法来分析文化问题、倡导中国文化走"综合创新"之路的张岱年先生时,曾怀着敬意指出,张先生"这种终身信奉马列、老而弥坚的精神,是很值得我们后辈学者学习的"。① 和张先生一样,比他晚一辈而人生经历并不平坦的方克立先生也是坚定地信奉马克思主义的,马克思主义不仅是他基本的理论立场,而且更是他身体力行的基本人生准则。

在这一点上,给我留下最深刻印象的,是1995年8月在武汉召开的"徐复观思想与现代新儒学发展"学术研讨会。那次会上,方先生面对着包括杜维明教授在内的数十位海内外学者,在大会发言中,恳切地说了大意如下的一段话:正如有些真诚的儒者是把儒学当做自己的"生命的学问"并且身体力行之一样,对于我和许多与我同辈的中国大陆学者来说,马克思主义也早已成为我们的"生命的学问",成为我们观察、处理问题的世界观和方法论,成为我们人生信仰的归趋和奉以行止的生活实践原则。也是在这次发言中,方先生站在马克思主义的学术立场上当面对杜维明先生的某些观点提出了批评,而杜先生却在随后的"评议"中明确表示对方先生的发言"完全同意"。此时,方先生的学术品格及其所透射出来的人格魅力给了我极大的心灵震撼。在这里,我真切地感受到了一个严肃的马克思主义学者所具有的真诚而坦荡的人格与学品。

了解这一点,应当有助于加深对方先生基本理论立场的理解。正像现代新儒家是以儒学作为自己学问的根基,因而将它内化为自己的理论取向一样,马克思主义对于方先生来说,也已

---

① 方克立:《现代新儒学与现代化》,天津人民出版社1997年版,第483页。

作为"生命的学问"而内化为研究现代新儒学的基本理论立场、观点和方法了。既然如此，有什么理由认为抱持儒学基本立场的新儒家是"超意识形态"的，而将坚持马克思主义的大陆学者归结为"搞意识形态的斗争"呢？那些将大陆新儒学研究看成是"完全服从于实用政治目的"的港台学者，不仅表现出了对大陆学术界的相当隔膜，而且也严重地低估了马克思主义所内蕴的理论生命力。

需要强调指出的是，虽然方先生从不掩饰自己在哲学、文化与政治观点上与新儒家的分歧，并站在马克思主义立场对儒学与现代新儒学进行了中肯的学术评析，但作为一贯致力于马克思主义中国化的哲学史家，他对包括儒学在内的中国民族文化是有着挚爱之情的。早在开展新儒学研究之初，他就明确指出："现代新儒家学者有一共同特点，就是爱国主义，热爱中国的历史文化，念念不忘民族文化的复兴。"①而"因为我们对中华优秀文化也有浓厚的感情，不赞成民族虚无主义的观点，所以愿意以同情了解的态度去读新儒家的著作，希望从中找到共识。"②从研究新儒学的出发点来说，他首先立足于同情的了解，而不是批判和否定。与此相关联，在展望中国哲学的未来时，他指出，作为全人类共有的精神财富，"中国哲学将进一步走向世界"，"我本人对中国哲学在下个世纪（引者按：指 21 世纪）的发展是抱着非常乐观的态度的。"③在他看来，"建设有中国特色的社会主义新文化，是伟大的中华文明的复兴"。④ 这种从自己生命根处

---

① 方克立：《现代新儒学与现代化》，天津人民出版社 1997 年版，第 30 页。
② 同上书，第 207 页。
③ 同上书，第 572 页。
④ 同上书，第 496 页。

所生发出来的对民族优秀文化的深切关爱之情,怎么能简单地归之于是因为"意识形态的斗争"的需要而产生的呢?

当然,尽管方先生高度评价中国传统文化的价值并对中华文明的现代复兴充满信心,但这却并没有致使他对民族文化采取无批判的全盘认同态度。既注意通过情感的契合更好地理解研究对象,又能在对研究对象的评价中排除主观情感的因素而坚持理性分析的态度,正是他作为一个成熟的哲学史家的难能可贵之处。这一点在对待港台新儒家宗师牟宗三先生的态度上表现得极为鲜明。正像人们已注意到的,方先生不仅对牟先生素来坚持的"彻底唯心论"的理论立场不以为然,而且对他站在新儒家的立场对马克思主义的批评也作过针锋相对的回应。如果大陆学者的新儒学研究只是在搞"意识形态的斗争",或者简单地为情绪所左右,由此得出的逻辑结论自然是要对牟先生的学术成就予以贬抑乃至全盘否定。但方先生对牟先生的哲学成就之评价却是相当高。1995 年,当冯契先生和牟宗三先生相继去世以后,方先生在一篇纪念文章中将冯、牟二位作了比观。他指出:"在当今中国,像冯契先生和牟宗三先生这样学养深厚、知识渊博、兼通古今中西、融贯儒释道,能够自由地出入于形上学、知识论、逻辑学、伦理学、美学等各个哲学领域的大师级的哲学家为数不多;能够在各个领域都提出许多深刻的、原则性的哲学思想,并且坚持一以贯之的哲学立场,建构一个真、善、美统一的自身圆融的哲学体系的哲学家为数更少。"因此,他认为二位的去世"确实是中国哲学界的重大损失"。①

---

① 方克立:《现代新儒学与现代化》,天津人民出版社 1997 年版,第 352—356 页。

　　据我所知,冯契教授是方先生在道德学问上都十分敬重的前辈马克思主义哲学家之一。在方先生与冯、牟二先生之间,不仅有意识形态的同异之别,而且在情感上也有亲疏之异。但这却没有影响方先生以客观、公允的态度来对他们的学术贡献作出实事求是的评价。在我看来,这也依然要归结到方先生作为一个马克思主义学者所具有的科学的理性态度与为人态度。按照事物的本来面目去认识事物而不附加任何主观的成分,这正是辩证唯物主义的核心义旨。

　　方先生所抱持的彻底唯物主义的理论立场还可以从下面一段话中清楚地见出。针对杜维明教授所指出的儒学研究中曾有过的"该扬弃的没有扬弃,该继承的没有继承"的情况,方先生以鲜明的态度指出:"儒家人文主义不是现代新儒家的私有财产,而是中华民族和全人类共同的财富。马克思主义者也十分重视研究儒家的人文思想,注意吸收其中的合理因素。中国的马克思主义者应该在这方面作出杰出的工作,其成绩应该不逊于现代新儒家。他们是儒学中糟粕的最彻底的批判者,也应该是其中精华的最坚决的继承者。"①可以说,方先生就是这样一个集"最彻底的批判者"和"最坚决的继承者"于一身的马克思主义学者。

　　正是由于坚持了辩证唯物主义和历史唯物主义的正确立场,大陆的新儒学研究迅速取得了颇为可观的学术成就。在此项研究的推动下,不过短短十余年,现代新儒学在大陆就从销声匿迹了三十多年的"绝学",一变而为引人注目的"显学",这是

---

　　①　方克立:《现代新儒学与现代化》,天津人民出版社 1997 年版,第 191页。

许多港台新儒家都未曾料到、感到"一则以喜,一则以忧"的事情。大陆的有关研究可以说是在世界范围内对现代新儒学所展开的一次最大规模、最成系统的研究。它不仅对营造一个重视民族文化传统的社会氛围、引导国人对传统文化从简单否定到批判地扬弃起到了积极的建设性作用,而且也产生了良好的世界性影响,有力地推动了包括港台在内的世界范围的儒学与现代新儒学研究,进一步扩大了中国文化的国际影响。

方先生作为大陆现代新儒学研究的带头人,不仅在倡导、组织此项研究,把握学术方向和宏观领域开拓等方面及对于推进整体的研究起到了重要作用,而且他本人的学术成就也为这项工作作出了重要贡献。正是他以一个成熟的哲学史家所特具的深邃和卓识,确定了现代新儒学作为中国现代三大思潮之一的历史地位。方先生对新儒家主要代表人物在中国现代思想史上历史地位的确定,对新儒家挺立民族文化主体性以抵御文化虚无主义之历史功绩的肯定,对新儒家在传统哲学现代化和西方哲学中国化方面所作探索与贡献的阐发,对儒家人文主义之现代意义的阐扬,立足于中国文化的未来建设对"互动"说的大力倡导,以及对新儒家唯心主义的哲学立场、中体西用的文化心态等理论缺失的深刻批判,不仅在以往的研究中已起到了方向性的指导作用,而且随着时间的推移将可望产生更深远的影响。与此同时,方先生在有关研究中所体现出来的立足于马克思主义理论立场之上的既坚持学术操守而又平实、开放,全面而无偏颇,深刻而不偏激,融宽和与刚健、圆润与锋锐于一体的学术风范,也将成为一笔足以滋惠后学的宝贵财富。十余年的时间是短暂的,但它所留下的影响将会是久远的。如今,作为一个历史阶段,它已成为过去。方先生卓然自成一家之言的学术成就作为大陆现代新儒学研究的一个重要组成部分,也由此而融入历史,它将在中国当代思想史上留下不可磨灭的印迹。我相信,这不会仅仅只是学生对老师的溢美之词。

二、马克思主义综合创新文化观的积极倡导者

正如方先生在《现代新儒学与中国现代化》"自序"中所指出的:"现代新儒学课题是在 80 年代的文化讨论中提出来的,它自然与回答和解决中国近现代文化讨论一以贯之的主题,即中国向何处去、中国文化向何处去的问题,或曰古今中西问题(传统与现代化的关系、中西文化关系问题)有着密切的联系,它不仅是一个思想史研究的课题,而且这一课题研究本身就是直接参与文化讨论,成为文化研究和文化讨论的一个重要组成部分。"正是在大力倡导和推进现代新儒学研究的过程中,方先生作为文化讨论中马克思主义综合创新派的主要代表之一的地位也得到了确认。

众所周知,"创造的综合"的文化理念最早是张岱年先生在 20 世纪 30 年代提出来的,在 20 世纪 80 年代进一步发展为系统的"文化综合创新论"。方先生曾多次谈到,在 20 世纪以来的诸多文化派别和文化观点中,他最能心契和赞同的是张岱年先生所倡导的"综合创新"论。在 20 世纪 80 年代以来的文化讨论中,方先生不仅与张先生一起始终坚持了综合创新的文化立场,而且还以自己新的理论创获,丰富和发展了这一文化观。在这方面,方先生的理论贡献主要有以下几点:

第一,揭明了"综合创新"论与代表现当代中国先进文化前进方向的马克思主义文化观之间的内在联系。早在 1990 年,方

先生就指出:"前些年,有的同志曾把国内文化讨论中的不同观点归纳为'儒学复兴'、'彻底重建'、'西体中用'、'哲学启蒙'四派,我总觉得很不全面,因为它没有给文化讨论中众多主张从中国社会主义现代化建设的实践需要出发,坚持以马克思主义为指导,批判地吸取古今中外一切优秀的文化成果,进行综合创新的一派观点以应有的地位。"①这其中已明确包含了把马克思主义的文化主张与综合创新文化观联系在一起的理论意旨。2002年初,他在接受《哲学动态》记者的访谈时,更为明确地指出:"'综合创新'文化观与中国先进文化的前进方向是相符合、相一致的。……张先生青年时代就接受了马克思主义哲学,认为辩证唯物论是'当代最伟大的哲学'。他研究文化问题的特点是坚持唯物辩证法(30年代他称为'对理'法),反对形而上学的全盘主义和折中主义。张先生30年代'创造的综合'的文化主张,……与毛泽东提出的'民族的科学的大众的文化'方针是一致的。他在80年代提出的文化'综合创新'论,与有中国特色社会主义文化建设方针也是一致的。"②方先生的这些论断,清楚地揭示了"综合创新"文化观与中国先进文化的前进方向,与中国马克思主义文化理论的内在一致性。

第二,对"综合创新"论的基本内容和主要理论特质作出了全面概括。为了在张岱年先生所提揭的基本精神方向上进一步深化综合创新文化观,方先生对综合创新文化方针的基本内容作了全面把握,将其简要地概括为"古为今用,洋为中用,批判

---

① 关东:《现代新儒学研究的回顾与展望——访方克立教授》,《哲学研究》1990年第3期。

② 《深化对"综合创新"文化观的研究——访方克立教授》,《哲学动态》2002年第4期。

继承,综合创新"四句话。他指出:"马克思主义派的文化主张,我把它概括为四句话:'古为今用,洋为中用,批判继承,综合创新'。这四句话是一个整体,合在一起即马克思主义派对古今中西问题的完整回答,是缺一不可的。"①这四句话虽然都不是方先生首先提出来的,但却是他第一次将其联系在一起,概括成为一个有机的整体。在这里,"古为今用,洋为中用"是说明继承、利用古代的或外域的优秀文化成果,其目的是为今天中国的社会主义现代化建设服务。"批判继承"是指马克思主义继承历史遗产的方针,它强调不仅要区分历史遗产中的精华和糟粕,而且对精华也要经过扬弃、批判、改造,经过"创造性的转化",才能加以继承和利用。"综合创新"则关涉继承历史遗产与创造社会主义新文化的关系问题,它强调文化的发展是继承和创新的统一,继承是创新的基础,创新则是批判继承的必然归趋。

"古今中西"问题即古代文化与现代文化、本土文化和外域文化的关系问题是中国文化现代化所面临的时代课题,而其中如何处理好"继承"和"创新"的关系又是一个重要的理论关节点。方先生的这一概括,可以看做是用马克思主义观点对这一时代课题所作出的完整而科学的回答,进一步把综合创新的理论内涵明晰化、深入化,因而正如有论者指出的,方先生的有关主张,"把综合创新论提到了新的理论高度"。②

在此基础上,方先生还从开放性、主体性、辩证性和创新性

---

① 方克立:《现代新儒学与现代化》,天津人民出版社 1997 年版,第597—598 页。
② 李宗桂:《文化批判与文化重构》,陕西人民出版社 1992 年版,第229—230 页。

四个方面对综合创新论的主要理论特质作了揭示。① 一是开放性，即学习、借鉴古今中外的文化成果要有全方位开放的文化心态，持全面的历史主义的态度。二是以我为主、为我所用的民族文化主体性原则，即以中国社会主义现代化建设的实践需要为标准，来对古今中外文化进行选择和继承。三是批判继承、辩证扬弃的理论态度，即在批判、甄别、拣择的基础上，通过认真的消化和具体分析，去糟取精，从而达到继承与克服的有机统一。四是综合与创新相结合的理论目标，即在综合中创新，又在创新中综合，力图在综合与创新的良性互动中把文化建设不断推向前进。② 这些论述进一步系统而深入地丰富了"综合创新"文化观的理论内容。

第三，在对 20 世纪中国思想文化发展大势之整体把握的基础上，首次将马克思主义的"综合创新"论列为中国现当代三大文化思潮之一。20 世纪 80 年代后期，一些学者在评析文化讨论中的诸派观点时，对"儒学复兴"、"彻底重建"（或"彻底西化"）、"西体中用"、"哲学启蒙"、"回归原点"等说都给予了相当的重视，而对张岱年先生在 1987 年已明确提出的"文化综合创新论"却视而不见，不置一辞。他明确表示了对于这种现象以及某种"外来的和尚好念经"的现象的不满，并对 20 世纪 80 年代文化讨论的基本格局作了新的概括。1990 年春，他在一次访谈中说："我认为，自由主义的'全盘西化'派、保守主义的'儒学复兴'派和马克思主义的'古为今用，洋为中用，批判继承，综

---

① 参见洪晓楠：《当代中国文化哲学研究》，大连出版社 2001 年版，第 125 页。

② 参见方克立：《现代新儒学与现代化》，天津人民出版社 1997 年版，第 488—496 页。

合创新'派(可简称为'综合创新'派),是 80 年代文化讨论中三个最主要的思想流派,它们之间的对立斗争和统一关系,仍然没有超出'五四'时期业已形成的思想格局,是 70 年来的文化论争在新的历史条件下的继续和延伸。"①这一论断,首次阐明了作为中国马克思主义文化派的基本主张的"综合创新"论,在 20 世纪 80 年代的文化讨论中,以及在整个中国现当代思想史上所具有的与自由主义的"全盘西化"派、保守主义的"儒学复兴"派鼎足而三的历史地位,是他在现代新儒学研究中提出的"三大思潮对立互动"说的进一步贯彻与发展。而且他明确指出,决定中国现当代历史进程的主导思潮不是现代新儒学,也不是自由主义的西化派,而是中国化的马克思主义。我们注意到,国内近年来出版的中国现当代思想文化史论著,许多都采取了方先生所提出的"三大思潮对立互动"的观点作为基本的解释框架。

通过方先生的理论阐扬与发挥,由张岱年先生首倡的"综合创新"论不仅具有了更为具体而完整的理论内容和新的理论高度,而且作为中国马克思主义派的基本文化主张在中国现当代思想史上获得了应有的定位。方先生的有关工作,对于进一步丰富综合创新论的理论内容,充实综合创新论的理论生命力,扩大综合创新论的社会影响,使马克思主义的文化观在当代中国的文化论争中更好地起到主导作用产生了重要的作用。

不仅如此,在现代新儒学研究中,方先生自始至终旗帜鲜明地站在马克思主义的文化立场上,强调要"扬弃和超越现代新儒家及其'劲敌'全盘西化派,同时吸收、包容他们思想中的合

---

① 关东:《现代新儒学研究的回顾与展望——访方克立教授》,《哲学研究》1990 年第 3 期。

理因素,对于民族文化和外来文化,都要从中国社会主义现代化建设的实际出发,审慎地选择,历史地科学地分析,批判地继承和扬弃,走综合创新的道路"。① 实际上他是以自己的理论活动,鲜活地实践了"综合创新"的要求。在这里,我想结合方先生所倡导的"同情地了解,客观地评价,批判地超越"的研究态度和方法,②从一个侧面来加以论述。任何一种在历史上曾经发生过一定影响的思想流派或学术观点,都一定有其与特定历史相关联的存在合理性。正是这种合理性为认识主体对认识对象加以"同情地了解"提供了客观的根据。与此同时,也只有通过对研究对象的"同情地了解"才能真正入乎其内,内在地而不是外在地、深入地而不是肤浅地理解其存在的相对合理性,并把握其义理系统之真髓。这可以说是面对古今中外的文化传统,以"综合创新"为目的的理论活动的"理解起点"。

"客观地评价"则已开始了从"入乎其内"到"出乎其外"的过程。由于事物总是在一个广泛联系的动态系统中存在的,因此,对一种思想流派或学术观点,不仅要站在认同其存在合理性的内在立场予以准确的把握,而且还要在此基础上,把它放在事物广泛联系的整体系统之中,对其作出实事求是的分析和评价,以全面衡定其是非得失。这种通过比较、甄别、拣择而区分思想资源之精华与糟粕的过程,显然就为"批判继承"奠定了基础。

"批判地超越"则构成了整个理论活动的落脚点。由于任

---

① 方克立:《现代新儒学与现代化》,天津人民出版社 1997 年版,第 90 页。

② 参见方克立:《现代新儒学研究的自我回省》,《南开学报》1993 年第 2 期。

何思想流派或学术观点之存在的合理性都是相对的,其理论有效性总是与特定的时间、地点、条件联系在一起的,因此随着历史的发展而被超越就是势所必然。因此,作为认识和实践的主体就应具有清醒的批判意识与超越意识,既坚持自我主体性而又保持全方位开放的文化心态,通过辩证的扬弃而达到保留与克服的有机统一,在更高的基点上通过新的综合与创新,以完成适应时代需要的"批判地超越"。就其整体而言,"同情地了解,客观地评价,批判地超越"正是构成了一个继承与批判相结合、综合与创新相统一的完整过程。它既体现了一种开放、宽和、平正的文化心态,又具有一种在吞吐百家中勇于探索、敢于超越的理论气度。尽管方先生是在现代新儒学研究中提出这一方法的,但由于它整体贯通了"综合创新"的精神,因而也就具有了一般哲学方法论的意义。不仅如此,由于它就如何"批判继承,综合创新"的问题提出了一条具有可操作性的具体思路,因而可以看做是对综合创新文化观的丰富与深化。

进入新世纪,方先生继续就"怎样从理论、历史和方法等不同层面去深化对'综合创新'文化观的研究"的问题保持了深层关注。在接受《哲学动态》记者采访时,他就这一问题谈了四点设想:第一,通过对16世纪下半叶以来中西文化关系诸说与文化论争的系统清理和考察,阐明综合创新文化观产生的历史必然性,说明这种文化观并不是凭空产生的,而是对于前人合理思想的批判继承和总结。第二,从理论上对综合创新文化观进行深入的分析和论证,至少包括以下三个方面内容:对文化系统的可解析性与可重构性、文化要素之间的可离析性与可相容性等理论前提的说明;对分析与综合、综合与创新的关系的科学阐述;对辩证综合与折中调和之原则性区别的辨析。第三,用中外文化史、文明史的大量历史资料，说明综合创新是文化发展的规律。第四，通过对中外文化史的总结研究与理论提升，努力探索怎样综合创新的方法，力求具有可操作性并考虑到方法的多样性。他认为，"在方法论上的中西结合和互补可能是一条比较好的创新思路"。① 方先生的上述论断，为从"文化发展之一般规律"的高度进一步深化对马克思主义综合创新文化观的研究指明了方向。

由于"综合创新"文化观具有彻底的辩证性，与偏执一端的"全盘西化"论和"中体西用"论相比具有明显的合理性，因而它在文化讨论中逐渐表现出了强韧的理论生命力，不仅得到国内多数学者的赞同，马克思主义文化观的主导地位得以确立，而且杜维明、林毓生等分属于其他思想阵营的海外学者也在一定程度上表现出了认同"批判继承，综合创新"主张的理论意向。例如杜维明就曾说过："有人认为综合创新说可以取代儒学复兴、全盘西化，我也认为如此。"②这种局面的形成，显然与方先生作为综合创新派的主要代表之一，对综合创新论的大力倡导、阐扬，特别是加以丰富、深化有着密切的关系。在展望中国哲学的未来走向时，方先生曾指出："中国哲学在现代面临着一次最深刻的、具有世界历史意义的综合创新，就是要综合中、西、马，创造集人类哲学智慧之大成而又充分体现民族主体性的、作为全球化时代先进文化之一的当代中国哲学。"③可以预期，随着时间的推移，以张岱年、方克立等为代表的综合创新派的文化主

---

① 《深化对"综合创新"文化观的研究——访方克立教授》，《哲学动态》2002 年第 4 期。

② 杜维明：《文化中国与儒家传统》，《学术集林》卷四第 159 页。

③ 方克立：《中国哲学的综合创新之路》，《光明日报》2003 年 2 月 11 日。

张,必将对中国哲学与文化的未来发展产生更为积极、更为广泛而深刻的影响。

三、中国哲学与文化世界化的积极推进者

世纪之交,伴随着国际国内形势的变化,中国哲学与文化的未来走向问题再一次成为人们关注的焦点,在学术界出现了新一轮"东化论"与"西化论"的论争。一方面,一部分学者面对西方现代文化主导下的现代化过程中的问题与危机,力图凸显东方文化的价值和意义,认为人类要想避免走向毁灭,西方文化就必须让位于东方文化。这是在新的历史条件下出现的"东方文化救世论"。另一方面,另外一些学者则认为,西方文化在今天不仅仍然居于强势地位,而且是具有普遍意义的全球性价值,中国的现代化只能是走西方化的道路。这是一种以"全球化论"形式出现的西化论。毋庸讳言,作为人类文明的主流传统之一,中国文化曾拥有辉煌的过去。但是,在进入世界历史的现代,特别是19世纪中叶中西文化在枪林弹雨中交会之后,中国文化传统迅速走向了衰微。在经过了一个半世纪的从衰败到复苏乃至初步兴盛的曲折发展后,面向21世纪,中国文化究竟会有怎样的发展走势?中国文化与作为当今人类文明之主流的西方文化之间究竟应当是怎样的关系?在全球化的时代,在人类未来文化的建设中中国文化究竟可以发挥怎样的作用?这些确实是世纪之交海内外学界都十分关注的重要问题。作为一个站在时代前列的思想史家,方克立先生以他所素来服膺的马克思主义综合创新文化观为基本的理论立足点,在整个人类文明发展的宏阔视野下,对这些事关中国文化前途命运的重大问题作出了富

有辩证思维特色的回答。

立足于将"综合创新"作为人类文化发展之一般规律的理论高度,方先生对面向21世纪的东西方文化关系及其发展走势作了宏观审视。他既不赞成东化论,也反对西化论。在他看来,"从思维方法来说,东化论与西化论有一个共同特点,就是都执著于非此即彼,都喜欢'走极端',而不愿意主动地接受亦此亦彼的'兼容'、'共存'概念,最后却在事实上可以接受一个折中调和的结果"。他认为,"方法的选择应从事物的本性出发,事物的发展本来是矛盾诸方面对立统一的辩证运动过程,我们就应尊重事物的辩证法,用辩证的思维方法去认识和处理这些现实的矛盾。像东方文化与西化文化这一类'不同'的事物,当然也可以说是一对矛盾,……中国传统哲学的'中和'辩证法,在处理这一类矛盾事物时是可以发挥其重要的指导作用的。……在目前关于东西文化的讨论中涉及到一系列矛盾关系,如一体化与多元化、全球化与本土化、世界性与民族性、现代性与根源性、科技与人文、工具理性与价值理性等等,恐怕都不能采取'非此即彼'的方法简单处理,而是要善于运用亦此亦彼、相反相济、互动互补、共存共荣的'中和'辩证法。"[①]立足于这样的认识,他强调:"我赞成这样的看法:21世纪是东方文化复兴的世纪;同时认为,21世纪是东西方文化进一步交流融合的世纪。"他进一步指出:"我认为,未来的世界文化必将是科学主义和人文主义、工具理性和价值理性的有机结合或统一,也就是东西方文化精神的结合、融合或整合。21世纪将在东西方文化整

---

① 方克立:《二十一世纪,能否淡化东化西化之争?》,《中国社会科学院研究生院学报》1999年第2期。

合的过程中向前大大迈进一步。"①

　　立足于这样的东西文化观,方先生进而对"经济全球化情势下的中华文化走向"这一具有重要理论意义和现实意义的问题作出了回答。他认为,由美国等西方发达国家推动和主导的现实的全球化,实际上是资本主义生产方式和文化的全球化。它不是什么"永恒的世界秩序",而是生产力和生产关系矛盾运动的一个环节或阶段,是过渡到马克思、恩格斯所设想的"理想的全球化",即社会主义代替资本主义的历史阶梯。当然,用理想的全球化取代现实的全球化是一个长期而艰难的过程,只有经过一代又一代人的艰苦努力,理想的全球化才有可能实现。作为一个有着悠久历史传统的伟大民族的文化,作为能够吸收世界各民族文化精华的博大开放、"有容乃大"的文化,作为扬弃了资本主义文化的社会主义初级阶段的文化,中国文化要挺立民族主体性而不被西方强势文化"化"掉,并为新世纪的文明对话、多元共存以至于未来的理想的文化全球化作出自己的独特贡献,方先生认为我们的对应方针只能是:第一,坚持对外开放、面向世界的方针,学习世界各国先进的科学技术、管理经验和思想文化,把我国的经济、社会、文化发展水平提高到一个新阶段。第二,加强社会主义精神文明建设,抵制封建主义和资本主义的腐朽文化,坚定不移地走建设有中国特色社会主义文化的道路。第三,大力弘扬中华民族优秀传统文化和近现代革命文化,利用现代传播手段,向世界展示中华文化之博大精美,为世界文明提供一个可久可大的文化范例。第四,在"百花齐放,

---

　　①　方克立:《二十一世纪与东西方文化》,《中国文化研究》1997 年冬季号。

百家争鸣"、"批判继承,综合创新"中发展和繁荣有中国特色的社会主义文化,为全球化时代的人类文明作出一个伟大民族应有的贡献。他认为以上四点不可或缺。方先生满怀信心地展望中国文化的未来:"中国文化曾经长期领先于世界,只是在世界进入资本主义时代后,由于封建统治者抱残守缺和封闭自守,才落后于快速发展的西方科技文明,从一种强势文化转变为弱势文化。中国在融入全球化潮流后,由于有原来深厚的文化根底,有12亿人民奋起直追的共同意志和行动,有先进的社会主义制度作为保证,我们相信在不久的将来,中国文化一定能够重新崛起,再次成为世界上的强势文化之一,与今日领先的西方文化并驾齐驱。不过它永远不会称霸,永远不会改变自己的和平主义的性质。在未来世界各民族文化多元共存、'和而不同'的格局中,中西文化互补将成为最重要的内容和特色。"①他的这种东西文化并驾齐驱论,显然不同于"东化论"与"西化论",也不同于"三十年河东,三十年河西"论。这一时期方先生的另一项重要工作,就是针对亨廷顿的"文明冲突论",大力阐扬植根于中国文化深厚智慧之中的"和而不同"文化观的现代意义,并对文明冲突论提出了有力的批评。方先生指出,"和而不同"、"和实生物,同则不继"是古老的中国哲学智慧。它是世界的本来面目与状态,反映了事物生成发展的根本规律即宇宙万物都是由相反的事物组成的,不是简单的同一,而是多样性的统一才构成了这个不断发展着的丰富、生动的世界。在中国古代,"和而不同"也是处理人与人之间的关系,不同国家、民族之间的关系,

---

① 方克立:《经济全球化情势下的中华文化走向》,《中国社会科学院研究生院学报》2001年第1期。

不同学术思想派别、不同文化之间关系的基本原则,是学术文化发展的动力、途径和基本规律。中国文化有"和而不同"、"有容乃大"的深厚传统。在历史上,不论是处理国内不同地域文化、各个民族文化之间的关系,还是处理中华文化与外来文化之间关系,中国文化都表现出了"和而不同"的开放性格和对"异文化"的宽容精神,因此它在与其他民族文化相处中自然就容易走向交融、合作与共同发展。方先生认为,在以和平与发展为时代主题的当今世界,中国传统智慧中的"和而不同"的思想资源,"有着特别重要的现实价值和世界意义,它应该成为处理不同文明、不同民族文化之间关系的基本准则。在今天,'和而不同'是消解文明冲突的一个良方,一剂对症良药"。①

基于这样的认识,方先生对亨廷顿的文明冲突论提出了批评。他指出,不同文明是在既冲突又融合、既对立又统一的关系中发展共进的。亨廷顿显然夸大了文明冲突在历史发展中的地位和作用,而对文化交流融合这一面视而不见,更不理解"和而不同"的文化发展规律,因此得出了文明冲突不可避免的错误结论。由于它在归根结底的意义上是企图用西方式的价值观念来一统天下,因而它正好可以看做是一种站在"和而不同"对立面的以追求"一统"、"专同"为目标,并且这种"一统"是只能通过一方吃掉一方的对抗、斗争方式来实现的"同而不和"的文化观。文明冲突论给人类文明所展示的前景是灾难性的,也是违背全世界人民的意愿、违背文化发展规律的。在今天,人类完全可以也应当按照另一种思路来处理不同文明之间的关系问题,

---

① 方克立:《"和而不同":作为一种文化观的意义和价值》,《中国社会科学院研究生院学报》2003年第1期。

即各民族都以宽阔的胸怀与宽容的心态来善待不同文明的成果,以交流代替歧视,以兼容代替排斥,以对话代替对抗,以共处代替冲突,推动各种文明的互相交流、互相借鉴,以求共同发展、共同进步。方先生提出,"文明冲突"论与"和而不同"论作为当今世界上两种最有影响的文明关系理论,我们应有自己明确的价值立场,坚决支持全世界人民以对话代替冲突的要求和呼声,大力阐扬和宣传"和而不同"的文化观,争取人类文明朝着符合全世界人民的意愿、符合文化发展规律的方向发展。[①]

方克立教授的上述文化观点,大都是近年来在中华炎黄研究会主办的"21世纪中华文化世界论坛"(以下简称"论坛")会议上发表的。方先生作为中华炎黄文化研究会的常务副会长、该会学术委员会的常务副主任之一,为组织两年一届的"论坛"国际会议,推动中华文化走向未来、走向世界做了大量的具体工作。自20世纪80年代中期以来,方先生在对中国哲学与文化的现代意义和世界意义大力进行理论阐发的同时,还热心参与国际学术交流活动,为将中国哲学与文化推向世界作出了重要贡献。他曾十余次在国际学术研讨会上宣读有关中国哲学与文化方面的学术论文,先后到包括美国、德国、法国、新加坡、日本、韩国等国家在内的美洲、欧洲与亚洲地区访问、讲学、合作研究与出席国际学术会议,成为在中国哲学与文化领域的国际知名学者之一。1989年以来,他一直担任具有广泛影响的国际中国哲学会的"中国大陆区域代表"。

鉴于其突出的学术贡献与学术影响,方先生在1999年又被

---

① 参见方克立:《"和而不同":作为一种文化观的意义和价值》,《中国社会科学院研究生院学报》2003年第1期。

推举为国际中国哲学会会长,并于 2001 年 7 月在北京成功地主办了第十二届国际中国哲学大会。这次大会以"中国哲学与二十一世纪文明走向"为主题,共有来自美国、英国、德国、瑞典、加拿大、澳大利亚、日本、韩国等 14 个国家和祖国大陆、台湾、香港、澳门地区的 250 余名专家学者出席会议,是国际中国哲学会成立 26 年来规模最大的一次国际学术盛会。探讨中国哲学与 21 世纪文明走向的关系,阐明如何站在新世纪、新千年的起点上,把中国哲学进一步推向现代化、推向世界、推向未来,使之为解决新世纪人类面临的诸多问题、为人类精神文明的发展作出更大的贡献,是这次大会各国学者共同关心的问题。在北京申办奥运成功的喜庆日子里,世界各国中国哲学研究学者聚集在中国哲学的故乡,回顾中国哲学的历史,展望中国哲学的未来,为推进中国哲学的现代化和世界化而共献良策,可谓意义重大、影响深远。作为大会主席,方先生为这次大会的成功举办所作出的重要贡献,受到了与会各国学者的高度评价。在大会闭幕式上,100 多名中外学者联名写信给方先生,表示"谢谢您为这次非常成功和愉快的学术会议所作的杰出贡献,它已经在我们心目中留下难以磨灭的印象"。这次大会可以看做是方先生为推进中国哲学与文化的世界化而躬行践履的一个成功范例。

以上简略的介绍,旨在说明方先生的有关理论探讨,从一个侧面表现了他作为一个站在时代前列的思想史家,面对中国文化发展的时代课题所作的深沉思考。正如他明确指出的,建设有中国特色的新文化,同时也就是伟大的中华文明的现代复兴。而他所倡导的"综合创新"论,既体现了马克思主义的基本精神,同时也可以说是对于中国文化"和而不同"的优良传统和近代以来"会通以求超胜"的健全文化心态的批判继承与发展。

作为一个具有深厚中国文化素养的马克思主义哲学史家,方先生不仅以其理论创获为当代中国的文化建设作出了重要贡献,而且通过他的身体力行,还为后学昭示了一条如何把马克思主义与中国优秀文化传统相结合的理论创新之路。我们有充分的理由相信,面向21世纪,走综合创新之路,经过几代人的不懈努力,中华文化的现代复兴一定能够实现,充分体现中国民族风格而又具有现代性的社会主义新文化必将出现在世界的东方!

(原载《社会科学战线》2003年第4期)

开启创新境域　阐发和合精蕴

——张立文教授的学术追求与探索足迹

祁润兴　方国根

人生就在于奋进,生命就在于创造,只要认定了目标,就要不断地追求,以达真、善、美的境界。①

1984年,经国务院学位委员会特批为教授后,张立文在接受记者采访时的这段坦诚表白,既是他矢志不渝的治学格言,也是其人生奋进的深切体验,生命创造的真实写照,学术追求的高度浓缩。

一、历经艰难时世,接受坎坷磨砺

1935年3月31日(农历乙亥年二月廿七),张立文出生于浙江省温州市永嘉县永强镇普门村的桥北自然村。村里绝大部分人姓张,是明代嘉靖初年首辅张璁(1475—1539年)的后裔及其亲族。在他诞生的庭院,门前树有标志"登第"的旗

---

① 《中国哲学界学者简介·张立文》,《中国哲学年鉴1985》,中国大百科全书出版社1985年版,第315页。

杆,堂上挂着"明经"的匾额。到祖父张士福时,生活已很困难,只能下海打鱼餬口。后因伯父死于海中,父亲张成枢改做豆腐,兼卖豆芽、酱油、醋。张家靠诚实做小本买卖,讲究信誉,童叟无欺,生意日益兴隆,后来逐渐买下三十多亩地产,生活稍有好转。

祖父识字不多,仅能记账。父亲读过两年私塾,靠刻苦自学,粗通文墨。由于天性喜爱读书,从四书五经到小说诗歌,从医药棋谱到卜筮命相,经史子集,无所不读。在父亲的严格教管下,张立文从小以书为伴,沐浴在文化典籍之中。

1940 年,年仅 5 岁的张立文进入罗山小学读书。罗山本是张璁之号。罗山小学的校址就建在张璁的宗祠内,并以宗祠田产维持学校的部分开支。或许是因为大学士张璁的宗祠在此,明清以来,永嘉文风兴盛,普门人杰地灵。光绪三十四年(1908),清朝废除科举,兴办学校。普门乘机以张璁宗祠及其田产为依托,创办"就正学堂"。1920 年改名"罗山小学",开始新式教育。

张立文在罗山小学读二年级时,正值抗日战争最艰难时刻。温州屡遭日机轰炸,三度沦陷。张立文因帮家里晒稻扬谷,不幸染上疥疮,迫不得已休学两年。其间,日本侵略军占领温州,进住永强,杀人放火,无恶不作。张立文带病同家人仓皇出逃,到附近松台山岩洞内避难。战事平稳、疾病痊愈后,又回到罗山小学从三年级读起。为了把休学耽误的时间弥补回来,他跳过四年级,直接读五年级,并以全校第一名的成绩进入温州三希小学读六年级,后又考取当时温州著名的瓯海中学。

在读小学和中学期间,张立文除了学习国文、算学、物理、地理、历史、书法等新式课程外,还利用寒暑假到本县秀才张步禧和儿子张学精所开的私塾里背诵古文典籍，接受传统的经学、子学和史学教育。从《三字经》、《幼学琼林》、《古文观止》到《论语》、《孟子》、《周易》，一部一部地背诵，这样一直坚持了6年。虽然当时觉得光背诵不讲解，只识其文，不知其义，兴趣不大，但后来才切身感受到：幼年背诵的这些文化典籍，随着生活阅历的丰富在慢慢地发酵，其中蕴藏的精神营养源源不断地释放出来，激励着人生的奋进，哺育着生命的创造，推动着学术的追求。

在瓯海中学，张立文有幸认识了不少当时知名的专家学者。在名师的教诲下，张立文对进步思想产生了浓厚兴趣，对科学知识萌发了强烈愿望，对学术探索形成了美好意向。在《七十自述》手稿里，他这样回忆道：

> 老师们渊博的知识，不倦的教学，使我觉得世界上有无穷无尽的知识需要去探索，要像海绵一样不断地吸收，要像肠胃一样不断地消化。只有知识，才能使自己充实。聪明才干来自知识，愚昧无能来自无知。有着这样强烈的求知愿望，我珍惜每一点时间。因此，成绩总是名列前茅或者第一名。[1]

张立文的中学时代，正值解放前夕。最令他难忘的大事有两件：一是1948年下半年参加"维也纳音乐会"合唱队，演唱《黄河大合唱》、《团结就是力量》等进步歌曲；二是1949年5月参加迎接温州解放的宣传活动。其中，"维也纳音乐会"是中共瓯海中学党支部（当时属于地下党组织）为团结广大同学所成立的进步青年组织。但这一进步组织曾一度被定性为"托派组

---

[1]　张立文：《七十自述》（手稿），第12页。

织"，张立文也因此在 1951 年镇反运动时被送到温州干部学校"交代问题"。直到 1953 年 9 月，才由温州专区军事革命委员会下达文件，彻底澄清了这一莫须有的"历史问题"。从 16 岁到 18 岁，张立文被这顶"托派分子"的政治帽子压得抬不起头来，被这种祸从天降的"历史问题"闷得喘不过气来。或许，这一突如其来的人生磨难，既是一种考验，也是一种锤炼。它促使张立文在政治上更为稳健，更为成熟，在学术上更加执著，更加投入。

1950 年温州开始土改运动。张立文积极报名，被分配到温州专区最贫困的泰顺县参加剿匪、反霸和土改工作。后在县文化馆、县粮食局秘书股和计划股、洪口粮食转运站从事宣传、调研和调度工作。这期间，他的学术习作《贾宝玉、林黛玉婚姻悲剧原因的探讨》，在泰顺县获奖。

1956 年 2 月，张立文以泰顺县洪口粮食转运站站长职务，调入浙江省粮食干部学校学习。适逢党中央发出"向科学进军"号令，政务院下达鼓励在职干部报考大学的通知。经泰顺县政府、县委批准，他报名参加中国人民大学单独招生考试和全国统一招生考试，以杭州考区"中国革命史专门化"第一名的优异成绩被中国人民大学正式录取，并在同年 7 月 10 日的《浙江日报》上张榜公告。回到泰顺后，张立文被任命为仕阳区粮食管理所副所长，继续从事粮食统销工作。8 月底，完成职务交接后，他回到了阔别 6 个春秋的家中。尽管参加工作 6 年多，行政职务已定为 24 级，但由于当时实行供给制，所以他没有钱置办到北方过冬用的棉衣，只好向家人求助。经过仓促准备，9 月初，来到了新中国的伟大首都北京，开始了迈向学术殿堂的大学生活。

二、从干部到学者,从史学到哲学

20 世纪 50—60 年代,人民大学可以在全国单独提前招生,排名在北京大学、清华大学和北京师范大学之上,简称"人、北、清、师"。当时,张立文所在的"中国革命史专门化"(后依次改为中国革命史专业、中共党史系)属于历史系,与"马克思列宁主义基础专门化"一道,负责为新中国培养思想教育和理论宣传干部。鉴于这一特殊的历史使命,中国人民大学采取了苏联莫斯科大学的教学管理模式,一切从严要求,学习气氛十分紧张。可对张立文来说,这种紧张的学习生活,反倒使他心情舒畅,精力充沛。"因为这种学习的紧张,与我在温州干校镇压反革命运动学习的紧张,完全不同。那是思想的痛苦,这是思想的愉快。书中的思想观点,给我的是智慧的启迪和美的享受。"①根据课程教学的要求,他从图书馆借来大部头著作,一本一本地精读,不断吸收先进思想,消化科学理论。

经过四年紧张而充实的大学生活,张立文出色完成学业,以优异成绩毕业留校,被分配到哲学系中国哲学史教研室从事教学工作。组织上的这一分配决定,既彻底改变了他的职业生涯和社会角色,使其从革命干部转换成大学学者,同时又为他从历史进入哲学,创造了有利条件。从此以后,张立文如鱼得水,游刃有余,凭借自己从家庭和私塾里积累的深厚国学功底,加上在人民大学获得的现代知识储备和理论思维训练,开始一步一个脚印,从史学研究走向哲学追问;一步一个台阶,从文本诠释登

---

① 张立文:《七十自述》(手稿),第 12 页。

攀学说创建,不断开启全新的生命创造境域,渐次阐发独特的和合价值理念。

然而,从1960年5月留校任教到1973年6月中国人民大学被撤销,张立文除了完成教学工作任务外,其余的时间主要用于参加各种轰轰烈烈的政治运动,很少能够集中精力进行冷冷静静的学术研究。而且在那个时代,潜心搞学术就意味着走"白专道路"。特别是对于从事中国哲学史教学与研究而言,情势更为严峻。因为按照《俄共(布)党史教程》规定的划分唯物主义和唯心主义"唯一标准",从孔夫子到孙中山,中国哲学史上一流的思想家几乎全是唯心主义者,都要进行"深刻批判";以"孔孟之道"为代表的整个中国传统文化,也要实行"彻底决裂"。不过,在"文革"开始前,从1961年到1965年,张立文先后在《人民日报》、《光明日报》、《文汇报》和《哲学研究》、《江汉学报》、《教学与研究》等报刊上,发表《范缜〈神灭论〉中的辩证法思想》、《董仲舒的认识论是唯物主义的吗?》和《论谭嗣同仁学的唯心主义》等论文11篇,学术研究和理论探索在迷茫与困惑中艰难起步。

史无前例的"文化大革命"开始后,正常的教学和科研活动全部中断,"大字报"铺天盖地席卷而来,冲击和淹没了一切诚实的学术探讨。1970年1月到1972年12月,张立文被下放到中国人民大学设在江西省余江县的"五七干校"进行劳动改造,接受贫下中农再教育。从江西干校返京不久,中国人民大学被撤销,哲学系分到北京师范大学,他仍在中国哲学史教研室工作,继续对自己的主观世界进行革命改造。从1966年到1976年,尽管"大批判"式的思想汇报不知作过几回,"大字报"式的应制文章也写了几篇,但他没有发表、也不可能发表哪怕一篇学术论文。

在邓小平亲笔批复下，经党中央、国务院批准，1978 年 7 月 11 日，停办了 8 年之久的中国人民大学正式复校。同年 8 月初，张立文回到中国人民大学哲学系中国哲学史教研室，有生以来第一次能够光明正大、理直气壮地从事学术研究。同年 10 月底，他的学术论文《略论墨子以三表为核心的认识论》在《哲学研究》上发表。另外两篇论文《子产辨》和《朱熹唯心主义认识论批判》，也分别在同年的《南开大学学报》和《西北大学学报》上登载。虽然此时已过不惑之年，但多年的人生磨砺，长期的生命煎熬，执著的学术追求，使他早已充满了激情，憋足了干劲。一旦禁区开放，理论思维就像喷泉一样涌动，思想学说如同火山一样迸发，张立文终于迎来了学术创新的春天。

从 1979 年算起，张立文累计发表学术论文超过 350 篇，出版学术专著 22 部近 800 万言，合著与主编的学术书籍近 50 卷（册）。《宋明理学研究》、《中国哲学范畴发展史》、《传统文化与现代化》、《走向心学之路——陆象山思想的足迹》、《李退溪思想研究》、《朱熹评传》、《正学与开新——王船山哲学思想》等著作，分获国家教委、国家社科基金和北京市哲学社会科学优秀成果等多种奖项。鉴于他在中国哲学和传统文化领域的出色成就，1984 年由国务院学位委员会特批为正教授，后又成为享受政府津贴的专家。张立文教授现任中国人民大学哲学系中国哲学博士生导师、中国人民大学孔子研究院院长、学术委员会主席，中国人民大学和合文化研究所所长，中国周易研究会副会长，兼任国际退溪学会理事、国际儒学联合会理事等职务。

对于一位志在创新的学者来讲，必要而有限的社会兼职，既是学术研究服务大众生活的有效方式，也是学者本人义不容辞的社会职责。但是,过于繁杂的社会事务,过度频繁的公众交往,势必影响学者投入到学术创新中的精力和时间。这是因为,一分耕耘,一分收获;没有充足的投入,就没有丰硕的产出。多年来,张立文教授恪守学者本分,甘于寂寞和清贫,勤于教学和思考,勇于探索和创新,在周易思想、朱熹思想、退溪思想、宋明理学、中国哲学范畴、中国传统文化等众多领域,都有所发现、有所创新、有所建树,形成了具有自己独立见解的理论学说。尤其是他在国内率先提出的中国范畴逻辑结构论、传统学、新人学以及和合学理论,已受到学术思想界的广泛关注,并通过大众传媒,在东南亚和国际社会不断引起积极的回应与持续的反响。或许,这才是学者从事理论创新的职业本分,才是学术探索回报大众社会的最好方式。

三、发现逻辑结构,激活民族精神

从事中国哲学史教学和研究,最大的问题既不是汗牛充栋的古典文献难以解读,也不是言不尽意的概念术语无法诠释,而是一个类似莎士比亚著名悲剧《哈姆雷特》中的存在性问题:

To be, or not to be?

That's the question.

即中国有没有哲学的存在性问题,中国哲学是不是哲学的合法性问题。这既是中国哲学在世界哲学史中的地位和作用问题,也是中华民族思想在人类思想发展史上的生存权利或毁灭命运问题。因为根据西方文明中心论(包括西方哲学中心论)所确立的哲学标准,中国哲学既没有柏拉图式的理念范畴(Plato's Ideal Category),也没有亚里士多德式的逻辑体系(Aristotle's Logic System),

更没有康德式的纯粹理性（Kant's Pure Reason），所以，从德国古典哲学家黑格尔到法国后现代哲学家德里达，西方哲学界一流思想家对中国哲学的存在性问题，多持否认态度，甚至不置可否，不屑一顾。受其影响，时至今日，国内编辑出版的各种哲学原理教科书，言必称希腊，为各种西方哲学理论作注脚。中国古代圣哲的只言片语，充其量只能充当正反事例，并以此说明中国哲学的朴素性和自发性，反衬西方哲学的理论化与系统化。

中华民族到底有没有哲学思想，中国哲学究竟有没有生存权利，这些问题绝不是书斋里的思辨话题，它关系到中华民族精神和中国传统文化在世界文明发展进程中的重要作用。这是近代以来，中国学术思想领域首先必须澄清的重大原则问题。按照通常的解释，哲学是时代精神的精华，是民族精神的结晶。一个古老而伟大的民族居然没有自己的哲学体系，这就意味着，她不仅永远落伍于历史时代，而且始终缺乏生命智慧的觉悟和理论思维的创造，是人类精神世界的侏儒。因此，为中国哲学的存在性辩护，为中国思想的民族性论证，也就成了中国哲学史研究的当务之急。

为了回应西方哲学对中国哲学和民族文化的严峻挑战，20世纪80年代，张立文相继完成并出版了《周易思想研究》（1980年8月）、《朱熹思想研究》（1981年9月）、《宋明理学研究》（1985年7月）、《中国哲学范畴发展史（天道篇）》（1988年1月）、《传统学引论——中国传统文化的多维反思》（1989年1月）、《新人学导论——中国传统人学的省察》（1989年6月）和《中国哲学逻辑结构论——中国文化哲学发微》（1989年10月）7部学术专著，对中国哲学的存在性问题和传统文化的民族性特质，作出了深入而具体的科学阐释。

受西汉"独尊儒术"经学传统的全面影响,中国哲学没有选择先秦墨家和名家所创立的名辩逻辑(比较接近古希腊亚里士多德的外延逻辑和演绎思维),而是借助《周易》的象数模型和义理结构,融会《九章算术》的算法体系和实用理性,形成了独具民族特色的范畴逻辑和意境思维(大约相当于近现代科学的归纳思维和内涵逻辑)。因此,要揭示中国哲学内在的生机和活力,就必须首先突破号称"五经之原"的《周易》,剥去经学时代给它穿上的种种神秘外衣,恢复《易经》和《易传》的思想原貌。这项被张立文教授称之为"繁重的拨云去雾的工作",其目的是"弄清我国科学思维的萌芽,是从什么时候开始的,科学思维的萌芽是怎样同宗教相联系的"。①

《周易思想研究》全书分上下两篇,初稿写于 1962—1963年间,1979 年 9 月又进行了系统整理。根据可信史料和考古发现,张立文教授推定:《易经》的思想是殷周之际我国农牧业生产、手工业技术以及社会风俗习惯的真实反映。《易经》文本由三重因素组成:高度离散的卦爻语辞,形式完备的卦爻结构,唯变所适的阴阳算法。这些因素,孕育着中国古代科学思维和哲学思想的最初萌芽。《易经》对吉凶悔吝境遇的严格分辨,对道德伦理规范的深切关怀,又决定着中国文化的伦理价值走向和道德意义维度。但是,《易经》的这些思想萌芽和价值观念,却被埋没在神秘的卜筮语境中。经过先秦诸子百家的义理阐释,《易经》的上述三重思想因素,在《易传》中得以简略显现。"《易传》的时代上自春秋,下至战国中叶"②,作为

---

① 张立文:《周易思想研究》,湖北人民出版社 1980 年版,第 1—2 页。
② 同上书,第 206 页。

"哲学思想大体一致的作品",《易传》哲学是中国哲学原创时期的伟大杰作。它所提出的众多范畴(诸如阴阳、道器、太极)和命题(诸如"一阴一阳之谓道"、"形而上者谓之道"、"生生之谓易"),成为秦汉以来中国哲学不断深入探究的基本范畴和核心命题。

随后完成的《朱熹思想研究》和《宋明理学研究》,在研究视角和分析方法上都实现了创造性突破。在这两项专题研究中,张立文教授在国内率先大胆超越了贴标签的公式化分析,告别了分门别类的板块式肢解,严格遵循实事求是的学术原则,真正做到了"具体问题具体分析"。他在《朱熹思想研究》前言中明确指出:

> 哲学家哲学体系的各个方面及其基本范畴之间,是紧密联系的,从而构成了一个整体。"分门别类"的研究,往往于整个哲学体系内在的逻辑联系注意不够,而只有深入揭示某一哲学体系的内在逻辑结构或联系,才能如实地反映该哲学体系的本来面目。

> 中国哲学史研究,必须充分占有材料,分析它的各种发展形式,探寻这些形式的内在联系。因此,即使只是在某一个问题、思潮、人物的哲学思想分析上要合乎科学的哲学史的要求,也需要多年冷静和艰苦的科学研究,在这里只凭现成的原则、公式或空话是无济于事的。只有对每一哲学思潮、人物的特殊历史情况,进行具体分析,把它提到一定的历史范围之内,才能作出实事求是的评价。①

---

① 张立文:《朱熹思想研究》,中国社会科学出版社 1981 年版,第 1—2 页。

这里所说的基本范畴之间的紧密联系、哲学体系的逻辑结构，正是张立文教授后来总结出来的"中国哲学逻辑结构"。尽管对这一理论分析方法的系统阐释，是在 1989 年出版的《中国哲学逻辑结构论》里完成的，但在《朱熹思想研究》中，从第五章到第十一章，他用了全书一半以上篇幅，详尽论证了朱熹哲学由"理"至"理"的范畴逻辑结构，即由"自上推而下来"的"理"—"气"—"物"和"自下推而上去"的"物"—"气"—"理"和合而成的有序循环结构，①是理解朱熹理气关系、太极阴阳、一分为二、理一分殊、即物穷理、存理灭欲、知先行重等一系列理论学说和思想主张的关键所在。《宋明理学研究》进一步扩大范畴逻辑结构的分析范围，将这一行之有效的内在研究方法，贯彻到整个理学思潮，使众多的学派脉络分明，复杂的演进纵横对应，活生生地再现了宋明理学"豁然贯通"的运思方式，"浑然一体"的超越意境，"廓然大公"的伦理追求。

如果说《周易思想研究》是张立文教授学术探索的尝试之作，那么，《朱熹思想研究》就是他思想解放、理论创新的奠基之作。可是，彻底的思想解放往往意味着智慧的痛苦，大胆的理论创新常常标志着理性的冒险。这部近五十万字的学术专著一问世，很快毁誉俱至，令人喜忧参半。国内多数持赞同态度的学者仍然心有余悸，不敢公开表态。不久，坚持"大批判"思维的人，借"清除精神污染"的名义，开始向作者发难，在国内权威杂志上发表了署名"学谦"的《评〈朱熹思想研究〉》。这篇批判文章认为，《朱熹思想研究》不但在唯物主义和唯心主义"这两个基

---

① 张立文:《朱熹思想研究》，中国社会科学出版社 1981 年版，第 183 页。

本概念上产生了偏差",而且这一偏差"不仅关系到个人的学风、道德、名誉,更关系到人民的利益"。① 与此相反,香港媒体和国外同行却给予了很高评价。《镜报月刊》认为,作者发现的哲学逻辑结构,"这样的研究方法,是能还各个哲学体系以本来面目的。因而《朱熹思想研究》是散发着浓郁的中国芬芳的著作,在中国哲学史、思想史重点人物的研究中,开辟了新的蹊径。"著名的美籍华裔学者陈荣捷教授指出:"此书学术水准很高,肯下死工夫做学问",其"治学之严,所用材料皆第一手,且每有意见,令人起敬"。② 让张立文教授惊喜的是,诋毁也好,赞誉也罢,都说明这部著作终于在空疏成风的学术界引起了轩然大波;担忧的是,为了这部有可能被封杀的学术著作,他会不会再到什么地方"交代问题","接受改造"。事实表明,在拨乱反正之后,这种担忧是多余的。

借助形象的比喻说,中国哲学逻辑结构只是中国文化的骨骼系统,还不是民族精神的中枢神经。要使绵延不绝的民族精神彻底醒悟,完全激活,单有范畴逻辑结构的横向分析和纵向梳理虽是必要的基础性研究,却不是充分的应用性研究。为了使传统文化的研究从"知识考古学"的碎片中走出,就必须找到中国哲学的精髓和民族精神的灵魂所在。为此,张立文教授一边艰辛地从事着《中国哲学范畴发展史》"天道篇"和"人道篇"100多万字的撰稿工程,努力将范畴逻辑结构方法落实到整个中国哲学史研究中,一边开始对中国传统文化进行多维反思,对中国传统人学进行终极省察。1989 年出版的《传统学引论》和

---

① 张立文:《宋明理学研究》,人民出版社 2002 年版,第 2 页。
② 张立文:《朱熹思想研究》,中国社会科学出版社 1981 年版,第 474 页。

《新人学导论》,是作者在发现范畴逻辑结构基础上,对中华民族精神及其文化传统深度追问的思想硕果。

从 20 世纪 80 年代的"周易热"和"国学热"中,人们或多或少可以感悟到:在传统和现代之间存在着错综复杂、剪不断理还乱的人性张力。过分激进的现代化战略,誓死要与自己的民族传统进行最彻底的决裂,这种文化虚无主义不仅不能快速进入现代文明,反而会加剧传统与现代的价值冲突,引发伦理秩序的紊乱和道德行为的失范,甚至会导致整个社会生活的结构性振荡,使社会文明的制度转型无法健康地进行,顺利地完成。这就是"文化大革命"十年动乱给中华民族留下的沉痛教训。张立文教授在主编"传统文化与现代文化丛书"时,亲自撰写了《传统学引论》,其创作宗旨是非常清楚的。他在"前言"中这样写道:

> 当中国大地上的文化旋风,冲击着各个学术思想的"世袭"领地时,原有的框框被打破了,先在的规定被否定了,文化思想界的面貌发生了巨大的变革。为了文化探索的扩展和深入,为了中国早日步入世界现代化国家的行列,我写《传统学引论——中国传统文化的多维反思》,人们可以从反思传统中觉醒。

> 今天的中国是传统的中国的延续,现代的中国人是传统的中国人的沿传。我们批判传统中国的丑陋,是为了建立一个富裕、文明、友爱的现代化中国。这就是我写《传统学引论》的宗旨。

本来,传统研究属于文化学的分支领域,张立文教授特意将其分离出来,作为一门独立的学科进行理论建构,其用意并非真要创立一门科学,而是要在认识传统中超越传统,在研究传统中不断创新传统。尽管在后来,"传统学"这一术语并未被学术思想界普遍接受，但《传统学引论》对传统学方法三条内在逻辑结构规律（即纵横互补律、整体贯通律和混沌对应律）的准确概括，成为创立和合学理论的核心建构技术，并为分析多元素生成系统提供了可资借鉴的哲学方法；对传统在变异与整合过程中融突创造机制的学理阐明，为先秦和合价值理念的现代转生，铺平了宽阔的逻辑进路；对中国传统文化内在的价值观念系统、心理气质系统、经验知识系统和语言符号系统的全面疏通，为具体理解中华民族特有的人本精神、道德精神及其和合思维特征，打开了全新的学术视阈。在此书的最后一章《第七章　传统与反思》中，张立文教授还对马克斯·韦伯在《中国的宗教：儒教与道教》（1913）中提出的挑战性结论，即儒教伦理和道教伦理都不能诱导资本主义（市场经济）的形成，无法促进资本主义（市场经济）的发展，提出相当积极的学术回应。

其实，传统只是人性的历史展开，文化是人性的道德培育；而哲学则是对人性的形上沉思，是人类"认识你自己"的爱智探险；宗教和艺术则是对人性的终极关怀，是人类"完善你自己"的激情超越。包括自然科学在内的整个人类认知活动，完全可以看做是人性的交响乐、人道的协奏曲、人文的大合唱。因此，"世界上只有一个最大的字，这就是'人'字"。张立文教授在《新人学导论》开篇中的这句话，道出了一个天大的秘密，一个需要生命智慧大彻大悟的"大事因缘"①："人是一个谜，过去是个谜，现在是个谜，未来还是个谜。"②既然人永远是一个谜，那

---

① 鸠摩罗什：《方便品第二》，《妙法莲华经》，中国友谊出版公司1997年版，第46页。

② 张立文：《新人学导论》，广东人民出版社2000年版，第1页。

就不要企图一劳永逸地揭开谜底,让"人"真相大白,赤裸裸地暴露在光天化日之下;而应当在人生的不断奋进和生命的不息创造中,使人格巍然顶天立地,使人心浩然感通宇宙,使"人"字永葆神秘魅力。

与中国传统人学不同,"新人学"的新颖之处在于,它不以既定的善恶标准褒贬人性,而是首先将人性看做是一种有待自我发现、自我塑造、自我规范、自我创造、自我关怀和自我和合的无穷可能性,即从无穷小到无穷大的所有可能世界。

与西方抽象人性论有别,"新人学"的独到之处在于,它不用属加种差的逻辑定义限定人性,而是将人描述为"会自我创造的和合存在"。和合因人而生生不息,人因和合而灵昭不昧;和合创造才是人生的第一义谛,生命的无上奥秘,学术的永恒主题。

人的自我创造潜能、和合道德使命及其文化历史展开,不仅使人告别了"物竞天择,适者生存"的动物世界,而且使人在"日出而作,日没而息"的生存世界之上,创建了"穷理尽性以至于命"的意义世界和"一阴一阳之谓道"的可能世界,即真、善、美协和融合的精神自由境界。有鉴于此,张立文教授对各种各样的人性界说,比如亚里士多德的"人是政治的动物"、富兰克林的"人是制造工具的动物"、卡西尔的"人是符号的动物"以及海德格尔的"人是会说话的动物",都进行了和合省视。在他看来,这些"人"的定义,都是人学求索历程中的阶段性结论。它们虽然标志着人的自我发现程度和自我创造水平,但并未有揭示、也不可能揭示出人性和合创造的所有意蕴。其中的缘故并不深奥,因为社会政治制度、生产劳动工具和语言交流符号,都是人类自我创造的表现方式和自我发现的参照系统,它们都不能概括人的自我创造性及其和合存在本身。

根据人的自我创造本性及其和合存在方式,张立文教授在《新人学导论》中对文化人类学中盛行的达尔文主义以及文化进化论学派,作了更加理性的学术澄清。他指出,达尔文在《物种起源》里提出的"生存斗争"和"自然选择",只是生物界盲目进化的自然法则,其生物科学基础是生物本能的遗传机制和随机变异。人类生命智慧觉醒、告别动物世界之后,生物本能及其遗传机制已逐渐退隐,被人的和合创造及其文化传统所替代。因此,从根本上讲,弱肉强食、优胜劣汰的进化法则,已完全不适合人类社会。与此相反,扶老携幼、仁民爱物的和合原理,才是人间正道。即使是在生物界,达尔文也只看到了自然进化中冲突、斗争和对抗的一面,忽略了物种之间融合、和谐和共生的另一面。达尔文在科学考察中的偏颇,达尔文主义者在社会文化领域里的喧嚣,在一定意义上为殖民主义运动和种族主义清洗提供了现成的辩护词。

值得注意的是,新人学对人的自我创造特性及其和合存在方式的描述是价值中立的,它并未承诺人的创造性一定指向至善目标,人格的和合性始终趋于自由境界。诚如张立文教授在该书"后记"中强调指出的那样:人是一个内涵最丰富而又最复杂的范畴。世界上一切最美好、最神圣的东西是人创造的,一切最丑恶、最残暴的事件亦是人制造的,而且每时每刻都在创造着、制造着,只要人类还存在,它就永不止息。

人既会作善作美,又会作恶作丑,还会阳善阴恶,外美内丑,以至能好事做尽,也能坏事做绝。① 依据这一描述,我们不难发

---

① 参见张立文:《新人学导论》,广东人民出版社 2000 年版,第 321 页。

现,中国传统人学在总体上采用了"先发制人"的专制策略,以绝对的纲常伦理规范人心,以先验的善恶道德矫治人性,不仅要求人们"非礼勿视,非礼勿听,非礼勿言,非礼勿动",对于自我创造性的每一冲动,都要"日日克之,不以为难,则私欲净洁,天理流行",①而且进一步要求人们"晓得一念发动处,便即是行了。发动处有不善,就将这不善的念克倒了。须要彻根彻底,不使那一念不善潜伏在胸中"。②殊不知,没有了欲望,窒息了意念,又怎么能够发挥主观能动性、进行自我创造呢?由此可见,中国传统人学的失足在于,为了保全抽象的道德至善性,不惜牺牲潜在的自我创造性。这正是东方雄狮噩梦不止、沉睡不醒、劫难不断的心性根源。根据这一见解,要激活中华民族精神,最佳的文化战略就是用和合理念化解善恶之际的价值冲突,充分调动亿万"龙的传人"的自我创造性。

四、转生和合理念,化解价值冲突

经过中国哲学逻辑结构论、传统学和新人学的艰辛探索,张立文教授超越中国传统哲学的创新尝试,终于进到了和合学理论建构的哲学艺术境界。这既是他研究视阈从史学到哲学的彻底转换,也是其理论思维从哲学反思到艺术审美的境界升华。这一视阈转换及其境界升华,使张立文教授从 20 世纪 90 年代起,步入了人生奋进、生命创造和学术追求的黄金时段。

---

① 朱熹:《论语集注·颜渊第十二》,《四书章句集注》,中华书局 1983 年版,第 132 页。
② 王守仁:《王阳明全集》卷 3,上海古籍出版社 1992 年版,第 96 页。

在这短短的 13 年内，他主持完成了国家社科基金"九五"规划重点课题"东亚哲学与 21 世纪"，出版了以《和合与东亚意识——21 世纪东亚和合哲学的价值共享》为首的课题成果（专著）5 部；独立完成并出版了以《和合学概论——21 世纪文化战略的构想》为主的学术专著共 14 部，修订出版了《朱熹思想研究》、《宋明理学研究》和《新人学导论》等著作 4 部，合著和主编了《文化圆桌》、《中外儒学比较研究》、《中国哲学范畴精粹丛书》等共 28 卷（册）；创办了《亚文》和《东亚文化研究》两种国际学术杂志，在国内外发表学术论文 236 篇；先后多次到美国夏威夷大学、波士顿大学，德国哥廷根大学、汉堡大学，日本东京大学、京都大学、九州大学、早稻田大学和东京女子大学，韩国高丽大学、退溪学研究院，国立新加坡大学和香港中文大学等著名学府，参加国际会议，主持专题讲座，作关于和合学等主题演讲。如此丰硕的科研成果，如此广泛的国际影响，是对张立文教授"殚精竭思"进行学术追求和理论探索的真情回报。

对于这些姗姗来迟、"稀之又稀"的国际声誉，张立文教授始终能以"婴儿之心"洒脱应对，以"赤子之心"自由处之，继续以淳朴和天真的心境，想自己乐意想的问题，做自己喜欢做的事情，写自己冀望写的文字，努力使自己成为真正实现了自我创造性的"大人"。人生的这种洒脱与自由，说来轻巧，得之不易。我们不妨听听张教授自家的陈述：

> 当我修改此难产、慢产之书，恰逢我"六十花甲"。在自己的人生旅途中走了一个甲子圆道，或称"轮回"；再走一个"轮回"，在这个世界上已是微乎其微；再走半个"轮回"，也是稀之又稀了！我走了一个"轮回"，这意味着回到

了"儿"时状态，儒家称"赤子"，道家叫"婴儿"的心境。

> 你看那婴儿，哭就哭，叫就叫，笑就笑，不是做给人看，也不是为讨好别人，却有了一份淳朴和天真。这淳朴和天真，就是做自己想做的，做自己喜欢做的，写自己冀望写的。既不是为讨人喜欢，又不是为应世媚俗。一切外在的"迷惑"，已失去昔日的力量和"光辉"；内在的"赤子之心"、"婴儿之心"的呼唤，却比往时更紧迫和强烈，人也多了一份洒脱和自由！①

正是基于对中华民族精神强烈的赤子之情，出于对中国文化未来发展紧迫的婴儿之心，张立文教授开始了"世纪之交的文化思考"。他从太史公司马迁提出的"天人之际"和"古今之变"问起，思考之流沿着历史的踪迹循序而下，直到近代的"中西之争"和"体用之辨"，以及现代新儒家的"返本开新说"与"创造转化论"。在这一刨根究底的哲学追问中，张立文教授发现，以往对中国文化的经学注疏、义理诠释和哲学解析，始终没有走出复古情结，没有摆脱圣王期待，没有冲破封闭魔圈。其中，复古情结是非进步的历史眼光，仿佛尧舜禹三代就是天堂。圣王期待是非理性的情感投射，希望通过造神获得解放。封闭魔圈是非创造的逻辑结构，是从"理"到"理"（程朱理学及新理学）、从"心"到"心"（陆王心学及新心学）、从"气"到"气"（张王气学及新气学）的自我循环。一言以蔽之，秦汉以来的中国传统哲学及其种种翻新思潮，都遗忘了先秦哲学的和合理念，以致对人的自我创造性熟视无睹，甚至欲加窒息，不择手段，都通过"攻

---

① 张立文：《和合学概论》（下卷），首都师范大学出版社 1996 年版，第 1162 页。

乎异端"来确立自家"唯我独尊"的话语霸权。这些哲学思想一旦与专制政权联姻,"以理杀人"①、"以心杀人"、"以气杀人"和"以学术杀天下后世"②的文化悲剧,将在所难免。

因此,要走出"龙战于野,其血玄黄"③的历史困境,让"龙的传人"从文化悲剧中彻底觉醒,不再以种种神圣的名义窝里决斗,自相残杀,最佳的文化战略就是接受"多元冲突与多元融合"的生存世界格局,用和合理念化解人类共同面临的"五大冲突"与"五大危机",让中华民族真正屹立于世界民族之林,让人文中国全面融入全球发展进程,让中国哲学和中国文化在新的千禧之年焕发勃勃生机。

从思想渊源上讲,张立文教授潜心竭思出来的和合理念,是原始"道术"尚未被先秦百家争鸣分裂和肢解的本真价值理念。它最早出现在前子学时代的《国语·郑语》中。据书中记载,史伯在与郑桓公谈论国家"兴衰之故"、个人"死生之道"和远古帝王"天地之功"时说:"虞幕能听协风,以成乐万物生者也。夏禹能单平水土,以品处庶类者也。商契能和合五教,以保于百姓者也。周弃能播殖百谷蔬,以衣食民者也。"④这里所说的"和合五教",特指人伦关系中的道德和合,即百姓和睦相处,共享天伦之乐。其实,"成乐万物"、"品处庶类"以及"播殖百谷蔬",都是人生天地之间、参赞万物化育的和合创造事业。因此,史伯进一步概括道:"夫和实生物,同则不继。以他平他谓之和,故能

① 戴震:《孟子字义疏证》,中华书局1961年版,第174页。
② 王守仁:《王阳明全集》卷3,上海古籍出版社1992年版,第77页。
③ 孔颖达:《周易正义》卷1,上海古籍出版社1990年版,第23页。
④ 韦昭:《国语·郑语》(注)卷16,上海古籍出版社1998年版,第513页。

丰长而物归之。若以同裨同，尽乃弃矣。故先王以土与金木水火杂（韦昭注：杂，合也。），以成百物。"①这是对和合创生理念最原始的道说、最精炼的概括和最本真的解释。它既深刻反映了人生天地间的自我创造使命，又和盘托出了天地自然与人事活动"并育而不相害"、"并行而不相悖"的原始话题。

令人遗憾的是，随着子学时代的鼎盛和经学时代的伊始，"天下之人，各为其所欲焉，以自为方。悲夫！百家往而不反，必不合矣！"②和合理念先被诸子百家肢解成仁义、兼爱、阳刚、阴柔等一系列对偶范畴，使众人"不见天地之纯，古人之大体"。③ 特别是先秦墨家的"尚同"主张，让天子"从事乎一同天下之义"④，动用国家政权强制推行同一化，竭力毁弃多元化，实施"声一无听，物（色）一无文，味一无果，物一不讲"⑤、弃和而剿同的文化专制主义策略。后经秦始皇的"焚书坑儒"和汉武帝的"独尊儒术"，元始的和合理念开始从中国古典哲学的视野内渐渐消失，存留下的遗迹只是"夕阳无限好，只是近黄昏"的淡淡回忆和悠悠感伤。

然而，"野火烧不尽，春风吹又生。"和合理念作为中国哲学创新的深层结构，总是神出鬼没地支配着核心话题的时代转换。当两汉经学日趋烦琐、谶纬迷信穷途末路时，魏晋名士通过探究名教与自然的和合问题，用"以无为本"的玄学辩证法，横扫像

① 韦昭：《国语·郑语》（注）卷16，上海古籍出版社1998年版，第513页。
② 王先谦：《庄子集解》卷8，中华书局1956年版，第96页。
③ 同上。
④ 孙诒让：《墨子间诂》卷3，中华书局2001年版，第78页。
⑤ 孔颖达：《周易正义》卷1，上海古籍出版社1990年版，第516页。

数藩篱,为佛教般若智慧的传播铺平了逻辑道路。隋唐时期,儒释道三教既冲突又融合,使唐代国力和文化总体上达到了"有容乃大"的高峰时期。宋元明清,尽管专制王朝日暮途穷,但以"统合儒释"、"融会三教"为和合主题的理学思潮,仍然使中国古典哲学涌现出朱熹、王阳明和王夫之等众多一流的思想大家。因此,"和合是中国文化人文精神的精髓和首要价值"。①

与古希腊柏拉图抽象的至善理念(Ideal of Goodness)相比,中国文化的和合理念(Ideal of Hehe)更显生机盎然,它是"各生命要素的创生、发展、整合而融突成整体的过程"。② 与亚里士多德的演绎逻辑系统(System of Deductive Logic)相比,中国哲学的范畴逻辑结构(Structure of Categorical Logic)更加丰富多彩,它指"中国哲学范畴在一定社会经济、政治、思维结构背景下所构筑的相对稳定的逻辑理论形态"。③ 与康德重视纯粹理性(Pure Reason)异趣,中国哲人的道德理性(Pure Reason in Moral Practice)更关注践履工夫,认识论、修养论和经世论是高度一致的,比如"朱熹构筑了主体性的工夫范畴体系,这是康德和黑格尔所忽视的"。④ 和合学研究还表明:"中国哲学的创新有其内在的逻辑根据和演绎脉络。核心话题的转向、人文语境的转移和诠释文本的转换,是体现时代精神精华、民族精神结晶和主体精神超越的创新标志。"⑤其中,核心话题(Nuclear Top-

---

① 张立文:《和合学概论》(上卷),首都师范大学出版社 1996 年版,第 1 页。
② 同上书,第 72 页。
③ 张立文:《中国哲学逻辑结构论》,中国社会科学出版社 2001 年版,第 5 页。
④ 同上。
⑤ 张立文:《中国哲学的创新与和合学的使命》,《中国人民大学学报》2003 年第 1 期,第 54 页。

ic）的转向体现了时代精神的意义追寻及其理论精华，人文语境（Humanities Context）的转移反映了民族精神的审美情趣及其艺术结晶，诠释文本（Hermeneutical Text）的转换意味着主体精神的价值承继及其境界超越。至此，张立文教授通过和合学理论体系的创建，成功地回应了近现代西方哲学家对中国哲学生存权利及其创造潜能的学术挑战，化解了中国哲学的存在性与合法性问题。

比较只能澄清问题，不能摆脱危机。学术探索不是历史攀比，研究中国哲学并不是为了讲给洋人听，写给西方看，而是要有效运用中华民族的生命智慧和中国文化的历史遗产，去化解中国现代化发展和人类全球化进程中所面临的冲突与危机。因此，有关中国有没有哲学的存在性和合法性问题，事实上仍然是近代"中西之辩"的善后工作。"作为一种新的中国哲学的理论思维形态"①，和合学的使命并不在于为中国哲学的生存权与合法性去辩护，而在于为中国哲学的创新和发展而奋进。这就要求我们尽快走出中国哲学"照着"西方讲的生存危机，超越西方强加的存在性、合法性等表层化问题，用中国自己的哲学话语，理直气壮地讲中国自己的哲学：

> 我们可以暂且放置这种表层次的对话，从中国哲学之是不是、有没有从中超越出来，从全球哲学（世界哲学）与民族哲学的冲突、融合而和合的视阈来观照中国哲学，不管他人说三道四，"自作主宰"，自己走自己的路，不要因为别人说中国哲学不是哲学、中国没有哲学就不敢讲中国哲学

① 张立文：《和合方法的诠释》，《中国人民大学学报》2002 年第 3 期，第23 页。

或不敢理直气壮地讲中国哲学。今天说"中国没有哲学，只有思想"，明天也许又有人说"中国没有思想，只有学术"，中国学者是否又要忙着去论证有思想，写《中国思想史》？总之，我们不能围着西方文明中心论(包括西方哲学中心论)的指挥棒转。若如此，即使我们写了更多更好的中国哲学史，这些中国哲学史也只是西方哲学的注脚，是西方哲学灵魂在中国的复活或翻版，这将是中国哲学的悲哀！如果21世纪中国学人仍然跟着西方哲学中心论跑，而不去着力研究、发展中国自己的哲学，以至于丧失中国哲学的灵魂和生命，我们将会成为中华民族的罪人。①

为了不至于丧失哲学的灵魂、成为民族的罪人，我们必须面对事实和问题本身。根据张立文教授的概括和总结，在中国现代化发展和人类全球化进程中，我们所面临的冲突与危机有五大类，化解它们的和合理念也相应地分成五大项：以和生原理化解人与自然的冲突和由此引发的生态危机，以和处原理化解人与社会的冲突和由此引发的社会危机，以和立原理化解人与人的冲突和由此引发的道德危机，以和达原理化解人的心灵的冲突和由此引发的精神危机，以和爱原理化解各文明之间的冲突和由此引发的价值危机。

人们常说科学技术无国界、无种族，却往往忽略了哲学艺术的地域性和民族性。事实上，即使是在西方哲学内部，诸如德国哲学、法国哲学和英国哲学，彼此之间就存在着很大的思维差异。同样是东方古典艺术，比如中国艺术、印度艺术和埃及艺

---

① 张立文：《中国哲学的"自己讲"、"讲自己"——论走出中国哲学的危机和超越合法性问题》，《中国人民大学学报》2003年第2期，第4页。

术,相互之际也存在着不同的精神气质、道德风格和审美情趣。真正地域性、民族性的哲学艺术,才有资格成为全球化、世界化的精神财富。因此,在哲学艺术这一独特的文化创造领域,模仿、复制或翻版都是没有生命力的毁灭之道。和合理念作为"化解全球化问题及五大冲突、危机之道"①,完全立足于东亚的融突和合意识,植根于中国的和合人文精神,其目的是"为了化解20世纪人类文化系统内的价值危机和冲突,进而设计21世纪人类文化发展的战略之道"。② 正是由于和合学的理论源泉和精神沃壤是根深蒂固、源远流长的东亚意识和中国精神,所以,我们有理由相信,随着东亚的迅速崛起和中国的稳健腾飞,"中华民族的经济、政治、科技文化等全面振兴的目标一定能够逐步实现"。③

五、奋进在途中,创造无止境

哲学是爱智之学,它的本质在于寻求爱智。因此,哲学总意味着"在途中",和合学亦是"在途中",它是一种生生不息之途!④

对人生意义的执著探究,对生命智慧的无限热爱,对学术真

---

① 张立文:《中国和合文化导论》,中共中央党校出版社2001年版,第2页。
② 张立文:《和合与东亚意识》,华东师范大学出版社2001年版,第209页。
③ 张立文:《和合人文精神与21世纪》,《科学·经济·社会》1998年第4期,第22页。
④ 张立文:《和合学概论》(上卷),首都师范大学出版社1996年版,第120页。

理的不息追求,这就是张立文教授四十多年来从事教学与科研的内在驱动力量和自我激励机制。

作为一名教师,他以讲坛为人生舞台,先后为本科生、进修生和研究生开设了"中国哲学通史"、"中国哲学史原著选"、"中国哲学专题研究"、"中国哲学逻辑结构论"、"中国哲学范畴发展史"、"传统文化与现代化"、"周易思想研究"、"宋明理学研究"、"传统学引论"、"新人学导论"、"和合学概论"、"和合历史哲学研究"等十几门极受欢迎的专业课程。他的课堂总是充满了活跃的研究气氛,师生之间平等对话,热烈讨论。最令人敬佩的是,他善于将自己正在探索的前沿问题提出来让大家分析,师生共同切磋;将自己正在写作的学术手稿拿出来让众人批判,虚心吸收意见。这种开放式的教学方法,使选课的学生都能分享到寻求的痛苦、发现的快乐。

作为一名学者,他以笔墨为生命阶梯,不断开启全新的研究境域,不断超越已有的学术成就,敢于涉足前人的思想禁区,勇于探索敏感的前沿问题,"其间有神交的愉悦,有遭害的悲愤,亦有闪光的启迪,有精神的激励"。① 在他看来,理论思维的"酸甜苦辣",价值世界的"悲欢离合",理想境域的"水花镜月",都是人生奋进必遇的"故事情节",生命创造特有的"般若三昧",学术追求常见的"颠倒梦想"。只要为人生之真矢志奋进,为生命之善潜心创造,为学术之美大胆追求,那就应当以随顺因缘的和合心态,默默领受天地自然的这一切赏赐,而不去计较它们到底是得还是失,是福还是祸。

奋进就蕴涵着艰难和险阻。然而,在逆水中行舟,进则

---

① 张立文:《朱熹评传》,南京大学出版社 1998 年版,第 1 页。

尚有到达彼岸的希望,退则就会被急流所淹没。

创造就意味着痛苦和磨炼。它需要冲决原有的价值观念,以及自己习以为常的思维理路、评价尺度,而往往使人陷入彷徨、矛盾之中,但却预示着新生命火光的再次点燃。

追求就潜藏着困境和灾难。在哲学探索的道路上,陷阱遍布,荆棘丛生。虽怀"如履薄冰"、"如临深渊"的心情,亦不免祸从天降。

至于真、善、美的境界,只不过是自己的一种理想而已。①

(原载《社会科学战线》2004 年第 1 期)

---

① 　张立文:《传统学引论》,中国人民大学出版社 1989 年版,第 1 页。

为找寻新时代的"精神空间"
而上下求索

—— 跟随杨适老师学习理论思维的二十多年

王晓兴　易志刚

我们认识杨适老师,是在二十多年前的 1981 年。记得那还是大学本科毕业的前一年,杨老师给我们开设马克思《1844 年经济学哲学手稿》的选修课。听杨老师的课很新鲜,因为在他的课堂上没有别的一些老师惯用的套话和大话;听杨老师的课也很辛苦,因为他总是拿自己思考的问题在课堂上进行讨论,不用点心思恐怕是跟不上也听不懂的。

当年,我们跟随杨老师学习并从事理论思维,是从研究《手稿》开始的,下面我们也从马克思的《手稿》开始,一方面追踪杨老师二十多年来理论思维的思想路径,一方面则结合我们的学习以及与杨老师共同研究切磋的收获谈一点自己的认识和体会。

一、重读马克思:从《手稿》到晚期人类学笔记

20 世纪 70 年代末 80 年代初,是中国理论界艰难走出长达

三十年的思想桎梏并开始理论反思的时期。在经历了长时期习惯于照搬现成理论和听从领袖号令的惰性思维后,当时代要求理论界独立面对现实和未来作出自己的判断和选择的时候,它却发现自己一直相信是坚如磐石的脚下基地出现了问题。于是,三十多年来一直以极"左"面目出现,并始终是唯我独尊的理论界,第一次感到有必要重新审视自己脚下的地盘。正是在这样的时代背景下,中国理论界开始了对马克思《1844 年经济学哲学手稿》(以下简称《手稿》)的研究,并引发了一场遍及哲学社会科学和文化艺术领域的关于"异化"和"人道主义"的讨论、争论以至论战。

《手稿》之所以成为引发中国理论界批判性自我反思的导火索,是有深刻的原因的。当马克思主义长时期被理解为一成不变的僵化的"原理"和干巴巴的教条时,当这些"原理"和教条又被别有用心地用做政治斗争的工具而成为打击异己和压制思考的"棍子"、"帽子"时,一部反映马克思思想形成过程并记录了马克思真实生动的理论探索的《手稿》,就显得格外珍贵,因为这些活生生的思想很难按照教条主义的方法按部就班地一一装进预先定好的"原理"的筐子。别有用心的权术家和习惯于惰性思维的教条主义者,不愿意也没有耐心老老实实地去深入研究《手稿》,他们仅仅用"不成熟"作为理由,就把《手稿》一棍子打死,正如他们一直用同样简单的手法对付任何一种不同于他们的教条主义"原理"的观点一样。只不过,这一次他们把棍子打向了马克思本人,打向了"不成熟的"青年马克思。

杨老师没有直接加入当年的论战,而是选择了冷静的反思和一丝不苟的深入研究,用他自己惯常的话说,就是要"坐坐冷板凳"。"坐冷板凳"的结果,就是 1982 年由人民出版社出版的

《马克思〈经济学—哲学手稿〉述评》。在这部虽然篇幅不大但却对当时的理论界产生了深远影响的力作中,杨老师对于理解马克思《手稿》的几乎所有理论要点和难点都有突破性和开创性的阐述。这些阐述无论在当时还是今天,对于我们摆脱教条主义的束缚,全面认识和掌握马克思主义的理论和方法,都有重要的启示和指导意义。而对于当年还是大学生的我们,这些阐述尤其具有开启心智的意义。因为在这里,没有某些教科书中呆板而近乎不讲道理的说教,也不是板着面孔的高头讲章,而是平实的说理和层层深入的分析,它教会我们用一种新的态度去重新理解马克思,也教会我们用一种新的方法去研究历史上的那些中外哲学家和思想家,更教会我们从人类自我创造和自我实现的生动的历史运动中去理解人和人的本质。

继《手稿》研究之后,杨老师继续对马克思主义进行全面深入的研究。1996 年由四川人民出版社出版的《人的解放——重读马克思》一书,可以看做是杨老师全面深入研究马克思主义的一个总结。在这本书中,杨老师对马克思晚年的理论探索给予高度重视和关注。马克思晚年的理论探索直接源自俄国人提出的问题,这就是:在当时的历史条件下,俄国究竟应该走资本主义的发展道路,还是可能走一条既避免资本主义的苦难又能取得资本主义全部积极成果的发展道路。为了能够回答这个问题,马克思在晚年不惜超出自己始终坚持从哲学和政治经济学领域研究人类历史的模式,而转向了人类学的研究。虽然马克思本人没有写作人类学方面的专门著作,而只是留下了大量的人类学笔记,但在这些笔记中却包含着许多代表马克思新的理论思索的重要成果,其中关于摩尔根《古代社会》的笔记就直接成为恩格斯写作《家庭、私有制和国家的起源》一书的重要基础。当然,马克思最终也没有能够给出关于俄国究竟应该向何处去的明确答案。但是,马克思在思索这个问题时坚持的一些基本原则,却无疑对于在今天面临着相似问题的中国人,具有重要的启示意义。例如,马克思在《给"祖国纪事"杂志编辑部的信》中就明确提出,在有关俄国前途的问题上,应该避免把他自己关于西欧资本主义历史起源的历史概述彻底变成一般发展道路的历史哲学理论。因为,一些相似的历史现象(如古代罗马社会的无产者和近代西欧的无产者)在不同的历史进程中出现,会有极为不同的结果。因此,必须把这些发展进程中的每一个都分别加以研究,然后再把它们加以比较,才能找到理解历史现象的钥匙。而使用一般历史哲学理论这把万能钥匙,是永远达不到目的的,因为"这种历史哲学理论的最大长处就在于它是超历史的"。

马克思的历史唯物论绝不是可以适用于一切民族和一切时代的"超历史的""一般历史哲学理论",这是马克思本人给我们的教诲。正如马克思不能为当年的俄国人给出明确的回答一样,他也不会为今天的中国人留下任何可以拿来就用的现成答案。中国的问题必须靠中国人自己的努力去解决,这或许是马克思晚年的理论探索能够给予我们的最重要的启示。

任何一种真实的理论关怀,总是源于它所处时代的根本问题,那种脱离时代的抽象的纯理论建构是不会有长久的生命力的。马克思之所以成为现时代中国理论界走上自我反思之路的第一个焦点,是因为我们中国人不仅接受了马克思主义,而且因此走上了一条独特的发展道路。当我们在这条独特的发展道路上遭遇重大挫折和经受巨大苦难并不得不重新面临选择的时候,我们理所当然把理论反思的矛头首先指向马克思。

二、"自由"与"人伦":从古希腊到
中西文化的比较研究

1985 年,杨老师完成了《哲学的童年》的写作。这部皇皇65 万字之巨的古希腊哲学专著,在 1987 年由中国社会科学出版社正式出版时,有一个副标题叫做"西方哲学发展线索研究"。这表明,《哲学的童年》不是一部四平八稳的古希腊哲学通史,也不是那种分立式的即不怎么注重相互联系和先后发展的范畴研究,而是立足于历史特别是古希腊人的现实社会生活而侧重于对哲学发展线索或规律的探索。

在《哲学的童年》中,有一个贯穿始终的基本观点,这就是:构成古希腊哲学基础的,不是任何别的什么,正是古希腊人引以为光荣和自豪的自由。因此,对古代希腊人的自由进行具体、深入的研究,了解其真实内涵,把握其内在矛盾和本质,说明它所以兴盛和衰落的内在必然性,就成为理解古希腊哲学的关键所在。

自由是一种观念,也是一种理想,但更是人的一种现实生存状况。如果不把自由理解为人的现实生存状况,自由就成为虚幻的没有意义的东西。一个实际处在被奴役状态中的人,不可能拥有任何现实的自由;而一个从来就没有赢得过任何形式的现实自由的民族,也不可能凭空产生出真正具有批判精神的自由意识和自由理想。在这个意义上,我们不同意把庄子的"逍遥游"解释成一种自由意识,我们也不认为可以从中国传统的所谓"心"、"性"中分析出或总结出任何形式的自由理想,正如我们不能因为阿 Q 对赵太爷的不屑和自我陶醉式的"精神优

胜"就认定阿 Q 在本质上是一个自由的人。因此,对于希腊人来说,自由首先是他们自己的现实的生存状态,而这种现实的生存状态也就是他们的城邦民主制以及在这种城邦民主制下作为享有全权的自由公民的现实生活。它是古希腊人在自己的文明诞生过程中历史地发生和形成的,也受到多种内在和外在条件的影响和制约。古希腊哲学就在这个自由的基础上产生和发展,也是对这个自由及其生动的历史运动的理论写照。

尤其重要的是,古代的希腊人从现实的生存状态中自觉到自己的自由,并把它看做是人之为人的最根本的东西,自由就获得了普遍的意义,成为自那个时代以来的几乎所有西方思想家(包括马克思在内)始终追求的一个理想,并激励他们不断地去批判和否定现实生活中背离这个自由理想的一切东西,而不论这个东西是来自神圣的宗教还是世俗的国家以及被人们视为是天经地义的文化的或道德的传统。在西方历史上,每一次重大的社会变革,每一次思想文化和社会制度方面的创新,都是和这种批判紧密联系在一起的。不充分认识问题的这个方面,就极有可能使我们在研究希腊人的自由时出现偏差,以为自由在本质上其实与强权、专制等等一样,都不过是人类文明进程中的一种客观必然的历史现象,本来就没有什么原则区别,更无所谓优劣、高下以及进步和倒退之分。这种和稀泥的做法,其实一直都是当权者用以维护强权和专制的方便的手法。科学和文明是历史的、具体的,愚昧和野蛮也是历史的、具体的,但我们不能因此就把科学和文明混同于愚昧和野蛮,更不能自甘于愚昧和野蛮。

研究古希腊哲学,探讨希腊人的自由,是非常引人入胜和富于启发意义的。这不仅因为古希腊哲学在希腊人创造的丰富璀璨的文化、艺术和科学成就中占有特殊重要的地位,它作为西方文化智慧的开端,包含着往后一切发展的胚胎和萌芽;同时也因为,希腊人的自由是西方人最为珍视的自由理想的原创性源泉。但对于我们中国人来说,探讨希腊人的自由却另有更为特殊的意义,因为这个被希腊人引以为光荣和自豪,并被看做是人之为人的根本的自由,恰恰是我们中国的传统文化中所缺失的。这也正是我们对希腊人的自由备感珍贵的原因。

为什么在中国的古代没有发展出像希腊人一样的自由?如果自由是人类理应追求的崇高理想和目标,那么我们又应该如何面对自己的文化传统?这些问题,是我们中国人在研究古希腊哲学时,尤其是在研究和探讨希腊人的自由时无法回避的。因此,在完成《哲学的童年》的写作后,杨老师就把主要的注意力转向中国古代文化,并开始了对中西文化的比较研究。1991年,杨老师的《中西人论的冲突——文化比较的一种新探求》由中国人民大学出版社出版。这是杨老师试图用一种全新的视野,探索性研究中西文化及其历史的一本专著。在这部专著中,杨老师不仅把异化理论应用于对中西人论的比较分析和批判,而且就如何摆脱西方历史框架的束缚、按照中国历史的本来面目研究中国历史和建立符合实际历史进程的中国历史框架等问题,提出了建设性意见。在某种意义上,与其说这本书是杨老师对中西文化进行比较研究的一个总结,倒不如说这是一本从多方面创造性提出问题的书更贴切。在类似中西比较这样的重大研究领域,提出问题往往是更为重要的,因为只有正确地提出问题,才有可能进一步去解决问题。

当我们把眼光从古希腊转向中国,就发现原来站在西方人的立场上被认为是不言而喻的前提的人的自由立即就成了问题,因为它的合法性是需要证明的,或者不妨说它的不合法倒是不言而喻的。例如亚里士多德说"人是自由的,他为自己而不是为了别的什么而存在",这个在西方几乎是自明的道理,拿到中国来就说不通。在传统的中国人看来,人之所以为人就在于孟子所说的"察于人伦",也即自觉到自己是一个有别于禽兽的"人",因为所谓"人伦"其实也就是使人有别于禽兽或使人成为"人"的那个东西,也即孟子所谓"五伦":"父子有亲,君臣有义,夫妇有别,长幼有序,朋友有信"。如此看来,一个人如果只是"为自己"而不是为了父母、君长而活着,那还能算得上是"人"吗?岂不成了不孝不忠、无父无君的禽兽?因此,正如在古希腊哲学的研究中必须首先抓住希腊人的"自由"一样,对中国传统文化的分析批判则必须首先从"人伦"入手。

但"人伦"也和西方人的自由一样,是在中国古代向文明过渡的进程中历史地形成和发展起来的,是实际生活在自西周一直到近代的宗法等级制度下的中国人对自己的现实生活状况的自觉,是一种深刻反映中国社会宗法性本质的"宗法人伦"。而与中国宗法社会长期保持相对稳定的历史进程相一致,以"宗法人伦"为基础和核心的中国传统文化,则以儒家被定为一尊的形式结束了春秋战国时期"百家争鸣"的繁荣局面,成为一种虽然不乏"损益"式演进但却长期保持基本特征和根本观念稳定而几乎没有批判性创新的官方文化。

进入19世纪以后,中国的传统文化在与西方近代文化的碰撞中显示出明显的弱势而开始受到怀疑,并终于在五四新文化运动中受到猛烈的批判。在这整个过程中,虽然一直存在着激进主义(或西化派)与保守主义(或国粹派)之间的分歧和争论,但事实上我们中国人一直都是在批判自己和学习西方的双重努力中走过了这多少有些漫长的一百五十多年的历程。总结我们的经验教训,我们会发现,不仅我们的批判自己并不彻底,就是我们的学习西方(包括马克思主义在内)也不是十分成功。

在今天,中国既面临着自身要实现现代化的紧迫任务,也面临着全人类共同走向未来的更深一层意义上的任务。不论理论界如何争论、辨析,现实中我们事实上依然在继续着批判自己和学习西方的进程,也必须或不得不继续这个进程。信息化也好,现代企业制度也好,其实都是我们学习的成果。但是,只要我们了解到西方人也同样面临着自我批判的任务这个事实,我们就不应该停留在一种简单的、无批判的、直接拿过来的办法上,尤其是我们的思想理论界,更不应该如此。我们应该站在不仅关心或关怀我们中国自己的未来前途和命运、同时也要关心或关怀全人类未来前途和命运的高度,对西方现代的思想文化和一切文明成就同样采取一种批判的态度。只有这样,才能抓住我们所要学习的东西的实质,而不至于像过去我们常常做过的那样,任何好的东西只要一拿过来,就会在应用中走样、变味,仿佛那些好的东西只要和我们自身的传统一结合就会变成这个世界上最糟糕的东西。但要做到这一点却并不容易,如果没有足够的智慧也同样会适得其反,因为我们必须首先站在比西方现代思想文化及其一切文明成就更高的立场上,或至少是同样的高度上,才能谈得上对西方现代文化的积极的和有价值的批判。如果不是这样,就极有可能重犯当年我们接受马克思主义时已经犯过的错误:当我们以为自己是站在更高的马克思主义立场上批判否定西方资本主义时,其实不过是在用一种更落后的东西去和资本主义相对抗。为了避免重蹈覆辙,我们就必须首先老老实实地认识并认清西方文化,而要做到这一点,一个十分重要的途径就是深入到它的最初的起点去,从它的原创性源头按照它自身的本来面目认识它的真实内涵和本质,正像我们在对待自己的传统文化时也必须如此去做一样。我们认为,杨老师在他从事中西文化的比较研究时,以及后来进一步深入研究古希腊哲学时(这方面的研究成果,分别反映在此后陆续出版的《伊壁鸠鲁》、《爱比克泰德》和《古希腊哲学探本》等专著中),采取的就是这样一种态度和方法,而这也是他近年来大力倡导并力行原创文化研究的一个根本原因。

三、"原创文化":为找寻新时代的 "精神空间"而上下求索

"原创文化"的提出,是杨老师进行理论思维探索的又一次新的精神历险。

对于我们中国人来说,研究原创文化当然不是为了发思古之幽情,也不是单纯为学术而学术的空中楼阁式的概念或理论构造,而是直接导源并服务于我们今天不得不进行的文化批判和创新的现实需要。因此,杨老师认为,原创文化研究应该具有鲜明的两极性特点,也就是要用追根溯源地对于文化智慧最具学术性的研讨,为当代中国、中国人、中国文化的更新的最现实的需要服务。而当我们试图从原创文化研究入手并紧紧抓住原创文化研究的两极性特点来重新探讨中西问题的时候,我们就把中西文化的对比引申为古希腊与西方现代文化以及中国古代文化与中国今天的现实之间的比较分析。在这种新的视野中,我们就有可能分别把中西双方理解成两种不同但却具有自身的历史统一性的、完整的文化有机体的总体,也即"文化类型"。

马克思在比较不同的古代文明时,曾形象地把希腊人称之

为"正常的儿童"(以区别于"粗野的儿童"和"早熟的儿童"),但我们却似乎更有理由把希腊人称之为"早熟的儿童"。因为,就它所创造的文明成就来看,它似乎是过分地超前了,它无力将自己获得的文明成就一以贯之地保护下来并使之正常地成长壮大。即使只是部分接受了希腊人文明成果的罗马帝国,也最终逃脱不了覆灭的结局。当日耳曼人带着他们的原始的野蛮把罗马帝国打得粉碎并按照自己的方式重新开始由野蛮向文明进军的时候(马克思把日耳曼人向文明的过渡作为一种既不同于希腊也不同于东方的独立的形态是很有道理的),古希腊文明在一定意义上(如果没有后来西方近代对古希腊文明的复兴——如果假设历史是可以成立的话)是夭折了。

就目前所知而言,古希腊文明是在此前的米诺斯—迈锡尼文明的废墟上发展起来的。作为米诺斯—迈锡尼文明的终结者的希腊人,也即后来创造了古希腊文明的希腊人,首先度过了一段历史学家称之为"黑暗时代"的时期(约公元前 1100—公元前 800 年),一直到公元前 800 年以后,城邦才开始逐渐兴起。虽然希腊各城邦的历史不尽一致,但除了少数例外(如斯巴达),它们大体上走了一条类似的政治演化道路:最初出现的是君主制,然后演变成寡头政治,到公元前 7 世纪,绝大多数的寡头都被"僭主"所替代,最后在公元前 6—前 5 世纪,各城邦都先后不同程度地实现了民主政治。

雅典的民主政治,无疑是希腊城邦民主制的典范。但从雅典的城邦民主制不难看出,希腊人的自由不仅是历史地形成的,而且也是不完善和具有重大缺陷的。希腊人的自由就是希腊人自己的自由,当他们坚定地反抗来自强大的波斯帝国的侵略时,他们是在捍卫他们的光荣的自由;当他们凭借着自己的经济和军事实力对外实行侵略和扩张时,他们同样是在捍卫他们的光荣的自由。对外的殖民主义和对内的奴隶制统治,不仅和他们的自由不相矛盾,反而恰恰是他们的自由得以存在和发展的条件。因此,希腊人的自由是和奴隶制紧密联系在一起的,希腊人创造和发展自己的城邦制文明的过程,同时也就是古希腊奴隶制的形成和发展过程。希腊人的自由又是以城邦为本位的,这不仅意味着城邦之间不可避免的冲突甚至战争(把整个希腊世界拖向深渊的伯罗奔尼撒战争就是最突出的表现),而且也意味着城邦内部本邦公民与外邦人之间、不同的利益集团之间以及个人利益与城邦公共利益之间错综复杂的内在矛盾。正是这些不可避免的内外矛盾和冲突的演化,构成了希腊文明的真实的具体的历史发展过程,也决定了希腊文明经过短暂辉煌后即走向覆灭的命运。但是希腊人的自由并没有随着希腊城邦退出历史舞台而消亡。这种对人类精神自觉具有根本意义的文化要素在希腊化罗马时期的新条件下,以批判现实的精神形态显示了它的新的生命力:这就是"世界城邦"和与之相关的"个人自由"的理念,在伊壁鸠鲁特别是在斯多亚派哲学中出现了,并得到了重大发展。它超越了希腊城邦的狭义眼界,获得了更大的普遍性,为往后的西方文化和全人类留下了一份珍贵的遗产。

一般地说,西方近现代文明的根源是古希腊。由于西方近现代文明完整地接受了希腊文明的核心的文化遗产——希腊哲学,以及希腊哲学最根本的智慧成果——自由的精神和理想,我们可以把它们看做是在文明类型上同一或同构的,或者不妨说它们是同一类型文明的两个不同的发展阶段。

正是因为这种在文明类型上的同一或同构性,我们得以发现,当近现代西方人建立起他们的以现代民族国家为本位的资本主义文明的时候,几乎同样面临着古代希腊人曾经遇到过的一切矛盾和冲突:对外的殖民扩张以及与此紧密相连的现代奴隶制,帝国主义之间的战争,国家内部的党派斗争、劳资冲突等等。不同的是,现代西方文明经过数百年的发展,不仅树立了(一方面通过罗马和基督教的遗产,一方面通过近现代西方哲学在思想文化上的全面创新和发展)普遍的关于一切人生而自由平等的现代民主思想,而且逐渐建立了比希腊罗马更为成熟的经济和政治制度(现代形式的自由经济或市场经济制度以及现代形式的代议制民主政府),因此在维护公民权利、解决党派纷争、缓解利益冲突等方面,均获得了古代希腊罗马和中世纪无法企及的自我协调能力。更为重要的是,现代西方文明在自身的范围内靠自力废除了奴隶制,在美国这一过程甚至采取了林肯战争的形式。进入 20 世纪以后,两次世界大战(我们也许可以把它们和古希腊的伯罗奔尼撒战争进行类比)给人类带来巨大的灾难,但战争也给了人类深刻的教训。因此,第二次世界大战以后不仅建立了联合国,而且建立起多种形式的世界性经济贸易组织,与此相对应的则是殖民地的民族独立运动。当然,现代西方文明并没有彻底或一劳永逸地解决它所面临的矛盾,在人类历史越来越走向全球化的过程中它还在不断地遇到新的有时甚至是更为尖锐激烈的矛盾和冲突。但是,就它发展了希腊文明的自由精神和理想,而且也部分解决了并且还在继续努力解决它和希腊文明都曾面临过的相同或相似的内外矛盾和冲突而言,我们至少可以把它看做是希腊文明的更为成熟的现代形式。

作为希腊文明的更为成熟的现代形式,西方近现代文明既不是完全回到希腊文明,也不是希腊文明的简单翻版,而是西方人凭借着从希腊文明(哲学是它的核心)获得的原创性智慧的力量(其核心就是自由的精神和理想),通过一次次痛苦而艰难的自我批判和否定,创造性发展自己的经济、政治、科学、艺术和思想文化的过程。在我们把希腊文明和西方近现代文明当做一个有机的文化整体或"文化类型"的时候,需要特别注意的一点,就是绝不可忽视西方近现代文明的这个全新的自我创造过程,或只是把它简单理解成一般意义上的希腊文明的继续或延伸。因为,这种以古代文明或文化的核心智慧为原创动力的当代文明或文化的创造性发展,正是我们中国人应该在未来新文明或文化建设中必须完成的历史任务。我们强调原创文化研究的两极性特点,其真实的含义也在于此。

在中国古代,文明的产生和发展走了一条和希腊人完全不同的道路。中国文明的起源,在夏、商、周三代。关于夏,除了传说和《史记》中的有关追述,我们目前还不能就它的文化和制度发表更多的确切的看法和意见。中国文明的信史,也即有文字可考的历史,是从商开始的。虽然周人作为征服者似乎也可以像希腊人摧毁米诺斯—迈锡尼文明一样摧毁商的文化,但奇怪的是周人并没有这样做,而是在基本保持商文化存续的基础上,通过"损益"的方式建立了自己的文明或文化。这个特点十分重要,因为在以后的整个中国历史发展过程中,所有的外来征服者(包括最近的满人)几乎都像周人对待商人一样,不仅没有摧毁反而接受并进一步延续了中国的主体文化。在文明发展的历程中,这种虽然经过种族的更替但却没有文化上的全面破坏的特点,是否同时也意味着没有文化上的因断裂而产生的爆发性全面创新呢?这是我们面对中国古代文明或文化时,碰到的第一个疑惑。

周是在商的基础上建立的,不是希腊式的自由人城邦民主制国家,而是以宗法为基础的贵族等级制国家,这就是西周以封土建国的形式建立起来的"家"(卿大夫世享封地的贵族之家)、"国"(公、侯、伯、子、男世袭封地的诸侯之国)、"天下"(周天子"溥天之下莫非王土"的姬姓天下)一体的"封建制",它的制度化就是严格区分和规定处在不同等级上的贵族统治者及其臣民的尊卑秩序的"礼"或"周礼"。西周的"封建制",在政权形式上,和"中世纪"的欧洲有许多相似甚至相同的特点,这也是我们之所以用"封建制"来翻译"中世纪"的封建制度的原因。但把中国西周的"封建制"等同于西方"中世纪"的封建制度,显然是错误的,而反过来又把秦汉以后的中国社会也称之为"封建制",那就更是一种严重的混淆。但是,注意到西周和西方"中世纪"的这种类似,却并非全无意义。因为,当我们看到日耳曼人在罗马帝国的废墟上独立地发展出这种竟然和中国公元前一千年左右类似的社会制度的时候,我们就有理由设想:或许"封建制"恰恰是人类文明初期阶段的一种典型类型。如果说希腊人是"早熟的",那么在这个意义上,中国人就是"正常的"。唯其正常,所以能够稳定地成长并走向成熟;唯其正常,所以有能力抵御来自北方游牧民族的一次次冲击;唯其正常,所以能够承受被征服和被奴役的苦难而继续生存壮大;唯其正常,所以也在稳定地成长和走向成熟的过程中逐渐泯灭了童年的梦想并丢失了自我批判和自我否定的创造性灵感。然而,即使是"正常的儿童",在走向成熟的过程中,也会经历一次青春的躁动并焕发出青春的光辉。这就是春秋战国时代的中国社会的大变革以及在这场大变革中爆发出来的思想文化上的伟大创造,而我们通常所说的中国传统文化(或至少是它的主体)也在这个伟大的创造过程中完成。

但是,春秋战国的历史大变革并没有从根本上改变中国古代社会的性质。经由秦汉建立起来的"郡县制"也即中央集权的专制帝国,不仅没有改变中国古代社会"家""国"一体的宗法本质,毋宁说"郡县制"由于克服了"封建制"必然导致各大小诸侯国在政治、经济和军事等方面发展不平衡并最终导致诸侯之间的战争的内在缺陷,从而在更严格的意义上实现了中国古代宗法社会"溥天之下莫非王土"的政治理想,因此是比西周"封建制"更为成熟的一种宗法制国家形式。在以后的中国历史上,这种由秦汉建立起来的既保持"家""国"一体的宗法性质,又采取中央集权的国家形式的"家天下",虽然历经王朝的更迭,但却在基本模式上一直保持相对稳定并持续发展到近代。

中国古代文明是在西方文明的强烈冲击下,被迫进入近现代发展历程的。在这个过程中,虽然也曾经有过"中体西用"或"师夷之长技以制夷"之类的幻想,但终于不能从自己的传统中找到中国文明的自新之路。中国人只能把目光转向西方,试图从西方文明或文化中寻求自我批判的武器。因此,五四新文化运动的主流,是站在西方现代文明的立场上来批判和否定中国的传统文化,所以"民主"和"科学"成为那个时期的旗帜。当鲁迅把几千年的中国文明概括为"吃人"的时候,当他大力呼唤"拿来主义"并激愤地劝诫青年人少读或不读中国书的时候,他所坚持的也是这个立场。与此相对的是站在中国传统文化本身的立场上批判传统,正如现在有人指出,几乎没有一个维护传统的人是主张无需变革传统的。但是,他们的所谓"变"其实只是"变通",目的还是为了传统能够长存。与这两种立场都不相同的是马克思主义,而这一立场随着共产党领导的革命战争的胜利,最终成为中国当代思想文化的主体。

新中国成立后的 30 年,是中国现代历史上一个特殊的阶段,它所创造的奇迹以及它所造成的普遍的灾难和痛苦,对于我们今天的中国人来说,都是刻骨铭心的。如果说原子弹、氢弹以及卫星和火箭,都是我们可以通过了解那段真实的历史而予以理解的,那么我们至今依然感到惊异的是,新生的共和国究竟是凭借着一种什么样的伟力,在那样一个极度贫困和经济落后的背景下,仿佛聚积起几千年的文明力量而与强大的西方世界展开了那场血与火的殊死较量。但可以确定的是,当美国人不得不在朝鲜停战协议书上签字的时候,拥有几千年文明历史的古老中国终于一改近百年来的形象,傲然站立在西方世界的面前。中国现代历史上可以被称之为“毛泽东时代”的特殊时期,实质上是在中国古代文明受到西方近现代文明的强烈冲击而濒于崩溃的历史背景下,通过对马克思的共产主义(以苏俄的列宁和斯大林主义为中介)进行创造性转换并使之彻底中国化,重建中国社会的一次伟大的努力。由于它唤醒了蕴藏在中国古老文明中的巨大凝聚力,并且使用了把这种力量现实地发挥出来的几乎一切极端的手段,因此这种重建(尤其是在它的初期阶段)也就具有了前所未有的爆发力并取得了举世瞩目的公认的成就。但是,(这只是同一件事情的另一方面)由于它没有也不可能真正建立起能够替代“宗法人伦”的新的社会基础,因此中国社会固有的“宗法人伦”传统就以种种变相的方式,有时甚至是以极度扭曲和放大的方式,在现实社会中再生并演化为阻碍中国社会进一步前进的新的传统。

但是,中国社会的这一次重建并没有完结,事实上我们自己也正处在这个重建的过程之中。我们希望,今天的重建并不只是重复过去历史上曾经无数次发生过的朝代更迭,而是一次真正意义上的文化创新的起点。我们这样希望也并非毫无根据,因为在我们努力走上这条文化创新之路的时候,西方人已经走过(并且还在继续进行)的创造性发展近现代文化的过程,可以成为我们重要的参照和批判性学习的榜样。因此,我们就获得了我们的先辈不曾有过的重要条件,可以超出囿于自己文化传统的狭隘眼界,通过对其他文化特别是西方文化的学习,从人类不同文化的原创性智慧中吸取自我批判和自我创新的力量,建立起既属于我们自己同时也属于全人类的新时代的"精神空间"。

西方近现代文化创造性发展的经验告诉我们,中国文化未来创新的道路还很漫长,更不会一帆风顺,需要全体中国人特别是理论思维工作者付出巨大的艰辛和努力。但迈向这条文化创新之路的第一步,在今天依然只能是坚定的、义无反顾的自我批判。

(原载《社会科学战线》2004 年第 5 期)

爱智求真敢问真

——记孙正聿教授的为学为人

罗克全

1996 年秋,为庆祝建校 50 周年,吉林大学编辑出版了介绍该校人文社会科学学者及其研究成果的《我的学术思想》一书。书中载有孙正聿教授自撰的万余言的《反思前提的哲学理论》一文。文章有一简短前言:"1946 年 11 月 7 日,我出生在松花江畔的吉林市。1966 年夏,我在吉林省实验中学毕业后,与那一代的许多城市青年一样,度过了下乡当'知青'和返城当工人的生涯。1978 年 3 月,我考入吉林大学哲学系,1982 年初本科毕业即留校任教。1990 年 10 月获哲学博士学位。先后于 1985 年、1988 年、1992 年破格晋升为讲师、副教授、教授。现任吉林大学哲学社会学院院长、教授、博士生导师。"文章分为 6 个部分,其小标题依次为"对哲学本身的追问"、"寻求全体的自由性"、"反思思维和存在的关系问题"、"探索现代哲学的革命"、"提出和形成前提批判的哲学理论"以及"拓宽和深化哲学的前提批判"。我觉得,此文的题目画龙点睛般地道出了孙正聿教授对哲学的独到理解和独特贡献——创建前提批判的哲学理论;而依次表述的 6 个部分则历史与逻辑相统一地展现了孙正

聿教授的学术历程和学术思想。因此,本文只想从孙正聿教授
的学术风格和教学风格中去谈谈他的为学为人之道。

一、哲 学 生 活

对孙正聿教授来说,哲学并不仅仅是一种"学问",更重要
的是一种"生活",或者说,孙正聿是在哲学中生活。我所读过
的几篇关于孙正聿教授的文章,几乎都有这种强烈的认同感;有
的题为《高举远慕的心态,洒脱通达的境界》,有的题为《魅力源
于追求》,在题为《儒雅的学人》一文中则作出这样的描述:"睿
智的双眼、挺立的身躯……孙正聿教授身上仿佛有一种强大的
震撼力,令每一个接近他的人都肃然起敬;而他那气势磅礴、风
度翩翩的讲课,更是让每一个听他课的学生着迷。从他的身上,
你能真正地感受到学问的魅力"。哲学是他的"言",也是他的
"行",哲学是他的生活。正因如此,他的关于哲学以及人生的
许多话,便成了学生们经常挂在嘴边的"格言"。

在孙正聿教授看来,哲学绝不是一种"无我"的冷冰冰的逻
辑,而是熔铸着哲学家的理想、信念和情操的"有我"的创造性
活动,因此他常说,哲学是"以时代性的内容、民族性的形式和
个体性的风格去求索人类性的问题";研究哲学,需要"高举远
慕的心态、缜思明辨的理性、体会真切的情感、执著专注的意志
和洒脱通达的境界";哲学创造,则是哲学家以其"独特的心灵
体验、独立的反思意识和独到的理论解释"去表征自己时代的
人类自我意识;发展哲学,最重要的就是一个"真"字,"真实的
研究、真诚的探索和真切的思考";搞学问的人应当"不怕寂寞
而又不甘寂寞,不囿于成见而又不流于空疏,不是掂量自己所研

究的学问而是反省自己对学问的研究"。

他这样理解哲学,也这样讲授哲学。他认为,哲学教学,就是要"激发学生的理论兴趣,拓宽学生的理论视野,撞击学生的理论思维和提升学生的理论境界";讲授哲学,就需要"坚实的理论功底、广博的知识背景、灵活的教学艺术和强烈的人格力量";讲好哲学,最根本的只有4个字:"有理"、"讲理";而对于文科的教学改革,他则倡言"上得去"与"下得来",即培养那种"上得去"的理论研究型人才和"下得来"的应用操作型人才,改变那种既"上不去"又"下不来"的知识储存型的培养模式;因此,他最为强调的是"创造性",并提出小学教育是"描述层次",中学教育是"解释层次",而大学教育则必须是"反思层次"。

作为哲学教师,孙正聿教授关注"哲学",也关注"教育",特别是关注"哲学教育"。他非常欣赏冯友兰先生对哲学的理解。冯先生说,哲学不是培养"某种人",而是"使人作为人能够成为人"。孙正聿教授则进一步提出:"对教育的最大误解,莫过于把教育当做培养'某种人'的手段。这里所说的'某种人',是指从事某种特定职业、具有某种特定身份、扮演某种特定角色的人。为了培养'某种人',当然就需要'教育'——传授经验、知识与技能。然而,仅仅从培养'某种人'去理解'教育',却会把教育等同于'职业教育'甚至是'职业技能教育',以至于用'短训班'、'轮训班'的方式去实施'教育',从而模糊甚至是丢弃了教育培养'人'的根本目标和根本功能。"因此,他在《现代教养》一书中倡言"人"的培养,并以黑格尔的一句名言与读者共勉:"人应尊敬他自己,并应自视能配得上最高尚的东西。"

二、讲究认真

如果可以用两个字来概括孙正聿教授的性格特征,那就是"认真"。教学科研,说话办事,对人对己,一言一行,孙正聿教授最讲究的是"认真"二字。

孙正聿教授的哲学研究,最为重视的是理论自身的彻底性。他的论著具有一种征服人心的逻辑力量和富有魅力的逻辑之美。他认为,任何真正的理论,都必须具有历史的兼容性、时代的容涵性和逻辑的展开性,形成深厚的历史感、强烈的现实感和巨大的逻辑感的统一。他的著述从结构到行文,甚至每一句话都饱含智巧和慎思,以至想寻章摘句地做笔记都是很困难的——他的文章就是一部浓缩的著作,而他的著作就是一篇展开了的文章。其学术思路环环相扣、步步紧逼,如果想真正弄清楚他的某一部著作或某一篇文章的思想,不仅不能"跳着读",还必须从总体上和深层上把握他的学术思想。这或许就是他所欣赏的黑格尔寻求的"全体的自由性与各个环节的必然性的统一"吧!

翻阅孙正聿教授的著述目录,人们会发现,他的著作和文章的题目极少是"论域性"的,而基本上是"思想性"的,即这些题目不是提示论述的对象,而是给出作者的独特的思想。例如,他以"从两极到中介"来概括现代哲学的革命,以"崇高的位置"来说明徘徊于世纪之交的哲学理性,用"寻找意义"来表述哲学的生活价值,用"理论思维的前提批判"来揭示哲学的批判本质。这些颇具匠心的标题并不是个人智巧的卖弄,而是凝聚着孙正聿教授求真的心血,并精辟地表述了他的哲学思想。

　　孙正聿教授认为,对于大学教师来说,科研是教学的基础,没有真实的研究就没有优秀的教学。因此他强调,教学首先是要"有理",即教师必须具有坚实的理论功底、广博的背景知识和独到的学术见解。但仅仅"有理"还不能构成教学的魅力,因此还必须善于"讲理",讲出理论的逻辑征服力量,撞击学生的理论思维,把学生带入理论的境界。

　　自 1982 年任教以来,孙正聿教授先后为本科生、硕士生和博士生讲授了 14 门课。讲每一门课、上每一堂课,孙老师都是手中只有一枚粉笔,从不借助于任何材料。总体线索的勾勒,微观细节的阐述,逻辑分析的独白,讲解视角的转换,背景知识的引用,典型事例的穿插,画龙点睛的板书,疑难问题的提示,思想感情的交流,理论境界的升华,在孙老师的授课中,确实是水乳交融,挥洒自如,引人入胜。记得有一篇报道中说:"孙老师讲课从来不带教案,深思熟虑的思想脱口而出,抑扬顿挫的语音在教室中荡去,很快便在你的头脑中产生共鸣。有时,他那双眸能洞察听课学生的疑惑,他会和蔼地停下来,直接与你对话。孙老师的话语如无形的磁力引着你随同他的思维去畅游人类精神世界的海洋,在波峰与波谷的颠簸中,你的头脑中跳跃着一个个顿悟的火花。"这篇报道还引证学生的话说:"听孙老师讲课,是一种理论享受;和孙老师交谈,是一种思想陶冶;与孙老师相处,是一种人生境界的升华。"而对于学生们最为叹服的"惊人的记忆力",孙老师曾做过这样的回答:记住了的东西不一定能理解它,只有理解了的东西才能准确、持久地记住它。

　　1994 年,国家教委决定建设国家文科基础学科人才培养和科学研究基地,吉林大学是首批七个"哲学基地"之一。孙正聿教授不仅花费大量心血对"哲学基地"建设进行设计和论证,而且率先垂范为"基地生"开设和讲授由他创建的"哲学通论"课。他认为,在我国高校哲学专业的课程体系中,一直缺少一门使学生比较全面地了解哲学,并引导学生进入哲学思考和培养学生的哲学态度的专业基础课,以至学生从来没有认真地和独立地思考过哲学,因而也没有形成哲学的思维方式和生活态度。孙老师的"哲学通论"课,围绕"哲学究竟是什么",层层深入地讲授哲学的自我追问、哲学的自我理解、哲学的思维方式、哲学的生活基础、哲学的主要问题、哲学的历史演进、哲学的现代革命以及哲学的修养与创造,不断地撞击学生的理论思维,把学生带入哲学的境界。在吉林大学校刊刊载的《学子呼唤哲学》一文中,学生由"哲学通论"课而提出"学子们在呼唤哲学教育,呼唤一种可以与时代相结合的、具有时代精神的哲学。公式化的所谓'哲学'只会枯燥无味令人厌倦。年轻一代所需要的是贴近时代又高于时代的哲学,它扎根于社会现实发展又不囿于具体的一事一物,它在一定程度上超脱现实以求对现实发展起着推动作用"。

三、反思前提

有人说,性格即命运;对于搞学问的人来说,性格也是风格。孙正聿教授提出和建构的前提批判的哲学理论,与他的认真的性格大概是密不可分的。当朋友问他,为什么会想到把哲学归结为理论思维的前提批判? 他说:这不仅是一种理论探索的结果,而且也是长期以来执著地追问前提的结果。

还在中学读书的时候,他就喜欢阅读各种各样的"课外书",特别是喜欢各种作品中的深沉的思想以及思想家的传记。他赞赏朗费罗说的"伟人的生平昭示我们,我们也能够生活得高尚",普希金说的"跟随伟大人物的思想是一门最引人入胜的科学";他更相信莱辛说的"与其记住两个真理,不如弄懂半个真理",歌德说的"人们只是在知识很少的时候才有准确的知识,怀疑会随着知识一道增长"。还在进入大学之前,他就对"哲学"提出这样的问题:哲学不是宗教,为什么它会给予人以信仰? 哲学不是艺术,为什么它也赋予人以美感? 哲学不是科学,为什么它也给予人以真理? 哲学不是道德,为什么它也劝导人以向善? 难道哲学什么都是又什么都不是吗? 正是带着这些困惑与求知的渴望,他考入吉林大学哲学系并由此开始了他的哲学生活。

孙正聿教授的哲学生活,是一个追问和反思前提的精神历程。他在与研究生谈论写作心得时,曾把学术论文分为5个档次:最高的是解释原则的创新,其次是概念框架的建构、提问方式的变革和背景知识的更新,最低的是逻辑关系的转换。以这种标准去观照孙老师的学术研究,我以为他始终是注重于解释原则的创新,其最主要的成果,就是形成前提批判的哲学理论。

近十年来,国内哲学界曾出现了一个又一个"热点"问题,而孙老师本人却似乎始终关注一个问题:哲学究竟是什么? 他探索哲学与经验、常识和科学的关系,他思考哲学与宗教、艺术和伦理的关系,他追问哲学与历史、时代和人生的关系,他考察哲学史上和现代哲学中的各异其是的哲学观,他研讨哲学的本体观念、终极关怀、生活价值和演化趋向,逐步地形成了他的前提批判的哲学观。

如果沿着孙正聿教授已经发表和出版的著述去追溯他的哲学观,人们就会发现,他的前提批判的哲学理论,直接地源于他对哲学基本问题的沉思与追问。他对自己提出的问题是:哲学研究的是"思维和存在"即"整个世界",还是研究思维和存在的"关系问题"? 如果是后者,这意味着哲学具有怎样的特殊性质和特殊功能? 对此,他的基本认识是:思维和存在"服从于同样的规律",这是理论思维的"不自觉的和无条件的前提";这个"前提"蕴涵于人类的全部活动之中,并以"不自觉的和无条件的"方式而规范人们的全部思想与行为;哲学的特殊性质就在于,它把"思维和存在的关系"当做"问题",也就是把理论思维的"不自觉的和无条件的前提"作为自己的研究对象,批判性地反思理论思维的"前提";哲学的独特功能就在于它通过对理论思维的前提批判,追究全部知识的基础,沉思生活信念的根据,探索历史进步的尺度,审视评价真善美的标准,从而变革人们的思维方式,价值观念和审美意识,塑造和引导新的时代精神。

关于这种哲学观,孙正聿教授在《理论思维的前提批判》一书中作出了系统的论证。他提出:"所有的具体科学,有一个共同的根本特点:都把思维与存在的统一性作为'理论思维的不自觉的和无条件的前提',运用理论思维去研究各种具体的存在,而不去研究理论思维的'前提'。或者说,在具体科学那里,不管是数学和自然科学,还是社会科学和人文科学,他们都'不自觉的和无条件的'把思维和存在的统一性当做自己认识世界的'前提'。不仅如此,在人类把握世界的诸种方式中,除哲学之外的各种方式也都把理论思维的前提当做不言而喻和不证自明的东西,而去进行生产劳动、经验累积、科学探索、技术发明、工艺改进、艺术创新、政治变革、道德践履等等。就是说,它们的使命都不是研究理论思维的前提、探索思维与存在的关系,而是使思维和存在在观念和实践两个基本层次上获得现实的、具体的统一。它们现实地实现思维和存在的统一,但不去反思实现这种统一的前提——思维和存在的关系问题。与此相反,专门以思维和存在的关系问题为对象的学科,则不是现实地实现思维和存在的统一,而是反过来追问思维和存在统一的根据,把理论思维的'不自觉的和无条件的前提'作为自己的研究对象。这个专门研究理论思维前提的学科,被称之为'哲学'。"

为了进一步阐述哲学与人类把握世界诸种方式的关系,他还进一步提出:"人类作为改造世界的实践——认识主体,其全部活动的指向和价值,在于使世界满足人类自身的需要,把世界变成对人来说是真、善、美相统一的世界。因此,具有理论思维能力的人类,不仅仅是把思维和存在的统一当做'理论思维的不自觉的和无条件的前提',去探索自然的、社会的和人生的奥秘,而且总是对'前提'本身提出质疑,力图在最深刻的层次上把握人及其思维与世界的内在统一性,并以人类所把握到的统一性去解释人类经验中的一切事物和规范人类的全部行为。哲学的特殊性质就在于,它是人类的这种最深层的渴望与追求的理论表达。哲学的独特价值就在于,它在反思理论思维前提的进程中,使人类不断地深化对思维和存在关系问题的认识,从而不断地更新人类的思维方式、价值观念和审美意识,并引导人类现实地变革自己的生存状态和生活方式。""当着我们这样来理解哲学的时候,并不是说科学家、文学家、艺术家、政治家、军事家等等都不去思考作为世界观矛盾的理论思维前提问题。恰恰相反,正因为思维和存在的关系问题是一切理论思维活动的'前提',所以人们在理论思维活动的一切领域都会不可逃避地提出理论思维的前提问题。也正因如此,哲学反思的领域是极为广阔的,甚至可以说在人类活动的一切领域是无所不在的。问题在于:当着人们在各种不同的活动领域中自觉地提出上述的'前提'问题,并试图对这些'前提'问题给予理论解释时,他就超越了自己的特定的研究对象和研究领域,也就是进入到了哲学的问题领域。"

孙正聿教授不仅提出了前提批判的哲学观,而且在这部著作中层层深入地展开了对形式逻辑、常识、科学以及哲学自身的前提批判。在这种前提批判中,孙正聿教授有针对性地集中探讨了三个问题:其一,哲学不是常识的变形,而是对常识的超越;其二,哲学不是科学的延伸,而是对科学的超越;其三,哲学的自我前提批判是哲学发展的内在逻辑。

在进一步探究哲学的"反思"的过程中,孙正聿教授又明确地提出:理论思维的前提批判是"人类思想的哲学维度"。在《哲学通论》一书中,他系统地考察了反思的维度、反思的思维、反思的对象、反思的方式和反思的层次,并由此提出:人类思维有两个基本维度,一个是构成思想的维度,另一个是反思思想的维度;构成思想的维度是实现思维和存在的观念与实践中的统一,反思思想的维度则是把思维和存在相统一的思想作为思想的对象;人类的任何思想都隐含着构成其自身、因而也是超越其自身的根据和原则,它是思想中的"看不见的手",规范人们的所思所想和所作所为;哲学的"反思"就是以构成思想的根据和原则为对象,历史地揭示"隐匿"在思想当中的"前提","解除"这些"前提"对思想构成自己的逻辑强制性,修正或转换构成思想的"前提",并以新的逻辑支点去建构新的思维方式、价值尺度和审美标准,永远敞开人类思想自我批判和自我超越的空间。孙正聿教授认为,这就是人类思想的哲学维度——反思的维度,这就是哲学的真正本性——前提的批判。

从这种前提批判的哲学观出发,孙正聿教授对一系列重要的哲学问题作出了新的解释与论证。这首先就是对本体、本体观和本体论的独到理解。孙正聿教授认为,哲学本体论的产生与发展,首先是与人类独特的存在方式密不可分。人类作为改造世界的实践主体,实践是人的存在方式。基于人类实践本性的理论思维,总是渴求在最深刻的层次上或最彻底的意义上把握世界、解释世界和确认人在世界中的地位与价值。理论思维的这种渴求,是一种指向终极性的渴求,它的理论表达构成贯穿古今的哲学本体论。孙正聿教授认为,作为终极关怀的本体论,它本身就具有悖论的性质,即哲学作为"思想中所把握到的时代",它所承诺"本体"及其对"本体"的理解和解释都只能是自己时代的产物;而哲学本体论却总是要求最高的权威性和最终的确定性。因此,孙正聿教授提出:本体论作为一种追本溯源式的意向性追求,作为一种对人和世界及其相互关系的终极关怀,它的可能达到的目标,并不是它所追求的"本"或"源";它的真实的意义,也不在于它是否能够达到它所指向的终极存在、终极解释和终极价值;本体论追求的合理性是在于,人类总是悬设某种基于现实而又超越现实的理性目标,否定自己的现实存在,把现实变成更加理想的现实;本体论追求的真实意义就在于,它启发人类在理想与现实、终极的指向性与历史的确定性之间,既永远保持一种"必要的张力",又不断打破这种"微妙的平衡",从而使人类在自己的全部活动中保持生机勃勃的求真意识、向善意识和审美意识,永远敞开自我批判和自我超越的空间。在这个意义上,本体论即辩证法。①

---

① 参见《终极存在、终极解释和终极价值》,《社会科学战线》1991 年第 4 期。

　　对哲学本体观的独到见解,在某种意义上也就是对哲学自身的重新解释,因此,孙正聿教授合乎逻辑地以前提批判的哲学观阐述了他对哲学及其生活价值的认识。他在《寻找"意义":哲学的生活价值》(载《中国社会科学》1996年第3期)一文中,深入地探索了哲学与人类把握世界其他基本方式的关系、"意义"的个体自我意识与"意义"的社会自我意识的关系、时代精神与哲学作为其"精华"的关系。通过对这三个基本关系的反思,孙正聿教授提出如下的重要观点:哲学所寻求的"一"或"本体",并不是某种统一性的"存在",而是判断、解释和评价"有意义"与"无意义"、"真善美"与"假恶丑"的根据、标准和尺度;哲学的生活价值并不是直接地创造人的"生活世界",而是以其对"一"或"本体"的求索、解释和回答,批判性地反思渗透于人的全部生活并贯穿于人类生活始终的"意义",从而使人类形成作为生活"最高支撑点"的"意义"的社会自我意识。

　　在孙正聿教授看来,这种作为人类生活"最高支撑点"的"本体"或"意义"的社会自我意识,也就是人类一向所追求的"崇高"。他在《崇高的位置:徘徊于世纪之交的哲学理性》(载《吉林大学学报》1996年第4期)一文中提出,哲学作为理论形态的人类自我意识,它一向是以阐扬崇高和贬抑渺小作为自己的追求目标和理论使命,然而哲学史却告诉我们,哲学对崇高的追求,又总是使自己所确认的崇高异化为某种超历史的存在,这就是马克思所批判的超历史的"神圣形象"或"非神圣形象"。正因如此,哲学又总是以哲学前提的自我批判去实现对崇高的新的追求。孙正聿教授认为,哲学对崇高的追求和哲学对崇高的异化形态的前提批判,就是哲学的艰难曲折的发展史,也就是理论形态的人类发展史。因此,哲学的自我追问和自我批判,其实就是理论层面的人类自我追问、自我批判和自我超越。由此可见,孙正聿教授执著于哲学的自我追问并不是一种单纯的学究式的理性思辨,而是一种积极的、深切的人文关怀。

阅读孙老师的著述,我总是真切地感受到一位执著的"爱智者"在苦苦地求索,并引导他的读者共同进行这种求索。这种求索是"智力的挑战",使人感受到逻辑力量的震撼;这种求索也是"情感的升华",使人向往更加理想的、美好的生活。

四、保 持 张 力

孙正聿教授的思想是犀利的,为人却是非常谦和的。这或许与他自觉的辩证的人生态度不无关系。他在谈论辩证法时,总是强调这样一种观点:辩证法的本质既是最严厉的,又是最宽容的。他说,辩证法在对事物的肯定理解中同时包含对它的否定的理解,从事物的暂时性方面去理解,当然是批判的、革命的,也就是最严厉的;但是,辩证法在对事物的否定的理解中同时也包含对它的肯定的理解,从事物的必然性方面去理解,这当然又是最宽容的。他认为,"历史"这个词有两重内涵,其一是说历史中的存在都有其存在的根据与价值,其二是说历史中的存在都将被新的存在所取代。这就是辩证法的肯定与否定的统一。

用这种辩证态度去看待哲学史,他总是强调"带有敬意的批判",总是把哲学史上的种种思想视为"合法的偏见",总是致力于探索历代哲人们所遇到的理论困难。一个最生动的事例,就是孙正聿教授对黑格尔的研究。他不是一般性地讨论黑格尔哲学的理论内容的辩证法与唯心主义的矛盾、理论形态的方法与体系的矛盾,而是追问造成这些矛盾的根据是什么。他认为,黑格尔的"绝对精神"及其自我运动,只不过是被神秘化了的崇高及其自我实现的理论表征。他说:"'绝对精神'作为崇高的理论表征,黑格尔把它的自我运动和自我认识既描述为个体理性认同普遍理性的精神历程,又描述为异在于个体理性的超历史的普遍理性的自我展现,这既表明了黑格尔所代表的整个传统哲学对崇高在炽烈而执著的追求,又表明了整个传统哲学所追求的崇高在黑格尔哲学中的完全且彻底的异化。崇高的追求与异化的崇高,在黑格尔哲学中达到了矛盾的巅峰状态。正是这个最深层次的矛盾,才决定了黑格尔哲学的理论内容的辩证法与唯心主义的矛盾、理论形态的方法与体系的矛盾。哲学史是人类的艰难而曲折的自我认识的思想史,也就是人类的艰难而曲折的追求崇高的精神历程史。黑格尔哲学所表现的崇高的追求与异化的崇高的矛盾巅峰状态,以及由此所构成的辩证法与唯心主义、方法与体系的尖锐矛盾,都应当而且必须首先从黑格尔所自觉到的理论困难及其解决这个理论困难的独特方式去解释。"

用这种辩证态度去看待现代哲学,他认为现代哲学的革命性变化,就在于超越了传统哲学的两极对立的思维方式。传统哲学总是试图获得一种绝对的、确定的、终极的真理性认识,固执于对绝对之真的追求,执著于对至上之善的向往,沉湎于对最高之美的幻想。现代哲学则以历史的、中介的观点排斥对绝对确定性的追求。他提出:"人类在自身的历史发展中所形成的具有时代特征的关于真善美的认识,既是一种历史的进步性,又是一种历史的局限性,因而它孕育着新的历史可能性。就其历史的进步性而言,人们在自己的时代所理解的真善美,就是该时代的人类所达到的人与世界的统一性的最高理解,即该时代人类全部活动的最高支撑点,因此具有绝对性;就其历史局限性而言,人们在自己的时代所理解的真善美,又只是特定历史时代的产物,它作为全部人类活动的最高支撑点,正是表现了人类作为历史的存在无法挣脱的片面性,因而具有相对性;就其历史的可能性而言,人们在自己的时代所理解的真善美,正是人类在其前进的发展中所建构的阶梯和支撑点,它为人类的继续前进提供现实的可能性。真善美永远是作为中介而自我扬弃的。它既不是绝对的绝对性,也不是绝对的相对性,而是相对的绝对性——自己时代的绝对,历史过程的相对。"①

用这种辩证态度去分析"后现代主义",他对以"消解哲学"为目标的哲学思潮作出这样的概括和评价:"这种'消解'的意义是明显的,因为它在哲学层面上挺立了个人的独立性、文化的多样性和选择的合理性;这种'消解'的困境也是明显的,因为它蔑视和侮辱了人类生活精神坐标的支撑点,否弃了人类对崇高的追求和人类实现崇高的理想。"由此他提出,世纪之交的哲学理性的历史使命,是重新寻求和确立崇高在人类生活精神坐标上的位置。

孙正聿教授以辩证态度去看待哲学史和现代哲学,也以这样的人生态度去对待自己和他人。他常说,张岱年先生关于哲学家的一段论述是需要终生践履的。张先生的这段话是:"哲学家因爱智,故决不以有知自炫,而常以无知自警。哲学家不必是世界上知识最丰富之人,而是深切地追求真知之人。哲学家常自疑其知,虚怀而不自满,总不以所得为必是。"在孙老师的学术历程中,从寻求"全体的自由性"到形成"前提批判"的哲学

---

① 《从两极到中介——现代哲学的革命》,《哲学研究》1988 年第 8 期。

观,从探寻"人类思想的哲学维度"到求索"崇高的位置",他总是以自我的前提批判来推进自己的前提批判理论。他对于自己所承担的各种工作,总是认认真真地做好,而唯一感到遗憾的就是没有充分时间去读书。

孙老师在为研究生授课中,最为强调的是"背景知识"或"参照系",也就是他人对问题的认识。不管谈论什么问题,他都不只是讲授自己的认识,而是如数家珍地讲述各种观点。就我所知,能够像孙老师那样熟悉国内学界的各种刊物、各种观点和学术动态的人,实在是太少了。国内哲学界许多中青年学者的著述,我们都是从孙老师那里听到,并在他的指导下阅读的,他很不赞同用"哲学贫困"来形容当代中国的哲学界。他总是认真地研读当代学人的著述,并提出:发展当代中国哲学,并不是认定哲学应当研究这个而不应当研究那个,应当这样研究而不应当那样研究,应当发挥这种作用而不应当发挥那种作用;发展当代中国哲学,最重要的就是一个"真"字——真实地研究、真诚地探索和真切的思考。这样,当代中国哲学就能够创造性地表达当代人类的自我意识,并为人类的生存与发展揭示新的理想境界和展现新的可能世界。

四十初度的时候,孙正聿教授曾经写下"年过不惑亦有惑,爱智求真敢问真,是是非非雕虫技,堂堂正正方为人"。我觉得,这是孙正聿教授的为人为学之道,也是他的人生写照。

(原载《社会科学战线》1997 年第 3 期)

我的学思历程

郭齐勇

一、思想饥荒年代的读书

我是湖北省武汉市人，生于 1947 年，1966 年高中毕业，1968 年至 1970 年在湖北省天门县杨场公社插队落户当农民，1970 年至 1978 年在湖北省化工厂当工人。我们这一代人，生长在物资匮乏、学问饥荒的年代，真正读一点书，是从"文化大革命"时思想的苦闷、迷惘与饥渴中开始的。我因出身不好和所谓海外关系，是"黑五类"子弟，处在社会边缘，所思考的问题自然不少。我所在的武汉市第十四中学的藏书很多，我们长期住校，与图书馆的老师很熟，常到图书馆看人文社会科学的书籍与杂志，渐渐爱好哲学。我们"文化大革命"期间在中学滞留，思考"文化大革命"中的问题，读了一点书。那时开始接触黑格尔，缘于"文化大革命"中的辩论。有一位同学是黑格尔迷，言必称黑格尔，我与他辩论过"凡是存在的就是合理的，凡是合理的就是存在的"问题，但当时并未理解。下乡当知青时，我带了一些书，在茅屋油灯下读马恩两卷集等等。那时读马克思的《〈黑格尔法哲学批判〉导言》和《关于费尔巴哈的提纲》，什么叫"德国的哲学是德国历史在观念上的继续",什么叫"人是人的最高本质",什么叫"唯心主义却发展了能动的方面",似懂非懂。

我下乡第一次得的工分血汗钱,买了一套精装四卷本的《列宁选集》。我做了大量的读马列的笔记。马恩列斯毛的主要哲学著作,毛泽东的未正式发表的文稿讲话笔记,联共(布)党史,哲学辞典等,都读过了。记得那时为了解决读马恩列的困难而想了解一点西方哲学史,设法通过老同学、知青朋友交换着看一点哲学方面的书。我当上工人以后,继续读书。20世纪70年代初"批陈(伯达)整风"后,中央号召读六种马恩列的书,当时我在外地当学徒,技术培训,我买了《反杜林论》等六种马列著作新版单行本来读,我的兄长们则给我寄了读这些书的不少参考资料。此外,我还自学了列宁的《哲学笔记》,感兴趣于《谈谈辩证法问题》。汪子嵩、张世英、任华先生等编著的《欧洲哲学史简编》和安徽共大编的西哲史,还有《马恩列斯论德国古典哲学》等书,反复阅读过多遍。读这些书使我爱上了哲学智慧,开始追问、反思哲学的问题。原来不敢做上大学的梦,邓小平同志恢复高考给了我们机会。我于1978年考入武汉大学哲学系读书,进校时已31岁了,同班同学最小的才16岁。我们这几届同学,尤其是高龄生,真是叫如饥似渴地学习,拼命地学习。只有我们这种经历的人才真正懂得珍惜读书的时间。以后有幸听陈修斋先生、杨祖陶先生讲授"西方哲学史"(上大课,七七、七八级及旁听者160多人同听,如醉如痴),又系统地读了黑格尔的《小逻辑》、《精神现象学》与四册《哲学史讲演录》,罗素、梯利的哲学史,贺麟先生的一些书及一些西方哲学汉译名著,一点点笛卡儿、休谟、康德的书,才算是入了哲学之门。大学时代正

值思想解放运动,武汉大学图书馆和哲学系资料室的书多,来来
往往讲演的人也多,思想上真正活跃了起来。我当校学生会学
习部的副部长、部长,组织了不少讲座。这时开始了对"文化大
革命"的反思。我主编了大学生哲学刊物——油印本的《求
索》,刊登哲学学子的习作。

在"批林""批孔"、评法批儒、评《水浒》的时代,我曾作为
工人理论队伍中的一员,开始接触了一点中国哲学思想史。但
在当时的历史氛围下,我不可能真正理解中国哲学,不可能超脱
于"左"的氛围,不过借此机缘读了一点有关中国哲学方面的
书,如侯外庐、赵纪彬、杨荣国、任继愈先生的书,以及一些资料
书,包括王充、王夫之的书等等。真正热爱起中国哲学,缘于进
武汉大学以后听萧萐父先生、李德永先生、唐明邦先生讲授"中
国哲学史"。萧先生讲课不多,讲起来常常脱离教材,旁征博
引,放得很开。他对思想解放的渴求,对国事民瘼的关切,对人
类、民族、人民之命运的叩问与反思,启人良多。

大三的时候,我修"中国古代哲学名著选读"课,使用的是
中哲史教研室编的数册油印本《中国古代辩证法史资料》,我发
现了其中因刻印带来的问题,有的是版本、底本的问题,我到图
书馆遍查典籍,校对出数百条差误,交给老师。这件事被萧萐父
先生知道了,他大为赞扬,曾在教研室会议上,在给研究生上课
时表扬了我。不过,当时我只是一位本科生,并不知道萧老师的
褒奖,事过一年多后才知道的。

二、开始学习做学问

我提前半年毕业,考上本校 1981 级硕士研究生。1982 年 2

月至 1984 年 12 月攻读哲学系中国哲学硕士学位,正式成为萧萐父教授、李德永教授、唐明邦教授的入室弟子。这三年对我走上学问之路是最为关键的时期。老师们学而不厌,诲人不倦,言传身教,循循善诱,使我们受到基本的思想的训练与文献等方面的训练。我们得益于三门基础课:一是哲学史方法论,二是中国古代哲学文献导读,三是中国哲学史的史料学。当时的哲学史方法论课,中西哲学史专业的研究生在同一个班上课,这非常好。这门课领衔的是陈修斋、萧萐父先生,杨祖陶、王荫庭、李德永、唐明邦等先生也分别参加。同班同学有冯俊、李维武、高新民、黄宪起、黄卫平、蓝岚、舒金城等,还有一些青年教师与旁听者。这是读书、讨论课,我们学黑格尔哲学史观与方法论原则、普列汉诺夫的五项论等,对于为什么说哲学史就是哲学,哲学就是哲学史,关于哲学史是否就是认识论史,什么叫逻辑与历史的一致还是历史与逻辑的一致,什么是哲学史上的"普遍""一般""具体""个别",什么叫"社会心理"、"哲学无定论",唯心主义哲学有没有价值等问题,我们争得面红耳赤。老师们只是启发、引导、点拨,他们重在培养我们的读书能力、思维能力、表达能力。我们也去听江天骥先生的科学哲学,对库恩的科学革命的结构与范式理论及当时流行的皮亚杰的发生认识论、系统论颇感兴趣。

除教学外,老师们忙于编教材和出席各种学术会议。萧先生作为学科带头人,特别敏感,对哲学界各种讨论及相关学术会议的新信息、动态都非常关注,如人道主义与异化问题,马克思《1844 年经济学哲学手稿》的讨论,哲学史上"两军对战式的对子结构"与"螺旋上升的圆圈结构",中国哲学范畴与范畴史研究,关于唯心主义的评价,关于孔子、《中庸》和宋明理学的再评价,唐兰、冯友兰、张岱年、冯契、王元化、李泽厚、庞朴、汪澍白先生的新观点,《未定稿》上有什么新文章,《中国社会科学》的创刊,《考古》《文物》上的新发现,马王堆与银雀山出土文献的研究等,都提示给我们,让我们去关注、理解、参与。他还把汤一介、庞朴、刘蔚华、陈俊民等先生请来给我们讲课,打开我们的思路。黄卫平同学写了一篇文章与萧老师商榷,萧老师表扬了卫平,还把这篇文章推荐发表。

老师们对我们非常关心,耳提面命,手把手教我们。萧先生亲自批解我们的习作,告诉我们如何修改完善,每每涉及文章架构、资料搜集、鉴别与理解等,特别细心、耐心。他指导我重点读王夫之的《尚书引义》。萧先生也放心地让我与维武、卫平、金城等整理他的关于明清之际早期启蒙与王夫之哲学方面的讲义、文稿等,这种整理也是一种学习。我记得我整理过他关于王夫之认识辩证法论文的初稿。他有时把他最后的定稿再返回给我们看。他与唐先生带学长萧汉明兄、蒋国保兄等与我们这届硕士生(带着经他们修改了的我们的论文)出席了 1982 年在衡阳举行的王船山学术讨论会,让我们参与讨论,拜访专家。我最初关于王船山的几篇习作,都是经萧先生悉心指导、认真修改、热心推荐发表的。这即是 20 世纪 80 年代初我在萧公主编的《王夫之辩证法思想引论》和在《中国哲学》、《江汉论坛》上发表的几篇习作。这些事已过了 20 年了,其细节却仍然历历在目,永远也忘不了,而且已化为我今天带学生的行为。

我读本科生时,旁听了萧公为研究生开的"中国哲学史史料源流举要"课。讲到近世,他偶然提及黄冈熊十力先生有《体用论》等书,值得一读。我就到校图书馆去遍查熊先生的书(主要是《新唯识论》、《十力语要》等)。我对熊十力其人其书渐渐产生了兴趣。老师们原本让我做司马迁的历史辩证法方面的硕士论文,后来我提出想做关于熊十力方面的硕士论文。在当时,老师们确定我做这个题目(《熊十力的认识辩证法初探》)是要有勇气的。记得教研室全体老师出席了我们的硕士论文开题报告会,有的老师善意地同时又是非常严厉地批评了我对唯心主义哲学家熊十力评价过高。但萧先生有定力,最后还是支持我按自己的思路去做。他让我参加他与汤一介先生主持的《熊十力论著集》的搜集资料与点校工作,这一套书三卷本后来由中华书局出版。他指引、支持、帮助我与友人到湖南、北京、上海等地搜求熊先生著作、手稿、信札,通过写信推荐等方式,让我与友人遍访与熊先生有关系的前辈学者。萧老师指导我写熊十力哲学的研究综述,我通过广泛搜集资料,又对资料条分缕析,整理出来,作为研究的背景与基础。我又通过对认识论、直觉论和唯识学的学习来诠释熊氏认识论。在萧老师、唐老师、李老师的指导下,通过撰写硕士论文,特别通过他们对论文的点拨、指导、批评,我基本上掌握了做学术研究的步骤、方法、规范等要领,开始学会对文献的解读与诠释,从事哲学学术研究。

萧先生、唐先生、李先生指引我们走上学术之路。1984 年12 月,我留校任教至今,直接在三位老师的带领下从事中国哲学史的教学与研究。我毕业之后,又多次重听萧先生给研究生的讲课,在哲学史方法论、史料学等课程上,他真是与时偕行,讲课时时有新的材料和新的思想,例如关于文化反思,源头活水,传统文化与现代化之间历史接合点的思考,马克思晚年人类学笔记关于跨越"卡夫丁峡谷"的问题,古史研究与马恩对人类学研究的方法论启示,古史祛疑,哲学史研究中的纯化与泛化问题等,都是在我们硕士毕业之后他反思的新成果,亦成为他的课堂教学新增加的内容。在重听这些课程后,我也帮助他整理过几篇相关讲义与访谈等。在我的成长过程中,处处离不开三位老师的指点与关爱。二十多年来,直至今天,有时候萧老师有意无意,看似不经意地,其实是有意在提醒我,以四两拨千斤的方式启发我,让我在做人、治学和善处各种关系方面更加健康、合宜与完善。我从内心感谢恩师的指点。

三、我对熊十力哲学的研究

使我的心灵受到震撼的书,是熊先生的《十力语要》,这里集中了熊先生从心臆中流出的话语,是他的生命体验的结晶。我读的是 1947 年湖北"十力丛书"线装铅印本四卷四册,制式特别,大约长 27 厘米宽 16 厘米,有天头地脚可做眉批。熊先生凭其聪颖慧识对中西哲学的评断可谓鞭辟入里。他讲他读书时常常汗流浃背,触及身心。他说读书必先有真实的志愿,广大的胸怀,如此方能"返之己所经验而抉择是非,洞悉幽隐,曲尽书之内容而不失吾之衡量,故其读书集义,乃融化的而非堆集的,乃深造自得的而非玩物丧志的。如此读书,方得助长神智而有创造与发明之望"。孟子的掘井及泉、深造自得之论是读书之大法。我在旧书店淘了两册熊先生的《原儒》,如获至宝。

为研究熊十力先生,我曾拜访过、请教过的前辈学者有:梁漱溟、冯友兰、张申府、周谷城、贺麟、宗白华、朱光潜、张岱年、周辅成、虞愚、任继愈、冯契、石峻、韩镜清、田光烈、谢石麟、张遵骝、习传裕、王星贤、潘雨廷、田慕周、李渊庭、阴法鲁、汤一介先生等。尔后,我不断得到这些先生们的指教与帮助。武汉大学的前辈黄焯、唐长孺、吴于廑、吴林伯等先生,我们哲学系的老师们,对我爱护有加,多方提携。

我的硕士论文扩充、修改之后,改名为《熊十力及其哲学》,自费于1985年12月由北京中国展望出版社出版。梁漱溟先生题写书名,萧萐父先生专门写了热情洋溢的序言。1985年,我协助萧老师筹备、组织"纪念熊十力先生诞辰一百周年学术讨论会"。这次会议于是年12月底在黄州举行,发起单位是北京大学、武汉大学、湖北省政协、黄冈地区行署与黄冈县政府。来自中国和美国、加拿大、苏联、日本的学者共100人出席了会议。我的小册子受到与会专家的重视,其中一章曾在《中国社会科学》发表。会后,拙著《熊十力及其哲学》这一小书得到了张岱年、陈荣捷、岛田虔次等先生的肯定与鼓励。岛田先生在其1987年于日本同朋舍出版的《熊十力与新儒家哲学》这一大著中,高度评价了我的熊十力研究,提到我与我的有关论文著作,或加以征引的,达十多处。台港出版界也注意到拙著,我应约又加以扩充修改,以《熊十力与中国传统文化》为名于1988年由香港天地图书公司出版,以后台湾出现盗印本,1990年台北远流出版公司又正式出版。

我于1987年考上博士研究生,导师为萧萐父教授。1987年9月至1990年9月边在哲学系工作边攻读博士学位,1990年9月通过博士论文答辩。我的博士论文《熊十力研究》得到任继愈、周辅成、冯契、石峻、朱伯崑、章开沅、汤一介、李锦全、方克立、涂又光、丁祯彦、吴熙钊等先生们的指教和评论。那时,萧公与我师徒二人正值生命的坎坷困顿之中。以上先生们以严格的学术性予以指点批评,批评处不失尖锐率直,然而其中充满了关爱与信任,使我永远难以忘怀。我于1992年获武汉大学哲学博士学位。博士论文以《熊十力思想研究》为名于 1993 年由天津人民出版社出版,方克立、李锦全先生纳入到他们主持的国家社科基金重点项目"现代新儒学思潮研究"之中。以后我又应约选编了两种熊先生论著选,又撰写了《天地间一个读书人:熊十力传》(1994 年分别由上海文艺出版社与台北业强出版社同时出版)。

我很重视第一手资料的搜集、整理,积极参加汤先生、萧先生主持的由中华书局出版的《新唯识论》、《体用论》等熊氏论著集的点校工作。我又协助萧萐父先生,并与友人景海峰、王守常先生等一道,投入到《熊十力全集》的搜集、整理、编校工作中去。480 万言 9 卷 10 册本《熊十力全集》用了 12 年工夫,于 2001 年终于由湖北教育出版社出版。我作为副主编和主要整理编纂者,付出的心血是难以与人言说的。2001 年 9 月,我在武汉大学主持了"熊十力与中国传统文化国际学术研讨会",海内外专家济济一堂。我主编的会议论文集《玄圃论学续集》于 2003 年由湖北教育出版社出版。

20 世纪 80 年代我对熊十力的研究主要解决的是熊十力其人其书等基本史实的梳理,以及熊氏思想对传统的批导和熊氏思想与近代思想史的关联问题,熊氏思想的认识论与辩证法的意义等。当时熊氏研究尚是一片空白,甚至连他的生平都暗而不彰。20 世纪 90 年代我对熊十力哲学的研究,以博士论文为代表,主要抓住其哲学的核心问题即熊氏哲学的本体论问题,在熊氏哲学内涵、内在张力、学术渊源、思想影响的诠释与批导上,有了较大的创进。20 世纪 90 年代我虽然也有与台湾学者翟志成的一场颇为轰动的论战,解决熊氏史实、资料考证与有关熊氏人格评价问题,但我的精力与研究重点已转向熊氏宇宙本体论、道德形上学的问题,熊氏作为 20 世纪人文主义思潮的形上奠基者对现代的批判和多面的影响,熊氏在现当代中国哲学思想史上的地位问题等。

我的贡献在于,分析论证了熊氏作为第一代现代新儒家中对形上学建构有兴趣的学者,为现代新儒学思潮奠定了一个基础。他的"境论"即是他的本体论与宇宙论。他是保留了传统儒学之宇宙论的学人。他重建大本大源,把"本心"解释为宇宙本源与吾人真性,是具有能动性的创生实体。他的本体论是"仁"的本体论,涵有内在——超越、整体——动态、价值中心、生命精神的意蕴。在整个现代儒学思潮中,他在精神上启导了唐君毅、牟宗三、徐复观。重建本体是熊的关键性思考。他的形上学建构,特别是终极实存的思考和道德形上学的创慧,在牟宗三那里得到充分发展。他的"体用不二"之论,在唐君毅那里得到充分发展。他的历史文化意识,在徐复观那里得到充分发展。熊先生虽然没有写出"量论"(认识—方法论),但他对"性智"与"量智"、"体认"与"思辨"、"表诠"与"遮诠"的讨论,即包含在他的"境论"之中。熊十力的"澄明"之境,是在良知的具体呈现中体证、契悟天道。这与冯友兰的新实在论的思考方式完全不同,也不是冯友兰的"负的方法"可以代替的。熊先生高扬了东方的本体玄思,即在澄明状态中的存在之思。我们不妨说,这是牟宗三的"智的直觉"、杜维明的"体知"的先导。我的研究还涉及唯识学与熊氏新论在"性觉"与"性寂"上的不同,即儒、佛心性论上的差别。

我与景海峰先生等在熊十力著作整理与熊十力本体哲学研究上的专家地位、杰出贡献及在海内外学界的影响,至今无人企及。

四、我对文化问题的研究

我是 20 世纪 80 年代的文化热的积极参与者。1985 年春，萧先生安排我出席了汤一介先生创办的中国文化书院在北京举办的第一届中国文化讲习班，聆听了海内外老年、中年专家的演讲，颇受教益。我曾在吾友李明华兄创办的影响极大的《青年论坛》1985 年第 6 期上发表了《中国文化研究的勃兴——对近几年来我国一个文化新潮的评述》一文，对文化讨论中的某些看法提出批评。1986 年春，我在本校作了两场关于"文化热"的讲演，又应湖北省委社科领导小组与宣传部的邀请，写了《关于近年来中国文化和中西文化比较研究的评介》一文，于 1986 年 6 月在《理论工作参考》第 6 期上发表，后来又在《青年论坛》上发表，《人民日报》海外版于同年 12 月 3 日以半个版的篇幅转载。这是我国文化热中首次把关于传统文化与现代化的论争概括为"儒学复兴"说、"彻底重建"说、"西体中用"说与"哲学启蒙"说，并予以评论的文章。我站在文化与思想启蒙的立场上，评论了前三说的见弊得失。1986 年 7 月，我提交全国中青年哲学工作者最新成果交流会的论文《现代化与中国传统文化刍议》入选并在同年 8 月黄山会议上发表，影响较大。该文全文于同年 9 月在《武汉大学学报》(社会科学版)第 5 期上发表，多处转载。黄山会议摘要则以《关于文化热的反思》为题在《国内哲学动态》第 10 期上发表。我在该文中从理论上评析了"儒学复兴"、"彻底重建"、"西体中用"三说，明确提出了有别于诸说的"新的综合"说。文章指出，文化研究的热潮是与科技生产力发展、经济政治体制改革同步并进的一场文化观念的变革。

"中国文化的前景既不是传统文化的复归或中断,也不是以西方文化为体为质而以中国文化为用为形。中西文化的融合将是渗透力很强的多向交流运动,不分主从、本末,浑融一体。现在是新的综合的时代,必须跳出简单化的中西两极对立和体用割裂的思想方式,应当自觉地调整传统文化结构为现代化建设服务。"时至今日,很多人仍在沿用文化热中有所谓"儒学复兴"、"彻底重建"、"西体中用"、"哲学启蒙"、"新的综合"诸说,已不知这些概括、提炼、评论或提倡的始作俑者其实是我了。

与此同时,我先后参与了吴于廑、萧萐父、冯天瑜先生的"明清文化史沙龙"的学术活动,参与了萧老师、章开沅、庞朴、朱维铮先生等发起或参与的1987年在华中师大举行的"中国走向近代的文化历程"学术讨论会。我与友人在武汉大学开出了"文化学与文化哲学"方面的选修课,打印了讲义,讲了数次,我讲,也请萧先生、维武兄来讲。我还与邓晓芒兄合写了有关"文化学"的论文在《哲学研究》上发表。我后来独立开"文化学"的课,近三十万字的《文化学概论》一书于1990年2月由湖北人民出版社出版。这本书是在我的处境极为艰难的时候出版的,当时有很多人"落井下石",或者是"躲之如恐不远,避之如恐不及",而友人胡光清学长坚持按期出版拙著,不能不令人感佩。我与光清是君子交,现在来往并不多,然我心中的感激是不会消失的。

《文化学概论》基本上代表了我在20世纪80年代下半期关于"文化"的看法,特别是关于"多元文化"、关于文化变迁中的涵化与整合、关于"文化传统"的解析等,这些看法已开始包含了对传统文化的全面体认,调整中国文化的评价尺度与诠释维度。还有一事也似应一提,即在《河殇》热中,我对《河殇》持批评的态度,当然是学理上的。我曾于 1988 年 9 月 3 日在《长江日报》上发表了评《河殇》的文化观的小文章。

整个 20 世纪 90 年代,我研究的中心是文化保守主义,我个人逐渐对传统儒释道持同情了解的态度。人在困境中读一读《论语》、《孟子》、《老子》、《庄子》和佛禅语录,果然有所受用。这些经典有道德资源的意义。人之所以为人,个人之所以为个人,要有承当感,要有道德理性与道德自我,要有生活信念与意义世界的支撑。我慢慢走近了孔孟老庄。我是通过熊十力、梁漱溟、钱穆、贺麟等走近孔孟老庄,认识其真谛的。我慢慢认为,儒家思想可以与政治自由主义等现代思潮对话,我们可以作创造性转化,使之在现代化中起积极作用。

五、我对以儒学为中心的哲学史的 研究与基本看法

我的《试论文化保守主义思潮》、《试论现代新儒学的几个特点》、《熊冯金贺合论》等论文都是 20 世纪 90 年代初期发表的关于这一思潮与现代哲学的代表性论文。我深入研读了现代学人的著作。我的读书与研究的主要对象有:孙中山、熊十力、冯友兰、金岳霖、贺麟、梁漱溟、马一浮、钱穆、牟宗三、唐君毅、徐复观、殷海光、杜维明、刘述先、傅伟勋等,作了一些个案研究,写了一系列论文。20 世纪 90 年代我还就中国文化、中国哲学的基本特性与意义作过一些探讨,对传统形上学,对中国哲学史上的非实体思想,对中国哲学资源的当代价值发表过论文。上述这些论文收录在《郭齐勇自选集》中,该书于 1999 年由广西师大出版社出版,是"跨世纪学人文存"中的一种。

在此期间,我自己以及与友人合写了几种著作:《钱穆评传》(与汪学群合著,1995年,江西百花洲文艺出版社)、《梁漱溟哲学思想》(与龚建平合著,1996年,湖北人民出版社)、《诸子学志》(与吴根友合著,1998年,上海人民出版社)、《传统道德与当代人生》(1998年,武汉大学出版社)。

1998年至今,由于教学与科研的需要,特别是个人兴趣的转移,我努力把研究重心前移,研习先秦儒学、宋明儒学的问题,当然继续关注现当代新儒学的问题和中华人文精神与传统哲学之现代诠释、创造转化的问题。其契机是郭店楚简的出土,我于1999年在武汉大学主持召开了盛大的郭店楚简国际学术研讨会,并主编了该国际会议的论文集。我对郭店楚简中的哲学思想,特别是心性论思想,对《性自命出》与《五行》,对身心观与"圣智",对出土简帛与经学诠释问题,发表了系列论文。我对东亚儒学核心价值观、孔孟儒学的人格境界论、朱熹与王夫之的心性情才论之比较等做了一点研究。此外,我还论证了冯友兰哲学及其方法论上的内在张力、当代新儒学关于儒学宗教性的反思等。这些研究成果汇集在我的《儒学与儒学史新论》中,该书于2002年由台湾学生书局出版。有关研究论文,我分别提交、发表于美国、日本、韩国和中国台湾、香港地区举办的国际会议,予以宣读。此外,我于1998年1至7月成为美国哈佛大学燕京学社高访学者,2001年5月以客座教授身份在德国特里尔大学汉学系讲学,2002年11月以客座教授身份在台湾政治大学哲学系讲学,2003年4至7月以招聘研究员身份在日本关西大学东西学术研究所讲学并做研究,曾在哈佛大学、莱比锡大学、特里尔大学、东京大学、东北大学、早稻田大学、国际日本文化研究所、关西大学、大阪市立大学、台湾大学、台湾中央研究院、台湾清华大学、政治大学、台湾师范大学、辅仁大学、东吴大学、中央大学、佛光大学、东华大学、香港中文大学等大学或机构作学术讲演。

目前我主持的科研课题主要有：国家社科基金项目"近50年出土之哲学文献与中国哲学史"；教育部文科重点研究基地重大项目"宋明时期长江中游的儒学研究"。同时主持承担教育部"十五"期间国家重点教材建设项目——《中国哲学史》的编写。

总之，20世纪90年代以后，我的学术思想逐渐有一些变化。研究方面，1997年前主要领域在20世纪中国哲学，1998年以后往前走，研究与湖北地缘有关的哲学，特别是儒学思想。熊先生等对中国文化与中国哲学有真正的反省与自识，透过他们的书，我才从存在的感受上去重读中国经典，才真正在身心上有所受用。对我来说，读西方哲学的书，是思维的训练，读中国哲学的书，则是生命的感通，是在与圣贤作心灵的交流与对话。我们读马克思的书，深深地感受到他有深厚的德国的精神哲学的底蕴；而我们自己在喧嚣的现代化、全球化的声浪中要不失己性，真有创意，则不能没有深厚的中国的精神哲学的陶养。我觉得每一位中国的知识人，要真正对自己本土的文化精神有所了解，起码要读一些中国经典，全面理解。中国的儒释道的智慧是生命的智慧，要靠我们体会、实践。

我立定志向为中国文化的存亡继绝而奉献终身。20世纪是我国传统精神资源饱受摧残的世纪。无论是自由主义还是激进主义或其他流派思潮，都把民族的文化视为现代化的绊脚石，不加分析地毁辱传统，极大地伤害了民族精神之根。在欧风美雨的冲击之下，中国文化陷入深层的困境：价值系统崩溃、意义结构解体、自我意识丧失、精神世界危机。我们已经患了失语症,正在失去自己民族的信仰、习俗、生活、交往、思维、言语、行为的方式,失去其独特性。我们处在"抛却自家无尽藏,沿门托钵效贫儿"的精神弃儿的尴尬境地。我们拿什么贡献给人类呢!

在跨进 21 世纪之后,中国大陆社会,特别是知识界的主流话语仍然是西化和泛西方化的,对自己的文明相当陌生、隔膜、轻视甚至蔑视与仇视。在回应当代世界的多重矛盾的背景下,我们需要以健康的心态,以多维的价值系统、评价尺度和诠释维度审视、疏导传统,并视之为我们现代化的内在基础、内在资源和内在动力。"现代性"需要重新界定。"现代性"决不只是西方特别是美国制度、理念与价值的普遍性。但西方制度、秩序、理性、自由、平等、人权和法治,又是非常重要的参照。其中的单向度性、平面化的缺弱,需要发掘东方传统的政治资源、道德资源、价值资源予以调剂、互补与互动。没有哪一个民族的现代化是脱离本民族精神资源的陶养的。一个多世纪以来,我们几代人对民族文化的伤害太严重了。

20 世纪中国教育的重大失误是背离人文主义的教育传统,使教育目的、职能、功用、方法日趋单面化。教育决不只是"工具理性"的,不应该只服从或服务于某种浅近直接的目的,甚至只服从或服务于某种需要或福利。教育是人类、民族千秋万代的伟业,自然有它丰厚多重的"价值理性"的层面,而容不得"短视"。教育在文化传承方面,包括人类文明,特别是我们的"国学",我们悠久的民族传统文化的传承方面,有着它独立的价值。教育决不只是知性的教育,更重要的是人文的教育。教育的目的在于培养一代代素养极佳的人才,在于培养社会的批判精神、批判意识,在于发展全面的人格,在于重建理想和崇高,在于活化民族的精神资源。人文精神的熏陶,可以帮助我们的社会和我们的学生克服文化资源薄弱、价值领域稀少的弊病。

全人类的有识之士都开始从价值合理性方面对前现代文明中的宗教、艺术、哲学、伦理、道德等等的现代意义做深入的挖掘和汲取。基于人文价值和终极关怀的危机和现代社会急需的意义治疗,重新检视中华民族传统核心价值观念的转化工作,不能不是我们民族的新一代的知识分子的责任。我们需要以平和的心态与古代的圣贤、智者作平等的心灵交流和思想对话,珍视和尊重他们的智慧!人类文明史上的原创性思想智慧,可以给现代人和现代社会提供精神资粮,并帮助我们克服浮躁心态。

传统农业社会的社会架构和政治体制已经消失,但并不意味与之相结合过的价值观念、道德意识、思想与行为方式都失去了存在的合理性。这是思想继承的前提。继承传统当然不意味着"复古"和"保守"。批评传统思想的负面,否定、清除其思想弊病,去芜存菁,作出创造性的选择和诠释,以符合现代社会和现代人的需要,正是我们的职责。但我们需要综合整体地省视传统社会与传统文化,包括其价值观念、大小传统的变化和在一定时空条件下的多重作用,并作切实的中西比较,切不可信口开河,轻率武断地作出情绪化、简单化、片面化的结论,或因对当下的感悟而迁怒于古人。

五四时代,人们呼唤"德""赛"二先生,并掀起"打倒孔家店"的运动,这是时势所不可免的。今天,我们仍然要大力提倡增强国民的科学与民主的素养,仍然要批判当年五四先驱们批判过的国民的奴隶性格等阴暗面和成为专制主义意识形态的儒学(主要是被官方歪曲利用的程朱理学)的负面,特别是后者对人性的宰制、对思想自由的窒息。但另一方面，我们又不能不看到，仅仅以西方近代的科学观与民主观作为尺度，是不可能正确衡估前现代文明中的民俗、宗教、艺术、哲学、伦理、道德等等丰富多彩、深长久远的价值的。我们也不能不看到，不分青红皂白地否定包括传统道德在内的一切文化遗产给我们带来了巨大的民族性的损伤，是极其有害的。

有的青年学者以事实判断与价值判断的二分来批评儒家政治思想。殊不知，中国政治思想史方面的真正的专家萧公权先生在留学多年，精研西洋政治史之后，对他的恩师 Sabine 奉为至宝的、休谟的上述二分法提出批评与反省。萧公权指出："中国文化当中固然有不合时、不合理的成分，但也有若干观念仍然有现代的意义。例如'民惟邦本'，'天视自我民视'，'临财毋苟得，临难毋苟免'乃至'户开亦开，户阖亦阖，有后入者，阖而弗遂'等，在今日任何'文明的社会'里可以适用。"这说明有的价值是永恒的，是超越时空的。萧公权对孟子的"尊王黜霸"观点的具体特殊的历史与政治意义有切实的评价。

毫无疑问，我们要努力建设现代化的、民主法制的、有制约机制的、健全合理有序而健康的社会结构，要师从西方现代化的可贵经验。毫无疑问，我们必须继承和光大百年来我国社会中道德精神和伦理文化的巨大变革性的优秀成果，包括学习西方而涵化、整合近现代中国人的意识和行为中的现代道德观念。20 世纪的学术思想史昭示我们，真正深刻的、有识见的思想家不是浮在潮流表面的声名赫赫的人物，而是潜光含章、剖视时俗之弊，把握了民族精神底蕴的人物。他们以整个的身心、全部的生命，抗拒着工业化、商业化、现代化的负面对人性的肢解，抗拒着欧风美雨狂飙突进时代所造成的民族文化生命的衰亡，捍卫、弘扬中华民族历史文化传统的精华,并加以创造性的现代重建。

作为知识分子,作为教师,良知和职分不允许我们媚俗,不允许我们追逐时尚。无论是西方还是东方,知识精英运用传统资源批判现代化的负面,正是现代化健康发展的动力之一。现代化运动涵盖着反现代化(修正、批评现代化的负面)。现代化需要有多种不同的声音,否则不可能有健康的发展。

我相信,国民精神的重建需要许多知识分子从不同侧面、不同层次反思中西文化,反思新老传统,促进各思潮各范型的互动。我十分理解许多同志所强调的制度建构、理性精神和西学价值的生根问题之重要性,但在各种不同的声音中,有所"守"的声音是应当给予一定地位的。每位学人都有自己的定位,都有自己的职分,都有自己的学问宗主。我所从事的中国哲学的教学和研究,以及近十多年的生存体验,使我感到我的根本责任在"守"。守住民族精神的根本,守住知识分子的气节、操守、良知,守住做人和为学的本分,守住老一辈学问家和哲学家严谨、正直的为人为学之道,守住先圣先贤的绝学,在守之中争取有所创获,以待来贤,以俟解人,或许正是社会、历史、民族、文化赋予我等的使命。不同的思潮,不同的价值取向,不同的声音,不同的职责,不同的学术宗主,有一个生态的关系,可以互补互渗,不必相互排斥。

我们应有自觉自识,发掘中华民族原创性的智慧与治学方法,予以创造性转化。中国传统哲学有着天、地、人、物、我之间的相互感通、整体和谐、动态圆融的观念与智慧。华夏族群长期的生存体验形成了我们对于宇宙世界的独特的觉识与"观法"和特殊的信仰与信念,那就是坚信人与天地万物是一个整体,天人、物我、主客、身心之间不是彼此隔碍的,即打破了天道与性命之间的隔阂,打破了人与超自然、人与自然、人与他人、人与内在自我的隔膜,肯定彼此的对话、包涵、相依相待、相成相济。与这种宇宙观念相联系的是宽容、平和的心态,有弹性的、动态统一式的中庸平衡的方法论。中国传统哲学中亦有一种自然生机主义与生命创造的意识,把宇宙创进不息的精神赋予人类。中国哲学的境界追求,把自然宇宙、道德世界与艺术天地整合起来,把充实的生命与空灵的意境结合起来。汉民族哲学中有着异于西方的语言、逻辑、认识理论,有自己的符号系统与言、象、意之辨,这是与汉语自身的特性有联系的。以象为中介,经验直观地把握、领会对象之全体或底蕴的思维方式,有赖于以身"体"之,即身心交感地"体悟"。这种"知"、"感"、"悟"是体验之知,感同身受,与形身融在一起。我们要超越西方一般认识论的框架、结构、范畴的束缚,发掘反归约主义、扬弃线性推理的"中国理性"、"中国认识论"的特色。中国传统的经学、子学、玄学、佛学、理学、考据学等都有自己的方法,这些方法也需要深入地梳理、继承。总之,"中国哲学"的主体性与学科范式,需要在与西方哲学相比照、相对话的过程中建构。我们当然需要自觉自识与自信,中国哲学的智慧绝不亚于西方。民族精神的自我认同与创造性转化的工作不能太急躁。

六、关于教书育人

我获益于武汉大学的人文传统与学术氛围,衷心感谢师长们的养育之恩和同事们的各方面的诚挚帮助。我从校内外前辈学者身上学到的不仅仅是学问,更重要的是如何理解中国文化与中国哲学,如何做一个堂堂正正的中国人。

　　我与我的同事们一起在武汉大学本科生中试办"国学试验班"与"中西比较哲学试验班",改善教学内容,加强外语,强调中西原著经典的导读。我用很多时间、精力从事本科生教学,给哲学基地班、国学试验班、中西比较哲学试验班、人文试验班的同学们上基础课和原著原典导读课。我承担了大量的本科生教学的任务,我很乐意为本科生上课,希望发现、培养一点读书的种子。我最近些年在武汉大学的主讲课程有:中国哲学史,中国文化概论,"四书"导读,"四书"与儒家伦理,《老子》、《庄子》导读,《老子》、《庄子》与道家智慧,熊十力与现代新儒学(以上为本科生课程);先秦儒学专题研究,哲学史方法论,《礼记》会读(以上为研究生课程)等。在中国哲学的硕士生中,我们重视中西哲学史方法论训练、中国古代哲学文献的研读和史料学的功夫。又提倡打破二级学科壁垒,在一级学科的平台上培养博士生。对中国哲学的博士生更加强调古典文献的训练。外语与古汉语、西学与国学的基础非常重要。在培养硕、博研究生的过程中,我们除要求原原本本从头至尾反复读几种古典文献(连同注笺)外,又注意启发研究生们的"问题意识"和怀疑、反思、批评、创新精神,引导他们面向世界,具有全球视野,关心学科前沿,恪守学术规范,善于交流对话。我们特别重视开题报告、文献综述,严格要求研究生们对所研究的对象与所讨论的问题,巨细不遗地把握所有第一手原始资料和第二手资料(即海内外有关此问题的所有研究成果、方法、问题),在此基础上做学位论文。学风的问题,研究生的素质、训练的问题,是培养人才和学科建设的重点。我们寄望于来者,寄望于有悟性又经过了严格的哲学训练,具有原创力、知识结构优化的后继者,他们将对"中国哲学史"的研究和"中国哲学"的创发作出超迈前贤的贡献。中国哲学学科的建设与发展有赖一代又一代素养极佳的人才。

我们这个学科 1978 年被批准为硕士点，1986 年被批准为博士点，萧萐父先生原为学科带头人。萧先生退休后，由我们这些学生来接捧。我于 1989 年 1 月晋升为副教授，1993 年 3 月晋升为教授，同年 10 月增列为博士生导师。我深知，我个人有很多缺弱，学问根底甚浅，也不聪明、敏捷，智慧与经验都不足，故一直到今天，未尝不战战兢兢，如临深渊，如履薄冰。十年来，我一共带了 20 位博士生（含一位同等学力授予博士学位者），其中有 1 位外国留学生，目前通过了博士论文答辩的有 11 人。同时还带了八九名硕士生，目前还有一位在读。此期间还带了两名外国高级进修生和两名国内访问学者。目前我作为合作导师，有 3 位博士后人员进站，与我共同研究。我培养的博士生，有 4 人被评为教授或编审，3 人被评为博士生导师，5 人被评为副教授。其中，丁为祥毕业后回到陕西师大工作，成为博士点的学术带头人。我指导的博士论文有四篇在人民出版社、北京生活·读书·新知三联书店出版，有一篇在巴蜀书社的"儒释道博士文库"中出版，还有一篇在湖南人民出版社重点丛书中出版。其中，丁四新的博士论文《郭店楚墓竹简思想研究》获国家教育部与国务院学位委员会联合颁发的全国优秀博士学位论文奖（2001 年），丁为祥的博士论文《虚气相即——张载哲学体系及其定位》出版后于 2002 年获国家教育部"中国高等学校第三届人文社会科学研究优秀成果"二等奖。这两个奖项的学术性比较强。这主要应归功于他们自己的努力，也是我们学科点与全院老师们共同培养的结果。

关于研究生培养，我认为生源很重要。我要求考生热爱国族、国史、国学,并有自觉自识,有一门外语掌握得比较好,有哲学训练与文史修养,有较好的文字功夫、写作能力,有古代汉语文字学与古代文献学的基础,熟悉四书五经及《老子》、《庄子》等经典,熟悉西方哲学史与现代西方哲学,在哲学史方法论、中国古代哲学文献、中国哲学之史料学方面有一定基础,能坐冷板凳,对学术有献身精神。

十年来,我一直在自己带研究生的工作实践中,与同学们一道,力图解决"博士不博"和"文科博士生读书量不够"的问题,帮助博士生处理好博与约的关系。要求他们至少掌握好一门外语,至少精读八九种最主要的欧美或印度等外国哲学的经典,精读十几种中国哲学的经典。

我强调打破学科壁垒,让同学们除了选我的课之外,还要选本专业及其他专业其他老师的博硕士专业课程。我的研究生课堂是开放的,常围绕某一主题,延请我校文、史、哲各科专家,甚至海内外专家来讲(每门课至少有一两次请别的专家讲)。研究生课与本科生课不同,学生主体性发挥的空间大。我以为,硕、博士研究生的每一门课,就是在老师指导下精读若干种古今中外的经典,再泛观博览一些书籍,边读书边讨论的过程。组织研究生们做好准备,每人讲一次,每次至少一个多小时。所以,我认为,文科博士课程就是围绕某一问题去读书、去思考、去写与讲。我让博士生们开阔视野,直逼学科前沿,学会阅读境内外专业学术刊物上和网上的有关学术论文,了解并关心中外哲学界、汉学界最新研究动态,了解中国大陆、台港地区、日韩、美加、欧洲、澳洲有关同行之重要研究机构、刊物、专家、代表性学术专著或新著等,了解境内外同行在某些领域里的前沿课题之研究状况或成果,提高品评鉴别能力。博士生主要是靠自己,导师只是辅助性的。导师要善于把每位博士生的内在主动性、创造力调动出来。

博士论文的选题至关重要。关于研究某思潮、流派、人物、专题等,我尊重博士生自己的选择,充分考虑他们的兴趣、爱好与学问基础,适当考虑我目前研究的课题,着眼于学科建设与学科的发展,注重选题的基础性、前沿性、创新性、交叉性、比较性、地域性、问题性和本选题与他们个人今后的学术发展的关系,经师生双方反复磋商后才能确定。

基本确定选题范围后,我介绍有关研究状况,又让同学检索这一方面境内外学术著作、博士论文的题目,尽量避免重复劳动。写好博士论文是同学一生中的大事,不能搞低水平重复,或打着学术旗号的泡沫。我们反对大而空,也反对小而空,要做实,要善于小中见大。我对博士生讲,开题报告一定要有如下内容:为什么选此题,有什么理论意义与学术价值,完成此题有哪些主客观条件? 关于这一课题或相关课题或问题,历代学者有哪些经典论述,海内外已有哪些研究成果,你能否或如何超越? 你可能有哪些创造,在哪些方面超越前贤与时贤,取得某种突破? 我要求他们提供近三十年海内外学界关于此课题的研究成果之综述和本论文初步的参考文献目录。我要求博士生在写论文前与写论文过程中一定要研读大量的高品质的书籍,一般不少于五十余种,还要读大量学术论文。我们坚持从第一手原始资料出发,对本课题与相关课题之海内外已有研究成果均必须有深切了解,对以上两类资料务必做到"竭泽而渔"。严格遵守国际学术规范,严格引证引述的规范表达。

我的导师萧萐父老师、李德永老师、唐明邦老师等学者身体力行,同事与友人萧汉明、李维武、麻天祥、田文军、徐水生、吕有祥、吴根友教授与我等团结协作,我们武汉大学中国哲学学科点在全国享有盛誉,培养了一批批优秀学术干才,有一套培养人才的经验与方法。略云:"中西对比,古今贯通;学思并进,史论结合;德业双修,言行相掩;做人与做学问一致,文风与人风淳朴;统合考据、义理、辞章,统合思想与历史的双重进路。"这是本学科点做人与治学之传统。前辈程千帆先生对研究生提出过八字箴言:"勤奋、谦虚、敬业、乐群"。非常平实,然真正做到亦不易。

教人者必先受教育,身教重于言教。我自己实践着孔子、孟子的道德哲学和老子、庄子的超越意境,并以此安身立命。名利都是身外之物,我看得很淡。我从前家境不好,上小学、中学时,学费总是拖延缓缴。我的父母兄长对我倾注了爱心。我的生活好了,理当贡献给社会。

我的时间、精力,大都放在学生的培养上。对于博士生,更是倾注了心血,每看到有关论著,甚至一条资料,一条信息,都要抄下来,转告他们。对于他们查资料、出席会议、发表文章,甚至就业等,要操很多心。审阅他们的学位论文更是吃力的事,有的学生的论文要看几遍,改几遍,博士论文就更是如此了。当然,这要看学生的资质、素养、悟性与功夫,正如《礼记》中的《学记》所说,有善学者与不善学者、善问者与不善问者的区别,有的"师逸而功倍",有的"师勤而功半"。

2003年春夏间,我在日本讲学三个月,其间曾给我的所有的博硕士生发了一封很长的电子信,谈为人为学之道:"我希望博士生们与我一道,恪守做人的本分,尊重圣贤,以诚敬之心,同情理解吾华文化及世界各文明的思想资源,发奋立志,潜沉读书,打好基础,严谨治学,放开胸量,虚己容物,关爱他人,修养人格,学会独立思考,增强问题意识,培养思考、反省、批判、创造的能力,积极参与海内外学术活动,勇于直接与国内外、境内外学者对话,推进中国哲学的创造性转化。"最后总说:"为学在严,为人要正。各位肩负的使命是:促使人类,特别是中华民族文明与文化的传承与发展;培植社会资本与文化资本,引导社会良性健康发展;培育具有反思性、批判性的公众知识分子与健全的国民。真所谓任重而道远! 请大家努力。"

孟子讲"君子三乐"。我也是乐在其中。第一乐,天伦之乐,"父母俱存,兄弟无故"。第二乐,道德之乐,"仰不愧于天,俯不怍于人"。对此,我心向往之,笃行实践。第三乐,教育之乐,"得天下英才而教育之"。教学相长。学生们开放、机敏、涉猎面广,对我启发良多。学生超过老师是必然规律,学生不超过老师,首先是老师有问题。我常常真诚地对学生说,我只是过渡性的人物,希望你们站在我们的肩上,夺取中国哲学研究的桂冠!

(原载《社会科学战线》2004 年第 3 期)

自　述

赵汀阳

　　记得曾有人问到我"搞哲学搞的是哪一部分"，我当时无法回答，现在仍然不能很好地回答。我所关注并且为之不安的并不是"某一部分"的哲学问题，而是"搞哲学"这个问题。

　　在哲学的"知识"方面，我向来很后进。1978 年考大学时我还不知道黑格尔是谁，尽管当时在中国文人眼里黑格尔是最伟大的哲学家。在哲学系读书时，我甚至厌恶哲学，因为我感受不到哲学书所讨论的那些"最大的"问题有什么重要性。开始我觉得错误可能在我，因为我知识贫乏。多年之后我终于坚信最大的问题并不一定是重要的，错误不再是我的而是哲学的。我感觉有了一种思想才能，可以用来破坏而后建设一个新的哲学概念。同时还体会到，智慧不可能通过知识去获得。

　　在到北京上大学之前，我一直生活在广东一个边远小城，那时即使不说是穷乡僻壤，也是一处闭塞之地，诸如科学、人文思想、音乐、戏剧这些东西是绝对的遥远，只能见到一些小说和图片，好像这就是世界。小学和初中时我曾经决心要当画家，还研究古诗词想当诗人，倒不是因为有这些方面的才华——事实上我自己很快就发现不具有这些方面的才华——而是根本没有别的天地可供发泄才华。同时也研究文学,糟糕的是,由于见不到别的文学研究,于是以为"红学"是唯一的文学研究。我至今还打算坚持认为我在初中时的一个红学见解是真正的"创见",简单地说就是认为高鹗的续作比曹雪芹关于结局的设想要高明得多,因为精神上的幻灭比事实上的家破人亡在悲剧性上要深刻得多,尽管家道复兴富贵如初,但痴人奇情温柔之乡不复存在,这种无聊式的空荡荡才会使人有悲难言,而家破人亡只是一种常见的套路。大概如此,当然那时我不可能表述得这样成熟。诸如此类五花八门的"创见"还有许多,但大多数都是荒谬的,当时毕竟思想水平很有限。家乡的闭塞性显然不利于知识的增长,记得刚到北京时曾惊讶地发现,所有人都知道一切事情,而我一切都不知道。不过,闭塞性很可能反而激发创造性,因为一切都要靠自己去想象。有一次对李泽厚说到我以为考不上他的研究生,因为在答题时多半是胡说八道。李泽厚说他记不得是些什么样的胡说,但记得很有"判断力",他解释说就是能发现并抓住重要的问题。

现在想起来,我早就自发地思考过一些哲学问题,尽管在很长时间里不知道那些问题是"哲学的"。我曾与一个初中好友(他高中时就自杀了)整天讨论生活的意义、幸福和爱情。这些讨论肯定十分粗浅毫无条理,但也有一个额外的好处:我们毫无知识背景,没有什么现成的传统和理论可以利用,这样反而能够直接亲临问题本身。尽管这些讨论没有使我获得任何一个清醒的结论,但很可能培养了一种我坚信是正确的思考习惯,即亲临问题。只有在能够亲临问题的前提下,所有的传统和理论才能被积极地利用,否则就只是一些堵塞思路的思想障碍。

大学给了我一个自学哲学的机会。大学课程多半是无聊的,但大学里人人都在思考,这正是良好的自学环境。对于大多数学科来说,标准化的、按部就班的学习可能是合适的,但对于哲学(还有文学),标准化学习恐怕事倍功半。大学时代正值"开放"初期,大家思考的热情极高,不过所谈论的问题通常过于笼统含糊,对此我很迷惑也很不满。当时的"真理标准"的讨论,我隐约感觉到真理是一个模糊不清的概念,而且,人们对真理的一些通常理解中暗含着严重的缺陷。一直到近两年我才觉得终于看清了真理问题的一些要害,因此便开始表述一种新的真理理论。多少令人有些惊讶,当时还出现了"美学热",我也很有兴趣。有个同学叫孙元宁,一个思想澄明的人,有一次给了我重要的启示。他大概是这样说的:我们不可能在对一种艺术无所了解时就说它是美的还是不美,例如一首摇滚歌曲(这一例子似乎不太恰当,但当时正听着摇滚),我为什么觉得它好,我只是觉得它的确是一首摇滚,而且它和所听过的大不一样。我因此感觉到诸如"美"、"表现"、"意味"等问题根本说明不了任何问题。有趣的是数年后我读到维特根斯坦也有类似见解,当然维特根斯坦的见解要深入得多。后来我把我的美学论点写成一本书,但显然有不少缺陷,已远不及我今天尚未表述的见解。

美学不是我的研究主题,后来我主要研究存在论、哲学逻辑和伦理学,在 1990 年前虽有各种进展,但还没有一个完整的思路,尽管对现行的哲学操作非常不满,但还不能设想出另一种哲学操作。多数哲学家都对我有所影响,但具体真实的生活、生活中周围的人们以及其他非哲学领域的思想对我有更大的影响。专门的哲学家的偏执过火的追问往往引向一些大而无当的问题,好像能够为哲学而哲学,而忘记了人们对哲学的真正需要和哲学的真正功能,哲学变成了一种脱离实际的文化惯性。那些非哲学的思想虽然在主题上与哲学无关,但在思想细节上却富有启示性。例如布劳维尔、康托、希尔伯特、哥德尔的一些数学或逻辑思想都曾使我受益。我还记得莫绍揆在一本介绍数理逻辑的书中关于函数的解释使我茅塞顿开,确实如莫绍揆指出的,一般教科书讲函数都含混不清,从中学以来我一直就搞不清楚。函数关系意味着一种最基本的思维方式,这些思想细节和哲学大大有关。

20世纪90年代左右,我猛然意识到,现行哲学从思想方法到所思考的问题都存在着严重的缺陷,不良的哲学操作损害了哲学。使我不满的已不再是哲学中某个具体理论观点,而是哲学的运行方式。这要求一种整体性的改变而不是某方面的修改。前不久看到维特根斯坦有一段话似乎可以用来表达这种整体性改变的道理,大意是这样的:解决哲学问题就像开一个复杂的保险柜,只有当每道机关同时对上了,才能一下子打开门,一点一点打开是不可能的。当我意识到整体性改变的必要性,就不再就某个观点斤斤计较,每个问题都不再仅仅属于知识论还是伦理学或者美学,而是牵动着哲学整体。整体地改变哲学这一概念,这并不是我的一个私人愿望或兴趣,而是思想的要求,是思想本身自然发展出来的需要,我们迫不得已面对它。这一经验使我意识到:思想不能按照私人的兴趣和要求,而必须按照思想自身的要求,否则所谓的思想必定弱化为一种文学类型或文化杂谈感想。尽管思想永远是为了人的,但却不是用来感动人的,思想本身是冷酷无情的(有人曾把我的哲学理论描述为"思想谋杀")。由于我的论述风格比较冷酷,因此有些人认为我的思想与分析哲学比较亲近,其实恰好相反,在我看来,分析哲学毛病很多甚至是不可救药的。我坚信我的思想是中国式的，当然是现代化了的中国思路。至于表述形式，仅仅是选择了现代的风格。我近几年的想法主要表述在《走出哲学危机》和《论可能生活》两本书以及一些论文中。

假如我关于哲学改革的设想是恰当的，那么，哲学会有什么样的新面目？或者说，我希望我的设想给哲学带来什么后果？

人类观念的主要形式是描述和理解，前者想说明某种东西"是"什么，后者想把某种东西"看做是"什么，由此分别形成知识和意见。哲学一直不能表明自身是知识还是意见，糟糕的是，哲学家们以为哲学或者是一种更高的知识或者是更高的意见。我希望人们意识到，根本不可能有哲学的知识或意见。假如哲学是知识，那么是多余的，因为在科学之外不再有什么有用的知识；假如哲学是意见，那么毫无特殊地位，因为它不可能比日常意见更重要，而且通常只不过是些贴满了文化标签的日常意见。哲学试图制造出一些真理。真理不是知识，知识也绝不是真理。科学虽然是人类智力的顶峰之作，但却不是真理，而是对世界的高效解释。真理只属于逻辑、数学和哲学。就是说，只有当思想的对象恰好是思想的创造作品时才会有真理，至于世界和历史，我们永远只能"在外"地进行理解，说起来道理很简单：只有我们的作品，我们才有全权断言它。如果哲学是知识，那肯定是最差劲的知识；如果哲学是意见，那无疑是最差劲的宗教。从古希腊开始，西方哲学就犹豫于知识和意见之间，有趣的是中国哲学从来就没有这类困惑，在中国，纯粹的思想从来就不是知识也不是意见，而是"道理"，在我看来，"道理"就是哲学真理。这其中暗示着一种新的真理概念，我花了很长时间才把它做成一个真理理论，但结论却简单得出奇：西方哲学错误地用知识论去解释真理，其实 x 是真的、x 是好的等等只是取值类型不同，并不存在所想象的更多的差别,至于 x 是真的或 x 是好的这些形式下的命题哪一个是真理则取决于是否有相应的充足断言条件。我相信这一真理概念可以导致一些不寻常的结果,例如价值命题(尤其是伦理学命题)可以是真理。这正是中国式的哲学精神,在中国思想中,无论真伪善恶都有一个"是非"问题。知识在于发现,意见在于趣味,智慧在于创造。哲学的任务是制造真理。

我的另一个更有特色的理论是所谓"无立场"或"无观点"的思想。这一理论往往令人反感,有不少人告诉我这一理论可能过火了,因为有悖常理。但我这一理论想表明的恰恰是哲学是一种反常思想,否则哲学就没有价值。这种反常性只表现在思想方式上,因此我强调哲学的"平常心、异常思"。其实,"无立场"这一要求并非不允许我们从某种立场观点去看事物,而是准备剥夺任何一种立场观点的价值判定功能,也就是说,任一立场观点都不是一个思想的证明,都不能表明什么是真的,什么是好的。以往哲学都是有立场的,我敢说,对世界和生活的任何一种哲学的解释,尽管有着吓人的思想伪装,但绝不比任何一种拙劣的迷信更可靠。我们要求哲学表现出一种明显的智慧之道,就像我们要求医生对疾病有着明确的诊治手段,我们绝不希望医生根据不同的"立场"把某种疾病说成是肺炎、肠炎和消化不良。一个哲学家,无论多么伟大,他至多有着更高明的思想操作,但绝不意味着他有着高于正常人的更有价值的立场、更值得赞叹的感受、更值得模仿的体会。每个人都有哲学立场观点,哲学的立场观点恰恰不属于哲学,哲学必须退出哲学立场观点而发展成为哲学的思想操作。在《论可能生活》一书中,我试图以实践的方式表明,在没有预设的立场观点的条件下,仅靠一些基本事实和纯粹的思想技巧即能引出足以解释伦理问题的原则。

由"无立场"这一哲学性质,我很自然地想到有必要设计一种新逻辑。对于人类思想来说,科学所能说明和证明的东西是有限的,逻辑(一般意义上的逻辑)的能力同样是有限的。现代哲学特别是分析哲学对逻辑很迷信,其实逻辑只是思想的一项要求,它根本没有充足的能力去说明思想的恰当性,甚至逻辑本身就需要被说明和解释。逻辑学家通常只是关心逻辑系统的严密和完备,但却几乎不能说明逻辑。我希望有一种新逻辑或者说思想自身解释的方式,它至少能够表明:(1)逻辑操作的真正性质是什么样的,这是从思想对逻辑的要求去反思逻辑而不是按照逻辑去解释思想;(2)人类思想中各种基本原则怎样才是恰当的。思想的基本原则无论是属于哪个领域的基本原则都正是科学和逻辑所不能说明的,人类一直不能做到这一项自身解释。把思想的基本原则说成是先验的或自明的,这实际上并没有解决任何问题。基本原则必须能够以某种思想操作模型去说明。关于新逻辑,我自己心里也不十分明确,我只是意识到了这是思想自身的一项要求。我猜想思想的自身解释首先需要建立一种新的语言理论,它与分析哲学所关心的语言问题和语法结构完全不同。

按照我对"哲学"这一概念的改革,哲学的问题和思想结构都有着很大的变化。哲学问题不再是关于世界而是关于观念界的问题,哲学问题的意义不再是引出某种观点而是导致某种思想或行为操作。哲学不再是关于事物的描述和理解,而是关于行动的决定和判断。一个事物的存在和本质不是问题,怎样使用这个事物才是问题。哲学一直都过于注重名词或主词,而我坚信首先必须关注动词或谓词,并且永远使关于主词和名词的问题服从于关于谓词和动词的思考。不要总向别人宣扬你的理解、体会和观点,任何一个哲学家或者任何人的理解和体会都不可能比任何一个别人的理解体会更有价值,因为没有一个人需要别人的体会(除非是日常生活的交流)。别人只需要有人能提供一些有效的操作。无论是关于真理和意义,还是关于幸福和公正,我都只想指出一些有效的操作。尽管我的表述是现代式的,但精神实质却是中国式的。在中国思想中,诸如"道""仁"等最基本的概念从来就不是意味着某种事物或性质,而意味着某种做法。

如果我是对的,哲学将有一种新结构。首先将取消知识论,传统意义上的存在论也不再存在。这是我的所谓"元观念学"或"观念存在论"的两个基本后果。哲学的新结构将以伦理学和思想操作原理为主题。伦理学是人类全部生活问题的极端思考;思想操作原理是人类全部思想问题的极端思考(包括逻辑基础、数学基础、语言理论甚至艺术理论)。

我在思想上的各种设想从来都没那么圆熟和系统化,只是一些思想冒险和侦察。就是这样。

(原载《社会科学战线》1996 年第 1 期)

赵汀阳与所有其他人

吕　祥

相传在古代希腊,当一位哲学家的演讲引来一片喝彩声时,他非但没有因此而欢喜,反而紧皱双眉,喃喃自语道:"天哪,我一定是说了什么蠢话!"

这种典型的希腊式智慧离我们已经久远了,但它仍然向我们揭示着哲学与平常思维之格格不入的品性,并提醒我们在面对喧嚣的流行观念时至少应持哲学上的审慎。的确,在那哲学的初始阶段,哲学是不受欢迎的。当苏格拉底衣冠不整、光着双脚在雅典集市上同人们辩论诸如鞋匠、木匠乃至政治家的名分与职责时,人们被他的言辞惊呆了,以至于最终将他置于死地。哲学家之与平常人的不同,正在于前者能在纷繁的平常话题中引出异常的思维,并时常引来不满甚至愤怒。

古代哲学家们的认真与执著在我们现代已很难见到,这种认真不仅是在于对哲学之作为职业的追求,更重要的则是在于古代哲学家们相信并且以切实的方式在自身生活中实践其所探索的真理。先秦时代的老子与孔子、古代希腊的苏格拉底与柏拉图,无不是在其哲学的实践中为哲学赢来永久的光荣。除维特根斯坦、胡塞尔这样个别的例外,今天的哲学家们大多显得漫不经心,要么是在一些技术的枝节上流连忘返,要么则是在诗意的语言中寻求某种模糊的启示,既不相信真理的力量,也不在乎思想的明晰,宁愿将哲学拉回到哲学诞生之前的朦胧,全然忘却了哲学早已许下的诺言,而较差的一些则只是揣摩别人都说了些什么,根本无从进入哲学基本的境界。

哲学的许诺是对健康的生活与文明的许诺,是对人之为人所应具备的创造力的许诺,是人在自身的创造过程中对未来的许诺,是在没有上帝的世界中人对自身的生存意义的许诺。与此相应而要求哲学家的,则自然是健全的思想品格和英雄主义的实践方式,是非凡的创造力和健康的生活态度。

在赵汀阳的哲学著述中,我们又清晰地看到了英雄主义色彩的哲学追求,其思维的严密、认真和力度使我们确信,我们可以在他的著作中谈论一种真正意义上的哲学,而这种哲学方式在现代已经确实不多见了。

一、思想的准备

从 1986 年初赵汀阳在他就读的中国社会科学院研究生院学报上发表第一篇论文(《对美学的一种理解》)起,其思想的发展已历 10 年,其间所公之于世的是数十篇论文和三部专著,引来有识之士的热切关注。尤其是 1994 年 9 月《论可能生活》的出版,在根本上确立了赵汀阳之作为哲学家的地位。我们可以说,自西方哲学引入中国的一百多年来,赵汀阳的著作呈现出唯一深具独创性而且可能贯通中西思想方式的哲学。相比于国内绝大多数从事哲学工作的人要么是在重复一些乏味的陈词,要么在观摩西方哲学各门派的打斗,要么是抓起西方哲学中的几个概念来评论或"改造"中国的传统哲学,赵汀阳的独创性则愈显夺目。当然,真正的重要性并不在于其独创性本身,而是在于其创制的产品蕴涵着意味深长的作用和影响。

只读《论可能生活》,很多人的第一感觉是被其中充满着的创造性论辩牵制着,一时难以发现作者的"工作平台"(套用电脑行业的这一时髦术语),其所展现的"界面"也让人觉得陌生而不够"友好"。人们的这种陌生感恰恰是因为人们大多已习惯了20世纪哲学的两大风格:一方面是分析哲学家们在钻研那些细微技术难题时的沾沾自喜,另一方面则是存在主义者及类似风格的哲学家们朦朦胧胧的、有时甚至是近乎病态的喋喋不休。人们在这两种风格中所看不到的恰恰是创造力和健康的思维方式。分析哲学(至少在维特根斯坦、罗素等人处)绝不是一种坏的哲学,但当人们仅关注分析的技术而忽略真正需要解决的问题时,分析哲学就成为空洞的分析而不再具有实质的内容。存在主义就其渊源(胡塞尔现象学)和所关注的问题而言,本来具有实质的内容,但却因局限于情感化觉悟从而不能阐明生活的积极含义,甚至沦为一种故弄玄虚的夸夸其谈或委靡的生活态度。赵汀阳的著作在界面上就不具有上述两种毛病,其健康的色调在病态的杂色中确实显得不同寻常。

就渊源言,赵汀阳的"工作平台"仍然是建立在近代与现代最重要的哲学革命的基础上的,其骨子里的古风并没有使他停留在古代的思想水平上。他所不遗余力加以捍卫的基本思想乃是一种健康文明状态所应具备的基本条件和尺度,而所抨击的则是借助私人性而主张的主观主义、借助历史性和文化多样性所主张的相对主义,以及借助语言的限制观念所主张的神秘主义。康德对普遍判断的批判性考察、罗素通过摹状词理论所阐述的实在论、维特根斯坦对私人语言的批判以及胡塞尔对思想内在结构的揭示，为赵汀阳提供了赖以思想的基本准备。随着他自身功力的演进，特别是到《论可能生活》，这些准备都如食盐化入清水般了无痕迹，显示出一副无门无派、出神入化的武学境界。

赵汀阳的第一部著作《美学和未来美学：批评与展望》(完成于1988年，出版于1990年)，与其说是一部美学专著，不如说是关于哲学基本问题的批判性研究，从中我们不难看出其思想的传统渊源、基本框架和思想取向。在他看来，现代主流美学就整体而言的令人失望在于美学已沦为形而上学和主观主义的双重牺牲品：一方面，形而上学使得美学批评远离实际的艺术文明本身从而成为无的放矢、劳而无功的夸夸其谈；另一方面，由于在根本上诉诸"私人性"原则并以主观主义态度解释美学判断，使得在美学中建立公共标准的可能性几近为无，美学命题最终丧失了作为理论表述的理由。前一个问题可以解释为形而上学所习惯的夸张，对之的解决要求我们直面作为美学对象的原始现象，进而建立专属于美学的严格领域；后一个问题的解决则要求人们以破釜沉舟之势进行全新的哲学思考。

赵汀阳显然没有兴趣成为专门的哲学史家。据我所知，他对历史的兴趣不会早于休谟，而他对现代之前的哲学家的系统考察仅限于康德。对他来说，康德哲学构成了现代哲学思考的良好开端，因为康德的实质贡献在于他超越了传统经验论和理性论各自的局限，从而有可能在现实的基础上追求普遍必然性。康德的贡献在于他揭示出客观性既非自在的客观性，更不是主观任意的杂多判断所能提供和保证的，而是主体间的客观性。在一向被认为最具主观色彩的审美活动方面，康德第一次将审美认定为主体间的事实，进而努力揭示审美判断的普遍有效、适用主体间的根据。

真正对赵汀阳的工作产生实质影响的哲学思想是胡塞尔的现象学哲学和维特根斯坦那独特而又饶有兴趣的哲学。对他来说,胡塞尔与维特根斯坦在风格上截然不同的工作并未如现代许多人认为的那样形成现代哲学的紧张对立;事实上,两者都"根源于同一个哲学背景和同一种心情,即对古典形而上学和主观主义的不满及对新的出路的寻求"。① 两者都在现代语言分析手段的基础上,通过对意义领域的探究而展现出哲学发展的新景象,因而虽然在写作风格上大相径庭,却构成了一种奇妙的互补关系。

胡塞尔要将哲学建立为严格的科学,这意味着要将哲学限定在它专有领域中。经过一系列还原,胡塞尔所留下的"现象学剩余"(Phenomenological residuum)就只是"纯粹或先验的意识"。对意识的本质与结构的揭示,这是胡塞尔对哲学的最伟大贡献,而在这贡献之中,对意识之意向性结构的阐发构成胡塞尔哲学的核心。在赵汀阳对胡塞尔的研究中,他关注的也正是意向性的结构分析,特别是胡塞尔重点阐发的"noesis-noema"("思与所思"或"谓与所谓")结构。而在这一结构中,对"noema"或"noematic sinn"(所思之含义)的分析在意识本质的研究中构成了革命。"胡塞尔关于 noema 的理论,特别是关于知觉的 noema 理论,揭掉了心理主义或主观主义的精神白内障,使意识问题从主观主义的神秘混沌中澄明起来,使对意识的私人的无常的看法成为谬论。关于知觉的 noema 理论,使主观主义在经验中寻求神秘主义或非理性主义的最后退路的企图彻底失

① 赵汀阳:《美学和未来美学:批评与展望》,中国社会科学出版社 1990 年版,第 72 页。

效。这充分显示了胡塞尔哲学的积极意义。"①

如果说赵汀阳从胡塞尔那里得到的启示是意识的客观结构,那么他从维特根斯坦那里得到的则是后者的彻底怀疑论精神、对"私人语言"的无情批判和"维特根斯坦规则悖论"及其解决中所蕴涵的对生活形式的探索。维特根斯坦的怀疑论是一种积极的怀疑论,其中体现出的是一种真正的"不惑"精神。在他不客气的批判面前,神秘主义和主观主义者不能不汗颜,以至于很多时候宁愿对他视而不见。经历了维特根斯坦式的连讽带刺的洗礼,真正的哲学难题得以显露,而人们则能够以一种健康平实的心态去构建思想的大厦。而如果对这种有如上帝礼物般的启示视而不见或听而不闻,那就只好如维特根斯坦建议的那样去行事:"Go ahead and talk nonsense. That doesn't matter."

在《美学和未来美学:批评与展望》中,赵汀阳直接从他的老师李泽厚那里得到的启示是审美与人的本质的内在关系。对李泽厚而言,审美蕴涵着人性完满的进程,指向着人类生存与发展的目的。李泽厚的这一思想尽管在理论上尚不够系统而丰满,但稍加分析就能发现其中体现着人类生存的目的性原理,而且体现着中国固有哲学追求的"积淀"。赵汀阳关于人类艺术文明本质和人类创造本性的思想,都与李泽厚的这一思想密切相关。

二、"道可道非常道"

《美学和未来美学:批评与展望》在理清哲学思路方面给人

---

① 赵汀阳:《美学和未来美学:批评与展望》,中国社会科学出版社 1990 年版,第 85—86 页。

印象深刻,即便是从研究的角度而言,其对维特根斯坦与胡塞尔的阐述在我看到的文献中也是最清晰而准确的。该书将艺术文明的创造性和无限伸展空间作为美学的最根本问题来讨论,已显示出赵汀阳思想的基本取向。在此之后的作品中,我们不仅看到他思考的招数日趋流畅自如,内力的积蓄则更是日臻勃发旺盛。

赵汀阳在其《走出哲学的危机》(完成于 1991 年,出版于 1993年)中正式全面提出了"观念学"的观念,从中不难看出胡塞尔现象学对他的持续影响。"观念"是一个古老的题目,在苏格拉底与柏拉图那里得到过至为夺目的张扬。然而,随着基督教思想家对观念概念的不断庸俗化,最后竟堕落为黑格尔的浑然于天地间却能通过一种特别的运动而生成一切的"绝对理念",成全了哲学史上的最空的空话。正是由于胡塞尔的工作,"观念"一词恢复了它在现代的尊严,回到了柏拉图的天才所造就的观念平台上。胡塞尔曾将观念尊严的恢复称为两千年哲学史中隐秘的渴望,这在今天看来是并不为过的。赵汀阳并没有如胡塞尔那样以主体性或主体间性来理解观念问题,从而避免了唯我主义(无论是"小我"还是"大我")的可能性。在赵汀阳的阐述中,由各种观念构成的观念界同非观念界就客观性而言是同等存在的。赵汀阳以"观念间性"取代胡塞尔的"主体间性",表明他在寻求客观性的道路上坚持得更为彻底,而且在这一点上更加接近古代柏拉图的路数。所谓"古风",在此得到恰如其分的显示。尽管赵汀阳似乎没有专门研究过古代哲学,但他在与古代哲学家的亲近却显得自然而质朴。

对"自我"的放纵实则是现代哲学中的一大通病,这一病症伤害着文明躯体的健康。海德格尔等人恰恰继承的是胡塞尔哲学中未被最终悬搁的"自我",从而再度将哲学引入混沌,而其后的发展,甚至会让任一个只要具备正常心智而哪怕从未受过哲学训练的人都觉到可笑。哲学似乎变为只有那些具有同性恋倾向或自虐倾向的"具有无比丰富感性"的人才能理解的东西,这无疑是哲学在 20 世纪蒙受的最大耻辱(相比之下,黑格尔式的夸张则只是一个笑话)。萨特曾经抱怨他总是受到一些变态者的包围,殊不知这些人恰恰是他的目标受众。在今天的背景下,"走出哲学的危机"实际意味着"走出哲学的耻辱"。

赵汀阳所指出的哲学的工作职责只能是"对观念间性的创造",这意味着思想为思想创造出思想的道路(或只曰"道")。这种创造性的工作,要求我们首先懂得"克己"——克制"自我"的放纵与膨胀,从而有可能走向直接而无可争议的客观性。其次要求我们摆脱"语言情结"。"语言情结"是 20 世纪分析哲学的过分辉煌所带来的副作用,仿佛是一个健美运动员因过分造就自己的肌肉而引起的内分泌失调。分析哲学走到今天,语言似乎已成为职业的借口,而真实需要分析的对象却被遮蔽,这是手段与目的倒置的一个典型案例。把观念从语言中解放出来,这反过来将成为对分析哲学的贡献的最好奖赏。维特根斯坦把他的哲学比作梯子,要人们在爬上高处后即扔掉,其深意自然就在于此了。

西方哲学就其健康的部分而论始终在内部持有一种紧张,即一方面渴望绝对可靠的基本观念,另一方面又允许诸如"先验观念"这样的来路不明的观念的合法性。哲学之所以时时蒙受耻辱,恰恰是因为一些来路不明的观念给人留下了任意发挥的余地,而宗教撤身于外却时时显出更多的威严。

哲学的创造意味着在纷繁的观念界追踪创造活动"能够表

现为客观关系的创造方法"①,从而勾画出"观念界各种道路的本体论根据"②。为思想"开道",这终于成为哲学的使命。在此,中国古老的智慧猛然展现出它的现代相关性,特别是老子"道可道非常道"这一朴素表达的深意毕显无遗:道(走)既有之道或遵他人之道绝非大道,而只有奋然开道者才能道出大道。当人们看到老子要人们"绝仁弃义"、"绝巧弃利"时,通常都感受到隐士式生活方式的召唤,殊不知老子实则是要求人们闯入真正的创造性生活;在无可道之处开道。在赵汀阳看来,有效的思想方式首先要求"正名",从而做到名正言顺,在思想建设之前扫清遮蔽。正名之后要求"正道",合理组织观念间的关系,以发现正当、可行的思想道路的可能性。然而,"任何一条思想道路都并非是预先存在的,而是我们所开辟的。于是,'正道'又要求'开道'。而'开道'必须有开道的方法,所以,最根本的哲学问题是去揭示思想的开道方法。"③

虽然"界面"不甚友好以至于难以阅读,《走出哲学的危机》分"规范"、"方法"和"技术"三部分所阐发的思想却是真正值得考察的,其中既有技术上的步步紧逼,又有观念上的阔步前行,招招式式,尽显出一流高手的风采。到《论可能生活》一书,人们看到的则是一幅充溢着高妙内力和外力的哲学境界了,招式不再重要,思想的成效却充分显露。

《论可能生活》以金庸所言"七伤拳"式的强功将传统规范伦理学的脉络震裂。若无充实内力,这一拳在伤得他人时也将

---

① 赵汀阳:《走出哲学的危机》,中国社会科学出版社 1993 年版,第 25 页。
② 同上书,第 26 页。
③ 同上书,第 2 页。

损害自己。而对赵汀阳来说，由于内功高妙，摧毁以规范为核心的传统伦理学非但不会伤及自身的思考，反而是建立现代健康伦理学的开端。由于任何规范都只是可选择的对象而非无可选择的事实，因而规范在任何意义上都弱于怀疑。如果没有新的理由，任何一个违背规范者只要说"我愿意这样"，人们都无法在理论上剥夺他的权利。宗教在伦理生活中的横行，国家机器之无可替代的强制力，所表明的恰恰是道德问题在知识论层次的绝望和传统规范伦理学的必死无疑。规范是需要的，但以规范为根据的伦理学却必无善终。传统伦理学要么背叛生活——将人看成机器，要么则是压迫生活——将人看成罪人，而创造生活的问题都被弃之不顾了。在赵汀阳的思想中，生活事实不是给定的(given)，而是给予性的(giving)，这注定生活的满足感(幸福)将根植于生活事实的创造过程，而不是得自于任何一条规范。人不断地处在创造属于自身的可能生活的进程中，为自身拓展更广阔的生活空间，在此过程中体现的则是至高无上的"道德"。

"通过'可能生活'这一概念的展开，本书(《论可能生活》)走在了现代伦理学研究的前沿。"这是中国社科院哲学所陈筠泉教授对该书的评价。《论可能生活》对伦理学的最基本概念进行了细致入微的批判性考察，特别是对"幸福"与"公正"这两大概念的考察得出了惊人的成果。赵汀阳当然还远远未能练就"金刚不坏体"这样的功夫，其理论的成果有待更多的人能够参与评判和讨论。他提出的问题是真正重要的，解决方式亦是严密而且有迹可循的。他的伦理学研究同其他研究一样，将伦理问题的讨论引向一个健康的社会与文明所当具备的条件和价值问题。确保人类及其文明的创造力和免疫力，这是赵汀阳以其哲学所孜孜以求的永恒大道。对光辉人性的热爱与希望，对幸福与公正的谋求与保障,这构成赵汀阳伦理学自身的伦理出发点,其目标则直指着人类创造力所面对的无限疆域。

三、生错了时代

赵汀阳的思想脉络是清晰而坚固的,其独特性已构成他与时下所有其他人的分野,也许可以说到了"高处不胜寒"的境地。谁可以在他那思想建设的大道上并驾,目前还只能等待。从我个人而言,我不愿这种"赵汀阳和所有其他人"的局面长此以往。

我不知道赵汀阳从何时开始了他对哲学的兴趣。虽然已持续了十多年的交往,所听到的关于他在中国人民大学哲学系时的生活也只有"听过苗力田讲康德"一条。1985 年起随李泽厚在中国社科院读研究生起,他自身的创造力越来越充分地显现出来。李泽厚对他的公开评价是:"其学术水平、态度和风络绝非时下一知半解即夸夸其谈者所可比拟。"

哲学在赵汀阳那里意味着"平常心"和"异想思"。在"平常心"上他同我们任何一个人都一样平常,而且没有任何超越平常的动机。比起康德,除了多行了些路,别无多一点离奇之处。除了哲学,他所心爱的就是英雄的故事了。据说将《三国演义》读了不下三十遍。每当说起那时的英雄们,哪怕是一个在出场的同时就被斩于马下的英雄,他的眼睛中就冒出异样的光。一旦说起杨过与小龙女的故事,其痴迷之状毫不遮掩。而他同他自己的小龙女每天所说的,竟然还是那些马上的英雄们。也许他生错了时代,竟不得不做哲学家了。

(原载《社会科学战线》1996 年第 1 期)

求 真 之 路

邓 晓 芒

我是一个中国人,学的却是外国哲学,这里头总让人觉得有点儿蹊跷。记得 20 世纪 70 年代末我报考研究生的时候,许多同事和熟人都来问我:你怎么搞了这么一个专业? 有人表示"理解"说,冷门嘛,成功率高。我当时只是笑笑,无法作出解释。其实那时我自学西方哲学(如果把马克思主义哲学也包括在西方哲学中的话——这应当是常识)已有十年工夫了,至于我为什么走上哲学这条道路,我已在《我怎么学起哲学来》一文(载《新批判主义》,湖北教育出版社 2001 年版)中谈过了。在本文中,我主要想谈谈我的学术思想的发展过程。

我们这一代人是从"文化大革命"那场"浩劫"中挣扎过来的。正是在 20 世纪 60—70 年代之交,大家都已经开始意识到了这场"群众运动"的荒谬、血腥和毫无意义。这时,有的人还想讨回公道,有的则想捞回本钱,有的"难得糊涂"当了逍遥派,有的及时行乐没有了一点正经,有的学了一门"走遍天下"的手艺,有的结婚生子过起了小日子。我当时选择的道路则是,反省我们大家在"文化大革命"中的所作所为。我坚信,荒谬之所以为荒谬,是因为有真理在,只要人们去探求,真理就会在荒谬中现身。现实的荒谬是逃不开的,只有面对现实,对荒谬的根源穷追不舍,才是向真理逼近的道路。这一信念在当时对于我来说是生死攸关的,因为否则的话,我不可能对现实有任何的不满和抱怨,甚至不能说"荒谬"这个词:因为没有真理,何以知道这是荒谬?本来就没有道理,何以说人家"不讲理"?如果我对现实不满,那么我不满的理由何在?如果我根本就没有什么不满,而是对一切都"认了",那么我与马戏团的猴、磨盘上的驴又有什么区别?我还算一个"人"吗?正是这种"成人"的强烈渴望,使我开始自觉地进入了理论学习,以磨砺自己思想的武器,提高自己探索真理的能力。我深知情绪化的东西对一个人"成人"的危害("文化大革命"就是一场情绪化的运动,没有非理性的"朴素的阶级感情","文化大革命"是发动不起来的),力求在自己内心建立一个理性的法庭。其实,"文化大革命"运动中的亢奋和后来的颓靡,都是同一个非理性的心理定势的作用,当我把自己与周围这种普遍的心理定势断然区别开来时,我就已经朦胧地感觉到:非理性和情绪化是我们民族深层心理中的痼疾。至于什么是真正的理性,什么是更高层次的精神生活,这是只有在西方哲学的书中,特别是西方哲学的结晶和代表作马克思主义哲学的书中才找得到的。我感到人家才是真正的在讲理,尽管西方历来也有人不同意马克思的说法,讲出了另外一番"理",但那基本还是在"讲理"的范围内的正常现象。所以我至今仍然承认自己的一切理论探索都是从马克思主义哲学的基点出发的。当然,这绝不同于"文化大革命"所标榜的"马克思主义",后者只不过是对马克思主义哲学的漫画化和歪曲而已。

作为一个在农村下放过十年的"老知青",我很能理解一些人对农村和农民的那种原始人道主义和乡亲父老的淳朴亲情的留恋。我自己时常为农民的真挚和热情而感动,并不由自主地生出一种好像背叛了什么人似的负罪感,因为我要用我的理性来反省他们,要从他们的无辜和天真上看出我们这个民族几千年来的专制皇权及"文化大革命"中的个人迷信的群众基础,要从这种纯情背后看到血淋淋的现实。这种负罪感是我必须承担起来的,我必须毅然前行。后来的社会发展也表明,这同样也是我们这个民族的命运。所以,当"文化大革命"结束以后,在海外游荡了几十年的新儒家又在中国本土、甚至在我们这一代人中找到了热烈的响应,对此我感到十分悲哀。新儒家的理论基点和孔子思想一样,仍然是以自然经济为基础、以血亲伦理意识为核心的原始人道主义,不管它加上了多少西方的新名词作装饰,它与我们民族意识深处的情绪化倾向有本质的关联。这种理论在新的历史条件下也试图讲一点道理,但这些道理不但本身矛盾百出、不合逻辑和常识,而且说到后来总是显露出其本来面目,即诉之于未经思考的被视做天经地义的情感。西方现在也有一种倾向(即所谓"后现代主义"),主张不要理性和理论,只要情感和情绪,"怎么都行";但这些人为了论证这一点,不惜写下了汗牛充栋的理论,读破了康德、黑格尔、马克思、胡塞尔和海德格尔,也还只是作为西方文化中的一种调味剂而得到少数人的青睐。然而在我们这里,这种思潮一时间却被当做最新的时髦和当代思潮的正宗。当然,新儒家的理论家们也并不是个个都情感脆弱,他们其实有非常现实的考虑,就是中国人只有以这种方式才能"为万世开太平"。在这一点上,他们不幸也道出了一点实情,即传统习惯势力至今仍然在我们的社会生活中起着举足轻重的作用。但他们本人在这种作用中到底扮演了一种什么角色,我看他们自己是糊涂的。这些年来我除了专攻自己的专长德国古典哲学外,还不断地与这种"文化保守主义"倾向进行论战,对方不一定是新儒家的正宗代表人物,但他们的说法与新儒家有相通之处,特别是他们与中国传统以自然(尤其是血缘)情感为判断事理的标准的习气有一种亲和性,而缺乏理性的自我反思。所以我近年来提出"新批判主义",其矛头倒不一定是指向某个学派(新儒家等等),而是指向我们民族的根性,甚至是指向我自己作为一个中国人身上所不可避免地带有的"病毒"。说到底,还是为了自己真正"成人",而不是像中国的其他各种学派(包括新儒家)那样为政府和整个社会提供一种"太平"之策。作为一个社会角色,我把自己定位于"知识分子",即专门讲道理的人,真理的追求者,由此也表现为社会的批判者和思考者。对社会和生活的一切反思最终都是为"求真"这一目的服务的,而不是相反。中国数千年来缺乏这样一种知识分子(西方则自古以来数不胜数),而只有一代又一代的"仕",即有学问的官僚。我认为在 21 世纪的今天,中国的知识分子不应当再把自己的使命局限于充当"仕"(或"士大夫")的范围,而应有自己独立的安身立命之地,这就是杨祖陶先生所提出的"为真理而真理,为自由而自由"的人生目的。①

在中国哲学中,我们经常看到有一种"合一不二"的传统,天人合一,知行合一,为道与为学、内圣与外王等等,都不可分离,偶尔的分也还是立于合,现代的学者们很为此陶醉。但似乎很少有人想过,这种合实质上是一种非常片面的合:人要合于天,知要合于行,学要归于道(道德),内圣是为了外王。这就成就了我们民族根深蒂固的政治实用主义的治学态度,缺乏为真

---

① 参见《德国古典哲学研究的现代价值》,载《哲学研究》2001 年第 4 期。

理本身而求真理的自由精神。中国人的为学也讲做人、"成人",但实际上成人的标准并不是人,而是另有标准,这就是自然伦理的"天道"、"天理",它是不用理性、单凭天生的自然情感即可体悟到的。人们通常把宋明理学的所谓"理"与西方的"理性"混为一谈,我以为这是近代中国哲学的最大误会之一。程朱的"理"或"天理"绝对不是理性主义的,而是直接证悟的。真正的理性主义是一种主客二分的思维方式,即反思性的思维方式,它要在主体和对象(包括把主体自己重又视为对象)、自由和自然、人与天道和命运之间保持一种距离和张力,不断地从"合一"的倾向中摆脱出来、超越出来。西方人在这种不断超越的过程中树立了自己的超越的目标,即一个"神",使他们的精神结构不再是自然和人的二维结构,而是自然、人、神的三维结构。即使是无神论者,他们对人和自然的规律仍然有一种超越的眼光,即"为真理而真理"的眼光,而不是限于政治实用主义的狭隘现实考虑。西方也有讲合一的,那是指人与上帝的合一,这种合一绝不是当下即至的,也不是在日常世俗生活的"格物"中获得的,而是以离弃整个现世生活(包括治国平天下的现实政治目的)的分裂的痛苦为代价的超越的精神生活,它的目的是信仰,它的手段仍然是理性。所以即使是正统的基督教信仰主义,也从来没有真正抛弃过理性,而是始终离不开"双重真理论"。西方传统中这种一以贯之的理性主义是中国从来没有过的,这就是我研究西方哲学的一个最深的体会。

那么,为什么中国传统中缺乏理性精神(更不用说理性主义)呢?通过对西方哲学史上最大的理性主义代表黑格尔哲学的研究,我认为我解决了这个问题。我在《思辨的张力——黑格尔辩证法新探》一书(湖南教育出版社 1992 年初版,1998 年再版)

中谈到,西方的理性主义,其实是由两种精神相互辩证地缠绕而构成的,这就是自古希腊以来的"逻各斯(logos)精神"和"努斯(nous)精神",前者发展为西方理性主义中的逻辑精神,后者发展为西方理性主义中的超越精神或自由精神。我把这两种精神称之为(以辩证法为代表的)西方理性精神的"语言学起源"和"生存论起源"(与现代西方哲学中的"语言学转向"和生存论思潮暗合),并通过对黑格尔辩证法的探讨而澄清了两者的关系。"逻各斯"在希腊语中本是"话语"的意思,后转化为规律、命运、分寸、公式之意,并发展出"逻辑"一词,这是作为普遍的规范、法则的理性;"努斯"本是"灵魂"的意思,但不是低级的灵魂,如动物性和植物性的灵魂("普纽玛"即"嘘气"),而是高级的、完全超越感性和物质性的灵魂,即"理性灵魂"(又直接译作"理性"),这就是作为个体精神向上超越的精神能力的理性。这两种理性看似对立,因为要超越就要打破既定规范的束缚,而要制定规范就不能随时逾越;但它们又是相辅相成的,因为一切普遍规范都是由于心灵超越了具体事物上升到一个更高的精神层次的结果,而个体精神的一切超越虽然都是为了否定低层次的规范以提升到更高层次的规范,达到更大或更纯粹的普遍性,但它又只有借助于现有的规范作为手段、工具和跳板才能实现这种飞跃。所以西方理性主义传统既承认逻辑法规的神圣性,又鼓吹自由的否定精神的原创性。这两者在黑格尔那里被称做"知性"和"消极的(否定的)理性",它们的统一则是"积极的(肯定的)理性"。

由此观之,我们中国的传统思想中缺乏的正是这样两种精神。首先我们缺乏逻各斯精神,对语言的蔑视是中国哲学自古以来各家各派一以贯之的通行原则,我们对由人所制定的法律法规和契约历来缺乏神圣感和普遍性要求,直到现代,我们连交通规则都不能好好地遵守,更不用说建立法制社会了。我们真正相信的是"枪杆子里出政权"的物质利害关系,以及人与人之间只可意会不可言传的情绪关系、人情关系,包括建立在这种隐秘关系上的驭人之术和人君南面之术。其次,我们缺乏个体自由的超越精神,人人生来就被限定在自然血缘的宗法体制之中,不能不认同自己在先定的群众关系中的位置,有人把这种经过训练而自觉认同的心态称之为"内在超越",其实不过是一种以枷锁为项链的自欺妙法罢了。而这两者又是由中国自古以来自然经济的现实所决定的。在自然经济条件下,人与人的交往基本上是亲情关系和熟人关系,人们几乎用不着和陌生人打交道,社会的基本纽带不是契约,而是宗法等级制,皇权则是这个等级制的顶点,这与古希腊城邦的公民社会是大不相同的。而这种宗法等级制的社会又极大地束缚了个体人格的发展和个人自由的施展余地,一切伦理规范都以养成人的不敢超越或只敢"内在超越"("从心所欲而不逾矩")为目的。一直到现代,在改革开放二十年后的今天,在商品经济和市场经济的强大压力下,中国人才开始意识到普遍的法律(理性规范的一种形式)是保护个人利益(个人自由的一种内容)的有效手段。但在观念上和文化心理上,我们民族在这两方面的先天不足是很明显的。

我之所以如此感兴趣于西方哲学传统中的这两种精神,一方面当然是为了弥补中国人的国民性缺陷,但另一方面,更重要的,是为了我自己作为一个知识分子的安身立命。这两方面绝不是矛盾的,但却有个主次先后的问题。中国传统型知识分子("仕")通常是把自己的安身立命放在国家和社会的政治目标上,我认为这是中国未能形成真正独立的知识分子的根本原因,也是我们民族的政治目标迟迟实现不了(欲速则不达)的一个重要因素。反之,只有成长出一大批真正具有自己独立人格和学术追求的知识分子,中华民族才能为自己创造出实现各项现代化目标(包括政治目标)的条件。实际上,几十年来的经验证明,当知识分子们使自己的学术研究完全服务于政治目的并受其左右时,是根本谈不上普遍的学术规范和个人的原创精神的,其后果自然是学术和政治的两败俱伤。另一方面,最近十几年学术界中政治意识形态的逐渐淡化,却开始营造出一种有利于纯粹学术发展的良好学术环境。时至今日,我们才有可能形成一种新型的知识分子,他们以追求真理为自己毕生的使命,力求构建自己系统的、严密的、完整的思想体系。这是中国传统从来未有过的一种知识分子,即纯粹知识分子。当然,这一点一经确立,他们和他们的思想对社会具有一种批判性和促进作用就是不言而喻的,但这并不是他们的初衷,而是真理本身固有的特点。可惜的是,中国的知识分子至今还未清楚地意识到这一点,而总是一心想使自己成为凌驾于整个社会之上的责任承担者、政治拯救者和道德楷模。其实,一个纯粹知识分子即使也可以有这样一些承担,但这些承担并不一定要依靠知识分子,也可以依靠像拿破仑、汉高祖和宗教圣徒这些人来做的,甚至每个普通老百姓,也满可以自认为"天下兴亡,匹夫有责";但唯有追求真理,才是知识分子自身不可推卸的责任。也只有这样,他才能以自己独特的、也是不可缺少的方式,为"天下兴亡"作出自己的贡献。

应当说,我所主张的这种纯学术立场本身就是从西方哲学中吸取来的。我曾在《思辨的张力》的导言中谈到学术本身的价值,说"这种价值从本质上来看,应是超越时代、国界和个人生命的。这就是黑格尔以'绝对精神'的名义所表达的对人类精神价值之永恒性的信念。仅就这种超然于有限事物之上的崇高信念而言,我愿与黑格尔认同"。黑格尔在《逻辑学》中所谈的绝不是地上的现实事物,而是一个理念世界,是"上帝"在创造世界之前的蓝图;他的《精神现象学》虽然讲的是"意识的经验科学",但其中没有谈到任何一个经验事物、历史事件和历史人物的姓名,尽管他在描述这些对象时入木三分。因为他要讨论的其实不是这些事件和人物,而是这些事件和人物身上所体现出来的普遍精神的层次结构,历史的经验事实只不过是这个普遍结构在时间中的个别实例而已,它们的具体所指和存在是应当放进"括号"里存而不论的。这里面已经隐含着后来胡塞尔现象学的基本要素了,按照胡塞尔的想法,只有把现实生活放进括号里加以悬置,那超越现实事物的普遍真理才能现身(或被"还原")出来。但胡塞尔本人曾指出,现象学是整个西方近代哲学的憧憬,甚至是全部西方哲学史追求的目标。的确,自苏格拉底以来,西方哲学家们就力图从现实事物中发现普遍的逻各斯、理念和不变的实体,从历史和经验中寻找永恒的真理。两千多年的努力在胡塞尔那里被提纯为一种普遍的现象学方法,它一方面为哲学限定了视野,不谈放在括号中的东西,但另一方面,也正因为如此,它才为哲学打开了一个无限广阔的新视野,即不受括号中的东西的限制而上升到一个纯粹学问和真理的层次。这就是例如欧几里得几何学高于所有东方民族的测量术和算术的地方,也是近代西方列强之所以能打破中国国门的锐利武器。只有暂时不谈括号中的东西,才能最终制驭括号中的东西。我们现在应该醒悟到,中国人吃亏就吃在过于实用、近视和急功近利上,结果我们培养出来的知识分子(士大夫)在危急关头反而没有半点用处,只知"闲来无事谈心性,临危一死报君王",我们自己把自己限定在括号中,还美其名曰"内在超越",实际上是丧失了真正的超越精神。

以这种观点来反观我们近一个世纪以来对西方的马克思主义哲学的接受,我发现有各种各样的误解,这些误解归根到底都出于传统视野的狭隘性。如对"辩证法"的解释,我们首先就剔除了其中的语言学逻各斯主义的要素,将这一从概念的辨析和对话中产生出来的逻辑方法单纯地理解为非人的自然事物的一种可操作和可操纵的隐秘规律,使之成为了一种等同于道家和兵家的技术性的权谋和对策(所谓"变戏法"),从而失去了其理想的精神生活的内涵。又如对"矛盾"的理解,在黑格尔和马克思那里,这个概念(即 Widerspruch)本来意味着同一句话本身的自相矛盾,也就是自我否定,所以他们把矛盾的辩证法称作"否定性的(消极的)辩证法",它是事物过程取得肯定的积极成果的内在原动力;但我们在借助于韩非子的寓言来翻译这个词时,却用一个"矛"和一个"盾"把这个概念实物化了,使一个东西的自我否定变成了两个东西的外在冲突。当然,在翻译上这也许是没有办法的事,只要我们意识到这种缺陷,也就不会妨碍我们的理解。但问题是,几乎所有的人都凭借这种翻译把这个概念理解成了两个事物的外部对立,因而把辩证法的矛盾原则(自我否定原则)与"对立统一"原则等同起来。毛泽东的《矛盾论》整个谈的都不是矛盾原则,而是对立统一原则,即"矛盾双方"(实即对立双方)如何既斗争又统一以及它们互相转化的规律;另一方面,他却不承认否定原则(否定之否定,实即矛盾原则的另一种表述)是辩证法的一条规律。其实矛盾和对立的区别在古希腊亚里士多德那里就已经分得很清楚了,黑格尔则把辩证法的本质规律分为"差异、对立、矛盾"三个不同层次。我们却力图把矛盾这种语言学和现象学层次上的含义下降到实物性的对立、甚至下降到混沌的差异的水平(毛泽东说,"差异就是矛盾",他由此在党内甚至任何有人群的地方发动"阶级斗争")。再如对"实践"的理解,我们通常为了坚持"唯物主义",而把实践视为一种"纯物质过程",即肉体的(等于动物性的)人凭借自己的肢体(手)掌握物质性的工具去作用于客观物质的自然界,以获得自己肉体生存的物质资料的过程,这样,马克思对实践的能动的、自由创造的理解就完全被消解了。

所有这些误解都属于文化传递过程中出现的文化错位,即由于我们的哲学传统中缺乏逻各斯精神和努斯精神的文化基因,我们很难从现象学的层次上来把握西方深刻思想的内涵,只能理解看得见摸得着的东西。然而,文化的差异和对立并不是绝对的,既然中国人和西方人都是人,而且我们今天已经意识到了这种文化错位,我们完全可以把自己的思维层次提高一大步;而只要我们做到了这一点,我们就有可能在西方学者面前表现出中西文化的杂交优势。我们不仅要正确理解马克思主义哲学的原意,而且要在这一正确理解的基础上进行创造性的发展,体现出马克思主义哲学自身的生命活力。

所以我提出,将胡塞尔现象学方法吸收进马克思的实践唯物论中,以在一个更高的层次上指导中国当代学术的发展,是21世纪最有前途的理论构想之一。在这方面,我主张以马克思主义人学为基点,来建构一门马克思主义的精神现象学。考察人,当然要考察人的身体,包括人的外在的历史。但光是考察这些是不够的。人与一切物质性存在的根本区别就在于他对现存的物质环境有一种能动的超越性,而这与他的精神状态、他的意识的超前性、他的自由意志和情感活动是分不开的。马克思批评国民经济学家把劳动者只看做会说话的工具，忽视了对人的内在精神生活的考察，并指出，资本主义生产关系把人们的经济关系、乃至于把一切关系都变成了纯物质过程，导致了人的本质的异化，这种物态化的关系是应当批判、并且必然会被这种生产关系本身所扬弃的。但以往我们理解马克思的经济学，以为把人、劳动当做纯物质过程来看待就是"唯物主义"，这其实就是把国民经济学家对人的那种物化和异化的理解当做毋庸置疑的，把马克思要批判的东西当做马克思所主张的东西了。其实马克思是要把经济学作为哲学来研究，把劳动者作为人来研究，把人不是看做生理学的对象，而是看做内在生活与外在生活相统一的感性活动的对象。他的最终目标是要恢复人的本质力量的全面的丰富性和完整性，使人的精神与精神的外化融为一体，使人的对象回到人本身。所以马克思的实践唯物主义与旧唯物主义不同的地方，正在于对现存物质现实的能动的超越性，在于通过历史过程而回复到人和自然界在感性活动基础上的统一，在于对整个自然界的"人化"的理解。但没有超越性的眼光，我们就很难看出这一点。在马克思那里，自然主义和人本主义、人与自然本来是一回事，合起来则完整，分开来则都是片面的，因此应当把片面的人和片面的自然物都放进"括号"里去，从人的直接的感性生活去考察人和物。我把这作为"实践本体论"的一个最根本的基点，并由此提出，不仅人（感性、实践）是自然的一部分，而且自然也是人（感性、实践）的一部分。说人是自然的一部分，应理解为人是自然的最高本质部分；说自然是人的一部分，则是把人理解为以自然为自己的"无机的身体"的大写的"人"，这些都只有从现象学的层次上（而不是自然科学的层次上）才能透彻地理解。

现在一般讲马克思主义的也讲实践唯物论,有的也讲实践本体论,但就是解决不了这个问题,实践怎么能成为本体? 在人类产生以前,自然界就已经存在了,自然界是人的实践造成的吗? 如从这个角度来理解,那就没有实践本体论。但是,我认为换一个角度可以这样说,就是人的实践体现出在人类产生以前的自然界的最高本质,只不过在那个时候这个本质还是潜在的,它有发展出人类来的可能性,但是这种本质尚未实现和发挥出来,所以人类以前的自然界是不完整的、未完成的。只有当它发展出人,出现了人的精神现象,才达到完整,才显示出了它本身固有的全部内在潜力。这样,在人类产生以前的自然界这个问题就解决了:人类产生以前的自然界潜伏着人,潜藏着要发展出人来的内在必然性;而当它把人作为自己的“最高花朵”发展出来的时候,它的全部本质才绽放出来了。这就是马克思讲的自然主义和人本主义的统一。“完成了的自然主义就是人本主义,完成了的人本主义就是自然主义”,这句话没有人解释通,我认为我把它解释通了。

实际上,我所要建立的马克思主义的精神现象学就是本体论,就是历史唯物主义,只是从精神现象学这个角度来看而已。历史唯物主义是说,自然界必然要发展出人,在人的自然历史过程中必然要发展出共产主义。共产主义是什么? 是每个人的自由发展成为一切人的自由发展的前提,也就是说每个人都得到最高的自由发展,即人的精神现象各个层次的全面实现。反过来也可以说,马克思主义的精神现象学是立足于人的精神现象的全面丰富性来对整个自然界及其历史进行一种“本体论的证明”,即通过人的感性的实践活动、通过精神力量的创造性的

"自由变更"来确证自己本身所固有的自然性和客观物质性。

我将以我的学术经历证明,当我们把马克思主义哲学当做学问和真理来追求,这一蕴涵着全部西方哲学史的精华但又对现代西方哲学具有巨大开拓性的思想体系就会焕发出其内在的强大生命力,是足以成为一个学者的安身立命之地的。

(原载《社会科学战线》2001 年第 5 期)

从传统观照现代　从现代反思传统

——李宗桂教授的文化哲学研究述评

杨海文

中山大学文化研究所所长、马克思主义哲学与中国现代化研究所副所长、哲学系博士生导师李宗桂（1952— ）教授，是近年来国内学术界在文化哲学研究领域内颇有建树的中青年学者之一。20世纪80年代中期以来，他以中国古典哲学、中国文化与现代化、当代中国文化三个研究方向为阵地，着力探讨传统文化与现代化的相互关系问题，努力摸索当代中国新型文化体系的创建，受到国内外同行的瞩目和肯定。在一定意义上，如果说《中国文化概论》是在文化"热"中的"冷"思考，《文化批判与文化重构》是在文化"冷"中的"热"展望，那么，以上两部个人专著典型地凸显了李宗桂教授在文化哲学研究领域中"从传统观照现代，从现代反思传统"的学术风格。这一学术风格同样也在其"中国哲学思潮的文化审视"和"社会转型期的人文关怀"两大问题视域中有着鲜明的体现，并且逐渐浓缩为对文化学学科建设的理性期盼。很显然，对李宗桂教授的文化哲学研究进行述评，将有助于我们了解一个时代的"学术动态"和"学人心境"。

一、从知识青年到文化研究专家

李宗桂教授 1952 年出生于四川省眉山县（现眉山市东坡区）一个工人家庭，父母都是文盲。他 1959 年开始读小学，1965年进中学，按照这些年社会上的划分，他属于"老三届"的中学生，是"老三届"中年龄最小的一届（初中六八级）。

李宗桂教授经常说，他们这一代是和共和国一道成长的，既经历了光荣、梦想和骄傲，也饱尝了辛酸、悲伤和哀痛。读小学的时候正长身体，却遭遇了"三年困难时期"，一度饿得头晕眼花。好不容易熬过"三年困难时期"，国民经济好转，进入中学，应当好好学点知识，没想到"文化大革命"爆发。刚刚进入初二、不到 14 岁的他，稀里糊涂参加了"革命大串联"，身背铺盖卷、打着红旗、提着马灯，历时半月多，从苏东坡故乡眉山县步行一千华里到了山城重庆。1968 年底毛泽东号召知识青年到农村去"接受贫下中农再教育"，他于 1969 年 1 月以 16 岁多点的年龄，下乡到农村，成为当时最小的知识青年之一。1973 年，邓小平出来治理整顿，将大中专招生仅仅由推荐改为推荐加考试。四川省在眉山县试点。青年李宗桂以"老三届"中的最低学历（初中一年级），考取了全县总分第一名，政治、语文单科第一名。本来，北方一所大学的哲学系已拟录取他，但在"白卷英雄"胜行的年代，他最终只能进入一所师范学校读书。两年的师范学校学习结束，被分配到眉山县三苏中学教书。

1978 年，青年李宗桂参加全国高考，被录取到四川师范大学，成为该校高校哲学师资班的学生。1982 年，大学毕业，考入中山大学哲学系，师从李锦全教授攻读研究生。1985 年，研究生毕业留校工作（他经常玩笑地说，不是留校工作，而是"留校察看"，结果一直"察看"到如今）。1991年，破格晋升为副教授；一年后，破格晋升为教授；1994年，成为博士生导师。国务院学位委员会和国家教委于1991年授予他"在工作中作出突出贡献的中国学位获得者"称号；1992年，获得国务院政府特殊津贴；1994年，广东省授予他"广东省优秀中青年社会科学家"称号。他是人民日报社向海外介绍的中国文化研究专家之一，2001年3月24日，人民日报海外版介绍了其文化研究成果，并配发了个人照片。

最近十多年来，除了个人著作外，李宗桂教授主编了3套文化丛书：一是《中国文化与现代化丛书》（5本，陕西人民出版社，1992年出版），二是《大思想家与中国文化丛书》（17本，已出16本，贵州人民出版社，1996—2002年出版），三是《中华民族精神建设丛书》（10本，广东人民出版社2006年版）。从哲学的角度研究文化，推动文化，发表大量论文，出版数部个人著作，主编3套文化丛书，主持国家和省部级文化研究课题十多项，获得国家和省部级奖励十多项，在日、韩及欧美、东南亚国家、中国港澳台地区讲学、访问、研究、出席会议，这表明李宗桂教授是在国内外有相当影响的、颇有成就的文化研究方面的专家，而且这一切是和他从知识青年时代开始从来的坚韧追求密切相关的。

早在当知识青年的时候，李宗桂教授就对中国古典哲学和文化怀有浓厚的兴趣。下乡当天，别人带的都是各种生活用品，而他除了两套已经比较破旧的换洗衣服外，其余全是带的书！他始终坚定地相信"将来的天下，必然是有本事的人的天下"，相信"知识就是力量"，清醒认识到自己作为一个初中一年级程度的学生的严重不足，坚持学习。《中国历代哲学文选》、《中国文学史》、《中国通史简编》、《世界通史》,很多哲学、经济学的专著、教材,绝大多数中外文学名著,基本都是在四年多的知识青年生活时期读完的。同时,还阅读《鲁迅全集》两遍。每天劳动之余,晚上他都会挑灯(煤油灯)学习,直到深夜。正是这种坚持不懈的学习精神,使他逐渐获得了很多书本知识,弥补了"文化大革命"给他造成的损失。也正是这种坚韧不拔的学习精神,使得他把读书变成了一种本能,一种生活方式,一种休息方式。在他后来的学生和教学生涯中,始终保持了高度的、饱满的学习热情。留校工作以后,潜心研究,成天坐在书桌前,其臀部曾经数年都有椅子磨出的厚厚的茧!

要问李宗桂教授为什么有这么大的劲头,他回答说:"文化大革命"那样的年代,耽误太多! 今天应当珍惜,"忘记过去就意味着背叛!"他永远记得他当知识青年的时候,一个要好同学的父亲(一个"老革命")手抄赠送给他的毛主席语录:"聪谓多问多思,实谓实事求是。持之以恒,行之有素,总是比较能够做好事情的。"

二、文化"热"中的"冷"思考

20世纪80年代初中期,伴随着改革开放的深入进行和思想解放的春雷激荡,一场以"走出中世纪,迈向现代化"为标志的文化反思热潮席卷神州大地,而且,当时参与文化讨论的学人大多来自传统的文史哲领域。文化热的不断升温,既激发了知识分子的历史使命感,又促使哲学研究工作者在治学方式上从哲学史的"纯化"研究转向文化史的"泛化"探索。置身于这种时代背景与文化氛围中,李宗桂教授很自然地走上了文化哲学研究之路。

1988年10月,李宗桂教授在中山大学出版社出版了其处女作——《中国文化概论》。这本书是他毕业后三年多在中山大学讲授全校选修课"中国文化概论"的理论结晶,是他在风景秀丽的校园内一间潮湿、阴暗的地下室里硬拼数月的呕心沥血之作,更是他对整个中国文化历程和当时文化讨论热潮进行独立思考的理性产物。

1949年之后,文化史研究很少有人问津,一直处于冷落状态,系统的文化研究专著更是凤毛麟角。李宗桂教授的《中国文化概论》,作为当时国内第一部从宏观上、总体上对中国文化进行探讨的论著,作为第一部高校中国文化概论教材,受到广泛好评并产生轰动效应,这是十分自然的。该书先后荣获1988年度"中国图书奖"一等奖、第三届"全国优秀图书奖"、国家教委第二届优秀教材奖中青年奖,分别在中国台湾、韩国出版了繁体字本和韩文本,现已多次再版重印(2002年12月广东人民出版社出版了该书修订本《中国文化导论》),国内近百所高校以及韩国多所高校均将其作为教材使用。毫无疑问,《中国文化概论》显示了李宗桂教授"博取众长,独出己意"的研究能力,也确立了他在国内文化哲学研究领域内应有的学术地位。

《中国文化概论》站在现代文化发展的基线上,以专题研究形式和史论结合方式,对当时文化讨论中涉及的几乎所有重要问题都做了深入全面的探讨。信息量大是该书的显著特点之一,它体现了李宗桂教授一以贯之的注重学术动态、追踪学科前沿的治学风格,使得该书成为我们今天回顾、反思当时文化热潮的一部必不可少的著作。对于当时的讨论热点进行哲学的提炼与文化的观照,则是《中国文化概论》更为显著的特点。传统的理想人格、价值观念、思维方式、文化类型、基本精神是什么,换言之,如何从整体上把握传统文化的主体内容与基本特点,是当时讨论中的热门话题。李宗桂教授认为,传统的理想人格是君子人格,而不是学术界多数人所说的圣贤人格;传统的价值取向主要表现为崇古、唯上、忠君、道义;传统的思维方式表现为事实判断、价值判断、道德判断三者相互涵摄、相互渗透、相互转换的态势,具有整体直观、类比外推、比喻象征、追求形上的显著特点;传统的文化类型属于"趋善求治的伦理政治型文化";中国文化的基本精神即中华民族的基本精神,主要表现为自强不息、正道直行、贵和持中、民为邦本、平均平等、求是务实、豁达乐观、以道制欲。李宗桂教授的这些观点以其系统综合性和理性思辨性,特别是以当时年轻学人少有的冷静客观态度和现实主义品格,在 20 世纪 80 年代后期和 90 年代前期的思想学术界和大学校园中产生了较大的影响。

整个 20 世纪 80 年代的文化讨论,情形比较复杂。一般而言,可以分为前后两期。前期主要表现为对传统进行批判反思。尽管《中国文化概论》在总体上属于"前期主题","后期主题"是文化重建。由于写作体例和成书年代的限制,《中国文化概论》在这方面并没有过多涉及,但是,该书也对"传统文化与现代化"提出了自己的看法,认为应该保持和发扬传统文化中与现代化要求相适应的一面,扬弃和重铸不适应的一面,从生动丰富的现实生活中建立现代新型文化,从经济增长中生发文化繁荣。

《中国文化概论》体现了李宗桂教授的两个研究特点:一是在治学风格上,特别注重在积累中创造,通过创造带动积累,在把握学术动态的基础上提出个人的独立见解;二是在理论立场上以爱国情怀和学者良知超越情绪化、功利化的态度,用理性、客观的态度进行文化批判与文化重构。作为文化哲学研究的阶段性成果,《中国文化概论》固然没有也不可能解决所有问题,本身也有所不足,但如上两个特点促使李宗桂教授超越《中国文化概论》本身,进一步探讨书中未来得及深思的"文化重建"主题。对于这一问题的思考,集中体现在其20世纪90年代初期出版的《文化批判与文化重构——中国文化出路探讨》一书中。

三、文化"冷"中的"热"展望

1989年夏季之后,文化热急剧退温,出现了几年的"文化冷",但李宗桂教授秉持其一贯的文化理念,坚持文化研究,深入思考着文化重建的问题。此时,他承担了国家哲学社会科学"八五"规划项目《近现代中国的文化批判与价值重构——建构社会主义新文化的探讨》。经过三年多的努力,1992年6月,该项目的最终成果以《文化批判与文化重构——中国文化出路探讨》为书名,由陕西人民出版社出版。该书作为李宗桂教授主编的《中国文化与现代化丛书》之一出版后,《哲学研究》、《光明日报》等近二十家重要报刊发表了评介文章,给予高度评价。该书先后获得国家社会科学基金项目优秀成果奖、教育部全国高等学术人文社会科学研究优秀成果奖、北方15省市区哲学社会科学优秀图书奖、广东省优秀社会科学成果奖、广东高校系统人文社会科学优秀著作奖5项省部级以上奖励。书中相当部分内容已在报刊发表,仅《新华文摘》全文转载的就有两篇。

就李宗桂教授目前的文化哲学研究看,《文化批判与文化重构——中国文化出路探讨》可视为《中国文化概论》的姐妹篇。两书都紧扣"传统文化与现代化"这一时代课题,但侧重点又有所不同。《中国文化概论》侧重传统文化,是从传统观照现代,辨析传统文化与现代化的关系;《文化批判与文化重构——中国文化出路探讨》立足当代中国文化建设的现状,是从现代反思传统,探讨中国文化出路,提出建立社会主义新型文化的战略性意见。从而,"从传统观照现代,从现代反思传统",典型地体现了李宗桂教授在文化哲学研究中形成的学术风格。联系特定的时代背景看,《中国文化概论》可以说是"文化热"中的"冷"思考,即对中国传统文化的清醒认知和客观思考;《文化批判与文化重构——中国文化出路探讨》可以说是"文化冷"中的"热"展望,即对民族文化出路的热忱关心和殷切期望。要指出的是,李宗桂教授对"文化批判与文化重构"的思考,早在1987年酝酿写作《中国文化概论》时便已开始,其时还属于"文化热"时期。在"文化冷"中能够对文化问题进行执著、理性的思考,充分表明李宗桂教授业已形成自身独立的学术人格。这种人格对于社会转型期的文化哲学研究相当重要,也是一个学者能够在这一领域中长期坚持研究并取得丰硕成果的内在动力。

之所以说《文化批判与文化重构——中国文化出路探讨》是"文化冷"中"热"展望,最重要的原因还在于它是国内第一部从宏观上、整体上系统探讨中国文化发展道路和当代出路的理论专著。对中国文化在近现代的发展道路所做的"史"的勾勒、"论"的提炼,与对当代中国文化发展出路的批判性、总结性、前瞻性的理论阐释,两者相辅相成、相得益彰,使得全书气势宏大、结构严谨、经纬交织,成一家之言。

对近现代中国文化发展道路进行"史"的勾勒,这是该书的重要内容之一。李宗桂教授认为,中国近现代的文化发展,虽历经坎坷,但却始终在告别古典主义、增强现代意识、追赶世界潮流、逐渐现代化的道路上前进着。从文化变迁看,在近代走的是一条由器而道的渐进变革路径,在现代走的是一条道器并举的激进变革道路。在这幅新旧交锋、社会嬗变的复杂图景中,从心理状态来看,出现了守旧、改良、革命鼎足为三的文化态势;从学术流变和营垒归属来看,存在着西化、马列、新儒家三大学术思潮;从社会变革、文化批判与价值重构的结果来看,基本上是采用"以反求正"的方式即用激进手段达到渐进改良来实现文化变迁的目的。如上观点可以说是李宗桂教授对近现代中国文化发展道路所做的宏观概括。在微观分析方面,该书考察了近现代以来特别是改革开放以来的诸多文化批判思潮和文化建构理论,以及港台、海外学者关于中国文化出路的种种构想。例如,对中体西用、以夏变夷、全盘西化、西体中用、中魂西体、回归传统、复兴儒学、综合创新以及"海洋文化的新儒学"等观点,都做了详尽的阐析。在此,李宗桂教授特别对 20 世纪 80 年代文化讨论中的诸多主张进行了严肃认真的剖判。他将种种主张划分为四派,即持"彻底重建论"的激进派、持"复兴儒学论"的倒退派、持"中魂西体论"的折中派和持"坚持马列"的综合创新派,并认为,对于民族文化传统的开新,对于新文化体系的创建,以张岱年先生为旗手的"综合创新论"成为激浊扬清、继往开来的主导思想。因此,确如著名学者、中国哲学史学会前副会长萧萐父教授所说,该书"扬榷百家,自立权衡,涵盖面广,可说是10年文化讨论的一个小结"。

对当代中国文化出路所做的"论"的提炼,则是全书的重心所在。对近现代中国文化发展进行历史回顾与反省,使得李宗桂教授确立了文化批判与文化重构的变迁史观,树立了坚持马列、综合创新的发展史论,把当代中国文化出路探讨与创建现代新型文化体系看做同一问题不可分割的两个方面,进而对创建现代新型文化体系的许多前沿性问题提出了自己的战略性视阈。他认为,建构现代新型文化体系必须坚持四个思想原则,即发展商品经济与更新文化传统相统一、拓展价值领域与提高国民素质相一致、文化批判与文化重构两不偏废、物质文明建设与精神文明建设并重。立足于这一思维原则,李宗桂教授强调,从当代中国文化建设的实际来看,从理论思维的高度着眼,从长期以来的接受心理考察,应该把现代新型文化体系看做一体三元的多维文化系统。所谓一体,指社会主义的价值系统;所谓三元,指政治、经济、文化三个虽不相同但又密切联系的特定领域;当代中国的文化批判和文化重构,说到底是要建设一个中国特色的、社会主义性质的、现代化的新型价值系统。为此,必须对文化成熟的基本要求和标志有着高度明确的认识,即对社会制度的创建、价值系统的奠定、文化模式的确立、文化大传统的形成等基本要求和标志有一前瞻性、战略性的把握。当然,新型文化体系的创建是一个漫长且坎坷的历程。因此,面对文化发展的古今、中西、内外等基本矛盾,有必要树立立足现实依托传统的古今融合论,以我为主兼取众长的中外互补论,创造转化充满活力的文化发展观;唯有如此,才能在现代化的历史条件下,真正找寻到当代中国文化的出路。在李宗桂教授看来,立足现代依托传统而融合古今,以我为主兼取众长而熔铸中外,是传统与现代、中国和外国的辩证统一、双向互动,是精英文化与大众文化的并行不悖、有机融合,是科学文化与人文文化的交相渗透、比翼双飞,是古典精神与现代意识的交相辉映、相辅相成。

依据如上论述，不难看出，正是因为对近现代中国文化发展历程、特别是 20 世纪 80 年代文化讨论的批判性总结，对"一体三元"的现代新型文化体系的战略性思考，决定了《文化批判与文化重构——中国文化出路探讨》在当代中国文化思想史中将占有承前启后的重要地位。学术界不少名家评论，该书在理论深度和现实意义都极大地超过了《中国文化概论》，是李宗桂教授文化哲学研究步入深层次、进到新境界的重要体现。如此，说《文化批判与文化重构——中国文化出路探讨》一书是目前李宗桂教授和国内学术界文化哲学研究领域中的代表性著作，当不为过。

四、中国哲学思潮的文化审视

国内 20 世纪 80 年代以来的文化哲学研究，具有哲学的"纯化"和文化的"泛化"密切结合的显著特点。学者们大多哲学研究与文化研究交错进行，并在综合的基础上形成自己的文化哲学研究思路及成果，研究方式和学术成果也往往是哲学折射出文化、文化内蕴着哲学。在这方面，中国哲学专业科班出身的李宗桂教授也不例外。在对中国传统文化和近现代中国文化发展历程进行宏观把握的同时，他也长期致力于包括董仲舒思想和现代新儒学在内的哲学研究。李宗桂教授的中国哲学思潮研究，从服务于其文化哲学研究来看，从它是文化哲学研究必不可少的理论准备和重要组成来看，具有从文化审视哲学、以哲学丰富文化的内在品格。

（一）董仲舒与中国文化

董仲舒思想研究是李宗桂教授学术研究进路中的重要步

骤,也是他整个学术研究在方法探索和理论创造方面的重要实践。1985 年,他在知名学者李锦全先生指导下,完成了题为《董仲舒——秦汉思想的统一者》的硕士学位论文。截至 2004 年,他在海内外发表了董仲舒专论 25 篇,《哲学研究》1986 年第 9 期、1987 年第 9 期先后发表的《相似理论、协同学与董仲舒的哲学方法》、《秦汉医学与董仲舒的天人感应论》尤为其代表作。他的呕心沥血之作《董仲舒与中国文化》,以董仲舒思想为点,以汉代思想文化为面,以整个中国传统文化的发展为线,点面线结合探讨思想家与中国文化的关系,探讨思想家本身的思想特质、贡献及其局限,进而探讨中国传统文化的特质,并给董仲舒思想与中国文化的关系以富有创见的定位。该书的写作,从初稿到最终定稿,反复修改、完善,历经十余年的沉潜,将于近期出版。作为董仲舒研究专家,他被选为全国董仲舒研究会副会长。日本东京大学池田知久教授不仅向日本学术界介绍李宗桂教授的董仲舒研究成果,而且在台湾讲学研究期间,专门推荐台湾研究董仲舒和汉代思想的青年学者到广州拜访李宗桂教授。美国哈佛大学的杜维明教授,也向自己的博士生桂思卓(现已是哈佛大学康涅狄格学院教授)介绍李宗桂教授的董仲舒研究成果。1995 年,桂思卓和李宗桂教授曾在哈佛大学当面探讨董仲舒和汉代思想研究问题。

注重从社会思潮嬗变和民族文化发展来审视中国古代哲学,是李宗桂教授研究董仲舒思想的基本方法。例如,他在硕士论文中指出,董仲舒把前人探索过而未实现的王霸结合的统治术和思想统一的宏大理想具体落实到社会制度和行为规范上,完成了思想统一的历史重任,从而开创了自汉代以来的思想面貌和学术风气,中国封建社会灿烂的文化自此之后形成;但是,思想统一也统死了思想,学术文化的发展由此受到不良影响。又如,他在《孔子研究》1991 年第 3 期发表的《董仲舒道德论的文化剖析》一文中认为,董仲舒的道德论以三纲五常为核心,以天人感应为依托,以加强社会控制为目的,继孔孟道德修养论之余绪,折中荀韩治国方略,使思想境界培养方面的强制灌输与自我反省熔铸为一,从而确立了封建道德的总原则,建构了封建道德的基本体系,在理想人格、价值取向和社会心理等文化学深层结构方面,影响了中国社会两千年;在实现中国文化从传统向现代创造性转化的今天,我们对于董仲舒思想应从文化价值论的层面给予理性的阐析,从而为现代文化建设提供思想鉴戒。

(二)现代新儒学与中国文化

现代新儒学是当代中国哲学文化思潮中极富冲击力的一个学派,1985 年前后进入国内学术界的理论视野。1986 年,毕业留校刚一年的青年学者李宗桂成为方克立、李锦全教授主持的"七五"国家重点研究课题《现代新儒学思潮研究》课题组的重要骨干。1987 年,他参加了著名的"宣州会议",并受课题组委托撰写了《"现代新儒学思潮研究"的由来和宣州会议的争鸣》一文,向海内外澄清了关于课题研究的实际情形。1991 年,在德国慕尼黑召开的"第七届国际中国哲学大会"上,他宣读了《新儒学的形上追求及其现代意义》一文,该文后来发表在台湾辅仁大学主办的《哲学与文化》杂志上。他多次参加过在台湾和香港举行的现代新儒学研讨会,还承担了国家教委"八五"人文社会科学规划博士点项目《现代新儒学与中国文化》。其论文自选集《传统文化与人文精神》(广东人民出版社 1997 年版)共分三篇,其中之一就是"新儒学篇",比较系统地表达了他对现代新儒家的历史把握和理性认知。2004 年,他应台湾现代新儒学重镇淡江大学的邀请,在淡江大学做了为期 2 个月的访问研究,访问研究的主题就是《当代新儒学与中国文化的发展》。诚如著名学者方克立、李锦全教授所说,李宗桂教授是国内现代新儒学研究领域中颇有建树、富有影响的少数青年学者之一。

国内新儒学研究,存在着三种不同的思路:一种是从所谓"文化生命"的角度研究,这种方式及其结论容易出现简单地为现代新儒学评功摆好,忽视甚至否定马克思主义研究方式的倾向;一种是片面强调意识形态斗争,对现代新儒学持彻底否定态度,忽视现代新儒学在学术上的贡献,容易导致简单化;一种是从文化哲学的角度去探讨,重在解析现代新儒学的文化特质,为撰写客观持平的现代文化史、哲学史提供依据,为建设当代中国文化提供思想资源。李宗桂教授赞成第三种思路,并在研究实践中自始至终践履着文化哲学的研究方式。

在《人民日报》1989 年 3 月 6 日发表的《现代新儒学:由来、发展及思想特征》一文中,李宗桂教授指出,民族本位的文化立场、花果飘零的文化心态、我族中心的文化观念、多维开阔的文化视野、强烈的主体意识、鲜明的独立人格、保守主义的政治立场,是现代新儒学的显著思想特征。长期以来,尤其是 20 世纪 80—90 年代,他坚持认为,从近现代中国文化发展的逻辑进程看,现代新儒学的产生有其历史必然性,但现代新儒家追求"返本开新"的文化价值观,以返回传统儒家心性之学为根本,进而开出现代科学与民主政治,则不符合近代以来中国社会发展的逻辑进程,其所鼓吹的复兴儒学以解决中国现代化的构想以及"海洋文化的新儒学"的蓝图,也只能是一相情愿的。进入新世纪,他在《文史哲》2003 年第 2 期发表了《当代新儒学发展的若干难题》一文,强调指出:兼容天下的开放意识与守道护统观念的纠结、复兴儒学的宏图大志与儒门淡薄的落寞现实的差距、"返本"的传统价值准则与"开新"的现代意识的矛盾、批评精神与自我反省意识的脱节、儒学现代化意图与边缘化现实的背反、儒学价值理想载体的整体性缺失,正是当代新儒学发展面临的六大难题。

当然,在"从传统观照现代,从现代反思传统"这一基本原则和学理范式的导引下,李宗桂教授也一直主张努力借鉴现代新儒学的可取之处,并给当今在台湾、香港和海外的,为中华文化复兴而努力的当代新儒家以积极的评价。譬如,在《哲学研究》1989年第3期发表的《评唐君毅的文化精神价值论和文化重构观》一文中,他认为:唐君毅的文化精神价值论和文化重构观反映了中国知识分子传统的忧患意识和文化参与意识,反映了对民族文化的执著之情和爱国之心,因而,其对民族文化精神价值的张扬和对中国文化重构的设想,有益于启迪我们立足现实去培养自尊自信之心,以开放的心灵去迎接西方文化的挑战并吸纳西方文化的长处,进而建构当代中国的新型文化体系。又如,在现代新儒学重要人物之一李杜教授主持、现代新儒学重要阵营香港新亚研究所2001年于香港举行的"传统儒学、现代儒学与中国现代化研讨会"上,以及由李宗桂教授担任主席之一(另一主席是台湾辅仁大学校长黎建球教授)、2004年于澳门举行的"两岸四地中青年哲学家学术论坛"上,李宗桂教授明确指出:"从当代新儒家学者的诸多学术表现来看,儒学也能适应现代化,自身也能现代化。……他们对于现代民主政治、科学精神的认同是一致的,对于中国社会的现代化进程是认同的,而且是积极推动的。甚至,对于五四精神也是肯定的。即使是复兴儒学,力图实现儒学第三期发展的努力,实际上也蕴涵着现代化的用心。"正是因为秉持客观理性的学术立场进行现代新儒学的研究,实行"君子和而不同"、"道并行而不悖,万物并育而不相害"、"君子群而不党"的和谐共生原则,所以,尽管李宗桂教授对现代新儒学有若干批评意见,有颇不相同的学术立场乃至政治理念,但却长期和台湾、香港以及海外的现代新儒学群体保持着良好的学术友谊,从而能够更好地理解现代新儒学、认识现代新儒学,更好地研究新儒学。

(三)从"儒家主干"、"哲学核心"到"多元互补"

早在 1986 年,在湖南举行的一次全国性学术会议上,李宗桂教授(当时还是讲师)就提出中国传统文化主干由儒道两家共同构成,亦即儒道共同主干说。这种观点,后来清晰地表述在其 1988 年出版的《中国文化概论》中。他说:"儒道两家,有着不同的思维方式、心理框架和价值系统,相互颉颃,相互刺激,相互吸收,推动着民族精神的演进,从而共同构成中国传统文化的主流。"但是,就其学术研究的进路而言,李宗桂教授的切入点和着力甚多的地方,还是儒家主干。

重视儒家文化在历史上的地位、价值及其现代影响,这是李宗桂教授着力研究董仲舒思想并由此辐射到秦汉文化史、又从文化史逐渐深化到思想家(特别是大思想家)与中国文化相互关系探讨的理论依据。关于秦汉文化研究,目前他已在《哲学研究》、《中国哲学史研究》和台湾《中国文化月刊》、《鹅湖月刊》等重要刊物上发表多篇高质量的学术论文,还计划撰写一部《汉代文化史》。关于思想家与中国文化的研究,他主编的国家"八五"出版规划重点图书《大思想家与中国文化丛书》,选取中国文化史上具有代表性的 19 个大思想家,分别从其思想出发,旨在探讨中国古代大思想家与中国文化的内在关联。全套丛书共 17 本,由贵州人民出版社出版。除了由于特殊原因目前还没有出来的一本以外,其余已经全部出版。在《哲学研究》1993 年第 8 期发表的《思想家与文化传统》一文中,李宗桂教授尤其集中地阐释了其"大思想家观",认为思想家促成了中国文化传统中的文化保守、文化变革、文化批判、服务政治四大传统,改革开放时代需要自己的思想家群体,应该依靠思想家重建传统。当然,即使新世纪以来身兼广东儒学研究会会长一职,李宗桂教授依然认为,对学术界普遍流行的"儒家主干说"应做历史的辩证的分析,因为儒学虽然是中国传统文化的主干,但并非现代新型文化体系中的主干;即使在中国传统文化的结构中,也并非只有儒家才是主干,而是儒道两家共同构成主干。

如果说中国传统文化的主干是儒学,那么,其核心则是哲学。回顾前不久学术界热烈讨论的中国哲学的"合法性危机",我们现在也许应当重读《中国文化概论》第 10 章第 2 节,因为李宗桂教授早已从哲学的价值与功能、中国古代哲学的特点与功能、文化的概念与结构、参与文化讨论者的学科背景等层面学理地证明了古老的中华民族是"有"自己的哲学的,而且其特点是着眼伦理本位、关心现实政治、高扬主体意识、富于辩证思考、强调整体观念、偏重直觉思维、流于经学态度、重视人际关系。李宗桂教授还发表过《驳"中国无哲学"论》(《四川师大学报》1988 年第 3 期),该文被国内多家重要报刊转载,受到学术界广泛关注。同样,对于学术界普遍流行的中国文化"哲学核心论",他提出了自己的看法,亦即就中国传统文化而言,哲学核心亦即儒学主干,但在当代中国文化发展和现代新型文化建设过程中,儒学不再是文化主干,哲学核心论被赋予了崭新的时代内涵,即马克思主义哲学和社会主义价值体系成为当代文化中的核心与枢纽。这一新时代的"哲学核心论",是李宗桂教授长期以来能够运用马克思主义的综合创新观来探讨传统文化与现代化这一时代课题的立论基础。

值得注意的是,李宗桂教授在继后的研究中对于中国传统文化的结构和功能提出了进一步的见解。1999 年,在北京举行的一次国际学术会议上,他提交的论文便是《论中国传统文化的多元互补》。2000 年,他在给赖美琴博士的《韩非与董仲舒政治哲学研究》(广东人民出版社 2000 年版)一书的序言中,针对"儒家主干"说、"儒道互补"说、"儒法互补"说、"道家主干"说等,明确指出:"儒家主干"说侧重于社会政治影响,"儒道互补"说侧重于人生境界和进退出处,"儒法互补"说侧重于统治方略,"道家主干"说侧重于哲学框架的构建、哲学概念范畴的确立以及西方人对中国哲学的认可;其实,"从人生境界和进退出处来看,中国传统文化的主干是儒道佛互补;从统治方略来看,是儒道法互补;从哲学框架的构建和哲学概念范畴的确立来看,是儒道互补"。

显而易见,对"儒学主干说"的现实扬弃,对"哲学核心论"的抽象继承,尤其是从"儒学主干说"、"哲学核心论"创造性地转化到中国传统文化结构和功能的"多元互补论",是对中国传统文化的内容、结构和功能以及对传统文化与现代化相互关系进行理性思考的结果,是"从传统观照现代、从现代反思传统"这一思维方式的逻辑必然。总的说来,李宗桂教授对中国哲学思潮进行文化审视,是跟历史地、辩证地对待"儒学主干论"与"哲学核心论"密切相关的,并且逻辑地成为其文化哲学研究的重要组成部分,对其文化哲学研究的价值取向与思维方式产生了重要影响。这种研究方式及其结论,对目前的文化哲学研究也不无启迪。

在此,我们还有必要特别提到李宗桂教授的《二十世纪中国哲学研究的审视和新世纪的展望》一文。该文的雏形是《中国哲学史》1998 年第 1 期发表的《中国哲学研究的回顾与展望》,全文约 1 万字,比较简括。两年多后,苏州大学主办的《东吴哲学》知道他还有很多未尽之意,故约请他在此文基础上进一步发挥,以 1.8 万字的篇幅发表于该刊 2001 年卷(安徽人民出版社 2001 年版)。其后,经过修订、扩充,连载于《学术界》2002 年第 1—2 期(约 3.8 万字),日本的《伦理学》杂志将其全文翻译,发表于该刊 2002 年第 19 号(2002 年 12 月出版)。在这篇长文中,李宗桂教授通过详尽的史料梳理和切实的理论分析,挚信中国哲学研究在新的世纪中将出现新的气象,认为中国哲学研究的未来进路可以分为三种:一是参与生活,干预现实,以精神文明建设、当代中国文化建设为切入点,以中西对比、古今观照为基本方式,阐释自己的中国哲学观,推动社会进步;二是注重学理,用全球眼光看问题,把中国哲学研究纳入国际学术研究的规范之中,重视与国际学术界接轨;三是倡扬主体意识,提出独特的哲学见解,建构自身的哲学体系。由此,如果说李宗桂教授对于中国哲学思潮的文化审视,主要关联着第一种进路,那么,也正是这一点,深刻地折射了一个中青年学者在社会转型期中依托理性资源来重建新型文化形态的当下关切。

五、社会转型期的人文关怀

20 世纪 90 年代以来,如火如荼的市场经济改革和引人注目的以"国学热"为特征的文化研讨热潮,有力地推动着当代中国的社会现代化与文化现代化。然而,这一从传统迈向现代的社会转型又是异常复杂、艰难的。人们普遍认为,社会转型需要民族精神的深层支持,越是在社会转型期越需要人文关怀。李宗桂教授近年来的文化哲学研究,也从一个侧面体现并适应着这种时代需要。

譬如,李宗桂教授承担并主持了国家教委"七五"规划项目《当代中国人价值观与传统价值取向——建构社会主义新型价值观的研究》、国家哲学社会科学"九五"规划重点项目《坚持建设有中国特色社会主义文化的基本目标基本政策与文化建设实践研究》、国家教育部"十五"重大课题《当代中国文化建设研究》、国家教育部特别委托重大项目《新时期校园文化建设的理论和实践》等项目,发表了《优秀文化传统与民族凝聚力》(《哲学研究》1992 年第 3 期)、《民族文化素质与人文精神重建》(《哲学研究》1994 年第 10 期)、《经济全球化与民族文化建设》(《哲学研究》2001 年第 1 期)等论文,主编了《儒家文化与中华民族凝聚力》(广东人民出版社 1998 年版),策划、主编并即将出版《中华民族精神研究丛书》,近 40 万字的专著《当代中国文化要论》也即将由人民出版社出版。另外,他在中山大学哲学系一直招收着"中国文化与现代化"研究方向的博士研究生,2003 年还新增了"当代中国文化"方向,并且经常利用报纸、电视、互联网等大众传播媒介,向社会呼吁必须大力加强人文文化建设。

对优秀文化传统和思想文化必须有一正确认识与整体把握,李宗桂教授认为,这是社会转型期的人文关怀必不可少的理论要求。原因在于,一方面,自强不息的奋斗精神、和谐统一的博大胸襟、崇德重义的高尚情怀、整体为上的价值取向,是优秀文化传统的主体内容与当代表现;优秀文化传统在当代社会转型过程中,具有激励进取、价值导向、民族凝聚、文化认同等重要作用。另一方面,思想文化在优秀文化传统中占有特别重要的地位,因为从文化类型学和文化发生学的角度考察,任何文化都是一定民族的文化,思想文化作为特定民族文化系统中的深层结构,有其独特的主体和整体结构;思想文化,作为民族凝聚力的重要构成,对于中华民族的发展,有着其他因素所不能取代的价值整合功能和行为规范作用。要言之,如上观点是站在文化基本精神的理论高度来把握优秀文化传统,可谓"从现代反思传统"。之所以要认识、把握优秀文化传统和思想文化,在李宗桂教授看来,目的在于提高中华民族文化素质,增强中华民族凝聚力,重建人文精神,努力实现社会转型期的人文关怀。民族文化素质是一个民族精神风貌的显现,是该民族在思维方式、价值取向、理想人格、国民品性以及审美情趣等方面综合素质的反映;民族文化素质中的"文化",本质上就是"人化",是精神追求的探讨、提升,是对民族文化兴衰存亡的"终极关怀"和自觉奉献。民族文化素质、民族凝聚力、人文精神对现代化建设至关重要,它们不是从天上掉下来的,可以而且应该从优秀文化传统和思想文化中去探寻。中国传统文化是当代文化建设的重要资源。要言之,如上观点是站在价值系统论的理论高度来探讨当代文化建设,可谓"从传统观照现代"。

细读李宗桂教授在《哲学研究》等重要期刊上发表的一系列著论,我们还将发现,他相当注重从多维、互动的角度来审视优秀文化传统、思想文化、民族文化素质、民族凝聚力、人文精神重建之间的网状联系。例如,对于优秀文化传统与民族凝聚力,他认为,前者是后者形成并发挥作用的必要基础和思想内核,后者是前者的结构和功能的内在要求与必然表现;前者是增强并推动后者不断更新的精神力量,是维系后者的精神纽带,后者是巩固前者的社会基础和文化心理条件;两者互为条件、相济相成、同步发展,是整体与部分的关系;只有把握了优秀文化传统,才能把握民族凝聚力的精神方向,只有把握了民族凝聚力,才能更深刻地理解优秀文化传统,创造新的优秀文化传统。又如,对于民族文化素质与人文精神重建,他指出,人文精神是民族文化素质的核心内容,文化素质包含着人文精神,人文精神体现着文化素质,一个文化素质低等的民族不可能具有高尚的人文精神,具有高尚人文精神的民族必然具备优秀的文化素质;因此,我们在大力提高民族文化素质的时候,应当高度重视人文精神的建设,并以此促进民族文化素质的增强。

这里,李宗桂教授最近从事的两个研究课题,尤为值得彰显。其一是"当代中国文化研究"。学术研究不是为了发思古之幽情,不是为学术而学术、为知识而知识,而是要和国家发展、民族兴亡、人民安康这样的价值主题结合起来。因此,《文化批判与文化重构——中国文化出路探讨》出版以后,李宗桂教授的文化哲学研究有意识地转进到了当代中国文化层面上来,其代表性成就是作为国家哲学社会科学"九五"重点课题和国家教育部"十五"重大项目的最终成果的《当代中国文化要论》(结项名称为《文化建设的理论与实践》)。书中从文化学的角度入手,就文化内涵与文化功能、文化理论与文化实践、文化建设与意识形态、文化建设的根本任务等问题阐述了自己的见解,对于建国以来特别是改革开放以来文化建设的基本目标、基本政策和文化建设实践在反思和总结的基础上进行了前瞻性的探析,进而以专题的形式对文化建设的生态环境、当代中国的法律文化、文化建设与民族精神支柱的锻造、"中国特色"的文化诠释、中华民族精神与当代文化建设、当代中国文化价值体系的建构、文化建设与中华民族凝聚力、全球化时代的中国文化等问题给予了别具特色的探讨。

其二是"中华民族精神研究"。数年前，李宗桂教授曾在《哲学研究》2001 年第 1 期发表《经济全球化与民族文化建设》一文，明确提出经济全球化并非一体化、同质化，更不可能导致全球文化一体化、同质化，民族文化、民族精神照样存在，甚至民族精神、民族主义可能高涨，而不是消解。这篇文章受到广泛关注，中国社会科学院网站给予了特别介绍，《人民日报》摘介了其核心观点。在《中国高等教育》2003 年第 10 期发表的《中华民族精神的历史发展和时代意义》一文中，他认为，改革开放以来，以开拓创新为基本特征和思维旨趣的当代中华民族精神正在初步形成，它是对既往民族精神的批判性继承与创造性超越，是对当代中国现代化进程的积极推进，是对当今世界和平与发展时代主题的正确回应。2005 年初，应《人民日报》之约，他撰写了《重视传统文化的民族性》一文，指出："建设社会主义先进文化，应当注意发掘中国传统文化的正面价值，从文化发展的连续性和继承性的一面对待民族传统文化"，"在经济全球化时代，我们应当注意保持并努力发展文化的民族性，尊重自己民族的传统文化，合理利用传统文化这个重要资源"，"正确解决文化的民族性问题，正确解决中国传统文化的当代价值问题，'自主'精神值得学习和弘扬"。该文和金冲及、汤一介、方立天等知名学者的文章构成一组，被《人民日报》2005 年 2 月 4 日以《特别关注：现代视野中的传统文化》为主题，作为重点文章推出，受到学术界和社会舆论的特别关注。正是基于上述认识，从 1995 年底开始，李宗桂教授及其领导的中山大学文化研究所就启动了对于当代中华民族精神建设的学理研讨。经过长达 8 年的努力,《中华民族精神研究丛书》即将由广东人民出版社出版。这套丛书包括总论性的《中华民族精神概论》,以及分论性的《中国哲学精神》、《中国政治精神》、《中国法律精神》、《中国文化精神》、《中国人文精神》、《中国教育精神》、《中国商业精神》、《中国科技精神》、《中国伦理精神》、《中国史学精神》、《中国文学精神》等,旨在证明中华民族精神不愧为激励全民族不懈奋进的道义力量,不愧为规范、引导全民族进步的价值标准,不愧为建设、发展先进文化的思想原则,不愧为凝聚海内外中华儿女的心灵纽带,不愧为回应全球化挑战,坚持文化民族性、独立性、自主性,使中华民族自立于世界民族之林的精神支柱。

如上所述表明,李宗桂教授以"社会转型期的人文关怀"为主题的文化哲学研究,目前正在朝着"当代中国文化研究"和"中华民族精神研究"两翼汇聚,而且因其深刻的理论思辨性、鲜明的时代色彩、强烈的历史使命感,越来越受到知识界与一般民众的关注。我们知道,弘扬优秀文化传统、增强中华民族凝聚力、提高民族文化素质、重建人文精神等问题,是近年来为推动社会转型而特别受到重视的时代性课题。对此做出积极回应和努力探索,显然是知识分子学术良知与历史使命感的体现。在此意义上,不妨说力图表达社会转型期之人文关怀的"当代中国文化研究"和"中华民族精神研究",是李宗桂教授在文化哲学研究领域中继《中国文化概论》、《文化批判与文化重构——中国文化出路探讨》之后的又一新境界,也典型地代表了当代文化哲学研究较高的理论水平和应然的努力方向。

六、为文化学的学科建设鼓与呼

自从 1985 年毕业留校以来,李宗桂教授已经在现代中国文化学研究先驱朱谦之、陈序经、黄文山曾经工作过的中山大学执教整整 20 年。无论对于时代还是个人来说,这段时期似乎都是属于文化的。从"时代"看,20 世纪 80 年代文化讨论的基调是批判、否定、激进,20 世纪 90 年代文化讨论的标志是清理、肯定、保守,新世纪文化讨论的特征是诠释、构建、理性,在这个正—反—合命题的历史进程中,从辨析现代化并不等于西化到确认现代化的终极目标是人的现代化,从肯定文化对于经济社会发展的重要意义到开掘中国传统文化的价值资源,业已表明复兴中华文明、实现现代化的时代诉求得到了充分体现。从"个人"看,李宗桂教授的学思历程首先是以董仲舒研究、《中国文化概论》为代表的传统文化研讨,然后是以《文化批判与文化重构——中国文化出路探讨》为标志的近代文化批判、现代新儒学研究,现在是以《当代中国文化要论》为重心的当代文化探索。时代发展与个人经历的有机统一,足见一个在改革开放的时代潮流中成长起来的中青年学者既倾情学术理想、又关注社会人生的心灵追求。

当然,李宗桂教授对于 20 世纪 80 年代以来此起彼伏、歧路坎坷的文化讨论热潮,始终保持着清醒的批评立场。譬如,他坚信经济全球化、政治多极化、文化多元化是这个时代的世界性特征,从来就不苟同"21 世纪是中国文化的世纪"、"全球文化将走向一体化"之类"高论"。在《学术研究》2003 年第 2 期发表的《人文精神建设之若干难题》一文中,他认为,目前人文精神建设存在的主要难题是市场经济条件下经济取向与人文取向的背反、理想主义与实用主义的冲突、民族文化素质现状与人文精神建设目标的距离、对传统资源的现代价值的认知差距、古今思维偏向对文化建设的损毁，其解决既须知识阶层的忘我投入，又待广大民众的价值认同，更要决策部门的科学抉择。他还多次强调指出：文化学基础理论的研究和建构相当薄弱，文化学专业人才的教育和培养没有受到应有重视，这是二十多年来文化讨论中存在的明显不足。在发表于香港《明报月刊》1997年12月号的《世纪之交中国大陆文化研究的新气象》一文中，他就尖锐指出："八十年代的文化研究，其显著弱点之一，就是理论准备不足，缺少应有的规范。……文化学作为一门独立学科的特性还没有得到充分的揭示。由于这个弱点的存在，整个八十年代和九十年代前期的文化研究，缺少应有的学术规范，其主要表现为：研究对象不够明确，研究范围不够确定，研究目标比较盲目，学科界限比较模糊。"他认为，应当"把'文化'作为一门'学'来建设，创造出中国特色的文化学体系。有了科学意义的严整的'文化学'，文化研究的规范才能真正确立。"可见，李宗桂教授是较早注意到并强调文化学学科建设的意义的。在这篇述评的结尾，我们还可依托李宗桂教授在《社会科学论坛》2005年第8期发表的《文化研究的反思与前瞻——答〈社会科学论坛〉记者问》和《中山大学学报》（社会科学版）2005年第6期发表的《文化建设与文化现代化》两文，更为深入了解他是如何为文化学的学科建设鼓与呼的。

作为研究文化的科学，文化学是一门综合性、边缘性、交叉性的新兴社会人文学科，是基础研究和应用研究并重的应用性基础研究学科。文化学研究文化的生存环境，文化的地域、民族、时代等属性,文化的积累与变迁、继承与创新、传统与现代、大传统与小传统、民族化与世界化、多样性与统一性的关系,亦即探讨文化的要素、特征、性质、动力、结构、功能、价值、生命,研究文化各系统的类型、形态、机制、历程(发生、发展、成熟、衰变),以及不同文化系统之间的传播、选择、涵化、交融、转型、整合的特点及其规律。文化学的研究对象,从构成上看,既有纵向的历史文化、现实文化,也有横向的不同地域、民族或国家的文化;从层次上看,既有理论文化,也有实践文化。

不过,与文化学研究的"学科性目标期待"相反,文化研究在某种意义上却一直陷于"现实性理论困境"。表现之一是"文化学从业群体的极度宽泛"。多年来,千军万马都在研究文化,各行各业都在谈论文化,以致有人讽刺说:"文化是个大箩筐,什么都可往里装。"譬如,目前全国大约有二十多个省(市、区)在建设各自的"文化大省"或"文化强省",但真正有文化理论支撑的、真正把文化作为一种事业来看待的,到底有多少呢? 另外,全国高校招收博士生、硕士生的专业研究方向,许多挂有文化之名,诸如"中国文化与现代化"、"中国传统文化与现代化"、"中国传统文化"、"中国现代文学与文化"、"近代中国文化思潮"、"当代法律文化"、"管理文化"等等,但其授予的学位还是原来的哲学、文学、史学之类。表现之二是"文化学研究成果的过于贫血"。20 世纪 80 年代文化研究热潮兴起以后,文化理论方面的论著出版了不少,但要么是西方文化人类学理论的翻译或移植,要么是历史唯物主义理论的翻版(加上几个文化名词而已),要么是在各自原有学科的基础上增加若干文化名词或者代之以文化名号的东西。表现之三是"文化学学科建设的严重滞后"。现行的学科专业设置是根据过去的社会需求和学科传统设立的,要么是传统基础学科,要么是现代应用学科,但处于两者之间的文化学学科却至今没有受到应有的重视。从国务院学位委员会的学科设置,到国家教育部学位办公室的学科设置,再到全国高校本科专业的设置,不独一级学科的设置,甚至连类似二级学科的挂靠性设置,都没有文化学的一席之地。

文化学从业群体的极度宽泛,文化学研究成果的过于贫血,文化学学科建设的严重滞后,显然是三面一体的,但个中关键又在于如何切实地在大学教育体制中落实文化学的学科建设。一方面,文化研究的泛化,甚至文化研究的泛滥,不仅不会促进文化研究的开展,反而会伤害文化研究自身,因此,纯化文化研究,加强文化学基础理论的建设,十分必要,也大有可为。另一方面,没有专业人才的教育和培养,也就难以真正科学地建设文化事业,也就难以有学科体制的设立和学科建设的成长,因此,不仅要大力提高政府决策部门的文化自觉意识,将文化学学科建设纳入体制之中,而且各级各类学校的相关领导以及从事文化研究的专家学者也要立足长远,把文化学学科的设立当做一种社会责任,当做现代化建设的重要推动力量。总之,在李宗桂教授看来,从目前的情况看,无论是历史地展开文化学的专业建设和人才培养,还是逻辑地实现文化研究的科学性问题,都与体制瓶颈的突破密不可分。正因此故,当代中国的文化学学科建设何其任重而道远也!

(原载《社会科学战线》2006 年第 1 期)

重读马克思

——我的学术自述

杨 耕

　　我的职业和事业都是哲学。如果说当初是我选择了哲学，那么，后来就是哲学选择了我。在我看来，哲学适合我，我也适合哲学。今天，我已与哲学连成一体，或者说，哲学已融入我的生命活动之中，离开哲学我不知如何生存。

　　我之所以如此"钟情"哲学，并不是因为哲学"博学"，无所不知，实际上，"博学并不能使人智慧"，而无所不知只能是神学；并不是因为哲学是自然科学与社会科学的概括和总结，马克思主义哲学是关于自然、社会和思维运动一般规律的科学，实际上，哲学并不等于科学，当代科学的发展已经使"关于总联系的任何特殊科学"成为"多余"的了，在当代，企图在科学之上再建构一种所谓的关于整个世界一般规律的科学，只能是"形而上学"在当代条件下的"复辟"。

　　我之所以如此"钟情"哲学，是因为哲学本身是一种智慧，它给人以生存和发展的智慧与勇气，这是一种"大智大勇"，如果说宗教是逃避痛苦的痛苦，那么，哲学则是通向智慧的痛苦。因为哲学关注的是人在世界中的位置，显示的是人的自我形象，如果说宗教是关于人的死的,是讲生如何痛苦、死后如何升天堂,那么,哲学则是关于人的生的,是教人如何生活、如何生的有价值、有意义;是因为马克思哲学是关于现实的人及其发展的学说,它以实践观为基础,从人与自然、人与社会的双重关系中去把握现实的人及其发展,关注的是"重建个人所有制"和"确立有个性的个人",以实现人的全面而自由发展,这是对人的现实存在和终极存在的双重关怀。在我看来,这是全部哲学史中最激动人心的关怀。

我的研究方向就是马克思主义哲学。如果用一句话来概括我的哲学研究,那就是:重读马克思。

重读马克思并不是"无事生非"或"无病呻吟",而是当代实践、科学以及哲学本身发展的需要。历史常常出现这样一种奇特的现象,即一个伟大思想家的某个观点以至整个学说,往往在其身后,在经历了较长时间的历史运动之后,才充分显示出它的本真精神和内在价值,重新引起人们的关注。所以,"重读"成为思想史上常见的现象。黑格尔重读柏拉图,皮尔士重读康德,歌德重读拉菲尔……从一定意义上说,一部思想史就是后人不断"重读"前人的历史。所以,思想史、哲学史被不断地"重写"。更重要的是,后人之所以不断地"重读"前人,都是为了从永垂不朽的大师那里汲取巨大的灵感和超卓的智慧,"风流犹拍古人肩"。这使我不禁想起了叔本华的一句话:"谁要是向往哲学,就得亲自到原著那肃穆的圣地去找永垂不朽的大师。"

马克思哲学的历史命运也是如此。20世纪的历史运动以及当代哲学的发展困境,使马克思哲学的内在价值和当代意义凸显出来了,哲学家们不由自主地把目光转向马克思哲学。后现代主义思想家杰姆逊指出,马克思哲学"是我们当今用以恢复自身与存在之间关系的认知方式","是唯一一种包罗万象的移译转化的技巧或机制","马克思主义的'特权'在于它总是介入并斡旋于不同的理论符号之间,其深入全面,远非这些符号本身所能及",所以它"让那些互不相容,似乎缺乏通约性的批评方式各就其位,确认他们局部的正当性,既消化又保留了它们"。因此,马克思哲学是当代"不可超越的意义视界"。从萨特提出马克思哲学是当代"唯一不可超越的哲学"到杰姆逊提出马克思哲学是当代"不可超越的意义视界",这一时间跨度再次表明,马克思哲学仍是我们时代的真理和良心。在当代,无论是用实证主义、结构主义、新托马斯主义,还是用存在主义、弗洛伊德主义、后现代主义乃至现代新儒学来对抗马克思哲学,都注定是苍白无力的。在我看来,这种对抗犹如当年的庞贝城与维苏威火山岩浆的对抗。

在重读马克思的过程中,我经历了从马克思哲学到马克思主义哲学史、西方哲学史,再到现代西方哲学,然后再返回到马克思哲学这样一个不断深化的求索过程。其意在于,把马克思哲学放置到一个广阔的历史背景和理论空间中去研究。我认为,对马克思哲学的研究离不开对马克思主义哲学史的研究,只有把握马克思的心路历程,把握马克思以后的马克思主义哲学的演变过程,才能真正把握马克思哲学的真谛,真正理解马克思哲学在何处以及在何种程度上被误读了;只有把马克思哲学放到西方哲学史的流程中去研究,才能真正把握马克思哲学对传统哲学变革的实质,真正理解马克思哲学划时代的贡献;只有把马克思哲学与现代西方哲学进行比较研究,才可知晓马克思哲学的局限性,同时进一步理解马克思哲学的伟大所在,真正理解马克思哲学为什么是当代"不可超越的意义视界"。在这样一个重读马克思的过程中，我的面前便矗立起一座巨大的英雄雕像群，我深深体验到哲学家们追求真理和信念的悲壮之美。

在重读马克思的过程中，我同时进行了当代社会发展理论、社会主义思想史和理论经济学的"补课"。从内容上看，马克思哲学的基本原理是在阐述科学社会主义的过程中生成的，科学社会主义的基本原则又蕴涵在马克思哲学中，两者密切相关甚至融为一体。马克思的经济学不仅是一种关于资本的理论，而且是对资本的理论批判或批判理论，它所揭示的被物的自然属性掩蔽着的人的社会属性，以及被物与物的关系掩蔽着的人与人的关系，具有重大的哲学意义。精神生产不同于肉体的物质生产。以基因为遗传物质的生物的延续是同种相传，而哲学思维可以、也应该通过对不同学科成果的吸收、消化和再创造，形成新的哲学形态。从历史上看，马克思哲学在创立和发展过程中，对经济学、历史学、政治学以及人类学都进行过批判性研究和哲学反思。不仅德国古典哲学，而且英国古典经济学、法国复辟时代历史学、英法"批判的空想的社会主义"以至人类学也构成了马克思哲学的理论来源。正像亲缘繁殖不利于种的发育一样，一种创造性的哲学一定会突破从哲学到哲学的局限。

在重读马克思的过程中，我看到了一种对资本主义制度的彻底的批判精神，透视出一种对人类生存异化状态的深切的关注之情，领悟到一种旨在实现无产阶级和人类解放、每个人全面而自由发展的强烈的使命意识。马克思哲学不是"学院派"，它志在改变世界，其"笔落惊风雨，诗成泣鬼神"。重读马克思不能仅仅从书本到书本，从哲学到哲学史，更重要的，是从理论到现实，再从现实到理论。哲学当然需要思辨，但哲学不应是脱离现实的思辨王国，始终停留在"阿门塞斯的阴影"之中；哲学家不应是吐丝织网的蜘蛛，自我欣赏自己编织的精致的思辨之网。

哲学之所以给人们造成一种艰涩隐晦、与现实无关的印象，是由于哲学的论证方式造成的，即哲学在形式上表现为一种抽象的概念运动。问题在于，这种抽象的概念运动的背后是现实的社会问题。换言之，哲学的论证方式是抽象的，哲学的问题却是现实的。无论哲学家们如何"超凡入圣"，他们都不能不食人间烟火，都是在特定的现实社会中提出特定的问题、特定的解决问题的方式和答案。即使表面上看来荒诞不经、信奉"语言游戏论"的后现代主义，实际上是对"后工业社会"的一种文化反映。用杰姆逊的话来说就是，后现代主义"是在一个已经忘记如何进行历史性思考的时代里去历史地思考现实的一种努力"。哲学应该由人间升到"天国"，即进入纯概念领域，否则就不是哲学；哲学又必须由"天国"降到人间，直面现实问题，并以哲学的方式解答时代课题，否则将成为无根的浮萍。

我始终认为，哲学研究不能脱离现实，仅仅成为哲学家之间的"对话"，更不能成为哲学家个人的"自言自语"。马克思哲学是"入世"的，它坚决反对远离人生、远离生活、远离矛盾，去寻找一个所谓的超然物外、安身立命的精神工具。马克思不是"沙漠里高僧"，仅仅腹藏机锋，口吐偈语，谈玄论道。相反，马克思既是哲学家，又是革命家，是两者完美的结合。马克思始终关注着"现存世界革命化"，马克思哲学始终关注着无产阶级和人类解放。所以，重读马克思不能忘记同现实进行"对话"。

当今中国最基本的现实就是改革开放和现代化建设。这一社会实践最突出的特征和最重要的意义就在于，它把现代化、市场化和社会主义改革这三种重大的社会变革浓缩在同一个时空中进行，从而构成了一场极其特殊、复杂、艰难而又波澜壮阔的伟大的社会变迁。它必然引起一系列重大而深刻的哲学问题，必然为人们的哲学思考提供一个广阔的社会空间。关注这一现实，从总体上把握当代中国的改革开放和现代化建设，由此引发对民族的思维方式、生存方式、活动方式以及社会发展的哲学思考，反过来，以一种面向21世纪的哲学理念引导现实运动，这是当代中国哲学家应有的良心和使命。

就我个人而言，正是当代中国的改革开放和现代化建设，尤其是社会主义市场经济的实践促使我重读马克思。从时间上看，马克思离我们越来越远了，而且马克思离我们的时间越远，对他认识的分歧也就越大，就像行人远去，越远越难辨认一样；从空间上看，马克思却离我们越来越近了，马克思哲学本身就是在市场经济的背景中产生的，随着社会主义市场经济实践的不断拓展，一个"鲜活"的马克思正在向我们走来，离我们不是越来越远，而是越来越近。一句话，马克思与我们同行，马克思哲学仍具有"令人震惊的空间感"。在我看来，马克思哲学之所以在当代"不可超越"，仍具有"令人震惊的空间感"，是因为它抓住了人与世界关系的根本——实践，并从这一根本出发向人与世界的各个方面、各个环节发散出去，提供了"整体社会的视界"；同时，马克思哲学关注的问题及其一些以胚胎形式存在的观点又契合着当代世界的重大问题。

重读马克思，使我得出了一个新的关于马克思哲学的总体认识，即马克思哲学在哲学史上所造成的革命变革是从本体论的层面上发动并展开的，它以实践观为基础科学地解答了人与自然、人与社会的关系；马克思哲学所造成的革命变革的实质就在于，它实现了哲学主题的根本转换，这就是从整个世界转向人类世界，从宇宙本体转向人的生存的本体；马克思哲学的主题就是,消除人的生存的异化状态,实现人的全面而自由的发展。一句话,马克思哲学以人为本。

当马克思把目光从整个世界转向人类世界时,它就同时在寻找理解、解释和把握人类世界的依据。这个依据终于被发现,这就是人类实践活动。按照马克思的观点,人通过实践使自然成为"社会的自然",从而为自己创造出自然与社会"二位一体"的人类世界;在人类世界的运动中,实践具有导向作用,即人通过自己的实践活动"为天地立心","重整山河",在物质实践的基础上重建世界。换言之,实践构成了人类世界得以存在和发展的基础,是人类世界真正的本体。这是一个动态的、不断发展、不断生成的本体,人类世界因此成为一个不断形成更大规模、更多层次的开放性体系。

从哲学史上看,马克思之所以能够发动一场震撼人类思想史的哲学革命,关键就在于,它以实践观为基础科学地解答了人与自然的关系这一本体论问题。按照马克思的观点,在物质实践中,人是以物的方式去活动并同自然发生关系的,得到的却是自然或物以人的方式而存在,即成为"为我之物"。换言之,实践使人与自然的关系成为一种"为我而存在"的关系。这种"为我而存在"的关系是一种否定性的矛盾关系:人要维持自身的存在,即肯定自身,就要对自然界进行否定性的活动,即改变自然界的原生态,使之成为"人化自然"、"为我之物"。这样一种矛盾关系使人与自然的关系成为主体和客体的关系,两者处于双向运动中:人通过实践在不断改造自然、创造"人化自然"的同时,又不断改造、创造着人的社会关系。这是同一个过程的两个方面。

与此同时,马克思揭示出人是在利用工具积极改造自然的过程中维持自己生存的,实践因此成为人的生命之根和立命之本,构成了人类特殊的生命形式,即构成了人的存在方式和生存的本体。人的存在,包含其生存状态的异化及其扬弃,都是在实践活动的过程中发生和完成的。马克思在确认实践是人类世界本体的同时,又确认实践是人本身感性存在的基础,人通过实践创造了人的存在,即实践是人的生存的本体。在这个意义上,马克思哲学是生存论的本体论,即实践本体论。

马克思哲学的本体论不同于传统哲学的本体论。传统的本体论的弊端在于其所追求的宇宙本体是一个"不动的原动者",是所谓的一切现实事物背后的"终极存在"。在我看来,不管这种本体是"抽象的精神"还是"抽象的物质",都是一种脱离现实的社会、现实的人及其活动的抽象本体。从这种抽象的存在、本体出发,无法认识现实。马克思的本体论不是以一种抽象的、超时空的方式去理解和把握存在问题,而是从实践出发去理解和把握人的存在,从人的存在出发去解读存在的意义,并凸显了存在的根本特征——历史性。换言之,马克思哲学把人的存在本身作为哲学所追寻的目标,它不是探求所谓的"终极存在",而是探求"对象、现实、感性"的存在何以成为这样的存在,即它们存在的意义。意义来自人的生存实践,换言之,"对象、现实、感性"与人的生存实践是连接在一起的,本体论与人的生存实践密切有关。所以马克思认为,对"对象、现实、感性"不能只从客体的形式去理解,而要同时"把它们当做感性的人的活动,当做实践去理解","从主体方面去理解",并明确指出:"对实践的唯物主义者即共产主义者来说,全部问题都在于使现存世界革命化,实际的反对并改变现存的事物。"

这样,马克思的实践本体论便开辟了一条从本体论认识现实的道路,同时使哲学的聚焦点从"世界何以可能"转换为"人类解放何以可能",而对"人类解放何以可能"的探讨又必然引起对"改变世界何以可能"的探讨。由此,我们也就不难理解"哲学家们只是用不同的方式解释世界,问题在于改变世界"这一命题的真实而深刻的内涵了。

本体论与"形而上学"密切相关。对马克思哲学本体论的深入研究引导我对马克思哲学与"形而上学"的关系进行全面探讨。1989 年,我在《光明日报》发表文章,提出"拒斥形而上学是马克思哲学的基本原则"。从那时到现在已经 15 年过去了,现在我仍然坚持这一观点,而且认识比以前更深刻了。

从历史上看,"形而上学"在对存在的本质和世界的终极存在的探究中确立了一种严格的逻辑规则,即从公理、定理出发,按照推理规则得出必然结论。这无疑具有积极意义,标志着作为理论形态的哲学的形成。然而,在亚里士多德之后,哲学家们把形而上学中的存在日益引向脱离现实事物、现实的人的存在,成为一种完全抽象化的本体。因此,到了 19 世纪中叶,随着自然科学"给自己划定了单独的活动范围",随着社会的发展"把人们的全部注意力集中到自己身上",西方哲学掀起了反形而上学的浪潮。孔德和马克思同时举起了反对形而上学的大旗。

孔德从自然科学的可证实原则出发批判了形而上学,马克思则从人的存在方式——实践出发批判了形而上学。马克思的反对形而上学与孔德的拒斥形而上学在时代性上是一致的,即都是现代精神对近代精神和古代精神的批判,所以孔德和马克思同为西方传统哲学的终结者和现代哲学的开创者,马克思哲学是现代唯物主义。但是,孔德的拒斥形而上学与马克思的反对形而上学在指向性上又具有本质的不同:孔德认为,拒斥形而上学之后,哲学应趋向自然科学,并把哲学局限于现象、知识以及可证实的范围内,力图用实证科学精神来改造和超越传统哲学;马克思提出另外一条思路,即反对形而上学之后,哲学应趋向人的存在,对人的异化了的生存状态给予深刻批判,对人的价值、解放和全面发展给予深切关注。为此,马克思创立了一种新的哲学形态,即历史唯物主义。

从总体上看,我对历史唯物主义的性质和职能的认识,经历了三个阶段。

一是 20 世纪 80—90 年代初,我认为历史唯物主义不是一个完整的哲学形态,只是马克思的历史哲学,是历史本体论与历史认识论相统一的历史哲学。1990 年,我在《学术月刊》上发表《历史唯物主义现代形态的建构原则》一文,明确提出历史唯物主义是历史本体论与历史认识论的统一。这是一个颇具新意的观点。但是,这里有一个不自觉的理论预设,即辩证唯物主义是历史唯物主义的理论基础。

二是 20 世纪 80 年代末—90 年代末,我认为马克思哲学是实践唯物主义,并提出实践唯物主义与"辩证唯物主义"不能"同构"。1989 年,我在《江海学刊》发表《实践唯物主义:我们时代的哲学旗帜》一文,明确提出马克思主义哲学是实践唯物主义,是实践本体论。之后,一直到 20 世纪末我一直坚持并不断深化这一观点。但是,这一时期我有意回避了实践唯物主义与历史唯物主义的关系。可是,这个问题不解决,马克思主义哲学的"一体化"也就不可能彻底解决。于是,我开始重新审视历史唯物主义的理论空间。

三是从新世纪开始,我对历史唯物主义的性质和职能有了新的认识,即马克思哲学就是历史唯物主义,历史唯物主义本身就是一个完整的哲学形态,是一种"批判的世界观"。2001年,我在《学术研究》发表《重新审视唯物主义的历史形态和历史唯物主义的理论空间》一文,明确提出从理论主题的历史转换这一根本点上看,唯物主义的发展经历了三个历史阶段,形成了三种历史形态,即自然唯物主义、人本唯物主义和历史唯物主义。2003年,我在《河北学刊》发表《历史唯物主义:一个再思考》一文,重申并深化了这一观点,较全面地论证了历史唯物主义是一个自足而完整、唯物而又辩证的世界图景。

从表面上看,历史唯物主义研究的仅仅是人类社会或人类历史,似乎与自然无关,但问题在于,社会是在人与自然之间的物质变换过程中形成和发展起来的,而为了实现人与自然之间的物质变换,人与人之间必须互换其活动。这就是说,人们的生存实践活动和实际日常生活始终包含着并展现为人与自然的关系和人与人的关系,或者说包含着并展现为人与自然的矛盾和人与人的矛盾。历史唯物主义所关注和所要解决的基本问题,就是人们的生存实践活动、实际日常生活所包含和展现出来的人与自然的关系和人与人的关系问题。全部社会生活在本质上是实践的,历史不过是人的实践活动在时间中的展开。用马克思的话来说就是,历史不过是追求着自己目的的人的活动而已。

因此,历史唯物主义概念中的"历史"是人的活动及其内在矛盾,即人与自然、人与人的矛盾得以展开的境域。以现实的人及其发展为思维坐标,以实践为出发点和建构原则,去探讨人与自然的关系和人与人的关系,使历史唯物主义展现出一个新的理论空间,即一个自足而又完整、唯物而又辩证的世界图景。这就是说,历史唯物主义不仅是一种历史观,更重要的是一种唯物主义世界观。由于历史唯物主义内涵着"否定性辩证法",所以马克思又称之为"真正批判的世界观"。

在我看来,马克思哲学就是历史唯物主义,辩证唯物主义不过是历史唯物主义的代名词。社会生活的本质是实践,而实践活动本身就是一种"否定性的辩证法"。因此,历史唯物主义作为社会生活的哲学反映,本身就蕴涵着"否定性的辩证法",本身就是唯物主义和辩证法的统一。辩证法在本质上是批判的和革命的。把辩证唯物主义看做是历史唯物主义的代名词,就是为了凸显历史唯物主义所内含的辩证法维度及其批判性和革命性。这也就是说,在马克思哲学体系中,不存在一个独立的、作为理论基础的辩证唯物主义,也不存在一个独立的、具有应用性质的历史唯物主义。同时,实践唯物主义也是马克思哲学的不同称谓,或者说,实践唯物主义是历史唯物主义的又一代名词。把实践唯物主义看做历史唯物主义的又一代名词,则是为了凸显历史唯物主义所内含的实践维度及其首要性和基本性。由此,我进一步理解了"历史唯物主义是马克思的第一个伟大发现"这一命题的深刻内涵。

《理论前沿》2000 年第 1 期一篇署名文章认为,我对马克思哲学的解读范式"提供了一种新的马克思哲学的理解途径,突破了传统的马克思主义哲学体系,对于我国哲学体系的改革和建设具有突破性意义"。这个评价过高,我实在不敢当。但我对马克思哲学的确有自己的看法,同时我还没有从根本上解决马克思主义哲学"一体化"的问题,只能说为解决马克思主义哲学"一体化"以及辩证唯物主义、历史唯物主义、实践唯物主义的关系问题提供了一条新的思路。

以上,就是我重读马克思的心路历程,以及在这个过程中所获得的一种对马克思哲学的总体认识。

　　显然，我的这种认识不同于人们所"熟知"的马克思，不同于"常识"。问题在于，熟知并非真知，而常识既"是一个时代的思想方式"，同时又"包含着这个时代的一切偏见"。由此造成这样一种奇特的现象，即人们最熟悉的往往又是他们最不了解的。马克思的名字在中国可谓家喻户晓，而自"工农兵学哲学"以来，马克思的哲学思想似乎人所共知，已成为一种"常识"。然而，我以为，马克思的形象在这种"常识"中被扭曲了，而当代中国理论研究的最大误区就是马克思的哲学。常识往往窒息思想的发展，我不能"跟着感觉走"。于是，我重读马克思并得出了上述不同于"常识"的认识。

　　我并不认为我的这种认识完全恢复了马克思的"本来面目"，这种解释完全符合马克思哲学的"文本"，因为我深知"一切历史都是当代史"的合理性，深知我的这种认识受到我本人的知识结构、哲学素养以及价值观念的制约，甚至是"心有余而力不足"。但我又不能不指出，我的这种认识的确是我二十年来上下求索的结果，是我重读马克思的心灵写照和诚实记录。在这个过程中，我所追求的理论目标，是求新与求真的统一；我所追求的理论形式，是诗一般的语言，铁一般的逻辑；我所追求的理论境界，是构建哲学空间，雕塑思维个性。正如歌德所说：

　　"不经过迷惑，你总不会聪明；

　　　没有独创，你不可能成长。"

（原载《社会科学战线》2005 年第 2 期）

不畏权势　坚持真理

——记经济学家马寅初先生

宋　铁铮

　　自从党中央为马寅初先生及其"新人口论"平反以来，很多相识的或不相识的同志从祖国各地向马老寄来了热情洋溢的慰问信，也都希望了解马老的情况。笔者出于敬仰马老耿耿忠介之心和不畏权势的品格，以及佩服"新人口论"这一理论的真知灼见，因此不揣幼稚写成此文，拟把马寅初老先生的主要经历作一些介绍，使广大读者从中了解这位长者爱祖国，爱人民，为真理而斗争的高贵品质。

一、二十年后

　　一个暑伏天的傍晚，我拜访了 98 岁高龄的马寅初先生，马老坐在手推车上，正由人推动着在庭院中进行每天两次的活动。自从 1972 年进行直肠癌切除手术后下肢瘫痪，一生热爱体育运动的马老，只能以这种方式行动了，他耳朵失聪，头脑却很清醒，豁达的襟怀使他的意志没有像下肢一样致残。稀疏的银发和灰白的长眉衬托在气色红润皱纹鲜少的圆脸上，炯炯有神的双眼对每一位来客都是那样集中精力地注视着,使人一望而感到这位鹤发童颜,在地球上生活了将近一个世纪的经济学家、教育家,依然有着旺盛的生命力,在他的胸腔里依然搏动着那颗为国为民的赤子童心。马老因二十多年前提出人口问题而招致批判,今天终于由党中央为他彻底平了反,恢复了名誉。1979 年 7 月 16 日上午,统战部副部长李贵同志受党的委托通知马老:"一九五八年以前和一九五九年底以后这两次对您的批判是错误的。实践证明您的节制生育的'新人口论'是正确的。"马老愉快地回答说:"我很高兴","二十多年前中国人口并不多,现在太多了,要尽快发展生产才行啊。"马老对华国锋在《政府工作报告》中提出的"要做好计划生育工作,切实控制人口的增长"表示完全赞同,爽朗地笑着说:"这样看来,我这个老头还能有点用处。"

二、早 年

1882 年(清光绪八年),马寅初先生诞生于浙江省绍兴府。他的青少年时代则是在老家嵊县度过的,父亲是制造当地特产——绍酒的一个酒作坊主,他只希望孩子能在私塾中读书明理,长大后能帮助酒坊记账理财,继承家业。自 1894 年甲午战争以后,杭州被开辟为商埠,所以浙东地方较早地接触了资本主义的影响,浙江东北部杭州、绍兴、宁波一带的居民离乡外出读书、经商、谋业的较多,马老 17 岁时便由亲戚们带往上海念书。他非常关心国家大事,喜欢和同学们侃侃而谈,评论朝政。当时的满清政府腐败不堪,丧权辱国,年轻的马寅初一心向往工业救国,20 岁时便考上了天津"北洋大学",攻读矿冶专业。1906 年又官费留学,先后在美国耶鲁大学及哥伦比亚大学研究经济,1914 年以优异成绩获得哥伦比亚大学博士学位,论文的题目是《纽约市的财政》。1916 年回国后担任了北京大学经济系教授。在蔡元培先生任校长时,北京大学成立教授评议会,提出要设立教务长,胡适"毛遂自荐",却受到理科激烈反对。选举结果,马寅初教授选票最多,于是马老就兼任了第一任教务长。后来马老因为教务繁重,有碍他对经济学的研究和教学,即辞去教务长,专任教授。在北京大学教课的十余年间,曾经基于乡谊而出任浙江兴业银行顾问。1920 年,向北京大学请假一年到上海考察上海经济界的情况,和上海东南大学校长郭秉文共同合办了"东南大学商学院",后独立改称"上海商科大学",抗战期间停止。

那时有法国人以极少量的资金在上海搞了一个"万国储蓄会",实际无异于买空卖空,但那时人们苦于军阀混战,迭遭丧乱,对本国企业与工商机构失去信心,反而相信外国人的洋行和银行,因此很快就被这个"储蓄会"吸去资金达 60 亿元之巨。由于他们发息和奖金时间特长,拆放资金的日期又短,为此大获其利。马老是很爱国的,他根据经济学原理与当时事实发表文章,进行揭露,或在演讲时予以抨击,他说:"'万国储蓄会'所吸收之资金,若以之投资于欧美,则是以华人之血汗所得供外国之发展,而况我国原已落后,欧美早已先进,是不啻'损不足以补有余',岂得为平?故本人坚决反对,希望国人勿堕其陷阱之中。"由于马老的揭露与抨击,终于使这个"储蓄会"倒闭,除去了这个吮吸中国人民血汗的罪恶组织。可是马老这种仗义行动竟得罪了和"储蓄会"有牵连的某些银行公会的会员银行,"道不同不相为谋",致使马老愤然辞去"兴业银行顾问"这个待遇较好的职务,回到了北京。以后他又受聘为"中国银行"(由"大清银行"改组而成)的总司券(总发行人)。1927 年再次南下,担任了浙江省省府委员。他深知在浙江省境内鸦片烟的危害甚大,既流失了银钱,又损坏了国民的体质和意志。马老向来是主张民族振兴富国强民的,就利用他所能运用的权力,在浙江省实行禁烟。虽然当时遍地疮痍,马老的做法无异于杯水车薪,时间也只有一年,但这个主张是对的,在局部地区收到了一些效果。翌年又先后受任于南京政府立法院的财政、经济两个委员会的委员长,但仍在金陵大学和上海交通大学教课。

1923 年,"中国经济学社"成立后,马老长期担任该社社长。社址设在杭州宝石山宝俶塔旁的一座二层楼房(现已拆毁),每年举行一次例会,每次例会预先征求重要问题的论文,对当时迫切有待研究解决的经济问题,大会先进行详细研究讨论,共同作出结论,而后公开于报刊,供给大众参证。(由于教学和学术活动繁忙,此时马老经常往返于南京、上海、杭州之间。)当时宋子文是财政部长,蒋介石和宋子文虽然窃得了政经大权,他们对于经济理论却是一窍不通。蒋介石为了显示"礼贤下士"就把马老请去,向他征询经济上的各种问题。马老除了有关经济问题予以释讲外,后来曾坦率提出不应该对江西的共产党实行"围剿"的看法。蒋宋认为,此人虽然不是共产党,但也不可靠,于是就再也不来找马老了。马老向来对宠辱并不介意,依然是写作、教学……这时他正在给上海交通大学讲授"中国经济改造",这部书在 1935 年被商务印书馆收在《大学丛书》中出版。扉页上印有:"献给仲贞及子女,国家忧患固使余有勇气担任此著述,家庭亲爱亦使余有精力完成此项工作。"

三、抗日战争时期

"七七"事变发生时马老正在九江,于是便辗转而行,1938年初到达重庆。由于马老的名望和对美国的熟悉,蒋介石曾拟安排他到美国去工作,这在有些人是求之不得的事,但是马老却拒绝接受。他出于爱国主义的精神,认为"国家兴亡,匹夫有责",自己的岗位应该在国内。马老声明:一不出国;二不买黄金和美钞;三要逐渐脱离立法院,为了国家和民族,需要能够说话。同时,为了不削弱抗战力量,马老在"中国经济学社"坚决执行不买外汇的决议,致使该社基金因货币贬值而告罄。

1939年在国难当头,敌军压境,大片国土沦丧之际,以"四大家族"为首的官僚买办资产阶级,贪官污吏,投机奸商,趁火打劫,囤积居奇,大发其国难财,并把搜刮所得,盗汇国外,存储外国银行,准备一旦重庆不保就逃往国外去做豪富寓公,致使物价飞涨,民不聊生。马老忍无可忍,便在立法院正式提出议案,要向发国难财者征收"临时财产税",并要求从宋子文、孔祥熙等人开始。他又先于国民党"双十节"前在香港《工商日报》发表文章说:"现在前方抗战,百十万之将士牺牲头颅热血,几千万之人民流离颠沛,无家可归,而后方之达官资本家,不但于政府无所贡献,且趁火打劫,大发横财,忍心害理,孰甚于此!征收半数之资本税,岂尚有顾惜耶?中国今日发国难财者,除商人外尚有利用政治力量而发财者,此种行为本非官吏所应有,故欲实行资本税,必须先自发国难财者之大官始……"又于12月8日在香港《大公报》撰文《战后的经济问题》,其中提及"中国的大贪污,其误国之罪远在奸商、汉奸之上。吾人以千数百万同胞之死伤，数百万万财产之损失，希冀获得胜利，以求民族之快快复兴，决不愿以如是巨大之牺牲来交换几个'大财神'，将吾人经济命脉操在手中，此岂抗战之用意乎？……要求政府对发国难财者从速开办'临时财产税'，将其所获得不义之财全部提出，贡献于国家，以为其余发国难财者倡"。

　　1940年起马老已经不能在重庆各报刊上发表文章了，他就到处呼吁、演讲。当时后方唯一的国际通道是滇缅公路，却有大队车辆专为"皇亲国戚"和拥有外汇者运进高级奢侈物品，而使大量外汇流失。马老在重庆大学演讲时大声疾呼："有人说委员长领导抗战，可以说是我国的民族英雄，但是照我看，只能算是家族英雄，因为他包庇他的亲戚家族，危害国家民族啊！"他一腔正义，能言人所欲言，能言人之不敢言。所以每次他的演讲总能吸引许多群众。蒋介石碍于马老的声望，先遴选与马老熟悉的人去劝谕了一番，并示以"国难当头，局势严重，务需共体时艰，不可轻信谣传，致乱阵容，让他来见我"。来人还对马老说："战时经济搞不好，委员长借重你，你可以当中央银行总裁，也可以当财政部长。"马老是学者，不是政客，揭发国民党的腐败是以国事为重，并非为了高官厚禄。他拒绝了这种利诱，并声明"自己的说话是有根据的，自己的言论正是为了爱国，至于去看最高当局，大可不必，他是军政系统，我是立法系统，各不相属，见面吵嘴，我义不受辱"。于是特务又来恫吓他："如果不识相，还要攻击要人，小心吃枪弹。"马老义无反顾，让家属做好发生万一的思想准备，他自己更是置生命于度外，依然到处演讲，那时他的行动已受到特务监视。一次，马老在中央大学演讲时，他轩昂地走上讲台，严肃地指出："你们中间有特务，带手枪的就站出来。"特务们终于为马老的浩然正气所震慑，没有敢轻举妄动。

1940 年 12 月 8 日的早晨,重庆宪兵六团胡团长亲自率领宪兵包围了马老的住宅,声称"委员长要见你",其时马老正在吃早点,见此情景心中坦然,从容地随宪兵而去。下午,家属找到宪兵团长家中,但回说已经押解过江(长江)了。当时,周恩来同志和黄炎培先生、邹韬奋先生等都尽力设法营救。不久,国民党报纸发表了"马寅初到战地考察经济"的消息,说是当局派员陪他到前线观察战时的各方经济情形,以免安居后方"纸上谈兵"。后来又传说由于"上前方"在技术上难以办到,故暂时请其到息烽休息,实际上在息烽和张学良先生关押在同一个集中营里。

马老在集中营内毫不气馁,还对看管他的特务们进行工作。国民党三战区的副官陈凤超等人,本来是负责看管马老的,但经过马老指出国民党政府的腐败,据理说服教育,以后竟翻然悔悟,脱离了国民党。陈凤超先生现在浙江省建德县,今年 6 月还给马老来过信。

由于党的领导,在 1941 年的 3 月 30 日,重庆大学商学院师生为马老 60 大寿举行了"祝寿会"。实际上是对身陷囹圄的马老的一种声援,也是对反动派法西斯统治的抗议。校方得悉后,十分紧张,又不能禁止,便贴出了"奉教部令缓开"的布告。可是人心所向,正义难抑,各处来宾如期而至,终于临时将大礼堂布置成寿堂,正中高悬"明师永寿"四个大金字,并邀请马老的夫人和儿女出席,开成了一个声援示威性的大会。周恩来同志、董必武同志、邓颖超同志特地送来了一副对联:"桃李增华坐帐无鹤,琴书作伴支床有龟。"重庆《新华日报》社也送来了一副寿幛:"不屈不淫征气性,敢言敢怒见精神。"师生们还集资在重庆大学校园内修建了一座"寅初亭"。足见马老的精神使人感佩，也足见马老的言行和我们党的目标是一致的。

马老自被押后，先关在息烽集中营，后又转押至上饶集中营和福建武夷山，由于日军进逼闽赣，也因为国内外公正舆论的压力，国民党当局不得不在1942年8月把马老转回重庆。开始他还能在潘序伦先生主办的立信会计专科学校教课、讲学，并召开了一次"中国经济学社"的会议。后来反动派还是不放心，便将他软禁在歌乐山大木鱼堡五号住宅，行动受到管制，如果要进市区，必须事先获得警察所准许，准许以后还要有人"陪同"。因此在这几年，年逾花甲的马老除了始终不断地写作外，还天天坚持洗冷水澡和爬上附近山头进行体育锻炼。空暇时还直接和看守他的警察们交谈，向他们指出蒋介石政权必定要失败，毛主席领导的中国共产党必然会胜利，鼓励他们认清形势，作出抉择。

马老向来对周恩来同志十分敬佩，他经常谈到在重庆时周总理为了营救他而出了不少力。周恩来同志首先在政治上对马老进行了帮助，鼓励和引导。马老被软禁时，《新华日报》为马老写一特刊，后被国民党的检察厅扣发。《新华日报》就将此稿带到延安，载于1941年3月23日的《新中华报》，题为《马寅初先生被捕经过》。向边区人民介绍了在所谓陪都重庆，爱国民主人士向蒋政权斗争的情况。

四、民 主 战 士

1945年日本投降以后，所谓"国难当头"已经不存在了，毛泽东同志又亲赴重庆，国共两党进行了谈判。蒋介石没有理由再软禁、监视马老了，马老全家就迁入市区沙坪坝，继续进行反蒋民主活动,又和李济琛、郭沫若等被邀参加我党在"中苏友好协会"举行的招待会,受到毛泽东同志、周恩来同志的接见。

1946年2月10日,重庆进步人士于校场口集会庆祝政治协商会议的召开,抗议蒋介石撕毁"停战协定",发动内战。大会刚刚开始,就遭到国民党特务的破坏,并殴打在主席台上的人员,郭沫若、李公朴、施复亮、马寅初等均被打受伤。

同月,马老携全家返回杭州,反动政府下令各级机关、团体、学校不得聘请马老担任一切职务,66岁的马老在杭州5个月期间,一些进步青年慕名而来,希望这位经济学的前辈对当时通货膨胀的迫切形势究竟会走向何处和怎样才能走上经济民主的方向,以及怎样才能够消灭财富集中的封建势力,让老百姓从牛马般的生活中解放出来等问题作些指导。为了不负青年们的诚恳要求,马老以他豪迈的气度,矍铄的精神以及洪亮而激昂的嗓音,把自己的学术见解作了十余次演讲,他还领导了一次数万人要求实行政协决议的大游行,尽管那天大雨如注,后面有警察荷枪实弹地尾随,马老照样走在游行队伍的最前面。事后,马老在杭州的家里(法院路"竹屋")时常有些不三不四的人"光临"、"看望",家中担心反动派又会下手迫害。当时"浙大"学生八百余人,联名要求校方聘请马老授课,但学校已接到不准聘请的命令,甚至杭州的报刊亦奉命不准刊载马老的文章。马老就以黄炎培等人在上海永嘉路办的中华职业学校教职为掩护,经常和董必武同志、王若飞同志、郭沫若同志等接触,始终站在反蒋爱国民主运动的最前列。

马老回上海时还受到了原北京大学的学生开会欢迎,他向同学们致谢时仍然说:"我头可断,决不会与他们(指国民党反动派)合作,我对财政经济的主张,必定坚持到底。"他又为上海

"小学教师进修会"作了几次报告,题目是《重庆陪都的经济概况》,精辟地分析了沦陷区与重庆反动政府的经济腐朽,贪污成风,官僚奸商投机倒把,走私舞弊,出卖祖国利益,并且一针见血地指出反动派不久就会彻底垮台。这在当时国统区是一个很危险的言论,但是马老却勇敢地和反动派斗争着,足见他对于国民党法西斯统治的睥睨。

1947年,北平发生美军强奸北京大学女生事件以后,全国各地大中学生相继罢课,举行反美反蒋的示威游行,要求美军退出中国,在党的领导下马老在上海和陈叔通、陈望道、张志让等一起参加了群众集会和游行。

随着革命形势的发展,在1948年我地下党布置了一些和党合作多年的民主人士离沪,假道香港再转移解放区。因为都是知名人士,行动容易引起特务注意,所以必须化妆离沪。马老就像素常往返沪、杭一样,先回杭州家中作了一些安排(家属并不知道他将要远离)。然后到上海,先是在亲友家借住,一天换一个地方,离境那天则是在包达三先生家中化妆成一个厨师,混过了码头上特务的视线。登上海轮后立即坐在不为人注意的底舱角落,一直等到轮船起锚,驶出了吴淞口,才走上甲板。马老在香港小住以后,又由地下党的安排,从香港乘船到达我东北解放区。

五、把学术研究献给新中国

杭州市解放后,马老担任了浙江大学校长,1949年9月份就收到了周恩来同志的电报,邀他赴京参加第一届政治协商会议和开国大典。马老满怀着激动的心情随同毛主席、周总理、朱总司令等老一辈革命家登上天安门城楼,他看到在中国共产党的领导下,历尽艰难困苦,终于使支离破碎的中国得到了统一。他被任命为中央人民政府委员,政务院财经委员会副主任,后来又被委任华东军政委员会副主席。马老为建国后的大规模经济建设贡献了自己的力量,为国家财政经济状况的好转做了大量的工作,对经济复苏和财政平衡出了不少主意,协助人民政府在短期内就制止了通货膨胀,稳定了物价,使国民经济和人民生活有所好转。马老一心渴望国家强盛,历来主张有钱出钱,有力出力,由于他的呼吁和解释,团结了工商业者,对工商界认购"人民胜利折实公债"起到了良好的作用。

1950年马老赴保加利亚出席了第二届世界和平大会,回国后向各方面作报告,生动地介绍了当时的社会主义阵营。此外,马老始终以主要的精力考虑和研究新中国的经济问题。一次到苏州东吴大学演讲,接受了当时苏南电台记者的采访。事隔29年了,马老对青年人谦虚的态度,给记者留下了深刻的印象。据回忆:马老谈到了苏州这个城市应该由消费城市转为生产城市,主要减少消费人口。其一,应该从消费性转为生产性;其二,人口不能任意增长。由此可见,马老的"新人口论"正在酝酿形成中。

1951年,马老被任命为北京大学校长,回到了他历来从事的教育工作岗位。当时的教育部副部长钱俊瑞向北大师生员工介绍说:"马老嫉恶如仇,绝不讲情面,马老的治学精神和正派作风,给人们留下了深刻的印象,他的行动表明他坚持和发扬了北大的民主传统。"此时马老已经70岁了,但是他对学校的工作极其负责,对待师生非常爱护,同学们经常能和这位体格挺直,带着慈父般笑容的老校长谈话。至于他的演讲,更是内容丰实,比喻生动,从国家大事谈到学校生活。尽管马校长在教育界德高望重,但他对学生从来不用说教的口吻,使人感到如同老爷爷在和儿孙辈讲话一样,十分亲切,绝不摆权威的架子,更没有一丝学阀、教官的神气。每当请校外客人来校做报告时,马老从不坐在主持者的席位上,总是坐在讲桌侧端,仰脸细听,俯首笔记,给同学们树立了严格治学,虚心求教的榜样。毛主席向全国青少年提出"三好"的号召,马老在全校大会上现身说法作了动员。他说:"毛主席把'身体好'放在第一条,就是教我们青年人首先要把身体锻炼好,这是建设国家的本钱,我虽然年龄大了,每天还是坚持洗冷水澡,经常爬山。"的确,马老一直坚持不懈地锻炼身体,就是为了更好地为人民服务。他和清华大学体育系马约翰教授,双双以七十多岁的高龄几次登上香山"鬼见愁",一直被人们传为美谈,那时就有医学专家估计马寅初校长能活到一百岁以上。

马校长对于北京大学是有特殊感情的,一次国庆节前夕,马老向大家鼓动说:"明天你们的游行队伍走过天安门时,我一定亲自指给毛主席看,告诉他这就是北京大学的队伍。"果然,第二天,马老在天安门城楼上及时向毛主席作了介绍,毛主席笑着向北大师生们挥手致意,彭真市长在扩音器中高呼"北大同学们万岁"!为此,师生们的精神极为振奋。马老平时对学生的生活关怀备至,认为学生们正在发育阶段,学习负担重,又要参加体育活动,所以务必办好食堂,他曾多次到学生食堂吃饭,对后勤工作进行检查。每年元旦零点钟,他还必定参加全校师生的团拜。有一次,他用他的绍兴官话诙谐地向大家说:"恭喜发财!恭喜发财!但不是发个人的财,是要发展经济,让社会主义集体发财!"引得师生笑声满堂。元旦日,他还要到校医院去看望住院的师生员工,作为一个大学校长能平易近人,关心师生到这个地步,应该说是一个好校长吧!

马老虽是耄耋之年,但是他对于自己的学习一直抓得很紧,除了习以为常地在经济学方面努力写作外,还开始学习俄语,他利用到北京大学上下班的时间,在车上背诵单词,每天一定要完成自己规定的作业,不完成就不休息,后来居然达到了能够独立阅读俄文报章的水平。马老这种勤奋的精神是极为值得我们学习的。

1955年,我国发行了新人民币,马老为此发表了谈话:"解放以来,我国的经济建设已经取得了巨大的成就,人民生活日益改善,而现行的人民币票面额大,种类复杂,纸张质量不一,不能适应需要……,以一元做单位,使用方便,计算省事,一定会得到全国人民的拥护,我们新人民币的发行,不是因为通货膨胀和物价不稳,而是为了计算和流通方便。"

马老对于工作一贯非常认真,1955年作为人民代表大会常委视察浙江农村时,他就改变了以前先听干部汇报,然后开座谈会,最后再选择典型视察的做法,采用了一竿子插到底的方法,采取个人视察和访问对谈的方式。他一次就视察了十个县市约二十个农业生产合作社和一个渔业生产合作社,由于他深入基层,亲自了解第一手资料,掌握了大量的数据,更加充实、丰富了他的想法。作为一个经济学家看到解放后广大人民有了安定的生活,这是一个可喜的现象。可是由于封建思想的影响,科学文化的落后,儿孙满堂成为一般人的向往,普遍地希望儿女双全,甚至还要加上百分之五十的保险系数。为此从1949年的540000000人口到1953年普查时人口总数竟达到了601938035人,出生率接近于百分之四,随着人口基数的增大,每年净增人数非常惊人,相当于当时的捷克斯洛伐克总人口,事情发展的严重性使马老"先天下之忧而忧",在1955年人代会的浙江小组会上首次提出了"节制生育"和"控制人口"的主张,可惜习惯势力是很顽强的,他的意见未被通过,没有能提交大会讨论。然而1956年9月,党的"八大"会议上,周总理在报告中却提到:"为了保护妇女和儿童,很好地教养后代,以利民族的健康和繁荣,我们赞成在生育方面加以适当的节制。"说明中央也考虑到了这个问题。

在1957年2月的最高国务会议上,马老再一次对"控制人口"的问题发表了自己的主张,受到了毛泽东同志的重视,马老兴奋极了。他到处奔波,多方呼吁,为了后代的幸福生活,他一心一意盼望举国上下能正视我国的实际情况,把控制人口的问题重视起来。当年9月27日他向北大师生作报告,谈了如何解决我国先进的社会制度和落后的生产力之间的矛盾,他认为要解决这个矛盾,非从人口和科学研究两方面着手不可。

5月9日在《我国人口问题与发展生产力的关系》一文中也谈到"解决主要矛盾的根本办法就是发展生产力,高速度地工业化,要高速度工业化就需要大量资金,资金主要从国民收入中积累。但我国人口太多,本来有限的国民收入被六亿多人口吃掉了一大半,以致影响积累,影响工业化。人口如继续这样无限制发展下去,就一定要成为生产力发展的障碍。……总之,唯一的最有效的办法就是控制人口,实行计划生育,普遍推行避孕,每对夫妇生几个孩子最合适,我认为两个就够了"。

6月份又在一届人大第四次会议上,把它作为一项提案写成书面发言,7月5日在《人民日报》全文发表,这就是马寅初先生的《新人口论》。它及时提出了警告,"对于人口问题,若不早为之图……不免给政府带来许多困难。"

其实一个国家的人口是多了,还是少了,这是一个需要作具体分析的问题,既不是人多手多,多多益善,也不是人少口少,越少越好。马克思主义人口理论认为:"人口发展状况一般说来对社会的发展不起决定作用,因为它不能说明一个国家的社会性质,不能说明一种社会制度,为什么必然被另一种社会制度所代替,不能说明一个国家发生革命的原因。同时马克思主义人口理论也承认人口发展状况对社会发展是有影响的,能够促进或延缓社会的发展。"因此,应该以一个国家在一定历史时期的社会经济条件来作具体分析,人口的数量应该和发展社会生产,改善人民生活相适应,按照当时中国的情况应该注意控制人口,使之随着生产力的发展做到有计划的增长。马老的主张是受到一些人支持的,后来有一位"从未见面的崇拜者"给马老来信,提到"小学教师负担太重,学生成倍增加,教室不够,只能分上下午两班轮流上课,学生半天在校外,无法管教,使学生的学习质量与品德显著下降,因此我对您的人口论热烈拥护"。

毛泽东同志也在当年召开的最高国务会议第十三次会议上说到"计划生育也有希望做好,这件事也要经过大辩论,要几年试点,几年推广,几年普及"。

1958 年元旦,作为向北京大学建校六十周年的献礼,马老出版了《我的经济理论哲学思想和政治立场》。他在书中坚决反对宋明程朱派"理在事先"的结论,证明这结论是唯心主义和形而上学演变的结果,根本上与唯物主义不相容的,他认为物质是第一性的,意识是第二性的。换言之,就是一切意识形态都是客观存在的反映,故应该是"理在事中",与实践是检验真理的唯一标准的道理是一样的。

　　但是形势的变化出人意外,随着反右运动扩大化的余势,形而上学的批判代替了学术上的百家争鸣;因为马尔萨斯是要消灭人口的,所以提出控制人口就是宣扬了马尔萨斯观点,因为据说资产阶级右派曾以人口问题向党发起进攻,因此主张节制生育的都是站在右派的立场上说话。于是批判文章向着马老铺天盖地而来,起先有的文章虽然扣了一些帽子,上纲较高,但还比较讲理。马老把报上的文章一篇篇剪下来反复研究,吸取其合理部分。对自己措辞欠妥之处,马老亦曾作过自我批评,并以大字报形式作了检讨,然而绝大部分文章都很使他失望,他遗憾地说:"许多在批判我是马尔萨斯观点的人,他们连马尔萨斯的'人口论'都没有看懂",当然这种批判也完全无助于解决我国的人口问题,并不能使马老心悦诚服。

　　以后,连马老在1956—1957年写的有关经济综合平衡的文章(即被称为"团团转"的文章)也被拉来作为批判的靶子,批判的形式也突然升级。5月和7月在北京大学对马老进行了两次批判会,他被允许参加了,并在会上作了简短的插话,据理分析,为自己的观点辩解,这种做法被认为是"态度不好","对抗","和群众对立",于是第二次就不让他参加了。至于其他缺席批判的会议更是不胜枚举,报上的批判文章连篇累牍,以简单粗暴的棍子来对待学术理论的探讨,这种气势汹汹的围攻使马寅初先生迷惘了:自己有心为国为民从实际出发,提了一个建议,竟然会被人误解到如此地步,为什么昨天还是有功劳的民主人士,清白无染的历史,转瞬间就变成了"一贯反对党,反对社会主义,反对马克思列宁主义"的"资产阶级政客"?马老凭借他的经验,感到来势不小。党内那个"理论权威"插了手,亲自出马到北京大学阴阳怪气地责问马老:"你要考虑你这个'马'是属于马克思的'马',还是马尔萨斯的'马'?"又布置北京大学领导要像批艾奇逊一样批判马寅初,要把马寅初拉下来。于是九千多张大字报铺天盖地贴满了北京大学的礼堂、食堂、走廊、操场,还贴满了燕南园63号——马老的住处,一些单纯的青年被煽动起来,甚至当面谩骂,这些做法使一些北大的师生也感到异常突然,不少人一方面受到形势的裹胁,参与了对马老的批判,同时也感到方式过分。但是这股凶猛的压力并没有使马老屈服,他在《再谈我的平衡论中的"团团转"理论》一文中坦然地说:"在自然领域内哥白尼完成了他那本伟大的著作,哥白尼在这本著作中踌躇了三十六年之久,然后才在临死以前病床上,不顾任何威胁,和教会的迷信挑战。从此以后,自然科学就根本由宗教解放出来了。"可见他对自己的理论充满信心,并且准备像哥白尼一样,为维护真理而与权势抗争。他在1958年11月《新建设》上发表的《我的哲学思想和经济理论》一文的附带声明中更是激愤地声明:"我虽年迈八十,明知寡不敌众,自当单身匹马出来应战,直至战死为止,决不向专制力压服,不以理说服的那种批判者们投降。"一些好朋友关切地劝他作些检讨。不必与那位靠阶级斗争扩大化起家的"理论权威"纠缠,留得青山在,让时间来说明问题。马老感激朋友们真心诚意的劝告,但是他认为,"因为我对我的理论有相当的把握,不能不坚持,学术问题贵乎争辩,真理越辩越明。学术的尊严不能不维护,只得拒绝检讨。"马老身上没有丝毫奴颜媚骨,从不口是心非,不当随风倒的墙头草,"君子谋道不谋食",他对职务、地位的留去并不介意,但他对于民族的兴亡,对提高人民的生活,充满了深厚的感情和责任感。然而忠良被诬是历史上不断出现的事情,那位利用唯心主义、形而上学的极左思潮来捞取左派桂冠的"理论权威"强加给马老一个"借学术研究为名,向党向社会主义进攻"的罪名。马老在 1960 年 1 月的《新建设》上又写了《重申我的请求》,要求摆事实、讲道理,允许百家争鸣。这是马老至今被发表的最后一篇文章,然而在发表时却按照"理论权威"的旨意,加上一个置人于死地的《编者按》:"……他的这篇文章和其他许多文章,资产阶级谬论很多,必须进行讨论和批判。""讨伐令"一下,马老不仅被完全剥夺了申辩的权利,也无法在北京大学正常工作和生活,被迫于同月"辞去"了校长的职务,一场轩然大波才渐渐平静下来。然而二十年来马老对自己的论点毫不动摇地信守着,从未承认错误,在那个所谓理论权威所提倡的权势即是真理的恶劣风气下,"左"派理论家依仗权势指鹿为马的做法,流毒无穷,使真理长期被禁锢、歪曲,二十年来由于片面宣传"人口多,议论多,热气高",致使我国人口猛增,实际是在封建思想外面罩上一件革命的外衣。相反,对人口问题有所觉悟的同志却受到了打击和压制。四川的一位同志给马老来信说:"二十年前,我给你写信,本来我对政治经济理论素无研究,只是从我的社会现状观察到一些问题,并觉得您'新人口论'说得有理而已,既不认识您,也不知道马尔萨斯,可是仅仅因为我们通过几次信,我便被扣上'马寅初的信徒','马尔萨斯的徒孙'的帽子。"河南一位同志来信说:"二十年前,非常赞成您关于节制生育的观点,也向别人宣传,可是后来您的论点遭批判后,我虽想不通,但也不敢说,只有自己去实行,生了两个女孩就没再要……二十年前要是接受您的意见,何至现在我们国家人口近十亿,生产搞不上去。的确,除了在"文化大革命"中,经济遭受林彪、'四人帮'的严重破坏以外,国家辛苦积累起来的财富,逐年被新增加的人口吃掉,影响到许多方面本来应当达到的成就。其中很大的一个原因,不就是因为人口增殖太快吗?"

英国哲学家罗素说过:"人类不经历巨大的灾祸,也许无法获得真正的教训,我希望人类能从较轻微的痛苦中,获得智慧的启示。"

"人口"问题,我们的争论至今已经有了 20 年的实践,已经得到深刻的教训,事实使得我们从批判"新人口论",把人口和生产力相混淆转变为以"人口非控制不可"来作为计划生育的口号。

六、身在赋闲 心在战斗

马老为了提出一个人口理论的学术建议而被革职罢官以后,风卷云涌的斗争才算过去。从此马老在政治上被孤立了,并作为带着花岗石脑袋的"反面教员"养了起来,报刊上再也没有马老发表文章的权利了。但是马老捍卫真理的战斗却并没有停止,他在家中还是坚持写作,把写得的稿子铺在地板上粘起来,成为巨幅长卷的形式,反复修改,审订。年复一年,他的长卷已经成了捆,成了堆,可惜这些珍贵的经济学手稿又遭到了一次摧毁性的劫难。"文化大革命""破四旧"时被付之一炬——统统销毁了。这对马老的精神是一次更加严重的挫伤,理论权威和林彪、"四人帮"蓄意制造和推行的极左路线在空前地毁灭文化,各种资料来源断绝了,85 岁的马寅初先生再也无法写作了。

1972 年,马老 91 岁的时候,发现患了直肠癌,癌症是可怕的,只有进行手术才能及时彻底去除病灶,使生命不受威胁,但是,医学上一般在 80 岁以上都不作手术处理,当时国外文献上接受手术的最高年龄也只有 86 岁,对马老这种情况只能采用保守疗法,等候癌症扩散、破裂而死亡。虽然马老要求进行手术,可是必须考虑马老的身体是否能经受得住这种手术的消耗,着实使医师们一时难以决断。敬爱的周总理很快地了解到马老的病情,他在国家"全面内战"到处武斗的情况下亲自关心此事,指示医院:"病人有施手术的要求,愿与医院合作,家属又坚持手术治疗,就应以手术着想,并拟各种危险准备,研究以后如何?要报告"。医学专家们根据总理的意见,再次对马老进行会诊,充分估计了马老长年体育锻炼的强健体格,决定进行手术,但马老年龄过高,需要采用两次手术的方案。在周总理的关怀下,医师们发挥精湛的技术,顺利地切除了癌变部分,又由于医护人员的悉心照料,使马老很快地恢复了健康。以后,周总理又特派医生去问候马老,马老激动地说:"周总理是我的救命恩人。"马老手术至今已经 7 年了,现在他除了下肢瘫痪以外,心脏、血压都正常,然而周总理生前在自己病重期间还经常想到马老,派自己的大夫去看望马老。

1976 年 1 月 9 日,马老接到周总理逝世的讣告时,这位 96 岁饱阅人间沧桑,在反动派集中营里从没有流过眼泪的老人,禁不住热泪纵横了。他不顾下肢瘫痪,一定要去和总理遗体告别。他那年已半百的儿子虽然也是悲恸万分,又唯恐老人过度伤心,劝爸爸不要去了,没想到竟惹得马老生了气,一甩手打在儿子身上,他激动地说:"就是死了也要去!"他坐在手推车上围绕总理遗体转了一圈,心中不忍离去,又要求再绕一圈。最后马老坚持要孩子们扶他站起来向总理遗体鞠躬,表示了最真挚的敬意。9月份,伟大领袖毛主席逝世以后,马老虽然身体不太舒服,但也怀着崇敬的心情去向遗体告别。

粉碎"四人帮",马老拍手叫好,他说:"打倒了'四人帮',中国大有希望。"1977年"劳动节"时,马老怀着激动喜悦的心情,坐着手扶车到中山公园去欢度节日,马老已经许多年没有在公开活动中露面了,打倒"四人帮"以后,他的政治生命得到了复苏。

马老近年来虽然不能书写了,但每天阅读报纸,当他看到《人民日报》登载党的十届三中全会公报的喜讯时,异常兴奋,一遍又一遍地看,爱不释手,并立即让子女以他的名义向党中央写信,表示祝贺。马老对待祖国的统一,也是非常关心的,他了如指掌地知道一些朋友,虽然身在台湾,但是对蒋政权的偏安和腐败心怀不满,在重庆时,有些国民党高级官员曾多次对马老倾诉牢骚,认为蒋介石的前途是黯淡的,因此当这些人最后去台湾时,马老深为惋惜。马老始终认为海峡两岸的人民都是黄帝的子孙,谈判比对峙好,他希望台湾上层能够深明大义,早日回归,使中华民族共同繁荣强盛。

1979年9月14日,北京大学又举行大会为马寅初校长彻底平反,教育部副部长周林同志宣读了平反决定,马老因身体不适,由夫人王仲贞和女儿马仰惠出席了大会。9月15日周林同志又专程到马寅初先生家中向马老宣布教育部委任马寅初先生为北京大学名誉校长。20年被颠倒的是非被颠倒过来了,这不仅是马寅初先生个人的名誉问题,而是一个使中国社会发达,中华民族强盛与十亿中国人民生活攸关的正确理论得到了重视。正如马老的知己,同样率直,爽朗的元帅、诗人——陈毅同志早年的一首诗《赠同志》所写的那样:"二十年来说是非,一生能系几安危,莫道浮云终蔽日,严冬过尽春蓓蕾。"这是我们的党坚持唯物主义,解放思想,实事求是的结果,是真正恢复了毛泽东思想本来面目,真正高举毛泽东思想伟大旗帜的结果。我们深信,在完善社会主义的社会制度和经济制度,大力发展科学文化,有效地控制人口以后,将能克服先进的社会制度和落后的生产力之间的矛盾,中国必将民富国强,勤劳勇敢的中国人民将在经历了"文化大革命"严峻考验的党领导下,在四个现代化的光辉大道上奋勇前进。愿我国所有的老前辈福寿绵绵,健康幸福地渡过晚年,亲眼看一看四个现代化的伟大成就,看到台湾省早日回归,完成众所盼望的祖国统一大业。

(原载《社会科学战线》1980 年第 1 期)

忠贞耿介　率直敢言

——马寅初坚持真理、严于治学的一生

胡　显　中

马寅初先生,生于晚清,历经戊戌之变、辛亥之役、民国之乱。新中国成立后,出任北京大学校长,中央人民政府经济委员会副主任,并担任人大常委会委员。

在旧中国,目睹国民党反动统治下官吏贪污、社会黑暗,民不聊生的现实,马老拍案而起,仗义执言。以如椽之笔、如剑之舌,怒斥四大家族,指名道姓说孔祥熙、宋子文发超级国难财;矛头所向,直指蒋介石。因而深受忌恨,恐吓威胁与收买利诱双管齐下。先是许以财政部长或中央银行总裁等要职,但马老毫不为其所动,明确宣告:"我就是要言人所不能言、不敢言",充分表现了"富贵不能淫,威武不能屈"的伟丈夫气概与硬骨头精神。终于1940年冬被捕,先后关押在息烽监狱、上饶集中营等处。为了回答反动派的镇压,1941年春,由重庆各界筹备召开了庆祝马老60华诞的盛典。周恩来、董必武、邓颖超联名送了贺联,重庆《新华日报》也送了"不屈不淫征气性,敢言敢怒见精神"的对联。到会祝寿的还有著名民主人士沈钧儒、邹韬奋及《新华日报》潘梓年、塔斯社驻渝记者等。由于周恩来及重庆各

界的积极营救,马老于 1942 年秋出狱。后由地下党安排、护送经香港抵解放区。

解放后,于 1957 年发表《新人口论》,大声疾呼:实行计划生育,以控制人口。因而被诬为新马尔萨斯主义者,连遭批判。有人劝他承认错误,检讨过关。马老义正词严地回答:"我明知只能挨打,不能还手。三百对一,寡不敌众。但是,为了真理,为了维护学术尊严,我决不屈服于压力,决不向错误的批判者投降。"言之铮铮,掷地有声。从此,"钳口幽居二十年"。直到 1979 年平反。党中央在为马寅初先生平反的决定中明确写道:"马寅初先生的《新人口论》观点是正确的,许多主张也是可行的。"1981 年 6 月 10 日,正当马老百岁寿诞之日,被授予中国人口学会名誉会长的桂冠。真是历史无情却有情,是非到头终分明。

一、实践证明:《新人口论》是正确的

1955 年,马寅初为了履行全国人民代表大会代表的职责,到江浙一带考察三次。调查结果,发现人口增殖率高达到 22‰,个别地方(如上海)竟达 39‰。马老考虑到新中国政局稳定、经济繁荣,人民安居乐业,孕产妇及婴幼儿保健事业发展等一系列社会因素,估计 1952—1957 年四年期间全国每年人口增殖率将超过 20‰。因此,他忧心忡忡地准备了一个关于控制人口的发言稿,打算在人代会上提出。事先在浙江小组会上征询意见时,许多代表提出善意的规劝。为了慎重起见,马老决定暂时收回这个发言。1957 年 2 月,毛泽东在最高国务会议上的讲话中,明确提到人口问题。马老引为同调,便决定把自己的旧发

言稿向一届四次人代会提出来,题为《新人口论》。

《新人口论》的主要内容,首先从扩大再生产,加速资金积累,加速工业化建设,发展科学文教事业等方面论证了控制人口的必要性。其次提出了切实可行的三项建议:立即开展人口普查,掌握全国人口准确数字及动态记录;大力开展控制人口的宣传教育工作,必要时应辅以更严厉的行政手段,以期贯彻("一个孩子要求家庭的开支,抵不上要求国家的开支大,因此国家理应有干涉生育、控制人口之权");控制人口最好、最有效的方法是实行计划生育,应普遍提倡避孕,切忌人工流产。

经过几十年生活实践的检验,马先生《新人口论》在理论上是正确的,在实践上也是行得通的。不幸的是当年却遭到一场讨伐。

历史终于翻过去沉重的一页,今天我们重读马老遗著,强烈地感受到《新人口论》的主要特点和优点就在于唯实、不唯上、不唯书。解放初期,我们受苏联传统经济理论的影响,认为社会人口数量不断增长乃是社会主义社会固有的人口发展规律,是社会主义优越性的表现。国内也流行一种"人多是好事"的论调。马老的可贵之处恰恰在于坚持从中国经济生活的实际出发。

对于中国实现工业化、现代化最大的制约因素的资金问题,马老历来十分关注。早在 1921 年 8 月,在上海商务印书馆暑期国语讲习所演讲中,他就说:"夫中国的经济问题就是资本不足问题。……中国有地产、有人工、有办事人材,只缺少资本。假使有了资本,拿来振兴实业,充裕国用……中国定有富强的希望。"①

1925 年 10 月又在武昌中华大学以《中国缺乏资本之影响》

---

① 《马寅初演讲集》第 1 集,商务印书馆 1929 年版,第 151—156 页。

为题发表讲演,一开头便说:"中国地大物博,煤产储量素著,人工亦多,唯资本与人材二者,均甚缺乏。"①

在 1947 年出版的《经济学概论》一书中,马老再次声明:"我国目前正感资本缺乏,劳力甚多,无法利用之苦"。②

可以说,忧虑中国缺乏资金,因而影响经济发展乃是马寅初的一贯思想。解放后,人口剧增的现实,更使他感到资金少、人口多的矛盾日益加剧。他说:"要改善人民的生活,一定要扩大生产和再生产;要扩大生产和再生产,一定要增加积累",可是,"因为人口大,所以消费大,积累小;而这点积累又要分摊在许多生产部门之中,觉得更少了。"③

有鉴于此,马寅初忧心如焚,十分焦急地慨叹:"资金积累如此之慢,而人口增殖如此之速,要解决资金少、人口多的矛盾,不亦难矣哉!"④

出于忧国忧民之心,在人民代表参加的国家议事大厅里,马寅初开公呼吁:"控制人口实属刻不容缓,不然的话,日后的问题益形棘手,愈难解决。"

今天看来,马老的预见不幸而被证实。我国自 20 世纪 50年代以来,因为错误地批判马寅初,导致人口失控,人口剧增的种种恶果日益显露出来。经过四十多年的经济建设,我国的综合国力虽有提高,甚至有许多关系国计民生的重要产品产量位居世界前列,但是,由于人口的分母效应,人均水平却相形见绌,

---

① 《马寅初演讲集》第 3 集,商务印书馆 1930 年版,第 163 页。
② 马寅初:《经济学概论》,商务印书馆 1947 年版,第 280 页。
③ 《新人口论》第 2 节,《人民日报》1957 年 7 月 5 日。
④ 《新人口论》第 5 节,《人民日报》1957 年 7 月 5 日。本文以下所引该书,不另注明。

人均生活水平在与世界各国的横向对比中仍居后位。这是一个令人难堪而又不得不承认的现实。以粮食为例,1990 年总产量 4250 亿公斤,超过大丰收的 1984 年,但由于人口每年增加 1700 万,人均拥有量反而从 1984 年 395 公斤下降为 370 公斤,远远低于世界平均水平(422.5 公斤)。如果我们当年采纳了马老的建议,从 20 世纪 50 年代开始着手控制人口,即把全国总人口控制在 1953 年的 6 亿左右,那么我们今天的人均生活水平将比目前实际状况提高一倍以上。当年马寅初被诬之为新马尔萨斯主义,对此,马老大义凛然,坚决驳斥说:"有人称我为马尔萨斯主义者,我则称他们为教条主义者。"马老这种不唯书、不唯上的治学态度,不畏权势、坚持真理的胆识,足可为后世楷模。

《新人口论》第二个特点在于坚持发展社会生产力这个马克思主义的基本原理。当有人给马老扣上马尔萨斯主义者的政治帽子时,马老严肃地指出:"马尔萨斯从掩盖资产阶级政治出发,我则是从提高农民的劳动生产率……出发。"因为,"社会主义事业愈发展,机械化、自动化必然随之扩大。从前一千人做的事,机械化、自动化以后,五十个人就可以做了。请问其余九百五十人怎么办? 因此,我就考虑到人多,就不能很快地机械化、自动化。"

马克思、恩格斯在《共产党宣言》中,为无产阶级夺取政权后规划的第一件事,便是"尽可能快地增加生产力总量"。① 列宁也指出:"共产主义就是利用先进技术的、自觉自愿的、联合起来的工人所创造的较资本主义更高的劳动生产率。"②在中共

① 《马克思恩格斯选集》第 1 卷,人民出版社 1995 年版,第 293 页。
② 《列宁选集》第 4 卷,人民出版社 1995 年版,第 17 页。

中央关于制定国民经济和社会发展十年规划和"八五"计划的建议中更明确提到:"坚持把发展社会生产力作为社会主义的根本任务,专心致志地搞好现代化建设"。① 马寅初坚持从发展社会生产力出发,正是符合马克思主义基本原理。

《新人口论》第三个特点是从爱护党、维护党的威信,维护安定团结和社会稳定的大局出发。1949 年建国之初,由于推翻了三座大山,人民物质生活有了初步改善,使中国共产党在全国人民心中享有崇高的威望。可是当时全部国民收入只有 900 亿元,国家按照实际情况,把消费与积累的比例定在 79∶21。那么,为了加速工业化、现代化的建设,可否把消费减少些,积累增加一些呢? 马老认为:"我们不能如苏联一样,把积累提高到百分之廿五,把消费压低到百分之七十五。那就等于说,我们只顾工业化,不顾人民了。不免会出乱子。波匈事件原因之一,就是由于政府只顾工业化,不顾人民需要,使人民对工业化的热望一变而为对生活的失望,因此出了乱子。"

由于我国人口增殖太快,当时每年要新增 1200 万人口。必然使现有人口提高生活水平的愿望得不到满足。人口总数是分母,分母越大,其值越小,即人均国民收入及生活水平必然降低,这叫人口的分母效应。为此,马老恳切告诫:"对于人口问题,若不早为之图,难免农民把一切恩德变为失望与不满。虽不致蹈波匈的覆辙,亦不免给政府带来很多困难。"

爱护党、维护党的威信之心,充溢于字里行间,其情可感。可见《新人口论》写作动机完全是一片赤诚,一片爱心。是对党的忠告,对政府的诤谏。马寅初先生不愧是党的挚友、诤友。

---

① 《人民日报》1991 年 1 月 29 日。

早在旧中国,马老站在反蒋爱国的斗争最前沿,以铮铮铁骨、凛凛正气,并随时准备以生命为代价,怒斥反动派。因而赢得全国人民的由衷敬仰和中国共产党的高度赞扬。当年中共中央机关报《新华日报》曾为国民党逮捕马寅初发表专论,指出:"马先生此种仗义执言、恃正不阿、临难不惧,为争取言论思想自由而奋斗之勇气,为争取民族解放胜利而牺牲之精神,实令全国同胞佩奋!"①周恩来总理也曾给予极高的评价:"马寅初这个人有骨气,有正义感,是爱国的。"②想不到,解放后因为耿耿忠心,诤诤直言,却身陷诬妄。

最后一个特点,《新人口论》不仅有控制人口增长的理论论证,还有具体操作方法。在文章的最后部分,马老提出了三项具体措施:

1. 立即进行第二次人口普查,并根据两次人口普查的资料,认真建立人口动态统计。在此基础上,把人口增长的数字纳入第二个和第三个五年计划之内。这实际上就是要求我们的统计与计划工作,不仅要管物质生产领域,更要管人自身的再生产领域。

2. 大力宣传计划生育的意义和方法,"同时辅以更严厉、更有效的行政力量"。马老此项建议的理由是"照目前的计算,国家在每个孩子的教育及就业装备上要支出一万元上下。一人往往不够了解,一个孩子要求家庭的开支,还抵不上要求国家的开支大,因此国家理应有干涉生育、控制人口之权。况且控制人口,为的是要提高全国人民的劳动生产率,借以提高他们的物质

---

① 《新华日报》1940 年 12 月 29 日。
② 转引自《西南师范学院学报》1982 年第 4 期,第 40 页。

和文化生活水平，使之能过更快乐的生活"。马老实际上是从经济方面，即从生育成本负担比例的角度论证国家干涉生育行为的必要性，从而破除了"生儿育女是个人私事，与国家无关"的错误观念。

3. 计划生育是控制人口的最重要、最有效办法，切忌人工流产。因为人工流产对妇女身心健康不利，又增加医生的负担。因此，马老强调事前防范，即提倡避孕为主。

列宁说："历史喜欢捉弄人，往往跟人们开玩笑。"在经受了历史的惩罚和实践的教训之后，我们不得不全盘接受这位老人20世纪50年代提出的忠告和建议：全国范围的人口普查已进行了4次，并在此基础上建立了比较完备的人口动态统计。同时，把计划生育工作上升为国策，在全国范围内雷厉风行地贯彻。

然而，我们的人口总数已大大超过国力所能承受的适度人口规模。① 实行人口增殖的急刹车，又不可避免会带来一系列社会后果，其中最明显的就是人们通常所说的"4·2·1"综合症，这还只是从微观方面看。如果从整个社会宏观角度预测，估计21世纪中叶，将出现老龄化高潮，65岁以上老人将占总人口的17%至21%，被人口学者形象地称之为"银色浪潮"。这种人口的年龄结构对未来社会显然是一个难以承受的重担。据《中国妇女》杂志1990年第12期的文章测算，2030年时，退休职工将达1亿，每年支付的退休金就得花3000亿元。这绝非杞人忧天，而是即将到来的现实。另外，目前我国城乡生育水平相

---

① 据我国人口学专家们研究，比较一致的看法是，我国适度人口规模为6亿—7亿。

差很大。长此下去,必然使我国人口的总体结构和平均素质下降,对中华民族整体素质的提高显然十分不利。

这种状况,不禁令人联想起《汉书·霍光传》一则故事:"客有过主人者,见其灶直突烟囱,傍有积薪。客谓主人,更为曲突,远徙其薪,不者且有火患。主人默然不应。俄而家果失火,邻里共救之,幸而得息。于是杀牛置酒,谢其邻人。灼烂者在于上行,余各以功次坐,而不录言曲突者。人谓主人曰:向使听客之言,不费牛酒,终无火患。今论功而请宾,曲突徙薪亡恩泽,焦头烂额为上客,何其不智之甚耶? 主人乃悟而请之。"

建国以来,我们在人口问题上没有接受马老"曲突徙薪"、防患未然的建议,以致酿成今日后果。时至今日,痛定思痛,益增对马老这位先知的由衷敬意!

二、"团团转"即综合平衡论符合马克思主义经济学原理

解放后,马寅初发表了《我的经济理论、哲学思想和政治立场》一书,提出了一个"团团转"的理论。从稳定物价和物价政策开始(甲)转到经济和财政的平衡(乙)转到财政收支平衡(丙)转到重工业和轻工业的平衡(丁)转到轻工业和农业的平衡(戊)转到工农业和商业的平衡(己)转到进口贸易和出口贸易的平衡(庚)转到积累和消费的平衡(辛)——直到最后仍归到(甲)稳定物价和物价政策,首尾相衔接。故名为"团团转"理论。

为进一步阐明自己的理论,马老又在《光明日报》1958 年 5 月 9 日发表了《再谈我的平衡论中"团团转"理论》。首先说明

自己理论中各个环节的联系是双向的,而不是单向的。马老举工农关系为例说明这种双向关系:"工业向农业要原料(如棉花),回过头来农业亦向工业要生产资料(如肥料),从工到农,又从农到工,形成一个团团转,工要农的支援,农要工的支援。"

马老的"团团转"理论实质即综合平衡论。他写道:"社会主义经济就是计划经济,而计划经济的主要部分就是综合平衡……所有的环节间轧平之后才可称为综合平衡。""在计划经济中,综合平衡和有计划按比例发展规律是最重要的原则,主管机关一定要全面安排,力求其平。"

把综合平衡理论具体运用到计划工作,马老认为:"综合平衡工作是人做的,未必真正能符合于按比例发展规律,一定要随时调整,使之更加接近,更加切实。所以我们的五年计划之上,内部还有一年计划,甚至还有季度计划,时期愈短,调整愈容易。"

如何实现计划与调整,马老主张应分为三个层次:(1)需由全国统一平衡的各项重要指标,应由国家计委综合平衡;(2)地区性的、局部的平衡则由省(市)自治区或各部、委因事、因地制宜自行平衡与安排,报国务院备案;(3)其他许多次要的、种类繁多而情况又不易掌握,因而无法一一纳入国家计划的指标,由地方或各基层单位自行安排,国家只从价格政策、供销关系上加以调节。最后,马老充满信心地说:"我认为这个理论是颠扑不破的,无法动摇的,不然的话,计划经济的综合平衡工作就无从着手。"

1958 年,是一个政治上狂热年代。马老文章发表后,两个多月时间里,《光明日报》收到讨伐文稿 73 篇,平均每日一篇。批判家们一致指责马寅初的综合平衡论是反马克思主义的,是反对社会主义建设总路线的大毒草。为此,马老又写了《再谈平衡论和团团转》的答辩文章。在文章中马老把论战对方的批判文章归纳为七项内容,亦即给马老定了七大罪状。概括起来,无非涉及两点实质内容:

(一)关于消极平衡

人们都记得列宁的名言:"经常的、自觉保持的比例性也许确实是计划性"。[①] 对国民经济实行综合平衡乃是社会化大生产的基本要求。陈云同志曾经言简意赅地指出:"所谓综合平衡,就是按比例;按比例,就平衡了。"[②]这话是在 1962 年中共中央政治局扩大会议酝酿恢复中央财经小组以后说的,是在支付了 1958 年沉重代价以后得出的结论。紧接着的问题,就是所谓积极平衡与消极平衡的分歧。批评马老搞消极平衡的人无疑是主张积极平衡的。何谓积极平衡?无非就是按长线、按高指标去平衡。按长线制定的计划必然会留有缺口,其直接后果就是不得不拆东墙补西墙,最后被迫修改计划,或者完不成计划,使计划徒具空名。事实雄辩地证明:所谓"积极平衡",名为积极,实则脱离实际,唱高调,放空炮,说大话。经过实践正反两个方面的经验,我们终于懂得了综合平衡的必要,按短线平衡并且留有余地的必要。今天,这些道理已成为全国理论界、决策层上上下下的共识了,可是早在 1958 年,马寅初先生就以自己长时期从事经济理论研究和教学所积累下来的丰富学识为基础,结合对新中国经济现实的调查与了解,谆谆告诫我们:"国民经济各方面是一个有机结合着的整体,是相互影响、相互制约的,任何

---

① 《列宁选集》第 1 卷,人民出版社 1995 年版,第 246 页。
② 《陈云文选》第三卷,人民出版社 1995 年版,第 211 页。

一方面过分突出或过分落后,都会引起比例关系的失调,妨碍整个国民经济的发展。"①"一个环节的缺陷,几乎牵动一个整体,所谓一发动全身,必大大阻碍国民经济的发展。"②

实践是检验真理的唯一标准。历史事实证明,马老的综合平衡理论完全符合马克思主义关于社会生产分为两大部类以及两大部类之间应保持适当比例的原理。而当年的批判家们则是错误的,甚至是荒谬的。

(二)关于价值规律

从 20 世纪 50 年代以来,我们一直否认价值规律的作用,这与当时受苏联经济模式影响及斯大林理论局限有关。战后,斯大林对价值规律的认识有所进步,承认其客观性,承认在个人消费品流通领域里"价值规律保持着调节者的作用"。但却仍然认为:"生产资料失去商品的属性,不再是商品,并且脱出了价值规律发生作用的范围。"③

斯大林在《苏联社会主义经济问题》一书中关于违背客观经济规律必将受到惩罚的论断,被不幸言中。忽视价值规律的作用,使我们吃了不少苦头。陈云同志十分生气地批评忽视价值规律的人:"这是大少爷办经济,不是企业家办经济。"④教训和挫折终于使我们变得聪明些,今天的理论界、决策层都不得不承认价值规律的威力。可是早在 1958 年马寅初先生就给予价值规律相当重要的一席之地,他说:"价值规律无非是一个帮手而已,不过这个帮手在不小的范围内起着重要的作用。……有

① 《光明日报》1958 年 7 月 24 日。
② 《光明日报》1958 年 7 月 29 日。
③ 《斯大林选集》下卷,人民出版社 1979 年版,第 552、578 页。
④ 《陈云文选》第三卷,人民出版社 1995 年版,第 246 页。

一部分产品,包括工业消费品和农产品,是必须经过市场去分配的,价值规律对于决定这些产品的生产,仍起重要作用,我们不能不注意及此,否则就可能影响计划的完成,破坏国民经济的比例关系。"

马老还善意地批评道:"有些人一听到价值规律就联想起资本主义下的物价波动、投机倒把,金融恐慌、经济危机等坏现象。""他们认为要实行计划经济……不能利用价值规律。"马老认为,要彻底驳倒这种轻视价值规律的倾向,最好是让实践来做裁判官,他说:"假使我们规定豆饼的价格高于大豆,那么人们就会用大豆来肥田,谁也不愿意用大豆来榨油。假使我们规定麸皮的价格高于小麦,那么人们就会用小麦来喂猪,谁也不愿意用小麦来磨面。"①其恶果自然是社会财富的大浪费、大破坏。

马老的以上意见,今天当然已成为人们的共识。但在20世纪50年代末的政治气候下,却换来一顿棍子和一大摞帽子。有人竟然提出这样的质问:"在何种条件下,男人可以转化成女人?在何种条件下,女人可以转化成男人?"现在看来,这种偷换命题的无理质问,该有多么幼稚可笑!

为维护学术尊严宁可背负沉重的十字架,马寅初是最有骨气、最有节操的真正学者。在马老身上,集中体现了中国知识分子倾心国事、关怀民瘼,以天下为己任的宏伟抱负和博大胸怀,集中体现了中国知识分子"三军可夺其帅,匹夫不可夺其志"、"苟余心之所善兮,虽九死其犹未悔"的献身精神和崇高品格。

---

① 《光明日报》1958年7月24日,《光明日报》1958年7月29日。

对于马寅初这样的人物,我们应该大书特书,载入史册,永垂后世,流芳千古。让我们的子孙后代,引以为荣,也引以为戒!

（原载《社会科学战线》1992年第4期）

对冶方同志的片段回忆

汤 象 龙

我和冶方同志相识很晚,但我们之间的了解较深,这种了解是通过工作上的多次接触而加深的。他是我敬佩的一位学者,也是我学习的榜样。当他逝世的噩耗传来,我怀着悲恸的心情在寄去的唁电中说:"孙冶方同志是党的正直无邪、有骨气和群众观点的马克思主义经济学家,是我们知识分子学习的楷模,他的浩气长存!"

我们第一次见面是在 1978 年 3 月在成都召开的西南地区经济科学规划座谈会的前一天晚上,他是来西南主持这次座谈会的。他一见到我就说:"老汤,我刚到经济研究所的时候,就知道你是搞经济史的。解放前你搜集的大量资料现在仍然保存在经济研究所里!"这两句热情洋溢的话,说明他对我是有了解的,对我所从事的事业是关心的,他的话深深地触动了我的感情。我激动地说:"这太好了,在这次座谈会上我要把这个问题提出来,请大家研究。"

在座谈会的第二天谈到科研规划时,我说我仍然从事经济史的研究,主要研究中国近代财政史,建议中国社会科学院经济研究所把收藏的十多万件清代抄档资料赶紧组织人力整理出来,其中许多资料已是半成品,是可以列入规划的。冶方同志十分认真地说:"整理资料工作很重要,会后我们专门开个会,仔细研究一下。"在座谈会第三天的会后,冶方同志特别嘱咐经济研究所的经君健同志邀请有关方面的同志对合作整理资料问题进行了研究,冶方同志表示要将各方面的意见带回北京再研究。他那认真的工作态度和研究负责的精神,给我很大的鼓舞。后来只是由于经济研究所未能得到有关方面的积极支持,在全国规划会议上四川又没有人参加经济史方面的规划,这个意见没能付诸实现。

在座谈会结束的第二天,与会的二十几个同志一同游都江堰。冶方同志精神饱满,健步当车,畅游了这一名胜古迹。在二王庙前他紧紧地拉着我的臂膀照相,他风趣地说:"我们都是七十左右的人啦!"我也悄悄地对他讲:"你坐了七年多牢,我被关禁刚好一百天,被迫劳动长达三年,你的精神和身体都还这么好,我得向你学习!"怎么也没想到当国家实现四化还需要他贡献才智的时候,他却离我们而去了。

从都江堰回来的次日,冶方同志到省委党校作报告,地点在四川财经学院学生食堂,财院的师生都参加了。他的讲话是以淳朴的学者风度和坚强的革命意志表达的,原则性很强,主要讲了他研究的心得,认为中国的经济建设要用最少的劳动取得最大的经济效果,要重视价值规律的作用,并强调提高利润指标在经济管理中的地位等等。这是他在十年动乱开始时被康生、陈伯达一伙围攻的重大"罪状",实际上是研究我国社会主义经济建设在理论上的重大贡献。他襟怀坦白,观点明确,这次讲话深受到会的几千名师生和干部的热烈欢迎。

这位深情的学者在这次报告的次日又专程从城里来财院看

我。可太不凑巧，那天我因事不在家，他对我的女儿说："请你父亲给我写信，去北京时一定来我那里。"不久，我给他写了表示歉意的信。

1978年9月中旬，我去北京搜集科研资料，在一个晚上我和我的爱人一同去看望冶方同志。谈不到三句，他从书桌抽屉里翻出半年前我给他的信重念了一遍，十分亲切。在这次会见中我们亲切地谈了一些问题。他对整理经济研究所的抄档仍然十分关心，认为这批档案资料不整理是个损失，建议给胡乔木同志写信谈谈这个问题。我把我和另一位同志合编的《毛泽东关于财政的基本理论》（一本资料性的汇编）请他审阅，他毫不推辞，立即答应十天后给我看完回复。我又把带去的一件拉丁文历史资料请他找一位懂拉丁文的同志翻译一下，这是1938年我在伦敦一家古书店买的，是清乾隆皇帝给英国维多利亚女皇的信。他也热情地满口答应了。我们告别时他一直送我们到我们住处的大门口，他诙谐地说："我就到此止步了，手中拿着个撮箕，进大门会被误会的？"原来我们离开他家时，他顺手端了一撮箕垃圾倒在楼下垃圾桶里，又送我们走的。这时冶方同志夫妇只住两间房子，一间卧室，一间书房兼会客的地方，挤得满满的，听说当时分给他一套很好的房子，他不要。老失妇俩的生活完全靠自己劳动，自己料理，孙老说："我是劳动惯了的，我什么都能做。"

同年十月中旬的一个晚上，我和我的爱人再去看他。一见面他就说："你编的东西，内容比较丰富，但毛泽东同志的著作中央还有的没有公开发表，以后发表了，你那本东西要加以补充。"又说："我从你编的资料中摘抄了一些，很有用处，省了我不少的工夫。"他还告诉我那篇拉丁文史料已托人翻译去了，有了回信就告诉我。后来这篇资料托北京大学外文系钱崇树教授译成中文,由李文治同志转交给我了。

以上这些片断只是我和冶方同志在成都和在北京几次平凡的接触。当然,除此以外,我们还有过多次会晤,这里就不多回忆了。但仅从这几次接触,冶方同志给了我永远不会忘记的如下的深刻印象:

他是一个对共产主义有坚强信念、对马列主义毛泽东思想有深湛造诣、对国家经济建设关心而有独到见解的学者。

他是一个正直无邪、光明磊落、有骨气、有"横眉冷对千夫指,俯首甘为孺子牛"的鲁迅风格的革命家。

他是一个风格高洁,鄙视拉帮结派、任人唯亲和搞家长作风,同时艰苦朴素、不追求个人私利又平易近人和关心同志的领导干部。

总之,冶方同志的各方面都是我们知识分子学习的榜样,我们永远怀念他!

(原载《社会科学战线》1984 年第 1 期)

去"孙寓"拜师

林　圃

　　自从 1978 年在邛海之滨偶然遇到孙冶方这位良师之后,孙老就同我结下了亲密的深厚的师生情谊。一个国家的文明程度,我以为可以也必须用尊师爱生的程度来衡量,或者作为标志。作为老师,最大的安慰莫过于学生们的尊敬和成才;作为学生,最大的幸运莫过于老师的爱护和指点。

　　在人生的道路上要得到一位良师是不易的,当然要成为良师更是不易的。1978 年到首都,我在电话里对他说:"我要去挤您的牛奶"——他略略地笑着说:"我已经是一头挤不出牛奶的老牛了,不过,欢迎,欢迎,您什么时候来都可以","不,不行,我马上要出国,这段时间身体也不好,经常要去医院看病。"大概他又发现刚才这段"闭门羹"可能会引起我的误会和失望,又立即改变了口气:"不过,您还是随时都可以来。那张表带来没有? 坐标画出来没有?"随后,就到三里河寓所去看他老人家。进门,我环视了一下简陋、冷落得使人难以置信的"孙寓":一间卧室,一间既是书房又是办公室,一共大约只有三十多平方米;书斋的陈设也简陋得令人出奇,除了一张办公桌、几个书架、一对旧沙发、一个烤火炉子以外,别的什么也没有,劫后的书刊杂乱地堆放着,可想而知家里无人料理,当时只有义务主动充当的助手,并没有秘书;光线暗淡,四邻嘈杂。这就是粉碎"四人帮"之后两年多了给一位蜚声全球的经济学家和功垂史册的老革命家的待遇。(据说,后来在胡乔木同志亲自关怀下,才分了一套新房给他。)

谁能相信就在这个简陋而朴实的寓所里,却生产出非常杰出的经济思想——外国所称的"孙冶方理论"或"孙冶方改革方案"。他沏完茶,看我还愣着,就说:"坐下,坐下,怎么不坐下?"一坐下来,就开始了这次面对面的持续了将近三个小时的倾谈。虽然时光已经流逝了五年多,但是他的音容笑貌仍然历历在目。这里所记载的,只是使我受益至深的问题。

一、关于个体经济适当发展与多种 经济成分同时并存问题

话题是从他即将率领中国经济学家代表团出访南斯拉夫开始的。我不便问他这次访南的使命,倒是他先开口:"南斯拉夫和苏联是两种不同的模式。有比较,才有鉴别。"然后他说:"……在不少东欧国家,个体经济都占不小的比重。这就涉及对个体经济的性质的分析,对个体经济在社会主义条件下存在原因的考究。"接着,他说了这样一些观点:第一,从原始社会后期家庭出现以后到社会主义社会,个体经济在迄今为止的一切社会都存在着,但是它从来不构成独立的社会经济形态,也就是不占主导地位和不起决定作用;第二,既然存在就有客观必然性,个体经济作为一种生产关系,它的出现是生产力发展的结果,它在社会主义条件下的存在是生产力不够发达的结果,它的

消亡是生产力高度发达的结果,因此不能人为地、过早地取消它;第三,长期以来不能正确对待它,不仅在于是主观唯心主义作怪,还在于歪曲它的性质——有人不是把它看成是劳动者经济,而是把它看成是剥削者经济。它实质上是一种以自己所有的生产资料为基础的、以自己的劳动为决定条件的、以家庭为生产单位的、以分散经营为特征的不剥削他人的劳动者经济,一句话靠自己的劳动为生;第四,恰恰相反,它的发展受到这个社会占主导地位和起决定作用的经济成分的制约,也就是它在一切社会只占从属地位和起辅助作用;第五,它既可以是自然经济,也可以是商品经济,既可以是小生产,也可以是大生产。对于前四条,我当时一下子就接受了,而对于最后一条并没有完全接受。他大概看出我可能由于受旧观念的束缚不太容易接受第五点,于是就说:"就我所看到的东欧一些国家的材料,现实就是这样,个体经济同我们国家土改前的个体经济不同,不是自然经济,而是商品经济,不是小生产,而是大生产。在这些国家已经成为社会主义经济结构中的一个组成部分。"

孙老又把话题从国外转向国内。他说:"我们过去所犯的左的错误,……体现在自己国家不顾生产力状况乱变生产关系、看不到我们国家这么大,不顾生产力发展的落后性、生产力分布的不平衡性、生产力状况的多层次性、劳动力过剩的特殊性、企图建立整齐划一的社会主义生产关系。"我插了一句话:可以把我们过去左的错误概括为盲目追求"一大、二公、三纯"。孙老说:"这就坏事了。现在看来,根据我国的国情,我国现阶段应该是多种经济成分同时并存,当然全民所有制的国营经济要占主导地位。个体经济应该有一个适当的发展,集体经济更要大发展。否则,我们国家好多事不好办。"我要说明,后来我在成都全国生产资料所有制结构讨论会期间写的《多种经济成分同时并存的客观根据和发展趋势》①一文,主要观点是从孙老那里来的。

二、关于经济论文集(初集)与
"价值规律第一条"问题

当他说完关于多种经济成分并存与个体经济适当发展的真知灼见之后,似乎想起了什么,在办公室的案头上翻了又翻,结果在书架上找出一个材料。一边把它递给我,一边说:"您的同学孙连成同志向我建议,把解放后到'文化大革命'前写的论文、作的报告汇编成一个集子,这是青松同志和泉水同志帮我编的一个目录,请您提一提意见。收进这本论文集的论文和报告,有些是过去公开发表过的,有些还没有公开发表过。我要感谢康生、陈伯达和'四人帮'对我的'批判',他们为了'批判'我,把我过去作的一些报告当作'反面教材'印了出来,使这些东西能够保存下来。"对此,我早就有所闻。我细看目录后说:"被'四人帮'搞得十分贫困的我国经济学界,早就如饥似渴地盼望着您这种经济理论著作的出版!正因为有不少是过去没有发表过的,所以这部论文集就显得更加可贵。"还说:"您这部论文集,以《把计划工作建立在价值规律基础上》开篇,以《千规律,万规律,价值规律第一条》收尾,真是首尾一贯,用劳动价值论贯串全书,使人感到不是论文集,而是一部专著。"当我把这个目录奉还给他时,他说:"我得在出国前交卷,人民出版社催着

---

① 载《中国财贸报》1980年5月5日。

发排。"

有人说:孙冶方把自己的心血倾注在晚辈身上,在中国近代史上,除了鲁迅,就是他! 确实如此。

三、关于价值规律的坐标图与查一查
《马克思恩格斯全集》

大概由于我说了劳动价值论是贯串《社会主义经济的若干理论问题》初集的一根红线,使他又想起我画的价值规律的坐标图来,于是他问起我这个坐标图来。我是带来的,但是为了聆听他的教诲,并没有主动拿出来。他坐到办公桌的椅子上去,细细地察看我画的草图说明:

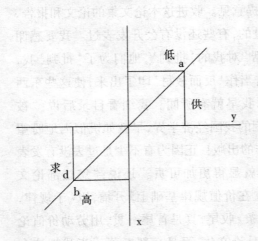

X 轴为价值决定,a 与 b 为个别价值,围绕 X 轴 = 社会价值左右摇动;y 轴为价值实现,c 与 d 为价格,围绕 y 轴 = 价值上下波动。a 与 c 的交叉点为最优点,意味着个别价值低于社会价值并供不应求;b 与 d 的交叉点为最劣点,意味着个别价值高于社会价值并供过于求。a、b 线是生产问题,c、d 线是交换问题。

我站着桌旁解释说:本来等价交换是指等量价值交换,可是往往被误解为等量价格交换。这是只讲价格围绕价值上下波动,不讲个别价值围绕社会价值左右摇动导致的结果,X 轴才是价值规律的本性。

孙老看了图又听了汇报,连连说:"好,好,您画的坐标图简单明了,把生产问题和交换问题都讲清楚了,前者是内因,后者是外因。"说完,他离开办公桌,在书房里慢慢地踱着。然后,突然问我:"您们把杨超同志的书稿整理出来没有?有空没有了?您抽些时间,把《马克思恩格斯全集》从头至尾查一查,看看马恩除了在《资本论》中,还有在别的地方,是怎么说明价值决定和价值实现的?"

到这时,时间不饶人地飞过了将近三小时,我告辞了。孙老止住:"不,跟我和老伴一起到馆子去吃饭,就在门口那个馆子,我们多数时间在那里吃饭,很方便。"无论如何我也不能去领受老人的好意,执意走了。事后,我悄悄地跑进这个馆子去侦察了一下,它是一个很普通的馆子。我们的这位经济学家、老一辈革命家,就过着这样清寒的生活!

四、关于《社会主义经济论》的基调

要查遍《马克思恩格斯全集》,无疑需要相当长的时间,而且到 1980 年为止,我的主要精力还是放在毛泽东哲学思想的学习与研究上。因此,我拖了一年半时间才把孙老交给我的任务完成。大约在 1980 年秋,我将查到的马克思、恩格斯关于价值决定、价值实现的论述,向孙老汇报。他在 1980 年 10 月 24 日给我回了一封长信。在这封信中,他说:"你提供的两条关于价值的语录,确比我过去文章中所引用的语录,更有力。我也只是在狱中读到，以前未能加以引用。今后《经济论》全书出版时一定要以此两条为基调，但现在编的大纲恐不能多引语录。"①

这两段语录，一是马克思的，一是恩格斯的。马克思在1868年1月8日致恩格斯的信中说："至于说到杜林先生对价值规定所提出的温和的反对意见，那么，他在第二卷（指《资本论》第二卷和第三卷——引者注）中将会惊奇地看到：'直接的'价值规定在资产阶级社会中的作用是多么小。在实际中，没有一种社会形态能够阻止社会所支配的劳动时间以这种或那种方式调整生产。但是，只要这种调整不是通过社会对自己的劳动时间所进行的直接的自觉的控制——这只有在公有制之下才有可能——来实现，而是通过商品的价格的变动来实现，那么事情就始终像你在《德法年鉴》中已经十分正确地说过的那样。"②

恩格斯在1884年9月20日致考茨基的一封信中说："现在的价值是商品生产的价值，但随着商品生产不再存在，价值也就'变'了，就是说价值本身还存在，只是形式改变了。实际上，经济价值这个商品生产所特有的范畴，将同商品生产一起消失，就像它在商品生产以前并不存在一样。劳动同产品的关系，无论在商品生产以前或以后，都不用价值来实现。"③

尤为可贵的是，孙老在这封信中重申了他对经济体制改革的主张和表达了他对四川经济体制改革试点的关切。引人深思的是，他早在1980年10月就对"分灶吃饭"以及由它造成的基本建设投资重新扩张提出了尖锐的批评。他严厉地指出："现

---

① 见附信。
② 《马克思恩格斯全集》第32卷，第12页。
③ 《马克思恩格斯全集》第36卷，第210页。

在的'分灶吃饭'办法是中央、地方、企业分成的,从而出现的基建投资大扩张、大乱。听说现在紫阳同志也提出要抓紧基建投资了。我个人还是主张鼓励企业发展的基金应着重在原有基金,即简单再生产范围缩短折旧年限及下放设备更新的职权(给企业)这两点上。新的投资(扩大再生产)必须严格统一掌握。我这条'杠杠'是坚守不放的。"①从这个"坚守不放",一方面看出孙老在理论上的坚定性,另一方面看出孙老在实践上的远见性。

可是,就在我国的经济改革多么迫切需要这位经济学家指导的时候,他却离开了我们! 他给我的这封信,也就成了永世的留念!

附:1980 年 10 月 24 日孙冶方同志致林圃同志的信

林圃同志:

来信及所赠《唯物辩证法的若干理论问题》前后两册,均收到,谢谢! 因刚回京,忙乱异常,迟复为歉。

(一)在接您来信之前,孙连成同志和江海同志(人民出版社副总编)已来我家面谈过,我 1977 年后所写文章再出一本论文集,由他们出版,由张卓元同志编辑。

(二)您提供的两条关于价值的语录,确比我过去文章中所引用的语录,更有力。我也只是在狱中读到,以前未能加以引用。今后《经济论》全书出版时一定要以此两条为基调,但现在编的大纲恐不能多引语录。

(三)关于社会主义社会的剩余产品的社会占有问题,

---

① 见附信。

我的基本意见已见去年《红旗》那篇文章,即除奖金部分外(包括集体福利基金)都上缴,但现在的灶"分吃饭"办法是中央、地方、企业分成的,从而现在出现了基建投资大扩张、大乱。听说现在紫阳同志提出要抓紧基建投资了。我个人还是主张鼓励企业发展的基金应着重在原有基金,即简单再生产范围内缩短折旧年限及下放设备更新的职权(给企业)这两点上。新的投资(扩大再生产)必须严格统一掌握。我这条"杠杠"是坚守不放的。最近国家计委经济研究所有一个调查组来四川调查企改问题。我托他们就这一问题特别着重研究一下。不知您遇见他们否?承您对我的种种关怀,非常感谢!

孙冶方

1980.10.24.

(原载《社会科学战线》1984 年第 1 期)

论傅筑夫的知识构成、
治学方法及学术思想

刘　啸

　　1980 年以前,大概很少有人知道傅筑夫这个名字,自 1980 年以来,人们相继读到了傅筑夫的《中国经济史论丛》(上、下集,三联书店出版),《中国封建社会经济史》(七卷本已出一、二、三卷,人民出版社出版),《中国古代经济史概论》(中国社会科学出版社出版,已被教育部定为大专院校文科教材)和《中国经济史资料——秦汉三国编》(中国社会科学出版社出版),此外,还有些散见的论文。仅三年多的时间,傅筑夫的宏论共出版约三百万字,真叫人目不暇顾。于是,这个名字在学术界声誉鹊起,从他那新鲜的思想,流畅的白话文来看,很难想象他竟早已过了“古稀之年”,是位白发苍苍的老先生。他曾任北京经济学院教授,中国社会科学院经济研究所学术委员会委员。

一、傅筑夫的知识构成

　　我国是一个历史悠久的文明古国,有着极为丰富的历史文献资料和代代相传、异常发达的历史学。遗憾的是历史学中格外重要的经济史却很不发达,直到建国以后,中国经济史这门学科一直是个很明显的薄弱环节,以至许多综合性大学的经济系、历史系都很少开设这一课程。是否这门学科本身没有什么深入研究的价值呢? 其实无须长篇大论,稍懂一点历史唯物主义的人都不难回答这个问题,最近还不断有人提出:中国经济史应作为中国史研究的一个重点。那么,造成该学科薄弱局面的原因究竟何在? 笔者认为似有以下两个方面。

1. 知识领域上的困难。对经济史的科学研究,绝不是单纯史料的堆积,必须把史料与政治经济学理论密切地结合起来,严格地说,研究中国经济史,首先是研究中国古代社会生产方式的政治经济学,一系列的经济理论问题与这门学科所要求的体系,超出了一般史学工作者所熟悉的知识领域和传统的治学方法。另一方面,经济学作为近代西方诞生的学科,它的研究者多侧重于理论与外文,面对浩若烟海的中国史籍和玄奇隐秘的文言文,难免望而却步。简言之,经济史的研究者,其基本条件是具有经济学家和历史学家的"双重身份",这是一个很大的困难。

2. 研究资料上的困难。我国的史籍十分丰富,但亦有其局限性。古代知识分子还不懂得经济是社会的基础,是所有社会现象的最后决定因素,他们修史,把最多的精力都放到了帝王将相、王朝更替和政治制度之上,对广大劳动人民的状况,一般的生产关系却很少反映。《食货志》等类的记录中,也有不少有关经济的资料,但多以政治为中心,难以满足经济史研究的需要。唐宋以后,日益增多的笔记、地方志中保存了不少经济史资料,但实在太分散。虽然我国勤于编纂整理的史家自古不乏,事实上并无人系统整理编纂经济资料,经济史似乎在传统史学的范围之外。所以,今人研究中国经济史,可资利用的前人成果太少,这当然也是个不小的困难。

令人欣慰的是,傅筑夫先生用他卓有成效的研究工作,极大地充实了中国经济史这门学科。他之所以能够取得如此成就,与他的功底——知识构成有着密切的联系。

1902年,傅筑夫出生于河北永年县的一个职员家庭,童年入私塾,读四书五经,习古文辞,故自幼即受了较严格的古汉语阅读写作训练,不自觉地吸收了中国传统文化。傅筑夫中学时期上的是"洋学堂",有良好的英语基础,英语后来成为他吸收西方文化的一个非常纯熟的工具。1921年,他考入北京师范大学化学系。20世纪20年代初的北京,思想解放,名家云集,梁启超、鲁迅、钱玄同、杨树达等皆在师大讲学。傅筑夫入学仅半年,在"国学"的高潮中,遂决定由化学系转国文系。此后的五年半时间里(当时大学为六年制),他进一步钻研了经史子集无所不包的"国学",并在鲁迅先生的指导下从事了《中国神话史资料》的搜集和整理工作,这次实践,也是傅筑夫日后搜集整理经济史资料的一次练兵。

傅筑夫在大学期间就开始注意基础理论的学习和知识的广度,他常拿医生打比喻:"一个医生如果不先去学习生理学、解剖学、病理学等基础科学,一开始就专内科、外科、耳鼻喉科,那样他就肯定不会成为一个好医生,他所专的任何一科都是没有基础的。"当时北京师范大学实行选修课制,为傅筑夫广闻博识敞开了大门,大学六年,文史哲经乃至高等数学他都选修过,饱受近代思潮、近代科学的濡染,具有了较广泛的世界文化历史知识。

博中求专,"由博返约",大学读到高年级时,傅筑夫的攻读方向开始往经济理论方面偏重,他自费从日本邮购了三大部英译本《资本论》(当时尚无中译本),通读数遍之后,便结合中国的现实情况,试用马克思的经济理论来解释中国的社会经济问题,1928 年他 27 岁时,就写了一本《中国社会问题的理论与实际》,由于书中引用了《资本论》的观点,被当局列为禁书。在他后来的所有论著中,我们都可以看到一个非常明显的特点,就是熟练地运用马克思主义的观点。

1929 年,傅先生开始了大学教学工作,先后任河北大学经济系、安徽大学经济系、中央大学经济系教授。1936 年,他由中央大学派至英国进修三年,入伦敦大学经济学院,主要进修经济理论和经济史。当时,经济史研究在英国相当"热",出了许多名教授。相比之下,中国的经济史研究还是一张白纸,傅先生受到极大启发,开阔了视野,掌握了近代资产阶级的一些经济理论和科学思想方法,具备了封建文人所没有的眼力与识见。举一个小例子:西汉时货币经济发展到高峰,黄金上下通行,大量史籍记载用金之数,少则十斤、百斤,多则千斤、万斤,甚至数万斤、数十万斤。可是到了东汉,黄金突然退出了流通界,不再当作货币使用。古人对此现象曾作出过种种解释,宋代学士杜缟认为是汉以后塑造佛像金身耗费了黄金,清代历史学家赵翼补充说:一方面是由于黄金消耗日增,另一方面是来源枯竭,"中土产金之地,已发掘净尽"。[1] 殊不知这样的减少应当是逐渐的,而从东汉开始的黄金隐没则是突然的。傅先生认为这种现象并不神秘,乃是"格雷欣定律"即"劣币驱逐良币定律"[2]在起作用(当

---

[1] 参见傅筑夫《中国封建社会经济史》第二卷、第七章、第四节。

[2] 参见《简明社会科学词典》,上海辞书出版社,第 821 页。傅筑夫把 Thomas Gresham 译作葛雷襄。

然也有其他原因）。从东汉开始，实物货币复兴，由于商品经济的衰落，这时不但黄金没多大的需要，连铜钱的需要也不大，所以东汉年间，铜钱时兴时废，连该不该铸钱，甚至要不要使用铜钱为货币，也成为一个争论不休的问题。市场上布帛谷粟与低劣盗铸之铜钱泛滥，这时各人为了保障自己的利益，谁也不肯拿出宝贵的、不烂不锈的黄金来作日常交易或支付价值之用，结果，黄金被收藏起来。"格雷欣定律"正是指实际价值不同而名义价值相同的货币同时流通，实际价值高的货币（良币）被实际价值低的货币（劣币）取代的现象。这么一个小问题，反映出傅先生的知识构成至少比古人提高了一个历史阶段，远远地超出了封建时代含混不清的经验叙述或主观臆断。

1939 年，傅先生从伦敦回国，半殖民地半封建的社会症状一一表露在学术界，买办的自卑、封建的自大绞在一起。由于经济学没有传统势力，当时高等学府的经济系成了西洋经济学的翻译机构和推销摊。如果此时傅先生到大学去照本宣科，大讲西洋，已有足够的资格了（因为他专攻经济，比那些小摊贩当然更有本钱）。然而，他毕竟是个有志的人，他整个思维的核心与焦点在中国，他钻研经济理论、外国经济史，都是为了回答中国的问题。多少年来，"这是中国的国情"一直是句时髦话，但中国的国情究竟是什么？似乎谁也说不清。只是有一点可以肯定，当时的学者绝少从经济基础上考虑这个问题，他们把精力都放在上层建筑、意识形态上，搞通史的搞王朝更替；搞专门史、专题研究的都喜欢搞政治制度、历史人物、历史事件评价一类课题；搞思想史、哲学史，研究伦理学、国民性的似乎更多。傅筑夫先生在学术问题上很有主见，他不爱与人讨论，很相信自己认准的东西：历史发展的决定因素只能是经济基础，研究中国国情，中国历史,不能片面就政治谈政治,从人物谈政治,尽管上层建筑和思想意识对经济基础,生产关系对生产力有反作用,但毕竟是反作用。傅先生决定研究中国经济史。他作了一个了不起的选择,来到国立编译馆,开始了扎扎实实的搜集查找经济史资料的工作,这个选择反映了他在设计知识构成上的良苦用心,从中也能看到他个人的志向和眼光。

在编译馆傅先生主持中国经济史的研究工作,任编纂,他和王毓瑚先生(已故,原北京农业大学教授)二人,把正史、稗史、笔记、杂著、碑铭、墓志,以及成千上万的地方志,一本一本,一篇一篇地读下来,前面讲过,经济史资料很少专门著述,大都是片片段段地夹杂在文章中,许多支言碎语隐约在字里行间,一不留意,就容易被似是而非之文所混淆,或被似非而是之文所滑过。总之,这是一件极其繁冗的沙里淘金的工作,好在傅先生有很深的古汉语修养和经济专业知识,加上国立编译馆的大力支持,为他们配备了十六个人专门抄写,使搜集查找工作进展顺利。这样穷年累月地干了整整八年,傅先生成了占有中国经济史料最丰富的人。至此,他基本上完成了他的学术大厦——中国经济史研究的奠基工作。

收集整理资料的过程,也是分析理解资料的过程,就像傅先生回忆时所述:我的许多想法不是凭空想出来的,在大量接触史料的同时,我的思想观点的轮廓也在逐步清晰。1946年,他从重庆往北方搬迁,小飞机不允许多带行李,傅先生几乎把所有的生活用品,甚至所有藏书都扔掉,带上了他心血的沉淀物——几箱经济史资料,当然也带上了统辖这些资料的思想。

20世纪50年代初,傅先生从事中国近代经济史的教学工作,并培养了一大批研究生,可以说初步补了大专院校文科教学中的一个缺。傅先生还用不长的时间,引用了大量中外资料,写了一部八十余万字的《中国近代经济史》。非常不幸,1957年,他被错划成右派,书,出版社不要了;稿,下落不明了。此后傅先生的教学科研工作均被迫放弃,只好做了一些资料补充工作,补上国立编译馆所没有的资料,这个工作的量很大,也很有必要。十年动乱,傅先生又面对着冲击,他老伴把他的资料藏到煤堆里,一大箱被查出的有关明清的经济史资料,在他眼前化为青烟。傅先生在心灰之余,打算彻底放弃。

粉碎"四人帮"后,科学的春天到来了,傅先生虽然年事已高,但他却异常振奋,他说:"吃了几十年的桑叶,应该吐丝了!"尽管写作条件十分困难,开始连一张稿纸也得不到支援,傅先生仍用惊人的效率工作,他夜以继日,无间寒暑,数百万字的著作都是1977年他75岁时才开始写作的。许多人为此惊叹不已:为什么傅先生这么大的年纪,还有这样高的速度?其实前面已经回答了这个问题,在此似可引用两位古人的诗句,一个是宋朝朱熹的:"半亩方塘一鉴开,天光云影共徘徊;问渠那得清如许?谓有源头活水来。"一个是唐朝杜甫的:"读书破万卷,下笔如有神。"傅先生正是进入了这样的境界。

二、傅筑夫的治学方法及主要学术思想

这是一个很大的题目,此处只能就某些主要方面作一个初步探讨。

傅先生治学有个十分突出的方法,即历史的比较研究法。研究中国经济史,不尽限于运用中国的古文献资料,而要对比同时期、同阶段外国的历史文献资料;不但要从中国看中国,还要

从外国看中国。比较研究法是近代资产阶级史学家通常采用的方法,有其科学的一面,与辩证法所强调的全面地、联系地看待事物的观点,有某些内在的一致性,关键在于是否本着历史唯物主义的立场。

这种横剖面的比较研究具有多方面的意义:其一,能够发现相比较事物的一般性、共同性的东西;其二,能够把握某事物、某方面的特殊性;其三,能够捕捉住有价值的研究课题。傅先生的许多令人瞩目的学术观点,都是在中西比较中诞生的。他把比较法作为一种证明历史唯物主义的手段,有特殊的深度和说服力。下面我们看两个例子,既是傅先生的主要学术观点,又体现了他的治学方法。

(一)典型封建制度如何产生,即古史分期问题

从目前已经发表的文章来看,关于中国古史分期问题,至少有七种主张。傅先生认为中国封建社会始于西周。当然,持这一观点的学者以范文澜先生为代表,过去已有许多,但是他们的研究方法多是以封建社会的特征来反证其本质,如研究西周的"民"有无自己支配的劳动时间、劳动工具及私有经济等。而傅先生则致力于经济规律方面的研究,他所探讨的已不是"中国封建社会始于西周",而是"中国封建社会为什么必然产生在西周"。

傅先生首先剖析了罗马帝国向封建制过渡的过程。当日耳曼人征服罗马后,其处境是很为难的,恩格斯就曾指出:日耳曼人"既不能把大量的罗马人吸收到氏族团体里来,又不能通过氏族团体去统治他们。必须设一种代替物来代替罗马国家"。这个代替物就是马克思所说的"封建主义"。傅先生提出:由奴隶制生产方式转变为封建制生产方式,并不是如一般人们想象

的系由于奴隶制的生产力已发展到与一定的生产关系不相容，即生产关系已经成为生产力进一步发展的桎梏，于是早在这个生产关系中孕育成熟了的封建制生产方式产生出来。据恩格斯说，当奴隶制不得不变革时，那时的奴隶制生产力不是发展，而是极度衰落了，衰落到成为不可挽救的危机，罗马帝国的末期，正是如此，以致不得不进行革命的变革。

由殷代末年到西周初年，中国不但具有了与罗马帝国末年大致相同的经济情况，而且出现了与那时大致相同的政治情况，即同样由一个经济上和文化上都比较落后的"小邦周"，征服了一个经济和文化都比较高的"大国殷"。进行这样征服的时候，不是由于周人拥有强大的武力。史称，武王伐纣时，只"率戎车三百乘，虎贲三千人，甲士四万五千人，以东伐纣"，而"帝纣闻武王来，亦发兵七十万人距武王"。可见双方的力量是十分悬殊的，周人之所以能迅速取得胜利，是由于殷人的含有敌意的奴隶"皆无战之心，心欲武王亟入，纣师皆倒兵以战，以开武王。武王驰之，纣兵皆崩畔纣"。周人胜利了，但他们面临着与日耳曼人大致相同的局势，这个大致相同可以从两个方面去理解。

其一，彼此所面临的经济情况是大致相同的，即奴隶制已陷入危机之中，不能再继续下去了，特别是周人胜利之后，不能把被征服者的阶级矛盾接受过来，而必须改变剥削方式，以消弭反侧。要改变剥削方式，就必须改变土地制度，使之与新的剥削方式相适应，于是形成了与欧洲中世纪庄园制度大致相同的井田制度，既有领主经济，又有农奴经济。

其二，彼此所面临的政治情况大致相同，即经济和文化都处于落后状态的周人，不能把大量的被征服者吸收到周人的氏族内部来，也不能用落后氏族团体来统治他们，于是周人也和日耳曼人一样，必须用一个新型的国家机器代替氏族制度，并用它来组织，统治被征服者。

由于周人力量相对弱小，被征服者的势力还相对强大，因而对新的征服者还存在着很大的潜在威胁。周人尚无足够的力量来建立一个强大一统的国家，而不得不采取与旧部族和平共处的办法，除首先"封商纣子禄父殷之余民"以示无尽灭殷族之意外，又"褒封先圣王"。当然，仅有和平的"软手段"是不够的，为积极防范殷族反侧，一种新的统治和组织形式——分封制度诞生了。武王大封周族的子弟功臣，使他们的采邑封地间错棋置于旧部族之间，以收监视镇摄之效。然而，统率殷族的三百六十个族长们照旧存在，周武王惴惴不安，夜不成寐。武王死后，果然爆发了管、蔡联合武庚以叛周，东方旧部族群起响应，使刚刚建立起来的周人统治权有被颠覆之虞。周公亲自出征，血战三年，终于又"克殷践奄（东方大国），灭国五十"，平定了许多异族的叛变。周人经过这一次惨痛教训之后，进行了第二次大封建，"立七十一国，姬姓独居五十三人焉，周之子孙，苟不狂惑者，莫不为天下之显诸侯"。"周之所封四百余，服国八百余"。在这样精心策划和安排之下，使无数小国比肩并立，犬牙交错，互相牵制。终于，周天子成了天下之共主，"封略之内，何非君土，食土之毛，谁非君臣。""天子有田以处其子孙，诸侯有国以处其子孙，大夫有采以处其子孙。"所谓分封采邑，就是颁赐土地人民，原来土地上的居民都固定在土地上成为依附农，这也就是农奴制剥削的开始。由于农奴有了自己的经济，解决了奴隶制本身的矛盾，一举把大量含有敌意的奴隶争夺过来，等于一下子解除了东方诸部族的武装。

　　傅先生认为,世界不同地区的历史都有各自不同的特点,但在相同的社会经济规律支配下,又往往会出现大致相同的社会经济现象,从而使人类历史表现出很大的共性。西周初年与发生在日耳曼人对罗马进行军事征服时所造成的一系列变化,在性质上与作用上基本相同的,即在政治上建立封建国家,在经济上形成了封建生产方式。中西历史上出现的这种大致相同的现象,绝不是偶然的,都是客观的经济规律以铁的必然性发生作用的结果。①

　　(二)变态封建制的如何形成,即中国封建社会的特殊性问题

　　傅先生称中国特有的地主制经济为变态封建制。所谓变态,系相对典型封建制——领主制而言。傅先生认为中国的典型封建制延续的时间相当短,从西周初年开始到春秋初叶时即已逐渐崩溃,历时不到五百年,比欧洲要短五百至一千年。这个巨大差异不是偶然的,它是一定的物质条件和客观经济规律所决定的。

　　1. 领主制经济的内在矛盾

　　随着领主阶级本身的繁衍增殖,采地愈分愈小,进入东周以后,战争频繁,军费日益浩大,随着商品经济的日益发展,领主阶级所需的生活支出亦与日俱增。但是领主制经济又有一个剥削的天然限制,因为领主经济是靠农奴劳动来经营,其存在是以农奴经济的存在为条件,如果剥削过度而破坏了农奴的经济,就等于破坏了领主自己的经济,因而公田的收入是不

---

　　① 参见傅筑夫:《中国经济史论丛》上册井田制与农奴制;《中国古代经济史概论》第一章;《中国封建社会经济史》第一卷,第一章。

可能增加的,这就与领主阶级愈来愈强的剥削欲形成了尖锐的矛盾。[①]

2. 人口因素对促进典型封建制(领主经济)崩溃的重大影响

领主制经济——不论是欧洲的庄园制还是中国的井田制都是计口授田,但是授予的份地数量,东西方之间的差异甚大。经傅先生换算,英国农奴的份地比中国农奴的份地少则多 6.32 倍,多则多 16.81 倍,这个差异显然是人口多寡的差异。有人计算:英伦三岛在公元 500 年时,人口为五十万,公元 1000 年时,人口约二百万,公元 1450 年时,人口三百万,人口少而增长慢,计口授田的分配制度得以维持千年之久。[②] 反之,中国中原一带西周时就是人口多,份地少,而中国人口又一直在迅速增长。其主要原因有两条,一为自然增长:"今人有五子不为多,子又有五孙,大父未死,而有二十五孙。"二为列国诸侯有目的、有计划地奖励人口增殖:"丈夫年二十,不敢毋处家,女子年十五,毋敢不事人,此圣王之法也。"东周时期是人口的大量增长时期,以致"土地小狭,民人众",使计口授田的土地制度事实上无法施行。

3. 突出发展的商品经济和货币经济是造成变革的直接原因

欧洲封建时代是典型的庄园经济,商品经济和货币经济都不发达,中国封建社会却不同,春秋后期到战国年间,商品经济

---

① 参见《中国古代经济史概论》第二章。

② 参见傅筑夫:《人口因素对中国社会经济结构的形成和发展所产生的重大影响》,《中国社会经济史研究》1982 年第 3 期。

和货币经济有了突出的、飞跃的发展,而两者又是同一事物的两个侧面,如一车之二轮。马克思曾指出:贵金属的增加,"在资本主义生产的发展史上,是一个本质的要素"。春秋战国时期,随着生产力的发展,商品经济发达起来,特别是贵金属黄金,在那样早的时代,已开始发挥本位币的作用,所有货币的一切职能都已用黄金表现,如此早熟的高度发展的货币经济,是中国历史的重大特点之一。

大量货币财富在一个组织松弛,结构简单的社会中不停地流动,它必然像溃涨的洪水,到处泛滥,所到之处都在发挥着巨大的社会蒸馏器或巨大的炼金炉的作用,要把一切东西都抛到里面加以熔炼,使之成为"货币的结晶"再流出来。当一切东西都要被这个社会的炼金炉所熔化而变成可以买和卖的商品时,土地便是首当其冲。不管过去"田里不鬻"的戒条是多么神圣,在万能金钱的威力面前,不再有任何抵抗作用了。至此,典型封建制度完全崩溃。后来,中国历史上的许多重大的特殊性的问题,几乎无一不与此有关。

傅先生的研究范围很广,比较方法的运用也很广,在此不可能一一列举。需要指出的是,这种比较法的运用是有前提的。作为探索客观规律的宏观科学,愈是研究中国历史、经济史,愈要多了解欧洲历史、经济史,一旦把中国历史置放在世界的范围内进行考查,便不难发现准确的坐标,不难把握它的实际地位和内容。这就又回到了前面谈的知识构成问题,可以这么说,一个学者的学术成就,只能达到它的知识构成所能支撑的高度。就方法论而言,一个学者的治学方法、学术特色,也总是与他自己的治学道路,知识构成分不开的。

傅先生患有冠心病,家里挂着氧气袋,医生早就要他停止工作,绝对不要再写了,但他仍然在不停地工作,不停地写,在学术研究中不停顿地前进。他竭力想把他掌握的资料都整理出来,把他的思想都变成文字。他有时比年轻人还性急,住在医院时总是不停地争着早出院。他知道他的研究计划太庞大了,而他的时间又太有限了。去年,当傅先生83岁时,心脏病终止了他的生命,也终止了他的庞大计划。我相信,每一个拜读过傅先生著作的人,当他们想想这数百万字的每笔每划,都出自1977年以后他那支皱纹重叠的手时,都会感而慨之,肃然起敬的。

（原载《社会科学战线》1986年第4期）

边缘的徘徊:汪丁丁学术思想研究

苏振华　毛云峰　梁　捷　刘　晶

题　记

评论汪丁丁①,这对我而言简直是一个不可能完成的任务,因为,对于熟读汪丁丁文章的读者来说或许有一个同感——汪丁丁,学实渊夷,几乎是个不可言说的谜。当然,作为恪守汪丁丁所坚持的"作为大众分享的对话的逻各斯"②的立场,我们每个人都可以对他者作出自己的评论,然而若是诉诸文字并公开发表,却并不总是合适的。因为,所谓评论"立基"于一个公允的立场是前提性的必要,可是"评论"一定是从自己的"知识结构"和"人生体悟"这一非常独特的视角对他者的很个人的看法,是很难真正保持一个公允的立场的,甚至,到底什么是"公允"的立场呢? 另外,若是我们的"知识过程"足以涵盖汪丁丁的"知识过程",作此一评论也未尝不可,可是,对于汪丁丁这样

---

① 《社会科学战线》李华编辑命我写篇述评汪丁丁思想的文章,是不能拒绝的。

② 本文引文全部出自汪丁丁文集,碍于篇幅,不特别注出,在此向读者深深致歉。

一个百科全书式的、勤奋的学者,我们作为比汪丁丁年轻一代人的后来者仍然要并不是妄自菲薄地说——在知识的掌握上对汪丁丁的超越是不可能的。

诚然,学术是天下的公器,是任人评说的。汪丁丁,从他读书、问学之始直到如今,学术的意义对他仍然只是一种满足自身的本能的好奇,满足自己几乎不可抑止的对生命意义、对"根本问题"的关怀和追问。可是,在他的文章不断面世并不断激起于他之外的"主体间性"的反响时,在这一层意义上,汪丁丁,已经不仅属于他自己,他的学术关怀、他的思想取向,就已经成为中国知识界一个公众性的话题。由此,我们说,我们有权利对汪丁丁发出些或深刻、或浅显、甚至是不着边际的评论。这是我们终于愿意写这篇文章的"合法性"基础吧。

云峰和我,有机会问学于丁丁老师、在丁丁老师指导下读书、与丁丁老师一起聊天,算是可以近距离看丁丁了。所以,两者的评论不免是要失之于主观的,为了避免陷于如南方某位青年经济学业余爱好者对张五常先生式简单的肉麻吹捧——这当然是一个失之于厚道的评价,于是刘晶和梁捷,我们在网络评论版上结识的两位更年轻的、与汪丁丁不曾谋面的朋友(近期内梁捷来浙江大学听丁丁先生的课与丁丁先生有过一面),为我们的写作分担了更多的任务。汪丁丁,是浙江大学经济学院论坛、北望经济学园社区里的热门话题,对于下面这篇文章,可以想见会在网络上面对多少批评呢?让刘晶和梁捷的两支健笔去回应吧,因为,由本文所引起的所有的争议,总是由我们四人共同面对的。(苏振华)

一、汪丁丁的生活经历和求学历程

对于汪丁丁的读者而言,可能会有一个共同的困惑:这个人到底读了多少书呢? 事实也是如此,以我们有限的阅读面而加以猜测,我们愿意相信,汪丁丁可能是学养最为深厚的学者——东西方皆然。我们仍然只是将此解释为汪丁丁的无与伦比的勤奋,一个基本的判断是,汪丁丁是一个"纯粹"的学者,学术于他,是一种志业,而非为稻粱谋的手段,这在日益功利化的学术界殊为难能可贵啊。汪丁丁长年徘徊于国内外之间,我们个人化的阅读感受是,这是一个颇显神秘的学者,为此,我们愿意将汪丁丁的生活经历和求学经历作一个简单的介绍。

汪丁丁,1953 年 5 月出生在沈阳,成长在北京,祖籍浙江淳安。汪丁丁关于儿时的记忆是屋子里有很多的书,可见其家学也颇渊深。汪丁丁 1969 年赴黑龙江生产建设兵团,1971 年夏天回到北京,之后的三年,他读完了家藏的马列全集和数百本商务印书馆翻译的书籍,还有陀斯妥耶夫斯基、托尔斯泰、罗曼·罗兰、巴尔扎克、雨果、杰克·伦敦等文学书籍。1974 年,在北京一家应用电子技术研究所当工人,之后的两年,他读了政治经济学说史、剩余价值理论和高等数学。

1977 年进入北京师范学院(首都师范大学)数学系学习。大学期间,上课很少,更多是在图书馆或家里读自己感兴趣的书。主要是黑格尔、罗素、休谟、康德的哲学,罗素的《哲学问题》和黑格尔的《〈逻辑学〉导言》对汪丁丁有很大的影响。1981 年,进中国科学院系统科学所攻读数学与控制理论专业硕士学位,其间又从《资本论》开始自学经济理论。1985 年 3 月,汪丁丁进入夏威夷东西方研究中心从事研究工作并攻读博士学位，这应该是他真正开始自己的学术生涯。其间他日夜流连于夏威夷大学的图书馆，1990 年汪丁丁获得经济学博士学位。毕业后，留在东西方中心做了一年博士后研究员。

从 1991 年到 1995 年，汪丁丁任教于香港大学。1996 年，赴德国杜依斯堡大学任客座研究员。1997 年 3 月任教于北京大学中国经济研究中心至今，始于 2000 年任教于浙江大学经济学院。

在汪丁丁求学生涯中，并不曾得到世界级大师的指点。他主要是在图书馆自学、在书店获取最新的知识、利用宽带网检索资料下载阅读材料。但是值得一提的是，汪丁丁在欧洲期间，曾访问哈贝玛斯。在慕尼黑的斯坦湖边的哈贝玛斯家中，汪丁丁和哈贝玛斯"在暖和的阳光下谈了四个小时，从希腊哲学与东方哲学的关系开始，涉及古往今来的主要哲学家的观点，甚至人品，最后谈到经济学与社会理论的未来发展"。此次交谈，汪丁丁进一步确信可以在他"自己的知识经济学与哈贝玛斯的社会交往理论之间找到共同基础"——这对于汪丁丁后来的学术取向非常重要。1998 年，受《经济学消息报》之托，汪丁丁在美国采访了数位诺贝尔经济学奖得主。这是两次重要的放逐思想的旅行，我们期待着有关这两次思想之旅的文稿早日面世。

二、汪丁丁学术思想述评

如果把学者分成生命大于学术与学术大于生命这两种类型的话，汪丁丁和杨小凯就正处于两极。汪丁丁的先天气质使他义无反顾地反抗学术分工，反抗被异化的命运，扮演了一个后现代知识英雄的角色。他自己很清楚前途的危险,他说,"'投入未知',这是一种典型的现代性冲动。我说的'丧失合法性',是指在两个方面都失去了合法性,在你的专业领域之内以及你专业以外的一切领域里,你都必须努力通过与专家的'对话'来重新获得你自己话语的合法性。所以这一'出走'是很危险的,在分工社会里这是一种奢侈的行为。"汪丁丁最喜欢引用克尔凯郭尔的话,"你怎样信仰,就怎样生活。"他是这样说的,也是这样做的。

(一)哈耶克思想研究

汪丁丁,这位"复杂的自由主义"学者、这位遍览诸家的百科全书式的学者,哈耶克思想对他的影响仍然是最大的,而他在对哈耶克的解读中所凸显的重要洞见使他成为国内最为重要的哈耶克思想的研究者(顺便提及,邓正来先生关于哈耶克思想研究作出了令人尊敬的贡献)——固然,《哈耶克"扩展秩序"思想研究》等几篇论文并没有引起学界应有的重视。

我们粗略地将滥觞于斯密的现代经济学的发展进路予以两分,其一是马歇尔以降的新古典主流理论,另外是门格尔至哈耶克的奥地利学派。前者以均衡分析为依归,后者更重视对经济思想质素的研究。汪丁丁,缘于其"先天性的哲学气质",走进奥地利传统是必然的。哈耶克作为当代自由主义思想的集大成者,他的思想对于今天中国的非凡意义是显而易见的。其一,对于经济体制转型中的中国而言,哈耶克和他的老师米塞斯,是市场经济最为彻底的捍卫者和计划经济不妥协的批判者,若是没有他们所开创的市场经济的知识论基础,我们对市场经济的认识或许会仅仅停留在"工具理性"和意识形态的层面上。其二,有论者指出,中国的文化传统是专制主义的,反对专制传统、启蒙自由精神,哈耶克思想是最为有力的思想武器。基于此,汪丁丁对哈耶克思想的重视不是偶然的,而是充满"中国问题"关怀的。汪丁丁对于哈耶克思想研究的重要洞见大抵体现在以下几个方面。

1. 哈耶克"演进理性"的认识论基础阐释

演进理性和建构理性现在已经成为中国知识界的时髦话语,但是最早厘清演进理性哲学基础的是汪丁丁,汪丁丁的著名论文《哈耶克"扩展秩序"思想研究》可以说就是一部浓缩的西方思想史。在哈耶克的语境中,演进理性与建构理性互为反动,这须回到"休谟问题"和"笛卡儿问题",由此甚至可以追溯到西方思想由之发端的古希腊哲学中去,也就是赫拉克立特(Heraclitus)的经验主义同巴门尼德(Parmenides)的理性主义的分歧。

"人"的"存在"必然产生因为对未来的幻想而激发的改造现状的欲望,这就产生了指导人们行为的两个基本进路:一是基于现状的,对未来可能实现的各种状态的思考和评判;一是基于未来的,对现状实行改造的各种计划及其评判。汪丁丁认为,前者是基于"传统"的思考,后者是基于"乌托邦"的思考。

在哲学认识论中,笛卡儿的理性建构主义是乌托邦式的解释世界的思路。他所依据的唯一工具是基于逻辑的理性(不同于作为理智的理性)。笛卡儿的理由是,如果一个正在思考的"自我"说:"自我并不存在",我们就陷入两难:(1)若相信这个思考,则自我不存在意味着思考也不存在(因为"自我"的定义就是作为主体的"思考"),既然思考并不存在,思考所得的结论也就不真,所以不应当相信这个思考。(2)如果不相信这个思考,也就意味着"自我"是存在的,从而"自我"的思考是存在的,"自我"当然相信同一个"自我"思考所得的结论。从"我思故我在"出发,笛卡儿导出"心物二元"的世界观。然后理性的"心"为无理性的"物"立法,构造一个对应于物的世界的在心里的世界。笛卡儿相信,如数学家那样,理性可以理解客体并构造一个完整的心中的世界。然而哥德尔证明了"没有完备而无矛盾的逻辑体系"之后,笛卡儿的理想实际上已经破灭。由此要回到休谟问题。

休谟问题源于对政治学中"社会契约论"的质疑。休谟指出,契约论虽然立足于理性,却无法用理性证明为什么自利的个人可以在第一次社会契约签订之前相信所有的人都会履行契约;更进一步的追问是,为什么一次订立的社会契约能够子子孙孙传下来而仍然有效。休谟的回答是,事实是根本没有什么社会契约,有的只是基于"习俗"的权威,而习俗或传统是没有理性可言的。

从培根以来占主导的看法是,科学进步应当从收集事实开始,归纳出有规律的东西,提出规律并检验之;再从新的事实出发,再提出新的理论,再检验之。所以"归纳"是一切科学由以立基的方法。若不如此,试问一个科学定律何以为人类理性所认可?但是休谟问题是,我们认为"定律"的东西,其实只是在至今为止的有限次的实验里被证实了,我们完全没有理由在看见了有限只白天鹅后就认为"所有的"(无限多的)天鹅都是白的。休谟哲学于是为人类理性划定了界限:我只知道我感觉到的事情,我不可能知道关于我感觉以外的任何陈述是否真确。

在休谟与卡尔·波普之间,康德是承前启后的人物。自从休谟提了这个问题以后,康德遂认为休谟问题是他的哲学体系要解决的核心问题。在康德看来,虽然如休谟所言,我们的知识无法超越我们的感觉,但科学仍是可能的,因为人类须承认"纯粹理性"。纯粹理性实质上是基于一些先于经验的东西的,例如人对"归纳原理"的相信,人的这些"信仰"已经超出人的理性、经验和一切其他知识的范围。于是康德找到的结果是:"人类理性为自然立法"。

波普哲学可以视做对康德理性主义革命的反革命,是"回到休谟"。波普完全不能接受德国式的思辨的"超验范畴"。他认为康德的努力实际上把本来应当接受经验检验的培根意义上的"科学",放置在了无法实证检验的形而上学基础上,从而模糊了科学与形而上学的界限。现在波普的否证主义(证伪主义)已为国内知识界所熟悉。波普的出发点是强调"归纳原理"不适用于科学、不能作为科学的基础。对休谟问题,波普找到的解答是知识的真确性只能通过从一组全称命题演绎出来的一组在每一次实验环境下可以被否证的陈述、在每一次具体实践中得到支持性的检验,而且这些有限次的支持性检验必须开放给未来的无限次检验,通过不断地与其他的理论(也都表述为一组全称命题)竞争求得生存。波普认为科学假说永远不能被证实为真;科学家能够做的只是通过不断的检验增加一个假说的可信度。而且通常更能够促进科学进步的是提出更多的假说去与这个假说竞争,在激烈的竞争和否证中淘汰可信度低的假说,维护一个权威的假说只会使科学丧失生命力。波普根据他的科学发现的逻辑又进一步论证说,科学家通常只能从学术传统遇到的问题中发现新的假说并找到否证的方法。

哈耶克,除了继承奥地利学派的传统和康德道德哲学的传统以外,由于长期客居英国他又浸淫于英国经验主义(培根、洛克、贝克莱、休谟)传统中,并且与波普建立了亲密的友谊,两者相互影响至深。"演进理性"是哈耶克为他和波普的理性概念起的名字。哈耶克关于理性向传统学习的思想,于是在波普的知识论中找到了扎实的基础。哈耶克在《致命的自负》中提出的重要看法是:理性永远不可能理解和设计传统,理性只是传统的产物,理性最多只能局部地(边际地)改变传统。哈耶克所依据的理由是,首先,没有一个人可以完全地、彻底地了解另一个人,所以,没有一群人可以做到彻底交流。其次,传统的传承是大范围事件,是由许多人的心灵接受(否则成不了"传统")和传递下去的。由此,所以没有一群人能够彻底了解"传统"的意义和价值。那些试图设计和改造人类未来的人(主要是一些政治家和不真懂得科学逻辑的工程师),他们的错误在于对理性抱了过高的期望,即所谓"致命的自负"。他们也许有良好的愿望(例如消除资本主义的无政府状态),但是他们所追求的制度一旦实行就会变成倾向于控制人们思想的制度。如果思想受了控制,人们的创新精神将会枯竭,长此以往,没有一个国家能够保持其效率不下降。因为效率就是千千万万人日常劳动中不断改善成效的创新努力。至此,哈耶克对计划经济的不可能性从哲学的层面给予了最彻底的批判。

2. 从自发秩序到扩展秩序

如我们"被毒化了的语言",在今天中国的语境中,无论"资本主义"或"社会主义",均已被打上浓厚的意识形态烙印。"资本主义"的实质是什么?《致命的自负》第一句话是:"本书论证那个我们文明由以发生并赖以生存的东西精确地说只能够被描述为人类合作的扩展秩序,该秩序通常被有些误导地称为资本主义。"这真是一个振聋发聩的洞见,然而却似乎并没有引起哈耶克思想研究者的足够重视。汪丁丁洞察到了这一论断的重要性,他从经济发展的角度讨论了哈耶克"扩展秩序"的意义,"经济发展"这个概念所指称的历史过程本来就与"资本主义发展"
相重合。这须从"自发秩序"说起，苏格兰传统的自由主义试图
回答，社会制度是如何作为人类行为的无意识结果，而不是人类
设计的产物。这在斯密那里，被总结为"看不见的手"，这一论
断本身基本上已经成为主流话语。然而，隐藏在其背后的知识
论基础却并不广为人知。从"自发秩序"到"扩展秩序"，汪丁丁
认为有两方面的重要内容：(1)这个秩序必须是"自发的"，非人
为设计的。任何人为的整体设计都会最终破坏这一秩序的"创
造性"，为了确保"自发性"，哈耶克认为只能实行产权的分立，
通过竞争达到合作。(2)除了市场那样的"产权分立"之外，这
个秩序必须是能够"不断扩展的"，从家庭内部的分工，扩展到
部落之间的分工，再扩展到国际分工……直到全人类都被纳入
这个合作的秩序内。汪丁丁认为，正是由于扩展秩序概念的这
第二个重要内容，哈耶克放弃使用"自发秩序"而代之以"扩展
秩序"的名称，将"资本主义"刻画为"扩展秩序"，"人类合作的
扩展秩序"被抽象为一种普适的社会发展观。"秩序"得以自发
"扩展"的前提是坚持奥地利学派的主观价值论和个人主义立
场，我们认为汪丁丁对此洞察的意义并不仅仅限于对哈耶克思
想研究本身，它昭示了更广泛性的时代意义。个人主义在中国
的话语中几乎是以贬义词的色彩出现的，我们是一个强调个人
为集体、为民族的牺牲精神的国度，个人的意义是渺小的；受马
克思经济学熏陶的几代人也差不多奉劳动价值论为基本教条，
这是一种客观的价值论。然而，若价值为客观可观测、可计算，
那么理论上我们的社会只需要一个万能的统治者即可，因为整
个社会所有人的价值取向均是客观的，由此由自己作选择和他
人代替作选择是无差异的，计划经济遂在理论上得以成立。另

外,在我们这个专制传统的国度里,颂扬个人主义精神是尤其必要的,我们说,从来就没有抽象的整体利益、国家利益,所谓民族利益一定要落实在这个民族每一个具体的人身上,所以我们据此反对如何打着服务于社会的崇高目标、而实实在在损害个体利益的主张。可以说,个人自由和主观价值论是我们争取基本权利的重要理论资源。而在哈耶克的扩展秩序论说中,由于个人价值的不可观测,所以任何试图对社会进行整体设计的努力都是一种"理性的自负",唯有奥地利学派意义上的企业家的创新活动才有可能满足不同个人千差万别的需求,由此推动社会进步,所以,汪丁丁经常引用的哈耶克的一句名言是"一个伟大的社会应该是鼓励所有人在所有可能的方向上充分创新的社会"。

在资产阶级社会的批判者马克思看见"雇佣劳动"的地方,作为市场经济捍卫者的哈耶克看到的是"扩展秩序",所谓的"资本主义"的制度实质不过是可以抽象为"人类合作的扩展秩序"而已。由此可以看到,在关于"资本主义"和"社会主义"的讨论中,若仅仅停留在意识形态的层面上是多么的苍白。

3. 分立的产权

汪丁丁关于哈耶克研究的另一个命题是:超个人的秩序是个人自由、社会稳定与经济繁荣的基础。我们知道,对于"转型中国"而言,讨论"产权"有特别的现实意义,产权经济学成为目前中国经济学界的"显学"是很自然的事情,持有经济学学位的汪丁丁对哈耶克的"产权理论"有特别的挖掘是顺理成章的。在《致命的自负》中,哈耶克援引洛克的话说:"哪里没有财产,哪里就没有正义。"如果人们想要自由、共存、相互帮助、不妨碍彼此的发展,那么唯一的方式是承认人与人之间看不见的边界,在边界以内每个人得到有保障的一块自由空间——这就是财产权利,哈耶克称为"权利的分立",并声称"分立的权利是一切先进文明的道德核心","是个体自由不可分离的部分"。

私有产权,哈耶克愿意指称为"分立的财产"。在哈耶克看来,"私有财产"这个名称没有表达出真正个人主义和"消极自由"意义上的财产概念。财产的功能是为每个人划定一块消极自由意义上的"私人领域"。这就意味着,个人的财产不能完全是绝对"私人"的,它必定是人与人之间的关系——它是"边界",是只有通过对"正义规则"达成共识才能够予以保护的私人领域的边界。因此它不能是"私有的",它只能是"公共的(public)"。其次,哈耶克把"私有财产"改成"分立的财产",抓住了市场经济的核心问题——竞争。汪丁丁的阐释是,在一个产权明确但全部财产归一个"所有者"所有的社会中是不会有市场竞争的,因此产权的明确与否并不是市场经济发展的关键,凡是不明确产权的经济必定早已经消失了,如"公地的悲剧"——这真是一个惊人的洞见。这让我们马上想起近些年来颇有影响的"超产权论"——在其表象下的"逻辑自洽性"中所不能掩饰的其内在思想(或现实层面)上的贫困。我们也看到了这与著名产权经济学家巴泽尔的产权思想的某种"理论同源性"。我们也一定会记起汪丁丁先生的挚友周其仁先生在他的著名的质疑中国电信垄断的系列文章中所阐发的关于产权的洞见:所谓竞争一定是不同的所有者之间的竞争,在同一个产权主体之间是无所谓"竞争"可言的,市场、产权、竞争不过同一问题的不同角度的表述。我们当然也就回忆起阿尔钦的伟大思想:竞争、资源稀缺、歧视、行为约束、财产权利,实质上是五个等价的命题而已。

汪丁丁的进一步阐释是,我们所关注的问题的关键在于有什么样的产权。只有当财产权利分属于不同的利益主体时,不同的利益发生冲突,才会产生不同利益之间的竞争活动,竞争才是有效的。如果我们承认资源稀缺,就不得不承认自利的人们对稀缺资源的竞争。我们于是必须接受一定方式的竞争标准或"歧视"的方式。有竞争就必然有某种歧视准则,在市场经济中商品拜物教的歧视准则是"货币"——出价高者得,价格竞争的背后是效率上的竞争,而建立效率竞争要求建立个人的财产权利。在这里,我们再一次看到了"公有制"在"效率"意义上的贫困。

我们是不是可以接过汪丁丁的论述而换用一种更彻底的表述方式:分立的产权,即是自由、是善、是正义、是生命、是逻各斯、是市场经济的道德基础。

4. 演进道德:市场社会道德基础研究

这个问题是汪丁丁思想体系中的核心命题!

时下,"信用经济"已成为时髦话语。汪丁丁关于"信用经济"的系统性论述已逾十年,重要的是,他的论述是深植于哈耶克传统之中的。只是,他的《市场社会的"道德基础"》一文的论述太过艰深或晦涩,因此几乎没有什么反响。

在哈耶克的体系中,隐含一个内在的紧张,基于演进理性立场,是难以回答"道德传统如何演变"这一问题的。作为哈耶克的学生,林毓生先生显然也注意到了这个问题,他给出的解决办法是谋求"传统的创造性转化",但是就林毓生对此的论述而言,仍然只是停留在"口号"的层面上,因此,所谓"创造性转化"存在着被庸俗化的危险。概而言之,汪丁丁认为,"演进理性"与"演进道德"之间仍然是可通约的,勾连两者的,是基于交往理性的大众分享的逻各斯立场。

为什么要讨论"道德"问题？在"现代性"的论说中，市场秩序的扩展带来两方面的危机：(1)发展的危机，这是普世的危机，如发展中的"人"与"环境"的危机；(2)超验的危机，这是反思的危机，如在发展中，我们须反思"生命"、"发展"的意义，否则，社会将可能陷入"不合作的陷阱"而瓦解社会的存在。由于分立的知识、分立的产权、主观价值，市场秩序要能够在全社会范围内扩展，社会须存在一个关于"合作"的共识，由此，"道德"问题凸显。

勾连"市场"与"道德"，有两种倾向：其一是强调市场与道德的一致性；其二是强调市场与道德的相反性。在第二种倾向下又有两种完全不同的立场：(1)文化保守主义的立场，在这一立场看来，市场活动势必瓦解传统价值，并且最终瓦解整个社会的道德基础。(2)道德虚无主义立场。基本论断是，传统价值本身的"价值"是值得怀疑的，甚至是必须放弃的。

从中国学者对市场与道德问题的论说中可以看到，在上述的第一种倾向内又分离出两个截然不同的立场：(1)以市场行为取代道德行为的立场。在市场行为中根本没有必要讨论道德问题和担心社会道德基础的瓦解，因为"市场"本身已经包含了道德论说，如"明智的效用主义"。(2)强调在市场行为与道德行为之间的不可替代性和两者之间的紧张，并且强调这种紧张关系完全可能将"市场"与"道德"这一对范畴同时毁灭，最终将社会导入如独裁统治下的经济秩序，或者无政府状态下的经济混乱。哈耶克的扩展秩序思想是这一立场的重要表述之一。汪丁丁认为，哈耶克所主张的，并且汇合了后期的布坎南思想的道德哲学立场，汪丁丁称之为的"演进道德"（evolutionary morality）当是市场社会可欲的道德基础。演进道德所强调的是道德的"演进性"，正是由于承认各种基本价值之间的紧张关系，并且相信存在着使这种紧张关系得以解决或转型的社会生存机制，才可能看到那个内在于社会道德传统的、促使道德传统不断演变的动力。

道德哲学之存在，须回答"知"的问题，原因在于：对于一个不能"知"的人而言，是无所谓"道德选择"的。汪丁丁强调，任何道德选择都必须是行为主体能够充分意识到行为后果的行为选择，也只是在行为主体对行为的后果有所"知"的程度上，行为主体才应当承担道德责任。换句话说，康德的"道德律令"（Categorical Imperatives）之有效性首先要依赖于每一个处在行为主体位置上的人对所处的场合（situation）有着同等程度的"知"，否则就不能逻辑地推出"每一个人在这一场合都应如此行动"的普遍一致性（universality）。"知"，在"科学主义"的领域内可以说是非常"客观的"，不会在不同的认知主体间造成巨大的不可调和的差异，而即使形成巨大差异，也不会导致社会道德共识的瓦解。然而，"知"，在社会实践的领域内往往在认识的主体之间形成而且不得不形成巨大的差异，因为，"此在"永远不可能完全投入到"他者"之中。但是，汪丁丁还是认为，"不可交流性"是一个太强的假设，应当代之以一个更符合现实的从而包容性更强的假设，这就是基于"均衡"形成的"经验"、"传统"是可以"分享"的。

在存在主义看来，人由于"出生"的偶然性而被"抛到一个特定社会里"。一个"特定"的个人被一个偶然事件投入到一个"特定"社会里，由此开始了他（她）的命程（destiny），这具有双重的偶然性，必然带来"个体"与"社会"之间的紧张。为缓解这种紧张,大多数个体必然会通过对自己生存条件的反复阐释得到新的"意义",从而在心理上达成某种平衡。正是在这种寻找"意义"的过程中,个体形成了关于"自我"的意识,形成了关于"世界"的观念或"世界观"——建立"意义"的过程同时也就是个体对世界的"认知"过程、个体"成长"的过程。在"成长"历程中的"自我意识"的形成过程中,主体之间"分享着的经验"(shared experience)是一切"意义"的基础,是任何事情变得有意义的前提。

"存在论"意义上的自我有三重含义:第一重含义是"生理—心理"层次上的,是"知"得以发生的必要条件,"自我"首先须是一个记忆主体。第二重含义是"认知"层次上的,"自我"作为记忆主体所记存的内容必须是对"此在"有"意义"的东西。第三重含义是"存在—共在"层次上的,"此在"只能够通过与其他的"自我"交流而建立任何事物对于"自我"的意义。此外,汪丁丁指出,在讨论"自我"的真实性时还须提出的一个必要条件——"自我"必须是一组"意义"的稳定的联合体,是不会随着时间而改变的因果性联系。汪丁丁的上述关于"自我"的讨论,澄清了道德认知的出发点,从而可以避免从固定不变的"人性"出发的古典式的道德论说。"人性"不是亘古不变的,"人性"是在双重偶然性之下被抛入特定社会的特定个人的"历史性"的表现,是一个创造性的过程,物质生活和意义世界发展得越是复杂,生命过程从而"人性"就越具有无限多的可能性,由此,"道德"当然是"演进"的。所以,"演进道德"不能同意后现代理论对人类社会制度所持的"整体性摧毁"的态度,道德演进所坚持的是保存现有的社会制度,从而有可能对其有所"扬弃"。"自我"只能分享我所在的那个传统的经验和理性,只有当"自我"

进入和参与另外的文化传统中的博弈时，"自我"才可能分享和理解那个传统的经验和理性——"理性"不再是出发点，"理性"是一个过程。

以上论述回答了"知"的问题，澄清了"主体间性"的存在性，那么须构造一个使"主体间性"得以实现的交往过程。如叔本华所说，稳定的因果性联想是使主体得以区分现实与虚幻的唯一根据，于是"均衡"，在汪丁丁的道德哲学论说中于是具有了关键的认识论地位。均衡，是交往的认识论前提，如果主体之间的"交往"，永远达不到某个均衡状态，那么主体就不可能理解和把握共享着的经验事件。在这里，"均衡"，是"纳什均衡"意义上的均衡。汪丁丁关于纳什均衡意义的天才的阐释是：均衡的意义在于，（1）它指示给个体如何使行为互相兼容。于是个体从均衡状态学习如何是理性以及更重要的，如何是'道德'行为。（2）每一个个体的选择都在一定程度上影响均衡的实现。个体从而能够参与决定自己的生命过程。

回到演进理性中的市场秩序扩展，哈耶克"扩展秩序"概念的历史原型——西欧资本主义是从西欧的传统中自然发展出来的，对一切非欧洲传统的社会而言，那只是"历史的偶然"。由于哈耶克某种程度上的"传统决定论"，而特定社会的传统不尽相同，那么只是在偶然情况下才将理性和道德的演进引导到与市场经济相适应的方向上去，如梁漱溟先生指出，封闭的中国再发展五千年也生发不出"资本主义"，无疑，这一学理上的论述让我们非常悲观。基于中国的传统，我们怎样建设我们的市场经济？为消解这一紧张，哈耶克更多地是借助于族群竞争来回答文化和道德传统演变的问题，尽管他本人曾经反复申明不同意"社会达尔文主义"，他仍然受到其他学者例如布坎南的批评。汪丁丁的回答是,传统必须而且可以被我们改变,通过对我们的传统的重新阐释达到一个新的均衡系列,从而使我们理性和道德的演进方向与"扩展秩序"相适应。

道德的演进不是"革命",它必须依托着它自身的传统实现其演进。另一方面,道德演进不是"停滞",它要求从内部不断找到创新的力量。"创新"在严格意义上必须是个体的行为,而"传统"却是由多数人共同维持的规范。在"个体—社会"的紧张关系下,道德演进的动力来源于每一个体为缓解和外化其"个体—社会"紧张关系所做的寻求"意义"的努力。

汪丁丁的重要洞见是,个体之所以能够影响其他的个体、不同个体能够通过"均衡"分享传统经验,这种分享的经验使得个体之间的理解"知"变成可能、使得"意义"具有某种主体间性,其认识论基础在于现代哲学阐释学、存在哲学和哈贝玛斯的交往理论,由此上溯到前苏格拉底时代的赫拉克利特《残篇》中的作为"对话的大众分享的逻各斯"精神。在哈贝玛斯的社会交往理论中,逻各斯的具体形态就是"对话",逻各斯不仅以逻辑和数学的形态表达自己,更重要的是通过对话过程揭示自己。因为一切个体均分享不同的独立理解的传统经验和创新的意义,个体通过"对话"(社会交往)建立意义(使自我和他人意识到偏离传统的行为确实具有某种意义)成为可能,并且影响其他的个体对传统的均衡行为的解释。传统于是发生改变,传统所提供的道德论说于是发生改变,通过传统习得理性和道德意识的个体的道德于是发生改变。

至此,汪丁丁终于可以说,"道德的演进、理性的演进、个体对生存问题的解决,这些演进都是通过社会交往(行为和语言)的均衡状态而实现的。市场交换所意味着的互利关系无疑是道

德演进和理性演进的一个重要激励。另一方面,理性所要求的
'普遍一致性'(例如'法治')则倾向于将市场秩序扩展到一切
理性的人群中去,从而达到更大的规模经济。在更加广大的人
群中实现了的市场秩序反过来强化理性和道德的普遍主义原
则。如此往复的这样一个过程,就构成我心目中的演进道德和
演进理性。"

　　以上论说,上下五千年。那么,在实践层面上,建设我们自
己的市场经济,须秉持的道德立场是什么? 非常简单,这就是对
产权的尊重与保护和信誉机制的建立。"产权"是洛克意义上
的产权,对生命的尊重以及由此生发出的对财产和基本自由的
尊重。"信誉"是休谟意义上的信誉,包含三条自然律:对私人
财产占有的尊重,对财产占有者转让财产的社会公认,以及承诺
的兑现。如此,社会分工、市场秩序才能够从"爱有差等"的"差
序格局"扩展到全社会之中。如汪丁丁反复强调的,对"己所不
欲,勿施于人"的恪守,对企业家创新的鼓励和创新利润的保
护。所以哈耶克说,"一个伟大的社会必须是鼓励所有人在所
有可能的方向上充分创新的社会"。

　　须简单交代一下的是,在实践层面上如何实现对"中国传
统的创造性转化"? 我们猜测,汪丁丁对此已经找到了他自己
的答案,这就是基于现实的"中国问题"的"制度分析"(关于汪
丁丁的"制度分析"的基本思想,后文有具体的论述)。

　　5. 哈耶克研究的"中国意义"

　　汪丁丁对哈耶克思想的研究与挖掘并不仅只具有学理上的
意义,其中更重要的是昭示了对"中国问题"的回答。若我们不
读懂哈耶克,我们不能真正理解"市场经济"的本质意义,我们
又有什么资格讨论在中国进行所谓自由主义的启蒙呢。在汪丁

丁的哈耶克研究中所具体阐释的如自由、公正、平等、道德、义利之辨等多维度的结论,可以对"新左派"诸学者所提出的种种问题作出全面的回应。人类合作的扩展秩序,就是"市场经济"的实质所在,不夸张地说,关于"人类合作的扩展秩序"的阐释,基本上可以对"中国向何处去"这一问题给出一个方向性的指引。

我们反复而烦琐地论述了汪丁丁对哈耶克思想的解读,其原因在于,有耐心的读者将会看到,哈耶克的理论对汪丁丁的思想有多么深刻的影响。

(二)经济发展理论

最初,汪丁丁是以一个发展经济学家的身份为人们所认识的。他第一篇给人留下深刻印象的文章是载于《经济学前沿专题》第二辑中的"资源经济学若干前沿课题"。罗马塞特,汪丁丁的导师之一,一位著名的资源经济学与发展经济学家,受他影响,汪丁丁在发展经济学上下过许多工夫。在这篇文章里,汪丁丁熟练地使用动态最优技术,解决了一个霍太林资源定价问题。动态最优理论是20世纪60年代兴起的,对新古典宏观经济学有着深远的影响。现在,这种技术已被多数经济学研究生掌握。但在十多年前,这种数学方法对多数人还是十分陌生的。

从这以后,汪丁丁有很长一段时间不再展示他的数学训练。数学是好的仆人坏的主人,因此直到他发现必须用代数方法为知识经济学构建一般均衡的基础时,他才想起了这个"仆人"。

1992年以来,在《经济研究》上发表的系列论文是作为"经济学家"的汪丁丁的最重要的经济学论文。

从《制度创新的一般理论》(《经济研究》1992年第5期)开始,"制度"成为汪丁丁最关注的问题,也是他文章中出现频率最高的关键字。从1992年汪丁丁开始发表关于"制度经济学"的论文,到 2002 年他出版第一本专著,关于"制度经济学"的讲义(《制度分析基础》),前后相隔 10 年。这 10 年中,他的思路的演进与拓展成为我们了解汪丁丁思想的关键。汪丁丁与新制度经济学重要代表张五常、巴泽尔亦师亦友,所以对制度有着极为深刻的认识。无论新旧制度经济学家,被诘问最多的问题就是制度的定义。最初,汪丁丁是沿着标准定义进行努力的,他将制度定义为人与人之间关系的某种契约形式,这样就与定义为"人与自然关系的某种状态"的"技术"区分开来。

而在传统发展理论中,最为关键的因素是技术进步(即传统意义上的创新)。随着制度经济学的发展,人们开始意识到制度创新与技术进步同样重要。汪丁丁曾综述过鲍莫尔与斯蒂格勒的分歧,所以他很清楚,从动态的角度,我们无法从数学上区分这两种进步。所以在以后许多随笔中,汪丁丁使用了大量例子来说明技术与制度的关系。毫无疑问,20 世纪 90 年代最引人注目的技术进步就是 IT 与网络的发展,这就是他以后开始致力于观察"网络经济学"的发端。

汪丁丁是从经典的产权理论和制度变迁理论开始引介新制度经济学的。最初,他用人与人之间关系的某种契约形式来定义制度,这显然受到诺斯的影响。博弈论维度的制度定义,是最严格的也是范畴最小的概念;诺斯将制度区分为规则(正式制度)与习惯(非正式制度)。前者经过巴泽尔、阿尔钦等人的界定,成为新制度经济学的核心内容;习惯则难于被经济学工具处理,但诺斯、尼尔森和温特等将文化、意识形态和演进的视角引入对非正式制度的分析,成为新制度经济学中最有创造力的部分。汪丁丁综述以上的经典理论以后,就开始思考如何构建一个统一的框架,如何用更具包容性的理论来进行综合。

制度分析的另一种重要思路是奥地利学派的进路,尤其值得重视的是熊彼特与哈耶克以及奈特等人的理论。熊彼特指出在零利润环境中没有创新;奈特进一步分析,只有存在不确定性时,创新才会发生;哈耶克更进一步,集中分配的社会主义之所以失败,不仅因为它高估了人类理性,更因为在社会主义经济中不存在利润、也就不存在创新。不存在创新的社会注定要被淘汰。因为创新是奥地利学派的核心思想,所以说它是动态的经济学,是演进的经济学。

汪丁丁在静态制度分析方面受到新制度学派的影响。在制度的动态演进方面,汪丁丁则吸收了奥地利学派的思想。最初的成果就是1994年发表于《经济研究》(第7期)上的那篇《近年来经济增长与发展理论的进展与反思》(收入文集后,题目略有变动)。这篇文章产生了巨大的影响,并入选了当年天则研究所编的《中国经济学》。现在所有经济系学生都非常熟悉的贝克尔在1992年《经济学季刊》上发表的论文,就是汪丁丁首次通过这篇文章引介的。文中,汪丁丁对近几十年兴起的相关的发展理论做了一个全面的回顾。在文章的最后部分,汪丁丁试图综合新制度经济学、内生增长理论、内生分工理论以及公共选择理论、自发秩序扩展理论等,提出一种广义的,包容性最大的"经济发展通论"。

在汪丁丁看来,经济发展是一种历史过程,它是从某一初始文明出发,追求个人利益的人们不断进行技术和制度创新的结果。初始文明中的秩序是"道德共同体"。在最初道德认同的前提下,人们就有了选择的权利,从而交易得以进行(这一思想在前文哈耶克研究中有详细的阐述,我们看到,汪丁丁的思想是一以贯之的)。分工的好处须通过交易才能得以实现,交易是一个过程,是奥地利学派意义上的"市场过程"和交易制度演进的过程。伴随着分工的过程,专业知识也逐渐积累,我们就可以引入制度变迁理论。由于路径依赖、固定成本以及资产专用性等原因,作为知识载体的制度、物质资本、权力资本等要素,一旦存在就很难改变其结构。一旦制度和所提供的制度激励朝着有利于专家获取规模收益的方向确定下来,人力资本投资就会有利可图。父母的利他主义会表现为对儿童人力资本的投资。反过来,人力资本的积累反过来加速知识的获取和积累。于是,人力资本和一般性知识共同推动技术进步。制度进步与技术进步共同推动经济发展。当然,制度的进一步的演化方向还向企业家想象的有利可图的方向演进,其中的一个问题是,如哈耶克所说的,理想社会是制度保障、鼓励个人充分创新的社会(这一点在前文中我们已经反复提到),但是正如布坎南对哈耶克的批评,哈耶克并没有指出从现存社会向"理想"社会演进的路径,布坎南的看法是,"与时俱进"地对宪法的修订和再缔约是必要的。①

当分工演进产生"外部性"时,有几种解决方法:第一种,通

① "宪政"问题,因为杨小凯教授与林毅夫教授之间的争论,而引起了经济学家的关注。很奇怪,汪丁丁对此并没有多少论述。但是,让我们回到前文汪丁丁关于勾连"演进理性"和"演进道德"的论述,我们发现,汪丁丁实际上在理论上对此有自己的回答。但是,汪丁丁是富有哲学气质、关注"根本问题"的学者,所以,"宪政"——这个实践层面上的问题,并不是汪丁丁学术的聚焦所在。不过,汪丁丁在与"新左派"学者的论战文章中,对"自由"、"民主"有很鲜明的论述,碍于篇幅,本文将不对这一块思想予以整理,基本的评论是,在这一问题上,汪丁丁是站在英美传统之中的,或者说,是古典自由主义立场——这有别于欧陆传统。

过建立新的产权关系把外部效应内部化;第二种,建立新的分工获取该种外部性的规模效应;第三,当这种产权外部性由巴泽尔描述的"公共领域"引起时,必须通过专家和技术手段减少相关的不确定性。在这里,企业家组织分工形成的均衡(动态均衡)成为一个组织形式。① 最后,汪丁丁指出,当我们试图把这种微观组织形式扩展到更大范围的人群中去时,信仰、神召、家族、民族、国家等文化因素起着决定性作用。所以我们分析制度的演进,必须同时考虑文化的演进。甚至在某些发达国家,人们财富积累到达一定程度,劳动分工已经开始了非专业化过程,也就是人的全面发展的过程。

(三)"交易费用"理论

"交易费用"是中国经济学界最时髦的话语,然而,引用者众,真正洞察"交易费用"的"一般均衡"含义者少,国内的引用甚至都偏离了张五常的经典定义——"交易费用"在中国经济学界面临被庸俗化的危险! 汪丁丁的《从交易费用到"博弈均衡"》、《产权博弈》这两篇发表于《经济研究》(1995年第9期、1996年第10期)的文章并没有引起经济学界的重视,这真是令人遗憾。②

汪丁丁比较了新制度经济学派、奥地利学派这一静一动两种进路。但他不满足于任何一条进路。他的一项重要的贡献就

---

① 在杨小凯的新兴古典经济学中,"组织"是与"分工网络"密切相关的概念,这一思想在杨格的著名演讲中有过论述。汪丁丁对杨小凯的批评是,杨小凯的分工理论偏重于"交易费用"概念,忽视了"知识"因素。但是,"交易费用"的实质是什么,汪丁丁自有非常重要的论述。见后文。

② 笔者并不以为已经读懂了这几篇文章,在此,我们希望本文的"意义"是指出学界对此的漠视,这可能是不合适的。

是努力把交易费用范式转换成博弈均衡的范式,这样,就可以借助博弈论这一有力的工具对制度进行分析了。随着现在演进博弈的发展,博弈论被拓展到动态分析,于是就成为最有希望统一经济理论的工具了。具体而言,汪丁丁指出了交易费用范式在制度分析中的几方面局限性。

1. 经济学家把"成本"定义为"机会成本","交易费用"并不能例外,否则,这就只是一个想象中的概念,交易费用必须与经济学传统中的机会成本思想保持一致! 在将"交易费用"概念引入到制度分析之中时,交易费用应当被理解为可以选择交易制度的情况下,由于选择了某个交易制度、而放弃其他制度的"机会成本"。但是,我们对"制度"有"选择"的机会吗? 即便如此,"交易费用"如何能够与"技术费用"彻底分离?

2. 制度是公共选择的结果,制度成本必须是所有机会成本的某种综合。于是,这就产生了理论上的不彻底性。因为凡是对主观价值做的任何综合,都必须面对福利经济学所面临的基本困境——阿罗不可能定理。另一方面,任何坚持以主观价值来衡量机会成本的交易费用定义,必须面临个人选择无法决定交易制度这个困境。

3. 交易费用概念无法被应用于公共选择场合或者个体选择的外部效应非常严重的场合。而在纯粹个人选择的情况下,对制度的"选择"是不可能存在的。也就是说,通常意义上的"交易费用"分析是一种局部均衡分析,它必须假定制度的整体框架是不变的,它不能用于理解制度的整体变迁。

4. 但是,在一般均衡或者博弈均衡中,交易费用在操作上根本无法同其他成本区分开来。于是,这种转型的努力体现在他的"从交易费用到博弈均衡"中。他说,"彻底的产权分析需要一种博弈论的眼光,而在博弈论的眼光下,产权安排与资源配置是同时被博弈决定的,正好像寻租者们的博弈均衡不仅决定了资源在人们之间的配置,也同时界定了寻租者们对资源的不同的权力。"

在我们看来,这个转变是非常关键的。汪丁丁意识到以局部均衡分析为工具的交易费用理论,尽管相当有成效地在广泛的领域获得应用,却没有解决自身的逻辑问题。他认为,新制度经济学必须融入奥地利学派及其哲学认识论的传统中去,这样才能将其动态化,才能从演进的角度来分析制度变迁。

汪丁丁必须面对的另外一个问题就是,与知识、制度、企业家能力等要素有关的市场函数的等产出曲线不一定满足凸性。事实上,大量关于收益递增的研究指出这些要素是非凸的。这就给一般均衡处理带来了很大的困难。正因为意识到这个状况,汪丁丁开始转向研究这些要素的微观基础。这些工作与杨小凯教授的研究相呼应,或者说,杨小凯和汪丁丁,是仅有的两位真正意识到"报酬递增"问题是"问题"的华人学者。

(四)知识、理性与创新的微观基础

1996 年,汪丁丁的思想到了一个转折点。他越来越清晰地认识到知识对于制度的关键作用。于是他从"制度的知识"转向了"知识的制度"。这一"知识学转向"成为他日后研究的基础。他将 1996 年准备发表在《经济研究》上的论文命名为《制度成本,博弈均衡与知识结构》,虽然最后改名为《产权博弈》,但已经显示出他对知识特征的强烈兴趣。到 1997 年,汪丁丁发表了《知识沿时间和空间的互补性及其相关经济学》和《连续性假设的社会科学含义》两篇文章,这标志着汪丁丁完全转向了知识经济学。他说,"我发现解释存在的制度时,我必须在博弈

论中引进知识传统的作用。因此,制度经济学最终必须向着知识经济学的方向发展。"

经过多种尝试,汪丁丁重点分析了三组对立的概念,或者说从三组基本模型开始分析基于知识的经济学问题,也就是把知识作为分析的对象,用传统经济学模型来研究它的性质:第一,对概念是局部均衡与一般均衡;第二,对概念是绝对理性和有限理性;第三,对概念是创新与规范。

为了研究动态的制度和知识的演进,汪丁丁选择了博弈论的框架。他说,"'社会',是一群人行为的'均衡'。如果人们的选择具有某种连续性,那么交互作用着的许多人的选择总会达到'选择集合映射'的某个'不动点',也就是均衡。"这句话很重要,因为它包含了几个最重要的概念,"连续性"、"交互作用"、"不动点"、"均衡"等等。通过对这几个关键词语的阐述,知识学的核心内容随之展开。我们具体来看这几个关键词语。

"连续性"。汪丁丁是第一个将这个数学概念推广到社会科学研究,他说,"连续性,除了可以用标准的数学分析语言来定义或解释,还可以或更应当用社会科学的语言来定义或解释。但任何社会科学的解释都必定是在那门科学的具体环境中对'连续性'做的阐释,因此而成为用数学分析语言定义的'连续性'概念的具体化。"对于"连续性",汪丁丁又是从三个维度来讨论的。

第一个维度,是"说"的连续性。这种连续性表现为逻辑上的同一性,是认识论的基础。汪丁丁说,"当我说一件事情是它自身($A=A$)的时候,我像黑格尔那样,实际上首先传达了另一句话:那件事情不是它自身以外的东西。这就意味着我对这件事情的'界定'——我的理性对这件事情的边界的规划(立法)。

至于我对事物的界定是否与我的对话者的界定一致或者说在我们各自对世界分类的基础上规划的对‘此事’概念的界定是否是完全重合的集合，这是对话和演进理性所要讨论的问题。在这里，我关心的首先是任何界定能够被我的理性接受的前提——连续性。”

第二个维度就是“思”的连续性。这是对上一个维度——认识论的拓展。知识是一种过程，所以我们必须将其纳入演进动态博弈的框架中进行考察。用汪丁丁的数学语言来表述，“也就是说，我的每一次体验只是和我以前的体验相迭加，才改变了我对一个命题的相信程度。一个经验事件发生的概率是它的概率密度的积分。而‘积分’就是互补性的体现，也就是渐进性质的体现。这是知识的渐进性质的第二层意义的说明。”我们下文将要讨论汪丁丁提出的“知识的互补性”。在这里，知识的连续性是互补性的基础，因为只有连续性才能保证可以被积分。而且，这里讨论的知识连续性并不局限于个体层面上，我们可以通过交往理性将其推广至社会传统，“知识积累不仅在个人经验中是有限的从而是连续的，而且在社会的文化的生物的认知传统中也是有限的从而是连续的。博兰霓观察到科学发展的微观过程是‘个人知识’的获取和融入于某个知识传统。这是一个连续的过程。”

最后，我们回到不动点理论，即马歇尔经济学中的“均衡”。凸性分析是新古典经济学中最基础也最重要的概念。连续性与凸性有着密切的联系，但比凸性要弱得多。正是通过纳什的杰出工作，我们可以把凸性转换成对连续性的讨论。汪丁丁指出，这里的核心概念是映射的上半连续性，“所谓‘映射’就是对应于自变量的一个点，因变量可以取一个集合为这个点的‘映象'。于是连续函数所要求的收敛的点列在连续映射这里就变成了要求一个'集合列'的收敛性。"非合作博弈被广泛地运用于描述社会生活，正是纳什均衡指出了不动点的存在，即解的存在。但现实生活与数学模型的不同在于，人们的互相交往，必须以能够交流为前提。所以，在这里，人们的交往必然受到历史局限性的约束。第一，个体必须和只能从传统习得理性，个体对现实均衡的阐释于是被限制在个体有限的经验之内。第二，人与人之间的交流必须和只能借助于人们共享的那部分知识才是现实可行的。分析到这里，汪丁丁终于把均衡这个概念与哈耶克思想完美地结合起来了。他说，博弈均衡原本就不是理性的个体能够选择的。这是个体选择与所谓"集体选择"的根本不同之处。"我们是我们传统的选择，而不是我们选择了我们的传统。"

阿罗和德布鲁证明了一般均衡的存在，这就成为了市场有效性（或者说斯密的看不见的手）的基石。一般均衡虽然重要，但因为它难以运用，所以不如局部均衡那么受到经济学家们的青睐。但它才是真正的市场经济的理论基础。

我们可以观察到，知识区别于传统产业的最大特征就是边际报酬递增，这意味着它在数学上是非凸的，传统一般均衡定理并不能作为知识的一般均衡的基础。

接着，汪丁丁又指出知识具有"互补性"的特点。他说，"每当新的事实否证了某一层次上某些假设时，我们必定试图修正该层次的其他假设和更高层次上的相关假设。结果不仅给其他学科里的假设也带来危机，而且我们不知道先修正哪一部分假设更好。波劳克在《当代知识论》里打了个比喻说知识论的全部想法就是研究怎样在大洋中间重建一艘大船。意思是在一个假设系统中先拆任何一部分都不行,必须同时调整全部的假设。这就是知识的'结构'。显然,知识的这种结构也就是知识各部分间的'互补性'。换句话说,知识的互补性产生于人类思维逻辑最基本的三段式和因果性联想。"互补性这个概念在数学与经济学的处理上有着极为重要的意义。博弈论中只存在着两种策略性行为,互替与互补,而互补性在数学上很难处理。汪丁丁曾指出过,传统的制度分析在模型化过程中,始终要面对一个困境——究竟应该将制度变量作为控制变量还是状态变量?知识也是一样,他们都具有共同的特征"互补性"。如何用严格的数学工具来处理知识这个对象,成为知识经济学中首要的难题。

只有具有一般均衡基础的理论框架,才是逻辑上严格自洽的。深谙经济思想史的汪丁丁深知这个基础的重要性,否则他的一切努力都成为无本之木,他自己就曾多次一针见血地指出许多国内外著名学者理论框架中一般均衡基础的缺失。为了替他倾注心血的"知识经济学"寻找一般均衡基础,汪丁丁放眼最新的数学进展,寻找合适的武器。分析、拓扑,都已经不管用了,终于,他在代数理论中找到了这种新式武器——格论。

2001年,汪丁丁以一篇《概念格,互补性与塔尔斯基不动点》展示了他在一般均衡基础上的努力,这也是这种代数理论首次被引进国内经济学界。也正是在这篇论文中,汪丁丁将对知识产品分析所需要的凸条件转变成塔尔斯基不动点所需要的单调性条件引入,这样,汪丁丁就能利用最新的超模态博弈对制度互补性的发展进行研究,成功地解释了他一直阐发的知识互补性。

另一个维度是理性假设。汪丁丁对理性假设的分析乃是基于他对奥地利学派(包括与之相关的古典认识论)的研究。完备理性的假设是自马歇尔以降的边际分析的前提之一。经济分析的彻底性要求对行为做边际分析,而行为主体仅当具备了完备理性能力时,才有能力将自己的行为调整到边际量相等的均衡状态。边际分析在理论上的好处在于其精确性,精确性在理性的实践中可以为行动提供更明白的方案及行动指南。汪丁丁一直很推崇西蒙教授的方法论。继"有限理性"获得诺贝尔奖以后,西蒙教授晚年一直提倡一种作为过程的理性,这种分析范式与主流经济学的实质理性针锋相对。放眼近年经济学的进展,从芝加哥学派的理性预期,到子博弈完美均衡,主流经济学仍然完全笼罩在这种完备理性的假设下。但这种假设的局限性越来越突出,即它是静态的,而非动态演进的,因此无法容纳"学习"。借用韦伯的话,是"工具理性"淹没了"价值理性"。汪丁丁借用了哈贝马斯的交往理论,进一步分析了理性在演进过程中的形成与稳定。在《卢卡斯批判以及批判的批判》(《经济研究》1996 年第 3 期)中,汪丁丁对当时主流经济学陷入理性的误区深表忧虑,1995 年的诺贝尔奖却肯定了这个方向的工作,这正是晚年哈耶克所批判的"致命的自负"。

时过境迁,2001—2002 年的诺贝尔奖分别颁给行为经济学家。汪丁丁立刻指出,这意味着经济学发生了重要的转变——行为学转向。建立在有限理性思想上的行为学的兴起,这不正是汪丁丁深邃眼光的最好注脚吗? 其实从汪丁丁对方法论的讨论中,已经能看出他的这条理论取向了。周其仁是对汪丁丁影响最大的国内学者之一,与周其仁一样,汪丁丁对现实社会总报以好奇的眼光。他在《财经》杂志主持的"边缘"专栏,就是用各种理论对真实社会的一则现象作出解释。他在《两种不同的经济学方法论》这篇文章中借西蒙之口嘲笑了芝加哥学派的方法论,还把他的一本文集命名为《直面现象》,充分表明了他的经济学方法论取向。

博弈论揭示了相互作用着的理性决策过程的种种矛盾和不可能性。当所有的游戏者都看到多个均衡状态的可能性时,游戏最终均衡于哪一个状态,要取决于全体游戏者的知识结构,例如贝叶斯完美均衡。所以,不少博弈论家认为所谓均衡状态只不过是"惯例"。目前博弈理论家们正在为寻找"惯例"的理性基础而头疼不已。他们中间有些人已经放弃了这种努力,转而接受休谟与哈耶克的看法:理性是我们习惯的产物,而不是相反。

汪丁丁指出,"个体在进入社会时,便从社会的传统来学习'理性'。一个社会的个体进入另一个社会时,会显得完全'失去理性',一直到他从他人对他的行为的解释获得新的意义并且矫正自己的行为到符合这种新意义时为止。均衡的不唯一性决定了博弈论基础上的社会理论与古典的功能主义的本质不同。多个可能的均衡意味着社会变迁,而唯一的均衡则意味着向旧制度的不断回复和社会的功能主义解释。"

制度性知识就是人们对均衡的解释。这解释积累起来,让新来的人们学习什么是"理性"。在理性基础上的游戏,基于同样的制度知识,重复实现着旧的均衡。制度知识的传统(道德、信仰、宗教、法律、语言)就是日复一日被重复解释着的均衡。当个体的小溪汇入这条历史长河时,它所能产生的影响真是微乎其微。因此,汪丁丁强调,由于存在着主体间性,主体之间的交往必须建立在哈贝马斯的"交往理性"之上。这样,最终才能达到"对话的逻各斯"。

最后一组重要概念则是创新与规范。显然,如我们前面所说,任何创新都是建立在连续性的基础之上的。知识社会的特征是人们靠不断更新知识(而不是靠大规模生产)来改善生存条件。如果所追求的改善是物质方面的,就是所谓"创新驱动"的发展阶段;如果所追求的改善是精神方面的,就是所谓"财富驱动"的发展阶段。到了后一阶段,技术性知识的主要地位就被制度知识所取代。在网络时代,知识的两大经济学特征就是:知识使用的非排他性;知识生产的高成本。这两个特征使得知识产权的界定与转让变得极其困难。而这一困难又导致知识创造者对预期的未来回报没有信心,从而缺乏创新积极性。哈耶克认为,正是因为自由市场有剩余利润,才激励着企业家进行着创新活动。企业家所创新的,正是制度性知识。制度知识的创新推动了工具知识的创新。而工具知识的创新进一步创造剩余价值,这就需要企业家继续努力,继续推动制度知识的创新。

汪丁丁又从社会学的角度指出,观念创新一般被理解为发生在群体组织内部的人际交往的诸多结果之一。在人际交往的过程中,"符号"成为一个关键的元素。符号的意义被每个参与交往的个体加以阐释并得到均衡。因此,为了刻画创新的具体过程,我们仍然需要建立一个一般均衡的分析框架。

汪丁丁利用数理逻辑和微观经济学的一些方法,证明了在符号交往领域,只要个体有选择的自由,并且选择满足某种理性假设(这里需要前面谈过的"连续性假设"),交往的个体总能达到一般均衡。

进一步,汪丁丁在这套符号交往的一般均衡基础上讨论了语言经济学。语言交往正是符号交往的一个特例。尤其是语言习得的过程,当我们分析静态均衡和演进均衡时,必须采用不同的理论工具来处理。汪丁丁不完全同意只用博弈论来解释语言的均衡,他引用哈耶克的话说,"作为传统的语言,是由人类习得的理性而不是人类基于理性行为去改造的本源"。很显然,虽然各个学科的学者对语言问题关心了上百年,但这个领域才刚刚拉开序幕。

讨论完知识的经济学特征,我们才能略为清晰的界定知识的概念。与讨论制度一样,最重要也最困难的是知识的定义。汪丁丁还是从几个角度用几个大师的定义为自己的讨论划分的界限,以后他在《制度分析基础》中讨论制度的定义也采取了类似的方法。知识的第一个维度是波普提出"适应的知识",即任何可被传递的信息,这个维度是最宽泛的,与信息论有着密切的联系。第二个维度是认识论的,即博兰霓的"默会知识",这是一种主观的维度。第三个维度则是从知识的来源进行区分的。罗素把知识分成书本得来、实践得来与体悟得来这三种情况。

但这只是静态的知识、局部的知识。如果我们动态地分析,那么就没有知识,只有对话。汪丁丁说,"唯其有对话,逻各斯才保持为'辩证'的(而不是形而上学的),才保持为'永恒的活火'(而不是神学的),才保持为大众分享的理性(而不是惟我论的)。在这条路上,我们通过(与人)对话获得知识,我们通过(与神)对话保持信仰。"因此,知识,就是对话的逻各斯。

出于对知识本身的关心,也出于对"知识过程"的认识,汪丁丁进而观察了知识的获取过程——教育。毫无疑问,每个研究教育的人都会反省自己受教育的过程,汪丁丁也是如此。汪丁丁一直强调"知识过程",教育是知识扩散的手段,当然也是一个过程。作为过程,教育就不再能够被静态地分析,而应该纳入动力学和重复博弈的框架。汪丁丁说,"作为过程的教育不应当按照先定的'目的'来铺设其'内容',再根据'内容'寻找

'方法'。作为过程,教育的'目的'是在教育过程的参与者群体的社会交往行为当中逐渐明确和演变的。"

另一个关键的问题是教育的主体。斯特劳斯追溯古典,就曾经对"什么是自由教育"作出尖锐的发问。与此类似,汪丁丁是从他自身感受到的生存困境来发问的。他说道,"存在主义教育哲学强调处于生存困境中的个人的自由选择权利,因为它不相信任何'他者'替'我'作出的选择(由于'理解的艰难'或者由于社会'权力结构'的不公平)。就这一点而言,存在主义教育哲学固执着与古典主义教育哲学相对立的另一极端。后者固执着人类作为'类'而分享的核心价值(生命、自由、财产权利)和核心能力(感觉、语言、理解力)的开启所'必须经历'的那些教育过程。于是,表现在教案设计理论中,前者强调教案的灵活性,后者强调教案的经典性。上述存在主义教育哲学与古典主义教育哲学的矛盾恰恰表明了我所理解的作为过程的教育的内在困境——自主性与权威性之间的冲突。"

(五)网络的知识特征

毫不奇怪,在一颗敏感而又好奇的心灵的驱使下,在不断涌现的新知识的压迫下,汪丁丁欣喜地发现了网络(包括 IT 产业)。网络的两个特点使得我们不得不给予足够的重视。一方面,网络是技术进步最快的产业。另一方面,更重要的是,网络成为新的知识载体。汪丁丁主要就是从他熟悉的知识与网络的关系来观察这个崭新的世界的。

最初,汪丁丁仍然是以索罗模型—内生增长模型—杨小凯的分工理论—贝克尔的知识论这一组经典模型为参照系进行观察的。他曾经指出,新经济的三个最主要的特征分别是:第一,"观念"(idea)成为物质生产的决定性要素;第二,由于信息的收益递增的特性,凸性分析方法无法使用;第三,"知识"具有互补性。随着网络经济的发展,汪丁丁的观察逐渐深入,他的视角从知识对网络的影响转为网络对知识的影响,也就是从前两个特征的研究转向第三个特征的研究。这一转变具有深刻的意义,汪丁丁开始把网络作为他的知识经济学中的一个重要的变量,阐发了一系列知识的新特征。

从一份采访记录中,我们可以清楚地看到汪丁丁看待网络的视角的转变。"不会超过五年,我认为,信息技术大致将完成这个从信息技术部门内部(即这次发生'互联网泡沫'的部门)扩散到国民经济各个领域的过程。带动这一扩散过程并一定要把它完全展开的,是人类知识的内在特征——各种知识之间的互补性。正是知识互补性,产生了所谓收益递增现象,而后者是一切利润的来源。企业家们为了追求利润,早晚会被知识互补性带进上述的这个扩散过程的。互联网技术,当成本足够低时,便成为社会可以利用的天然的知识聚集手段。我相信每个在网上生活过的人都不难看出这一点,即网上的知识真正可以说是'浩如烟海'。当网络,尤其是宽带网普及的时候,人们将立即发现,由于知识互补性的强烈效应,在知识的任何一个细小的领域里,网络将以极低成本提供给任何感兴趣并且愿意花费时间的人'浩如烟海'般的知识,从而在每个可以想象的领域里,每个人都将意识到他头脑里存放的那一点儿知识与网络能够提供给他的整体知识之间的强烈互补性(意味着潜在'利润')。当然,为了获取知识互补性所蕴涵着的潜在利润,他必须通过技术的与制度的创新来把知识互补性转变为具有经济价值的服务或产品。"可见,汪丁丁关注的网络,是作为知识载体的网络,是动态演进的网络,是嵌入日常经济生活的网络。与其说他的文集

《自由人的自由联合》是一本关于网络经济学的文集,不如说是一本关于知识经济学的著作。

最近几年,宽带网的发展对汪丁丁造成了更为强烈的冲击,由他把最新的讲义命名为"宽带网时代的讲义"可见一斑。宽带网突破了知识传输速度的瓶颈,对于知识而言,这种传输方式的改变有着革命性的意义。宽带网不仅改变了知识的传递,也改变了知识,甚至改变了作为知识主人的人!在宽带网上,当未知的知识世界在我们面前展开时,任何百科全书式的学者的知识都成为沧海一粟,微不足道了。知识以几何级数增长着,人的认知能力受到生理的局限,任何人都必然陷入绝对的无知中。作为跨越学术分工、又有着极强好奇心的学者,在这种新的知识环境中所受冲击无疑是最强烈的。"宽带写作"就是这种冲击下的产物。正是在这种环境下,汪丁丁开始思考宽带网时代的知识意义,如何追本溯源,从原初的哲学维度来把握知识。

网络作为知识、信息的载体,极大地扩大了知识的传播速度。在2001年秋季,爆发了著名的"需求曲线之争"。张五常教授放言,不存在倾斜向上的需求曲线。汪丁丁表示不同意,在《经济学消息报》上撰文区分了马歇尔与希克斯的两种不同的需求曲线,并以一篇《定理与定律》的短文批评了国内浮躁的学风。同时,随着汪丁丁在浙江大学上课,他开始上网和网友进行讨论。浙江大学经济论坛因此盛极一时,一直延续到他回到夏威夷。

与此同时,正如他一直强调的知识过程,汪丁丁身体力行地使用宽带网进行学习思考,直接地体悟宽带网对知识过程产生的意义。据他自己说,他已经利用宽带网下载了几十张光盘的学术文献。毫无疑问,没有人能够读完这所有的文献。对文献的判断取舍,完全依赖于个人的"嗅觉"。只有从哲学维度把握知识的人,才能嗅出哪些文献具有阅读的价值。宽带写作就是基于大规模信息集结的创作,信息集结的过程也是学习的过程。宽带网不仅是被动的写作工具,更主动地改变了作者的行为。汪丁丁陆续从大规模的信息中挑选了很少一部分内容作为他的课程《制度分析基础》的阅读资料,从资料的选择也能看出汪丁丁的思维进路。两年内光盘内容发生了不小的转变,从多种维度收敛到最基础的知识三个维度,即"物的秩序"、"人际关系"、"价值判断"。

终于,汪丁丁觉得已经能够较好把握"知识经济学"的特征,于是开始讨论建立在"知识论"上的制度经济学了。

(六)行为学基础上的制度分析

从方法论来看,汪丁丁是从行为学的方法来观察社会的。既然直面现象,直面行为,就必须探究人的行为的本质。汪丁丁仍然是从三个角度来探讨人的行为。分别可以看作生物学取向,社会学取向和神学取向。下面我们就从这三个维度来看他的行为学进路。

第一条道路是心理学、脑神经学等认知科学。汪丁丁最关心的仍然是他的"知识"问题。因此,他引用这些认知科学的研究成果还是为了具体分析"知识过程"——这就是知识三维度中的物的秩序。

第二个角度是微观社会学。汪丁丁一直非常关注这个介于经济学与社会学之间的领域。他非常熟悉西蒙、威廉姆森以及科尔曼这些大师的工作,但他最为亲近的还是阿克洛夫与贝克尔这两位诺贝尔奖得主。与标准的理性经济人模型相比,现实中的活生生的人还具有利他、害怕、内疚、发怒等七情六欲。无论采用何种定义,制度都是镶嵌在社会之中的,是人与人相互作用的规则和结果。要研究"制度",追溯到源头,必须分析人与人之间的作用。这是第二个维度,"人际关系"。汪丁丁较新的两篇论文《观念创新与符号交往的经济学》与《语言的经济学分析》正是在这个方向上努力的成果。

第三个角度是哲学与宗教。通过一些著名学者的引介,宗教知识对国内学界已经毫不陌生了。汪丁丁的独特之处在于他仍然坚持从知识的角度来讨论宗教。由于主体间性的存在,汪丁丁从哈贝马斯的交往理论发展出"对话的逻各斯"。只有遵循了对话的逻各斯,作为人生体验的知识过程的交往才变得可能。汪丁丁多次将知识与信仰做比较。他指出,在某种程度上,这两者是对立的。他引用康德的话,"……故此我发现我们必须推拒知识,为了给信仰留出空间"。(《纯粹理性批判》)同时,这两者之间又存在着一种张力,一种赋予了传统以生命力量的内在冲突。事实上,信仰召唤着知识,知识论证着信仰。对话的逻各斯并没有排除信仰。并且,信仰可以通过对话得到维持。但是,信仰终究是个人的体验,个人的终极体验。"在知识的极限处我们获得信仰"——这已经成为汪式名言。这是价值判断的维度,也是汪丁丁受到非议最多的维度。但不管怎样,这三个维度是一个整体,是不可分割的。

1997年回国始,汪丁丁在北京大学和浙江大学授课。汪丁丁打算分三年讲完《制度分析基础》课程。2001年春季在浙江大学主要讲"制度方法"。2002年秋季在北京大学和浙江大学讲"制度现象"。2003年打算讲"制度分析"。

这门课汪丁丁的思路是"希望通过整体理解西方学术思想来理解制度问题"。他强调同时使用两种方法或思路来研究制度现象,即演进的、动态的、历史的和均衡的、静态的、逻辑的。在浙江大学 2002 年秋季讲义第七讲,他指出,"在任何时空点,人群都是特定的、历史的、局部的行为方式与思想,故制度也是有特定的、历史的、局部的,不投入到局部知识传统中,研究者不可能'直面'制度现象。从'物'的秩序,'人'的秩序,到'精神'的秩序,研究、理解制度的演变过程,就是发掘制度内在的紧张关系,求得'历史与逻辑的统一'。"

在阅读光盘中,汪丁丁给出了 10 个专题,分别是法律、服饰、家庭、企业、社团、市场、学习、医院、仪礼和政府。制度现象当然远不止这 10 个专题,但汪丁丁用这 10 个专题为后面讨论的制度范畴划定了界限。通过对这些专题的现象的考察,特别是从知识论的角度对行为人认知和行为进行分析,并用博弈论(包括格论)建立一般均衡的基础,这样构成了对制度的静态的、水平的分析。接着,汪丁丁又使用历史的、演进的博弈论工具对制度变迁进行分析,这构成了垂直分析的制度的动态学。而制度包含的范畴太广,要对制度现象进行实证的检验,我们还必须借助于社会学、文化人类学、政治学和法律学的工具和成果。

这样,汪丁丁最终构建起他的制度经济学—知识经济学体系。他的《制度分析基础》回应着阿克洛夫的批评,迈出了以行为学改写制度经济学的第一步。这个工作不仅是原创性的,甚至是革命性的,必然对以后中国经济学的发展产生深远的影响。

三、大家看丁丁

1. 从争论说起

毋庸置疑,汪丁丁和张五常是中国经济学界最富争议性的两个人物。与从个性到文笔都极富张扬之感的张五常教授不同,由汪丁丁而引起的争议并非由其个人言行而起,大家争论的焦点总是汪丁丁的文章。富于争议性的文章往往是富于思想活力的文章,也正因为此,汪丁丁拥有着极为广泛的读者。

争论的地点是在网上。汪丁丁是国内学界接触网络最早的经济学家,也是为数不多的在网络论坛上坚持与网友们讨论的学者,所以无论他正式的论文还是非正式的随笔总是能第一时间出现在网上。然而,有意思的现象是,最早,大家争论的焦点不是文章的内容,而是怎么读懂丁丁的文章!博学的丁丁文章中不时出现从其他学科中借用过来的晦涩术语,一时间,"我们要不要读丁丁? 我们如何去读丁丁? 丁丁的文章讲的是什么?"成了网络上的热门话题。

2. 用关键词解读

应该说,读懂汪丁丁的文章不是一件容易的事。因为富于思想性的文章不似呆板的教科书。前者的思路往往是发散的,要求读者跟着思,而后者的思路则是收敛的,需要读者跟着学。我们没有充裕的时间在这里把汪丁丁一篇一篇写下来的思想串连起来解读,只好删繁就简给出与丁丁文章关系密切的几个关键词,以此来勾勒丁丁文章的略貌,权作一瞥吧。

——直面现象

作为经济学家,汪丁丁从胡塞尔(Edmand Husserl)的现象学中引入了"直面现象"这个概念,提出了他的经济学方法论。如果想读懂丁丁文章中的经济学观点,那么就要把握住"直面现象"的方法论。如布坎南所说的:"方法论不能解决任何问题,但至少会让你知道这是些什么样的问题。"面对人类社会向前发展的越来越高度的个性化趋势,原有的经济学方法往往以理性的"立法者"自居,"直面数据"地来解释纷繁复杂的现实世界。这样抹杀个性的研究方式在丁丁看来已经难以胜任"后资本主义时代"的经济解释。为了避免这样理性的自负愈演愈烈,汪丁丁提出了"大量地学习理论,之后可以有所'悬置',再以深厚的理论所塑造的知识传统和支援意识去直面现象,这样才可以有所'体悟'"的现象学视角下的经济学方法论。

汪丁丁提出的这个方法论,让人想到了科斯——这位以对新制度经济学的开创性贡献获得诺贝尔经济学奖的著名经济学家。科斯生平无一本鸿篇巨著,所恃仅为十数篇论文。他进行学术研究,不讲数学、逻辑等理论形式,其论文结论均是对现象实事的理解所得,因为他认为,解释现象应先了解现象。他的方法论观点不仅影响了后来成为主流的芝加哥学派方法论,而且为丁丁的直面现象方法论提供了经济学内部的智力支持。

弄清了汪丁丁直面现象的方法论,就不难理解为什么他的文章往往铺叙篇幅很大,而在提出观点时却总是戛然而止了——其事明了、其理自现啊。当困在经济学形式主义里的"学人囚徒"们为自己数学模型的自洽性沾沾自喜的时候,丁丁站在学术传统的边缘对这样的"主流"发出了批判的声音,于是当我们学会直面现象的时候,我们也就看懂了丁丁的文章。

——读书捷径

网上有论者说:阅读汪丁丁不必有像他本人那样深厚的知识储备,只需跟着他一路思考下去自然就会明白他要说什么。这与批评汪丁丁的文章引经据典、不做阐释的看法相左。谁的看法更准确?

我们身处"消费主义"的时代,不仅要消费,也要高效率,所以造就了"快餐文化"的大行其道。可是"读书"的悖论是:读者总是希望读到"好书"而不要读到"坏书",可是,在读的"过程"中,即使你读到的是一本"坏书"——你就已经是读了。所以,读者必然需求一条"读书捷径"。汪丁丁的文章在旁征博引时往往都给出了所引术语在上下文语境中的意思。也就是说,如当汪丁丁在谈论黑格尔的"历史与逻辑的统一"与制度经济学方法论关系的时候,作为读者的我们没有必要一定要看过黑格尔,只要理解汪丁丁是在讲要同时运用动态演进和静态演绎两种思路来研究制度问题就足够了。如此一来,我们在了解了制度经济学研究方法的同时,也知道了黑格尔哲学与经济学的一种关联。这般文章,不正是我们千呼万唤的读书捷径吗?

术语的被发明,其目的之一就是要解决后人对前人思想的继承和发展的易用性问题。引用术语就是这种目的的体现。觉得汪丁丁引用的术语太过晦涩,其实是作为经济学的读者对那些陌生术语所在的学科的不了解。在批评他的引用方式之前,是否考虑过自己习以为常地谈论国内生产总值时经济学门外汉们的感受呢?何况丁丁还不辞辛劳地给出了基于文本的解释。

如此看来,认为丁丁的文章像文献索引的读者怕是没有认真地读丁丁吧。

——在哲学和经济学之间

对汪丁丁文章太多的争议就发生在这个经济学与哲学的交界处。而多数时候,疑问只有一个——汪丁丁在把经济学哲学化?

自马歇尔(Alfred Marshall)确立新古典框架以降,经济学便走上了一发不可收拾的形式化之路。经济学是西学,在西方发展的过程中经历了由思想的积累到完善而后再进行形式化的学术传统的积累。在这样的学术传统中,经济学作为一门社会科学的人文精神已经作为积淀物融入了西方学人的思想中,这样,他们在进行形式化运用的时候,不会背离形式化背后的人文思想。然而,我们是"西方"的"他者",西方的学术传统在作为引入方的中国是不存在的,我们在进行"拿来主义"的同时,不能忽视引入学科在本土的学术传统的重建。隐藏在数学模型背后的思想是深刻的,所以,哲学作为最接近"思"本身的文字表达,可能是学术传统本土化最好的工具。

另一方面,经济学作为形式化最为规范的社会科学,两百年来,不断地从形式化更为成熟的自然科学如物理学中学习形式化的手段。但当站在科学哲学的角度来看待这个过程的时候,我们应该发现社会科学与自然科学在研究对象上那种本质的区别,这种区别之大,大到如果用彻底的自然科学的方法来研究社会科学,对人类社会来说就几近灾难。深谙哈耶克理论的汪丁丁,对漠视人类社会的复杂性和其本身无规律特性的极端形式化对自由主义的扼杀,对计算机社会主义的借尸还魂,时时保持着警惕。汪丁丁的这种批判态度在形式化之风劲吹的学界,显得有些不合节奏,但丁丁深知,如果一门学科的内部失去了对其主流的批判,那么这门学科也就失去了生命力。

汪丁丁把哲学当做一把达摩克利斯之剑,高悬在理论工具的头上。

——生存困境

见过汪丁丁的人多数说他看起来很忧郁,看到上面这个关键词也就不难理解了,一个思考"根本问题"的学者或多或少总会有些许忧郁气质。这种忧郁不是如小资阶层、"泛学者"般作秀的无病呻吟,而是一位以批评主流为志业的边缘学者悲天悯人的现世关怀。

所谓生存困境就是作为生存者,与他所处的周围环境不可避免的冲突(紧张关系)和由此产生的自我困惑。这里,生存者是个广义的概念,不只是"我",而是所有发展中的事物。当生存者意识到并想超越这种冲突时,就"要把各种价值加以排序,然后根据这一排序,反思生存的困境,再进一步试图摆脱这生存的困境,找到困境的突破口。"(《制度分析基础》第一讲)放到丁丁所从事的学术研究领域,就是说一门学科作为发展中的事物,要继续发展前行而不丧失动力,就要不断地寻找学科间的紧张之处,反思其冲突最为激烈之处,以寻求在冲突中突破学科发展的现时困境,从而打开新的研究局面。只有这种源自自身的突破才是最有生命力的发展。而人们为什么也总要思考如何超越生存的问题呢?因为"当我们降生被抛入这个既有的社会中后,我们自己的家庭、种族、国家和先天的个性都是不可选择的,这是个人肩负的'双重历史性',这样的个性的双重历史性决定了个性与社会发生冲突的必然性。"(《制度分析基础》第一讲)面对着冲突,要么不对自我的生存困境进行抗争、逆来顺受,要么就要能动地反思自我的生存困境,超越它——我们必须选择痛苦,我们其实别无选择。

——批判与把握

这其实是同一个关键词,只是由于"批判"几乎已成为中国话语中"被毒化的语言"的典型代表,所以,汪丁丁更喜欢用"把握"来代替"批判"。

中国学界自五四以来,就把"批评"这个舶来语当做了一把屠龙刀,"新"思想总是用"批判"的眼光来看待早他于主流的"旧"思想。于是,从左翼学者群对鸳鸯蝴蝶派的批判到文革中的批林孔周再到如今的"左右"两派学者间的相互批判。"批判"一词的本土化竟然是以异化的曲解运用为主流而完成的。这样的"批判"在汪丁丁看来是一种没有生命力的、笛卡儿的怀疑一切式的、外部的批判,亦或可以更进一步地被看做是一种暴力式的"武器的批判"。隐藏在这种"批判"背后的,其实质是缺失文明道统支持的知识霸权及对话语霸权的争夺。

那么"批判"是不是已经丧失了时代意义呢? 否。汪丁丁在康德意义上的批判再谈"启蒙"。这种启蒙下的批判要求批判者要基于对主流学术传统的深刻理解而提出,非如此而不能成为源自学术内部的富于生命力的批判。这样的批判防止了两种极端的倾向:(1)不基于传统的批判是超越了历史的批判,不免沦为乌托邦;(2)拒绝进入传统的外在的批判,即笛卡儿式的怀疑一切、丧失"问题意识"的口号性情绪性宣泄,除了沦为意识形态的帮闲,是不可能起到批判后的建构功能的。汪丁丁所持的"边缘"立场,除了彰显知识分子的独立人格之外,更重要的是实现对"匿名的少数"的保护(哈耶克语),以防止在"边缘"处向所有方向探索的努力为"主流"所扼杀。

正如有论者指出的,汪丁丁于当代学界的意义,很大程度上在于他是一位秉持五四精神的"启蒙者"——他以对学术主流永恒的批判为学术寻找边界和创新方向,他以对主流意识形态永恒的批判为问学者铸起大写的自由精神和人格立场。

——对话的逻各斯

曾有论者批评,汪丁丁对"逻各斯"一词使用太容易引发歧义,因为学科的分工,经济学研究者未必都能明白哲学意义上的"对话"(dialogue)和"对谈"(talk with)的区别。逻各斯(logos)是哲学上的大话题,其词义是:对话中揭示自身。单看这样的翻译,不谙此道的人混淆对话和对谈是很自然的事情。而汪丁丁所提出的"对话"实际上融入了他对于米德、哈贝马斯开启的西方交往哲学的理解和运用，或者，将之改称为"交往的逻各斯"更确切。因为交往涵盖了听、说、思、文字、媒体、游行等等所有人类的社会交往方式，这大大超出了对谈的范围。

那么，什么是"逻各斯"？我们可以浅白地把逻各斯理解为真理。对话的逻各斯是说，我们每个人都分享真理的一部分，但谁都不了解真理的全部。我们交往的目的是为了追求了解整全的真理，通过交往来了解真理的其他部分，即真理通过（人们的）交往揭示其自身。这时，我们可以更深一步地探究"逻各斯"最初的意义——数数。也就是说，把每个人所了解到的局部的真理数数般的整合起来，就有可能感受真理全部的意义所在。但是，如此抽象的形而上，丁丁到底想要告诉我们什么？

作为一个思想者，汪丁丁敏锐地察觉到，一方面，随着知识社会的向前发展，越来越多的人被限制在分工的异化之中。如果不倡导回到"作为大众分享的对话的逻各斯"中以跨越分工的鸿沟，那么处于各个不同"分工领域"的知识分子的工作就不免"盲人摸象"，每个人都只是从各自专业的知识来理解作为"整体"的人类社会。如此，最终会因分工趋近极限而终止人类的知识创新。另一方面，汪丁丁指出由于不同的个人经历、不同的家庭环境和不同的宗教背景，越来越多的人对是否存在道德价值的基本原则而产生怀疑，以麦金泰尔为代表的"社区主义"甚至认为人与人之间是有绝对的"不可交流性"的。面对着这样一种危险的道德哲学倾向，汪丁丁认为若想予以超越，必须强调那种本着"对话的逻各斯"精神进行的人与人之间的交往，使得作为每一个单位主体的人意识到自己认知能力的有限性，从而建立对其他主体的其他部分知识的权威性的认同。基于这种认同,人们之间才可能建立起相互的理解和信任。可以说,这也是丁丁所强调的涉及市场交换行为的道德立场观点的其中一个道德哲学基础。

3. 丁丁的路

我们不奢望通过如上六个关键词的解读就能消解可能的对汪丁丁文章的所有迷惑和所有似是而非的误解,但我们可以负责任地指出,这是基于众多论者对汪丁丁文章理解之上的赞许、批评和阅读的感受的综合。

汪丁丁在学术道路上一以贯之的努力,就是希望把经济学以及更多的学科带回到"对话的逻各斯"立场,通过"直面现象"来消解"逻辑—本体—神学"这一西方科学的形而上学基础。对于这个尚在进行中的努力,我们难以简单地作出认同或否定的判断。也许正如汪丁丁的一位朋友说的:丁丁的学术之旅如唐·吉诃德的梦幻旅程,但我们无权对此予以价值评判,因为,这是一条无人曾涉足的道路,而今天,也只有丁丁一人——在路上啊。孤独的丁丁,你会找到回家的路吗?

丁丁说,"……我当然明白我的这些努力是如何的微不足道。千百年来,大海的力量就在于那逻辑地重复发生和消失的排浪。至于那浪尖的色彩斑斓的帆板,它们只是转瞬即逝的'现象',总要归于永远的寂寞的。"

结　语

香江才子董桥说:"思想"不托门墙,只写"散墨";"中国"似真似幻,且说"情怀"。汪丁丁是"出世"的学者,但他的人文关怀,体现于他的"中国情怀"。在《财经》"边缘"专栏上,汪丁丁所表现出的对中国弱势群体的关怀是令人动容的。如陈寅恪先生指出，所谓知识分子，当拥有自己的独立人格和自由思想，汪丁丁反复强调，知识分子要保有自己的独立人格和自由思想，须站在"边缘"的立场上对主流保持持续的批评，非如此不足以维系社会的进步——汪丁丁，这位徘徊在"边缘"的思想者，是自觉地站在疏离于主流意识形态的立场之上的。

我们相信，我们对汪丁丁的解读仍然是停留在"印象式"的层面上的（事实上，在我们的写作过程中，真实地感受到一种"自身内在的紧张"）。在对汪丁丁文集的阅读过程中，有一个感受是，汪丁丁有很多深刻的思想随意散落在字里行间有待挖掘和整理，尽管这篇文章已有如此长的篇幅（这当然会令编辑为难），但我们还是感受到我们的述评仍然是挂一漏万的，比如，汪丁丁的道德哲学、政治哲学思想（尤其是对康德哲学的研究），以及在经济学、哲学之外的其他如此众多学科中的重要洞见——逮于学力，我们已经不能够写得更多了。我们也认为，面对如此艰深庞杂的思想，我们一定有很多很多的误读，当然也就不免对读者有可能误导，还是让我们一起潜心读丁丁吧。事实上，我们更愿意相信，对于汪丁丁的学术及思想的公正评价，须由将来的思想史作出回答，何况，今天的丁丁依然漫步在山阴道上啊。

如哈耶克，这位目光曾勘察了几乎人类知识的所有领域的伟大思想家，终于"缔造了自由世界的经纬"。那么汪丁丁，这位在对人类知识的把握上不输于哈耶克的中华民族不世出的读书种子、这位命定的思想者，他的学术和思想到底会走到哪里去呢？我们猜想，如前文指出，这一定是有关"中国问题关怀"的。丁丁固然不愿为"体系"所累，但我们仍然期待着丁丁的专著早日问世，因为是汪丁丁，中国知识界当对他有更高的期许！

从本文并不"完全"的论述中，我们愿意相信，因为如此深刻的思想，在这个浮世的、充斥着"拜金主义"后现代思潮的社会里，汪丁丁一定是孤独的，他在东西方之间不断地游走是注定的。在这看不到尽头的孤寂的旅程中，一位不谙世事的、生活在他的乌托邦理想国里的思想者，是如何可能走过来的呢？因为他有"小李"——与他一路相携，我们愿意借本文一角，对这位平凡的女性，致以我们深深的敬意！

余世存先生，一位年轻的思想者，臧否国内成名学者，是不留余地的。他有一首诗，写给汪丁丁的，愿引作本文的结尾。

十月诗草之六：忆汪丁丁

这里的冬天长而圆满，虽然人生
有无数的缺憾。政府一声令下，
点火，我们因此可以御寒；
那不在温暖范围的也有土办法，
人人寻到他自己的安全。原来人生
是一个个均衡，如同蚂蚁
在死之前的无知随意。亲爱的丁丁，
我该怎样打发这时光，
从这里到那里，话从何说起？

你那里明媚的椰风可好，
海水是否吻起了阳光，
黄金沙滩充满了孩子般的笑声？
我这里灰暗得只是一句叹息，

像傍晚看着几十年前的电影上演，
无能于作那戏中的角色，
等待戈多者，或单纯如一只呆鸟。
丁丁，为什么我沿着你的曲线飞行，
却抵达不了你所在的均衡？

这个冬天就这样让我想起
飓风，这里的人心需要启蒙。
丁丁，当你在夏威夷
轻轻颤动你的思绪。

（原载《社会科学战线》2003 年第 3 期）

经济学之路

樊 纲

一

屈指算来,我学习经济学已经有 24 年了。那是从在东北下乡的年月开始的。

1972 年,我在黑龙江生产建设兵团当农工。下乡已经 3 年了,除了下地干活,一直还坚持读一些杂书,不仅是作为一种业余消遣,也是想学一点知识,我们可以说没有上过中学,小学毕业时赶上"文化大革命",在家晃了一年多,后来就近上了中学,每天除了学点毛主席语录,就是下乡、下厂、军训,其他文化课几乎没有上过,数学学到正负数,英语学了一句"Long live Chairman Mao"和八个字母。下乡以后想读一点书,并不是我有什么先见之明。在一个人人都说读书无用、知识分子处处受到歧视的社会环境中,一个十六七岁的人并不能想到多学点知识为以后打基础,当时只是感觉到世界之大,有许多自己还不知道的事情,好奇心重罢了。

杂书读读,人也渐渐长大,开始懂得了知识需要"系统地学习"的道理。于是,在回家探亲时,开始寻找"大书"、"有系统的书",当然是我自己能多少读懂的书。我父母是搞建筑的,家中的技术书多,但或许要感谢多年来的"政治运动"与"政治学习",我在家中翻到了两本书,都是苏联官方写成的,一本是《辩证唯物主义与历史唯物主义》,另一本是《政治经济学教科书》("资本主义部分"与"社会主义部分"两本)。于是决定"系统地"学习这两本书。这在当时也是符合政治气候的,"学习马列主义毛泽东思想",而马克思主义"三大组成部分"的内容基本都包含在这两本教科书当中。

书读到大半,来了消息说是要恢复"考试上大学",可以自报专业,也分文科理科,文科考数学、语文、历史等,不考物理、化学等等。这对于我们来说无疑是一针兴奋剂。我也不知是什么时候学会的"不知天高地厚",非常自信地认为我可以用几个月的时间自学一部分中学的数学和全部的语文、历史、地理课程,唯一需要研究的问题是选学哲学还是选学经济学。于是我真的根据当时掌握的知识做了一番权衡:马克思主义哲学唯物主义,包括历史唯物主义,最终把社会的发展,归结为经济的发展和生产力的进步,把人的思想意识归结为人的经济利益和社会的"经济基础",所以最初是哲学家的马克思后来用了 40 年去研究政治经济学,要想理解我们的历史、我们的社会和人类的进步,看来说到底还是要搞懂经济学。于是我"宣布":我要报考"政治经济学"专业。

那一个大学梦当然不久就破灭了。我加班加点开夜车学了两个多月的数学、语文,《政治经济学教科书》已经读到了"社会主义部分",并填了表正式申请参加考试,但突然间消息传来,说是由于我父亲是摘帽右派,家中其他亲属也多有"问题",不允许报考工农兵大学。档案材料仅送到"营部",就被退了回来。

一气之下，我"中断学业"，请了探亲假一路去旅游，长春、沈阳、大连、泰山、上海、杭州、无锡、苏州等地玩了一圈。一路上观察人生百态，体会"经济的重要性"。想到我最初要学《政治经济学》也并没有考大学的功利性考虑，因此没有必要为不让我考大学而过多地烦恼（那次"考试上大学"后来被张春桥们利用张铁生给"搅黄了"）。所以回来后还是坚持把书读了下去，并从此自以为有了个"专业"——政治经济学，现在回想起来后来几年有关经济学学习的事情还真不少。复旦大学曾有位教授到我们兵团来讲解马克思主义政治经济学，我有幸参加了学习班。1975 年毛主席"最高指示"批判资产阶级法权，师部办学习班，我去参加，讲的也是政治经济学的问题。最大的一件事要算是兵团搞所谓"工分制改革"，给了我一个"应用"所学知识的机会，把我当时已经学到的那点似懂非懂的政治经济学，写了点什么不同的看法（现在已记不得当时的论点和论据都是什么了），以连队的名义寄到了兵团总部，后来还被兵团总部请去参加了一个工分制试点的工作会议，算是我第一次有一点效果的"理论研究"。如此等等，直到最后，1977 年报考大学时真的把经济学作为一门真正的学习专业和一生将要从事的职业来加以选择。

二

24 年的经历，绝不敢说学经济学有了多大的心得，但却至少有一点体会，那就是基础理论的重要性。发展到今天的经济学，已经是一整套相当复杂、相当深入，涵盖面相当广泛的知识体系了。而一门知识越是发展、越是繁杂，在学习它的过程中，掌握基础知识、打好基础知识"功底"就显得越是重要，就像盖房子，地基不深，楼层也高不上去。所有的高楼大厦，都要用砖、用瓦或是用钢筋水泥，即使材料略有些差异，也都有一个"承重"的问题，都需要把基础打牢。有的人总不相信基础知识的重要性，总以为没有基本功的严格训练就可以到"前沿问题"、"尖端问题"上去比试，在"草屋时代"可以、"平房时代"可能也行，到了现代高层建筑林立的时代，就很难办得到了。即使对于少数天才来说，可以在很短的时间内自己走到"前沿"，"重新创造"出许多前人的研究成果，但如果先用更短的时间把前人的成果学到手，然后用更多的时间赶到前沿去施展才华，不是更符合经济的原则么？就个人来说，在年轻的时候、学生时代少上课、少读书、少做作业，用更多的时间去搞实践、搞调查、写文章、读"在职学位"，当时可能会显得颇有成果，但耽误的可能是一辈子更大的成就。就整个民族来说，如果用一种忽视基础课的思路来指导大学生、研究生的教学，其结果可能是耽误一两代人。美国的经济学界在世界上无论从人数还是成果质量来说目前被公认为处在领先地位，其重要的原因就在于对基础课教学的重视。经济系大学本科生已经是"初级教程"、"中级教程"一步一步学过了，到了研究生阶段，好一点的研究院里，你至少还要学二至三年的基础课、基础理论课、专业理论课，做作业、考试、修学分，然后才允许你开始选专业、做论文，不允许你早早地钻到一个小专题或"政策研究"的"前沿"上去折腾，其结果自然是学生的基本功较为扎实，知识面较宽，不会在基本概念上出大错，连什么是"均衡"、什么是"平衡"、什么是"效率"、什么是"效益"也分不清（当然这不否定到做论文的时候许多人还是会找一个较容易通过的偏窄的小题目去做),也不至于因为无知把前人已有的成果还看成是自己的"贡献"。就学生本身来说,则应该更加重视课堂书本正规课程的学习,先不必急于参加"实践",包括"政策研究"或"经商实践",在年轻时集中精力学好书本知识是"合算的",因为许多东西是离开学校之后补不过来的,而实践的课以后还可以补,只要在学习时认识到理论模型与经济现实之间的关系。

中国的经济学还有待发展,经济学家们自己,除了要搞好基础理论的学习与研究之外,还要努力把经济学当做一门学科、一门专业、一个职业来加以发展,积极建立起这一学科自己独立的"人格"、独立的评价标准、独立的价值体系。世界上许多著名的社会科学研究机构都"标榜"自己"非常派、非政府、非赢利",一方面是要标榜其研究成果的客观、公正,也是要表明我们这里是一个独立的专业、职业,不要用政府、政党、企业的标准套在我们的身上。以前我们一方面是总听到有人要求我们为某种政治目的服务,要我们隶属于什么,另一方面许多研究人员自己也总是自觉不自觉地跟在非学术的运动后面跑,使自己的研究从属于某种"派别",以致搞研究的目的也是"升官",为了"得势",而不是追求真理,这也是我们经济学自己的独立"人格"迟迟不能建立起来的一个重要原因。在这个问题上,我想搞理论研究的人至少要明确两点:第一,科学研究与搞政治、经商等等一样,是一个特殊的但同样平等的职业,当一个好的教授、研究员,与当一个好的政治家、好的企业家,是"等价"的,用不着去"巴结"别人,总看着别人比我们"风光"(你要是觉得别的职业更"风光",最好就去干别的,不要在理论界"受罪");第二,理论家要努力去用自己的理论"指导实践",而不是去听别人的"摆布"

（“文化大革命”毕竟已经结束了）。你的理论不彻底、不实用，指导不了实践，是你自己的问题，要自己进一步努力学习、加强研究，但不必有一种低人（低于“外行人”）一等的感觉，看别人的眼色行事，靠揣摸别人的心思吃饭。经济学理论原则上是“中性”的，经过适当的应用，可以为政治、政党、私人、企业等等服务，但经济学本身应首先是一种科学专业，否则它就不可能得到真正的发展；而不能充分发展的经济学其实也不可能很好地为政治、政党或企业服务。经济学家也可以改行从政，去经商，也能通过这种“改行”为社会作出自己的贡献，但那种贡献已经有别于经济学这一职业本身对于社会的特殊贡献。有的人把经济学当做“敲门砖”，志在“从政”，这本身无可非议，也有利于经济学知识的普及与应用，是件大好事。偏好不同，志趣各异，天经地义，我们都应表示欣赏。但若反过来把科学研究说成“没用”，或者把别人的真正的研究活动说成是“作无用功”，就是一种无知的表现了。不懂学问的人，不会懂得学问的价值，也不会懂得研究学问的乐趣，就像我们自己实在体会不出许多戏迷、“发烧友”的乐趣，但他们仍在那里迷得不行、乐得不行的道理一样。

三

经济学家必须学习理论，因为理论是用较为简单的、抽象的逻辑把握复杂的现实世界的思维方式。对理论的深究，并不都是在“钻象牙塔”，而是有利于对复杂的、具体的、琐碎的现实世界的系统的理解，把握某一角落的某一变化会对这一大系统内各个角落，包括“很远”的角落会发生哪些影响，以哪种方式发生影响,从而使你能在一项经济事件发生的时候,能够全面地分析它的原因和它的后果,当一个经济问题产生时,能够对症下药地找到正确的解决问题的政策,不至于头疼医头,脚疼医脚,甚至开错了药方。

但是,理论分析毕竟是抽象的、"深奥的",理论模型并不是所有人都能读懂的。一大套复杂的道理,最初是由几十本教科书教会我们的,但在这之后,我们在理论分析中可以只用一句话把它表达出来,因此它只能被"专业圈"的人们读懂,而无法被"圈外人"所理解。所以当我们在理论上用理论模型的方式搞清问题之后,剩下的问题还在于"深入浅出",把理论研究得出的结论,用较为通俗的语言告诉更多的人。这对于充分发挥理论的社会功能具有重要意义。

另一方面,理论分析得出的结论,在科学上只能被称为"理论假说",就是说,它们只是在理论上、逻辑上被说明了、证明了,但还没有被事实充分地证明(或证伪),因此还要用各种实际的材料、数据,对理论假说进行检验,这项工作在科学方法论上的意义,绝不亚于理论推理本身。

再者,经济学毕竟是一门实践性的科学,"理论家的任务不仅在于解释世界,而且在于改造世界",任何理论分析或经验实证分析都是有其"政策含义"的,而这些分析的目的也是为了针对现实经济中的各种问题,提出对策,无论是长期的对策还是短期的对策。理论家往往并不了解"现实操作"的许多具体细节,因此无法像政府官员或政府政策研究人员那样制定出操作性很强的对策,因此他们所能做的,往往只是就较为长期的战略性政策或政策的基本运作方向提出自己的意见,但无论如何,这也是理论家工作的一个重要组成部分。

我们可以用一图示来表明经济学家各方面工作的相互关系。

经验实证

理论研究——政策分析

深入浅出

以上四项,可以说都是一名理论工作者的"学术活动"。作为一名理论工作者,永远都不应放松理论的学习,不应失去理论研究的兴趣,但在学术生涯的不同阶段上,各项学术活动的比重或侧重点却可能是不同的。正如前面所说的那样,一个人在进入学术生涯的最初阶段,最好是以理论研究(甚至是"纯理论"研究)为主,以获得对经济系统的全面、深入的把握。然后,随着理论分析本身越来越接近实际,经验实证、政策分析、深入浅出的工作会自然而然地多起来。

研究生阶段,我基本上专心于理论学习与研究,没有更多地卷入当年的"对策热"中去,做过两次实地调查,也是"浅尝辄止"。出国学习,灌了满脑子的理论模型回国后一心想应用各种学到的知识在理论上对中国经济的问题做系统分析。但要想应用各种理论,就面临一个要说明一些更基本的理论的问题,说明你为什么选用这样一些理论、这样一些方法;它们与别的一些理论与方法的关系是什么。于是,我的博士论文便选了研究经济学基本理论的题目:《现代三大经济理论体系的比较与综合》,试图把我所学过的各种理论,作一系统的论述,说明一些基本理论问题,免得今后在应用基础理论分析具体问题的时候,还要不断地回到这些基本理论上来,加以解释说明;同时,也是了结一下我过去十多年先是学习"马克思主义经济学"后来是"西方经济学"的过程中面对的许多疑问与迷惑。不管国内别的经济学者是否接受,先来"自我清算"一下,如何对待"马克思主义经济学"和"西方经济学"问题上存在的错误观念和错误做法,以一种科学的态度,对待人类以往积累起来的一切科学成果。

获得博士学位之后,我进入了中国社会科学院经济研究所从事理论研究工作。便着手对中国经济问题的理论研究,也把前些年一边学习一边逐步形成的一些想法发展起来、付诸文字。《灰市场理论》、《改革、增长与摩擦性通货膨胀》、《论兄弟竞争》等几篇理论论文,就是在这一时期完成的。不久我参加了经济研究所"宏观经济稳定课题"的研究。我根据这几年对中国经济问题的思考,在已有的几篇论文的基础上,提出了一个写作提纲,被同事们接受,于是共同工作近两年,由我主笔,写成了《公有制宏观经济理论大纲》。如果说我迄今有什么"代表作"的话,我想只能数它了。它体现了我前十几年理论学习和对中国经济问题分析的主要成果,全书理论逻辑颇为顺畅,为系统地理解中国这些年来的各方面经济问题的基本原因与相互之间的关系,提供了一种分析方法和理论模型。任何理论模型都不可能说明经济中的全部问题,而只能从某一角度来说明一些基本的问题。《公有制宏观经济理论大纲》试图做的,就是从国有制这一基本制度结构为出发点,系统地分析中国经济问题的基本原因。如果我们相信制度是重要的、所有制是重要的(马克思主义经济学和西方经济学都这么教导我们),那我们就应该相信这一理解中国经济问题的"视角"是成立的,这一逻辑是能解释问题的。

《现代三大经济理论体系的比较与综合》、《公有制宏观经济理论大纲》两本书写成之后,我开始也从事其他三项学术活动:经济实证、深入浅出和政策分析。这从 1992 年以来发表的论文和报刊文章的"构成"中可以看出。在这些文章中有一类需要特别提及,即属于"深入浅出"性质,被我自己称为"经济杂文"的一类,其中包括在《读书》杂志上发表的面对其他领域的学者们写的经济学文章和关于经济哲学、方法论的文章,也包括在《经济学消息报》"樊纲专栏、均衡点"上发表的一些文章,以及《经济导刊》上"经济沙龙"专栏中发表的文章。最后还要包括那本用经济学理论分析人生社会诸多问题与现象的《求解命运的方程———一个青年经济学家关于人生的说法》,都属于这一类。说心里话,有时我很喜欢写这类东西,因为这类文章不仅同样需要理论思维,要把理论道理深入浅出地表达出来,需要你把思路捋得更清楚、更抽象、更简捷,而且是由于这类东西往往更具有思辨的色彩,也更需要"文字的功夫"。当年多少学过一点"文学",作为国粹的中文,是花了很大的精力学习的,学习英文之后,更感觉"母语"之亲切,更感觉用自己的语言写作是多么轻松愉快的享受,驾驭自己民族的文字来准确传神地表达思想,是多么大的幸福。所以说,每当想起一个好的题材写点深入浅出、轻松愉快的经济杂文,对我们这种以写作抽象、刻板的专业文章为职业的人来说,是一种享受,也是一种调剂。

过去的研究与写作,发表了一些著述,回过头再看,总会有一些遗憾,因为知识的积累和认识的深入,总会有一个过程。但有一点倒是可以自慰,那就是没有什么需要作"原则纠正"的事情,没有什么大的悔恨。其实,只要你严肃地对待科学,认真地追求真理,有一种尊重自己作为科学家声誉的长远打算,你就不会被"尘世间"的许多噪音所左右,今天出于某种需要发表一种未经科学论证的"观点",明天又因另一种需要来批判自己。科学研究也可能出错误,需要事后纠正,但那主要是无知造成的,如果较充分地掌握了前人积累的知识和有关的各种信息,一般不会发生大的偏差。

想到今后的道路,我恐怕还会有另一个 24 年,现在大概(但愿)正走着,而且仅走了一半的路程。学者生涯其实是很长的,因为思想没有一个退休的问题,只有一个"老化"的问题,落伍的问题。正因如此,我经常对我的学生说,不要着急出成果、写东西,年轻的时候打好理论基础,将来会有"大把"的时间去做研究;也正因如此,现在对我们这些走了一半路的人来说,真正的问题是"你还能再有什么长进?"《社会科学战线》的编辑"命"我作此"学术自传",倒是给了我一个机会回顾以往,思考未来,认真地想一想那下一半的路程。

(原载《社会科学战线》1996 年第 5 期)

樊纲:一位职业经济学家

唐 寿 宁

樊纲,经济学博士,1953 年 9 月生于北京,祖籍为上海市崇明县。中国社会科学院研究员,中国社会科学院研究生院教授;国家级有突出贡献的中青年专家。现任中国经济体制改革研究基金会秘书长,国民经济研究所所长。

1969 年赴黑龙江生产建设兵团务农,1975 年转到河北省围场县;1978 年考入河北大学经济系(七七级)政治经济学专业,1982 年毕业后,考入中国社会科学院研究生院经济系,主攻"西方经济学"专业;1985 年至 1987 年赴美国国民经济研究局及哈佛大学访问研究;1988 年获经济学博士学位;同年进入中国社会科学院经济研究所工作;1992 至 1993 年任《经济研究》编辑部主任,1994 至 1995 年任经济研究所副所长。

主要著有《公有制宏观经济理论大纲》(主笔)、《现代三大经济理论体系的比较与综合》、《市场机制与经济效率》、《渐进之路——对经济改革的经济学思考》等学术专著,在《经济研究》等中国学术刊物上发表了《灰市场理论》、《论改革过程》等学术论文近百篇,在理论界产生了较大的影响;1991 年获孙冶方经济学优秀论文奖。1992 年被破格晋升为中国社会科学院研究员,被评为国家级有突出贡献的中青年专家;1993 年成为中国社会科学界最年轻的博士生导师之一。近年来的主要研究领域为宏观经济学、制度经济学暨"过渡经济学"。

除受政府委托进行研究并就各种经济政策问题向政府各部门、各地方政府提供咨询、建议,并在国内担任多种社会职务之外,近年来被世界银行、联合国开发计划署、联合国亚太经济与社会委员会、经济发展与合作组织等国际组织聘为经济顾问,应邀到许多国家讲学访问,参加学术会议与合作研究,在国际经济学刊物上发表英文论文多篇。他的有关中国经济问题的论点经常被国内报刊、电视传媒以及 CNN, New York Time, Financial Times, International Herald Tribute, Wall Street Journal, Handelsblatt, Nikkei, BBC 等重要国际报刊、电台、电视台所引用。

中国经济研究最为风光的时代,当属改革开放之初的几年。那时,各种各样的改革方案设计、对策研究、调研报告铺天盖地,经济研究人员成为各级政府决策者的座上客。在这样风光的日子里,却有一位学者沉住气,不为此所动,埋头于经济学的经典著作中,苦苦探求经济理论的精要,"研究生阶段,我基本上专心于理论学习与研究,没有更多地卷入当年的'对策热'中去"。① 以樊纲当时的经济学底子,完全可能提出有分量的对策研究,但这又能怎么样? 提出对策研究报告的最大愿望,大概就是希望引起决策者的高度重视进而形成政策加以实施,可真的有这种效应的时候,提出对策的人还能安静地坐在书斋里吗? 也许热衷于提出对策的人就是为了摆脱书斋里的寂寞,但樊纲显然不想摆脱书斋。

① 樊纲:《樊纲集·自序》,黑龙江教育出版社 1995 年版。

樊纲之所以能够在中国经济学最为风光的几年里沉住气,在于他把从事经济学研究当做一个事业,当做一项职业来看待,于是,他必然要考虑如何具备成为职业经济学家所要求的素养及具备这种素养的最佳时机,要考虑中国需要什么样的职业经济学家。这样的长期预期,这样的自律,自然要得到丰厚的回报。

一、基础理论为本

樊纲自称在二十多年的经济学生涯中的一个最大体会,"那就是基础理论的重要性"。① 樊纲还认为,"一个人在进入学术生涯的最初阶段,最好是以理论研究(甚至是'纯理论'研究)为主,以获得对经济系统的全面、深入的把握"。② 因此,基础理论的训练主要是依赖于学校的基础教育,而学校的基础教育又是由当时占支配地位的意识形态所规定的。马克思主义是中国占支配地位的意识形态,中国学校里的经济学基础理论教育自然以马克思主义经济学为主体。但我们的经济学基础理论教育存在着教条主义倾向,不是以发展的、科学的态度看待马克思主义经济学,这样,导致首先是我们讲授的马克思主义经济学没有体现马克思主义的精髓,甚至是停留在"苏联社会主义政治经济学模式"上;③其次,对非马克思主义经济学采取了排斥的态度,对西方经济学大多限于做流派性的介绍。"学理论不先学基本知识、基本方法,而是先学'流派'实在是件误人子弟

---

① 樊纲:《樊纲集·自序》,黑龙江教育出版社 1995 年版。
② 同上。
③ 樊纲:《"苏联范式"批判》,《经济研究》1995 年第 10 期。

的事"。① 因为所谓流派之分主要体现在由不同前提假定推导出的政策主张的差别,它们在基本概念、理论框架、分析方法上并无二致。不先学基础理论而先学流派,类似于没有打好地基就开始盖房子。在这样的基础理论教育背景下,我们的经济学者在进入实际工作或研究阶段时,往往发现知识不够、底气不足,不可避免地面临着一个知识结构的调整。

樊纲在国内学校的学习同样要接受这样的基础理论教育。他也许较为幸运地在大学里遇到了一位好老师,使他正儿八经地受到一年西方经济学的基础训练。② 但总体上说,樊纲在大学阶段结束时的经济学知识结构是以马克思经济学为主的,同样面临着如何对待西方经济学,如何使自己的知识结构跟上经济理论的最新进展。

这里存在着一个如何吸收西方经济学,如何与我们原来掌握的那一套经济学知识相互接轨的问题。

马克思主义能够在中国的意识形态占有支配地位,是有其合理性的。孔泾源在《中国经济生活中的非正式制度安排》(《经济研究》1992 年第 7 期)中曾提出,马克思主义与中国传统儒家文化之间在哲学机理和社会理想意义上具有会通之处。马克思主义与中国的传统有会通之处,马克思的经济学自然也较易为我们所接受,而且,经过数十年的时间,马克思主义已经深入到我们的语言中,我们是很熟悉的。因此,我们实际上不可能简单地由马克思主义经济学转到现代西方经济学。

同时,我们又必须学习、吸收西方经济学(代表着一种方法

---

① 樊纲:《经济文论·着眼于新的基础》,三联书店 1995 年版。
② 参见樊纲:《经济文论·着眼于新的基础》,三联书店 1995 年版。

论、一种文化,绝不仅仅是经济学本身),它代表着经济学的最新进展。否则,就谈不上建设、发展与国际接轨。

人们往往以为掌握西方经济学需要高深的数学知识。西方经济学普遍使用数学工具,这是没错的,但经济学的基本原理、基本理论是不需使用数学也能表达出来的。对于中国人来说,吸收西方经济学的首要障碍并不在于对数学的掌握程度,而是我们原来的那一套经济学知识结构与当代经济学的构成是不吻合的。因此,不可避免地面临着知识结构的转换。这种转换是不容易的,甚至是痛苦的。

生硬地排斥、拒绝西方经济学,或全盘照搬西方经济学,看来并不能解决这个问题。樊纲则走出了一条新的路子,他的解决方式是可以为中国人所接受的。他的努力集中地体现在《现代三大经济理论体系的比较与综合》(上海三联书店1990年版,以下简称《比较》)一书上。

在《比较》一书中,樊纲指出,不同经济理论的差别在于它们研究角度的差别,马克思主义经济学主要侧重于从社会关系的角度分析社会经济活动,而新古典经济学则将特定的经济关系作为前提,着重分析人的物质偏好、生产函数技术特征、要素边际生产力等物质技术因素在决定经济变量中的作用。所以,它们分别深入地分析了经济活动的某一方面,为从这一方面说明经济现象提供了有科学价值的理论和方法,都具有某一方面的科学性,即"片面的科学性"。这就意味着它们需要并能够相互补充。[①] 而且,"现阶段经济理论的新综合,应该建立在马克

---

① 参见樊纲:《现代三大经济理论体系的比较与综合》,上海三联书店1990年版,第151页。

思主义体系基础之上,可称之为'马克思主义新综合'",这是因为马克思主义经济学体系是一个比其他理论更为广阔、更为全面的基础理论结构。①

樊纲的"马克思主义新综合"既体现了他对马克思主义经济学的深刻把握,他始终抓住利益矛盾这一主线,一开始就有对制度的关注,也体现了他对新古典经济学局限性的深刻理解。这实际上是体现了他对经济学发展方向的关注与准确把握。针对西方经济学界自20世纪70年代以来议论纷纷的理论危机,樊纲指出,"当前这场危机的结果,很可能是某种形式的理论'互补'和理论'综合'"。② 近些年来西方新政治经济学理论家,主张包括公共选择理论、产权经济学、法学经济学、管制政治经济学、新制度经济学及新经济史学,③他们相继获诺贝尔奖意味着这些流派开始被纳入主流,与新古典理论进行某种程度的综合,这与樊纲的判断是相符的。

樊纲的这一努力使自己打下了深厚的基础理论功底。学习基础理论,既要自觉接受严格的训练,又要注意兼容并蓄。三大体系的比较与综合,可以说把各种理论的精华都吸收了。这实际上体现的是一种胸怀,一种境界,一种对文化、学术的最一般意义的把握和理解。体现了樊纲努力"以一种科学的态度,对待人类以往积累起来的一切科学成果"。④ 文化当然是可以有不同的,但绝不是格格不入的。

---

① 参见樊纲:《现代三大经济理论体系的比较与综合》,上海三联书店1990年版,第159—166页。
② 樊纲:《樊纲集》,黑龙江教育出版社1995年版,第394页。
③ 参见布坎南:《宪法经济学》,《经济学动态》1992年第4期。
④ 樊纲:《樊纲集·自序》,黑龙江教育出版社1995年版。

同时,樊纲的这一努力也是对中国经济学的一个贡献。以一种中国人可以接受的、比较习惯的方式融合了西方经济学,一扫以前那种生硬的方式,把西方经济学变成自己的知识的一部分。这样,使得中国经济学的基础理论学习与研究变得规范,使人们明白真正的基础理论学习研究是什么样的,应该如何进行基础理论的学习与研究,而中国经济学要挤入国际水平,首先就要改变基础理论研究受到忽视的现象。

樊纲对基础理论的执著在今天仍有很重要的意义。经济学的基础理论教育方式在当前的中国仍然没有多大的改变。"迄今为止在大学、研究生院的教学中,不是说没有任何改变,但总的说来还没有突破老的模式与结构,基本教科书的内容与教学大纲的构架还没有发生应有的改变"。[1] 与此相应的是,经济学的基础理论在当前的中国仍然受到忽视。当西方新政治经济学被介绍到中国后,由于它与马克思主义具有更多的会通之处,因此迅速被中国学者所接受,但许多人往往只吸收结论,并引用这些结论到处应用,对新政治经济学没有真正理解,许多人似乎形成了一种错觉,以为新古典理论已经过时了,不知新古典理论仍是新政治经济学的坚实基础。经济学基础理论教育的不合时宜及对基础理论的重视不够,大概是中国经济学发展的首要障碍。

二、作为一门科学的经济学

基础理论的学习是训练基本功的,经过基本功的严格训练,

---

① 樊纲:《经济文论》,三联书店 1995 年版,第 289 页。

就要"到'前沿问题'、'尖端问题'上去比试"。① 尽管樊纲在《比较》一书中所做的"马克思主义新综合"的努力已经"包含着理论的创造和再创造过程,提供某些新的理论因素和新的理论结构",②已经是在尖端问题上比试了,但樊纲更多的是把他在《比较》一书上的工作看做服务于他今后的实证研究的,是手段或前提,他的最终目的是"掌握和利用世界上经济学的一切理论遗产和研究成果,建立、丰富、改进和发展适合我国需要的、科学的、现代化的经济理论体系,从根本上改变中国经济理论的落后状况,使中国的经济学不仅成为一门真正的科学,而且真正成为实践的指导"。③ 可以看出,樊纲把如何使中国的经济学真正成为一门科学作为己任,提出了我们应该借鉴前人的一切理论遗产和理论成果,要以科学的态度进行经济理论的研究,因为经济学首先是一门科学。

(一)重新理解经济理论的借鉴与运用

作为一门科学的经济学,与其他科学一样,应该是没有国界的,它的基础理论本身具有普遍的、一般的科学意义,是人类的共同财富,只有科学形成的具体环境及科学原理的具体应用才有国别特色。可是,长期以来存在着这样的意见,认为西方经济学的基本内容是不可取的,我们可以借鉴与运用的只是那些具体的分析工具与一些针对实际问题的政策分析。樊纲指出,"这恰恰是一种'颠倒了的'论点。由西方在最近一二百年来发展起来的现代经济学,对我们最有用、最应该认真学习的,恰恰

① 樊纲:《樊纲集·自序》,黑龙江教育出版社 1995 年版。
② 樊纲:《现代三大经济理论体系的比较与综合·前言》,上海三联书店1990 年版。
③ 同上。

是那些属于人类共同财富的基础理论,那些'基本的'内容与方法;而那些具体应用经济学理论来分析某些国家、某种特殊历史发展阶段、某种特定文化背景而得出的某些具体的结论、具体的政策、具体的做法,才是真正不必给予过多强调的"。① 因此,樊纲"不以为存在着东西方两种经济学,也不相信在基础理论层次上会有什么'中国特色的经济学'"。②

应该说,这是以一种真正科学的态度对待经济学,只有这样,才能自觉地把现实经济中的具体问题加以抽象,归结到理论层面进行科学的讨论。中国的问题当然有它的特殊性,但不管中国的问题怎么特殊,经过抽象都可以也应该成为一般性的理论问题,问题的特殊性只是为基本理论的发展提供了机会,前提是要尊重和吸收已有的一切理论成果。"任何具体条件下的具体问题同样都是基础理论某种缺陷的反映"。③ 也就是说,如果已有的理论不能解释新的具体经济问题,那么,这往往是原来的理论前提已不适用,需要建立新的理论前提,这就构成理论的发展。显然,理论的发展可以是革命性的,但它的继承性也是同样明显的,理论讨论只能从已有的理论出发。

因此,要使中国的经济学真正科学化,我们首先要老老实实学习一切已有的理论成果,我们的研究要首先从整理、消化前人的理论成果出发(樊纲的《比较》就是这样一种工作),要把尊重、引用已有的文献作为一项制度(樊纲首先倡导在《经济研究》采用"参考文献"制度),只有这样,才能避免"'狂妄的无

---

① 樊纲:《樊纲集》,黑龙江教育出版社 1995 年版,第 489 页。
② 同上书,第 395 页。
③ 同上。

知’(对天下人已有的学术成果、对整个经济学大厦的丰富内容还缺乏了解,更不用说系统的了解,就‘大胆地’否定别人,吹嘘自己)”。[①]

(二)思维方式上的深刻反省

经济学是一门实证的科学,要说明现实中的经济实际上如何运行的,分析各种经济变量实际上是如何互相联系、互相作用的。要使这样的分析和说明具有内在的逻辑,首先依赖于从经济现象中归纳、概括出一些基本的理论前提,作为逻辑分析的起点,然后进行逻辑演绎,推导出一系列的结论。因此,经济学的研究既需要实证的精神,又需要抽象思维的能力。不善于从纷繁的经济现实中抽象出理论前提,就无从进行分析,而如果这一概括没有与客观现实相符合,这样的分析也是失败的。正是在这两方面,中国的经济理论工作者需要深刻的反省。

樊纲认为,“我们的理论思维方式和分析方法,迄今存在着二重的缺陷:首先是缺乏实证的精神,理论往往不是从现实中概括出来的,而是从一些先验的原则或‘理想’中推导出来的,其次,又缺乏抽象思维能力,既不能从现实的具体关系中概括出抽象的理论以把握现实,又不善于把复杂现实中的各种因素首先抽象开来加以分析”。[②] 思维方式上的缺陷,是导致我们理论落后的重要原因。

樊纲对导致我们思维方式缺陷的经济、社会、政策、意识形态原因,特别是历史根源,作了寻根究底的剖析,指出“在中国,

① 樊纲:《经济文论》,三联书店 1995 年版,第 288 页。
② 樊纲:《樊纲集》,黑龙江教育出版社 1995 年版,第 401 页。

由于从来不存在严格意义上的神性与理性的对立,也就从来未提出过以抽象思维代替神学教义的任务"。① 因此,要弥补我们思维方式上的缺陷,不仅需要冲破外部的阻力,更需要自觉地克服我们自身传统的束缚。

(三)成功的理论实证研究

在一番扎实的理论准备之后,樊纲开始对中国经济问题进行理论实证研究,与此同时,这也是使中国的经济学真正成为一门科学的一种努力。他的理论实证研究的成果主要体现在两方面,一是以国有制这一基本制度结构为出发点,对中国经济问题的基本原因的系统分析,集中体现在他主笔的《公有制宏观经济理论大纲》(上海三联书店 1990 年版,以下简称《大纲》)一书上;二是对经济改革过程的经济分析,主要体现在《渐进之路》(中国社会科学出版社 1989 年版)一书上。应该说前一方面的成果是主要的,樊纲自己也说,"如果说我迄今有什么'代表作'的话,我想只能数它(指《大纲》——引者注)了"。②

《大纲》一书,首先对社会主义经济(其中主要是中国社会主义经济)中的现实关系进行适当概括,抽象出公有制经济模型,然后,假定人们的消费偏好、投入产出之间的技术关系、资源条件等物质因素是给定的,在此前提下着重研究公有制经济关系、特殊经济利益和经济利益矛盾在一定的经济运行方式下对经济变量的决定作用。③

我们从这里可以看到,樊纲首先认识到新古典经济理论在

---

① 樊纲:《樊纲集》,黑龙江教育出版社 1995 年版,第 404 页。
② 樊纲:《樊纲集·自序》,黑龙江教育出版社 1995 年版。
③ 樊纲:《公有制宏观经济理论大纲·导论》,上海三联书店 1990 年版。

解释公有制经济上的局限性,新古典经济理论是在制度给定的前提下分析物质技术因素在决定经济变量中的作用,它也就忽视制度、利益关系对经济变量的决定作用。因此,樊纲首先针对社会主义经济概括出一个新的理论前提、新的假定。这既体现了对原有理论的继承,又体现了对原有理论的发展,也体现了他对于马克思理论的运用。"本书的理论研究,是建立在迄今经济科学的一切理论成果的基础之上的。"①

《大纲》着力于对公有制经济进行一种理论实证研究,"为系统地理解中国这些年来各方面经济问题的基本原因与相互之间的关系,提供了一种分析方法和理论模型"。② 尽管《大纲》对公有制经济的分析属于理论实证的研究,还带有假说的性质,但《大纲》对社会主义国家公有经济的实际运行,有着很强的解释力,实际上可以说已经得到了相当程度的经验验证。

于是,《大纲》在对已有理论成果的继承和发展上、在方法论上、在理论模型的建立上、在整个理论体系的逻辑上,都开创了中国经济研究的新局面,为中国经济学的现代化,为使中国经济学成为一门真正的科学,作出了重要的贡献。而且,由于它所分析的是西方经济学远没有解释清楚的公有制经济问题,因此,它对整个经济学来说也是一个贡献,"一种理论,只要它对经济问题的某一方面进行了一定程度的深入分析,提供了新的观点和方法,它就具有科学的价值,它就在经济科学发展曲线上占有一席地位"。③

---

① 樊纲:《公有制宏观经济理论大纲》,上海三联书店 1990 年版,第 13 页。
② 樊纲:《樊纲集·自序》,黑龙江教育出版社 1995 年版。
③ 樊纲:《现代三大经济理论体系的比较与综合》,上海三联书店 1990 年版,第 298 页。

随着原社会主义国家经济改革的不断深入,所提出来的问题日益成型,同时,不同改革模式所可能带来的各种效应开始较为充分地体现出来,它们之间的区分也日益明显。这样,一方面,由经济理论对经济改革给予解释的要求更为迫切;另一方面,也为经济理论对经济改革加以总结、概括提供了基础。樊纲也不可避免地面临着对经济改革作出自己的解释。

在向市场经济过渡中,已有的改革模式分为两种,一种是前苏联及东欧国家采取的模式,人们通常称之为"激进式道路";另一种则是中国采取的模式,被概括为"渐进式道路"。樊纲倾向于"渐进式道路",他对经济改革过程的经济分析一书就定名为《渐进之路》。在这本书里,樊纲提供的是对改革过程的一种一般性的理论分析结构和分析方法。在对改革过程的理论分析中,樊纲深厚的理论功底再次体现了巨大的优越性,人们可以对他的理论分析的倾向性及一些结论提出自己的不同意见,但对于他的理论分析结构和分析方法却是没什么可说的,因为那是规范的,是属于科学性的讨论的。樊纲对于经济改革过程的理论分析无疑加深了人们对改革的理解,提高了对于改革过程分析的理论水平。同时,对于使中国的经济学成为一门真正的科学,也是一个推动。

樊纲的上述两项理论实证研究成果(特别是其中的第一项)体现了经济学的科学性,它们在中国经济学的发展上无疑占有重要的地位。在今天,更值得我们宣扬的是樊纲的科学态度。中国的经济学在朝着成为一门真正的科学前进的道路上,步伐并不是很快的。我们的不少经济学者对待自己的研究缺乏科学的态度。就以目前的中国较为时兴的制度经济学来说,表面上看发表的文章可真不少,但其中真正符合经济学科要求的文章实在是不多,甚至有一种科斯在批评美国制度主义者的观点时所说的"反理论"苗头,即所作的说明和分析没有内在的逻辑,"他们没有一个理论:除了一堆需要理论来整理不然就只能一把火烧掉的描述性材料外,没有任何东西留下来"。① 把经济学作为一门科学来看待,这应该是每个中国经济理论工作者的基本出发点,也是中国经济学发展的首要前提。这一点确实说起来轻松,做起来真难。但我们要么这样做,要么别搞经济学。

三、寻求经济学的独立品格

樊纲把经济理论工作者可能从事的学术活动分为四项,即:理论研究、经验实证、政策分析和深入浅出。当然,樊纲强调即使在进行后三项学术活动时也不应放松理论的学习,"但在学术生涯的不同阶段上,各项学术活动的比重或侧重点却是可能不同的"。② 樊纲在基础理论、理论实证研究方面的工作属于他所说的理论研究,《比较》《大纲》两书的完成,标志着他的理论研究阶段暂告一个段落。因此,"以上两本书写成之后,我开始也从事其他三项学术活动"。③ 实际上,经验验证可以归入理论研究一项中,因为它是对理论假说的验证。

应该看到,樊纲在进行政策分析和深入浅出的这两项活动时,时时不忘对于经济学研究本身的推动,他投身于这两项

---

① 科斯:《论生产的制度结构》,上海三联书店 1994 年版,第 346 页。
② 樊纲:《樊纲集·自序》,黑龙江教育出版社 1995 年版。
③ 同上。

活动,是认识到它们对于"充分发挥理论的社会功能具有重要意义"。① 樊纲意识到,唯有使经济学的研究让更多的人所理解,才能为经济学研究作为一门职业营造必要的条件。他提出"理论的社会功能",而不是理论为某种政治目的服务,充分体现了他对于经济学独立品格的追求。经济学研究要作为一种职业在社会中存在,它必须证明自己有其社会功能,能够为社会作出特定的贡献。过去存在着一种倾向,把经济学的作用说得很崇高、很伟大,结果,当然被看成是除了为某种政治目的服务之外别无用途的了,经济学随之也只能依赖于政治而存在。这样,经济学的社会功能实际上就被抹杀了,经济学也不可能得到真正的发展。

因此,在中国,经济学的发展,有赖于经济学的研究是否能够作为一门职业来发展。

首先,需要建立一个新体制,支持经济学的研究。这一新体制包括独立的融资机构、独立的研究机构、独立的评价标准及独立的价值体系,其中尤以独立的融资机构最为重要。樊纲说:"现在我们面临的一个问题就是,外面的学人回不来,国内优秀的人才又留不住。……因为没有一个稳定的新体制,没有较佳的收入,养不住人"。② 目前要在中国建立这样一个新体制,必定是困难重重的,但樊纲还是义无反顾地投身于这一事业,因为他毕竟认识到,"如果你还在旧体制里,那么你会越来越落后。也许还可以做点研究,但你发现做不了更多的事情"。③

---

① 樊纲:《樊纲集·自序》,黑龙江教育出版社 1995 年版。
② 《无限制捐款可行吗》,《财经》丛书第一辑。
③ 同上。

第二,有志于经济学的人应把经济研究当做一种职业来选择。这有两层意思,一是要把从事经济研究看做与搞政治、经商等其他职业一样,"是一个特殊的但同样平等的职业";①二是对这一职业的收入水平应有切合实际的要求,不要以为高学历就要拿高收入,"任何国家的经济学家也只是挣一中等收入而已"。②

他称得上是一位职业经济学家,并将带动着中国涌现更多的职业经济学家。

(原载《社会科学战线》1996 年第 5 期)

---

① 樊纲:《樊纲集·自序》,黑龙江教育出版社 1995 年版。
② 樊纲:《经济文论》,三联书店 1995 年版,第 243 页。

功到自然成

——记青年经济学家张维迎教授

盛　武　　陈　蓬

　　张维迎教授恐怕是少有的最难采访到的经济学家之一。我们曾在1996年初几次打电话到北京大学中国经济研究中心都未找到他本人,好容易找到了,他却说现在没有什么新东西,该说的都说了。再后来,他躲到香港城市大学一方面做访问,一方面写他的新著《博弈论与信息经济学》。期间,在深圳的一次研讨会上见到他,再次请他接受采访,张先生又婉言谢绝了。而在经济圈中,张维迎越来越被人关注,他的博士论文中文版《企业的企业家——契约理论》在许多高校研究生中都是人手一册,并成为1995年我国经济学界学术水平最高刊物《经济研究》上被引用最多的论文之一;北京天则经济研究所盛洪博士担任执行主编的《中国经济学——1995》一书,宗旨是收录1995年中国经济学家最好的论文,他们从1995年权威的经济学期刊中初选了47篇论文,此后再由专家投票选出了入选的论文10篇,而张维迎就占了2篇;当他的新著《博弈论与信息经济学》刚刚出版,墨迹未干时,又传来一个令中国经济学界振奋的消息:张维迎教授在牛津大学求学期间的导师莫里斯教授荣获1996年度诺贝尔经济学奖桂冠。之所以令人振奋是因为联系张先生回国后的一系列研究成果,我们可以骄傲地说:中国经济学界离现代经济学前沿又近了一步。而追踪采访张维迎教授对我们来说也是刻不容缓的了。这一次,我们希望张先生介绍经济学的前沿、介绍中国经济学家的成长历程,这不是简单地宣传个人,而是给众多经济学子、同行们树立信心。张先生心动了。

一、脱 颖 而 出

张维迎1959年出生于陕北农村一户典型的农民家庭。父母均不识字,但他似乎从小就对知识有一种天生的悟性与偏好,学习成绩远远领先于别的孩子一大截。他的回家作业从来都是在课间十分钟完成的。每逢考试他常常是物质精神双丰收。拿一个全班第一没问题,而不少同学为了考试过关经常以实物作为课前辅导的"赌赂"。在那样贫寒的年代,一个玉米饼子的效用也是可想而知的。12岁的时候,他就为了生计利用暑假到60华里外的地方打工。贫寒的家境锻炼了他吃苦耐劳的禀性,而优异的学习成绩激发了他日后对知识不懈的探求。高中毕业时,他的学习名声远近皆知,年轻气盛的他回到了乡村当上了团支部书记并兼任生产队的会计,他有志于在广阔天地里锻炼一番。两年后的一个早晨,当他正要出门上山秋收时,无意中听到了中央人民广播电台传来的一个重要消息:在全国范围内恢复高考制度,任何人都有权利参加高考。一位好心的老师专门来鼓动他报名参加,可当时受"开门办学"的冲击他没有学过多少理化知识,这位当年陕师大毕业的老师一摆手说:"你可以考文科嘛!"尽管那是他头一回听说"文科"这个词,但似乎冥冥之中的一种天定,注定了日后一位出色的经济学家将从这个黄土坡里走出来。既然要考,他还是很认真的,托了县里的同学邮来了油印的复习提纲,每天利用田间休息的工夫复习。那年他是扛着一大摞烧饼走进考场的,考一门吃一个,考完了,烧饼也吃完了,最后这位"烧饼考生"被省里最好的综合大学西北大学录取了,录取在新办的政治经济学专业。那一年他18岁。18岁的他第一次离开家乡,第一次见到火车。

在大学里他的年龄是班里最小的,但学习成绩却是最好的。那时的张维迎还谈不上有多远大的抱负,对一个农村娃来说,能上大学有一个城市户口和一份工作就满足了,更多的奢望实在不敢有。他只是凭着与生俱来的一种对思辨的爱好和擅长在学习。他在上大学前没有学过英语,在大学里也没有钱像城里的孩子一样买台砖式录音机,但他的英语成绩却和班里一位已经学了十几年英语的同学不分伯仲,这使他坚信农村娃也是可以学英语的。1982年张维迎考取了何炼成教授的研究生,这位严肃而尽职的教授对他要求很严。前不久,当我们在西北大学见到何炼成和刘承思两位老教授时,他们对张维迎的一致评价是刻苦、有悟性、勤于思考。1982年3月在西安召开了第一届全国数量经济学研讨会,西北大学是主办单位之一,使张维迎有机会参加了这次研讨会。在这次会上他结识了茅于轼先生,并和田国强、杨小凯等同分在一个理论组里。小组发言中这位血气方刚的小伙子发表了一通关于如何建立"中国式数量经济学"的"宏论",令其他与会者刮目相看,这或许得益于他原来良好的数学基础;因而对以数学为研究方法的现代经济学有着强烈的敏感。他的发言逻辑性强,观点鲜明,切中要害,被小组推选到大会上宣读。张维迎语出惊人:"如果中国的经济学家不是为了使国家昌盛，人民富强，而是死死守着那些过时的教条，那么他们的良心何在呢?"这次会议在他面前打开了一个小小的窗户，从此他再不满足于从劳动二重性开始的推导了。回校后他牵头组织了一个6人读书班，栗树和先生当年也是这个班里的成员。他们自学微观经济学，每周由张维迎讲解一次。为了讲评好，他总是要求自己先将内容弄懂吃透。这种边学边讲的方法至今仍被张维迎推崇为最有效的学习方法。那种如饥似渴的自觉学习也为他日后成为国内最早和最出色的微观经济学专家打下了功底。难怪当他于1984年到北京工作时，不少圈内人便认为他的微观经济学是"最地道的"。

在学习现代经济理论中他的思想也越来越活跃，开始了对现实中许多似是而非的问题的职业思考。当时关于中国知识分子的地位问题讨论很多，问题提得很大但分析总欠力度。在他看来，知识分子问题在中国成为一个问题，不可能仅仅是一个观念问题。他从经济学基本的供需原理出发，给这一问题的认识提供了一条全新的有理有据的思路，他认为，知识分子的地位取决于社会对知识的需求，中国知识分子问题的症结在于社会对知识的有效需求不足，而有效需求不足又是传统体制的结果，所以解决知识分子的根本出路就在于改革现行体制。这篇题为《关于知识分子问题的经济学思考》的论文被《经济日报》在头版显著位置刊出，随即被《新华文摘》等多种报刊转载，至今仍被不少人认为是当时研究知识分子问题的一个"里程碑"。当时他年仅25岁。又有一次，他在中国青年报上读到一篇豆腐块大小的报道——《首都青年个体户座谈批判向钱看》，这同样引起了他的思考。为什么在中国钱被视为万恶之源? 为什么中国人"学而优则仕"而西方人"学而优则商"? 他一气呵成写出了

《为钱正名——有感于中国青年报的一则报道》的文章，把"向钱看"看做"价值观念的历史性转变"。然而在当时政治形势极为复杂的年代里，"为钱正名"在某些人眼里无异于自由化和精神污染，张维迎的这篇文章把他推到了陕西省八大自由化典型的尴尬地步，让他险些毕不了业。不过，这次风波也使他下定决心离开西安到北京闯天下。

20 世纪 80 年代初中期的中国，价格改革成为一个关键问题。要不要改？怎么改？这些问题同样刺激着也困扰着经济学家们。光谈生产关系不适合生产力已经解决不了问题，中国的改革需要拿得出手的方案与部署。良好的微观经济学功底使张维迎觉得"价格机制"是整个经济体制的"中枢神经"。当时"调价派"代表了主流，但张维迎认为光调不放不是真正的改革，因为"调"只是用"新的不胀钢温度计代替旧的不胀钢温度计，而真正的改革必须把'不胀钢温度计'换成'水银柱温度计'"，否则治标不治本。然而怎样才能将不胀钢温度计换成水银柱温度计呢？他从农产品价格改革中得到启示。对！双轨制！旧价格用旧办法，新价格用新办法，然后逐步放开，建立一个全新的替代价格制度，这就是张维迎最初的"双轨制"思想。"所谓价格制度的改革，就是有计划地放活价格管制，逐步形成灵活的反映市场供求关系的全新的均衡的价格体制，以充分发挥价格机制在计划经济中的效能"。1984 年初，他写成了《以价格改革为中心带动整个经济体制的改革》一文，在国内第一次提出并系统论证了双轨制价格改革的思路，当时他只是一名年仅 25 岁的研究生。这篇文章由茅于轼先生推荐发表在当时的国务院技术经济研究中心《专家建议》上，得到当时正在组建体改所的高尚全先生的欣赏，成为他进入体改所的"敲门砖"。1984 年 9 月在浙江莫干山召开的第一次全国中青年经济改革理论研讨会上,该论文再度作为最有价值的理论方案引起轰动,成为研讨会向中央领导报告价格改革思路的基础,对随后的价格改革起到了相当有分量的作用。学术界无法不注意有个叫张维迎的年轻人了!

1985年初外贸问题又提到了议事日程上来,当时出口猛跌,外汇储备剧减,已去国家体改所工作的张维迎仍抓住了"价格"这根中枢神经,认定外汇的关键是汇率和外汇市场的建立。不久他和李剑阁(时任中国证监会常务副主席)合作的《关于调整人民币汇率以及开放外汇调剂市场的建议》一文发表,文中首先提出了从汇率和外汇市场入手来解决中国外贸体制改革的新思路,当时的姚依林副总理特地委托他和黄江南二人主持了"外汇外贸问题专题研究组"。1986年张维迎又相继发表了一系列重要的论文,每篇都紧扣改革的大主题,对当时的改革政策产生着不止于学术参考的价值。他和宋国青合作研究了"宏观平衡与宏观控制问题",首次提出"从国民收入分配格局变化看中国改革中的宏观问题",对推动宏观经济问题研究作出了贡献。他在《论新时期收入分配政策》一文中提出将"市场机制引入工资决定"以解决"工资攀比"的观点,即被吸收进体改所《改革:我们面临的挑战与选择》一文中,产生了广泛的影响。

其实,他最有影响的研究当推"企业家理论"。张维迎是国内第一个研究企业家理论的学者,他的《时代需要具有创新精神的企业家》一文在1984年《读书》杂志第9期发表后,受到广泛好评。从那时起直至他后赴牛津深造专攻企业理论的十年内,张维迎有关于此的许多观点一经发表总是成为许多人重复使用和引用的内容,像"学而优则商"这样的名句就出自他的口。这与他研究问题的深度和远见有关。当时他研究企业家理论还没有多少理论工具,凭借的是对经验事实的提炼与概括,但他已经深悟出许多有价值的理论观点。他在北大作的一次"企业家与观念现代化"的讲座上,300人的大教室座无虚席,他深入浅出又富有幽默的演讲十几次被掌声打断。"愚公真是愚,他为什么搬山而不搬家呢?"他很早便意识到建立企业家队伍对中国经济改革的作用,今天,他早先关于企业家理论的一些精辟见解已被广泛证实和接受,他的研究不仅不过时而且年月越长越有价值,报刊上不时出现的有关企业家的精彩论断不少直接源于他和盛斌合著的《经济增长的国王——论企业家》一书。了解他的人知道这并非偶然,他对学术的态度是那样纯粹,正因为纯粹才能将问题本身研究得那么透彻,于是和现实打通了,他的东西也有了长远的生命力。当然张维迎也有过低潮,那时候他便与朋友打打桥牌,自己看看数学书,然而他对理论热衷和执著的追求却从未停止过。对他来说,经济学研究是一种生活方式,是任何东西都无法替代的。

二、牛 津 求 学

凭着其热情与天分,以及对当时一系列经济改革热点问题的独到见解,张维迎很快在思想剧烈碰撞的20世纪80年代脱颖而出,成为一位很有影响的青年经济学者。但他并没有陶醉于已有的成绩,他很快意识到由于条件所限,自己所受的经济学训练仍不够全面,学术功底不够坚实,还需继续深造。1987年,他获得了一个赴牛津大学做一年访问学生(不是访问学者)的机会,并于当年10月成行。

在牛津做访问学生的经历使他大开眼界。他感到自己先前在国内通过自学接触到的一点西方经济学实在是微不足道的，用他自己的话说，是"从窗户上的一个小孔所看到的一角街景"。按项目要求，作为来自中国政府部门的访问学生，主要任务是跟着导师学习经济政策分析。但他主动请求只学微观经济学。他非常发奋地学习，但越学越感觉到要学的东西太多。一年的时间很快就过去了，他于1988年底回国。但是他已经决定，一定要到牛津去攻读博士学位。做访问学生时的优异表现帮了他的大忙，使他获得了世界银行的一笔奖学金。但是好事多磨，他几经周折才于1990年9月再度出国，正式成为牛津大学博士研究生。

接下来的四年无疑是让张维迎终生受益的四年。在牛津攻读博士学位，可以有两种选择，一种是"By course"，一种是"By research"。前者要修完全部规定的课程，并通过严格的考试，然后再撰写博士论文。后者则是就专门的课题进行研究，研究成果经评委会认定达到博士学位标准后，即可授予博士学位。对于一个没有受过正规西方经济学训练的中国学生来说，后者也许是一个较为安全的选择。但是张维迎不假思索地选择了前者，因为他认为，只有"by course"，才能全面地掌握经济学的各门核心课程，同时熟悉各种现代经济学的分析工具，尤其是数学方面的工具。当然，这意味着"苦"！但是这正是张维迎二赴牛津的初衷，所以他知难而进。他知道，越是基础的东西越是重要，越是枯燥的东西越是要在念书的时候就把它钻研透，因为毕业之后，要再来在某些方面"补课"就很困难了。用他的话说就是："夹生饭一旦做成，要再回炉就难了。"他一丝不苟地研读老师所开出的各种文献，出色地完成老师布置的作业。他不仅要学好自己的，还要帮助基础较差的同学。而他所交的作业，则常常被导师从任课老师处要回，作为范本保存。他还花了很大的工夫去弥补自己在某些基本分析技术方面的不足，例如数学训练方面的不足。数学是国内文科学生的一个弱项，但却是现代经济学最基本的分析工具。幸而张维迎在西北大学的时候就旁听过数学系和物理系的数学课程，并且经常同数学系的栗树和等同学在一起探讨一些问题，所以有一定的基础。但是要真正地理解现代经济学文献中运用到的许多高深的数学，却不是一件容易的事，至于要在自己的研究中熟练地运用，则更是难上加难。后来张维迎在其博士论文中能够较为娴熟地运用数学工具阐释其理论，实在是和他自觉努力分不开的。

在国内的时候，张维迎就对企业与企业家的问题有过较长时间的思考。这当然是中国改革的现实刺激的结果。到牛津之后，他发现企业理论实际上是 20 世纪七八十年代以来发展最为迅速的经济学领域之一，但是现有文献并未对企业内委托权（principalship）应如何分配这样一个核心的问题提供令人满意的回答。比如说，科斯等人研究了为什么存在企业，但没有回答为什么是资本所有者而不是工人成为企业的"老板"；20 世纪70 年代中后期发展起来的委托—代理理论研究委托人如何设计最优激励合同诱使代理人努力工作，但在这种理论中，委托—代理关系是外生给定的，而在张维迎看来，最基本的问题是，究竟谁应该是委托人？谁应该是代理人？因此他决定就这一问题来撰写自己的博士论文。幸运的是，他得到了诺贝尔经济学奖得主、委托—代理理论的创始人之一 James Mirrless 和产业组织理论专家 Donald Hay 的悉心指导。这两位导师对张维迎也十分器重，认为他是他们所遇到的少数可能对经济学作出贡献的学生之一。尽管莫里斯教授平时工作繁多,但仍然坚持两周见他一次,讨论与论文有关的各种问题,从基本思想到分析方法无所不包,以致使他觉得,自己是牛津大学最奢侈最幸运的学生,因为即使在牛津这个以"导师制"(tutorial system)著称的学府,能分享到导师如此多时间的学生也的确是不多的。导师的厚望使张维迎更加倍地努力,到 1991 年底,论文的基本思想和模型化工作就已经完成,初稿作为硕士论文获得了 1992 年牛津大学经济学研究生最佳论文奖(The George Webb Medley Prize for the best thesis)。由于论文和各项考试成绩都很优秀,他获得了牛津大学 Nuffield 学院的全额奖学金,该奖学金是英国经济学方面最有声望的奖学金。让他喜出望外的是他同时又得到了伦敦经济学院颁发的以已故著名经济学家罗宾斯命名的 Lionel Robbins 纪念奖学金,该奖学金数额颇丰,在全英范围内每年只有一个人获奖。

张维迎的博士论文试图回答这样一个问题:在企业中,为什么是资本雇佣劳动,而不是劳动雇佣资本? 显然,这是一个非常抽象,而又非常基本的理论问题。它是如此基本。以致许多人都会不自觉地把它当做一个无须解释的假设,而不是一个问题;但是它又是认识许多重要问题的关键。在经济学上,越是这样基本的问题,也越难处理。选择这样一个题目做博士论文无疑是要冒一定的风险的。但是张维迎借助于信息经济学的最新成果,对这个问题进行了独到的阐述,出色地完成了论文。他首先对有关的企业理论文献进行了一个批评性的回顾(对企业理论感兴趣的读者不难发现,这篇回顾对我们了解近二三十年来企业理论的巨大发展实在是大有帮助的),然后分三个步骤来展开自己的论述:首先通过一个"隐藏行动"模型证明,为什么要由负责经营决策的人充当剩余索取者，即企业家；其次通过一个"隐藏信息"模型证明，为什么一个拥有财富的人（资本家）更容易成为企业家；最后通过一个一般均衡模型证明，在均衡情况下，什么因素决定什么人将成为企业家、职业经理、工人或纯粹的资本家。整篇论文结构紧凑，逻辑严谨，而又充满创意，被他的导师称为未来研究生论文的一个范本。在 1994 年英国皇家经济学会年会上张维迎宣读了自己的论文，得到与会者的好评。著名经济学家、委托—代理理论的创始人之一赫姆斯特姆（Holmstrom）认为他的研究非常有意义。难怪其中文版《企业的企业家——契约理论》(上海人民出版社、上海三联书店 1995 年版）一经面世，即受到读者的广泛好评，不少大学的经济学研究生几乎是人手一册，首批印刷 5000 册，但三个月后出版社就不得不加印。上海人民出版社还专门就这本书召开了为期两天的研讨会，出席研讨会的有三十多位国内知名的经济学家，张曙光、汪丁丁和张春霖分别写了书评发表在《经济研究》和《中国书评》上，张春霖的书评还应读者要求在《经济学消息报》上连载。张维迎先后在西北大学、西安交通大学、南开大学、清华大学、人民大学等院校以自己的企业理论为主题发表演讲，可以说是场场轰动。

从表面上看，张维迎的《企业的企业家——契约理论》一书似乎是一本纯理论的学术著作，充满了数学符号和公式，与中国的现实问题没有多大关系。但真正读懂这本书的读者不可能不得出这样的结论：书中的思想对中国国有企业改革具有独特的理论指导价值。特别是，他提出的"国有资本变债权，非国有资本变股权"的改革思路在学术界和政府有关部门产生了强烈反响，被美国著名中国经济问题专家 Lardy 教授称为"张氏定理"。

由于他在国有企业改革研究方面的成果和影响,张维迎被国家
体改委聘任为"现代企业试点咨询委员",并多次被国家经贸委
和国有资产管理局邀请在有关会议上作主题演讲。张春霖博士
在"国有企业改革中的企业家问题"一文中运用张维迎《企业的
企业家——契约理论》一书的概念框架、主要结论和分析方法,
"探讨了一个理论和实际的结合部,即国有企业改革中的企业
家问题",提出了一些非常有价值的观点。回国后张维迎还不
辞辛劳地奔赴山东、深圳、上海开讲座。有的企业家和政府官员
惊讶于这位洋博士竟能将中国国有企业改革的实际问题说得如
此到位,以致怀疑"张博士真的是从英国回来的吗?"张维迎常
说:"理论的力量是无穷的。"他自己的理论似乎印证了这一点。

当然,张维迎在牛津求学的收获远远不止这些。更重要的
也许在于,在完善自己的知识结构的同时,他获得了一种更为深
刻的洞察力。读过他文章的读者也许都会有这样的感觉,他对
经济问题分析之精辟和透彻,往往不是一般的文章所能及的。

三、北 大 任 教

一得到学位,张维迎就像一个刚得到驾驶执照的人,急切想
将自己学到的东西告诉那些正在"学开车"的人,如何"开好
车"。他决心离开牛津回国任教,不仅为了自己的研究,也为培
养下个世纪的中国经济学人才贡献自己的力量。(张维迎说,
他回国后最尴尬的一个问题是别人问他为什么回来。)

为了更好地发挥回国人员的作用,促进相互之间的交流和
提高,他希望能在国内某个著名的大学内设立一个相对独立的,
主要以归国博士为主的教学研究机构,为此他还专门给清华大

学的校长写过一封信。不久他又先后遇到留美学者易纲和早先留学回国的林毅夫,发现彼此都有类似的想法,于是在有关方面的支持下,共同在北京大学组建了中国经济研究中心。中国经济研究中心的成立在经济学界引起了很大的反响,最为兴奋的则莫过于北京大学的学生了,因为他们是最直接的受益者。中心开出的许多课程非常受学生的欢迎,不少清华、人大及社科院的学生,甚至西安、上海等地的学生都专程赶来旁听。

张维迎为博士生开设的"高级微观经济学"及为博士硕士研究生开设的"产业组织理论"均属最受欢迎的课程之列。他讲课的最大的特点就是内容非常充实,逻辑性强,而且大部分都是国内学生以前很少接触到的。尤其是博弈论、信息经济学、企业理论等方面的内容,引起了学生极大的兴趣。张维迎曾在课上说过,希望他的学生在微观经济学方面的训练能够基本不差于外国的研究生。他为此付出了很大的努力,同时也希望学生努力。对于有些学生认为讲课难度过大的抱怨,他是这样回答的:"我希望我在课上端给你们的是一杯浓茶,你们回去兑上些水后还能觉出它的香;如果我现在就端给你一杯味道很淡的茶,那我实际上是在浪费你们的时间。"对于那些肯在课后多花工夫的学生来说,他的"茶"确实是"味道好极了"!

张维迎教学之认真,在学生中是有口皆碑的。像他这样有相当知名度的中青年学者,要做的事情实在是太多了,社会上随时都有人找他,自己的研究工作又繁重,但他始终将教学放在第一位,他认为这是一个教师最基本的职责。为了把课讲得更精彩一些,他经常备课到凌晨三四点钟。笔者一次在北京大学中国经济研究中心采访,下午 5 点左右见张教授西装笔挺地进了自己的办公室,中心的工作人员告诉我,张维迎已经吃了晚饭,在准备晚上 7 点开始的一次学术讲座。为了不耽误新入学的博士研究生的微观经济学课程，他曾拒绝了美国一个学院为期 9 个月、薪水 6 万美元的聘任。他对学生非常热情，不论手头的工作有多忙，只要有学生找他，他都非常耐心地解答他们提出的各种问题。不少外地的学生慕名来拜见他，只要在学业上能对他们有所帮助他总是助他们一臂之力，但当电视台或杂志社的记者要采访他时，他一般都予以拒绝，因为他"没有时间"。他非常平易近人，每个和他打过交道的学生，都对他的朴实和谦和留下深刻的印象。他的丰博的学识、敬业的精神，以及平易近人的态度，使他赢得了学生们的广泛尊重。在北大中国经济研究中心"游学"的一些学生都感激张维迎老师。除了在北大开课外，他还为社科院研究生院讲授企业理论。此外，他还利用到外地参加研讨会的机会到高校作专题讲座。他每到一处，都受到学生的热烈欢迎。1995 年 10 月，张维迎教授应邀到成都参加一个研讨会，笔者正好也去采访，他在成都待了 3 天，除了开会外还利用晚上的时间到四川大学和西南财经大学作了两场介绍经济学前沿的报告。每场都座无虚席。也正是在这两次讲座中，笔者有幸感受到了张维迎教授讲课的生动和严谨。

由于国内面向博士生的高级经济学教材非常缺乏，他在教学之余花了很大时间和精力从事教科书的撰写和翻译工作。最近由上海人民出版社出版的《博弈论与信息经济学》，可以说是他的又一部力作。博弈论和信息经济学是近二三十年来发展最为迅速的一个经济学领域，1994 年度的诺贝尔经济学奖，便授给了三位博弈论专家。有人甚至说，就像计量经济学曾经改写了经验经济学一样，博弈论改写了整个微观经济学。他的这本著作是国内出版的非合作博弈论的第一本教科书。而该书是作为在学术界非常知名的"当代经济学系列丛书"中的"当代经济学教学参考书系列"的一种,收录在该丛书中的前面几种大部分是翻译国外著名经济学家所著的海外名校最流行教科书,《博弈论与信息经济学》是少数国内学者所著并收入该丛书的教材之一。书中系统地介绍了博弈论的经典理论和应用例子。事实上,当张维迎刚从牛津回来时,就将带回的许多英文资料介绍给感兴趣的同学、同事。在西北大学,博士生们告诉笔者,他们在一年前就收到了张老师寄来的关于信息经济学方面的英文资料。此外,张维迎非常热心地接受了让·泰勒尔《产业组织理论》一书的校译工作。让·泰勒尔是一位享誉欧美的法国经济学家,曾执教于美国麻省理工学院,他在博弈论、产业组织理论、管制经济学和金融经济学等方面均有建树。他的这本著作是目前国外最为流行的一本产业组织理论教科书,也是博弈论应用于产业组织分析的一本典型性著作。由于书中大量名词都是首次翻译,该书的译校工作是相当繁重的,张维迎花了很大精力来从事这项工作。该书即将由中国人民大学出版社出版,它对于促进国内的产业组织理论研究必将起到很大的作用。

当我问他为什么对学生和教学如此有责任心时,张维迎说,这没有什么值得夸耀的,他只是在向他自己的老师学习。他的成长离不开如何炼成、刘承思、朱玉槐、James Mirrlees、Donald Hay、Meg Meyer 这样一些导师的言传身教,也得益于茅于轼、厉以宁、吴敬琏等这样一些"编外导师"的"指点迷津"。他认为,对自己老师的最好的报答是教好自己的学生。他说,有时他感到有些内疚,因为他"在许多方面做得还没有自己的老师做得那么好"。他把他的新著《博弈论与信息经济学》"献给所有教过我和将教我的老师以及所有我教过和我将教的学生",这句朴实的献词既表达了他对自己的老师的崇敬,也表达了他对自己的学生的期待。(我们在这里必须加上这样一个注:张维迎之所以能接受这次采访也因为是茅于轼老师受杂志社委托找上门的,他没有办法拒绝。由此可见他对茅于轼先生的尊重。)

四、学 术 风 格

江丁丁博士在 1996 年《经济研究》第 1 期上曾撰文评价张维迎的《企业的企业家——契约理论》一书,文中说张维迎从最初提出"为钱正名"到他的博士论文中的思想都有渊源,一脉相承。确实,张维迎的思想一向是连贯的,有他自己特定的学术传统。他有着每一个优秀学者都必备的对真实世界独树一帜的观察与捕捉,这或许是他天生的悟性,或许是他曾参与政策研究的经历,所以他的理论模型无论是否深奥,其假设与结论都从未脱离过中国经济改革的深层问题。他看得越深,对现实问题的解释就越多、越近。他发的文章并不很多,因为在他看来,一个人真正好的东西不可能很多,多了就会有沙子,而他追求的是金子。他常说,"对现实了解得多不等于对现实理解得透",所以从某种意义上来说,他对真实世界的种种独到看法正是因为他能"远离"这个世界,为学术而学术,排除各种杂念,不授意于什么而捉刀。他是个抵得住诱惑的人,在他看来,做学问一定要耐得住寂寞,外面的世界再精彩,学者的天地是应该孤独的。他能耐得住寂寞,因为他对学问有特殊的偏好,因为他对自己充满信心。理解了这一点,读者或许就会明白,为什么当他的许多朋友和以前的同事都腰缠万贯在商海里潇洒时,他却既没有回政府部门,也没有下海,而是来到学校。

20 世纪 80 年代,张维迎主要从事的是改革政策研究。在牛津他得到一个很有趣的发现:西方的经济学家在热衷于认识世界,而我们中国的经济学家则在忙忙碌碌改造世界。他认为,这或许是经济学在中国难以很好发展的一个重要原因。因此,自回国后,他一向倡导经济学家的任务首先是认识世界,而不是改造世界。认识不透,改造也是胡改造。此观点曾引起不少的误解甚至微词,有人认为张维迎主张的是让经济学家躲在自己的象牙塔里。但他的真正用意是希望经济学家能够以独立的、中性的态度来对待学术,对自己还没有十分弄清楚的东西不要迫不及待用之于政治和社会的改造上面,因为现实的改造不是凭善良的愿望与虚荣的冲动可以解决的,对理论认识的肤浅与急躁,急用先学。半生不熟,都很可能对现实产生误导。而一个心态平静、享受理论研究快感的学者则不容易让热情来代替理智,或为政治旋涡所吞噬。张维迎坚信,经济学研究应该提供给世人一箱子工具,而不是急于开一纸政策药方、经济学家要拿出磨得精亮的上手的工具,对改造世界才能有益。现在很多人总讥讽理论没用。张维迎认为,你认为没用那是你没懂,没吃透。任何现实的存在都会在理论上得到反映,好的理论则是提供给现实一个更为合理的解释。经济学家当然也研究政策,但政策建议应该有坚实的理论基础。他说,他自己的政策建议都不过是理论的延伸而已。

张维迎主张理论研究一定要彻底,不避实就虚,更不应该向现实妥协,因为妥协是政策的问题。他的研究风格向来犀利,能抓住问题的要害和痛处。在最初双轨制的研究中,他就曾以一个"放派"的姿态与"调派"有过争执。他对腐败问题的独到见解也给人留下深刻的影响。他认为,在现行体制下,腐败是一种激励机制，一种"次优安排"。他关于国家作为股东不能保证把最有才能的人选拔在经营者岗位从而不可能有真正的企业家队伍的论述可以说是入木三分。很多人说张维迎的文章理论深度很强，但似乎不代表主流。确实，他研究问题从未一知半解，他不附庸主流，或许他根本不在意主流与否，他的主流永远是学术本身。他坚信，他的东西是最有生命力的。

如果你认为像张维迎这样一个学者讲学术问题一定枯燥难懂的话，那你就错了。他无论是写文章还是发表演讲，都妙趣横生。他特别爱用比喻，把一个复杂的概念或思想形容得十分生动易懂。他那著名的"月亮与树荫"的童话把一个深刻的监督理论讲得很到位；他有关国有企业的国家股份化改革是"在马背上划白道道制造斑马"的比喻，他的"第三者插足"的改革思路，等等，已成为不断被人们引用的例子。在中国经济学界，张维迎被公认为最善于用类比来解释深奥理论的人。他的类比常常是信手拈来，但又都是那样地贴切，令人称绝！他的类比如同他的理论一样，完完全全是他自己的独创。由于善于运用类比，他的观点总是给人留下深刻的印象，许多读者认为读他的文章是一种享受。当然，类比本身并不是理论，但没有他那样深刻的思想，是不可能有他那样富有色彩而贴切的类比的。张维迎有着陕北农民式的纯朴和幽默，他主张讲问题要尽量讲大白话，他认为，再深奥的理论都可以用通俗的语言表达出来，表达不出来就是你还没有搞懂。在介绍莫里斯教授和信息经济学所要解决的主要问题时，张维迎用了一句外行都能明白的话：如何让人说真话，如何让人不偷懒。可谓道出了信息经济学的精髓。

在这个功利与浮躁的时代里，成名成家已不再困难，但张维迎因此特别告诫自己和他的学生们，要用一些"信号"把自己与

"柠檬"（次品）区别开来。他不太主张研究生期间便急于发文章,他认为这个阶段是打好基础的关键阶段,适宜多读多看,多思考多讨论,把理论吃透,不做夹生饭。他说,写文章不是创造思想,而是把已经形成在脑子里的思想拿出来。要写的是自己真想说的话,自己相信的东西,有话便说,说便直说。不要没话找话,更不要人云亦云,"不要让别人因为看多了你的名字才记住你,要让人看了你的文章而记住你的名字"。或许我们可以说,张维迎这个名字确实已成为高质量文章的品牌。

面对大量学子出国求学,张维迎表示理解和支持,而正如他当初毅然回国一样,他至今认为搞学术的人必须有自己的第一推动力。他反对"西方经济学"这个说法,因为经济学提供的是一种分析人类行为方式的认识工具与方法。"西方经济学"的说法意味着我们中国人不能搞经济学。经济学自亚当·斯密开始已有二百多年的历史,前人积累的东西后人必须好好吸收,当然,这里的"前人"也包括中国人。张维迎强调理论研究宁可小而精,不要动不动创立什么体系,因为那是后人来盖棺论定的东西,不是自己应该追求的,他要求学生们有良好的技术训练和培养一种对现实事物的感知力,因为这是成为一个经济学家必备的素质。

前不久,笔者受《中华读书报》之约,请张维迎教授介绍莫里斯教授,在交稿时,报社的编辑一见张维迎的照片,脱口而出:"这位教授这么年轻?"的确,许多久读其文而未见其人的读者第一次见到张维迎时无不表现出一种惊讶,因为他们没有想到,包含那么多深邃而前后一贯的思想的文章竟出自这样一位年轻人之手。张维迎看上去并不像他的文章那样深沉和老练。最近,张维迎教授正组织翻译导师莫里斯教授的学术论文集,并有望在明年莫里斯教授来华进行学术交流前出版。同时,张先生还在为学生们写一本高级微观经济学。我们衷心祝他永远年轻,写出更多的好文章、著更多的好书。

(原载《社会科学战线》1997 年第 2 期)

薪尽火传　任重道远

——记著名经济学家林毅夫教授

夏业良

　　提起在国内外经济学界享有很高评价和学术盛誉的北京大学中国经济研究中心，人们常常会感到惊讶和赞叹：一个只有不足二十位专职研究人员、成立还不到六年的学术研究机构，在没有得到任何国家财政拨款，几乎完全是自筹经费的情况下，不但承担了许多项国家重大政策性研究项目和联合国开发计划署以及世界银行、世界粮食组织等众多国际机构的研究项目，在国际主要专业学术刊物上发表了一大批举世瞩目的学术论文，而且还承担了硕士研究生、博士研究生以及北京大学双学位教学项目数以千计的本科生、北京大学国际MBA项目数以百计的全日制班和周末班以及高级经理班学员的培养任务。

　　此外还有诸如暑期全国高校理论经济学短期师资培训班、暑期经济学院系优秀大学生夏令营、西部院校MBA师资班以及与世界银行研究院合办的国际金融、国际贸易研讨班等众多项目。

一、中国理论经济学研究的"旗舰"和"排头兵"

　　沿着北京大学垂柳依依映塔影的未名湖畔向北而去,人们可以看到一个并不特别醒目的标牌——朗润路,一百多米开外有一白石桥,过了桥便是一个传统的朱门红柱琉璃瓦大宅院,入口的楣梁横栏上刻着"中国经济研究中心"的镏金隶书。

　　在这样一个貌似平常的学术研究和教学机构中,聚集了一批在欧美和日本著名大学中获得经济学博士学位,并经常在国外著名院校和学术研究机构中执教或从事理论研究的学者(正因为他们来去自由,出入境如同在国内出差一般方便,人们有时将他们称为"绿卡经济学家")。这些学者的研究成果不仅获得国际经济学界的认可和赞誉,而且开始对中国政府的有关政策抉择产生不容忽视的影响。

　　他们经常被看做是经济学、管理学前沿理论研究在中国的代言人以及理论经济学研究"本土化、规范化、国际化"的积极倡导者。他们把国际一流的经济学研究和教学的管理体制"克隆"到中国,并且试图逐步在国内经济学界推广和应用,由此产生了国内经济学界并不多见的"北京大学中国经济研究中心"旋风,比如近来复旦大学经济研究中心也易名为"复旦大学中国经济研究中心",难怪有人把北大中国经济研究中心比喻为中国理论经济学研究的"旗舰"和"先头部队"。

　　这个中心的主要创始人和"主帅"就是在国内外经济学界耳熟能详的 JustinYifuLin(林毅夫)博士。如果说北大中国经济研究中心可以被当之无愧地称为中国理论经济学研究的"旗舰"和"先头部队",那么该中心的主任林毅夫教授则是这一研究团队中的"舵手"和"排头兵"。

说起林毅夫的生平和经历,可以说是颇有传奇色彩的。1952 年 10 月他出生在中国台湾省宜兰县一个多子女的传统大家庭中,1971 年台湾大学农业工程系肄业。20 世纪 70 年代中期的一天,他去台北报考硕士研究生,在火车上碰上一位校友,那人问林打算报考什么专业,林答准备考台湾大学历史系。没想到那人露出轻视的表情,说那是没有什么竞争的专业,而他本人打算报考的则是大家都向往并且极难考上的台湾政治大学企业管理研究所的 MBA,考上这样的研究所才算是真正有本事的!年轻气盛的林毅夫当即决定转报这家研究所与他一比高低,富有戏剧色彩的是,结果林毅夫一举中魁,而那位当时不可一世的仁兄却名落孙山。

1978 年林毅夫获得 MBA 学位,不久就进入了他人生中的一个重要转折点:经过生活中的风雨波折和生死抉择,最后于1979 年来到刚刚揭开改革开放帷幕的祖国大陆谋求发展。首先他所面临的是意识形态的转换,从资本主义制度下的市场经济环境下走出,开始一点一滴地了解大陆的社会主义制度和计划经济条件下的社会经济环境。他兴致勃勃地来到革命圣地——井冈山接受革命传统教育,在对全国许多地方的参观考察中,他逐步加深了对祖国大陆的了解和直观认识。

1979 年,林毅夫考入北京大学经济系政治经济学专业攻读硕士研究生,在此期间他系统地学习了《资本论》和马克思主义政治经济学,并且尝试在专业刊物上发表论文,阐述自己对社会主义的初步认识。比如《论市场社会主义》(《经济学动态》1981 年第 2 期)和《社会主义经济中的资源配置机制》(《经济研究参考》1982 年 3 月)。

1982 年,曾获得 1979 年度诺贝尔经济学奖并任芝加哥大学经济系主任的西奥多·W·舒尔茨教授访问北京大学经济系,作为英文基础较好并已对西方经济学有较多了解的研究生,林毅夫有幸成为舒尔茨教授的翻译陪同。当时已届八十高龄的舒尔茨教授对这位来自台湾农村的高大淳朴的有志青年十分赏识,回国后不久即通知林毅夫毕业后去芝加哥大学经济系跟随他本人攻读经济学博士学位。实际上当时舒尔茨因年事已高,已经不再指导博士生,不知为什么会破例收林毅夫这样一个出生在台湾的中国大陆学生做他的关门弟子。我们无法得知这其中最为关键的因素是什么,但合理的解释只能有一个:那便是林毅夫一定是特别出色,或者是舒老先生特别赏识林毅夫的某些禀赋或性格特征。

在此期间林毅夫不仅师从舒尔茨这样一位诺贝尔经济学奖得主研究农业经济学、发展经济学,还得到 D·盖尔·约翰逊和舒文·罗森等著名教授的悉心指导和速水佑次郎、勃纳·拉坦、T. N. 斯利尼瓦桑等人的鼓励和帮助。

1986 年,不满 34 岁的林毅夫获得芝加哥大学经济学博士学位,又在耶鲁大学经济增长中心做了一年的博士后研究,于 1987 年回国服务。1987—1990 年他任国务院农村发展研究中心发展研究所副所长,1990—1993 年任国务院发展研究中心农村部副部长。1994 年林毅夫与易纲、海闻、张维迎等几位在海外学成归国的学者一起,在世界银行和福特基金会、洛克菲勒基金会等海外机构的资助下和北京大学的支持帮助下,创办了挂靠在北京大学的研究实体——中国经济研究中心,从那时起林毅夫教授一直任该中心主任,并兼任北京大学、香港科技大学、复旦大学、浙江大学、澳大利亚国立大学教授。

二、林毅夫教授的经济发展观和主要学术成果

林毅夫教授认为,制度变迁是发展中国家经济发展的一个组成部分。如果没有一个已被验证的制度和制度变迁的理论,经济学家将难以完全了解经济发展过程。现代经济学的分析工具为解决发展中国家所遇到的问题提供了启示,缩小了理想制度的选择范围,总结了成功改革的必要条件。对一个国家现存制度结构的了解可以进一步缩小该国可行性选择的范围。对一个国家制度和制度变迁的研究不仅会对一般经济学理论的发展作出贡献,而且会使该国的制度改革获益匪浅。并且诚如图洛克所言(Tullock,1984),这个领域是发展经济学家"能干好且在行善"的领域。

林毅夫教授在国际主流经济学界具有较高的知名度,他曾在《美国经济评论》、《政治经济学杂志》、《经济学杂志》、《比较经济学杂志》、《发展经济学》、《农业经济学》、《经济学与统计学评论》、《经济发展与文化变迁》等国际一流经济学专业学术期刊上发表三十多篇论文,尤其是在发展经济学、农业经济学和新制度经济学方面有重要贡献。他在国内出版的主要著作有:《制度、技术与中国农业发展》、《中国的奇迹:发展战略与经济改革》、《中国农业科研的优先序》、《充分信息与国有企业改革》、《再论制度、技术与中国农业发展》等。

林毅夫教授在其代表作《制度、技术与中国农业发展》(上海三联书店、上海人民出版社1992年版)中不仅探讨了农作制度变迁的原因,不同的农作制度对农业发展的影响,而且探讨了社会主义制度下农业技术的选择、创新和扩散,此外还尝试解析了中国

科技在前现代社会领先于世界各国,但到现代社会却落后于西方的原因。这部论文集曾获得 1992 年度孙冶方经济科学奖(中国经济学界的最高学术荣誉奖)。

在《集体化与中国 1959—1961 年的农业危机》(原载美国《政治经济学杂志》1990 年 12 月号/98 卷第 6 期)一文中,他对有关以人民公社为代表的农业集体化运动及其制度性组织安排以及所谓"三年自然灾害"期间所出现的粮食生产大幅度减少并由此引发的大饥馑的史实进行了理论剖析。

在国际经济学界,有关中国 1959—1961 年的那次农业危机,传统的解释是由于以下三个原因:(1)三年自然灾害;(2)公社内部管理不当,加上外部的政策失误;(3)公社的规模过大,造成社员劳动缺乏激励。林毅夫教授采用经验资料检验了这三种假说,发现这些假说与经验事实不符,因而不是导致三千万人因饥谨和营养缺乏而死亡的主要原因。他尝试采用博弈论的观点来解释这次危机,认为由于在农业生产中的监督极为困难,一个农业合作社或集体农场的成功,只能依靠社员间达成一种"自我实施"的协议。在此协议下,每个成员承诺提供同他在自己的农田里劳动时一样大的努力,但这种自我实施的合约只有在重复博弈的情形下才能维持。在一个合作社里,如果社员拥有退社的自由,那么这个合作社的性质即为"重复博弈",反之则是"一次性博弈"。在中国 1958 年以前的合作化运动中,社员退社自由的权利还受到尊重,而在 1958 年实施的"人民公社化"运动之后,退社自由的权利就被剥夺了。"自我实施"的协议无法维持,社员的劳动积极性下降,生产率大幅滑坡,由此酿成不久后的大饥馑。经过数据分析和经验,林毅夫发现 1952—1988 年之间中国农业全要素生产率变动的状况与前述之博弈论的假说基本是一致的。

这一独特的分析引起国际经济学界的普遍关注,1993 年 6 月在经济学界享有盛誉的美国《比较经济学杂志》第 17 卷中还专门组织了一组针对林毅夫观点进行评论的讨论专辑,如此大张旗鼓地评论某一学者个人的研究成果,在国际经济学界是相当罕见的。

林毅夫教授在《李约瑟之谜:工业革命为什么没有发源于中国》一文中提出一个假说,该假说的主要思想是:在前现代时期,大多数技术发明源自于工匠和农夫的经验,科学发现则是由少数天生敏锐的天才在观察自然时偶然获得的。到了现代,技术发明主要是在科学知识的指导下通过实验的方法而得到的。

在前现代时期的科学发现和技术发明模式中,一个社会中人口愈多,经验丰富的工匠和农夫就愈多,拥有的天才人物也愈多,因此发现新的科学与技术的概率也愈大。中国由于人口众多,因而在前现代社会的科学发现与技术发明上占有优势。中国在现代时期落后于西方世界,是因为中国的技术发明依然依靠经验,而欧洲在 17 世纪科学革命的时候,就已经把技术发明转移到依靠科学和实验上来了。而中国没有发生科学革命的原因,大概在于科举制度,它使知识分子无心去投资从事现代科学研究所必需的人力资本,因而从原始科学跃升为现代科学的概率就大大减低了。

林毅夫教授对发展经济学的重要贡献之一是他对比较优势或比较利益原则所作的重新阐释,他在《中国的奇迹:发展战略与经济改革》一书中指出,古典的国际贸易理论虽然阐明了比较利益原则,但没有说明为何国与国之间的生产率会有不同。林毅夫使用一个包括两个国家、两种产品、资本和劳动两种生产要素的简化模型,说明了各国比较优势的差别产生于与资源禀赋和发展阶段相关的生产要素相对丰富。而这个模型的两个必要假设是:(1)生产要素在各国具有可比性;(2)各国具有相同的生产函数。因此,如果一个国家的某种生产要素具有较低的相对价格,就意味着在这个国家该要素较为丰富。林毅夫解释了利用资源比较优势就是一个选择国内生产结构的过程。即由于不同的产品对要素的投入量有不同的组合,各个国家应该根据自身的资源禀赋选择最有利的生产结构。

但仅仅做到这一步选择还不够。即使撇开国际贸易不谈,国内的生产也有一个技术选择的问题。生产同一产品可采用资本多一点的技术,也可以采用劳动多一点的技术。这些"可用的技术"对每一个国家来说都是相同的,但一个国家的生产者到底适宜采用劳动力比较密集的技术还是资本比较密集的技术,必须视劳动和资本的相对价格而定。在劳动力紧缺、资本相对丰富的国家,劳动的相对价格高,资本的相对价格低,因而成本最小化的原则会诱导生产者采用资本密集的生产技术,每个劳动力支配的资本多了,劳动生产率自然高。反之,在劳动力相对富裕的国家成本最小的生产技术是劳动密集的技术。这就是所谓的"诱致性技术创新"。

无论经济发展处于何种阶段,每个经济皆有自身的比较优势;由于经济发展有先行和后来之分,因而比较优势在不同的经济组别间具有转移性和相继性,形成比较优势的动态性。这种比较优势的变化通常反映在贸易结构的变化之中。

比较优势的这种动态性常常成为"赶超战略"倡导者的一个论据。他们主张根据先行发达国家的现实经济结构规划发展中国家的发展战略,跨越发展劳动密集型产业的阶段,以实现发展的高速度。对此,理论和实践都已经可以作出反驳。首先,赶超战略必然导致扭曲的宏观政策环境、高度集中的资源配置制度和毫无自主权的微观经营机制,由其造成的低速度和低效率使发展被大大延缓。赶超战略的初衷既然不能实现,也就谈不上利用动态比较优势了。发展中国家和一些实行过集中计划经济的国家的发展经验,已经证明了赶超战略的失败。

在经典发展经济学理论中,钱纳里、刘易斯、赫希曼等人都强调工业化的作用,但最大的失误是在工业化过程中强调选择以重工业为主导的战略,而没有区分和选择相对于本国要素禀赋结构最为适宜的产业。一般来说,发达国家的产业结构高(即资本密集度比较高),要素禀赋结构中资本的相对价格较低,劳动的相对价格较高。第二次世界大战以后,很多发展中国家的政策和战略集中在从产业结构上赶上发达国家。林毅夫认为,发展中国家要想真正赶上发达国家,必须在要素禀赋结构上赶上。要素禀赋结构赶上了,产业结构自然就赶上了,因为产业结构是内生于要素禀赋结构的。

但是要素禀赋结构怎样才能赶上呢?首先是人均资本的增加,资本积累率的提高,即在每一时期创造最大剩余。因此对产业和技术的选择一定要符合要素禀赋结构,如果违背了本国的要素禀赋结构,动员全部资源去搞所谓资本密集型产业,就会产生扭曲的宏观政策环境。这样本来有优势的产业没有得到发展,想要保护的产业也一定是垄断的、低效率的、缺乏竞争力的产业。具有比较优势的产业未能创造剩余,所保护的产业也不能创造剩余。因为不能创造剩余,也就没有发展的后续力。

由于林毅夫教授在发展经济学、农业经济学和新制度经济学领域的突出贡献和广泛影响,他的论著被收录在国际经济学界许多重要的文集之中。比如他与 J·B·Nugent 教授合作的《制度与经济发展》一文被收入当今最具有学术权威性的《经济学手册》丛书(由诺贝尔奖得主肯尼斯·阿罗等人主编)中的《发展经济学手册》(由钱纳里和 T·N·斯利尼瓦桑主编)第3卷,《改革前的中国经济发展》一文被选编在牛津大学出版社出版的《没有奇迹的增长》一书,《向市场经济转轨:中国和东欧、俄罗斯比较研究》一文载入速水和青木昌彦编《东亚经济发展的制度基础》(麦克米兰出版社,1998年),《中国和全球体系》载《欧洲、亚洲和亚太经合组织:共享的全球方案》(剑桥大学出版社,1998年),《家庭农场、集体农场和效率:理论与来自中国经验的实证研究》载《农业经济学:D·盖尔·约翰逊纪念文集》(芝加哥大学出版社,1996年)。此外他还主编了《当前经济问题》第1卷(麦克米兰出版社,1998年)等重要文集。

他的《技术变迁与收入在农户间的分配:理论和来自中国的证据》一文获《澳大利亚农业与资源经济学杂志》1999年度最佳论文奖,此外曾获美国明尼苏达大学国际粮食与农业政策研究中心1993年度最佳政策论文奖、澳大利亚农业与资源经济学会1997年约翰·克劳夫爵士奖、香港中文大学林大卫经济学家奖,1999年被评为世界经济论坛杰出学者。

2000年9月25日,林毅夫教授的论文《中国农村的改革与农业增长》(Rural reforms and agricultural growth in China)被世界著名的科学信息研究所 ISI(Institute for Scientific Information)评为"High Impact Paper"(高影响力论文),林毅夫教授获得 ISI 颁发的"经典引文奖""Citation Classic Award",表明该论文及其作者在世界范围内受到国际同行的高度认可。这次评出的中国高影响力论文共有47篇,绝大多数是属于自然科学和工程学领域的论文,社会科学方面仅有两篇,一篇是经济学论文(林毅夫独自完成),另一篇是人口学论文(由曾毅、涂平、顾宝昌等 6 人合作)。

林毅夫教授从 1993 年起享受国务院有特殊贡献专家津贴,并且被评为国家人事部中青年有突出贡献专家、教育部人文社会科学跨世纪优秀人才。其个人小传被收入《世界名人录》、《世界科学与工程名人录》、《国际名人辞典》、《国际年度名人》等传记辞书。他的荣誉兼职包括世界银行顾问、联合国粮农组织高级顾问、亚洲开发银行顾问、国际水稻研究所顾问、重建布雷顿森林体系委员会、世界经济合作与发展组织未来工作组成员等,此外他还是全国政协第七至九届委员、国家计委"十五"计划咨询审议常委、中国和平统一促进委员会常务理事、中国农业经济学会副会长等。

林毅夫教授是包括《美国经济评论》、《政治经济学杂志》、《比较经济学杂志》、《农业经济学杂志》、《发展经济学》、《经济和统计评论》等杂志在内的诸多国际著名学术期刊的匿名审稿人,他还担任了国内外多种学术期刊的编委,较为重要的有《农业经济》(国际农业经济学会会刊,林任副主编)、《太平洋经济评论》、《中国经济评论》、《中国社会科学季刊》、《经济研究》和《经济社会体制比较》等。

林毅夫教授曾是美国杜克大学、加州大学洛杉矶分校等国外多所著名大学的客座教授,他还是荷兰社会科学研究所校外主考人、香港大学博士生校外考试委员、澳大利亚国立大学和阿德莱德大学校外主考人、香港中文大学校外博士生主考人。

三、经济学方法论与新制度主义观点

　　林毅夫认为:现代经济学是研究人类行为的科学。经济学研究方法的特征在于它的研究以"人的行为是理性的"为最基本的前提。而理性的定义则是"一个决策者在面临几个可供选择的方案时,会选择一个令其效用得到最大满足的方案"。作为一门科学,现代经济学当然要求其理论内部逻辑的严谨和理论预期与外部经验事实的一致性。数学工具的使用,目的在于检验理论预期与经验事实的相关程度。

　　作为一种研究方法,现代经济学应是中性的,没有国界的。以"人的行为是理性的"作为前提来研究中国的社会经济问题应该是合适的,但是照搬现代经济学的观点和结论来解释中国的社会现象则有许多困难。现代经济学起源于西方,并发达于西方,其研究也以解决西方社会所遭遇的问题为目的。在研究中,他们(指西方经济学家)通常把西方社会现有的市场制度和生产技术当做给定的条件,并以此制度和技术为其理论暗含的前提。

　　林毅夫指出,一个抽象理论的适用性,以其前提的适用范围为限。因此,用现代西方经济学的观点来解释制度和技术条件不同的非市场经济或落后地区的现象时常有困难。而且事实上,经济发展本身就是一个制度和技术变动的过程,如果把西方的市场制度和技术条件当做经济学研究的给定前提,那么也就放弃了对经济发展的过程和原因的分析。这一点对于研究经济发展的学者来说感觉特别深刻。

　　现代经济学认为,"人的行为是理性的"这一基本前提不仅适用于现代市场经济,而且也适用于古代传统的以及非市场的经济。这并非说人类行为的表现在不同的经济中没有不同,而是说人类的行为所以表现不同,不是它的"理性"有所不同,而是说制度环境和自然条件不同,造成可供选择的方案不同所致。

以"人的行为是理性的"为出发点来研究经济生活中的各种现象,事实上,给经济学家的研究提出了一个很高的要求。当我们发现有些不同于经济学教科书所描述的标准现象时,就不能再简单地用行为者愚昧无知、保守、缺乏商品观念等暗含行为是不理性的词语来概括。相反,经济学家必须去研究分析到底是哪些外部条件使行为者作出了这种不同于经典行为的抉择。而且,这种研究方法也有很强的政策含义,既然人们已经在他们所允许的范围内作出了最佳选择,因此如果发现了个人的行为和社会的最优不符合时,要真正改变个人的行为就必须从改变限制个人选择范围的外部条件着手,否则立意再佳的政策也必将是徒劳无功的。

作为改革开放后中国大陆第一批在世界一流经济学院系受到严格训练并归国服务的经济学家,林毅夫教授在国内学术界积极倡导经济学研究的本土化、规范化和国际化,提出一个理论只有在内部逻辑一致以及理论的各种推论必须与经验事实一致时,这个理论才算不被证伪而可暂时接受,同时他主张理论的争论必须是针对一个理论的内部逻辑或者针对理论的推论和经验事实的一致性。只有这样的争论才会使真理越辩越明。他还指出,一个经验现象通常会和几个不同的理论假说的结论一致,到底哪个理论假说比较有解释力只能由实际的经验资料的测算才能决定。

林毅夫善于从经济学前辈的理论表述中提炼适合己用的有

益启示,比如他曾对导师舒尔茨以及拉坦和速水佑次郎有关美国和日本农业现代化历程的研究进行了深入探讨,并从中获得有益的启迪。由于新技术的经济可行性因各个国家资源条件不同而异,因此,不同的资源禀赋状况会诱导农民作出不同的技术选择,而且一个经济中的科研投资方向也会因此而受到影响,在人少地多的地区,科研投资会被导向创造劳动力替代的新技术,而在人多地少的地方则会被导向土地替代的要素。拉坦和速水把这种因适应于各个地区不同的要素相对稀缺程度而产生的技术创新称为"诱发性技术创新"。

林毅夫着重指出,技术和制度创新的研究,在西方经济学界目前还处于起步阶段,有待填补的空白还很多。以经济学的方法研究技术和制度变迁的原因,有两个比较难以克服的困难:一是制度和技术不像一般商品那样容易量化,因此难以给予准确的定义和模型化;二是制度和技术的变迁通常过程漫长,因此统计资料一般不完备,难以进行严谨的计量分析。这两个困难阻碍了制度和技术理论的发展。

中国 1949 年以后的四十多年是一个制度和技术快速变动的时期,各个制度和技术的变化段落分明,各种资料相对来说还保留得比较完备,这给研究制度和技术变迁的理论,以及不同的制度和技术如何影响经济发展,提供了一个非常难得的机会。研究中国特有的经济制度和技术对经济发展的影响及其变迁的原因,不仅能为中国的改革发展服务,而且对经济发展理论本身也是一个贡献。

林毅夫在《关于制度变迁的理论:诱致性创新与强制性变迁》一文中对制度的功能、制度不均衡的原因进行了研究,作出诱致性变迁与强制性变迁的区分,并吸收了经济学家对国家与意识形态的研究,强调这两方面在制度变迁中的作用。这篇文章被舒尔茨誉为在制度研究的范围与内容方面的杰出之作。林毅夫认为,人之所以需要制度,是因为一个人能力的有限性,他在做决策时要支付信息成本,以及人类生活环境与生产中的不确定性。因此一方面人需要用制度来确保生命期的安全,另一方面,又需要它来促进他与其他人的合作,将外部效应内在化。他将制度变迁分为诱致性变迁与强制性变迁两种类型,前者是指一群(个)人在响应由制度不均衡引致的获利机会时所进行的自发性变迁;后者是由政府法令引致的变迁。

诱致性制度变迁又可分为正式的制度安排和非正式的制度安排。在正式的制度安排中,规则的变动和修改,需要得到受它所管束的一群(个)人的准许,因此,它的变迁需要创新者花费时间与精力去与其他人谈判以达成一致意见。非正式安排中规则的变动与修改完全由个人完成,如价值观、伦理规范、道德、习惯、意识形态等等。

意识形态也是一种常被用来减少此类成本的制度安排。意识形态的经济功能已经引起经济学家的注意,如诺思在他的《经济史的结构与变迁》一书中对此有详细论述。林毅夫指出,成功的意识形态执行这些功能的机制是通过给个人提供选择性激励来实现的。意识形态是人力资本,它帮助个人对他和其他人在劳动分工、收入分配和现行制度结构中的作用作出道德评判。因此,意识形态信念能够起到弱化搭便车、道德风险和偷懒的功能。

但是无论是制度企业家,还是意识形态,都不可能使这些方面消除。因此诱致性制度变迁就不能满足一个社会中制度安排的最优供给。国家干预可以补救制度供给的不足,但是国家在怎样的情况下才具有这种激励呢？林毅夫把国家看做是通过国家统治者的行为来完成的过程。这些人（公务人员）与其他人一样追求个人效用的最大化。这些人只有在以下情况下才会提供制度供给的不足，即按税收净收入、政治支持以及其他统治者效用函数的商品来衡量，强制推行一种新制度安排的预期收益应当等于统治者的预期边际成本。

因此如果制度变迁会降低统治者可获得的效用或威胁到统治者的生存，国家也可能维持一种无效率的制度不均衡。维持一种无效率的制度安排与国家不能采取行动来消除制度不均衡，都属于政策失败。林毅夫探讨了政策失败的几种可能原因：统治者的偏好和有限理性，意识形态刚性，官僚政治、集团利益冲突和社会科学知识的局限性。

现代主流经济学在实证分析中一般假定制度和技术不变，而经济发展本身正是一个制度和技术变迁的过程，如果把市场经济制度和技术条件当做经济研究的给定前提，也就忽略了对经济发展过程和原因的分析。一项制度安排的绩效经常依赖于经济系统中其他制度安排的功效。制度与经济发展之间的关系事实上是一种双向交互作用的关系：一方面制度会影响经济发展的进程和水平；另一方面，经济发展可以而且经常引发制度变迁。经济发展的过程可以被描述为连续的制度变迁过程和轨迹。在国际经济学界有些经济学家曾试图将经济系统中的制度变迁内生化，并且在理论上已取得一定进展，但不足的是缺乏大量经验事实支持的实证分析。有人批评说，没有可靠的实证分析，新制度经济学的相关理论就只能是一种信念。林毅夫则侧重利用中国的经验事实进行制度变迁的分析，在很大程度上弥补了新制度经济学在这方面的不足。

1992 年他在世界顶尖级经济学专业学术期刊《美国经济评论》上发表的文章对农业制度变迁效应进行了实证分析。此外他还与其他学者合作提出了一套系统解释中国经济体制发展和变化的理论，在国内外学术界产生了较大的影响。

四、承前启后　时不我待

近年来，在学术研究上一贯严谨、务实的林毅夫教授曾在很多场合大力宣扬"21 世纪是中国经济学家的世纪"。他本人坚信这个想法既不是盲目乐观，也不是他个人的一相情愿。他认为只要我们能够保持政治稳定并坚持以市场经济为导向的改革，最迟到 21 世纪 30 年代，我国将成为世界上最大的经济强国。随着我国经济在世界经济中所占地位的提升，中国经济研究在世界经济学研究中的重要性将随之提升，而当我国的经济在下个世纪成为全世界最大、最强的经济时，世界经济学的研究中心也很有可能转移到我国来。

此外他还认为，迄今为止人类文明史上还未出现过由盛而衰、再由衰而盛的旷世奇迹。因此怎样解释中华文明可能实现的由盛变衰、再由衰变盛的奇迹，将成为社会科学研究中最具挑战性的课题。研究中华文明的这一奇迹，不仅对我国有重大意义，对世界上其他国家也具有重大意义。因此不仅中国的经济学家和其他社会科学家也会热衷于这个问题的研究。然而，我国社会科学家在理解这一现象的本质和产生此现象的历史、文化、社会背景方面具有先天的比较优势，所以我国学者的研究最有可能取得突破性的成果。因此，21 世纪是中国经济学家的世纪，也是中国社会科学家的世纪。

　　然而,我们应当看到,迄今为止国内的经济学研究在国际上尚没有得到多少承认,做得较好的,也只不过被认为是在为外国学者整理资料。产生上述现象的原因有许多,其中之一是:改革开放之前,经济学界受到传统意识形态的束缚,经济学研究不可能在理论上有多大创新。改革后,思想的禁锢一旦消除,理论界出现了一片空白,经济学工作者的精力主要放在学习、引进西方现有理论的成果上,这些工作自然得不到国际经济学界的重视。近年来,开始有些经济学者对我国的经验、现象进行总结,然而仅局限于描述的阶段,因此,只能得到一些中国问题专家的重视。

　　只有在理论上有所创新的研究,才能对学术思潮的发展作出贡献。因此方法论的规范化除了研究、发表形式的规范化之外,更重要的是在经济学界建立一个大家能够有共识的理论创新、接受、修改、摈弃的规范机制。

　　以林毅夫等人为代表的中国主流经济学家正在身体力行地实施理论经济学研究范式的转换,在他们的影响和带动下,一大批更为年轻的经济学人正在努力靠拢国际经济学研究前沿,试图用规范的经济学方法和术语阐释中国经济改革与发展的实践,并且力争将中国的经验案例和理论创新点逐步纳入国际主流经济学的庞大体系之中。

　　正如林毅夫教授所指出的那样,"如果我国的经济学家在未来的研究中能够自觉地以上述的理论创新规范来要求自己的工作,那么,以本土问题为对象的研究也能够,而且更加能够取得国际化的成就。如果在未来社会科学的争论中能够遵循上述理论批评的规范,那么就不会再出现过去那种低水平的重复讨论,社会科学的争论就会是真理越辩越明的建设性争论。如果在学习国际上现有的理论时,不是迷信权威,而是将之仅仅视为一种可能在我国的社会、历史、文化背景下也同样适用的假说,并在运用这个理论之前先以上述的规范来检验这个理论的推论和我国的经验事实的一致性,那么,我国对社会科学的研究就不但不会沦为西方社会科学的殖民地,而且还能够站在巨人的肩膀上为整个人类的社会科学文明作出贡献。"

我们热烈地期待着中国经济学家的理论贡献在未来国际主流经济学的理论文献和教科书中有较为突出的体现和反映,我们也满怀信心地期待着中国经济学家登上诺贝尔经济学奖演讲台的那一天。

（原载《社会科学战线》2000 年第 6 期）

静水流深　波澜不惊

——陈吉元先生学术评传

周 文 斌

　　陈吉元先生是著名的经济学家、农业农村经济问题专家。他的文章道德声名远播,本文只能择要述评;他的学术研究仍在继续,本文只能仍是一个不划句号的小结。

　　陈吉元先生 1934 年 4 月 12 日出生于北京,祖籍辽宁海城。他的童年和少年时代是在重庆市度过的。1945 年 9 月抗战已经结束,小学也已毕业的他考入了重庆清华中学,次年 10 月又全家移居北平(现在的北京)。1949 年秋天,入河北省立高中学习,在此期间确立了学习经济学专业的志向。这一方面是因为,在解放初期进行的社会主义启蒙教育中,他如饥似渴地阅读了有关马克思列宁主义、毛泽东思想的一些入门读物,对社会科学产生了浓厚的兴趣;另一方面是因为,国民经济在恢复时期所取得的巨大成就和欣欣向荣的社会主义事业,激发了他投身经济工作、学习和掌握经济管理本领的热情。1952 年,他以优异成绩考入东北人民大学(现吉林大学)经济系政治经济学专业学习。在此期间,在关梦觉等先生的悉心教诲下,他系统地学习了马克思主义政治经济学的基本理论,学习了工业经济、农业经济、经济统计等专业知识,开始掌握了从事经济研究工作所必需的基本方法,同时又多次到黑龙江"九三"国营农场、宁安集体农庄、吉林小丰满电站等地参观、学习,积累了关于社会主义经济的一些感性认识。大学期间的学习和社会实践,不仅为今后的研究工作打下了初步的基础,也影响到了他以后治学的风格。

一、学术研究的四个阶段

1956年大学毕业后,陈吉元教授来到中国科学院(1978年后为中国社会科学院)经济研究所从事研究工作。其研究工作可分为四个阶段:

第一阶段为大学毕业后的两年左右。在此阶段,响应中央关于"抢救"少数民族民主改革前社会经济资料的号召,参加四川民族调查组,奔赴条件艰苦、环境艰险的大小凉山彝族地区做调查,当时黑彝奴隶主叛乱尚未平息。这不仅是一次政治思想锻炼,也是一次科学研究工作的严格培训。

第二阶段为20世纪50年代末到60年代前半期。在此阶段,主要在于光远先生主持的政治经济学教科书编写组工作。资本主义部分完稿并成为高校普遍采用的教科书,社会主义部分的写作已完成七个分册的稿本,但因"文化大革命"而被迫中断。编写政治经济学教科书是中央下达的任务,先生当时倾注了极大的热情、责任心和科学精神,从他发表在1959年8月1日《中国青年报》上的《大家都来学习政治经济学》一文可见一斑。

在这一时期,他还遵循经济学研究者需要了解一个工厂、一个农村、一个商店的精神,去基层单位和各级管理机构做过一些调查研究,对社会主义经济的运行有了较深入的了解。

"文化大革命"开始后,他的科研工作中断达十年之久。

"文化大革命"以后到20世纪80年代中期,是其研究工作的第三阶段。

研究工作主要集中在批判"四人帮"篡改马克思主义政治经济学的谬论,研究经济体制改革的一些基本理论问题,包括与世界银行合作调查研究我国国营工业企业的管理体制。其中对"四人帮"在经济学领域制造的混乱进行全面拨乱反正的成果,集中体现在他撰写的《"四人帮"对马克思主义政治经济学的篡改》一书部分章节中。[1] 经过对20个国营工业企业的调查和研究,有一批成果涌现,较早地剖析了国有工业企业传统体制的弊端,如《全民所有制工业企业计划体制研究》。[2]

1985年6月,他被调到中国社会科学院农村发展研究所工作,其研究工作也由此进入第四阶段。在此阶段,研究工作集中于我国农村经济的改革与发展,涉及了相关主要领域。如:(1)农村改革与发展的基本理论;(2)农村改革与发展中的重大问题,包括农村工业化和城市化;(3)在农村建立社会主义市场经济体制和对农业的宏观管理;(4)农村经济形势分析;(5)粮食问题;(6)贫困问题;等等。

1992年4月,山西经济出版社出版了《陈吉元选集》。他在亲自编选这个集子时,把自己的研究领域划分为五个部分:第一部分为政治经济学基础理论;第二部分为经济体制改革的基本

---

[1] 参见中国社会科学院经济研究所:《"四人帮"对马克思主义政治经济学的篡改(修订本)》,山西人民出版社1979年版。
[2] 参见《社会科学战线》1986年第4期。

理论;第三部分为工业经济体制改革;第四部分为地区经济结构合理化;第五部分为农村经济改革与发展。

二、研究领域概说

陈吉元教授的研究方向虽然几经调整,但始终是与我国经济发展的实际紧密相关的,尤其是与我国经济体制改革的进展紧密联系的。

其学术观点既有对改革与发展实践的概括与抽象,也有对改革与发展的展望与预见,既有对改革与发展的基本理论的探索,也有对改革与发展的一些热点、难点、焦点问题的争论。尽管随着时间的推移,有些方面的改革已经完成,经济的发展阶段目标已经实现,有的争论也已经过去,然而仍然可以看出,陈吉元先生的学术研究一直抓住了我国经济体制改革和经济发展的重大问题,一直处于所研究领域的前沿地带,不但对过去的改革与发展起到了推动作用,而且对启示未来的改革与发展也具有较高的参考价值。

概括说来,比如在政治经济学的基础理论方面,陈吉元先生较早地意识到社会主义制度下商品生产存在的必要性;在经济体制改革的初期,他明确提出要抓住机遇,吸取历史教训,切实将全党的工作重点转到经济建设上来,在此过程中要特别重视科学技术对经济发展的促进作用;针对当时社会上出现的怀疑社会主义优越性的思潮,他从方法论的角度阐述了正确认识社会主义优越性的问题。

在经济体制改革的基本理论方面,陈吉元先生对我国经济体制改革所涉及的问题作了全面的论述,较早地提出和从理论上回答了什么是经济机制的问题,突出了市场机制在社会主义制度下的作用,明确了要多种形式的所有制共同发展,强调了科技进步和管理的重要性,提出了我国要建立开放式的社会主义经济。

他对工业经济、区域经济和农村经济的研究,可以说是上述理论研究的具体体现。对工业经济的研究主要集中在国有企业改革方面,认为其核心是改革国有企业的计划管理体制,一方面使企业增强活力,另一方面改革宏观管理办法。

他对区域经济的研究主要集中在地区经济结构合理化的问题上,提出既要发挥各地区的经济优势,又要在此基础上相互合作,协调发展。比如针对江苏省的情况,他和吴敬琏先生联合著文指出,"建立一省独立完整的工业体系是不现实的",必须是"发挥经济优势,建立具有自身特色的合理结构"。①

在农村经济方面,他对乡镇企业和农业剩余劳动力转移做了较系统的研究,较早地与胡必克同志一道提出并论证了我国经济的"三元结构",即在较发达的城市工业和较落后的农业之间存在着乡镇企业,这是我国农村社会经济的独特之处;提出了我国进入了工业化中期阶段之后,应注意对农业的保护,至少应做到对农业的"取""予"平衡;提出了"跳出农业抓农业"的观点。

陈吉元教授的主要代表著作(包括担任主编、副主编和他人合作完成)有:《论经济结构对策》(获 1986 年孙冶方经济科学奖)、《中国工业改革与国际经验》、《中国地区经济结构研

---

① 参见《根据地方特点建立合理的工业结构——关于江苏省工业结构问题的情况和看法》,《中国社会科学》1980 年第 3 期。

究》、《中国经济体制中期(1988—1995 年)改革纲要》(获 1988 年孙冶方经济科学奖)、《2000 年的中国》(获 1988 年国家科学技术进步一等奖)、《中国大百科全书——经济学卷》(编写)、《乡镇企业模式研究》、《别无选择——乡镇企业与国民经济的协调发展》、《论中国农业剩余劳动力的转移》、《中国农村发展与改革的历程、问题及政策建议》(获 1990 年孙冶方经济科学奖)、《陈吉元选集》、《中国农业劳动力转移》、《中国农村社会经济变迁(1949—1989)》(获 1993 年晋版图书一等奖,1995 年国家图书奖提名奖)、《中国农村工业化道路》、《中国的三元经济结构与农业剩余劳动力转移》(获 1994 年孙冶方经济科学奖)、"当代中国的村庄经济与村落文化丛书"(共八本,1998 年国家图书奖提名奖)、《人口大国的农业增长》、《中国农村改革二十年》(1999 年国家图书奖、五个一工程奖)、《21 世纪中国农业与农村经济》。

在科研工作中,陈吉元先生坚持实事求是、理论联系实际的学风和方法,敏锐把握经济运行的动向,善于从全局的角度看问题,说理循循善诱,而不锋芒毕露、咄咄逼人,其著述系统性强,逻辑性强,富于哲理,不乏文采。

近年来,陈吉元先生仍在主持的一些科研课题,比如《迈向二十一世纪的中国粮食问题研究》(中国社会科学院重点课题)、《邓小平农业思想研究》(社科基金重大课题)等,已相继完成。

十余年来,陈吉元先生共指导博士研究生十余人,开设的课程有:"中国农村改革与发展研究"、"农业剩余劳动力转移问题研究"、"乡镇企业研究"、"农村城市化与工业化问题研究"、"农产品营销中的问题研究"等。在指导学生方面,他要求学生努力掌握马克思主义政治经济学的基本理论和基本方法,努力学习现代经济学的知识,努力参与社会实践;他特别注重因材施教,注重启发式教育,注重奖掖学生;他引导学生从经济运行的实际中发现问题,在国民经济的大背景下认识问题,在反复思考的基础上提出解决问题的方法。

三、学术贡献、建树举隅

陈吉元先生 1952 年进入大学经济系以来,始终处于经济学学习科研的第一线和最前沿。他从政治经济学基本理论切入,对许多经济理论问题和现实问题都有自己的研究和建树,有些观点在海内外产生了广泛而深刻的良好影响,对理论经济学和现实经济学均有着重要的学术贡献,这里不可能一一列举,只择其一二,加以例说。

(一)对计划与市场问题的系统研究

计划与市场是配置资源的两种方式,但究竟以哪一种为基础的配置方式始终是经济学界争论的焦点。现代西方经济学虽然在以市场为配置资源的基础方式这一点上是一致的,但对要不要政府干预以及干预的程度多大也始终存在分歧。由此可见这一问题在理论上的普遍性和实践中的复杂性。

在我国这一问题从新中国一成立就变成了不可回避的必须进行理论研究和实践探索的问题,因为马克思主义经典作家不可能对社会主义建设的丰富实践作出全面准确的预测,苏联的社会主义实践也不可能为国情迥然不同的中国提供拿来即用的模式。

陈吉元先生从 20 世纪 50 年代中叶投身经济理论研究工作

直到 1992 年党的十四大提出建立社会主义市场经济体制为止，在每一关键时期几乎都从某一侧面涉及计划与市场的关系的研究，和其他学者们一起，为这一实践性极强的理论问题作出了扎实的研究与贡献。

1956 年对农业、手工业和资本主义工商业的社会主义改造完成以后，对社会主义计划经济起支配作用的计划规律居于主要地位，当时流行计划规律和价值规律一兴一灭的观点，有人甚至把价值规律的调节作用与资本主义等同起来。1959 年春，陈吉元先生等中国科学院经济研究所政治经济学组的几位当时的年轻人在上海召开的全国经济理论研讨会上，和一些老一代经济学家一道，提出和阐发了计划规律和价值规律不是相互排斥而是同时起作用的观点，以及作为客观经济规律的价值规律是不能限制的观点。这些观点以中国科学院经济研究所政治经济学组名义发表在 1959 年 6 月 1 日《人民日报》上的《关于社会主义制度下商品生产和价值规律问题的讨论》一文中。

1976 年打倒"四人帮"以后，陈吉元先生立即活跃在科学的春天里。在批判"四人帮"谬论的同时，他及时提出了"大力发展社会主义商品生产"的主张。这里的商品生产其实就是多利用市场的代名词。这一时期的观点可见《"四人帮"对马克思主义政治经济学的篡改》。

在党的十一届三中全会"解放思想，实事求是"的精神鼓舞下，陈吉元先生对计划与市场的关系问题进行了全面系统论述。

仅在 1979 年一年内，他与孙尚清、张卓元两位先生一道，连续发表了三篇论文：《社会主义经济的计划性与市场性相结合的几个理论问题》，该文提交 1979 年 4 月在无锡举行的价值规律问题讨论会，发表于 1979 年第 5 期《经济研究》；也是在这次无锡会上,他们在上述书面文章之外,又作了题为《再论社会主义经济的计划性与市场性相结合》的专题发言,该文随后收入中国社会科学出版社 1980 年 1 月出版的《社会主义经济中计划与市场的关系》一书;第三篇是发表于《经济研究》1979 年第 10 期的《试评我国经济学界三十年来关于社会主义制度下商品、价值问题的讨论》。这三篇文章后来结集成《我国社会主义经济的计划性与市场性的关系》一书,1980 年由吉林人民出版社出版。

在书中,陈吉元先生等全面系统阐述了与计划、市场有关的论点。中心思想是:必须摒弃计划与市场相互排斥的观点,指出计划与市场实际上是"你中有我,我中有你",社会主义经济中计划规律的调节作用和价值规律的调节作用是统一的;把生产资料排斥在商品之外是计划性和市场性相结合的严重障碍;竞争是加强和改进计划经济的一个机制,有商品生产,就有竞争,有竞争,就有淘汰,这是竞争和竞赛的本质不同所在;计划性和市场性的结合是经济改革的根本指导思想,这也是社会主义经济改革的理论实质。

紧接着,陈吉元先生又对工业经济中计划与市场如何结合的问题作出了深入、细致、独到的调查研究。1982 年,他承担了和世界银行合作的一个工业经济研究项目。调查了二十多个全民所有制工业企业,对在这类企业的管理体制中如何实现计划与市场相结合的问题,得出了富有理论性和实践性的结论。主要有:第一,全民所有制工业企业是相对独立的商品生产者。研究它,是研究社会的经济体制的微观出发点;第二,企业按照国家的指令性计划而生产经营,至少必然有信息、动力、压力三个方面的问题难以解决,只有逐步向市场化经济体制转轨,才能有效解决学术问题;第三,必须逐步缩小指令性计划的范围;第四,把计划工作的重点转移到编制和下达中、长期计划上来;第五,改革计划体制,引导企业行为合理化;等等。这些都是对后来国有大中型企业改革的较早探索。这些观点可以参见《社会科学战线》1986 年第 4 期《全民所有制工业企业计划体制研究》一文。

1985 年 6 月,陈吉元先生调任农村发展研究所副所长。对农村经济中计划与市场的关系问题更有了全面、深刻的研究。由于农村研究方面下文中要有专门述评,这里从略。

还必须提及,陈先生在研究计划与市场这一关涉全局的重大问题时,他虽然主要是从经济科学的角度切入的,但他高屋建瓴,同时把它放在国际共产主义运动的历史长河、科学社会主义在其他国家的实践这样大的背景下来观照,平静科学的论述中渗露出博大和深邃,这正表现出一个政治经济学家静水流深的风格追求!

这些进一步接近真理的探索,在今天看来,或许有人会说,算不上什么创新、建树、贡献。可是在 22 年前,这些观点与长期和当时仍占统治地位的观点迥然不同! 可以设想,若没有先生们的不懈探索精神和坚强的理论勇气,没有理论和思想认识上的澄清,就难有大的指导思想的改变,就难以有政策层面的改变!

(二)对农业经济学研究领域的全面拓展

他对农业经济学研究领域的全面拓展,为农业经济学在经济学管理学"大家族"中争得了应有的地位。

陈吉元先生对农业经济学的学习和钻研早在他的大学时代就开始了,他的处女作《祖国在飞跃前进》(发表于 1953 年 9 月 13

日《长春新报》)就是他和同学们参观过黑龙江"九三"国营农场、宁安集体农庄以后的有感而发。而他对农业农村的全面系统研究则是1985年6月来到农村发展研究所以后。

应该说明,老一代的农业经济学者为学科建设奠定了丰厚的基础,他们也意识到了农业经济学的研究不能仅就农业研究农业,应当扩展领域,当陈吉元先生来到所里时,所的名称已经由农业经济研究所更名为农村发展研究所。可以说,陈吉元先生赶上了这样一个开拓创新的好时代,他和全所人员一道,把这篇开拓创新的大文章写得很够分量!

他从传统产业经济学的角度,系统把握了农、林、牧、渔的生产、流通,农业内部的种植、养殖,种植业内部的粮食的生产和流通等诸如此类的问题。他重视研究生产力问题,重视微观经济组织的研究等等。但是,他更注意从生产关系的角度、从宏观经济的角度,从国民经济大的背景、大的格局上来观照和研究农业、农村问题。

比如,他对粮食问题的研究就是一种"算大账"的方法,他认为粮食的过剩是结构性的、区域性的、阶段性的,对粮食丰收的形势不能估计得过满,还不能说中国的粮食问题已经过关了。对于粮食流通中所出现的问题,先生坚决主张用积极、稳妥的市场化取向的改革措施来解决。他在一篇文章中说,粮食是关系国计民生的特殊商品,这是不用争辩的共识。但既然是商品,不论它如何特殊也特殊不到商品之外!那么遵守商品的一般规律——价值规律又有什么好争论的呢?多么通俗、平静而又深邃的表达!

陈吉元先生对贫困问题、规模经营问题、农业产业化问题等等也都有专门研究。但他更关注农村的改革和发展方向。他认为"三农"问题的根本,除了继续保持粮食供给安全外,重要的是富裕农民,发展农村。为此,多年来,他对农业剩余劳动力转移进行了较为系统的研究,出版了几本专著。他在1990年就有针对性地明确提出,"1985年以来的农业徘徊,不能说是由于农业剩余劳动力向外转移造成的"。他把乡镇企业作为中国现阶段经济结构的"一元"、农村工业化的主体和主力军加以研究,也有专著出版。他认为"与乡镇企业大发展的实践相比,对乡镇企业的理论研究是大为落后了",认识到之后并立即躬行,他以宽阔的理论视野和博大的包容态度,提出应该允许"乡镇企业的模式"多样化,或者说,乡镇企业的发展是没有固定模式可循的。这也是先生对发展进程中的事物的一贯态度。他还把工业化、城市化看成是农村的发展方向,是农村通往现代化的必由之路。因此他连续几年都以此作为博士研究生的专业方向。

正如同他把"计划与市场"的关系问题放在国际共产主义运动和科学社会主义的大背景中来研究一样,他的"三农"问题研究,也是始终放在国民经济大的背景和格局进行的。《跳出农业抓农业——为发展农业创造适宜的外部环境》一文(《中国农村经济》1995年第6期)就集中体现了这种思维方式和思想观点。他说:"近年来我国农业也面临一些深层次的矛盾……上述矛盾表明,现在我国农业存在的问题已超出农业自身范围,只有把农业置于国民经济全局中加以审视,才能把握问题的实质;在认真做好农业自身工作的同时,只有通过调整国民经济的大盘子,跳出农业抓农业,为农业发展创造一个适宜的外部环境,才能从根本上有效地解决我国农业目前存在的问题。"他具体提出了以下思路:第一,要调整具有城市偏向的国民经济发展战略,确定工业与农业、积累与消费的适当比例关系,是落实支持农业的各项政策的根本前提;第二,要适当逐步地实现从农业哺育工业的阶段向工业反哺农业的阶段转变。虽然由于财力等原因,实施重大的支农措施还有困难,但争取做到不再挖农业补工业,或者国家对农业大体上做到取予平衡总是可能的;第三,要改革考核地方干部政绩的指标体系,以改变地方个别领导忽视农业的行为,比如改以总产值为主为重视农民人均纯收入的指标;第四,要继续坚持农产品流通体制改革的市场取向,推动农业生产和农村经济进一步发展和繁荣;第五,要像重视经济总量一样逐步实现我国农村社会经济结构的优化,提高农村工业化水平与农村城市化水平。这五个方面,可以说每一点都是牵一发而动全身的大问题。他在《改革》(1989 年第 5 期)发表的《加强农村研究,推动农村发展》一文中,批评了三种在农业农村问题研究中的错误倾向。他在分析了我们应在三个方面加强西方经济学方法的运用之后,特别批判了"言必称希腊"的错误倾向,指出中国国情尤其应当是我们研究农业农村问题的出发点和落脚点。这在当时的环境下是非常及时的提醒和矫正。

四、科研组织与社会活动

陈吉元先生早年在东北人民大学上学时,成绩优异,他的夫人、大学同班同学梁丽权老师在回忆青春年华时说,那时考试成绩出来,同学们相互询问得分,但是一般没有人问他,因为他几乎每次都是 5 分(当时 5 分制,5 分即是满分);同时他还是学生干部,在大学毕业前夕,光荣地加入了他渴望已久的党组织。这种又红又专的素质,为日后独立科研和从事科研领导工作打下了坚实的基础。

　　他有很强的合作精神,与孙尚清先生、吴敬琏先生、张卓元、周叔莲先生等都有过成功而愉快的合作,他们的友谊和有些合作一直保持到现在。

　　对于青年学者,他表现出谦和、大度的长者风范,特别严以律己、宽以待人。有意把青年人推向科研的最前沿,放手放心地让他们去做课题研究、甚至主持课题研究。正是这种奖掖后学的精神,使得他的道德与文章一样受到普遍尊重。

　　与社会各界的联系上,先生表现出极强的协调、组织能力。在他主持农村发展研究所的十年(1985 年任副所长,1988 年任所长,1998 年底离任)里,农村所在经济学管理学学科片、在中国社会科学院院内院外、在整个“三农”问题研究界甚至在国际上,其影响都在以前的基础上大大增强!

　　作为《中国农村经济》及《中国农村观察》的主编,使这两个刊物更具权威性。比如《中国农村观察》比以前的刊名《农村经济与社会》特色更鲜明。离开主编的岗位,他还是两个刊物的编委会主任,仍以自己的方式关心着学术出版事业。

　　于今已有广泛影响的跨年度的农村经济形势分析与预测,习惯上称“农村经济绿皮书”,也是在先生的主持下,于 1993 年开始出版的。

　　目前农村所是中国生态经济学会、中国国外农业经济学会、中国林牧渔业经济学会、中国县镇经济交流促进会四个国家级一级学会的主管单位,还设有中国社会科学院生态环境研究中心、中国社会科学院贫困问题研究中心以及小额信贷培训中心。这几个国家级的学会和中心仍非常活跃,其中有些也凝结着先生过去多年的心血。

　　1998 年底,陈吉元先生离开所长岗位以后,仍然是中国农

业经济学会顾问、国家社科基金项目评审委员会委员。1998 年
3 月成为九届全国人大代表、农业和农村委员会委员、中国社会
科学院学术委员。目前仍主持一些重大课题,比如"邓小平农
业经济思想研究"、粮食问题以及若干为地方服务的课题。

我们衷心地祝愿先生青春不老,学术常青!

(原载《社会科学战线》2001 年第 6 期)

长歌当哭　春晖恋恋

——纪念朱光潜先生逝世一周年

丁　枫

朱光潜先生离开我们快一年了。

这一年来，朱老的音容笑貌总是浮现在我的脑海中；无尽的怀念犹如松江晚浪一再地奔涌濚洄……

我常常凝视书案上那帧和先生在云南石林拍下的照片。背景是阿诗玛的身影，先生把木头烟斗插在上衣兜里，亲切地拉着我的手，我们都微笑着……

然而，此情此景竟永远化作美好的追忆不会再来了！像石林中常常回荡着"阿诗玛"的呼喊一样，我心中在呼喊着"敬爱的朱老——！"

游石林是 1980 年 6 月在全国第一次美学会议期间的事。记得那天朱老兴致极好。他终于以 83 岁的高龄，登临了距北京有二三千里之遥，海拔有一千七百多米之高的著名的石林。那是会议的第四天，朱老和与会的同志们乘汽车又走了二三百里路，来到昆明东南的那个风景胜地。他仿佛一点点倦意都没有。

其实，那几天他总是这样高高兴兴的，矍铄的目光总是流露着和蔼和喜悦的笑意。不过我知道，朱老能够出席那次大会，还是很不容易的。我从东北去昆明赴会的途中,曾在北京停了两天。大约是到京后的第二天下午,我去北大燕南园拜访朱老。没有想到,一进屋气氛就不同寻常。先生的老夫人奚今吾先生对我说:"正好你来了,劝劝朱先生不要去。"怎么回事呢?原来大家都在动员朱老不要去昆明开会。这么大的年纪,都很不放心。在场的还有北大西语系的一位总支书记,有先生的女儿世嘉,算我总共是五个人。当时的场面很有意思。不管大家怎样掰开揉碎地说,朱老就是不哼声。不生气,也不表态。时不时地捅一捅他那个烟斗。看得出来,先生的基本策略就是一个不吱声,"以逸待劳"。任你有千条妙计,我总有一定之规——非去不可。没有办法,那位书记建议让世嘉陪他一起去,这样可能照顾得更好一点。这回朱老开口了。他说什么呢?"没有必要。我在北京开会就常见到一些老同志,本来身体可以,还要家属陪着。不要!"于是,又给否了。结果,奚先生也就只好把任务布置给我了,要我照顾好朱老。

当然,朱老并不总是不吱声。等他一到了昆明,见到了与会的朋友们,他竟有那么多的衷肠诉说。在开幕式的讲话中,一开头就说:"这次来,经过斗争。我的那个系里和我的家庭没有人让我来,怕我这条老命就要不行。我个人想,这么个盛会我不能不来。希望能够和朋友们见见面,谈谈心。我83岁,剩下的时候不多了。"是啊,他怎么能够不来呢?一位为中国美学事业奋斗了一辈子的老人(为此他写下了七百多万字的著述),当他看到他梦寐以求的美学的繁荣即将变成现实;看到美学事业后继有人,来自全国各地的美学工作者济济一堂,朝气勃勃;看到中华全国美学学会成立起来了,他怎么能不由衷地感到欣慰呢?

人说"老小孩,小小孩"。先生那次随身带去的那个黑包包里,除了有半瓶酒以外,还带去了一套浅灰色、很精神的中山装。我知道朱老平时的穿着是比较随便的,常常是一件蓝布制服。但大会照相的那天,他真的把这套新装换上了,比谁都来得认真。

会议结束后的第二天,齐一同志陪朱老同机回北京。记得他们刚刚走出候机室的门口,我喊:"朱老,一路顺风!"没有想到,他老人家把手杖在空中举了又举,在人群中也喊道:"一路顺风!"是那样的兴奋,那样的激动。我想,这也可以看做是朱老对我国美学事业的祝福吧!

23 年前,即 1963 年,我考取了朱老指导的美学研究生。那一年,他只录取了我一个人。当时,朱老住在燕东园。从园子的西大门进去,还要走很远一段路。路面是水泥的,两旁是低矮的树墙、草坪,还要走过一座小桥。如果是在晚上去先生家,你还会见到那掩映在树荫之间的路灯灯光是那样的柔和。园子里是恬静的,偶尔可以听到钢琴声。朱老住一座两层的小楼。书房在楼上,要从一条比较陡、擦拭得很干净的红油漆的小楼梯上去,向右拐左边的一个门就是。

朱老习惯在白天工作。不过,白天那间书房可没有晚间安静。先生的书案靠近南窗,而南窗下不远处就是一座小学校。孩子们课间的追逐嬉笑、欢声雀跃,几乎都能传进室内来。晚间很好,书房里静得很。而先生又总是把给我的答疑安排在这个时间里。

朱老给我的印象是很严肃的。早在大学本科听先生讲《西方美学史》,他就几乎每堂课的开始都要提问。学生们碍于面子或不习惯,总感到比较紧张。至于念了研究生,和先生接触的机会比较多了,最初的那种局促不安的心情,自然也就渐渐地消除了。但朱老作为严师的印象，在我的脑海中仍然是很深刻的。

记得第一次到朱老的书房，我就被那里严整、肃穆的氛围弄得不知所措。也是一个晚上，约二十多平米的书房，人们的注意力却自然地集中在一个落地灯的光环所笼罩的范围内。那里除了沙发、茶几之外，还有沙发后面用两幅大镜框分别镶着的徐悲鸿送给先生的奔马和一位和尚用瘦体字写的条幅。再远临窗处就是先生的书案和一个书柜了。晚上那边只有一座台灯亮着。有时那座台灯也关掉了。此外，几乎什么都没有了。一切都是那样的简洁，那样的井然有序。显然，坐在那里就只能谈功课。我最初感到紧张的是，总怕自己的思路突然中断了，或者跟不上先生所讲的意思，那不就糟了吗？幸好这样尴尬的局面一次也没有出现过。

先生的话不多。总不时地吸那支木头烟斗。那烟斗很古朴，仿佛是截下的一段树干，掏了洞，又插上一根细棍儿似的。不知是烟丝潮，还是别的什么缘故，似乎隔一会儿就得划着一支火柴，而且他习惯把点烟的火柴顺便插在烟斗里。有时会有四五支火柴插在那里，好像刚刚冒出来的烟，但又都是直挺挺的。

言简意赅是先生的风格。但那时，在我和先生之间大概都还隐约地感到有一层无形的窗纸把我们隔开。而我们又都很谨慎地谁也不去把它捅破。人们不会忘记，20世纪60年代强调"千万不要忘记阶级斗争"的时候，研究生的思想政治工作，最敏感的一点就是，"要提高警惕，不要被资产阶级拉过去"。其实，我自己最清楚，当时朱老和我除功课之外什么都不谈。记得有一次，先生作为全国政协委员到大西南考察，出去很多日子。回来的时候，我真想听先生谈谈一路的见闻。但他只简单地说了几句，就一带而过了。就学于朱老，我确信他并不"争夺"什么,相反,他却总是兢兢业业地"给予",而且"给予"得那样真诚,那样严格。

从 1963 年算起到先生去世,大约是二十三年的时间。这中间除掉一个动乱的十年,还有十三年。回想这十三年来,先生给予我的教诲是永生难忘的。

首先,他要求我要踏踏实实地把马克思主义学好。我发觉,这位历尽沧桑的老人,当他终于通过自己切身的理解与体验,赞成马克思主义的时候,他对马克思主义竟是那样格外地执著。这要比那些标榜自己是马克思主义"权威"的人强多了。朱老几次和我讲到,在他一生所走过的弯路之中,后果最坏的还是由于很晚才接触到马克思主义。他认为,学习马克思主义不在读得很多,而在读得透彻。为了能够真正地读懂那些困难的地方,还必须对照德文、英文、法文、俄文来读。

记得在读马克思的《1844 年经济学—哲学手稿》(以下简称《手稿》)时,有几个地方我就感到十分吃力。回想起来,那些困难的地方一是由于《手稿》内容本身就不太好懂;再就是由于当时的中译本比较晦涩,甚至不准确。所以朱老在答疑的时候,经常是一边阐述他对《手稿》内容的理解,一边校正一些不妥的译文。1980 年《美学》杂志第 2 期所刊登的朱老关于《手稿》的节译,其中有几个地方,早在 20 世纪 60 年代朱老就曾有过明确的校正。比如在"异化劳动"中有"人是类的存在物"的提法。他认为"类"的译法含混,而应译作"物种";在"私有财产和共产主义"中,认为"感觉在自己的实践中成了理论家",不妥。Theore-tiker 在这里只能译为"认识者"或"认识器官"。记得当时他就很严肃地指出中译本中的一句话:"因为苦恼是人用以感知自己的自我的手段之一",这中间硬是把 Selbstgenuss 丢去不管,是太不忠实原文了,等等。

朱老在我研究生入学不久就谈到,为了能够对照地读马列主义的著作,他在年近六十的时候,还抽空把俄文学到了可以阅读和翻译的程度。他希望我也能够这样做,何况我又这样年轻呢。当时朱老甚至把自己学习的步骤都指给了我:先读的《联共党史》,然后读屠格涅夫的《父与子》,契诃夫的《樱桃园》、《三姊妹》,高尔基的《母亲》。反复地读上三四遍,每遍都有每遍的要求。说句老实话,先生的期望,我并没有置若罔闻。但经过动乱的十年,外文也和所有的功课一样,几乎都搞到了"田园将芜"的地步。我痛感愧对朱老的教诲!

马列主义在朱老那里并不是一种装饰,而是一种武器;不是教条,而是科学。前几年在来信中,朱老对于我国美学界的现状就很有感慨,他讲:"目前真正妨碍美学进展的还是多数搞理论工作的人对马克思主义学得很差,许多笑话都是由此引起的。"就在这同一封信里,朱老告诉我,他为了写《谈美书简》,又重新学习了《1844 年经济学——哲学手稿》,并改译了有关的章节,觉得"受到很多的启发"。正是基于对马克思主义这种深入的理解,他特别撰写了"冲破文艺创作和美学中的一些禁区"一节,谈的是人性论、人道主义、共同美感、英雄人物与小人物等问题。在这些问题上,我们看到朱老虽已年逾八旬,但他的思想却仍然是那样敏锐地追踪着我们的时代。这里看不到一点点的老化僵化。于是,我懂得了朱老为什么总是喜欢朱熹的一首诗:"半亩方塘一鉴开,天光云影共徘徊。问渠那得清如许,为有源头活水来。"朱老意味深长地讲过,这里的关键是"源头活水","它就是生机的源泉"。这里蕴涵着多么深刻的哲理啊!然而在这"源头活水"之中,朱老认为,首要的当是马克思主义。

在朱老给予我的教诲中,烙印至深的还有一点,那就是要我多写一点,写好一点。在研究生期间,朱老就要求我要把学习的心得及时地写下来。要求每月要交一篇文章。长短不拘,内容也可以自己来定,只是不能不写,这一点是不能通融的。这是朱老的一种特殊的教学方法。实践证明,这种训练对于培养独立的研究能力是很有好处的。朱老认为这种训练,不仅是在文字能力上,同时也是在训练思维。因为思维只有经过锤炼,到了可以用文字准确表达出来的程度,那才是真正地想清楚了。只想不写,自己可能觉得想明白了,实际并不见得。后来我知道,这原来也是先生的经验之谈。在《朱光潜美学文集·自传》中,有这样的文字:"在英法留学八年之中,听课、预备考试只是我的一小部分的工作,大部分的时间都花在大英博物馆和学校的图书馆里,一边阅读,一边写作。原因是我一直在闹穷,官费经常不发,不得不靠写作来挣搞费吃饭。同时,我也发现边阅读、边写作是一个很好的学习方法。"

要不断地写,这一点一直到前几年,朱老还经常地提醒我。1979 年春,我在吉林大学哲学系开了《美学原理》课。课程受到了学生们的欢迎。记得最后一节课结束的时候,同学们曾报以热烈的掌声。朱老得知这个消息时,非常高兴。他很快地来信了,说:"知道你的美学课很成功,为之欢庆!"接着先生就嘱咐我:"下年既不开课,多读一些美学资料,多结合现实思考新问题,练习写些文章,这是正当的道路,会保证来日更大的成功。"朱老的意思是很清楚的,光把课程讲好是不够的,还要写出一些好的文章来。

在写什么和如何写的问题上,朱老强调了两点:一,要注重现实。在 1979 年 1 月 23 日的来信中,先生告诉我:"近晤师大刘宁同志,他谈到这个问题在苏联也讨论得很热烈,有所谓科技专家与抒情诗人的矛盾的争论,他们正设法使美学为工业服务。你会俄文,何不搜集一些资料进行研究。这是个现实问题,不可不注意。"朱老还用他答应上海文艺出版社,为喜欢美学的青年再写一本新的《谈美》(即后来的《谈美书简》)来鼓励我,要我注重现实。二,在如何写的问题上,先生强调"要多写一点,但不要太长。四五千字,集中一个问题。太长的文章太费力气"。朱老的这个思想,在他给全国第一期高校美学教师进修班的报告中,曾概括为"先打游击后攻城"。这虽然讲的是一个"博"与"约"的关系,但也把如何写的问题包括进去了。正是在先生这样的指引下,我撰写了《美学浅谈》,即后来在全国获奖的那本小册子。但总的来说,我是没有做好的。这是我时常感到内疚的一件大事。

最后,再回过头来简单地记下粉碎"四人帮"前后的一些印象吧。

我离开北京大学,是在1968年的夏天。那时已经没有机会同朱老辞别了。在动乱的年代,听说朱老也未能幸免于进"牛棚",他遭受了非人的虐待。由于睡在水泥地上,腰部几乎瘫痪了。而我和朱老相比,应该说是"幸运"的;在农场干过活,去过农村插队落户,和农民住过对面炕。那时,天知道将来能干些什么。然而,在那茅椽蓬牖、瓦灶绳床的日子里,我却总是带着朱老送给我的《西方美学史》。不管它与当时的生活是多么不谐调,我却始终舍不得把它丢掉。如今它内封上那黄色的水痕,就是当年同我一块上山下乡、坎坷蹉跎的印记。

1976年,持续了十年之久的动乱结束了。朱老是那样地兴高采烈。他讲:"我对这'第二次解放'无限欢欣鼓舞,誓趁八十开外的余年,努力在自己毕生从事的美学领域里多出点添砖加瓦的微薄力量"。"一息尚存,此志不容稍懈!"粉碎"四人帮"后的最初几年里,朱老就有八十岁以后写的论文、札记等十一篇的选本《美学拾穗集》和《谈美书简》问世。同时,译完了黑格尔的《美学》第二、三两卷,选择了爱克曼的《歌德谈话录》,校改了已遗失而又重新发现的莱辛的《拉奥孔》;修订了《西方美学史》上下卷。从1980年开始,这位年已八十三岁的老人又提出了一个令人望而生畏的目标,他要谢绝一切应酬,用全力来译一部将近五十万字,内容与文字都十分艰晦的维柯的《新科学》。果然,1983年冬,终于全部完成了。在这短短的几年之间,偌大的工作量,就是一个年富力强的青年人,也是难以胜任的。何况朱老已近垂暮之年呢?这该是怎样壮怀激烈地拼搏啊!

朱老在其生命最后的十年中,很像一颗星星陨落之前那样,发出了格外强烈的光和热。正是在这最紧张、最繁忙的十年里,朱老同时给予我的关怀,也是最亲切,最令人难忘的。

粉碎"四人帮"之后的第二年,北大杨辛老师来信,希望我能回北大哲学系从事美学教学。后来因家属户口迟迟解决不了,我就调进吉大哲学系任教了。朱老得知我"归队"的消息,十分高兴。来信表示:"深为欣慰!"在给朱老的信中,我谈到了为什么要做这样的抉择。我说我深感到,当时"最迫切的事情是赶紧把功课捡起来,不能再浪费时间了"。朱老认为,"这个决心是完全正确的。"他甚至安慰我说:"北京外扰太多,现在交通方便,在长春还是可以同外地常通声气。"后来在昆明的一次谈话中,又谈起"归队"这件事,朱老曾语重心长地叮嘱道:"要坚持搞到底。"这话我一直铭记在心中,印象至深。因为这同时也是我自己的决心。经过十年浩劫,我深知这话的分量实在是很重的。"要坚持搞到底"是多么的可贵,又多么的不容易啊!后来,我的确又遇到了险些离队的情况。当时,正是朱老的这个"坚持"曾给我以很大的精神力量。我到底"坚持"下来了。我确信,我的岗位就是在做功课的这条冷板凳上。在这一点,我和朱老的心或许是相通的。

朱老给予我的关怀是无微不至的。除在前面谈到的朱老在百忙之中,给予我的那些有关方面的教导之外,还有一件事是我想起来就感到受宠若惊的。粉碎"四人帮"后,先生几乎每部新著问世,都要送给我。朱老未能看到出版的最后的一部译著维柯的《新科学》,是奚今吾先生亲自寄给我的。如今,朱老惠赠的著作已在我的案头筑起了一座书的丰碑。是的,我相信精神是不死的。我时常凝视着书中先生的照片,默诵着先生的文章,仿佛还有那股烟草的芳香扑面而来。此刻,我就感到朱老并没有离开我们,我还在朱老的身边。

先生赠我的每一本书都有题字。早几年,还要亲自在邮件上写好地址、姓名,注上"印刷品"、"挂号"等字样。从《谈美书简》那部赠书开始,不知为什么,先生竟用"老学友"来称呼我。这实在是折煞我了。我曾写信请求朱老不要这样写。这不是写错了吗?但后来仍然不改。

还有一件意味深长的事。记得有两次,朱老赠给公木先生的书,是要我转送的。有一次甚至把要我转送的字样也写在书的内封上面。为什么要这样写呢?最初我不理解,感到很不好意思。然而,当我体会到朱老的用心,是在把我介绍给公木先生,希望我能更多地就近得到这位著名诗人和学者教诲的时候,我仿佛像游子一样,被朱老这慈母般的情怀激动得不能自已。

朱老离开我们去了。只是这去了的观念在我的思想中,是很难接受下来的。因为我同朱老最后一面的印象,实在是太清晰,太深刻了。1985年年底,正是先生去世前的两个月,我去拜访他老人家。刚好在家。据说才从医院出来十几天,这已是第二次住院了。看上去,先生的气色很好,略微胖了一点。朱老笑着说:"胖了不好。"走路是很吃力了,还是坐在那把旧藤椅上。我们在一起谈得很愉快。先生的话虽不多,但他总是微笑着。奚今吾先生说,那天我们的谈话,是朱老出院十几天来最好的一次。那次先生还说,再活五年没有问题。我祝老人家再夺取一个长寿的冠军!临别的时候,先生把烟斗放在书案上,双手握住我的手,紧紧地,几乎贴近先生宽阔的前额,久久不肯放开……我的眼睛模糊了,只觉得老人的手是那样的温暖……

在一个飘雪的日子里,我惊悉朱老的噩耗,简直不敢相信。拍发唁电回来的路上,不知是雪还是泪水使我觉得一切都是迷迷濛濛的,唯有我的手还依稀真切地感到先生的温暖……

"长歌当哭是必须在痛定之后的。"这在我,一方面是因为当时的确是什么也写不出来,只觉得心里很乱;再一方面,也是我有意识地和国内外许多著名人物对先生的悼念拉开一点距离。这期间,我作为朱老的一个不肖弟子,任泪的潮水在心中冲撞、肆虐。我忍受着加倍的沉痛,挨到先生的周年……

(原载《社会科学战线》1987年第2期)

季羡林先生学术评传

高 鸿

一

季羡林先生成名很早,在国内和国际上知名度很高,对其学术成就人们应该已经有相当的了解。不过,一方面,由于季先生涉足的研究领域极其广泛,其中很多是非常偏僻的"冷门绝学",比如梵文、吐火罗文等等,本来了解者就不多,再加上先生主要的几篇这方面的学术论文用德文写成,发表在德国的学术刊物上,能接触到这些杂志的人就更寥寥无几了,所以对于季先生真正的"本行",很多人缺乏了解。另一方面,先生的散文和回忆录却在国内和港台广为流传,颇获好评。于是,造成一种很奇特的现象,不同领域的圈内人和圈外人都各知其所知,对季先生在特定的领域内有所了解,认为季先生是"某某家"、"某某家",而真正全面了解季先生学术成就的人,反而不是很多。所以,全面介绍一下季先生的学术成就,还是有其必要性的。

二

季羡林先生,生于1911年8月6日,原籍山东省清平县(现属聊城地区临清市)。1930年高中毕业,考入北京国立清华大学西洋文学系,1934年毕业,获文学学士学位。1935年被录取为清华大学与德国的交换研究生,1935年秋天入德国哥廷根大学,开始学习梵文、巴利文。1941年获哲学博士学位。如果从这一年算起,到2001年应该是季先生从事学术研究的第60年。在这60年漫长的学术生涯中,先生涉足多个研究领域,"翻译与创作并举,语言、历史与文艺理论齐抓,对比较文学和民间文学等等也有浓厚的兴趣,是一个典型的地地道道的'杂家'"。一一列举,大致有如下几项:

1. 印度古代语言(特别是佛教混合梵文)

2. 吐火罗文

3. 印度古代文学

4. 印度佛教史

5. 中国佛教史

6. 中亚佛教史(以上3项可归入佛教史)

7. 糖史

8. 中印文化交流史

9. 中外文化交流史(以上3项可归入广义的文化交流史)

10. 中西文化之差异与共性

11. 美学和中国古代文艺理论

12. 德国及西方文学

13. 比较文学及民间文学

14. 散文及杂文创作

这个粗略的分类所涉及的学术领域之广，是很令人吃惊的。任何一个学者，只要在上述某一个领域作出一点成绩，就很容易"傲视群雄，睥睨众生"了，而季羡林先生以一人之力，在上述多个领域都作出了杰出的贡献，却依然虚怀若谷，其道德文章，无不令人敬仰。

下面我将大致根据上文的分类来谈。各项分类之间并非泾渭分明，也不可能泾渭分明，不过，其中还是有主次之分的。"主"就是头两项印度古代语言和吐火罗文以及佛教史研究，重点是印度古代语言；"次"是文化交流史研究；"主"和"次"是季先生一生学术活动的两大中心，是学术研究之树的"主干"。其余的几项则是从"主干"上蔓延出来的"枝叶"。我个人认为，这样的描述，"虽不中，亦不远矣"。

（一）印度古代语言（特别是佛教混合梵文）

1930 年季羡林先生高中毕业，进入清华大学西洋文学系，专修方向是德文。不过，学习上以英文为主，德文和法文为辅。先生曾说："在所有的课程中，我受益最大的不是正课，而是一门选修课：朱光潜先生的'文艺心理学'和一门旁听课：陈寅恪先生的'佛经翻译文学'。这两门课对我以后的发展有深远影响，可以说是一直影响到现在。我搞一点比较文学和文艺理论，显然是受了朱先生的熏陶。而搞佛教史、佛教梵语和中亚古代语言，则同陈先生的影响是分不开的。""……陈寅恪先生的'佛经翻译文学'课以《六祖坛经》为课本。我从来不信任何宗教，但是对于佛教却有浓厚的兴趣。因为我知道，中国同印度有千丝万缕的文化关系。要想把中国思想史搞清楚，不研究印度的东西是困难的。陈先生的课开阔了我的眼界，增强了我研究印度的兴趣,我学习梵文的愿望也更加迫切了。"在陈寅恪先生的影响下,季先生萌发了学习梵文的念头,但是当时国内没有人教梵文,所以这个心愿未能实现。

1935 年秋,季先生到了德国哥廷根大学。当时,德国的欧洲古典语文学研究非常发达,德国的东方学也是称霸世界,独领风骚。从莱布尼茨(1646—1710 年)开始,许多德国伟大的学者都对东方感兴趣,黑格尔、歌德、叔本华等人都了解东方学术,在不同程度上受到了中国文化和印度文化的影响。19 世纪,世界梵文研究的中心是在德国,历史比较语言学的中心也在德国,美国梵学的奠基人 Whitney 是德国留学生,英国最伟大的梵文学者 Max Müller(1823—1900 年)也是德国人。而哥廷根大学实际上是当时世界上学习梵文最理想的地方,有着非常悠久的研究梵文和比较语言学的传统。19 世纪上半叶研究《五卷书》的各种版本的大家、比较文学史学科的创立人 T. Benfey 教授就曾在此任教。19 世纪下半叶 Franz Kielhorn(1840—1908 年)教授在此地任梵文教授,他编写的《梵文语法》一书至今仍是最权威的梵文语法书。接替他的是 H. Oldenberg 教授,他是德国佛学研究的奠基人之一,其《佛陀生涯、教义、教团》一书风行一时,德文版再版二十多次,曾被转译为十几种文字。Oldenberg 的继任人是读通吐火罗文残卷的 Sieg 教授。1935 年 Sieg 教授退休,柏林大学梵学大师 Heinlich Lüders 的学生 Waldschmidt 教授继任,而陈寅恪先生则和 Waldschmidt 是柏林大学同学,两人同为 Lüders 的弟子。Lüders 是研究印度佛教史的专家,专门研究新疆出土的梵文贝叶经残卷,在梵文碑铭研究方面,更是一代泰斗,独步天下,无出其右者。在中国,我们的梵学研究起步很早,比欧洲要早一千年。原因很简单,因为佛教在汉代就开始传入中国,对梵文的研究也就随之而兴起,虽然支离破碎,不成系统,但是,总算是有了开端。唐代的几个高僧,尤其是唐玄奘、义净及其门下弟子,大都精通梵文,玄奘还写过梵文著作,可惜没有流传下来。由于佛教的传入,印度文化对当时中国社会的各个方面,包括政治、经济、哲学、伦理、宗教、文学、语言、音韵、天文、历算、医药、艺术等,都产生了很深的影响。我们可以毫不夸张地说,不懂梵学,要想真正弄懂中国思想史的学术源流与变迁,几乎是不可能的。所以,近代学术史上的几个重要人物,如章太炎、梁启超、胡适几乎都萌发过学习梵文的念头,有的还付诸实践,如苏曼殊、陈寅恪、汤用彤、许地山等人都学习过梵文,这些人物,基本上都是季先生的师辈或更长一辈。理解这一点以及上面谈过的德国的情况,对于理解季羡林先生的学术思想赖以产生的学术背景以及师承关系具有重要意义。

季先生就是在这样的背景下,从 1936 年 5 月开始,跟随 Waldschmidt 教授学习梵文、巴利文等古代印度语言。经过一番思考、选择和比较之后,先生终于选定了印度学为主系,英国语言学和斯拉夫语言学为副系,先后学习了梵文、巴利文、印度俗语、俄文、塞尔维亚—克罗地亚语、阿拉伯文等等,授课教授是闻名世界的 Sieg、Waldschmidt、Braun 等等。从此以后,季先生以印度学为中心,开始了漫长而辉煌的学术生涯。

1937 年,日军侵华。紧接着,第二次世界大战爆发,先生回国无望,滞留德国,直至 1945 年战争结束后才假道瑞士回国。在德国的十年期间,先生在"饥肠辘辘、(飞)机声隆隆、人命危浅、朝不虑夕"的极端恶劣的环境下,苦读不辍,于 1941 年以论文"Die Konjugation des finiten Verbums in den Gāthās des Mahāvastu"(《〈大事〉中伽陀部分限定动词的变位》)通过博士论文答辩和口试,以全优成绩,获得哲学博士学位。这篇论文第一次全面而系统地总结了小乘佛教大众部说出世部律典《大事》伽陀部分所用混合梵语动词的各种形态变化,拓宽了混合梵文形态学的研究领域,大大地推动了混合梵语的研究。这篇论文的附录中提到的"语尾 – matha"对印欧语系比较语言学的研究具有重要意义,在当时引起了印欧语学者的轰动,获得了有关学者的极高评价。该文后来收入《印度古代语言论集》(中国社会科学出版社 1982 年版),又见《季羡林文集》第 3 卷(江西教育出版社 1998 年版)。

在阅读用混合梵文写成的佛典时,季先生在不少地方发现语尾 – aṃ 变成了 – o 和 – u 的现象,这是一个不同寻常的音变。后来,季先生在阿育王碑铭里找到了这个现象,在较晚期的用佉卢字母写成的碑铭中,在中国新疆尼雅地区发现的俗语文书中,在和阗俗语里,在 Dutreuil de Rhins 所收集到的残卷里,在 Apabhraṃsa 里,甚至在于阗塞种语、窣利语和吐火罗文 B(龟兹文)等等里面,都发现了这种现象。季先生采用 Lüders 的意见,以阿育王碑铭作为判断不同方言的地域性的一个标准,写成了"Die Umwanderung der Endung – aṃ in – o und – u im Mittel-indischen"(《中世印度语中语尾 – aṃ 向 – o 和 – u 的转化》),发表于《哥廷根科学院院刊·语文学和历史学分卷》1944 年,第 6 号。在这篇论文里,季先生非常慎重、非常细致地考察了几种佛典,比如《妙法莲华经》等,证明了一些佛典是由原来的古代半摩揭陀语向西北方言转化,然后或者同时梵文化。这篇文章的德文原文被收入《季羡林文集》第 3 卷;中译文被收入《北京著名学者文集·季羡林卷》(重庆出版社 2000 年版)。

1949 年,经 Waldschmidt 教授推荐,《哥廷根科学院院刊·

语文学和历史学分卷》发表了季先生写于 1945 年离开德国之前的"Die Verwendung des Aorists als Kriterium für Alter und Ursprung buddhistischer Texte"(《以不定过去时的使用作为确定佛典的年代与来源的标准》)。在这篇论文里,季先生从一些用混合梵文写成的佛典中存在"早""晚"两种文体,在较晚的新文体中几乎没有使用不定过去时,而在较早的老文体中有不少不定过去时这一事实出发,考察了众多的不同时期的佛典,发现在有东部方言特点的较古的部分中,不定过去时多;在东部方言特点逐渐消失了的新的部分中,不定过去时就逐渐被其他语法形式取代了,由此得出结论:不定过去时这个语法形式最初流行于用东部方言纂成的接近"原始佛典"的一些佛典中,在晚出的一些佛典中,存在于较古的部分中,在较晚的或者较新的佛典中则逐渐消失了。

这两篇论文,在国际梵文学界引起轩然大波,争论长达半个世纪,至今余波未平。其主要贡献在于:首次发现并证明了印度中世语言中语尾 – aṃ 向 – o 和 – u 的转化是中世印度西北方言犍陀罗语的特点之一;发现并证明不定过去时是中世印度东部方言古代半摩揭陀语的语法特点之一。更为重要的是,这两篇论文将印度中世语言变化规律的研究与印度佛教史的研究结合了起来,将佛典语言中的时间因素和地域因素巧妙结合起来,探讨了一些重要的佛教经典的产生、流传的过程,为在缺乏信史传统的印度历史背景下,确定佛典的年代和来源、确定佛教重要派别产生和流传的过程,提供了可靠的语文学方法,开辟了研究印度佛教史的新途径。先生认为:"分析语言(形态变化)特点是探究(佛教)大乘起源问题必由之路。"实践证明这种把语言学、佛学和历史学相结合的方法确实是一个行之有效的、极其成功的方法。这一方法也可以说是对某些西方学者的"为研究语言而研究语言","只见树木,不见森林"的烦琐论证的方法的修正,这也可以算是季羡林先生混合梵文研究的一个"中国特色"吧。

50 年以后,1990 年先生撰成《新疆古代民族语言中语尾 – aṃ > – u 的现象》,将印度雅利安语的音变现象与古代伊朗语联系了起来,进一步阐明了这一音变现象的地域包括印度西北直至中国新疆的广大地区,在与西方学者的论争中进一步捍卫了自己的观点,并提出了一个解释这个音变现象的假设。

从 1944 年到 1990 年,先生在印度中古语言的形态学方面的研究,持续了近五十年,至此为止,暂时告一段落。

(二)吐火罗文研究

从 1937 年起,季先生开始兼任哥廷根大学汉学系讲师。1939 年,第二次世界大战爆发,Waldschmidt 教授被征从军,已退休的 Sieg 教授又回来代课。Sieg 教授是国际吐火罗语研究的开山鼻祖,他同 Siegling 教授以及柏林大学印欧语系比较语言学教授 W. Schulze 三位学者通力合作,花费二十多年的工夫,终于读通了这种被认为是"天书"的吐火罗文。季先生一边跟随他学习印度古代典籍《梨俱吠陀》、《波你尼语法》、Pataᵻjali《大疏》、《十王子传》等等,同时又学习了吐火罗语,成为东亚第一个通晓吐火罗语的学者。

在学习吐火罗文语法、阅读吐火罗文残卷《佛说福力太子因缘经》的过程中,季先生发现在《大正藏》中有该经的多种平行异本,在其他语言,比如藏文、于阗文、梵文中,也找到了相近似的故事。季先生将汉文异本与吐火罗文进行比对,从而确定了一些原来无法确定含义的吐火罗文词汇的含义。在 Sieg 教授的鼓励下,先生将部分汉文异本翻译成了德文,写成"Parallel-versionen zur tocharischen Rezension des Puṇyavanta – Jātaka"(《吐火罗文本的〈佛说福力太子因缘经〉诸异本》)一文,1943年发表在《德国东方学会杂志》97 卷第 2 册。该文在方法上取得了突破,用中文佛典中的文本与其他古代语言的文本相对照,为当时对解决吐火罗语词汇含义问题束手无策的欧洲学者开辟了一条切实可行的研究道路,至今仍是吐火罗语语义研究者必须遵循的道路。

以上 3 篇论文,分别发表在《哥廷根科学院院刊·语文学和历史学分卷》和《德国东方学会杂志》这样在西方学术界具有至高无上的权威的、国际一流的学术刊物上,而作者竟然是 30岁出头的年轻学者,这在当时极为罕见,受到了世界梵文学界的注目,奠定了季先生在国际印度学界的学术地位。

1946 年先生回到了阔别 10 年的祖国,在陈寅恪先生的推荐下,被北大校长胡适和教务长汤用彤聘为北京大学教授,创建东方语文系并任系主任。由于国内缺乏相关的资料,他不得不暂时放弃了对佛教混合梵语以及吐火罗文的研究,转而研究中印文化交流史以及印度佛教史等课题。

1955 年先生发表了《吐火罗语的发现与考释及其在中印文化交流中的作用》,证明"恒河"、"须弥"不是译自梵文,而是译自吐火罗语等中亚古语。

从 1982 年开始,先生接受新疆博物馆的委托,花费了近二十年时间,对 1975 年在新疆焉耆出土的 44 张、88 页的吐火罗文《弥勒会见记剧本》进行释读。陆续写作十余篇文章,用中英文发表在国内外重要刊物上。

1982 年先生在《民族语文》上发表《吐火罗文 A 中的三十

二相》,通过对照各种语言的异本,确定了一些过去弄错了或者模糊不清的字义。

同年,先生发表《说"出家"》,证明吐火罗文的"出家"一词是译自汉文的"出家",通过语言的实证,展现了内地和西域之间的"文化的倒流"的现象。

1989 年先生撰文《梅呾利耶与弥勒》,对汉译佛典中弥勒与梅呾利耶这两个译名所本的文字及其出现的先后顺序进行了缜密的考证。先生认为,对弥勒的研究实际涉及印度佛教是通过什么渠道、经过什么媒介传入中国的问题。"弥勒"一词不是来自梵文,而是来自吐火罗文。在中国后汉三国时期最早的译经中,出现的是"弥勒",而不是"梅呾利耶",足证佛教最初不是直接,而是间接通过新疆一带古代少数民族的媒介。

1993 年台湾新文丰出版公司出版了先生的《吐火罗语研究导论》,作为该社出版的"敦煌学导论丛刊"第 6 辑。该书详细介绍了吐火罗语发现的经过,命名问题,现存的有关资料,详尽的研究书目,各种资料的价值及其特色,研究的要点以及确定要点的原则等等。先生将自己在吐火罗文释读与研究方面的心得体会、经验教训和盘托出,同时综合了国际上学者近百年来的研究成果,为海内外的比较语言学家、比较文学学者、宗教学者、历史学者、语言学者、考古学者等等,提供了一本翔实可靠的"入门导论",其功德不可谓不大矣。

1998 年,经过近二十年的拼搏努力,先生以八十多岁高龄,终于完成了对吐火罗文 A(焉耆文)《弥勒会见记剧本》全部残卷的整理、转写、翻译、注释工作。同年,先生与德国学者 Werner Winter、法国学者 Georges – Jean Pinault 合作,在德国以英文出版了 *Fragments of Tocharian A Maitreyasamiti – Nāṭaka of the*

Xinjiang Museum, *China*(《中国新疆博物馆吐火罗文 A〈弥勒会见记剧本〉残片译释》)。该书初稿全部由季羡林先生完成,两位外国学者所做的工作是整理、修订、打印、照片制版等辅助性工作。自吐火罗语发现以来,这部书是对吐火罗文 A《弥勒会见记剧本》残片最大规模的一次英译,发现新词、确定词义的数量过百,这是吐火罗文研究史上的一次突破性飞跃,打破了近几十年来该项研究的沉闷局面,使国际吐火罗语的研究跨上了新台阶,这也是中国人对国际比较语言学界的一项杰出贡献。吐火罗文是在中国新疆发现的,但在学术研究中长期以来一直是外国人独领风骚,现在中国人作出了自己的杰出的、不可替代的贡献,填补了中国在该项研究上的空白,使吐火罗文研究不仅在中国扎了根,并且开了花,结了果。

Fragments of Tocharian A Maitreyasamiti – Nāṭaka of the Xinjiang Museum, *China* 一书全文,加上先生专为中文读者所写的近十万字的长篇导言,被收入《季羡林文集》第 11 卷(江西教育出版社 1998 年版)。

(三)印度古代文学

季先生回国之后,由于资料的缺乏,只好放弃了钟爱的印度古代语言研究,转而从事中外文化交流史和印度古代文学研究。从一定程度上来讲,这两者属于先生的"副业"。现在先谈后者。

1956 年和 1962 年人民文学出版社先后出版了先生从梵文翻译的印度大诗人迦梨陀娑的著名剧本《沙恭达罗》和《优哩婆湿》;1959 出版了先生从梵文翻译的印度古代寓言集《五卷书》。在"文化大革命"期间,先生被批斗,但先生以超人的顽强毅力,从 1973 年起,利用看学生宿舍的劳动间隙,着手翻译 18755 颂、近80 000行的印度古代大史诗《罗摩衍那》,至1977年全部译完,并于1979年完成并出版研究专著《〈罗摩衍那〉初探》。1980—1984年《罗摩衍那》分7卷共8册出版。这不仅是我国翻译界的大事,而且也是中印文化交流史上的空前盛事,该书的翻译出版,受到国际梵文学者以及印度文化界的高度好评。1994年《罗摩衍那》获第一届国家图书奖。

在《〈罗摩衍那〉初探》一书以及写于1984年的论文《〈罗摩衍那〉在中国》中,先生从作者身世、史诗内容、文本流传版本及演变、在我国新疆、汉、傣、蒙、藏地区的传播与影响等方面,做了深入细致的探讨,提出了不少新观点。

除了翻译以外,季先生还写了不少单篇论文,探讨梵文、巴利文文学,并且主持编撰了多本《印度文学史》。限于篇幅,不再一一列举,有兴趣者可参看《季羡林文集》第5、8、15—24卷中的相关内容。

(四)佛教史研究

季先生在佛教史方面的研究跟上面谈到过的印度古代语言研究是分不开的,两者你中有我、我中有你。实际上,在西方的很多大学里,印度学往往和佛教学或者藏学合在一起,组成一个系,之所以这样,跟国外佛教学研究大多是从文献学角度出发来研究佛学的治学方法有关,这也是西方研究东方学,包括印度学、汉学、古埃及学、阿拉伯学、蒙古学、中亚学等学科的传统路子,"读书先自识字始",中国古人早已言之,可惜的是,直到今日,中国学术界,尤其是研究东方学的学者,仍未普遍认识到这一点,不少人仍抱残守缺,故步自封而不自知,其结果只能是在学术研究上与西方的差距越来越大。真希望他们能从陈寅恪先生、季羡林先生等老一辈学者的治学方法中得到一些启示,改弦更张,奋起直追,这样,我们的东方学研究才会重放异彩。

1948 年先生在《中央研究院历史语言研究所集刊》(第二十本)上发表《浮屠与佛》。时隔四十多年,1989 年又写了《再谈"浮屠"与"佛"》。在前一篇文章里,先生认为,中国古代佛典翻译中的"佛"字,不是直接从梵文的 Buddha,而是间接通过吐火罗文 A(焉耆文)pät 和吐火罗文 B(龟兹文)pud、pūd 译过来的,但是在这里有一个清音和浊音的问题没有得到彻底解决。在第二篇文章中,先生利用新材料,解决了清浊音的问题,认为"浮屠"的来源是与梵文 Buddha 相对应的大夏文的 bodo、boddo、boudo 等等的音译,而"佛"字的来源则是伊朗语族的摩尼教安息文、摩尼教粟特文、佛教粟特文、达利文等语言的单音节的 bwt、but、bwty、pwt 等等的音译。先生进而从"浮屠"与"佛"的关系考察了佛教传入中国的途径和时间,认为佛教不是直接,而是通过大夏(大月氏)以及中亚新疆小国间接传入中国的,支谦等人译经所根据的原本,不是梵文,而是中亚和新疆一带的吐火罗文和伊朗语族的语言。

1948 年先生撰成《论梵文 ṭ ḍ 的音译》,将汉译佛典与印度俗语中 ṭ > ḍ > ɪ > l 的音变现象联系起来,解决了困惑音韵学家多年的佛经译者以"来母字"翻译梵文顶音的现象,并将汉译佛经划分为三个阶段,即:后汉南北朝为早期,所有的梵文的 ṭ ḍ 都用来母字对音;南北朝至隋为中期,来母字与其他母的字混用;隋以后为后期,来母字基本绝迹。由此得出结论:早期翻译的佛经的原文大半不是梵文,而是俗语或混合梵文以及中亚古语。中期翻译的佛经的原文也有很多是俗语或混合梵文,不过梵文化的程度已经比较高了。后期翻译的原本基本上是纯粹的梵文。由此，先生提出"华梵对勘"的前提应该是首先搞清楚音译梵文字的来源是梵文、俗语还是中亚古代语言，否则就无从"勘"起。

这三篇论文体现了一种新的研究思路，即以梵文研究为出发点，并进而研究中亚古语，从语言学入手，揭示西域这一中间地带在中西文化交流史中所起的重要作用。如今，这种方法已经在"文化大革命"后的搞西域研究的中青年学者中得到了普遍应用，并且获得了极大的成功。

1957年先生在《北京大学学报（人文科学）》上发表《原始佛教的语言问题》，对巴利文《小品》V.33.1中的一句话作出了合理的解释，阐明了原始佛教所采取的放任的语言政策，一方面，它不允许使用婆罗门教的语言梵文；另一方面，也不把佛所利用的语言摩揭陀语神圣化，使它升为经堂语而定于一尊。它允许比丘们利用自己的方言俗语来学习、宣传佛教教义。

1958年先生在《语言研究》上发表《再论原始佛教的语言问题——兼评美国梵文学者的方法论》。1984年1月写作《中世印度雅利安语二题》，1984年2月写作《三论原始佛教的语言问题》。

以上四篇文章，构成了季羡林先生关于原始佛教语言问题的研究系列，实际上也是原始佛教史研究的系列。在这几篇文章中，先生集中讨论了：一、是否存在一种用所谓"原始语言"写成的"原始佛典"（Urkanon）？这种语言的特点是什么？二、释迦牟尼用什么语言说法？三、阿育王碑铭是否能显示方言划分？四、《毗尼母经》等经中讲的是诵读方法（音调），还是方言的不同？五、中世俗语语尾 –aṃ > –o，–u 的问题；六、巴利文与不定过去时；上列1958年后的三篇文章以书评兼论文的形式，评论了弗兰克林·爱哲顿的《佛教混合梵语语法和词典》以及1976 年西方学者在德国哥廷根召开的"佛教研究座谈会"的论文集《最古佛教传承的语言》,批驳了西方学者,如弗兰克林·爱哲顿、拉莫特、贝歇特等人在这些问题上的错误观点以及牵强附会、漏洞百出、不严谨、不科学的方法论和学风;先生利用最近的新材料,列举了大量无可辩驳的例证,严谨、细致、全面地阐述了自己的观点。具体内容请参看上列各篇论文,兹不赘述。

1980 年先生为《大唐西域记校注》写了长达 10 万字的前言,论述了唐代初期中国的情况,包括佛经的翻译和译经组织、佛教教义的发展与宗派的形成、佛教与儒家和道教的关系,唐初统治者对佛教的态度、唐代的寺院经济等等;印度 6—7 世纪时的社会政治状况、佛教的发展与演变等等;唐初中印交通的情况,玄奘的生平活动与思想,《大唐西域记》对印度历史研究、佛教史研究、对西域古代语言研究所具有的独特的、不可替代的重要价值。该文实际上是对 20 世纪 80 年代初我国学术界《大唐西域记》研究成果的全面总结,代表了中国史学界对《大唐西域记》研究的最高水平。《大唐西域记校注》一书 1985 年由中华书局出版,1994 年获得第一届国家图书奖。

1981 年 4 月,先生写成《关于大乘上座部的问题》,讨论《大唐西域记》中 5 个地方提到的"大乘上座部"的问题。佛教大乘本无所谓"上座部"和"大众部"之分,一百多年来,欧洲和日本的研究者对这一问题异说纷纭,但始终没有准确解决"大乘上座部"一词的含义。季先生根据巴利文佛典和锡兰史籍的记载,经过细致考察,认为:所谓"大乘上座部"并不是大乘与上座部两种东西,而是接受大乘思想的小乘上座部一种东西,可是又包含大乘与小乘两方面的内容,因此才形成了"大乘上座部"这种奇特的教派。这篇论文"发前人所未发",基本上解决了这个难倒了中外众多优秀学者的百年难题。

1984 年 7 月,季羡林先生完成了花费了很大精力的、长达十多万字的《商人与佛教》一文。在这篇文章中季先生大量利用佛教律藏中的资料以及《梨俱吠陀》、《罗摩衍那》中的材料,全面深入地探讨了佛教与商人之间的奇特关系,讨论了商人在印度社会中的起源、历史、地位等,探讨了商人与佛教在经济关系、来源关系、意识形态、历史使命等方面的异同,解释了商人与佛教之所以关系密切的原因,并且对中国印度商人之间在与宗教的关系、与农业的关系、在商人阶级发展规律方面做了初步的对比。这篇论文视角独特,论证资料来源广泛,为印度佛教史的研究打开了一个新局面。这篇论文于 1985 年 8 月在德国斯图加特"第 16 届世界史学家大会"上宣读,获得与会各国专家的好评。

1986 年先生撰成《论梵文本〈圣胜慧到彼岸功德宝集偈〉》,通过对印度佛典般若部家族成员之一的用混合梵文写成的《圣胜慧到彼岸功德宝集偈》一书的语言变化特点,尤其是其中的语尾 $-aṃ > -o$,$-u$ 的现象的研究,对般若部的起源问题作了再思考,纠正了传统上认为大乘佛教起源于南印度的观点,并将大乘的起源分成了两个阶段:原始大乘和古典大乘。先生认为,这两个阶段使用的语言不同,内容也不同。原始大乘使用的是混合梵语,内容是处于由小乘思想渐渐向大乘过渡的阶段。而古典大乘则使用梵语,内容几乎是纯粹的大乘思想。原始大乘的起源地应该是东印度。时间应该上溯到公元前二三世纪。

1987 年 3 月,季先生写了另外一篇重要的佛教史论文《佛教开创时期的一场被歪曲被遗忘了的"路线斗争"——提婆达多问题》。这篇论文根据佛典中残留的与提婆达多相关的资料，从众多矛盾的说法中，梳理出印度佛教史上的一个重大问题——提婆达多与佛陀之间的"路线斗争"，通过对公元前6世纪北印度思想界的状况以及沙门思想体系内部和佛教内部的情况的分析，将这个问题放到大的历史背景下重新考察，对印度佛教史的派别系统做了重大的更改，还历史以本来面目。

佛教史纷繁复杂，头绪万千，历来号称"难治"。上述4篇佛教史论文，厚积薄发，篇篇击中印度佛教史上的关键问题，篇篇发前人所未发，视角独特、资料扎实，充分展示了季先生治佛教史的深厚功力和高超技巧。

在研究吐火罗文残卷和糖史之余，季先生又把眼光投向了更为难治的悉昙学。1990年他写了一篇短文《玄奘〈大唐西域记〉中"四十七言"问题》，探讨了悉昙学上的字母数目问题，纠正了《大唐西域记校注》中的一个错误，澄清了在梵文字母数目上的分歧与争论，确定了"中天派""四十七言"的确切所指。紧接着又写了《梵语佛典及汉译佛典中四流音 r r i i 问题》一文。在这篇论文里，季先生廓清了在悉昙学以及佛教史中占重要地位的四流音的来龙去脉问题，追溯了四流音在印度和中国的历史演变，阐明了慧琳和昙无谶的矛盾代表了沙门与婆罗门的矛盾、大乘与小乘的矛盾、俗语与梵语的矛盾。

1993年先生又写成《所谓中天音旨》一文，继续探讨与四流音相关的问题，从佛教史的角度，论述了中天竺在佛徒心中的地位、中天竺语发音特点、四流音在中天的地位及其发音特点、中天音与馀国音的关系、汉音与吴音等问题。至此，彻底解决了与四流音相关的问题。这两篇论文构成一篇完整的文章，充分体现了先生在古印度语言、佛教史、中印文化交流史方面的精深造诣和横跨中西、纵横古今的宽阔的学术视野,在当代国内外语言学家和佛学史研究者中,这种学术视野是非常罕见的。

佛教是从印度传入中国的,但是后来,佛教,尤其是大乘佛教在中国得到极大发展,反而出现了"倒流"传入印度的情况。1991年季先生写了《佛教的倒流》一文,分析了宋赞宁《高僧传》卷27《含光传》的"系",认为这是一篇极有意义的文章,对其中提到的几个"倒流"的例子进行了仔细分析和阐述,又对其中几句话"东人敏利,验其言少而解多。西域之人淳朴,验其言重而后悟。西域之人利在乎念性,东人利在乎解性。无相空教出乎龙树,智者演之,令西域仰慕。中道教生乎弥勒,慈恩解之,西域罕及"进行了重点分析,从佛教教义发展、中印思维方式的差异、中印宗教信仰基础或出发点的不同等诸多方面,考察了"倒流"之所以发生的根本原因。这篇论文涉及佛教史研究的一个重要方面,前人从未关注过。先生的考察,其立足点已不仅仅是佛教史研究,而是广义的文化对比研究或者是宗教对比研究,这也是先生学术研究的特点之一,即眼界开阔,研究问题从不局限于某一学科,而是横跨中西印三大文化体系,由语言而入历史,出历史而入文化,从小处入手、大处着眼,所谓"以小文章,做大学问"是也。在这一点上,先生可谓是尽得陈寅恪先生的衣钵传承。

(五)中印文化交流史

对于文化产生的问题,季先生是一个文化产生多元论者,他认为,文化不是世界上哪一个民族单独创造出来。世界上民族众多,人口有多有少,历史有长有短,但是都对人类文化有所贡献,不同仅在程度上有差异而已。文化交流,无时不在,无处不在,它是推动人类社会前进的主要动力之一。这是季先生从事文化交流研究的最基本的出发点。

季先生对中外文化交流的研究，范围相当广，时间相当长，重点在中印文化交流史，还旁及中国与波斯和其他一些国家的文化交流。另外，季先生比较文学和民间文学方面的研究，因为大多与印度有关，可以划入广义的中印文化交流史的范围，所以在这里一并论述。

1946年，季先生从德国留学归来，由于国内资料匮乏，他不得不放弃自己擅长的印度古代语言研究，转而从事既与印度有关、国内资料又多的中印关系史和比较文学史的研究。这一方面的论文有《一个故事的演变》、《梵文〈五卷书〉——一部征服了世界的寓言童话集》、《一个流传欧亚的笑话》、《木师与画师的故事》、《从比较文学的观点上看寓言和童话》、《柳宗元〈黔之驴〉取材来源考》等一系列文章。其中《列子与佛典》一文，利用汉文大藏经中以及吐火罗文的材料，证明《列子》抄袭竺法护译《生经》中的《国王五人经》，《生经》的译出时间是确定的，即西晋太康6年，公元285年，所以《列子》成书的时间不会早于此年。文章发表之后，胡适写信来，对此文大加赞赏，说"《生经》一证，确凿之至"。后来胡适到台湾，晚年曾多次向人讲："做学问就要像大陆的季羡林那样"，可见此文以及别的考证文章，如《浮屠与佛》等，留给他的印象之深。

除了研究文学方面的交流，先生还把注意力投向了实物交流，即所谓"物质交流史"。先生在这方面的兴趣和能力在晚年八十岁以后完成的一部长达八十多万字的巨著《糖史》一书中得到了淋漓尽致、登峰造极的发挥。1954年以后，先生写了一系列有关中国纸和造纸法、蚕丝传入印度的考证文章，除了运用传统的史料外，还大量使用新疆等地考古发现的文字与实物，最具特点的是使用与印度古代语言有关的资料,追溯纸在中国西北传播的路线,直到传入波斯、阿拉伯和印度的经过。

"文化大革命"结束之后,先生仿佛重新焕发了青春,在大量的行政和社会活动之余,全身心投入学术研究。在这一时期,写了不少与比较文学和民间文学研究有关的文章,大力提倡建立比较文学的"中国学派",在建立学会组织、确立研究理论与方向、召集学术会议、培养学术人才等方面作出了很大贡献。这类文章多已结集出版,读者可以参看《季羡林文集》第 8 卷(江西教育出版社 1996 年版)。

1981 年,季先生完成《一张有关印度制糖法传入中国的敦煌残卷》一文。中外诸多学者对这张极其重要的敦煌残卷束手无策,最后这个难题被季先生破解。由此,季先生顺藤摸瓜,追根溯源,他遍翻正史、地方志、笔记以及其他中外资料,"竭泽而渔",历时近十几年,以令人叹为观止的考据功夫,到 1998 年写成他在这方面的集大成之作——长达八十多万字的《糖史》。这部巨著勾勒出了"糖"这个微末不足道的东西背后所隐藏着的十分复杂、十分具体生动的中外文化交流的历史,涉及中外十多种语言,其中不乏像吐火罗文那样已经"灭绝"的语言。这部书充分体现了他的学术特长之所在,即融会贯通了德国学院派历史语言学的方法以及中国乾嘉学派的考据之术。这部书现已全部收入《季羡林文集》第 9—10 卷。第 9 卷讲"糖"在中国的发展史,第 10 卷谈"糖"在国外的交流史。在这部皇皇巨著中,先生不仅将自己的考据本领发挥到了极致,而且也将自己在德国学到的德国人治学的"彻底性"也发挥得淋漓尽致,这两个方面,可以说是季先生治学的两大特点,有兴趣者不妨读读这部《糖史》,相信自会有切身的感受。该书上卷曾以《文化交流的轨迹——中华蔗糖史》为名，1997 年 3 月由经济日报出版社出版，于 2000 年获得"长江读书奖"的"专家著作奖"。

（六）中西文化差异与共性

进入 20 世纪 90 年代之后，季先生的学术兴趣更为广泛。1992 年，他发表《"天人合一"新解》，提出"三十年河东，三十年河西"的观点，随后又发表《关于"天人合一"思想的再思考》，针对李慎之先生的反对意见，对自己的观点作了进一步的阐述和补充说明。这两篇文章在全国引起了极大的反响，反对者有之，赞同者有之，既反对又赞成者亦有之。其间是非曲直，绝非三言两语可以说清。这方面的争论文章，也已经结集出版，有兴趣者可以参看《东西文化议论集》（季羡林、张光璘编选，经济日报出版社 1997 年版）。

（七）美学与古代文艺理论

季先生因为本身从事散文创作，所以对美学和古代文艺理论也有着非常浓厚的兴趣。1988 年和 1989 年他写了《关于"神韵"》和《补遗〈关于神韵〉》，将中国的传统美学术语"神韵"与印度文论做了对比，并引用模糊学的理论加以阐述。20 世纪 90 年代，季先生相继发表《作诗与参禅》、《门外中外文论絮语》、《美学的根本转型》，认为东西方在思维模式和文化方面存在着很大差异，美学研究和文艺理论研究必须走出唯西方马首是瞻的误区，必须改弦更张，加强自信心，从中国传统的文艺理论中寻找新的出路。这些文章发表之后，在美学界引起了很大反响。

（八）散文与杂文创作

早在山东济南上高中时期，季羡林先生受到胡也频、董秋芳等人的影响，开始用白话文写作，所写作文"大得董先生赞扬"，这给了先生极大鼓励，先生几十年来笔耕不辍，其因盖源于此也。同时,先生开始翻译外国文学作品,如屠格涅夫的散文《老妇》、《世界的末日》、《玫瑰是多么美丽、多么新鲜啊!》等等,并在山东《国民新闻》和天津《益世报》上发表。在清华大学读书期间,先生在《文学季刊》、《文学评论》等杂志上发表多篇散文,得到郑振铎先生的赏识。从那时到现在,先生写作了大量的散文和杂文,多次获得全国大奖,有的还被选入中学语文课本。先生的散文,以真情动人,晚年怀友之文,字字出自肺腑,尤其感人。本文主要谈论先生的学术成就,文艺创作方面不属此列,故不再详谈。

三

除了研究、教学工作之外,先生还积极参加社会活动以及学术活动。先生曾任北京大学校务委员会副主任、北京大学副校长、南亚东南亚研究所所长、中国科学院哲学社会科学学部委员、国务院学位委员会委员、国家语言文字工作委员会委员、中国外国文学学会副会长、中国比较文学学会名誉会长、中国敦煌吐鲁番研究会会长、中国印度文学研究会会长、中国大百科全书外国文学卷副主编、语言卷主编、中国作家协会理事、中国外语教学研究会会长、中国语言学会会长、中国民族古文字研究会名誉会长、中国南亚学会会长、中国高等教育学会副会长、德国哥廷根科学院《新疆吐鲁番出土佛典的梵文词典》顾问、冰岛大学《吐火罗文与印欧语系研究》顾问、第二一五届全国政协委员和第六届全国人大常委。

更难能可贵的是,先生付出大量精力担任行政职务、参加各种社会活动、主持多个重要的学术团体,先生担任北京大学东语系系主任长达四十年,为我国亚非非通用语种的教学和科研发展作出了重大贡献,为我国的东方学、敦煌学、比较文学、佛教研究、中外关系史研究事业的发展倾注了大量心血,做出了卓越的贡献。先生主持编纂的大型丛书在传播中国传统文化、弘扬中华民族的精神、振奋中华民族的士气方面,在构建全民族人文精神素质方面发挥了重要作用。先生从事教育事业五十余年,桃李满天下,为国家培养了大量栋梁之材,为我国高等教育事业的发展倾心尽力。

(原载《社会科学战线》2001 年第 2 期)

周扬与大学文科教材选编

郝 怀 明

编选大学文科教材的任务是 1960 年九十月间在中央书记处的一次会议上确定的。会后,书记处书记彭真同志受总书记邓小平同志的委托向周扬同志下达了这一任务,限期解决文科教材问题。周扬在充分调查研究的基础上,于 1961 年 4 月主持召开了高等学校文科和艺术院校教材编选计划会议,总结了 1958 年以来文科教学工作的经验,经过充分民主讨论,修订了文科 7 种专业(包括语文、历史、哲学、政治、政治经济学、教育、外语)和艺术 7 类专业(包括戏剧、音乐、戏曲、电影、美术、工艺美术、舞蹈)的教学方案草案,并相应地订出了 224 门课程、297 种教材编选计划。会后,立即调集力量,分别组成 14 个教材编选工作组。在周扬为首的文科教材办公室的领导和组织下,文科教材的编选工作扎扎实实、卓有成效地开展起来了。

一、编选文科教材的指导思想

如何总结经验,在教育革命的基础上建立一个比较好的教学方案? 这是周扬考虑的一个中心问题,也是他编选文科教材的基本出发点。周扬明确指出："应该像工厂保证生产一样地严格保证教学。工厂里搞运动不能随便停止生产;学校里就可以随便停止教学,这不好。"①他认为,在学校中,教学是主,学生参加适当的生产劳动,进行适当的科学研究,这都是需要的,但必须以不影响正常的学习为原则,服从教学的需要。周扬主持制定的文科教学方案规定,学校以教学为主,结合生产劳动和科学研究,其时间分配的大体比例,劳动和科研时间加在一起不得超过学时总数的三分之一,对政治课在教学中所占的比例也规定不得超过20%。周扬的思想非常明确,学校是传授知识的地方,要把人类几千年来所积累的知识的精华传授给学生,就必须以教学为主。他既肯定了1958年教育革命重视实践的经验,同时对其忽视教学的偏颇也作了有力的纠正。

周扬针对红与专问题上的偏差,提出了明确的要求,他说:"对学生政治上也就是对'红'的要求,我们提出毕业生要具有爱国主义和国际主义思想,愿为社会主义、共产主义事业奋斗;同时要求学生通过马列主义、毛泽东著作的学习和一定生产劳动、实际工作的锻炼,努力树立工人阶级的阶级观点、劳动观点、群众观点、辩证唯物主义观点。"②在"专"的方面,"要求学生具有基本的理论知识,基本的历史知识,基本的社会知识和基本技能的训练(特别是写作能力的训练)。"③周扬还针对当时"白专道路"使用过滥,以致在学生中造成不敢读书、不敢钻研学问的不正常风气,对什么是"白"也下了个界定。他说:"只有反党、

① 周扬:《周扬文集》第 3 卷,人民文学出版社 1991 年版,第 204 页。
② 同上书,第 325 页。
③ 同上书,第 326 页。

反人民、反社会主义,才能说白。至于一个人不喜欢集体活动,不合群,脱离群众,孤高自赏,有一点个人主义,这也不能算白。"①在周扬看来,红和白都是政治概念,是政治立场、政治态度问题,不能无限扩大到世界观上去,甚至扩大到一切生活细节上去。既不能把唯心主义世界观就说成一定是白,也不能把有点个人主义的学生,或者在业务上比较努力,但政治上进步较慢,还处在转变过程中的、暂时处于中间状态的学生,都指责为走"白专道路"。"白"与专并无必然联系,今后不要再用"白专道路"来批评学生。周扬既坚持正确的政治方向,又反对空头政治,力倡政治和业务的结合和统一,不仅在当时鼓舞青年走又红又专的道路产生了积极影响,而且至今仍未失去其指导意义。

过去,有一个时期,在文科教学中曾经有过为史料而史料的问题。1958 年又出现了另一种倾向,在历史教学中,"以论带史"的口号流行很广,讲历史不重视史实,变成了"以论代史"。周扬认为"以论带史",从以马克思主义观点统率史料的角度提出问题,固然有一定积极意义,但这个口号毕竟是不科学的。实际上,应该是先有史,后有论,论是研究史的结果,而不是在它的先头。他说:"我们研究历史,不能先有一个公式,先立下一个结论,然后再找一些史料来套,来证明。这样做是直接违反历史唯物主义的。研究历史应当从史料出发,包括文字材料和地下发掘的材料;研究现状应当从现状出发。否则就容易鼓励一种风气,好像有几个公式,有几条规律就可以解决一切问题了,不

---

① 周扬:《周扬文集》第 3 卷,人民文学出版社 1991 年版,第 308—309 页。

管这些公式这些规律是否正确。"①我们应当是把马列主义、毛泽东思想与各学科结合起来,努力做到观点和材料的统一,史里要有论,论里要有史。他在谈到文学史的编写时这样说:文学史要系统地科学地按时间顺序叙述文学发展过程,叙述历史上的重要作家、作品,探索文学发展规律。你在叙述作家作品时是有倾向的,你的倾向性要体现在客观叙述中,体现在对材料的选择、安排和叙述中。周扬主张,不论历史教科书还是概论类教科书,都要给学生正确的知识,力求用正确的观点来叙述比较充实的史料,既要反对罗列现象和烦琐考证,又要有必要的具体材料和考证,反对空发议论,反对乱贴政治标签。他针对当时主要是忽视知识、忽视史料的情况,强调教科书既然主要是讲多少年来所肯定的东西,用规律性的知识武装学生,那就要重视知识性,摆事实,摆材料,摆得愈充分,就愈有说服力。知识又多又正确,教材就有了稳定性。

1958 年,批判"厚古薄今",却又出现了忽视古只讲今的情况。周扬认为,历史课程中古史和现代史之比,3:1 是起码的,陆定一认为可以达到 4:1。这个原则既适用于中国历史课程,也适用于世界历史课程。这是因为,古代和近代不仅时间长,内容丰富,而且经过历史的淘汰,遗留下来的多为人类文化的精华;而现代的东西因为时间较短,尚未来得及经过实践的反复检验,还不够稳定。历史教科书要把人类在几千年来积累的文化知识的主要的基本的东西告诉学生,既要反映历史的经验,也要反映今天的经验,所以,在古今比例上要有个适当的规定。周扬还针

---

① 周扬:《周扬文集》第 3 卷,人民文学出版社 1991 年版,第 312—313 页。

对当时对文化遗产的简单粗暴的倾向,强调指出:"我们评价历史人物时,主要是介绍他在历史上的贡献何在,对古人只能看他是否说了前人所没有说的东西,是否说了他当代人所没有说的东西,如果说了,而且说得比前人或同代人正确,那就是他的贡献;不能要求他说只有后人才能说的东西。"①他认为对古人不能要求太苛刻。对今人要看政治态度,可以用《关于正确处理人民内部矛盾的问题》中讲的六条政治标准去看,凡赞成社会主义的或不反对社会主义的,那就应用艺术标准衡量选不选。对古人就不能首先着眼于他们在政治上是进步还是反动,而主要是看他们在文学史上的地位,主要看他的作品对人民有没有好处。

如何对待外国的东西,过去我们既犯过盲目照搬的毛病,也犯过夜郎自大、忽视学习外国的毛病。1958 年中学停止英语课就是一个突出的例子。周扬说,以中国为主是对的,中国人必须首先研究中国,但是,同时必须研究外国。盲目照搬外国的东西不对,不研究外国的东西也不对。他强调指出,研究外国,掌握外国的文化知识,是为了帮助我们更好地了解中国、认识中国、建设中国。尤其是中国这样一个经济文化十分落后的大国,要赶上世界发达国家,更需要向外国一切先进的东西学习,大量吸收外国的先进的东西,包括资本主义国家的东西,分析哪些东西是适合我们所需要的,取其精华,为我所用。周扬还从我国文化发展史论证吸收外来文化的重要性,说明这是迎接新的文化高潮的重要文件。他说历来文化的高涨时期,都是由于吸收了外来文化的营养,隋唐是这样,五四新文化运动也是这样。我们要

---

① 周扬:《周扬文集》第 3 卷,人民文学出版社 1991 年版,第 321 页。

有一个新的文化高涨、学术繁荣,就要大量吸取外国的先进东西。立足中国,立足今天,一手向古,一手向外,用人类所创造的一切文明成果丰富自己,发展自己,这就是周扬为发展我国文化学术所始终不渝地倡导并身体力行的战略思想。周扬是站在世界文明发展史的高度来考虑问题的,思想是非常开放的。在这里,我们仿佛听到了党在十一届三中全会以后实行的对外开放政策的先声。在文科各科教材的编选工作中,都较好地体现了这种对外开放的精神。在文科有关专业的教学方案中,设置了研究世界历史、世界政治、世界经济、世界文学等课程,并规定了各专业至少必修一种外文,对促进学习和研究外国是很有意义的。

周扬主张教材要给学生一个正确的历史图画,历史教材也好,文艺创作也好,要给人以正确的知识,要使学生认识事物的矛盾、历史的发展是错综复杂的,不要给青年造成一种印象,好就是一切都好,坏就是一切都坏。在把正确的健康的东西给青年看时,又要指出什么是非正确的、非健康的东西。周扬提议,我们国家除了编自己的政治、经济、哲学教科书外,还可以加一点苏联、东欧国家及资本主义国家的东西作为教学参考资料。只要材料比较丰富,在那个国家很流行,即使观点反动,也可以出版,内部发行,供教学和研究人员参考。至于说在政治观点上没有明显反动内容的东西,只是有点唯心主义,那就更没有什么要紧了。在有条件的学校,可以开设讲授唯心主义的思想学术课程,以扩大学生的眼界,增强辨别力,提高免疫力。他引用列宁的话说,"聪明的唯心主义比愚蠢的唯物主义更接近于聪明的唯物主义",唯心主义者对文化遗产有调查研究,他就可能在某个具体学术问题上比没有作过调查研究的唯物主义者更正确,更符合唯物主义。

同时,周扬认为多样性是精神生产的一个特点,学术和艺术的一个特点,也是满足人民群众精神生活的需要。他说:"市场供应要求越多越好,精神生活也希望越丰富越好。而且将是越来越多样,不是越来越少样。……所谓贯彻'百花齐放',也就是满足人民多样的精神需要。"①"百花齐放、百家争鸣"的方针,是实现学术、艺术多样化的方针。多样性的形成,有赖于人的积极性、创造性的充分发挥。周扬说:"多样性和创造性是不可分割的,只有多样化才能发挥创造性,只有多样了,才有利于发挥创造。"②多样性是学术、艺术发展最根本的要求,是"双百"方针的核心问题。周扬多次明确指出,教材不定于一尊。教材适当地统一,但不绝对地统一,一门课可以有几种教材,可以由自己选用一种,有不同的见解,还可以讲自己的意见。统编文科教材中,中国哲学史就编了4种,中国通史和中国文学史各有2种。各个大学如果不愿意用统编的教材,还可以自己编选教材。

二、编选文科教材的意义和启迪

从文科教材编选计划工作会议到1965年6月底止,已出版新编选教材68种165本,已完稿和已付印的有24种33本,加上正在编选的教材,共156种367本,约占计划编选教材总数的一半。其成就是辉煌的,意义是重大的。不仅解决了高校文科

---

① 周扬:《周扬文集》第3卷,人民文学出版社1991年版,第285页。
② 同上书,第286页。

教学之急需,而且对高校文科建设产生了深远的影响。1962年3月广州会议,周恩来总理宣布知识分子是劳动者,是为无产阶级服务的脑力劳动者,不再是资产阶级的一部分。知识界群情振奋,学术空气活跃起来了。借助于这种良好的环境和空气,中央通过文科教材的编选这一强有力的措施,把学术力量组织了起来,有老专家,也有新生力量;老专家也各种各样,有马克思主义者,也有非马克思主义者;有党内的,也有党外的,真可谓群贤毕集。这对进一步活跃学术研究,促进学术交流,推动学术建设,起了重要作用。

周扬在领导编选文科教材方面的建树给我们的启迪是多方面的,择其要者有以下三点:

1. 牢牢树立文化、思想和学术重在建设的思想。重在建设,首先就要尊重知识、尊重人才,以正确的态度对待文化遗产以及掌握文化遗产的知识分子。文化、思想、学术发展的一个显著特点,就是需要积累,它要求对古今中外人类所创造的一切文化遗产采取科学的审慎的态度,全盘否定或全盘照搬,都不利于建设文化、建设思想、建设学术。重在建设,还要求必须立足于中国,立足于现实,研究新情况,解决新问题,在精神生产的各个领域拿出更多更好的精神产品。高质量的产品和高水平的人才是联系在一起的,出产品和出人才是同一个过程。中央通过抓文科教材编选,把学术建设落到了实处。周扬对这项工作抓得很实、很细,在文化、思想、学术建设上,周扬领导编选文科教材树立了一个典范。

2. 坚持贯彻执行"百花齐放、百家争鸣"的方针。周扬在领导编选文科教材工作的过程中,认真贯彻"双百"方针,不失为一个成功的范例。党内党外同志在一起,从方针政策到教材编写,充分地、自由地、无所顾忌地进行议论,既不搞少数服从多数,也不搞下级服从上级。周扬在文科教材编选期间发表了许多精辟的见解,但他一再讲他的意见只是作为一个普通读者和同事来提的,是否采纳,完全由主编决定。周扬鼓励大家在学术上要有自己的意见,要敢于坚持己见,不迎合。贯彻"双百"方针,鼓励敢于发表不同意见,其中就包含容许讲错话,容许犯错误。我们的事业是复杂的创造性事业,没有也不可能有现成的答案,在理论上和工作上的不同意见是经常发生的。这些不同意见,并非都是马克思主义与反马克思主义和非马克思主义之争,姓"社"与姓"资"之争。应当承认,在马克思主义队伍内部,由于观察和思考问题的角度不同,对一个问题也会有各种不同的思路和主张,这是正常现象。它可以帮助人们考虑问题更全面些,决策更科学些。不能简单地把那些与自己不同的思路和主张,都看做是非马克思主义甚至是反马克思主义的,是姓"资"而不是姓"社"。而且,即使是非马克思主义,在具体学术问题和工作问题上,也可能拥有真理,有可取之处。为了进一步为我国现代化经济建设和文化建设创造更加安定、团结、民主、和谐的社会环境、舆论环境,有必要继续清除"以阶级斗争为纲"的思想影响,为"双百"方针的进一步贯彻和落实创造更好的思想条件。

3. 切实注意方法论问题。方法论问题,是周扬在主持文科教材编写中予以极大关注的一个问题,他不仅多次提醒人们注意这个问题,而且以他自己的实践,在如何运用马克思主义科学方法论上为我们树立了一个榜样。唯物辩证法要求我们以实际为基础,用联系的、发展的、全面的观点认识事物,处理各种具体问题和矛盾,可是人们却常常孤立地、静止地、片面地看问题,绝对化,走极端,固执一面,夸大一点,不善于在对立中把握统一,在统一中把握对立,在对立面的统一中认识和把握它的每一个方面,要么就是强调这面丢掉那面,要么就是强调那面丢掉这面,这都是片面性、绝对化、形而上学的典型表现。辩证思维的实质是按照事物的矛盾本性思考问题,发现真理。周扬提倡用比较的方法编选教材和从事学术著述。比较的方法,就是辩证的方法。不怕不识货,就怕货比货。用比较的方法,可以避免绝对化、简单化、片面性,可以使人获得全面的丰富的知识,且容易为人们所接受和信服。他主张拿中外古今来比较,拿正面反面来比较,拿唯物主义唯心主义来比较,都是比较法的具体运用。周扬大力倡导马克思主义的科学方法论,倡导革命性和科学性相结合的实事求是的学风,努力克服主观主义、教条主义的影响,不仅在当时令人耳目一新,而且在今天以至今后仍然具有重要指导意义。

20 世纪 60 年代初期是我们党和国家在"调整、巩固、充实、提高"的方针指引下,探索中国自己的建设社会主义道路的成果辉煌的时期,同时也是周扬在文化、学术建设上的一个辉煌期。周扬在文科教材建设中的建树,既是党在这个时期的理论、方针的反映,同时也是他个人的智慧和品格的体现。党的光辉照亮了周扬,周扬的才智的发挥又增加了党的光辉。这也是个人与组织的辩证法。周扬在文科教材建设中留下的精神财富将光辉永在。

(原载《社会科学战线》1994 年第 4 期)

漫道古稀加十岁　还将余勇写千篇

——记语言学家王力教授

张双棣　吴坤定

　　王力先生从 1928 年发表第一部著作以来,从事教学和科研已经半个多世纪了,是当代公认的举世闻名的语言学家。

　　王力先生,字了一。1900 年 8 月 10 日生于广西博白县岐山坡村。虽然家境贫寒,但他清苦求学,打下坚实的文史基础。1926 年考取了清华国学研究院,受到梁启超、王国维、赵元任、陈寅恪几位著名学者的教导与培养,遂确立专攻语言学,并到法国巴黎大学学习语言学,获文学博士学位。回国后,先后在清华大学、西南联大、中山大学、北京大学任教,培养了一代又一代语言学人才,写出著作四十多种、论文一百三十多篇,涉及汉语语法学、词汇学、音韵学、诗律学、语言史和文字改革、汉语规范化等各个领域,具有很多独创性的贡献,在国际语言学界产生了深远的影响。

一、辛勤开拓　成就卓越

　　作为语言学家,王力先生把自己全部的智慧和精力献给了我国的语言事业。几十年来,不论是在顺利的条件下,还是在险恶的环境中,他总是用自己的笔,在语言学这块土地上耕耘、开拓。研究和著述,成了他生活的第一需要。王力先生的著作、论文总计一千万字以上。有人打过一个比方,《红楼梦》是一百万字的巨著,王力先生的著作却相当于十部《红楼梦》。这是要用多么巨大的智慧和劬劳才积成的啊!

1937 年,抗日战争开始不久,清华大学迁到长沙,与北京大学、南开大学组成临时大学,王先生也匆忙从北平去长沙任教。当时,他身边没带什么书,可是研究工作怎么能停下来呢? 于是,他从书摊上买来一套《红楼梦》,在奔波途中研究《红楼梦》的口语语法。后来,以此为材料,写出了关于现代语法的讲义。在西南联大讲授这门课时,经闻一多先生提议,他把这份讲义分成两部书出版,这就是很有影响的《中国现代语法》和《中国语法理论》。

按清华大学规定,教授每任教五年,有一年休假。1939 年秋至 1940 年夏,王先生值假期,他听说越南有个法国人办的远东学院,收藏很多东方语言的书籍,便毅然利用休假的时间去越南。在远东学院,他阅读了大量越南语、高棉语、梵语、缅甸语的书籍,并专攻越南语。仅九个多月的时间,他不但精通了越南语,而且写出了《汉越语研究》的论文,对越南语中的汉语借词的历史和现状作了深入的研究,提出了精辟的见解,成为汉越语研究的权威性著作。1980 年,法国学者把这篇论文译成了法文。

在西南联大任教期间,战时的昆明,物价飞涨,货币贬值,薪水常常发不下来,生活十分清苦。有一个时期,为了躲避敌机轰炸,王先生一家搬到了昆明郊区居住。这里,房屋破旧,煤油奇缺,只好用菜油灯照明。就是在这种"一灯如豆"的艰苦条件下,王先生的研究工作也丝毫没有放松。《中国现代语法》和《中国语法理论》就是在这个时期最后定稿的。

"四人帮"横行时期,王先生备受迫害折磨:被批斗、强制劳动、隔离审查。尔后,又被强令和学生一起去工厂搞所谓"开门办学"。尽管如此,王先生也没有丧失信心。在工厂劳动时,星期六晚上回到家里,他就关起门来躲在房里写作。他先前的著作正在成为被批斗的主要"罪证",明知自己如此"执迷不悟"会遭到更大的迫害。然而,一个学者对人民事业的强烈责任感,使他毅然决然拿起笔来,默默地写下去。这期间,他写了《诗经韵读》、《楚辞韵读》、《同源字典》等著作。他曾对老伴说:"我这样辛辛苦苦地写,写出来也不会给我出版。到了出版的那一天,这些书就成了我的遗著了。"这种似自艾又似自嘲的感喟,十分深挚地揭示了这位学者崇高的精神境界。

我国自《马氏文通》以后近四十年中,语法学界受英语语法的影响较深,多数语法著作以汉语的语言事实比附英语语法体系,忽视了汉语本身的语法特征。1936年和1937年,王先生发表了《中国文法学初探》和《中国文法中的系词》两篇论文,对当时语法学界的这种研究状况表示了很大的怀疑,对某些学者的简单比附的研究方法提出了批评,倡导着力研究汉语语法自己的特点,并提出了很多新的观点和概念。这两篇论文,引起了很大的反响,被认为是汉语语法研究进入一个新阶段的重要标志。王先生以《红楼梦》的口语为材料写的《中国现代语法》和《中国语言理论》两部专著,运用普通语言学理论,深入探索了汉语语法的特点,指出了汉语语法和西欧语法的根本差异。这两本著作和后来的《中国语法纲要》,形成了王先生自己的语法体系,把我国汉语语法研究向前推进了一大步。

对于音韵学,王力先生在总结、整理传统音韵学成果的基础上,进行了阐幽发微的研究,取得很大的成绩。中国传统的音韵学,一向被视为"绝学",玄虚要邈,致使初学者不是望而生畏,不敢问津,就是误入歧途,枉费精力。在1936年出版的《中国音韵学》一书中,王先生运用现代语言学原理,对中国音韵学作了深入浅出的阐述;系统地介绍了现代语言学常识;对传统音韵学的名词、术语进行了科学的分析和解释,给它们以清晰的概念,第一次打破了"绝学"的枷锁,把音韵学的研究引上了科学的道路。此外,王先生还发表了不少关于音韵学研究的重要论文,如《南北朝诗人用韵考》、《古韵分部异同考》、《上古韵母系统研究》等等,在古韵分部和古音构拟方面提出不少精辟的见解。1963年,王先生又出版了《汉语音韵》一书,把音韵学的研究提到了一个新水平。最近,他又完成了《音韵学初步》的写作,这虽是一本普及读物,但它代表了王先生20世纪80年代的观点,是音韵学研究的一个新成果。

在汉语词汇学方面,王先生早在20世纪40年代就发表了《古语的死亡、残留和转生》、《新字义的产生》、《理想的字典》等有创见的论文,探讨了词义的演变,提出了用历史的观点研究词义的新见解。在《新训诂学》一文中,王先生对我国传统的训诂学作了全面的认真的总结和批判,指出了旧训诂学最大的弊病是崇古。他主张将"小学"从经学附庸的地位中解放出来,用历史发展的观点建立新的汉语语义学。这篇文章是对旧训诂学的总清算,是建立新的语义学的里程碑。王先生于1978年完成的著作《同源字典》,用音义相同或相近的原则,考察汉语词汇的语源关系,找到了本来像一盘散沙的词汇的内在密切联系。

这部书对汉语史和汉语词汇学的研究，以及对词典的编纂，都将产生重要的影响。

1955 年，王先生在对汉语语法、语音、词汇进行全面研究的基础上，在北京大学第一次开设了汉语史课程，并在 1957—1958 年出版了我国第一部《汉语史稿》。这虽是一部"未定草"，但它总结了前人和他自己的研究成果，对汉语语法、语音、词汇的历史发展作了全面的描述，开创了一门重要的学科。关于汉语史的研究，王先生还发表过不少有价值的论文，大多收入《汉语史论文集》一书中。

20 世纪 60 年代初，王先生在北京大学开设了中国语言学史课。他在这个讲义的基础上进行整理，撰写了我国第一部语言学史的著作——《中国语言学史》。这部著作，对我国两千年来的语文研究和语言学遗产给予系统的阐述和科学的总结，建立了研究语言学史的科学体系。

王力先生还运用语言学的研究成果，分析了我国古今诗词的格律和语言特点，写作和出版了《汉语诗律学》。这是我国第一本从语言学角度研究文体特点的重要著作，它为人们掌握和研究我国文学史上这些珍贵遗产提供了完整的科学的理论。

王力先生在文字改革、汉语规范化和推广普通话等方面，也付出了巨大的劳绩。早在 1934—1936 年，他就发表文章，提倡文字改革，主张用罗马字拼音。他在考察了现行汉字的优缺点、汉字改革的利弊和进行改革的可能性之后，提出了汉字改革的方案。1940 年，发表了《汉字改革》的专著。新中国成立后，王先生积极参与了汉语拼音方案的制定和宣传工作。王先生还非常重视普通话的推广，他的《江浙人怎样学习普通话》、《广东人怎样学习普通话》，对方言区推广普通话起了积极的作用。

1980年,他被任命为中国文字改革委员会副主任,主持了第二批简化汉字的修订工作。

王力先生还十分重视汉语知识的普及,既雕"龙",也雕"虫",写了不少通俗读物,如《汉语讲话》、《字的形音义》、《诗词格律》、《诗词格律十讲》、《汉语音韵》、《汉语浅谈》、《诗词格律概要》、《古代汉语常识》等。有关诗词格律的这些通俗读物,已成为广大读者学习和运用古典诗词的必读工具书。

1962年,王力先生还主编了全国高等学校文科教材《古代汉语》。这部书总结了各高等学校古代汉语的教学经验,创造了文选、常用词、通论三结合的新体系,使学生的感性认识和理性认识融会贯通,大大有利于提高阅读古文的能力,为古代汉语的教学开创了一个新途径,很多高等学校都采用它作为教材。最近,王先生又主持了这部教科书的修订工作,使之更臻完善。

王力先生几十年如一日,"矻矻孜孜浑忘昏昼",潜心研究,勤奋著述,为语言科学的发展作出了卓越的贡献,成为一位闻名世界的语言学家。他的书在国外大量翻印,拥有广泛的读者。香港出版了他的《中国语言学史》单行本,并把他主编的《古代汉语》分为《古汉语文选》、《古汉语通论》、《古汉语常用词词典》三册出版。王先生的不少著作还被译成外文,如《中国文法学初探》有日文单行本,《中国语法纲要》有龙果夫教授评注的俄文本,《中国语法理论》有捷克汉学家普实克的捷文本(部分)。1981年,法国学者把他早年写的论文《越汉语研究》译成了法文;日本学者正在翻译《中国语言学史》;美国华盛顿大学的一些研究生最近给王先生来信,要求把《古代汉语》通论部分译成英文。

不少外国汉学家,都从王先生的著作中得过教益。前不久,澳大利亚著名汉学家西门教授来访,王力先生时说:"我二十多年前就读过您的书,这些书对我的影响很大。"一位英国汉学家,把自己的论文送给他,并在上面写着:"从你那里我学到很多东西"。外国学者,都以能同王先生见面、合影或听他讲课为荣。美籍学者刘君若特意去听王先生讲《古代的历法》,美国一个应用语言学代表团的团长,在一次酒会上致辞说:"世界闻名的语言学家王力先生光临,我们感到很荣幸。"是的,"世界闻名的语言学家"的称号,王力先生是当之无愧的。

二、笃于教学　桃李芬芳

1932 年,王力先生在巴黎大学获得法国文学博士学位之后,他给清华大学写信,希望回国后在母校教书。清华大学甚表欢迎,很快给他发了聘书并寄去路费。从这年起,王先生曾先后在清华大学、西南联大、中山大学、岭南大学、北京大学任教。任教的学校虽然多次变化,但他严肃认真、一丝不苟的教学精神却是一贯的。

王先生所担任的每一门课,都有周密的教学计划;每上一堂课,都有具体的教案,连练习题都写上。王先生讲的课,内容丰富,重点突出;每一节课,中心是什么,要使学生掌握什么知识,他都成竹在胸,从不多讲一句与课程无关的话,浪费学生的时间。每当出现一个新概念,他就首先向学生交代清楚,便于学生掌握。同学们说:"王先生讲课,句句都是学问。"他讲解时深入浅出,条分缕析,深奥的道理经他一讲,一下子就洞若观火,了然无遗。例如音韵学这门课,学生们都觉得艰深莫测,枯燥乏味,可是王先生用现代语音学原理一分析,讲得清清楚楚,明明白白。同学们不仅不视若畏途，而认为是怡神益智的胜境了。他在清华大学讲授这门课时，燕京大学等外校的学生也赶来旁听。王先生讲课富于启发性。他常常结合课程内容提出一些学术界存在的问题，引起同学们钻研的兴趣，使之开阔思路，把知识学深学活。

王先生对学生既严格要求，又谆谆善诱。他发现学生有缺点，学习入歧途，总是毫不含糊、直截了当地指出来；同时，又耐心细致地给予教诲，不惜花许多时间谈问题，看稿子，逐字逐句批改作业。当看到学生有了进步，则总是热情地给予肯定，鼓励继续前进。

王先生在教学岗位刻苦工作五十余年，培育了一代又一代的人才。在他教过的学生中，有很多人已经成为海内外知名的学者、教授，为语言科学的发展作出了各自的贡献。用"桃李满天下"来体状这种情况，正是切合实际、初无虚誉。20 世纪 30 年代初，王先生在清华大学讲授通语言学、中国音韵学概要，并在燕京大学讲授中国音韵学。这一时期，成绩卓著的学生有：原台湾大学教授董同龢，台湾师范大学教授许世瑛，美国加州大学教授张琨，中国社会科学院研究员傅懋勣、吴宗济，南开大学教授张清常，中山大学教授赵仲邑。抗战时期，王先生在西南联大讲授中国现代语法、诗法、语言学概要，又培养了不少知名的教授学者，如北京大学教授朱德熙、阴法鲁，社会科学院研究员李荣、王均、周定一，内蒙古大学教授梁东汉，南开大学教授马汉麟，中央民族学院教授陈仕林，中山大学教授吴宏聪。抗战胜利后，王先生先后在中山大学、岭南大学任文学院长，并创办了中山大学语言学系，也培养了不少的语言学专门人才，现在任副教授以上的有十余人。英国 M. A. K. Halliday 就是当时的进修生,现在成了国际上很有影响的自成一派的语言学家。解放初期,王先生复任中山大学语言学系系主任,讲授语法理论课,为新中国培养了最早的几届语言专业的学生。1954 年到北京大学,长期担任汉语教研室主任,后兼任中文系副主任,是汉语专业教学计划的主要起草人。他先后开设了汉语史、古代汉语、清代古音学、诗律学、中国语言学史、文字改革等课程,培养了十二届汉语专业的毕业生三百余人(包括一批外国留学生)。汉语史研究生十多人和更多的进修教师。这些毕业生遍布全国各地,其中许多人在教学和科研工作中发挥着重要作用。现在,王先生虽已 82 岁高龄,还担任古代汉语教研室主任,并亲自培养研究生,为我国语言学队伍的成长壮大,继续浇灌自己的心血。

三、谦虚勤奋 实事求是

王力先生在漫长的治学道路上,一直受到他的老师王国维、赵元任颇深的影响,不但积累了丰富的治学经验,而且,具备了一个正直学者所特有的高尚品德。

他尊重科学,实事求是。王先生认定"做学问要有科学的态度,求实的精神"。他很重视现代语言学理论在研究中的指导作用,不论是对汉语语法或汉语音韵的研究,他都善于运用现代语言学理论来揭示汉语自己的特点。他的很多富有开创性的著作,就是用现代语言学理论的科学方法进行研究的成果。他培养学生,首先不在学生理解他所讲的具体知识,而是特别重视科学方法的掌握。1955 年,王先生给汉语史研究生上课,就专讲他怎样研究汉语史,他给大家详细地讲述汉语史教材每一个结论都是怎样得出来的;除了讲资料的来源,还讲方法的运用。

1979年，王先生又给研究生讲《谈谈怎样读书》、《谈谈写论文》专题，也一再强调科学方法的重要性。1980年，一个研究生写了一篇很长的论文，搜集了很多材料，但方法不对头，很多结论都有问题。王先生语重心长地对他说，一定要掌握科学的方法，否则材料再多，也徒劳无功。他经常告诉学生，要遵循辩证唯物主义和历史唯物主义，才能从具体材料中引出正确的结论来。王先生的治学态度非常严肃，凡是经过自己慎重思考而得出的结论，在没有足够的证据足以推翻它之前，他是不轻易改变的。十年动乱中，他没有曲学阿世，不依违两可。"评法批儒"闹剧开始演出时，有人劝他按照所谓法家观点重新编选和注释《古代汉语》，他毫不犹豫地峻拒了。可是，只要有真实材料足可证明他的说法不正确，他就坦率地诚服地承认自己的错误。例如，王先生在对汉语语音发展历史经过仔细研究之后，当他重新写作《汉语语音史》时，就主动承认《汉语史稿》中一些观点不妥。有一次，一位同志给他来信指出，《古代汉语》一书注释王安石《游褒禅山记》中的萧君圭、君玉为两个人不确，实是一个人，王先生很快就复信说，你说得对，应该是一个人，是我弄错了。

王先生善于继承，勇于创新。他十分赞赏王国维在学术研究和教学上一个一个问题去研究的方法，既注意继承前人的研究成果，又致力于研究前人还没有解决的问题。比如，他对汉语古代语法的研究，对汉语史和音韵学的研究，都做到了既有继承，又有创新和发展。他经常鼓励学生："我们应该继承前人的成果。但是，继承就意味着发展。唯有发展，才是最好的继承。如果学生总说老师说过的话，那科学就永远不能发展了。"他一旦看到学生有某些独到的见解，甚至是修正自己的意见，他都会感到高兴。王先生曾写过一篇《上古韵母系统研究》，提出古韵脂微分部的新见解。后来,他的学生董同龢进一步确认脂微分部的说法,并对王先生的分部标准提出了修正和补充。王先生对此非常赞赏。1958 年《汉语史论文集》出版时,他把董同龢的文章作为附录,并在追记中说:"董同龢的《上古音韵表稿》有一节论脂微分部问题,对我的脂微分部有所阐明,补充,修正。兹附录于后,以供参考。"

他谦虚谨慎,尽管学殖渊深,但从来没有感到满足。他注意博览群书,兼采众长。年事愈高,求知欲愈强烈。语言学各个领域的古今中外著作,他几乎都有所涉猎;而且,他还广泛地阅读了文学、历史、逻辑学等书籍,从中吸取有益的营养。他强调读书要独立思考,习惯于作眉批。至今,他的书架上还放着一本在清华当研究生时读过的《马氏文通》,上面就有很多眉批。王先生说,现在拿出 50 年前作的眉批来看,有些批的是对的,有的批的不尽合适,但不要紧,这说明是认真看了,是动了脑筋了。现在他手边常用的一部《广韵》,更是密密麻麻地写满了字,有对《广韵》字音的校订,也有引用其他韵书的观点与之对照。王先生还喜欢作摘记。他不写卡片,而是准备一个练习本或活页本,用归纳的方法,先搭好架子,分门别类,写上许多标题,然后,把收集到的材料按其类别写在标题下边,各就各位。这样,资料既收集到了,而且也随手整理好了,运用起来得心应手。王先生本来懂得好几门外文,但为了掌握更多的外语工具,以便更好地从事研究工作,20 世纪 50 年代初,他开始学习俄语。他自费请过一个外国教师,由于能坚持刻苦学习,很快就看懂和翻译俄语专业书了。直到现在,他还坚持从广播中学习日语,这是一种多么顽强的毅力,多么可贵的精神啊!

他平易近人,诲人不倦。王先生是语言学的一代宗师,但他对待学生很开明，绝不要求学生墨守自己的论点。遇到某些学术上的争论问题，他总是平心静气地同比自己小几十岁的学生讨论磋商，绝不把自己的意见强加于人。听到学生不赞同他的某些观点，甚至提出某些不妥当的批评，他不但毫不在意，而且还说："你那样讲也有道理，不过我还是坚持自己的看法。"学生向他请教问题，他不管正在干什么，总是放下手中的工作，热情地给予解答，或者引导学生翻阅工具书、查资料，求得解决。他给学生看稿子，非常认真，要求也非常严格。一个错别字，一个标点都不放过。北大中文系有位副教授，1957 年开始讲授汉语史课时，王先生一丝不苟地指导他，仔细地批阅他的讲稿，并向他传授教学的方法。正因为如此，学生们都把他看作良师益友，对他十分敬爱。

1980 年 8 月 20 日，值王先生 80 大寿庆辰，在政协礼堂隆重举行了"庆祝王力先生学术活动五十周年座谈会"，语文学界、教育界二百多人参加。会上，中国文字改革委员会主任董纯才、人大常委委员、我国语文学界老前辈叶圣陶、胡愈之都发表了热情洋溢的讲话，教育部长蒋南翔赞誉说："王力先生五十年中始终在高校执教，他是我们高教界既笃于教学，又勤于著述的教学和科研相结合的一个典范。"的确，这样的赞誉，于王力先生是恰如其分，当之无愧的。

王先生虽然已经 82 岁，但仍然精神矍铄，朝气蓬勃，毫不服老。粉碎"四人帮"之后，王先生制定了一个 1978—1982 年的五年计划。目前，他正在紧张地撰写专著《汉语史》。这部著作是王先生从旧著《汉语史稿》的基础上发展而成的，其中包括语音史、语法史和词汇史三个部分，预计约一百万字。他表示要使这部书能够反映出我国汉语史研究已经达到的水平。为了去掉

"稿"字,他不知要在材料的掌握和论述的深度上付出多么艰苦的努力！目前,他已经完成《康熙字典音读订误》一书的写作,还准备与其他学者合作撰写一部《京剧音韵学》,预计在两年内完成。

最近,王先生又修改了他的科研规划,把时间延长至 1985年。他准备在《汉语史》完稿之后,开始全面修订《中国语言学史》,并在 1985 前完成《清代古音学》及其参考资料的编写工作。

王力先生经常参加各种社会活动,接待中外来访的客人,回答读者的来信,这要占去他不少时间,还要担负如此繁重的科研、教学工作,这在一般人看来是不可思议的。然而,这位卓越学者渊博的学识和多年来形成的科学的、有效的治学方法,使他能够从容不迫地去完成自己的工作。他虽然已是耄耋之年,但每天工作仍在八小时以上。有人建议每天工作最好不要超过五小时。他说,这么多的事情,不抓紧时间,计划就要落空。

在 20 世纪 80 年代的开始,王力先生写了一首《元旦遣怀》,有"漫道古稀加十岁,还将余勇写千篇"的豪言壮语;他曾多次表示,要在有生之年,把自己所知道的东西写出来,留给子孙后代,为繁荣祖国的文化科学事业贡献一份力量。

（原载《社会科学战线》1982 年第 2 期）

毕生心血　半世耕耘

——记传记文学家朱东润教授

周　捷

　　朱东润教授,现任复旦大学中文系名誉系主任。早年留学英伦,回国后执教英语多年。1930 年起在武汉大学讲授《中国文学批评史》。20 世纪 30 年代末,开始传记文学的写作和研究,他以中西贯通的学力,刻苦探索,辛勤耕耘,在传记文学领域里进行了新的开拓。半个世纪以来,他陆续写出了《中国传叙文学的发展》和《八代传叙文学述论》等论著多篇;创作了《张居正大传》、《杜甫叙论》等六部政治家、文学家的传记文学作品,为我国文学的发展,作出了贡献。

一

　　1896 年,正是中日甲午战争结束后的第二年,朱东润出生在苏北一个贫困的店员家庭。父亲失业后家里常常揭不开锅。他 9 岁那年,贫病交迫的父亲便与世长辞了。弥留之际,只给他们兄弟留下"孩子啊,不要忘了你们头上还拖着一条长辫子"一句话。这句话在他幼小的心灵里打下了深刻的烙印,唤醒了他的民族意识。辛亥革命后,军阀连年混战民不聊生。朱东润感到只有自强奋斗,才能使这个积弱的国家在世界上站立起来。为了谋求救国真理和解决个人前途问题,1913 年 18 岁的朱东润参加"留英俭学会",去英国伦敦西南学院留学。这期间,袁世凯窃取了辛亥革命的果实,复辟帝制。对祖国前途的关注,对袁世凯欺世窃国的义愤,促使他毅然放弃了官费留学生的待遇,跟几个同学登船回国,准备投身于讨袁的"护国运动"。归程中,船经新加坡时,在全国一片唾骂声中袁世凯死去的消息传来,又使他萌生了振兴文化的救国信念。从此,他走上了教书生涯。他先后在广西、江苏等地的中学和专科学校教了十多年英语。1927 年初,被北伐军打得落花流水的孙传芳部队,流窜到他家乡,骚扰蹂躏、无恶不作。家乡父老的呻吟,使他产生献身"国民革命"的打算。他来到南京。但是,新军阀蒋介石倒行逆施的叛徒面目,使朱东润大为失望。两个月后,他便回家乡继续过他"清灯粉雾"的教书匠生活去了。

20 世纪 20 年代末,武汉大学连续被学生轰走了四五个外语讲师。朋友们觉得朱东润年资较深、颇富教学经验,就请他前去一试,由此他开始到该校执教英语。当时,武汉大学文学院院长闻一多,鉴于中文系旧"国学"复古倾向顽固不化的恶浊空气,要朱东润去那里"掺沙子",改变习惯势力胶着板结的状态。经一年准备,他开设了《中国文学批评史》课程。到了 1932 年,他编写的教材出版,升任了教授。

1937 年,抗日战争爆发,朱东润只身离家,随武汉大学内迁到四川乐山,继续在中文系任教。国难当头,面对一群年轻幼稚、涉世未深的大学生,他深深感到自己不可推卸的师长责任。学术救国的道路是走不通了。那么要把这些学生培养成怎样的人呢？这个问题不断在他胸中萦回。他苦苦思索着，深为自己不能为抗战尽一个书生的绵薄之力而感到不安，往往日思夜想、通宵不寐。

1939 年秋后，新学年开始不久，由系主任亲自出题，对一年级学生进行语文测验，以便根据成绩高低分班。可出的题目十分奇特，是要新生把柳宗元《佩韦赋》的一段，译成"恒言"。这使朱东润十分气愤。在这东北、华北、华东、华南相继沦陷、民族存亡攸关的危急之秋，竟然还要学生去领略赋中的平和可掬之态，这即便不是教学生听凭日寇宰割的亡国做法，也至少是麻痹斗志的糊涂观念。而所谓的"恒言"，则既非白话，也不是浅近的文言，它是古籍《恒言录谈》中所说的一种要求严格运用典故的文字。这位系主任此时此刻居然还有"雅兴"要学生来做这种文字游戏！于是，朱东润便和另两个监考老师叶圣陶、高亨一起，以"'恒言'二字，不解所谓"为由，断然拒绝阅卷。对这种令人窒息的现状，朱东润尽管十分不满，然而丑恶的现实却并不会随人们的愿望而改变。不久，系里一位教授开了《传记研究》的课程，内容却是"韩愈、柳宗元古文"。这种牛头不对马嘴的矛盾，正是泥古不化、钻在古纸堆里的复古倾向大泛滥的反映。凭学力，朱东润深知韩愈等古代文人所写的传、行状、神道碑一类的传记作品，且不说其中有不少是前人早已指出过的对死者颂扬失实的"谀墓"之作，就其根本来讲它们也实非现代意义的传记文学作品。他愤慨那些教授、学者对传记文学的观念竟模糊到这样的程度。他再也耐不住了，决心破门而出，为中国传记文学的发展"做一番斩伐荆棘的工作"。

朱东润转换学术课题，开始致力于传记文学的创作、研究，首先是从现实的需要出发的。在当时，他虽对蒋介石集团消极抗日的政策和法西斯统治深恶痛绝,可是对共产党领导下的新民主主义革命也缺乏了解和认识,他还希望统治集团中能够出现明智人物来挽救国家民族的危亡。于是,他选择了晚明内阁首辅张居正力挽狂澜的政治改革作为针砭时弊的借鉴。他在继承我国古典传记精华的基础上,汲取西方传记文学技巧,下了一番扎扎实实的功夫,终于完成了他传记文学的第一部力作。1943 年,他写出了《张居正大传》。

这部传记文学作品,通过大量原始资料的抉择、考订,塑造了我国 16 世纪的政治家张居正形象,详尽地反映了他的政治生涯,改变了三百多年来张居正的一生始终没有得到世人了解的状况。在我国历史上,对张居正最高的评价是把他比为伊尹、周公,而最坏的评价则把他比为王莽、朱温;真是有的推为圣人,有的甚至斥为禽兽。在《张居正大传》里,朱东润对他作出了公允的评价:他既非伊、周,亦非莽、温;固然不是禽兽,也并不志在圣人,而是一个受时代陶熔而同时又想陶熔时代的人物。在写作上,这部传记善于抉择材料、重证据,不忌烦琐、不事谀扬、持论中肯的鲜明特色,既继承、借鉴,而又发展了我国古代传记和西方传记文学的艺术手法,开创了我国传记文学的新体例,使它成为独立的文学样式。朱东润在传记文学领域的这种创造性探索,像一束朔风凛冽中的寒梅出现于当时的学术界,获得舆论的肯定和好评。

二

抗日战争胜利后,蒋家王朝背信弃义地发动内战。在四大家族压榨下,老百姓仍然处在水深火热之中,就像朱东润这样的大学教授,也被中央大学解聘了。严酷的现实打碎了他的幻想。为了生活,他不得不四处奔波、谋求教职。就在那样动荡的生活中,朱东润还在授课之余坚持写作,完成了《王守仁大传》。但当他了解到约稿的书局后台反动的情况后,便不顾生活的贫困拮据,断然拒绝出版。

新中国成立后,经高等学校院系调整,他来到复旦大学任教,才有了安定的教学和科研环境。他庆幸,能在晚年躬逢崭新的时代。新的生活使他感觉到,他早年追求的救国理想,在中国共产党的领导下,都一一实现了。他从心底里发出"只有共产党,才能救中国"的呼声。1951年,他早年的老同事叶圣陶把朱东润在无锡江南大学任教时写就的关于"楚辞探故"的几篇学术论著推荐给《光明日报》发表了。在那些论文里,朱东润介绍了汉代对于楚辞作者的两种不同说法:一是王逸认为楚辞是屈原的作品,这是后来大家接受的观点;另一说是荀悦提出的楚辞是刘安所作、后来为少数人所接受的见解。他在论述中也阐述了荀悦推断的立论依据。不料这种客观的介绍却招致权威人士的著文痛斥。对于这种不分皂白、"一锅煮"的做法,他感到惘然难解。心想,以后还要不要搞学术研究呢? 但是学校的领导并未对此加以追究,在安定的环境里,由这件事引起的不愉快情绪很快消释,他对党更加信赖了。尔后,他一心扑在教学上,与刘大杰教授合作,共同开设《中国文学史》的课程。由刘先生讲史论,他讲作品。他们在相互切磋、砥砺中努力学习马列主义文艺观,彼此的学术思想都逐渐得到了端正和提高,都力图以历史唯物主义观点去解释历史上的文学现象;也都初步掌握了对古代文化遗产批判地继承和古为今用原则,以及用阶级分析的方法去区分古典作品中的精华和糟粕。在此基础上,他修改了

《中国文学批评史大纲》，使这些学术专著都以新的面貌重版问世了。在新的生活里，朱东润深感在旧社会里对付恶浊环境形成的不随世俗、傲岸不羁等性格特征，不仅已无必要存在，而且成了阻碍进步的精神包袱，于是他就积极地参加社会活动，接近群众、改造自己。他的进步，不断得到党组织的鼓励，1957 年 2月，他被任命为中文系主任。

1958 年，在中国历史上是个特殊的年代。到处都在"大跃进"，学校当然也不例外。作为系主任，朱东润理所当然地成了全系科研上"跃进"的带头羊。他提出在教学和行政工作之外，在一年中出十万二十万字的科研成果，都没能"过关"，最终以编写《陆游传》、《陆游研究》和《陆游选集》三部分共 50 万字的高指标定局。这对于他这个年过花甲的老人来说，本来已经是勉为其难了，然而问题的复杂性还在于：当时一些青年学生还在教学整改的大字报上，对他的传记文学理论，提出了尖锐的批评。认为他在教学中着重于讲授传记文学写作中的搜集、掌握资料等技巧问题，而对作者的立场和世界观的重要性，却强调得不够，有严重问题。朱东润认为，这两者之间并不矛盾，因为作者的立场和世界观并不是抽象的，它体现在从搜集材料到写出作品的全过程。但对于是否能说服那些热衷于当时"以论带史"学风的年轻人，他实在没有把握。如果搞得不好，他写出来的传记作品，就有成为批判材料的危险性。于是，写不写或者怎样写《陆游传》的问题，就自然地在他脑间出现。最后，他毅然决定以自己的写作实践，来论证坚持从史料中引出结论的治学方法的正确性。他认定，要为一个爱国志士写传，必须举出具体的爱国行动来，否则不能取信于读者。现代一般认陆游为爱国诗人，这自然是对的。但历史上对陆游的评价分歧不小，《宋史》陆游本传说他"晚年再出,为韩侂胄撰《南园》、《阅古泉记》,见讥清议"。韩侂胄是《宋史》列入"奸臣传"的汉奸,陆游为他的园林作记,便成了史家的话柄。据元代刘埙在《隐居通义》中记载:陆游本欲高蹈,"一日有妾抱其子来前曰:'独不为此小官人地耶?'乃降节从侂胄游。"事实果真如此么?朱东润经过一番考证,确认陆游作《南园记》时,其幼子已年逾二十,决无可抱之理,否定了这本书的失实之处。接着,他又博采史料,证实陆游为韩侂胄写这两篇文章,主要还是出于畏惧的心理,不是求福而是避祸,终于得出这位爱国诗人是在对外抗金的基础上和韩侂胄接近的近情结论。朱东润感到为诗人作传,必须把他诗的渊源变化及其原因交代清楚。遍阅陆游诗稿,他觉得诗人在抗金前线南郑四川宣抚使王炎的幕府工作时,是生活和诗歌的高潮时期。那么王炎是何许人?陆游在他部下又做了些什么事业呢?《宋史》里几乎没有留下任何记载。于是朱东润翻遍了篇幅浩繁的《宋会要辑稿》,终于找到了王炎的生平,了解到宋孝宗曾给他下达过收复失地的使命,而陆游正是为了实现这个任务而奔赴南郑前线的,在那里度过一段欢欣豪迈的军旅生活。掌握了这些史料,使朱东润对陆游生平和诗歌变化,获得了比较正确的全面认识。由此,他写就的《陆游传》,不仅使陆游研究达到新的深度,也为传记文学的写作提供了范例。

在《陆游传》的写作过程中,朱东润了解到陆游非常推崇宋初诗人梅尧臣。不仅如此,后来的刘克庄甚至称梅尧臣为宋诗的"开山祖师",对于欧阳修、王安石和苏轼等北宋著名诗人都发生过影响。可是元明以来的文学批评家,对于梅尧臣的诗歌却评价不高。这是什么原因呢?他认为这是后人对于这位诗人的时代和身世的了解不够所致。于是决心继《陆游传》之后,接着为梅尧臣写一本传记。

写作《梅尧臣传》的难度是很大的。因为他的诗集既不编年,也不分体,简直是一部大杂烩。虽说有元代人编写的诗人年谱可以参考,但年谱所载许多诗的写作年代是错乱失实的,必须重新进行校订。尤为棘手的是,作为诗人,梅尧臣没有在历史记载里留下多少踪迹,《宋史》虽有他的本传,但主要以欧阳修的《梅圣俞墓志铭》为依据。欧阳修是与梅尧臣交游三十年的老朋友,他的记叙本来应该是可信的,可是出于对梅氏家族的庇护,使梅尧臣的子孙能够在门荫制度中得到些好处,欧阳修便在墓志铭中故意掩盖了梅尧臣后期与宰相范仲淹失和的事实,这样却无意地削弱了梅尧臣诗歌的战斗性,使后人对其中采用曲折隐晦手法写就的诗歌无从索解,从而不能正确认识梅尧臣作为宋诗"开山祖师"的真面目。于是朱东润在探索诗人生平上作了大量考证工作,并在此基础上对全集进行了重新编年,然后才动手写作传记。

当时,朱东润已经比较自如地掌握了历史唯物主义观点。他痛感传统的史传文学,往往只注意人物的升沉否泰,而没有把传主放到时代里去。为梅尧臣作传,由于史迹不多,更容易从他诗歌的一字一句、一联一韵去探求。这样,传主的形象,往往已经不是时代的先觉而成了韵律的工匠。而朱东润却比较自觉地把梅尧臣放到特定的历史环境中去认识和评价。既看到由于坎坷的政治生涯和下层官吏的地位,使梅尧臣在思想感情上有同情人民的一面;也掌握诗人终究还是统治阶级的成员,至多只是好心好意地希望人民生活得好一些,使封建统治可以更安稳一些。在歌颂传主的爱国精神时,也不遗忘夹杂其中的个人考虑成分。从而为深入探索古典诗歌,起了向导的作用。

1965 年春,朱东润完成了《梅尧臣传》。通过《陆游传》、《梅尧臣传》的写作,他由衷地认识到:"这些成绩的取得,首先应该归功于党的教导。不然,像自己这样从旧社会过来的老知识分子,要运用马列主义的理论武器去正确写出历史人物传记谈何容易!""只有中国共产党才真正重视祖国的文学遗产,只有运用马列主义观点才能批判地继承历史上创造的一切精神财富",这是他发自肺腑的深切体会。

正当已达古稀高龄的朱东润准备以有生之年,为传记文学创作迈开新的步子时,"文化大革命"的序幕揭开了。随着对吴晗的历史剧《海瑞罢官》的批判,他也丧失了工作条件。

三

1966 年,内乱骤起。朱东润被戴上"反动学术权威"的帽子,被打成了"牛鬼蛇神"。批斗、抄家等灾难接踵而来。老妻邹莲舫不堪暴虐,萌生起轻生之念。她与丈夫计议:双双离开这多难的人间吧。朱老因牵连四十多年来患难与共的老妻而深感内疚。他隐瞒着在学校里"触及皮肉"的伤痛,宽慰着妻子,重忆起儿时就熟稔的《老子》中的名句:"暴风不终朝,骤雨不终日,孰为此者?天地。天地尚不能长且久,而况于人乎?"反复吟诵,领悟其中所包含的道理。由此,他虽已年逾古稀,又受到了那么强烈的冲击,却仍对前途充满信心。然而,一连串更大的劫难,还在等待着他。在那个群魔乱舞、武斗越演越烈的日子里,一次,一群"发狂的娃娃",把他五花大绑地推倒在一个土丘上,挥动着日本指挥刀,扬言要把他砍头示众。虽然他不愿就这样死去,还期待着有朝一日能继续从事自己毕生为之努力的文学事业，但想起他已经为之立传的和将来要为之立传的中华民族的优秀儿女，便横下心肠，不在"屠刀"下乞生，做怕死鬼。他经受了生死的考验。可是，当冲击直接降落到他妻子头上时，邹莲舫还是撇下了他，含冤自尽了。朱东润受到如此巨大的打击，真是欲哭无泪。在短短几天里，他头发皆白，眼神尽失，颧骨突出，身心震颤，也像死了一般。然而，良知告诉他：为了死者，他要顽强地活下去，他要等到死者昭雪的一天！他终于痛苦而又孤寂地在劫后残卷散乱的小楼里默默地活了下来。

在那对知识分子残酷打击、无情斗争的年代，对他这样年过七旬的老人也不会放过，抱病被下放农村。1971年初，他在市郊宝山县罗店公社束里桥大队劳动，一位农村大娘的身世，深深吸引和感染了他。这个平凡的农家妇女，出身极其贫苦，自幼在广西老家的山中寻野果度日。及长，嫁与修筑黔桂铁路的上海工人。后因工地塌方，丈夫受伤致残，生活更为艰辛。及至丈夫一死，又遭族人迫害。直到解放之后，才翻了身，入了党，当上基层干部。这个农妇的坎坷身世，使朱东润形象地感受到中华民族的优秀品质。他跃跃欲试地想为这位大娘写传记。但是这个愿望，当时是无法实现的。直到林彪自我爆炸后，他才有机会参与周总理重又下达的标点二十四史的任务。于是，他不顾严冬酷暑、刮风下雨，每天早出晚归，挤公共汽车来往于近十公里远的一个书籍仓库，置身于祖国文化遗产的整理工作。每天中午就站在小吃铺里胡乱吃些面点。这样清苦的生活，他甘之如饴。晚上，他又打起精神，凭借昏黄的灯光，搜集爬梳着传记文学的史料。在甚嚣尘上的"儒法斗争"闹剧中，张居正被"四人帮"及其余党抬举为大法家。朱东润的《张居正大传》也被列为参考读物。当时，他对"四人帮"一伙搞"儒法斗争"、"揪党内大儒"

的阴谋有所警觉,曾痛心疾首地想:早知今日,当初真不该写这本书啊。这时,"四人帮"控制的一家全国性报纸也来向他邀稿,要他按"四人帮"定下的调子"亮相",写文章为这场闹剧推波助澜。他不露声色地冒险寄去一份遵循唯物史观写就的论文,对张居正作了实事求是的评价。这样,文章自然就像石沉大海似的没有下落,也再没人要他"亮相"了。对此,朱东润不仅心安理得,还稍稍感到一点宽慰。

"四人帮"被粉碎以后,朱东润不等学校给他平反,就立即开始了《杜甫叙论》的写作。他感到:个人损失了的时间,固然要夺回来,而学术上的拨乱反正更是刻不容缓。鉴于十年内乱中,把杜甫贬为腐儒的倾向在文学史研究中占了主导地位、在读者中造成了很大混乱,朱东润决定以数十年治学所得,写好这一部杜甫评传,对杜甫的一生作出全面评价。他既肯定郭沫若、刘大杰等专门家对杜甫某些诗歌的精当分析,又以摆事实、讲道理的严谨态度,对他们在《李白与杜甫》或在"文化大革命"中修改新版的《中国文学发展史》中所散布的错误观点予以澄清,力求恢复实事求是的学风。正当《杜甫叙论》脱稿之时,与他共事多年的刘大杰教授去世了。在复旦大学的文科学生中,对刘先生发出了不少贬词。话语传到朱东润耳边,他立即指出:刘先生晚年按照"四人帮"意志,以儒法斗争为纲,修改文学史,糟蹋了古人,无疑是错误的。但他毕竟还没有糟蹋陷害同时代人,最后只是糟蹋了他自己。我们特别是想搞传记文学的,一定要按事实说话,不容夸大其词。他对刘大杰先生的评价,对青年学生臧否人物,起到了言传身教的作用。

在党的十一届三中全会精神指引下,强加在他身上的所有诬陷不实之词一一推倒,他老伴也得到了昭雪。这使他更坚定了"只有共产党才能救中国"的信念,终于提出了参加无产阶级先锋队的要求。1979 年 2 月,84 岁的朱东润,光荣地加入了中国共产党。为了提高工作效率,以适应社会主义现代化建设的需要,他向学校建议,应该将年富力强的同志推上第一线,担任行政领导工作,并主动辞去了系主任职务。当校领导采纳了他的建议后,朱东润立即全力以赴地开始了明末爱国诗人陈子龙传记的写作,通过传主从文人、志士到战士的一生,阐发诗人的爱国主义精神,以启迪今天的青年一代,为振兴中华而发奋努力。1981 年,他被任命为国务院学位委员会的评议组成员,并被批准为担任指导博士研究生的导师。由于人才的严重脱节,他决定从培养硕士研究生开始,从头带起。目前,他的《陈子龙及其时代》已经出版,正在编写传记文学的新教材。在为硕士研究生开课的同时,还以旺盛的精力日以继夜地从事传记文学的研究。

40 年前,朱东润先生在《张居正大传》尾声里写下情感剖白:"整个中国,不是一家一姓的事,任何人追溯到自己底祖先的时候,总会发见许多可歌可泣的事实;有的显焕一些,也许有的黯淡一些,但是当我们想到自己的祖先,曾经为自由而奋斗,为发展而努力,乃至为生存而流血,我们对于过去,固然看到无穷的光辉,对于将来,也必然抱着更大的期待。"这段话,不正是他终身在传记文学园地辛勤耕耘的座右铭么。他以毕生的精力,实践着在这部传记的结尾发出的"前进啊,每一个中华民族的儿女!"的呼声,给人们留下了如何对待人生、献身事业的有益启示。

(原载《社会科学战线》1985 年第 4 期)

孙常叙先生的学术生涯与成就

王凤阳

孙常叙先生 1994 年 1 月 23 日因肺炎与世长辞,到如今已经一年多了。

先生字晓野,祖籍河北永平府乐亭县,1908 年 12 月 26 日(光绪三十四年十二月初四)出生于吉林市。先生自幼聪慧,多才多艺。青年时代即研究甲骨金石,擅长考据训诂,兼涉书法篆刻、古琴绘画。因为他饱学而多艺,所以有吉林才子、江城名士之誉。

先生的一生,以新中国成立为界,大体可分为两个时期:前期主要从事金文甲骨研究和文献考释工作;后期则专注于语言文字的教学与研究。

一、青年时代即热衷于金文甲骨研究

青少年时期,由于其父孙先野的影响和熏陶,念高小时即喜读《说文解字》,初中时即对金石、文献学产生浓厚兴趣。但对他后来从事古文字学影响最大的是著名学者高亨先生和启近代金文甲骨之学的先辈罗振玉先生。

1926—1929 年,晓野先生在吉林省第一师范学校后期师范文科就读,高亨先生正在该校任教。高亨先生很赏识他,他也很崇敬高亨先生。高亨先生当时正治《老子》,在高先生的影响和奖掖下,晓野师开始涉足先秦诸子与先秦文学,作有《庄子学案》、《韩非政策》、《名辞、概念和六书关系》等论文,进行了古文献的考释、整理的尝试。

1929 年秋,晓野师于后期师范毕业,因家境困难,不能进入关内大学深造,便考入吉林省立大学学习。这一时期,他开阔了眼界,接触了近代古史研究与近代考古发掘,在郭沫若的《中国古代社会研究》和历史研究所的《安阳发掘报告》等论著的影响下,开始学习甲骨金文。在书籍不足的情况下,他以《金文编》校读《西清古鉴》所摹铭文,试作了《西周古鉴商周文编》、《周客鼎考》;又据《铁云藏龟拾遗》第 11 页第 12 版,作了《释监》一文,开始了商周文字考释的尝试。在省立大学学习的第三个年头,"九一八"事变发生,日军侵占东三省,他的大学生活也随之结束。

1932 年,晓野师经人推荐任吉林省图书馆书报主任,在此期间得以遍读馆内藏书。先生在读书中发现馆中藏有汲古阁本《诗地理考》6 册,眉上行间多有疏识,其中每冠以"循案"二字,便断定该书为焦循手批,这些疏识是其札记,于是将它辑成《扬州焦氏读诗地理考札记》。同时,先生又利用馆藏图书重读王国维《经学概论》,写成《海宁王氏经学概论笺证》一书。两年后先生离开图书馆到吉林省立女子师范学校任国文教员,写有《文字学》一书。先生的《九歌》研究也是从这时开始的。

罗振玉对晓野师的治学道路影响也是极大的。20 世纪 30 年代中期,罗振玉见到晓野师所写的《释监》、《周客鼎考》、《西清古鉴商周文编》、《文字学》、《海宁王氏经学概论笺证》、《扬州焦氏诗地理考札记》等书稿，颇为赏识，并以己之所著《丙寅稿》、《丁戊稿》、《辽居稿》、《辽居乙稿》、《辽居杂著乙编》、《辽居杂著丙编》等书相赠。从此两人多有书信往来，并使先生得以向罗氏求教，成为罗氏的及门第子。后来晓野师与罗福颐、罗继祖先生也曾往还酬唱，一成通家好友。罗振玉去世时，晓野师曾为一联挽："挈海宁笺证古鉴文编问名史三仓客鼎新考我乃如来小弟子；识洹水灵龟商周鼎彝采东京六艺石室旧文公为今古一传人"。和罗氏的结识坚定了晓野师倾心治金文甲骨的学术道路。

二、执教 60 年，是教育家，也是科学家

1948 年 3 月，吉林市解放，晓野师参加了革命工作，任长白师范学院副教授。同年佳木斯东北大学迁往吉林市，与原长白师范学院合并为东北大学，1950 年先生晋升为教授。为适应解放后迫切培养师资的需要，东北大学更名为东北师范大学，先生先后在校任语言组长、古汉语教研室主任、中文系主任、名誉系主任，直至 1987 年离休。先生在解放后有四十年辗转于讲坛之上，先后讲授过语言文字学、音韵学、汉语词汇、古代汉语、语言学概论、工具书使用法、古—汉语文学语言词汇、古汉语语法……还应需要讲过与语言无关的文章选读、要籍介绍、民间文学、九歌专题……如果从 1932 年先生在吉林女师开始其教育生涯算起，先生执教的时间将近六十年。先生辞世之后，我拟有一联："诲人不倦杏坛耕耘六十年手植桃李遍布天下；学而不厌献身学术七十载硕果累累誉满中华"。这幅挽联寄托着我的哀

思,也包含着我对先生的理解与评价。我觉得先生首先是个教育家,其次才是个科学家。六十年里他讲过的课程数以十计,跨越许多互不相涉的科学门类。先生离休之前完成的著作不是金文甲骨,也不是《楚辞·九歌》,而是他的各种讲义、教材。由此可见,先生一生是把传播知识、培育人才放在首位的。先生一生教过的学生,少说也超过孔老夫子的三千人,这在科学文化尚不普及的中国是一笔多么巨大的财富啊!从这方面说晓野师不愧为献身教育,尤其是献身语言文字教育的一代宗师。先生是作为科学家而献身教育的,因此先生也是以科学态度对待所教过的课程、以科学的精神去培养影响学生的;这也就使他所教的课程充满了科学探索的内容,他所教的学生许多也成为该科的研究者或知名学者。薪尽火传,先生在课堂上撒播的种子,讲义中的智慧的火花和大胆的创见,已为他的弟子们鼓起了探索的勇气,指明了探索的道路,或者在他们的手中发扬光大了。

作为科学家,晓野师是个孜孜不倦的探索者。先生在所著《龟甲兽骨文字集联》中有一联"为解千秋问,不争一日长",这是夫子自道,也是理解先生治学态度的一把钥匙。先生从不焚膏继晷,贪黑熬夜,也从不追逐时尚,哗众取宠,他只是一步步地,永无休止地向上攀登。他一生中从来没有节假日,一年四季总是按时执笔,按时作息,日日如此,年年如此。他不是短跑名将,而是马拉松好手。我见过好学如先生者,但没见过勤奋坚毅如先生者。在常人眼中,这是很苦很呆的,但先生却乐此不疲。这是因为先生的兴趣是一个个去解开那些千秋疑问。你说他没有商品观念,是的;你说他不懂世故潮流,是的,都是的。他不会与人去争一日之短长,他是沉浸在寻求事物本来面目的乐趣当中,无怨无悔,毕其终生。他具有一切伟大科学家所共有的探索精神,不论从事哪种研究或讲授哪种课程,他从不盲从,从不简单地因袭前人的成果,他总是在检验前人成果的基础上去探索那些前人未解之谜。所以不论在他心爱的领域中还是在他讲过的课程中,他都有所改革,有所开拓,这也就是他的教学讲义也成为他的科学专著或者专著毛坯的原因。

三、独辟蹊径释金文

20世纪50年代,一次我到先生家里去探病,先生取出青年时期治金文的手稿《两周金文选读》四册给我看,慨叹教学忙碌,完成无日。后来时过境迁,坊间多种金文选本、读本次第问世,选读之作已无必要,先生也就放弃了它的初愿,只择出其中若干考释篇章改写修订、陆续刊行,这就是收在《古文字及古文字学论文集》中的《天亡毁问字疑年》、《麦尊铭文句读》、《智鼎铭文通释》、《寿及王姬钟、镈铭文考释》、《居趣毁简释》、《者减皮蘸为颇高、者减为句卑考》、《鹏公剑铭文复原和"雎"、"鹏"字说》、《则、则法度量、则誓三事试解》等15篇考释文章的来龙去脉。

先生考释的诸篇,几乎篇篇精到。其所以取得这样的成就,除了他精审务实,语不妄发的治学态度之外,更重要的在于他应用了先进的辩证的治学方法。除少数杰出者外,老一辈治古文字者多受形而上学的影响,孤立地考察字形。他们就字论字,据形作说,以能与《说文》某字相仿佛为论断,以能隶定某字为识字,所以好多论证似是而非。先生的考释则从铭文、刻辞的通篇的字词语句的内部制约关系出发,参照时代背景与文献记载作论断,从而使文字考释与文献解读同步。使文献解读与对历史的阐发相结合。所以,先生的考释博大深厚,不仅释字细入毫厘,而且能补史之阙文。先生对自己的考释方法曾作如下说明:"通读铭文必须通其语言。然而铭文语言是以错综复杂的对立统一关系而存在的,文字是词的书写形式,而词则是文字所写的内容。词是思想(概念)的语音物化。词有同音,字有假借;词有变义,字有或体。认字、定词、选义都不是孤立的、任意的。字和词是在作为整体的篇章部分中,以一定条件互相渗透,互相贯通,互相依赖,互相联结或互相合作,而取得形式与内容、部分与整体的对立统一的。语言辩证关系的试探,是突破铭文难关的主要途径。不遵循这条路,孤立、静止、片面的'解字',必然会遇到困难。"统览先生的考释,可以发现先生是忠实地实践自己的主张的,先生对二百多年前出土的曶鼎铭文的考释就是先生的典型之作。曶鼎一向被人认为难读,自钱坫以来,诸多金石家对它进行了解说,虽有创获,但毕竟因其奥衍诘屈,难以通读。先生则发其锈掩,纠正误剔,考释文字,董理全篇,不仅认出或确认了十几个前人不识或误识的字,更使奴隶制下的奴隶买卖和当时的诉讼制度大白于天下,使这篇重要的铭文发挥了其应有的史料作用。其他篇章,大体类此。正是先生博大精深、信而有征的考释,使他跻身于老一代著名古文字学家之列。在甲骨金文的考释研究上,先生因条件所限,难以接触第一手材料与甲骨钟鼎实物,先生常为此而慨叹。

《龟甲兽骨文字集联》(东北师范大学出版社 1987 年 4 月出版)是先生 20 世纪 30 年代在吉林女师教学时业余学习殷墟卜辞时的习字之作,结集于 1938 年。十年风雨之时失于一旦,1985 年翻检旧书,先后寻得部分原稿,略事删改,附以后作,汇成此册,应罗继祖先生之劝而付梓。此书虽是学习时的副产品,但却留下了先生的墨迹,并可从中窥见先生之文采、先生自学之方法,有助后学识字,亦弥足珍惜。

先生的《耒耜的起源及发展》(1959 年上海人民出版社出版,1964 年再版)一书,完成于 20 世纪 50 年代,最初可能也是精研甲骨金文时的副产品之一。在这本书里,先生利用古文字知识与字形和文献资料、考古发掘资料相参验,考证了我国古代农具耒耜的起源与形制,研究了由耒而耜进而至锹锸、犁铧的发展过程,论述了由于生产工具演变从而导致的由"协田"到"耦耕"、"牛耕"的生产方式的变化过程,得出了"从耒耜到犁铧的发展就是我国古农业从耦耕到牛耕的发展"的结论。该书对了解我国古代农业生产作出了应有的贡献。刘仙洲所著《中国古代农业机械与发明》和科学院编著的《中国农业史》都引用了此书的观点。在当时,日本东京大学东洋文化研究所的关野雄先生也正在研究同一课题,并写有《新耒耜考》一文,就在对文章校正之时,购到先生的书,便以《新耒耜考余论》为题介绍评价了此书。文中说:"孙先生以渊博的学识、博征广引文献典籍,极其简明地论述了耒耜的发生到犁铧成立的过程。全书富于独创的见解,自己由此受到的教益匪浅。"足见其影响之深远。

四、以毕生精力完成《楚辞〈九歌〉整体系解》

先生 1935 年在吉林女师为学生讲解《楚辞·九歌》时,对其中的代词所指发生疑问。用先生的话说是讲至《九歌》,"于其尔、我之间多生疑虑,遂觉王叔师以降,人神杂糅之解、君国忧愤之说,不能安矣。于是尽屏旧疏,专绎白文,即辞求解,别无依附,知我、吾之言,乃神自谓,而尔、汝之辞,则神之相谓也。挈领

顿裘,无不顺者。"在屏去倚傍、独绎白文的基础上,先生形成了
《九歌》是不可分割的歌舞剧的想法。1939 年春,先生整理旧稿
写成《楚辞·〈九歌〉解初稿》二卷。先生认为"《九歌》乃楚人
所传古乐舞之名,娱神之制也。而楚辞《九歌》则屈原之作,敬
娱东皇太一,所以为楚怀王隆祭祀、事鬼神,以助却秦军者。其
时在怀王 17 年春,丹阳之败,又失汉中,楚王为雪耻复仇,准备
兰田会战,屈原被召复用、再度使齐之前也"。先生于 1940 年作
《楚辞〈九歌〉解》,将《九歌》全文分为迎神之辞(《东皇太一》、《云
中君》)、愉神之辞(《湘君》、《湘夫人》、大司命、少司命、河伯、山鬼》)、慰灵
之辞(《国殇》)和送神之辞(《礼魂》)四个部分,用元杂剧的形式
表现这一古代歌舞诗剧,文章发表于《学灯》一辑。其后,1962
年草就《重订楚辞九歌系解》,1966 年写成《楚辞〈九歌〉悬解》
12 卷。为使其说信而有征,先生又在已有的基础上多方考证、
融会贯通,最后才在 1991 年写定《楚辞〈九歌〉整体系解》。回
顾此书从发轫到草定,前后历时几近六十年。先生作《自序》时
不无感慨地说:"自乙卯(公历 1939 年)寒食迄于今朝,作辍不
常,凡五十余年。昔日歌德作《浮士德》一书,自 1773—1775 年
初稿,到 1868—1832 年定稿,前后写了 60 年。余不敏,不敢和
歌德相提并论,但就成书的时间之长,则深有同感。"

把《九歌》看成歌舞剧不自先生始,但是从文字语法、音韵
训诂、历史考证、文物制度等方面深入证实其说者,则莫过于晓
野师。张松如先生在序中说:"1964 年秋曾邀先生开设《楚辞
〈九歌〉专题》讲座,又得一聆鸿论。当时受业诸生将先生的《楚
辞九歌悬解》与闻一多《九歌古歌舞剧悬解》对照研读,多以为
在历史文物考证及文字音韵的训诂诸方面,先生用力尤多;至诸
神间吾我尔汝的酬对眷顾,其情其境,亦以先生体会为深。而两

者都把这十一首美丽的抒情诗读为联章,看做一个整体,解为一篇歌舞剧,这论断既颖且凿,是有说服力的……楚辞《九歌》,于剧得称作诗剧;于诗得称作剧诗。它是出现于先秦时代的诗剧或剧诗……在这一点上与古希腊、印度于文明初启时出现的诗剧或剧诗是一样的。"松如师的评价及其对先生再现古诗剧的赞扬是极公允的。

晓野师在治《九歌》时在训诂考据方面所下的功夫之深是常人难以想象的。先生从全篇乃至章句,每有疑窦则辍笔考证,直至解开"千秋问"才继续前进。为证实《九歌》的写作年代,先生曾致力于《诅楚文》的研究,证实楚之《九歌》实际上相当于一篇"诅秦文",两者都是祈求岁星(战神)的保佑以战胜对方之作。收于论文集中的《诅楚文古义新说》就是解决此问的副产品。也是为解决《九歌》的写作年代与背景,先生就《九歌·少司命》"孔盖兮翠旍,登九天兮抚彗星"一句,对《史记·天官书》、对哈雷彗星在战国时的出现次数与年代作了深入的研究,得出"战国时期(哈雷彗星)第三次出现在公元前316年或315年",正当"秦灭蜀取巴,浮江伐楚"与"秦自巴涪水取楚商於"之时的结论。这段研究为我们留下了《哈雷彗星与楚辞〈九歌〉》(《北方论丛》1983年第2期)一文,留下了《史记天官书经星图考》(待整理)一书稿。还是为解决《九歌》产生的年代与背景,其中涉及"庄蹻暴郢"的问题。先生自序:"郢为当时楚国首都,若郢中果真出了大动乱,楚国不会不知道,而此事于史无证,实属可疑。一时间疑窦丛生,百思莫得其解"。于是先生按照自己的老习惯,又把它搁置起来,转而进行战国时楚史的研究。这一研究的成果就是先生关于楚史的论文《〈荀子〉"庄蹻起楚分而为四、三"》(《吉林师大学报》1980年第1、2期)和遗作《"庄蹻暴郢"乃是"庄跻暴枳"的方言误记》、《庄跻的时代问题》。其他关于《九歌》"东皇太一"与古神话，《九歌》与古地理，《九歌》与楚之古巫风的研究……无不如此。留下的文章有《云中君辞解——楚辞九歌系解》（《内蒙古民族师院学报》1987 年第 2 期）、《楚神话中的九歌性质、作用和楚辞九歌》（《东北师大学报》1981 年第 4 期）、《楚辞九歌各章情节的通体关系》（《社会科学战线》1978 年第 1 期）、《楚辞九歌各章称谓之词的通体关系》（《社会科学战线》1978 年第 2 期）。由此可见，先生之将《九歌》作为通体相关的歌舞剧，绝不是灵机一动的产物，而是建筑在对古代神话、古代星象、古代历史、古代地理、古代风俗等的深入研究的基础之上的。先生在《九歌》研究中，深有构思，亲自绘有图像，形象生动地揭示了楚辞《九歌》创作的时代、戏剧构思、人物形象。但据说文稿交付出版时，因资金所限，所绘图像大部分被删掉，实为可惜！正是为解这些千秋之问，先生才作作辍辍，"盈科而后进"，花了近六十年才贯通脱稿的。先生在《九歌》研究的途中时时驻步不前，每一驻步则是先生别生枝杈之时。正因为如此，先生研究中的这些派生物，也为古历史地理、古神话、民俗、古天文星象等的研究作出了积极的贡献。先生最终也竟于校对《楚辞（九歌）整体系解》中罹病作古，念之令人于钦佩之余不由不感慨系之。

五、有志于创建新的训诂注释学

1953 年，苏联契克巴瓦教授的《语言学概论》传到中国，先生决定在中文系开设同样的课程，于是组织古汉语教研室曹淑芬、高瑞卿和我翻译契氏的书，由先生和教授语言学概论的宋振华同志讲授。记得当时每译完一章，就在先生、宋振华和我之间传阅,定期在先生家里讨论。这种讨论是很有启发和收益的,尤其在语言的性质与构成、语言中的渐变与质变、词汇与基本词汇、汉语与汉字诸方面,饶有心得。从此先生决定性地转向了以马克思主义唯物辩证法为哲学基础、运用对立统一的规律去研究语言文字的道路。先生不仅根据语言中的诸矛盾去观察语言文字,而且将之扩展到后来的考释、训诂的文章中去,从而取得了超越自我、超越前人的成就。

《汉语词汇》(1956 年吉林人民出版社出版,同年再版)是晓野师为函授教学写的一本教材。1953 年,东北师大为培训中学在职教师开展了函授教学,当时汉语词汇教学在国内尚属空白,先生虽然是讲授古汉语的,但因为无人能承担此项任务,于是受系委托,毅然承担起这项拓荒工作。

汉语词汇研究在战国秦汉时期是有过辉煌成就的,出现了荀卿那样的理论家,写出了《尔雅》、《方言》、《释名》那样的汇集同义词汇、分类词汇、方言词汇、探求语源的奠基之作。但从文言脱离口语之后,用文字传写的书面语成为社会上书面交际的工具,于是说文解字之学大盛,字有形、音、义的观念占据了统治地位,词与词汇的研究则式微。解放前后,虽然有一些论及词汇的片断研究,也是把它作为语法学的一个附属物来看待的,仅仅是从语法上着眼将词的内部结构作语法构成上的分类而已,词汇研究根本不曾独立过。先生就是在这种一无理论、二少材料累积的基础上白手起家的。先生从搜集材料、分析材料入手,根据马克思主义的语言理论进行了古今汉语词汇的对比研究。先生的书中全面地研究了词的性质、词的结构、词汇与基本词汇、方言与社会方言词汇、词汇的语义分类、造词的方法、词义的发展变化……全面地阐述了有关词汇和词义的诸问题。这是一本拓荒之作,是富于独创性的自成体系之作。"汉语词汇研究是我国语言科学中最老的一个,也是最年轻的","汉语词汇学的建立是我国既有语言研究的恢复和光大,也是我人民中国语言科学中的一个创举"。①

《汉语词汇》的出版引起了国内外语言学界的高度重视。多年来一直成为国内高等学校语言教学的教材和重要参考书,开启了词汇研究之路;在香港《汉语词汇》曾以手抄本形式流传;苏联科学院东方研究所的语言学博士谢米纳斯曾专程前来向先生请教;日本大阪外国语大学、东京外国语大学的绪方一男、金丸邦三等也曾前来求问或访问。直至今日,先生关于词汇结构与造词法的理论,仍是这方面的权威之作。

《古—汉语文学语言词汇》(1962年校内印刷,现由吉林文史出版社承印,更名为《古汉语文学语言词汇概论》)是《汉语词汇》的姊妹篇。《汉语词汇》是就古今汉语词的形式与内容作断面剖析的,《古—汉语文学语言词汇》则是从历史角度去剖析汉语书面语及其词汇的形成与发展的。先生说:"古—汉语文学语言词汇具有上不同于汉语口语发展的任一时期的断代语言,下不同于当代口语——同时,又具有上通先秦、中贯各代、俯从现实的独特的语言性质。"文言中的不停的吐故纳新,使文言构成自身发展的历史。由于先生年事已高,书中只是大体地勾画了一个轮廓,确定了研究的基本观点和基本内容,是个大纲性的著作。至于断代语言的分析比较、文言兴衰的历史轨迹,文言各组成部分的变化特征等详细内容,正有待于后学者的继续开掘。

晓野师不仅是汉语的研究家,而且是汉语研究的思想家,他

---

① 孙常叙:《汉语词汇·叙言》,吉林人民出版社1956年版。

在汉语上的视野是极广阔的。先生不仅有志于开发汉语书面语历史这块处女地,他还有志于研究汉语口语的历史。为此他曾经搜集整理反映历代口语的文章,打算编一本历代口语文选,进而去研究汉语口语演变的历史。可惜人寿有限,先生只是搜集了一些文章,没能继续开拓下去。这也是先生留给后人的另一个大课题。

先生对现行的以术语解释为经,以形训、声训、义训为纬,求一音一义之剩义,辨一词一句之得失的训诂之学是很不满足的;先生有志于把以普遍联系为骨干的训诂思想具体化、条理化,为新的训诂、注释之学。先生在金文考释和《九歌》解诂中一再重述他的考释原则,先生生前所作的考释与解诂也是体现先生训诂实践的典型例证。这里应该特别提出的是先生的《商君书去强为经,说民弱民为说说》(见1979年吉林师大社会科学丛书第二辑《中国古典文学论集》)一文,这是先生留下的唯一的诸子考释的文章。文章用对立统一规律研究《商君书》中《去强》篇与《说民》、《弱民》两篇的关系,发现前者为经,后两篇是解经之作,从而发千古之秘。这在古籍整理中堪称典范之作。

晓野师自谦说自己是音韵学的门外汉,事实上先生是精通音韵的,从先生的考据文章就可以看到先生是如何熟练地驾驭音韵去从事文献考古的。先生也一度企图深入音韵史的研究领域,留下的遗著就是他在1954年写的《古汉语音韵学》讲义(油印)。讲义以《广韵》为支点,对上起先秦、下至《中原音韵》、《音韵阐微》的语音发展史作了系统的整理与贯通,尤其对唐宋以来形成的北方音系特加注意。可惜后来由于其他教学任务和研究重心的转移,这方面的研究没有继续下去。

六、在文字学领地树起的里程碑

晓野师最卓越的研究成就,我看莫过于文字学。他在文字学理论上仅留下两篇论文——《从图画文字的性质和发展试论汉字体系的起源和建立——兼评唐兰、梁东汉、高本汉三位先生的"图画文字"》(见 1959 年《吉林师大学报》第 4 期)、《假借、形声和先秦文字的性质》(见 1983 年 7 月《古文字研究》),但这两篇论文,尤其前者,在文字学史上却有着里程碑的价值,它们既是对此前的文字学的批判也是自我清算,它们标志着先生文字学思想的飞跃,也是科学文字学的新起点,其贡献与意义不亚于先生在古文字考释中的成就,甚或过之。

文字学在中国是个古老的学科,如果以《说文解字》问世作为中国文字学诞生的标志,那么它流传至今已有近两千年的历史了。在这漫长的时间里,占支配地位的文字学思想是形而上学的,是笼罩在许慎的"依类象形谓之文"、"形声相益谓之字"的定义之下的文字学,这种传统的文字学在历史上受过两次较大的冲击。一次是五四以来以钱玄同为首的文字学家的冲击。他们举起了文字革命的大旗,将横向并列的"六书"作了纵向演进的解释,认为文字的发展是由指事、象形而会意、形声,由会意、形声而转注、假借的;六书的发展体现了文字由表意渐趋表音的过程,并由此得出结论,将来的汉字应由纯表音的拼音文字取代。他们的立论虽高,但仍未跳出"六书"的约束。另一次冲击是唐兰先生的《古文字学导论》和《中国文字学》的发表。唐兰先生打破了传统的"六书",提出了"象形、象意、形声"三书说。不过唐先生的"三书"说只是在形式上破坏了"六书",并未

改变就字论字的形而上学观念。晓野师的文章则从根本上动摇
了传统文字学的基础。

首先,晓野师是把文字作为记录语言的工具来看待的。先
生把他的文字学称作"汉语词汇文字学"或"汉语书写形式学"。
从汉字是汉语的书写形式出发衍生出来的第一个大变革,就是
认为汉字记录汉语有一个不断地改进自己、适应汉语的过程,这
种适应与改进的逐渐积累到一定时期就会形成汉字的质变——
汉字体系的变化。于是汉字的体系观念和记录体系的演变观念
被提了出来。由汉字逐渐适应汉语所衍生出来的第二个大变革
就是支持并深入地阐发了图画文字的存在,并承认图画文字是
汉字的前身,从而以辩证的文字观打破了传统的汉字发展是由
象形到不象形的直线演进的文字观。第三个大变革就是把文字
"假借"现象大大提前,并把它作为是汉字由图画文字向"形象
的音节表意文字"转变的催生婆。用先生的话说就是:"象声写
词法(按:即假借)犹如一把开山巨斧,它凿破混沌,使孕育在图画
文字中的写词因素脱化出来,变成为词的书写形式——用以写
话记言的文字";"从图画文字质变为形象的音节表意文字是以
形象写词因素为淳淳、以假借写词法为关掞、以初期奴隶制为条
件,为新政治、经济、文化生活的要求所触发创通的"。

晓野师把假借现象的产生比做开山巨斧,先生的文字学其
实也是凿破混沌的开山巨斧,起到了振聋发聩的作用。记得我
学文字学时,初期曾接受过钱玄同先生的把"假借"看做由象形
文字到表音文字的过渡的文字观的,但对假借现象何以在早期
文字中大量出现、汉字何以长期假借而不走世界文字共同的拼
音道路等问题百思不得其解,是先生的假借观使我豁然开朗,看
到了文字的又一洞天。先生的"汉语书写形式学"没能最终完

成，令人惋惜，但开拓奠基之功是不可磨灭的。

晓野师在文字学上还有一宏愿，这就是制作"汉字形体流变图谱"。20 世纪 50 年代初，曹淑芬做先生助教时，先生曾指导她整理编制图谱，写出近百字，印作参考教材；先生也曾指导已毕业的研究生张世超、张玉春致力于秦简的整理，他们在《睡虎地秦简文字编·序》中说到："1985 年岁末，我二人聆教于孙常叙师书斋。时先生方精思熟构，拟成《汉字形体流变图谱》，以明文字之嬗变，语词之分合。属我辈用力于秦简，以为未雨之绸缪。"可见《文字流变图谱》是三四十年里时时萦绕于先生心头的一件大工程。先生所说的"流变"，"非止限于字形变化，语音流转亦占重要部分。'文编'、'字典'拘于字形，犹有局限。结合语音，演绎图谱，然后图文音声并驾驱以张之"，则词的书写式的发展就尽收眼底了。列为图谱，则文字演变、方言歧异、语音流转、各种错综复杂的关系就会一目了然。此事体大思精，有待于断代文字的整理，有待于多人的通力合作，先生虽试作过一些，但离完成仍路途遥远。

如前所述，晓野师的学术生涯在新中国成立后的这阶段是将自己的研究服从于教学需要的时期。草创者多、开拓者多是先生这一时期的特点；但追逐教学的研究也使先生未能专注于某一特定领域。先生常用水的压力和它所喷射的距离做比喻，来说明自己这一阶段的研究情况。他说一桶水在下部开一个孔，则其喷射者远；如果同时开几个孔，水流就要自然减弱，再多则只能变成涓涓细流了。追逐教学，多孔齐开固然影响了先生研究之精深，但多开孔窍也在各方面显示了先生之创造力，显示了先生博大的视野。学术本来就不是个人的事业，它需要若干代人的不懈努力才能汇成滚滚洪流。我们不能希望先生生前门门精深,我们只希望先生的开创能后继有人。光大先生的思想火花使之变成熊熊的燎原之火,正是我们这些后学者的责任,这也是纪念先生的意义所在。

在我写这篇文章的时候,先生最重要的著作《古文字及古文字学论文集》、《楚辞〈九歌〉整体系解》以及《古汉语文学语言词汇概论》,都已有了底稿或校对稿。这三本书,不止是先生毕生学术研究的结晶,留给后学的无价学术财富,它同时集中体现了先生所欲之建立的新训诂理论的实践,是其学术思想在实践中的具体应用。这三本书是在 1990 年 4 月、1991 年 12 月、1988 年 12 月,分别交中华书局、吉林教育出版社、吉林文史出版社,已达五年、三年、七年之久了,但有的至今仍没有下稿;有的三校已校过一二年了,还没有付印。以先生之名望,先生著作的学术价值,由于种种原因犹积压至今,其他学术著作的遭遇,可见一斑了。反观图书市场,粗制滥造之作,甚至乌七八糟之作,充斥柜台、书摊,每一思及,令人扼腕。长此以往,学术领域将无书可读,学术界将萎缩凋谢。为此我们向有关当局呼吁,救救学术! 向出版机构呼吁,扶植学术! 向关心祖国的文化建设的有识之士呼吁,资助学术! 没有学术的社会是不文明的! 没有文化的社会是不能发展的!

附注:本文主要参考了侯占虎同志在《古籍整理研究学刊》1989 年第 2 期发表的《孙常叙教授治学道路及其著述》一文,因为所取很多,因而没作引用处理,特此说明。

(原载《社会科学战线》1995 年第 6 期)

耕犁千亩实千箱

——记中国文史文献专家谭正璧先生

储 品 良

上海南京西路591弄,我已经不知多少次来过这里。每当踏进弄堂口,心头总有一种亲切的感觉。这里住着一位老人,六十年来,他一直在学术的王国里披荆斩棘,为后人开拓着前进的道路,如今已是著作等身,硕果纷呈了。他,就是年过八旬的谭正璧先生。有人称他为中国古典文学研究家,也有人称他为文史文献专家,对他来说,这些称呼都是受之无愧的。

他的住所不太大,光线暗淡,除了两张小床和靠窗放着的双写字台外,四周摆满了书籍。余下的空间很小,只能放上二三只凳子。这同四十年前他住在汕头路的情形差不多,只不过那时的房间比现在大些罢了。就是在这样的斗室里,谭先生进行着不倦的探求。他曾说过:"常年如此,寒暑无间。此中自有至乐,非简中不能体会。"他女儿为父亲的健康、生活与事业,献出了自己全部的青春年华。父女俩形影不离,一本本的著作、一篇篇的文章在他们的切磋琢磨中诞生,凝结着他们的心血和追求。

关于谭老自己,他近年来写过《煮字生涯六十年》和《自传》。这里,我仅作为相知四十年的老朋友,向读者介绍我所知道的谭正璧先生。

<h2 style="text-align:center">一</h2>

谭老一生写作从未中断，已出版的著作将近一百五十种，字数在一千万以上，报刊上发表的还不算在内。所用笔名有谭雯、赵璧、柽人、佩冰、璧厂等。著述如此之多，在我国的著名学者中也是不多见的。然而，谭老并非出身诗书世家，亦无高深的学历，完全是自学成才取得如此丰硕的成果。

他于 1901 年 11 月 26 日生于上海。七岁开始识字，学《三字经》、《百家姓》等，喜读《三国演义》、《封神演义》等，还常听外祖母讲民间传说故事，年长后，方知这些故事都出自小说、弹词、室卷等书籍之中，这对他后来研究通俗文学，不能不说是一个良好的启蒙。

1912 年，他随外祖母从上海迁居到嘉定县黄渡镇，进过黄渡小学，后因经济困难，不得不辍学。1915 年，由于生活所迫便到苏州学徒，未及一年，因不惯受业师诟辱，私逃回家。父母又把他送入昆山县立高小。这时他读了不少笔记小说，如《虞初新志》、《阅微草堂笔记》、《夜雨秋镫录》、《子不语》之类。根据他自己的回忆，从苏州回家到昆山升学的一段时间，为他以后学业上有所成就打下了好底子。他说：当时，一面在镇上小学补习班学习，一面专力自修。所谓经、史、子、集已略窥其藩篱。就按图索骥，托人陆续买得《康熙字典》、《左传句解》、《史记菁华录》、《说苑》、《古文辞类纂》等等，在家攻读。此外，又在街头书摊上买得小说《列国志》、《水浒传》等，及弹词《笔生花》、《十粒金丹》等静心阅览，于是文思大进。

1919 年,他考入江苏省立第二师范学校。此时正值五四运动发生,他受到新文化、新思想的影响,为后来研究文学史和语文学打下了基础。就在那个时候,他发表了第一篇作品《农民的血泪》,以后又在各报副刊投稿;文章的内容,大致都是揭露与抨击当时教育界的种种腐败和黑暗。

以后,他曾进过省立商校、澄衷中学,均因经济不支而离校,在家攻读新旧文学,涉猎外国文学,写小说、诗歌、杂文之类在报刊上发表。1923 年春,得邵力子先生介绍,进入了上海大学中文系,但仍因经济原因又中途还家。自此之后,就进入了教育界,先后任职于神州女校、省立上海中学、省立黄渡师范等学校。教课之余,悉心研磨学问,并搜集资料,研究通俗文学,编写文学史。

在这期间,谭老与鲁迅先生有一段文缘。他们曾经有过信件往来,在鲁迅的日记中也可以查到。1925 年夏,谭先生在吴瞿安《顾曲麈谈》里,偶然发现"《幽闺记》为施君美作,君美名惠,即作《水浒传》之耐庵居士也"一段话,不觉欣然有得。因素知吴先生亦是当代一位有名大师,他的话一定有所根据,遂不揣冒昧,立即写信告诉鲁迅先生。后来鲁迅复了一封信,信中表示"此说甚新,但不知所据,他日当向吴先生一问"。后来《中国小说史略》再版时,鲁迅先生寄给他一本,并在其原序中加了一段《附识》如下:

> 此书印行之后,屡承相知发其谬误,俾得改定;而钝拙及谭正璧先生未尝一面,亦皆贻书匡正,高情雅意,尤感于心。谭先生并以吴瞿安先生《顾曲麈谈》语见示云。"《幽闺记》为施君美作。君美,名惠,即作《水浒传》之耐庵居士也。"其说甚新,然以不知《麈谈》又本何书,故未据补;仍录

于此,以供读者之参考云。二五年九月十日,鲁迅识。

此外,谭老在 1929 年出版的《中国文学进化史》一书,曾经说道:"鲁迅的小说集是《呐喊》和《彷徨》,许钦文等和他一派……这一派作者,起初大都耐不住沉寂而起来'呐喊',后来屡遭失望,所收获的只是异样的空虚,于是只有'彷徨'于十字街头了。"后来鲁迅先生就在《我和〈语丝〉的始终》一文中说:"谭正璧先生有一句用我的小说的名目,来批评我的作品的经过的极伶俐而省事的话道:'鲁迅始于〈呐喊〉而终于〈彷徨〉(大意),我以为移来叙述我的《语丝》由始以至此时的历史,倒是很确切的。"对于这段文缘,谭老曾对我说:可能是由于在《时事新报》上发表的一篇文章,提到鲁迅先生没有看到"二拍"而批评的还击,也许是我太年轻不懂事而恼怒于鲁迅先生。

1928 年夏天,谭老与他的学生蒋慧频结婚,从此他有了一个得力的助手。在谈到他所编写的《中国文学家大辞典》时,他曾说过:"……又由亡妻蒋慧频相助,节录每人生平事迹,编辍成篇,而书后所附索引,亦全由亡妻一手编成。"这部词典"1934年完成,积叠成稿竟达人体一身之高,夫妇共赏,不禁相视而笑,为之嗟讶不已"。

"八·一三"事变发生,全家避居黄渡镇,又辗转去无锡,后应上海市立务本中学之邀,全家又迁居上海。那时,他还在上海美术专门学校、华光剧艺专科学校、新中国医学院、震旦大学等校任课;同时,还接受了中华书局、世界书局、北新书局等特约撰稿。1942 年冬,任中国艺术学院的文学系主任兼中国文学史教授。后因该院人事复杂,与鲁思、杨荫琛、杨赫文等退出,另创新中国艺术学院,开学未满两个月,遭到敌特破坏而停办。一年后,又与孔另境合作复校,未及一年,因孔遭敌宪诱去拘禁(当时我在编辑一个周报,也遭拘捕,与孔同关一地,有时相见,释放后孔、谭和我均见过面),又告停闭。

当时,他主要依靠卖文为生,敌人想利用他的名又在文化界进行活动,他一概拒绝,但是敌人并没有放过他。试举一件事。在 1942 年 7 月 18 日的《新申报》上有一篇《上海文化界现况》中提到谭老主编《文坛》一事。他见到这篇文章后,立即于 1942 年 7 月 20 日《申报》上发表声明:"正璧为一家衣食不能不觍颜卖文,但所撰纯为学术文艺作品,至目前止,从未担任过任何方面刊物主编职务,此系事实,绝非畏事自饰,请诸亲友垂鉴!"

那时,他本居住在汕头路,但一到抗日战争胜利后,有一个从后方回来冒称"中统"的陆某,对他进行威胁,硬说他是"汉奸",他被迫离开上海,全家迁至黄渡老家居住,潜身写作,全家赖以编辑、校注、撰稿为生。是年,我同他的学生叶联薰一起看过他,他感慨不已。

不久,他又辗转到安亭南镇,在震川中学兼课。直到解放后,他奉命接收黄渡乡师、震川中学两校;在两校合并后,他任省立黄渡师范学校的校务委员、师范部主任及图书馆主任,同时加入华东文学工作者协会,被选为嘉定县第一二届人民代表。1950 年,又被推为嘉定县教育工会筹委会委员兼宣教科长。1951 年春,应山东省济南市齐鲁大学及青岛国立山东大学之聘,任中文系中国文学史、语法修辞教授,兼任《齐鲁学报》、《文史哲》编委。同年,山东文学工作者协会成立,被推为全省委员。后因患严重哮喘回南养病,专事写作。1953 年,应上海棠棣出版社之聘,任总编辑。1956 年加入中国作家协会,1957 年加入作协上海分会及中国戏剧协会上海分会。1958 年应聘华东师范大学中文系古典小说戏曲研究生导师。1961 年中华书局上海编辑所聘他为特约编辑。1979 年受聘为上海文史馆馆员,并邀请他为全国第四届文代会代表。他又是民间文学委员会会员与上海分会的顾问。1982 年受聘为《中国大百科全书》编委会曲艺编委;又是中国民间文学委员会的顾问。1984 年为中国作家协会第四次会员代表大会名誉代表。

谭老子女很多,解放前生计艰难,有一女因缺乳饿死,一男一女过继他人,发生过托人或登报把子女送给他人之事,含泪泣别,至今他思念不已;现在通过各方面在寻找他的生女。在当时,他又痛苦已极,曾写有《哭一个无知的灵魂》、《送婴篇》两篇文章,分别在当时杂志上发表,以抒发胸中的悲愤。

二

谭老的著作近一百五十种,不少著作颇有特色与创见,给我国文学领域里留下了宝贵的财富。根据他自己的归纳,有三方面的特色:

> 我著书的宗旨约可归纳为三点:一是文字务求通俗易解,绝对不用深奥难解的古文,即使介绍古人的著作言论也一概用浅近的文言或纯粹白话来引述。二是凡叙述历史内容,总是自古至今直至当代,放笔直书,不因有所避讳而不敢下笔。如《中国文学史大纲》在当时就是完全用白话来叙述而内容由上古文学至当代文学的空前的一部文学史;又如在大革命时期编写的《中国文学进化史》,曾在卷末放胆的大书特书"正在到来的新写实主义(当时用以指普鲁文学,亦即无产阶级文学),她是新时代最进步、最有生命的世界文学。最近的中国文学,也正准对着这个方向,毫不

畏缩地前进,前进"！三是引用前人著作的言论,不限于古人,也不菲薄今人,只是根据需要择善而从。

这里还需要说明一点,他的著作中引用资料非常丰富,这是由于他平时治学严谨,搜罗资料广泛。他的藏书最多时达两万册以上,而且不少是稀见古本,用他自己的话来说:

> ……其中小说、戏曲、曲艺部分都是千种以上,尤得之匪易。他如大部丛书、丛刊及经史子集,几乎应有尽有。故向未有所撰作,需用资料,颇能得心应手,极少向他人借用。在十年动乱之中,十去其九,每有所需,只能望空兴叹。一般图书馆对古代小说一门仅藏三数珍本,且散处各地,无法借用。

在十年动乱中,由于生活所逼,不得不将其藏书售给旧书店,现在要用,其苦可想而知！现在有些古籍陆续影印或排印出版,虽双目全瞽,仍嘱其女儿买来。

他的不少著作,我在大学时代就读过。在他的著作的影响下,我也曾写过一部分《中国妇女文学史》在报刊上发表过。

谭老的著作大致可分为以下十类:

第一类是学术概论,包括文学概论在内。这方面的著作有《国学概论讲话》《国学常识》等等。其主要特点是用白话文编写国学概论,为学习研究古典文学的入门书。

第二类是中国文学史。这方面的著作有《中国文学史大纲》、《中国文学进化史》、《文学源流》等等,都是很好的文学史教材。

第三类是小说戏曲研究。这方面的著作有《中国小说发达史》、《中国戏曲发达史》、《中国佚本小说述考》、《三言两拍资料》、《弹词叙录》等等,其中不少是不可多得的资料,为小说戏剧曲艺研究提供了宝贵的财富。

第四类是人物传记。这方面的著作有《中国文学家大辞典》、《元曲六大家略传》等等,这些著作各有所长,述之均有特色。

第五类是古书选注。这方面的著作有《礼子读本》、《墨子读本》以及《古今尺牍选注》等。这些书籍不囿于旧注,颇多新见。

第六类是文章选择。这方面的著作有《由国语到国文》、《国文阶梯》等等。这些书除字句解释外,兼及文法与修辞,颇有特色。

第七类是文字学。这方面的著作有《中国文字学新编》、《字体明辨》等,叙述浅而不陋,易为初学者所接受。

第八类是语法修辞。这方面的著作有《国文文法与国语文法》、《国文修辞》、《基本语法》等,经销风行一时。

第九类是文章作法。这方面的著作有《诗词入门》、《文章体例》、《师范应用文》、《写作正误》等等,对初学者大有益处。

第十类是文艺创作。这方面的著作包括散文、小说、戏剧等方面,如《芭蕉的心》、《微风》(小诗集)、《梅魂不死》(剧本)、《长恨歌》(历史故事集)、《夜珠集》(散文集)、《拟故事新编》、《蘖楼小说集》(历史剧十二种)、《中国文学韵谈》(论文杂著)等等。

其他还有不少的零星著作,散见于各种期刊。

三

谭老前期的著作以文学史为主,以后又以语法修辞为主,近年来则偏重于研究曲艺为主。他所从事的著作,几乎遍及文学的各个领域,为文学事业作出了很大的贡献。他的著作在各方面均有很大的影响。

《中国文学史大纲》是他文学史的第一部作品,出版后不久,即有日本井上梅译成日文。后曾被推为国内第一部用白话文写的中国文学史,又是第一部由上古文学直叙到现在文学的中国文学史。国内不少中学都采作教材,几乎每年重印一次。另一部《中国文学进化史》出版后,即有岭南大学、暨南大学等采作教材。又有日本东京义田孝冈等拟译成日文,因故未能实现。另一部《新编中国文学史》,其编制方法是采用以朝代分编的形式,他以各个时代特殊繁荣的文学为主体,采撷近代观点,曾被日本立仙宪一郎译成日文,列为《支那文化丛书》之一,译名改为《支那文学史》,由人文阁出版;其中第七编《现代文学》另有日本中山樵夫译本,改称《现代支那文学史》。

影响最大的要算是《中国文学家大辞典》。这部辞典确实是一部很好的工具书,有强大的生命力,是迄今最详尽的一本中国文学家专业辞典。他编这部辞典,用他自己的话来说,是"完全是由于我平时工作上的需要引起的"。

他在编写前,征得光明书局主持人王子澄的同意,边写边排,历时四年,共收文学家六千八百五十一人。辞典出版后,颇得各方面的重视,不少学术著作及论文叙及文学家在世年代及其他情况时,往往引用这部辞典。也引起国外专家的注意与高度评价。如苏联汉学家阿历克赛也夫写了专门介绍,誉此书是"一部比较其他同类辞典有巨大成就,而为国外研究汉学者案头所必需的参考书"。英国汉学家、科学技术史专家李约瑟博士在他的著作《中国科学技术史》中广为引用,并推许是一部

"较好的传记辞典"。台湾对此辞典也进行了翻印,将编者易名为"谭嘉定"。香港天地图书有限公司于 1980 年将此辞典重印一千部。1982 年上海书店也重印了三万部,以应读者的需要。

《中国佚本小说述考》是专录日本东京公私文库及个人收藏中国佚本小说,译记其版本形式及内容大要,并考述其在国内的影响,海内外小说研究者颇为重视,且多引用。最近他又作了修订,并改名为《古本稀见小说述考》。这次修改,全赖他女儿谭寻,他在文中说:"先是共同商讨,确定大纲,然后由伲搜集资料,组织成文,再后重复共同商酌,推敲文字,修饰字句。""我女儿又需兼顾家事,阅读书报,所以写作时常感不足,每日只是下午至夜深为我们写作时间,往往由于我体倦先卧,而我女儿犹在灯下操觚不休。常年如此,寒暑无间。……因此,我虽年迈多病,由于乐而忘倦,精神尚可勉力支持,而这本书也就是在这样的境况中写成的。"

还有一部《三言两拍资料》,它是从 1926 年开始搜集资料,历时二十余年之久,从千万卷书中辑出,有九十余万字,后删成六十万字。付排后,恰逢十年浩劫,直至 1980 年才重新与读者见面。此书搜罗宏博,受到国内外人士之重视。美国夏威夷大学马幼垣教授认为"仅收有关五部话本集的史料竟达九百多页"。日本小川阳一编著的《三言两拍本事论考集成》一书中曾引用了他的资料。小川阳一曾于 1983 年来过上海,同谭老、赵景深、谭寻等见了面,并合拍了照片,又送了自己的著作。

近年来谭老健康状况较差,患有心脏病,双目又全瞎,但是他的记忆仍然很好,勉力于著作。几年前,他学司马迁畅游名山大川,到过庐山、黄山、雁荡山等,写下大量的诗篇,如《古稀忆游集》和《古稀怀人集》,我曾见到过;又有《秋斋论曲》等。这里选几首如下：

> 受荆不受金，淑女乐居贫。已嫁渠能改，重逢共庆生。
> 丈夫贵守文，妻室自全贞。非守儒家道，是乃禀性真。
>
> （《荆钗记》）

> 长生誓未终，胡马来关东。塞上酥犹腻，马嵬血已红。
> 悲铃剑阁道，哭袜上阳宫。如此人天恨，绵绵无尽穷。
>
> （《长生殿》）

> 一阕"洪湖水"，英名四海扬。悲歌慷而慨，繁乐激且
> 昂。湖上烽烟地，狱中生死场。赤诚终不变，壮心更坚强。
>
> （《洪湖赤卫队》）

> 悲歌声未歇，忽听《喜开莲》。顿忆如花眷，终伤逝水
> 年。莲开岁一度，水逝不重旋。待访知音侣，风波万里天。
>
> （《喜开莲》）

近年来先生得意之作可算是《梅园杂咏》，成于 1982 年 6
月（选录六首）：

> 罗浮未见一琼枝，莫怨寻芳到太迟，绿满江南草正长，
> 暖风拂处落花忙。

> 却好金莲塘上发，纵非香海亦香池。梅魂早与诗魂合，
> 信口吟来字字香。

> 未到端阳先吐红，天心台畔独临风；银灯照耀夜谈文，
> 不觉更深月半沉，

> 天生不作妖娆态，羞伍崖南迎客松。林鸟酣眠虫寂寂，
> 吟笺堕地耳能闻。

> 中宵明月映雕栏，银汉无波星斗闲。十年动乱不平常，
> 万卉摧残三径荒。

> 林鸟酣眠枝上隐，不知身在白云端。纵使回天资大力，

犹留余毒令人伤!

他晚年除研究古典小说外,更致力于戏曲研究。他计划于有生之年,完成《评弹通考》、《古今评弹艺人录》、《鼓词叙录》物等著作。用他自己的话来说:"由于年迈,老病失明,藏书殆尽,虽欲重理旧业,精神物力都有所不能,但仍不甘坐食,勉强续残补阙,在我女夜以继贯全力相助之下,整理未成旧稿陆续成书。"他决心以有生之年,为后人再耕犁出一片文学领域的绿洲。

(原载《社会科学战线》1985 年第 3 期)

"学"与"思"

——我的学术人生谈

陈 伯 海

承《社会科学战线》编辑部的美意,将拙文《一个生命论诗学范例的解读》列入专栏,并嘱写一篇自传性文字以相匹配。我明知自己够不上"立传",也深悉给自我作赞有诸多不便,一不巧便会陷入"王婆卖瓜"的困境,但考虑再三,居然承诺下来。我这人一辈子都在跟文字打交道,读书时写笔记,教书时写讲义,从事学术工作时又要写论文、写书稿,写的字数加起来一定不少,偏偏写自己的很少很少。既然如此,何不借此机会稍稍回顾一下走过的路,清理、检点一下在学术研究上的所做、所想,也算是给即将进入耄耋之年的我"立此存照"吧!于是命笔。

一、生 活 经 历

我的生活经历是平淡无奇的。祖籍湖南,1935 年出生于上海,此后绝大部分时间都在沪上度过,所以虽然体内跃动的是楚人的血脉,而外表行为、习俗诸方面则已经吴人化了。父亲是搞教育的,曾师从美国哲学家杜威学教育哲学,母亲亦曾毕业于高等女子师范学校,用俗话说称得上"书香门第"。我自幼爱读书,不过不是爱学功课,是爱看闲书、杂书,特别武侠小说之类,成日成夜手不释卷,看得简直入了迷。年岁稍长之后,也知道读一点新文学作品,并开始泛览哲学、社会科学的通俗读物。

1953年,考入华东师范大学中文系,接受专业基础知识教育。各门课程皆有兴趣,尤其爱好文学理论,除对指定为必读参考书的季摩菲耶夫《文学原理》很下了一番钻研工夫外,还把当时能找到的诸如黑格尔、丹纳、克罗齐、普列汉诺夫、卢那察尔斯基、朱光潜等有关美学和艺术理论的著作都仔细啃过。以今天的眼光来看,接触面仍很狭窄,但正是这些书籍给我思想方法上的磨炼,加上1956年以后国内兴起的美学大讨论的激发,在我内心深处形成一种偏好理论思辨的情结,终身挥之不去。

1957年大学毕业后,分配到成立不久的上海师范学院中文系担任欧美文学专业的助教,读了不少欧美文学书籍,发表的第一篇论文《关于巴尔扎克的世界观和创作方法问题》(载《文学评论》1960年第6期)也是这期间写的。1960年春,上海市作家协会举行扩大会议,以"重新评价18、19世纪欧美文学"为题展开讨论,我作为有关专业人员被允许列席。会议的基调是一边倒的"彻底批判",但我从自己的教学实践出发,总感到不能在课堂上将欧美文学名家逐个骂一通便了事,于是以困惑的心情提出如何看待"批判继承"的问题,并结合自身体会给予阐说。这当然是个不合时宜的发言。大会因要集中靶子于蒋孔阳、钱谷融、任钧几位知名人士身上,尚无暇顾及我这个无名小卒,而系里却认真起来,为此组织了好几场辩论,不久便把我调离高校。

1960年秋天起,我转到长宁区教师进修学院任教,直到1978年底,十八九年间与学界绝缘。这段时间里,因培训师资的需要,先后开设过现代文选、文学理论、中国古代文学、中国现当代文学史等多种课程,文、史、哲各个领域亦时有涉猎,更常去中小学搞调研,组织观摩教学和经验交流。头绪多,任务繁,没有固定的钻研方向,造成我知识结构的庞杂和专业修养的不足,但也多少给了我出入于不同学科间的便利,养成了不拘一隅、究心会通的眼光。与此同时,我从未放弃回归学术领域的信念,抓紧空隙时间继续读书和积累资料。

1979 年初,我奉调回上海师院,1980 年定职讲师,1982 年晋升副教授。考虑到长期脱离欧美文学教学,外语也丢生了,我改选中国古代文学作为专业,以唐诗和古文论为主攻方向。至此,方始有了可以从事系统研究的客观环境和主观构想。我的学术工作是从个案研究起步的,之后三五年间,围绕着李贺、李商隐等晚唐诗人和南宋诗论家严羽等,连续发表二十来篇论文,撰成《李商隐诗选注》(上海古籍出版社,1982)、《严羽和沧浪诗话》(同上,1987)两种书稿。其中有两年时间专职担任《中国大百科全书·中国文学卷》的责任编辑(后改为编委),得以广泛了解学科建设的方方面面,并有幸识见众多前辈学者以聆听教言。就这样,在点的深入和面的拓开两者的互相驱动下,我的一些较具规模的研究计划也逐渐酝酿成熟。

1984 年秋,我转调到上海社会科学院文学研究所就任副所长,1987 年评为研究员,1989 年接任所长,1995 年底卸除行政职务,继续搞科研。此期间还担任全国和上海市社科规划文学学科组成员、上海市古籍规划组成员以及上海师范大学兼职教授、博士生导师等职。行政事务与社会活动耗去我大半精力,但我始终认为学人的生命在于学术,不能松懈自己的职守。我一生的学术成果(如果也谈得上成果的话),绝大部分是在这段时间里做出来的。曾先后主持并完成"七五"、"八五"、"九五"国家重点课题和上海市中长期课题共6项,撰写和主编书稿16种,发表论文及文章150篇,获市以上科研奖11项,自信尚无粗制滥造的情况。其中一部分大型资料书和历史书的编纂是靠协作者们群策群力做成的,我也尽了筹划、设计、组织和审定的职责。

2002年初,正式办了退休。人是从岗位上退下来了,但手头还带着几届博士生,还接有科研任务,照常读书讲学,照常作文审稿,不觉得生活有什么变化。不过我也知道,留给自己的时日无多。如何将剩余的学术生命投入我最应该做也可能做好的事情上去,以取得更大的效益呢? 这或许是今后数年间不得不经常面对和反复思考的问题了。

二、研 究 工 作

同知识结构一样,我研究的内容也显得比较杂。择其要者,归结为如下四个方面:

(一)唐诗学研究

唐诗是我所爱,也是古典文学研究领域中的热门。但我选择其为主攻方向,还有一层含义在,即我把唐诗看做民族文化传统中发展最为充分、特色最为显著的一种文学样式,以它为典型,可以从中揭示出我们民族的文化精神和审美经验。唐诗也不仅仅是唐朝人的诗,在一千多年的流传过程中,它显示着巨大的艺术魅力,吸引着众多的人士去欣赏、评论、研究和追随。作为一种具有独特质性的艺术典范,它得到了历史的高度认可;而历来围绕着它的典范意义所进行的种种解读活动,包括选诗、编集、注释、考订、圈点、批评、论说和习作诸种形态,实已构成一项专门的学问——唐诗学。我的设想便是从总结前人研究成果入手,在搜集资料、整理汇编的基础上把握一千多年来唐诗学演化的脉络,探索当前时代条件下这门学科的理论建构与出新道路,利于推进民族审美文化心理的建设。这样的研究似尚未有人系统做过。

这一研究计划于20世纪80年代中期开始付诸实施,断续绵延至今,共完成书稿六种:(1)《唐诗学引论》(知识出版社,1988),系就唐诗的质性、渊源、流变、体式、学术史诸问题分别加以探讨,作出理论性概括,进而对唐诗学总体建设提出构想,这可以说是我的唐诗学研究的基本纲领(此书已译成韩文,并获韩国学术院优秀著作奖)。(2)《唐诗书录》(齐鲁书社,1989),著录有关唐诗的书目2740种,按总集、合集、别集、评论及资料四个栏目编次,逐一标明书名、作者、卷数、大致内容、不同版本及馆藏,附以备考文字,用为唐诗学研究的入门工具书。(3)《唐诗论评类编》(山东教育出版社,1993),蒐采各种论评唐诗的资料,以类相从,计分总论、外部关系论、流变论、各体论、题材作法论、流派并称论、作家论、典籍论八大类,每大类再分若干小类,便于体现唐诗研究中的既有专题及其逻辑结构。(4)《唐诗汇评》(浙江教育出版社,1995),选录500家唐代诗人有特色的诗作5 000余首(约占《全唐诗》总量十分之一),各附前人评语汇辑,为研习唐诗提供足用的读本。(5)《历代唐诗论评选》(河北大学出版社,2003),集结唐宋元明清历朝论说唐诗的代表性文献近千篇,按问题组合成单元,再按时代顺序编排,加以简要提示,以反映唐诗学的流衍变化。(6)《唐诗学史稿》(待出版),在全面清理、整合历史资料的基础上,勾画唐诗学的发展轮廓,总结其历史经验,为学科的未来建设提供借鉴。

上述六种书稿构成一个书系,以《引论》发端,以《史稿》收结,有资料,有观点,有作品,有论评,也算得上大体完整。唐诗学是我研究生涯中花费气力最大而又贯穿时间最长的一个领域,希望我和我的合作者们的努力能为这门学科的今后发展开辟可行的途径。

(二)文学史学研究

我的唐诗学研究跟我对文学史学的关注是密切相关的。唐诗学的建设虽然要以大量资料的收集、整理为基础,着眼点则在于总结历史的经验,探求历史的方向,这也是我从事文学史学研讨的目的所在。所以,当20世纪80年代中期唐诗学系列工程上马时,文学史学研究也正式启动。在后一个领域里,这些年来主要做了三件事:一是倡扬宏观文学史研究,二是探讨近四百年文学思潮的变迁,三是总结文学史学的历史经验,尤以倡扬宏观研究影响较大。

大家知道,中国文学史这门学科是在20世纪开始兴起并得到迅速发展的,但长时期来形成了一种叙述模式,即偏重在对一个个作家或作品作割裂式的静态观照,较少把握文学现象间的内在联系与运行脉络。建国以来,在"左"的思想引导下,又产生出一种"两极对立"的思维套式,便是用现实主义与反现实主义、人民性与反人民性、进步与反动、革新与保守等两条对立的路线来贯穿文学史,将不同作家分别派入两大阵营,让他们斗个"你死我活"。倡扬宏观研究,主张以宏观的视野和科学的方法来考察、论析文学现象,理清文学史的发展线索,正是针对以上两种倾向而发的。这个问题我在"文化大革命"结束后不久便有所思考,刊载于《上海师院学报》1979年第1期上的《臆造的公式和科学的方法》一文,初步体现了我对文学史方法论的反思。稍后写成的《民族文化与古代文论》(载《文学评论》1984 年 3 期),则是对文学传统作整体观照的一个尝试。1985 年起,我以《宏观的世界与宏观的研究》一文为序引,接连发表十多篇讨论并构建宏观文学史学的长文,于 20 世纪 90 年代初结集为《中国文学史之宏观》一书(中国社会科学出版社,1995)。书分上下编。上编"本体论",推究中国文学的体性,涉及文学的文化渊源、民族特质、演进脉络、语言功能、中外关系等,其中如以"杂文学的体制"、"美善相兼的本质"、"言志抒情的内核"、"以复古为通变的发展道路"等七个要素来标示民族文学的性能,以三个周期、三种力量、三次高潮来解析古代文学的进程,都曾为人称引。下编"方法论",索讨文学运行的法则,涉及文学史的动因、动向以及进化观诸问题,也提出了以"三对矛盾"(文艺与生活、感受与表现、承传与选择)和"一串圆圈"(螺旋式演进)来把握文学演变规律性的思路。这些倡扬与实践曾引起一部分人的兴趣,以致宏观研讨一度成为学界的关注点,《文学遗产》等杂志还用连续两年时间设置了有关专栏。

《中国文学史之宏观》虽说是对中国文学的整体性观照,但主要局限于传统文学,很少涉及 20 世纪的文学新变。为弥补这一缺憾,同时也为了打通由来已久的古今隔阂,我在 20 世纪 90 年代前期便着手组织《近四百年中国文学思潮史》的编写。此书所述内容起于晚明,迄于当今,以 17 世纪、18 世纪、19 世纪、20 世纪四个世纪分编,完全打破王朝框架,意在显示新文学的质素于传统文化母胎里孕育、萌生、突破以至成长、壮大的发展过程,对于片面宣扬五四文学属外来移植是一种纠正。全书各编由古、近、现、当代不同专业的人员分头执笔,我只写了"导论"3 万字。这篇总纲式的文字曾以《自传统至现代——近四百年中国文学思潮变迁论》为题,单独发表于《社会科学战线》1996 年第 4、5 期,并于 1998 年荣获首届中国鲁迅文学奖(理论评论奖),书稿则由东方出版中心 1997 年出版。

90 年代中期,文学史的研讨已由宏观研究经文学史观的讨论而转向建设文学史学的呼吁,我也深感到这是使以往成果获得巩固和发展的一个切实的落脚点。建设文学史学,其重心当在于史学原理的建构,但我以为最好从总结历史经验做起,才不致流于主观、空泛。这就是我和董乃斌先生合作主持编写《中国文学史学史》的缘由。此项任务由北京、上海两地社科院文学所的众多同人共同承担,全书三卷,我负责的是第一卷"传统文学史学"部分,执笔撰写的仅全书的"总导言"和第一卷的"绪论",通 5 万余字。书稿于今年上半年刚由河北人民出版社出版,效果如何还须经时间考验。按照原先的构想,在总结历史经验的基础上,当进一步考虑文学史学原理的建构问题;我过去的一篇文章里曾提到以"还原与重构"、"人本与文本"、"逻辑与随机"三方面关系为文学史观的核心命题(《文学史观念谈》,《江海学刊》1994 年 6 期),亦有待深入展开。不过眼下的趋势似已无暇再顾及这方面的研究,好在其他人(如董乃斌)已作了更充分的准备工作,我将拭目以观其成。

(三)中国文化问题

宏观文学史研究要求对文学现象采取整体观照的态度,这就必然关涉到大文化问题,我也正是从推考民族文学的特质步入中国文化的领域的。起初不过是想综合既有的论断,给《文学史之宏观》一书添上一章背景材料,而随着学习和思考的逐步深入,渐渐形成自己的一些看法,陆续整理成文,并于 20 世纪

80 年代末撰成书稿《中国文化之路》(上海文艺出版社,1992)。此书篇幅不大,出版后也未引起特别注意,自是不足为奇,因为文化问题博大精深,本非若我这样"尝一勺以知味"便能入其堂奥的。但我对自己的习作仍颇为珍重,其中包含的某些基本的观念,如文化即"人化"、古文明生成路线的多向性、中国文化起源上的巫史二重复合、文化精神演进中的四维结构,以及中国社会现代化转型的独特道路、新文化人本核心的发育迟滞、五四新人范型及其历史命运乃至如何超越"中西体用"之争以构建民族新文化等,不仅多有个人心得在内,亦为我观察、分析各种历史事象与现实问题构筑了可供立足的平台。其后着手近四百年文学思潮研究,便是在这些观念的主导下展开的。

《中国文化之路》写成后,我没有急于就此课题继续深探,倒曾尝试过向两翼先行拓开:一是扩为东亚研究,从更大的范围来考察华夏文化传统及其与现代化的关系,写过两篇论文,编了一本《东亚文化论谭》,终因力不足而中辍。再一是转向上海文化,用以为标本来论析中国社会文化生活的现代化行程,其结晶便是我在 20 世纪 90 年代后期邀集院内外 40 位专家学者合作编写的《上海文化通史》(上海文艺出版社,2001)。全书 20 篇,分门类叙述上海文化的方方面面,从环境、器用、语言、习俗、新闻、出版、图书、教育直至学术、宗教、文学、艺术各意识形态以及社区、企业、商业文化与文化产业、文化市场诸问题,力图多角度、多侧面地勾画出这一现代化都市文明生长、运行的轨迹。我所执笔的"引言"部分,除对上海文化的历史道路、基本特点、总体结构加以概括说明外,着重分析了它作为中国社会现代化的缩影所特具的正负二重性能,归结到为使其健康发展而需要刻意营造的合适的文化生态环境。

　　近年来,我的思路重又回向文化精神的当代建构,曾提出"兴于科教,立于法制,成于人文"的现代人格培育模式(见《中华诗词如何面向新世纪》,《社会科学战线》2000 年 2 期),并拟就新人文核心价值观的内涵作进一步探索。总的说来,我对文化问题的研讨是比较零散的,出自兴趣所及,够不上专门之学。但就本人而言,其意义非小,不单给了我的文学史学以及唐诗学研究以更为开阔的视野和更深沉的内涵,尤其当我将注意的重心由领会传统逐渐移向传统与现代化的关系时,便促使我对所从事的古典文学专业有了新的思考。

(四)传统诗学的现代阐释

　　"诗学"一词有广狭二义,广义包括整个文学理论,狭义则限于诗的学问。我们民族传统中的"诗学"取的是狭义,而我以古文论为研究方向,比较熟悉的亦是后者。20 世纪 80 年代以来,除集中力量搞唐诗学和文学史学外,我在古文论方面也写过一些论文、书稿,还曾有过对民族诗学传统作一清理的设想,粗粗拟出一个由"意—象—言"三层面为构架的研究方案,但迟迟未能上手。随着文化建构问题日益深入脑海,我开始考虑到,能否改变一下以往仅从批评史的角度来研究古文论的习惯思路,更多地着眼于它在现代以及未来文明建设中所可能产生的意义和作用呢? 换言之,不是将文论、诗学的传统简单地视以为过去的事实,加以排比、清点了事,而要致力于激活传统,让传统参与到民族新文化乃至人类共同文明的建构中去,这就叫做"传统的现代转换"。不实行"转换"的传统只能停留于古董,拒斥这一"转换",则将使新文化的建构脱离民族思想的渊源而丧失其很大一部分个性,可见传统与现代化绝不是相互排斥的两极,恰恰要在转换生成中实现沟通。

怀着这样的理念,我从 20 世纪 90 年代起着手这方面的准备,先后发表了《对话·交流·会通——兼论中国诗学的现代诠释》(《中国比较文学》1995 年 1 期)、《中国古代文论研究的民族性与现代转换问题(三人谈)》(《文学遗产》1998 年 3 期)、《从"清点"到"盘活"》(《文学评论》1999 年 6 期)、《"变则通,通则久"——论激活中国古代文论的传统》(《文化中国》2000 年 3 月号)一系列论文,就"转换"的意义、性质、步骤、方法等问题加以阐说,亦是为了给自己的工作确立理论原则。90 年代后期,我又约请上海师大古典文学专业的同行合作编写七卷本的《中国诗学史》(鹭江出版社,2002),我虽然只写了"导言"和题为《诗学观念流变》的"总论",却借此机会系统研读了有关历史资料,进一步掌握必要的素材。有了这两方面的准备,乃以"中国诗学之现代观"名义申报"十五"国家课题获准,本期刊出的拙文便是此项研究的一个序说。这一研究工作尚处于发创阶段,本不该列为成果介绍,但我自觉其在我学术生涯中可能具有结穴点的意味,遂不惮于此登录,也就是前文所说"立此存照"的用意吧。

三、"哲学"思考

写下这个标目,内心不免有惴惴不安的感觉:"哲学"是何等高深的学问,予何人,乃敢出此大言? 但还是这样写了,因为依我之见,一切理论研究都离不开哲学思考,其成果也都含有哲学成分在内。就拿我经常涉足的古典文学领域来说,只要不局限于纯事实的考订(考据也有思想方法问题),一旦进入历史性概括或价值判断,就不可避免地要反映出论者的文学史观和文学观,甚且关联到其历史观、道德观、社会观、人生观、审美观诸方面,而总根子则在于哲学观。人不能没有自己的思想,根底上也便是他个人的哲学,尽管通常不以理论思维的形态出现,乃至本人与之朝夕相处而习焉不察,但自觉从事学术工作的人则不应该避忌自己的哲学观,而当在学习、实践和反思的过程中不断加以磨砺和提升。

说到我自己,对哲思的爱好在青年时期即已养成。于我思想上影响深远的有这样两个传统:一是西方文艺复兴以来的人本主义思潮,再一便是黑格尔的辩证思维。前者让我立足于人的本位来估量各种社会事象,后者则促使我醉心于寻求历史表象中潜藏的内在逻辑。我赞同"文学是人学",主张"文化即人化",喜欢谈论历史(包括文学史)的法则,提出以"三对矛盾"、"一串圆圈"来解析文学演变的动因和动向,这些观念虽大多表述于 20 世纪 80 年代,实已在我心中久久酝酿,足以显示我的一贯立场。当然,一些具体想法都曾经过我长期接受的马克思主义理论教育的洗礼,去除了原来传统中的唯心色彩,而以唯物史观为其支撑。

20 世纪 80 年代开始又是各种新潮纷涌而起的时代,从尼采、海德格尔等西方现代哲学,到"新马克思主义"、"新儒家"、"新启蒙"之类传统出新,以至自然科学中"三论"、"新三论"的风行和更晚占领风骚的各类"后学"丛生,简直叫人看得目迷五色,心无定主。作为 20 世纪 50 年代毕业的大学生,我对知识系统的掌握基本上以 19 世纪为限,一下子进入一个全新的世界,确有应接不暇的苦恼。但我总算没有把自己封闭起来,而是努力去接触各种新的观念,尽管花费大量精力常只能略知其皮毛,却也多少开拓了可供自我反思的空间。

反思之一是对于逻辑主义的清算。我对逻辑的偏好来自黑格尔。黑格尔主张"历史与逻辑相统一",把人们的注意力引向历史事象的逻辑联系,这并没有错;但他确有将逻辑抬高到历史之上,让历史从属于他的先验逻辑的倾向,于是倒向了逻辑主义。黑格尔的逻辑是辩证逻辑,他致力于揭示思维自身的矛盾,由对立统一的相互作用生发出"正—反—合"的辩证运动过程,这本来也很合理;但现实世界是异常复杂的,在事物演变发展中起支配作用的往往不只是一对矛盾,而是内外诸因素交渗互动的矛盾丛结,这种多元共振的关系,常有可能导致事物运行的失衡,甚至在一些不确定因素的随机引发下造成原有轨迹的断裂、分叉和突变,并不能都像预设的"正—反—合"周期那样完美。所以,用他构想的逻辑(哪怕是辩证逻辑)加诸普遍事象,便难免会削足适履,这大概是他的思想方法眼下备受冷落的一个重要原因。不过我以为还应作具体分析。批判逻辑主义不是不承认逻辑,限制辩证逻辑的套用也并非取消它的合理性。"历史与逻辑相统一"当以坚持历史第一性为前提,一切从实际出发,才有利于在尽可能全面的观照中发现和把握其内在的真实逻辑。

循此思路,我对于自己所做的工作亦曾加以审视,但并不是简单地抹去其中的黑格尔主义痕迹,而是尝试作出订补。20世纪90年代初《中国文学史之宏观》一书结集时,我保留了原先论述"三对矛盾"、"一串圆圈"的内容,作为辩证逻辑应用于文学史研究的一般方法论,同时添写了讨论文学进化原理的一章,除对通常所谓的"进化"概念给予重新界定外,更结合实例着重探讨了文学演进的多种形态以及随机因素在文学演进中的独特作用。稍后写就的《文学史观念谈》一文,也把"逻辑与随机"列为核心命题之一,试图从更宽泛的联结上来考察两者之间的互相渗透与互相转化关系,以建立起一种新的更富有弹性的逻辑视野。这自是对黑格尔主义的修正,而非彻底地抛弃。也许人们会讪笑我中黑格尔之毒太深,但我始终认为科学研究不能不讲逻辑,离开逻辑的历史只能是一堆杂碎。这方面的思考看来还要持续下去。

反思之二是对于传统意义上的主客观关系的突破。就我以往所受的哲学思想教育而言,主客体之间的关系通常是在反映论原则下来安排的。客体是反映的对象,它独立于主体之外,不受主体影响而存在;主体则是反映者,它的职能只在于尽可能客观地反映客体,即使有所谓能动性,亦须以贴近客体原貌为依归。按这样的理念来从事历史研究,便产生了盛行于古典文学领域中的"还原论"史学观念,以考订、复原历史事实为最高目的,标榜"原生态"式地再现历史。但实际上,"原生态"是不可能复现的,史料的发掘与考辨固然有助于历史面貌的清晰化,而研究者观念的更改也常会给历史原有格局带来新的变数,20世纪80年代后期出现的"重写文学史"的呼声正体现了这后一种趋向。"还原"还是"重构",因亦成为我构建文学史学所不可回避的问题。从习惯思维出发,我曾长时间地拒绝"重构"论,担心它会导致取消历史的客观性,但在反复学习和思考(包括与不同意见者的商讨、论难)之后,逐渐有了新的看法。历史诚然是客观存在的,但并非纯然独立于研究者主体之外,因为历史不仅仅是过去,它还流向了现在,并经过现在流向未来,于是在历史与现实之间便存在着千丝万缕的联系,分割不开。换言之,成为过去并已完成了的仅仅是历史的事象,而历史的意义则要随着历史与现实之间关联的变化而不断生发出来,这就为一代代史学家重新观照和解释历史提供了依据,历史的重构也将未有竟期。当然，"重构"不能随心所欲，且止限于意义层面，至于事象层面仍须力求"还原"（考据所以不可少）。不过意义的新发现，必然要改变人们对历史事象间固有联系的理解与把握，因此，如何在"还原"与"重构"之间维持适度的张力，实在是一项研究能否取得成功的关键。这些想法我曾初步表述于《文学史观念谈》一文，并在后来编写的《近四百年中国文学思潮史》等几部历史著作中予以贯彻。

历史与现实之间的沟通交会，实质上也便是传统与现代之间的关联。过去，站在主客分立的立足点上，现代人看传统，用的是异己的眼光，只觉其古色古香，可观可玩，不去理会它在自己生活中还有什么实际的价值。而今换一副眼光，从古今相通（乃至中外相通）的角度打量传统，就会发现其中蕴藏着不少尚有活力的成分，可以引入当前生活而发挥其积极作用。引入不等于全盘接受，传统中确有许多已经死亡的东西，不能复活也不必复活。但死的常常拖住活的，纠缠在一起，使要活的活不起来，这就需要实施分解，将有活力的内核从僵死的外壳上剥离下来，给予新的意义组合，便是我所说的"现代阐释"（"激活"）。"现代阐释"亦不等于以今律古、强古附今（有如一度出现的影射史学，实际上是抹杀了传统），它不光是现代人对传统的质询，还应该是传统对现代的回应，要在双向观照、同异共存之间达成理解，传统的智慧与经验才能真正起到丰富和推进现代文明的作用，这也正是我为自己工作所定下的原则。要言之，在我的实际体会中，对历史、传统的研究与阐释，并不能相当于以往认可的反映与被反映的关系。在这里，主体可以直接影响其所面对的客体，客体也可以积极回应观照它的主体，研究者与研究对象之间相互交流、相互补充，其最佳效应是双方视界融合、连成一体,而非单纯的主观符合客观。这其实是一种互主体性的关系,有别于以主客分立为前提的反映活动,或许便是人文学科在性质上不同于自然科学的根本性标志(人文学科亦有类同自然科学的一面,如资料考据工作即取反映论的路子)。

反思之三是对于"天人合一"主旨的回归。"天人合一"作为中国传统思维的精髓以及"主客二分"在西方哲学中占据主导地位,几乎已成了学界的共识。西方的人本主义亦是建立在"主客二分"的基础上的。以"人"为主体,即意味着以其对象世界(包括与自我相对恃的他人)为客体,而客体对于主体说到底是一种可供占有和利用的资源,这固然大有利于主体能动性的发挥,却同时带来了主客体之间(人与自然、个人与群体、自我与他人)的紧张。古典人本主义是用"理性"(人类共同本性)和"信仰"(人对上帝的敬畏)这两者来节制私欲的无限膨胀,以调剂主客之间的紧张关系的。但随着 19 世纪以来科技的发达和各种社会冲突的加剧,信仰失坠,理性动摇,尼采宣告"上帝死了",鼓吹凭"超人"的"强力意志"来引导世界,正深刻地反映出传统人本主义的危机。不过尼采并没有否定人本主义,他的"强力意志"说无非以非理性来代替理性作为人的本元罢了,由此奠下 20 世纪西方人本主义的基音。非理性的发扬,将人的多重心理机能从理性的单一权威控制下解放出来,原具有积极意义,张扬过甚而导致理性的消解,则又陷于另一片面化的极端。消解了理性,人"凭着感觉走",不再有确定的原则,只剩下虚幻的"自由",这样的人不仅会成为与他人、与整个世界完全脱节的"个我",且容易在变幻不定的"意识流"挟卷下裂分为各种感觉的碎片,产生出"我是谁"的疑问,于是主体不复存在,这便是福柯所宣称的"人死了"。由主体的确立到主体的消亡,西方人本主义经历了自身完整的演化过程,留下的启示是意味深长的。当然,西方思想家们没有放弃努力,眼下提出的"交往理性"、"互主体性"、"视界融合"乃至"生态伦理"等,都是企图在个人与社会、自我与他人以及人与自然之间重建一种相互尊重与亲和的联系,特别是将主客体之间的"我"与"他"改造为互主体中的"我"与"你",显示出超越"主客二分"的全新眼光,值得注意。但是,"我"与"你"何以能得到切实的沟通,社会人群间的平等交往凭什么实现,乃至人和自然物种间的伦理关系当如何建立,这些仍需要从学理上找到根据,而"天人合一"恰足以担负这一使命。

"天人合一"的基本理念是将人与天地万物本然地视为一体,不仅同源("一气化生"),亦且"合德"(具有共同性能),彼此间会发生各种感应(相当于能量与信息的传递)。人与物既如此,人与人更是休戚与共,所谓"与我心有戚戚焉"(《孟子·梁惠王上》),所谓"民胞物与"(见张载《西铭》),便是指人我、物我之间的血肉联系。有了这种世界一体化的观念,自不必强分主客,不必拘限在功利关系上把自我与对象世界对立起来,而现实生活中的"你"与"我"的平等交往与沟通(互主体性)才有可能实现,所以说,"天人合一"应当成为人类文明的新的指导思想。诚然,作为古代宗法式农业社会的产物,传统的"天人合一"观有许多不适应现代人需求之处,如天人关系上偏重在人顺应天而压制了人的能动性,宣扬"天不变,道亦不变"的静态宇宙观、历史观,将宗法人伦礼教规范立为"天道"、"天理"的根本法则,以及"天命"观和"天人感应"说中不少迷信的成分等,皆为已然死去并需要剥离的杂质。剥离了这些,传统天道观中具有活力的因素如"天行健"、"自强不息"、"生生之为易"等才得以凸显出来，"天道"从而解除了其唯心、神秘的色彩，呈现为生生不已的大化运行的流程，"天人合一"也就体现为个体生命与人类群体生命乃至宇宙生命之间的一体与共振，这样的天人观当不悖于现时代精神。还要说明的是，"天人合一"并不简单地取消人本主义。人作为"万物之灵"（有自觉意识的生命体），实有参赞天地育化的功能，故而天人互渗、互动之中仍不脱离以人为核心，只是将主客分立的人复原为人我、物我一体化的人，人本主义因亦成为"天人合一"的有机组成。同样，"天人合一"也并不绝对排斥"主客二分"。人的存在方式及其需求是多样化的：在生存（自然生命）的层面上，人与动物相仿，都是自然界的一部分；在实践功利活动的层面上，人要认识和改造对象世界，必然趋向主客分立；而进入精神超越的层面（如哲思、审美、宗教信仰），在终极关怀的驱动下追问、探究和体悟人的本源与世界的本源，则又会指向"天人合一"境界为归依。据此，由混沌的物我不分到有意识的主客分立再到自由自觉的"天人合一"，这一生存、实践、超越各层面间的相互联系与转化，恰好构成人的完整的"生命活动之链"，"主客二分"便也包摄于"天人合一"，成为其展开过程中的必由之路了。

啰啰唆唆谈了上面这许多，意在表明我对自己一贯信奉的人本主义理念的新的思考，我要将这些想法贯彻到今后的研究工作中去（新近发表的"审美活动四论"即依此立论），尤其要用以为阐释民族传统的基本的理论依据。这些想法不成熟，更难免粗浅与谬误，谈出来就是为了求教。不过我已抱定这样的信念：21世纪的中国人在学术文化上当有自己更新的创造，这创新的路子既不在于墨守成规，亦不在于炒卖西方最新思潮，它应该在传统的现代化、外来的本土化和一百多年来实践经验的理性化三者相结合的基础上来求得;由这条途径开出的花,结成的果,才是真正具有全人类意义的民族新文化,才是中国对于世界文明的重要贡献。刍荛之见,质之海内外方家,然耶否耶? 癸未夏日识。

(原载《社会科学战线》2003 年第 5 期)

自述:我这一辈子

杜 书 瀛

一、先从名字说起吧

在某个时候,我的名字曾经成为朋友们开玩笑的话把儿:杜书瀛,"赌输赢"也,戏我为赌徒。为此我曾写了一篇自嘲文章《名字的故事》发表在《光明日报》文艺副刊上。我生在 1938 年 7 月 19 日,即农历虎年 6 月 22 日。我还有一个哥哥,先我两年来到人世。那时候一般人家都喜欢小子不喜欢丫头。我哥哥出生前,爷爷奶奶盼着是个小子。既出生,果真是小子,欢喜得不得了,取名"正",意思是正正当当,不斜不歪,要我爸爸妈妈下一个还要生小子。果然,心想事成,两年后我出生,赢了,于是,"赢"就成了我的小名儿。我推想,给我起名"赢",也许还有另外的寓意。那时正是抗日战争爆发的第二年,爸爸是抗日军队的领导干部,我出生时,他正奋战在沙场。爷爷、奶奶、全家人,都盼着爸爸在战场上打赢,盼着全中国人打赢,最后把日本鬼子赶出去。

我们杜家到我这一辈儿,行"书"字,于是我的大名就援例在小名儿前加个"书"字,成为"书赢"。再后来,读了点儿古文、古诗,知道李白有"海客谈瀛洲"诗句,知道海上有蓬莱、瀛洲、方丈三座仙山,遂自作主张改名为"书瀛"。那是 20 世纪 50 年代,不像现在改名还要到公安局,自己要改,轻而易举改成了。幸哉!幸哉!

我印象中,上小学、上中学甚至上大学时,同学们几乎没有人拿我名字的读音开玩笑,好像那个时候大家太老实,光去追求"进步"了,没从名字上下取笑的工夫。只是到了"文化大革命",才开始在名字上做俏皮文章。先是打派仗,对立派有人拿我的名字说事儿,说我是"政治上的赌徒":你"赌输赢"肯定要"输","输定了"。那时年轻,好较真儿,最忍受不了人家骂"赌",觉得人格受辱——我做事,向遵母训:一曰"实打实,不取巧",二曰"明人不做暗事"。骂我别的,什么都好说,就是骂我"反革命"也比骂"赌"强。不过,天天骂,骂皮了,感觉渐渐迟钝起来。后来,打派仗打得越来越没劲,于是改打扑克,朋友们常常喊着我的名字,要我出牌赌一把,来个"赌输赢"。跟着的,往往是一阵并无恶意的哄笑。

"文化大革命"结束后第一个拿我的名字开玩笑的是张平化同志。那时我被胡乔木同志挑去参加全国宣传工作会议文件的起草工作,同王若水、黎之、王树人(不是哲学家王树人,而是原《解放日报》总编辑)、郑惠等一起。张平化被任命为中共中央宣传部长,在钓鱼台十七楼会议室厚厚软软的地毯上同大家见面,一一介绍。当读到我的名字时,平化同志笑起来:你这个名字真有意思,杜书瀛,"赌输赢"。你同谁"赌输赢"啊?全场轰然。还有一位素不相识的朋友咬定我这个名字是故意造的假名。20 世纪 80 年代初,钟惦棐同志有一天一见面就兴冲冲告诉我,为了我的名字,他同一位朋友争得不可开交。起因是我发表在《人民日报》上的一篇文章,好像是同某人辩论的。当然我竭力强调我的理儿,挑对方的不是,批评对方的"阶级斗争情结"。但当时"阶级斗争情结"还相当有势力,在那位朋友看来,批评它并非没有风险,说不定谁输谁赢呢!他对钟惦棐说:这位作者化名"杜书瀛",肯定是要"赌"一把"输赢"。钟惦棐竭力辨明真相,并称可"验明正身",居然没能服人。

其实,我从没有想过要"赌输赢",不论是政治还是学术。

二、最怀念的人是爸爸

我的老家在华北平原鬲津河边,北距河北省南皮县城二十余里,南距山东省宁津县城三十余里,正好是两省两县的交界处。我的爸爸杜子甫,20世纪30年代在天津念完了初中,毕业后考入泊镇九师。1937年七七事变爆发,抗日战争的枪声打响了,他立即辍学投入抗日活动,任河北省南皮县战地动员委员会主任,并加入中国共产党。战时的天津南部、济南北部,被划为"冀鲁边区"。1938年7月,中共中央军委、八路军总部命肖华将军率抗日挺进纵队进入冀鲁边区,并建立津南和鲁北两个地委、专员公署及军分区,爸爸被任命为津南地委宣传部长。不久将津南地委改称第一地委,将鲁北地委分为第二地委和第三地委,任命他为第二地委书记兼军分区政委。1941年又作了干部调整,爸爸担任了第一地委书记兼军分区政委。1942年5月,日寇对我抗日根据地进行大扫荡。这一年6月19日,爸爸正率领地委、专署的主要干部在南皮县的柳林村开会,被日寇重重包围。突围中,爸爸和专署专员石景芳叔叔等均壮烈牺牲,只有率部在外作战的军分区司令员傅继泽将军(建国后曾任中国人民解放军海军参谋长和副司令员)幸免于难。这就是著名的柳林惨案——2000年中央文献出版社出版的《中共渤海区地方史》第一章之第一节、第三节,第三章之第二节,记述了有关情况。爸爸牺牲的那一天是6月19日上午,倘时光再过整整一个月,7月19日,就是我四周岁的生日。

爸爸是我最怀念的人,而这位我最怀念的人,却是我几乎没有什么感性印象的人。

现在上小学或上中学的孩子们,假如老师给他出一道作文题"我的爸爸",一般情况下他总有些鲜活影像可写,因为他从小生活在爸爸身边,爸爸嘴里呼出的气都能感受到,爸爸长得高矮胖瘦,甚至某颗黑痣长在脸的某个部位,说话时好用些什么口头语,他都清楚。而我呢,爸爸音容笑貌一概不知。我尚未出生,爸爸就已经离家打日本鬼子去了;我不到四岁,爸爸战死沙场。我脑子里基本没有,也可以说很难搜索出关于爸爸的感性印象。或者儿时曾经有过,但我不记得了。

听妈妈说,我不到一岁时,爸爸带队伍路过,匆匆回家,看到我胖胖的小脸,喜欢得不得了,抱着又是亲又是咬,胡子茬扎得我哇哇直哭。我的哭声还没停,他又匆匆跟队伍走了——这,我哪能记得呢!妈妈还说,形势稍好一点的时候,她也曾带着我和哥哥去看过爸爸一次,那时我大概三岁。噢,妈妈一说,倒勾起我些许模模糊糊的记忆:我曾经在某个大门外空地上拿着一块包米饼子吃,一只大红公鸡大摇大摆靠近我,用它硬硬的嘴来啄我手里的饼子。它似乎长得比我还高,我吓得哭喊。好像是爸爸跑出来把我抱进屋去,屋里开会的人一阵欢笑。你若问我当时看到的爸爸什么样?我说,记不得了。一个三岁的孩子泪眼看爸爸,能看清什么呢?我当时获得的大概只是一种得到爸爸保护的安全感和舒适感。可惜，现在想来这种感受对我来说太少了。

再以后，没有机会了，永远。

我从小就羡慕那些能够时时生活在爸爸身边、坐在爸爸腿上、偎在爸爸胸前的孩子。

爸爸几乎没有留下什么遗物，除了一张毕业文凭，一支画画用的毛笔，一棵他亲手栽种的长在房后的槐树。

毕业文凭和毛笔是20世纪50年代修房时，从老墙的夹缝里发现的。伯父说，那是抗战时期爷爷藏的，他不想让爸爸的任何一点东西落入敌人之手。文凭上写的时间是民国二十五年（1936），爸爸在天津中学毕业。二十多年后我看到它时，纸已变黄、变脆。但它是我们家的宝物。因为最可贵的，是上面有一张爸爸的相片，虽然右下方有学校钢印的痕迹，但面部清楚。这是爸爸留下的唯一一张相片。初得到这张相片时，我的手激动得发抖，眼碰到它时，心怦怦直跳——我在这个世界上活了二十来年，第一次这么真切地看到自己爸爸的脸庞：眉毛浓浓的黑黑的，斜插上去。眼睛里有一股子英气。留着分头，头发不长，但显然很硬，一种不驯服的样子。嘴唇稍厚而微微上翘，令人感到男儿的刚毅。伯父说，看你现在，就想起你爸爸当年的样子。相片上的爸爸，不到二十岁。伯父说，我们家世代是老实巴交的农民，几辈只出了爸爸一个读书人，爷爷靠种梨树供他念书。临毕业前半年，快放寒假了，全家人等爸爸回来，一等再等不见人影儿，着急。后来知道是"一二·九"学潮，爸爸还是学生里面的头儿，和北京的学生联络，上街游行，反对日本侵略，向政府请愿，听说差一点去了南京。

毛笔笔杆儿尾部是骨质，有红丝绳。笔帽是黄铜的，打开，是狼毫，还残留着没有洗净的墨迹。是爸爸画画用过的。伯父说，爸爸最爱画的是公鸡，扯着嗓子打鸣的，踮着脚，使劲儿呢。我堂兄最喜欢这画，拿来贴在墙上。可惜，跑鬼子，没保存下来。

槐树是爸爸小时候学着爷爷种梨树的样儿栽的。有一次鬼子进村，住在我家的八路军顺树而下，从后院逃走。1960年我回乡探亲，看到那棵有着三个树杈的槐树，亭亭如盖，已经两房多高。那次我在槐树下伫立良久。后来我在一本书的"后记"中回忆当时情形："……手把槐桠，像握着父亲的手臂，不禁热泪盈眶。"①至今思之，依旧潜然。

妈妈说，七七事变前，爸爸到泊镇九师，继续抗日宣传。爸爸讲话充满感情，富有煽动性，人们爱听。有人开玩笑说，他是个天生的宣传家，条件好：嘴大，常被戏称"杜大嘴"——小时候能把自己的整个拳头放进嘴里。泊镇九师的学潮，轰轰烈烈，在华北地区有名，由刘格平领导——他是中共津南特委书记，后来是赵铙。②

1937年七七事变爆发，爸爸全身投入抗战。

1942年，冀鲁边区的土地被烈士的鲜血染红了。史书记载，那年初夏，日寇五万余众在冈村宁次指挥下对冀中根据地进行"五一"大扫荡，之后，又调转头往东扫荡冀鲁边区。我军将士奋力抵抗，终因寡不敌众，伤亡惨重。"（第）一地委书记杜子孚（甫）、组织部长邸玉栋、（第）一专署专员石景芳、地委副秘书长赵德华、边区文救会主任吕器、原冀中三地委书记翟晋阶……

① 《〈论艺术典型〉后记》，见拙著《论艺术典型》，山东人民出版社1982年版，第263页。
② 1933年5月，中共津南特委成立，刘格平任书记，后屡遭破坏；1937年2月，中共津南工委成立，赵铙任书记。

共三百多人壮烈牺牲,被俘四十余人宁死不屈,最后全部被敌人杀害。"①

伯父说,正是麦熟时节,天刚麻麻亮,你爸爸带领队伍突围。先是顺着鬲津河堤的交通沟撤,悄悄的,猫着腰,一路小跑。你爸爸提着匣子枪,通讯员还为他牵着那匹大青驴,想越过鬲津河突出去。走了五六里地,发现前面有鬼子的动静,仔细瞧,敌人已经占领河岸。只好再往回折,兵分两路,你爸爸和石景芳专员分头指挥。渐渐的,天大亮了,被河岸上的敌人发觉。那就打吧,冲吧。枪声劈劈啪啪响起来,咱们的同志,没有一个怕死的。但是鬼子居高临下,而且轻重武器都有。先是那匹驴被打死了。接着,通讯员牺牲了。最后是你爸爸……伯父说,鬼子走了以后,咱们的同志在半人高的麦地里找到你爸爸的遗体,他手里还握着那只匣子枪。

爸爸和他的战友们的血,流在他们认为比自己生命还宝贵、还重要的家乡土地上。

三、小时候的苦与乐

1944 年春天,我不到六岁,哥哥刚满八岁,妈妈带着我们哥俩在山东乐陵参加革命,随当时的抗日部队行动——这时冀鲁边区同清河区合并为渤海区,乐陵是渤海区第十地委、专员公署和军分区的所在地。在这个革命大家庭里,我们受到了百般关怀和呵护。叔叔阿姨们总是把最好吃的东西让给我吃,而每到夜里行军时,他们的脊背便成了我温暖、安全的摇篮。在动荡不

---

① 《中共渤海区地方史》,中央文献出版社 2000 年版,第 110 页。

定的战争岁月里,我度过了童年时期的"游学"生涯——由于随部队行动,我只能在部队驻扎地就地读小学,走到哪里,学到哪里,长则数月,短则数周。那时我是一个快乐的小游行僧。

直到 1950 年,中华人民共和国建国后的第二年春天,妈妈调到山东博山工作,我才在那座工业城市的第三小学插班读小学四年级,读得很轻松。一年半后,即 1952 年夏天,没等把小学读完(差一年才能小学毕业),我连妈妈也没告诉一声,自作主张报考博山一中。等张榜公布,各门科目平均,居然考了 77.33分。考中了!然而,1953 年,妈妈又调到青岛工作。为了完成学业,我独自留在博山读书,住在妈妈原来工作单位的集体宿舍,吃大食堂。1955 年,我初中毕业。高中考到哪里去? 早已习惯于自己管理自己的我,这次又是自作主张:报考青岛一中。妈妈整天忙于工作,无暇过问儿子的事。等拿到了青岛一中的录取通知书往妈妈面前一放,她这才发现:站在面前已经长得比她还高出半头的儿子,已经是青岛一中高中一年级的新生了。青岛比博山要美得多,洋气得多。在这里,我第一次吃到那么白、那么细的馒头,那么白的米饭,那么新鲜的鱼、虾,而自然风光,尤其迷人。我的家住在观海一路,从南窗就可以看到海,看到栈桥,看到海里的小青岛。每当登上离家不远的信号山,红瓦、绿树、白色的云、蓝色的海、黄色的沙滩……尽收眼底。这里的空气是透明的,吸一口,有海的腥香味儿——您别见怪,它虽然有点儿海腥味儿,还有点儿潮润,但我闻起来它是香的。这是一个充满诗情画意的岛城,它浸润着我的灵魂。在青岛一中读书的每一个暑假,我风雨无阻,天天到海里去游泳。我不敢说大海是我的故乡,但我可以说它是我亲密的朋友。

四、入党转正风波

1958年,我被保送入山东大学中文系学习,同老师、同学结下深厚友谊,但是也在当时那个十分"革命"的大环境里经受了"考验"——我指的是"入党"和"转正"。

本来,我的觉悟没那么高,大学几年,我只知道学习,从不惹事儿。为此,有的同学还批评我不关心政治,甚至说有"白专"倾向。但是,以我的身世、经历,组织认为我是一根"好苗子",而我也确实对党怀着一种天然的亲和心理。到了1959年、特别是1960年,进入"困难"时期。大概组织认为我经受住了"困难"的考验,于是在最"困难"的1960年批准我加入中国共产党。党支部选了一个最富有纪念意义的日子,11月7日,苏联十月革命纪念日,召开支部大会。那时候大部分同学都由于营养不良而浮肿,我的腿上,一摁一个坑儿,走路时像是绑了铅袋。全支部的党员拖着沉重的腿,爬楼梯进入会议室,一致举手把我接纳进来,极其顺利。第二年也就是1961年11月7日,讨论我转正。本来党支部书记预计支部大会半小时顶多一小时就完,举手通过,很简单,然后安排别的事情。正当付诸表决时,一位同志要求发言。他说:"杜书瀛同志各方面表现都挺好,但是据反映,他曾对同学说:'大炼钢铁时,把好好的铁锅砸了炼钢,得不偿失;还说人民公社大食堂办得不好,社员普遍不满,生产也搞得不好。'请问杜书瀛同志,有没有这回事?"我站起来回答:"我确实说过上面所述类似的话。我是根据农村亲戚来信和同宿舍来自农村的同学反映的情况,在每周六小组学习会上说的。"

于是形势急转直下。一些同志认为,这是原则问题,立场问题:杜书瀛同右倾机会主义分子唱一个调子,不能转正。有的甚至认为,如果立场有问题,能不能保留预备党员资格还须考虑。另一些同志认为:杜书瀛从小在革命队伍中长大,不可能同右倾机会主义者一样反党,他只是认识问题。两方面意见,几乎谁也说服不了谁。时间一小时一小时过去,会议从下午开到晚上,一直得不出结论。于是,暂时休会,择日再开。

这样的会连续开了三次,前后持续了十数天,会外调查、核实,会上你争我辩,就是得不出一致意见。不能再拖了,只能通过举手表决解决问题。支部十一名有表决权的党员,表决结果,六人赞成按期转正,五人反对,以微弱多数勉强通过。

其实,我当时根本不知道庐山会议怎么开的,彭德怀说了什么,右倾机会主义是怎么回事儿。我不过根据自己所知道的情况说了点实话而已。

五、初见我的导师蔡仪先生

知道蔡仪先生的名字,是在上大学的时候。听文学概论课,老师提到蔡仪先生,充满着尊敬、仰慕,说他是我国有数的几位文艺理论家之一,而且是马克思主义的。在当时,马克思主义是一种价值判断,而且是最高级的价值判断;而能被称为文艺理论家(不是文艺活动家、不是文艺官员、不是仅仅传授文艺知识的教师,而是文艺理论家)的,也不很多;两者合起来,马克思主义文艺理论家,其可贵则可想而知。

后来就到图书馆去借了蔡仪先生的著作《现实主义艺术论》——噢,理论文字是这样写的。

那时正好赶上美学大讨论，蔡仪是核心人物之一，名字经常出现。噢，原来更引人注目的，蔡仪是著名美学家，是一个美学流派的创始人和代表人物。美学，对我来说这个名称那么神秘，因为神秘，就更具诱惑力，也就时时找些文章来看。对那场讨论的是是非非，当时我其实不甚明了（所谓"外行看热闹"），而且即使当时我自认为明了，现在想来也幼稚可笑。但参与讨论的人物，却引起我很大兴趣。

大学毕业，我决心报考蔡仪先生的美学研究生。全国考生有 77 名，我居然有幸考中，而且是唯一考中的一个。

到文学研究所报到，是一天下午三点左右。人事处的高智民同志接通蔡仪先生电话，说了两句，回头对我说："蔡仪同志刚从所里回到家，他说马上就过来，你稍等。"

大约二十分钟后，人事处门口出现了一位温和的长者，稍高的个儿，瘦瘦的，短头发，不分，穿一身旧的但洗得很干净的蓝色咔叽布中山装，脚上是一双黑色圆口布鞋，微笑着向我走来。高智民同志说："这就是蔡仪同志。"后来我才知道，从蔡仪先生所住的建外宿舍到文学所，至少走二十分钟——那就是说，蔡仪先生放下电话马上就折回来。正像我迫不及待想见到导师那样，蔡仪先生也迫不及待想见到他的第一个研究生。

我亲眼看到的蔡仪先生与我想象中的蔡仪先生很不一样，与我看到过的一些教授、学者差别相当大。譬如，我们山东大学的陆侃如教授，给我们上课时穿一身咖啡色西服，皮鞋擦得亮亮的，风流倜傥。来我们学校讲学的中山大学教授商承祚先生，头发梳得光光的，举手投足都显得那么有派头。而蔡仪先生呢，简直就像那个年代到处可见的机关干部。如果你到政府部门或党的机关办公室看一看，你会碰到无数蔡仪式的装束、打扮。那时的文学研究所,从何其芳所长到研究员,也都是类似蔡仪这身"行头"。

第一次见到时的蔡仪先生,不过58岁,腰板直直的,头发好像也还没有怎么白。说话带着湖南口音,语速稍慢,声音轻轻的——不像后来见到的何其芳同志那样说话连珠炮似的,像是一口气要把所有话说完,也不像王燎荧同志那样粗声大嗓,豪气夺人。从此,我在蔡仪先生身边开始了我的研究生生活,那是在"文化大革命"前,还没有后来的什么硕士、博士学位。毕业后就分配在文学研究所工作,而且就在蔡仪先生为组长的文艺理论组。

那时因为大家都很"革命"、很"政治"、很"党性",所以对像蔡仪这样的党内专家,都互称同志:蔡仪先生称我为"杜书瀛同志"或"书瀛同志",我称他为"蔡仪同志"("文化大革命"以后称他为"蔡老");早我而来的跟唐弢先生读研究生的金子信,也称唐弢为"唐弢同志",而唐弢称他为"金子信同志"。对何其芳、毛星、朱寨、王淑明这些延安来的或解放区来的专家,也都"同志"相称,从没有称过"先生"。你不要以为这是不守师道尊严,是对老师大不敬。不是的。那时的人们认为,只有"同志"两字才亲切、才亲近,如称"先生",那就显得太"外道",他会感到你心里不承认他是党员、是党内专家,你把他推出去了。"同志"二字,在一定意义上说是一种"荣誉"、一种"待遇"。如果称惯了"同志"而有一天忽然不称"同志"了,那可坏了,可能灾难降临了。只有对党外专家,如钱钟书、俞平伯、余冠英、王伯祥、孙楷第、吴世昌等等,才称"先生"。在当时,先生二字虽说是尊称,但也是一种疏远的称呼。"先生"是统战对象。如果对那些一直被称为"先生"的人,忽然称他"同志",他会认为你是在看重他;如果是一位党的领导人称他为"同志",他会"受宠若惊",心中窃喜,"我终于成为无产阶级的一员"了,被认可为"马克思主义者"了。

你感到奇怪吗? 然而这就是那时的现实。

1964 年夏末,我随导师"蔡仪同志"到安徽寿县搞"四清",先在省会合肥学习政策,熟悉情况。一个星期天下午,与北京来的同志一起去逍遥津公园"放松"一下。丽日和风,青潭绿树,红花飞蝶,曲径通幽……在"阶级斗争"的弦绷得那么紧的年代,难得有这样的"逍遥"时光,虽短暂,却惬意。

我走在蔡仪先生旁边。他问了我家庭情况,知道我父亲牺牲在抗日战场,是位烈士,并且曾经是肖华同志在冀鲁边区工作时的部下,肃然起敬。这时我们两人的眼光有短时间的交流,我感受到投来的是一种父爱。如此亲切,情同父子。

平时寡言少语的蔡仪先生,一时话却多起来:

"抗战时期,我在'三厅',后来又是'文化工作委员会',也是搞抗日工作的。搞敌情分析,写《敌情研究》小册子,每年出十来册,每册七八万字;间或为报纸杂志写些敌情分析的文章。当时脑子里都是抗日,可以说全力以赴……"

我是第一次、也是唯一的一次,亲耳听蔡仪先生讲述他自己的故事。

以后,我就在蔡仪先生指导下走上学术研究的道路。

六、终生的事业

2003 年,我接受《文艺争鸣》记者采访。记者问:您在文学研究所工作几十年了,无论是在学术研究上还是在教学上,您都是个很认真的人。您的学生说您是个"书呆子",平时也没有什么业余爱好。那么,文学研究是您终生要从事的事业吗?

我十分肯定地回答说:是的。我这辈子大概也只能干这一行了,干别的我不会,也不行。我在一本书的《后记》中曾这样写道:"对于大多数学者来说,寂寞半生,清贫一世,除了做学问,又何所求?官场上的轰轰烈烈,叱咤风云,非所能也;商场上的忙忙碌碌,你抢我夺,非所愿也。唯求以'自由之思想,独立之精神',对所研究的对象,解析推断,思索琢磨;然后将研究的结果,公之于世,得到方家指点,读者评判。书出版了,通往社会的路打通了,我们的自我价值也就可以得到展示了。也许对社会有点儿用处吧?"我热爱文学艺术,我喜欢哲学和美学。用当下年轻人喜欢说的话来讲,在文学研究、美学研究中,我才感到最能实现自我价值。

记者问:您为什么要走文学研究这条路呢?

我是这样回答的:我从少年时代就热爱文学。1964年我从山东大学中文系毕业,听说中国科学院哲学社会科学学部文学研究所(现中国社会科学院文学研究所)蔡仪研究员招收美学研究生,我就报考了。我印象中那是我们国家第一次通过正规的、严格的考试,大规模招收研究生——1956年曾经通过考试招收过副博士(效仿苏联)研究生,就是汝信先生那一批,不过数量很少。此后几年也曾通过考核、协商招收少部分研究生,类似于分配工作。到1964年,突然严格起来,摆出架势,正规考试,在全国范围内选拔研究生。那年报考蔡仪先生研究生的不知为什么那么多,全国共77人,我有幸考中。1964年9月,我到文学研究所报道的第二天,就接到通知:随蔡仪先生去安徽寿县搞"四清"。这样,我读研究生的第一个学年学的是政治——

阶级斗争课。1965 年 11 月回北京,正赶上姚文元批判《海瑞罢官》的文章发表,懵懵懂懂闻到点儿火药味儿,不过"山雨欲来"而尚未到来,蔡仪先生按他的计划给我开列了长长的阅读书目——大批中外哲学和美学著作。这年 11 月直到翌年(1966)5 月"文化大革命"正式爆发,我认认真真读了半年的书;此后,再想安安静静读书已经不大可能了。再一次真正坐下来做学问,是十年以后的事情了。

大约是 1978 年底,蔡仪先生创办了一个刊物《美学论丛》,点名叫我写一篇文章。他始终关心着我这个"开门弟子",大概想实际考察一下我的能力,看是不是做学问的料。我花了三个月,用上了我自上大学接触文学问题以来所有的积蓄,翻阅、研读了当时所能找到的参考文献,写成《艺术的掌握世界的方式》,三万六千言,战战兢兢送到老师手中,心提到嗓子眼儿上。过了几天,老师把我找去,说对文章很满意,我的心才放下来。

这是我有生以来认真写的第一篇学术论文。从此,我算是走上了进行文艺学、美学研究的"不归路"。

在学术上,我是一个不怎么固守派别、宗系的人。我有师承,但我又很喜欢吃"百家饭"。我的研究生导师是蔡仪研究员,自然受到他潜移默化的熏陶;但是我对与他观点不同的朱光潜教授、李泽厚研究员等人的学术思想十分敬重,从他们身上也获益良多。宗白华教授关于中国美学的论述使我折服。钱钟书研究员的严谨、特别是他的渊博,我虽不能至,却心向往之。至于何其芳同志(从我一入文学研究所见到他起直到他去世,总是这么称呼他),我一直把他那些写得洋洋洒洒、伸缩自如、平易亲切、像艺术散文一样优美的理论文章,作为榜样。还有其他许许多多前辈学者(恕我不一一列出他们的名字)给我以滋养。

一些同辈学者,包括我的朋友以及一些虽未晤面仅读过他们著作的同行,他们的一些杰出思想和治学方法,也常常给我教益。还有许多比我年轻的学者,他们的思维节律总是能够和时代脉搏同步,他们的学术勇气使他们的著作富有巨大创造性,他们的敏锐使他们的学术见解独特新颖,富有超前性,得时代风气之先。他们是学术浪涛里的弄潮儿。我不时从他们那里获得惊喜和启示,常常以他们为师。

自走上学术道路之日起,我就接受马克思主义教育,自然打骨子里崇拜马克思主义,但我对马克思主义之外许多派别的一些重要观点或者某些观点的一些成分,也甚为珍视,并欣然接受、吸取。马克思主义诞生之前的理论思想,从柏拉图、亚里士多德,到康德、黑格尔,当然是人类文明的无价之宝;即使马克思主义同时或后来的理论派别,也有许多金子似的思想观点闪闪发光。譬如尼采重新审视传统的批判精神,柏格森、狄尔泰等的生命哲学,弗洛伊德对人性结构的透视,俄国形式主义关于"文学性"、"陌生化"(奇异化)的阐释,恩斯特·卡西尔和他的学生苏珊·朗格的"人是文化的动物"、"人是符号的动物"、"艺术是人类情感符号形式的创造"等符号学美学理论,克莱夫·贝尔的"有意味的形式",维特根斯坦的分析美学,克罗齐的表现论美学,罗曼·英枷登的现象学文艺理论,阿恩海姆的格式塔心理学美学,海德洛尔的存在主义美学,"西方马克思主义","新批评",接受美学,结构主义和解构主义……不都可以成为滋养我学术思想的有益成分吗?我想,倘若我拒绝接受这些精美"食品",我将是一个十足的学术上的大傻瓜。

记者问:到目前为止,您著作等身,桃李满天下,您是否有成功感和成就感?

回答:没有。相反,我时时感到学术上十分浅薄,尤其是当我把自己的著作同前辈学者和后辈学者相比较时,这种感觉特别强烈。我这一辈学者出不了大师,这是历史造成的。我们注定是一批过渡型的人物。我愿意为将来的学术发展做一块铺路石。我常常感到应该拜两辈学者为师:一是拜前辈学者为师,一是拜后辈学者为师。

那些有成就的前辈学者,永远是我的典范。譬如,就拿搞理论研究需要有丰富敏锐的艺术感觉这一点来说,就需要永远向他们学习。我曾在几个会上呼吁:做文学研究、写美学文章的人,要多些艺术感觉,多些审美经验。过去朱光潜先生、宗白华先生都提倡做理论研究最好掌握一门艺术。宗先生曾领他的学生参观故宫,亲自向他们讲解中国的建筑之美。宗先生自己是诗人,他写出来的理论批评文字诗意盎然。理论家何其芳先生写的《论〈红楼梦〉》,文字那么美,可当散文来读。因为他原是散文家、诗人。蔡仪先生年轻时曾写过小说。他的短篇小说《先知》(写卞和三献美玉,两遭刖足,因先知而受罪的故事)发表在1931年1月号《东方杂志》上。他在20世纪50年代写的关于现实主义的文章,其中有关艺术作品,如《最后的晚餐》、《梦娜·丽莎》等分析的文字,尚可见出当年做小说时积累的审美经验的功底。钱钟书先生、杨绛先生既是优秀的文学研究家,同时又是优秀的作家。钱先生的《围城》可谓学者做小说之典范,其语言圆润而尖利,深邃而幽默,富于深厚的文化底蕴。我尤其喜欢杨先生的散文,其《干校六记》及回忆她父亲、姑姑的文字,娓娓道来,平实亲切,不动声色而妙不可言,可谓散文之精品。某不才,也常以先辈为榜样,学写点散文和诗之类,只是总写不好。

　　我一向寄厚望于青年,愿意与他们交朋友。我曾经在文学研究所欢迎研究生入学的一次会上表示:我收一个研究生,就是收一个朋友。我从我的研究生和研究生辈的人那里学到了很多东西。在其他文章中我还曾经发过这样的感慨:后生可畏。如今年轻一辈学者是大有作为的一代,是才华横溢的一代。这是一个以青年为师的时代。他们敢作敢为,敢破敢立,敢闯敢拼;并且他们不少人又甘坐冷板凳,甘下苦工夫。这一"敢"一"甘"相结合,铄石锻金,何事不成? 如果要说出他们的名字,仅北京各大高校和中国社会科学院里,我就可以列出数十人,还有上海、南京、山东、武汉、广州、四川、福建……天南海北,四面八方,可谓人才济济。面对他们,我常常自愧弗如。这一点,从我的学生们身上,也感触良多。我带过的研究生,虽说数量不多,但他们有的教学,有的科研,有的下海,有的主编刊物,有的从事出版,有的出国深造,各有自己的亮点和绝活儿,使我赞叹,使我惊喜。我同我的学生们有过两次愉快的合作。一次是13年前同黎湘萍、应雄一起写作《文艺美学原理》(社会科学文献出版社1992年第一版,1998年第二版),我第一次感受到自己学生的锋芒,这在那本书的后记中曾留下我些许记述,不再多说。一次是2001年同张婷婷合作撰写《新时期文艺学反思录》。在那本书的《后记》中我说:"婷婷出身书香门第,祖父张长弓先生系作家、文学史家、文艺理论家,解放前就是河南大学著名教授……父亲张一弓先生系当代著名作家,他的《犯人李铜钟的故事》和其他小说,是新时期文学的扛鼎之作……婷婷受家学熏陶,自不待言。而她本人,既聪敏颖慧,又勤奋好学,且多才多艺。三者合一,用之于科研,则所撰《文学与色彩》(河南人民出版社1994年版)、《中国二十世纪文艺学学术史》第四部(上海文艺出版社2001年版,获中国社会科学院第三届优秀科研成果二等奖、中国社会科学院文学研究所优秀科研成果一等奖),受到行家称赞——顺便说一句,后者也是她的博士论文,答辩委员会誉为'优秀';用之于教学,则在解放军艺术学院授课,多次整个课堂报以热烈掌声;用之于创作,则所改编《流泪的红蜡烛》等早已搬上银幕,全国放映。我们应该打破论资排辈的传统观念,青年人应当成为主力,应当唱主角。看到我的学生们成长起来,我无限欣慰! 勤勤恳恳在学术园地里耕耘、创造的青年学者,是我们的希望所在。我祝福他们!"

而今杜某,皱纹越来越多,而头发越来越少,不觉老之将至。唯幸牙齿尚固,尝自嘲:廉颇老矣,尚可饭也。酒足饭饱,一饱三矢,仍兴冲冲跑到岸边看青年千帆竞过,乃于喜泪纵横之余,呐喊几声,以助军威。

(原载《社会科学战线》2005 年第 4 期)

文学史家杨义论

秦 弓

越是深入杨义的世界越是感到：解读杨义，实非易事。他的学术视野之广令人惊奇：从时间上看，由当代一直上溯至先秦；从地域上看，由大陆跨越海峡兼及台港，远涉星岛，均有专论，至于行文中的参照比较，古希腊罗马，近代欧美东瀛，现当代西方，几乎无所不及；从文体上看，神话传说、诗歌、散文、戏剧、小说的诸多样式，广为论列；从学科专业来说，中国现当代文学、中国古代文学、文艺理论、外国文学、文化学等，均有涉猎。难怪韩国一教授发问：中国学术界有几个杨义？① 上下几千年，周行数万里，却绝非走马观花、蜻蜓点水，而是脚踏实地、步履雄健，每涉一域，必有创见，其新令人称奇、其深令人叹服。于是，评家蜂起，十年光景，杨义的海内外评论就可辑成厚厚的一册。这固然是走向杨义的路标，但也平添了深入解读的难度。其难不仅因为解读本身理当超越而非重复，而且更缘于杨义在本已辉煌的建树基础上正朝着新的目标前进。杨义富于挑战性的拓展不断地给学术界提出充满魅力的课题，解读杨义已经远远超出了个

---

① 参见朴正渊 1994 年 2 月 25 日致杨义信。

人评价的范畴。

一、三卷《中国现代小说史》:整体性的文学复归

虽说杨义的学术处女作《鲁迅小说综论》(1984 年)起点已经不低,纵横捭阖的气势、悟析兼济的灵性、妙谛旁渗的笔触等学术个性均已见出端倪,但使杨义蜚声海内外的还要数 150 余万字的三卷巨著《中国现代小说史》。

1986 年 9 月,第一卷一问世,就引起了学术界的震动。中国社会科学院胡绳院长为本院有这样一位才华出众、建树不凡的青年学者而欣喜,对他的治学道路予以肯定,①并从此热心关注杨义的学术发展。美国著名汉学家夏志清教授从第一卷中看出著者的"用功"与"努力"、"细心"与"博学",表示"极为佩服"。② 等读到 1988 年 10 月推出的第二卷,愈加感佩说"一人独力写出二大卷,已极不容易,《中国现代小说史》全书完成,杨义的名字必将永垂不朽"。③ 当他看到 1991 年 5 月出版的第三卷,更是抑制不住兴奋之情地写道:"我国代有人才出,我这一代将成过去,您这一代治小说史、治文学史当推吾弟为第一人,假如钟书杨绛兄嫂阅读您的大著,也一定会承认的。像你这样的大才,海外没有,台湾也没有,望自知珍摄。"④夏志清在海外汉学界素负盛名,眼界颇高,对大陆学界不无微辞,而且他自身

---

① 参见孙郁:《杨义:从农家子弟到著名文学史家》,《人物》1992 年第 5 期。
② 夏志清 1988 年 9 月 17 日致杨义信。
③ 夏志清 1989 年 8 月 9 日致杨义信。
④ 夏志清 1991 年 9 月 7 日致杨义信。

也曾著有独树一帜的《中国现代小说史》，如今对杨义巨著与杨义本身竟能如此动情嘉许褒扬，实在不同寻常。确如夏志清所料，小说史在国内也受到极大的重视：大师级学者钱钟书先生称许杨义"积学深功"，"后起之秀，君最突出"；①对现代文学史学科建设具有筚路蓝缕之功的王瑶先生肯定杨义小说史"体大思精，多有创见"②……1987 年，第一卷被国家教委列为高等学校文科教材。人民文学出版社社庆 40 周年之际，三卷本小说史被列为建社以来最有影响的三种现代文学理论图书之一。③ 中国社会科学院文学所在建所 40 周年学术研究回顾时，将其视为影响较大的十种成果之一。④ 1994 年，杨义《中国现代小说史》于中央、地方出版社推荐的 52 万种图书中，喜跃龙门，荣获国家图书奖提名奖，须知这是获提名奖的十种文学类图书中，也是连同五种正式奖在内的十五种文学类图书中唯一一种中国现当代文学研究方面的著作。学术著作出版难，而杨义小说史竟能重印九次而仍然供不应求。如此殊荣，如此盛誉，如此魅力，究竟缘何而来？

杨义《中国现代小说史》是文学本性的复归。他不是从某种政治观念出发，也不是刻意地寻绎与勾勒政治运动在小说中的投影，而是以小说的文学本性为基准，来判定哪些作家作品可以入史与地位的孰轻孰重，来探询小说发展的文化背景与演进

---

① 转引自孙鸿雁：《涵养民族文化的元气和气魄——杨义的文化战略》，《作家报》1995 年 1 月 28 日。

② 王瑶 1989 年 3 月 8 日致杨义信。

③ 参见《人民文学出版社建社 40 周年（1951—1991）》，人民文学出版社1991 年版。另两种为唐弢主编：《中国现代文学史》、严家炎著：《中国现代小说流派史》。

④ 参见《光明日报》1993 年 6 月 15 日报道。

趋势,来析理小说流派的成因与流变,来确认作家的创作个性与
作品的艺术风格。这样,《中国现代小说史》才不因苏雪林在鲁
迅逝世后发表过恶毒的鞭尸文章而将她有意识"遗忘",或加以
情绪性的鞭挞,而是从艺术的视点出发,于清隽可读处首肯之,
于因其依附政治而艺术味荡然处惋惜之。再如对叶灵凤,没有
因其与创造社左倾走向的背离而加以割舍,也没有因其作品精
神上的某种消极性而否定其艺术创造的探索性与艺术形式的多
样性。正是由于坚持了文学视点,张爱玲这一向来被文学史冷
落的作家才得到应有的重视,辟出专节予以评析。也正是由于
坚持了文学视点,艺术分析才不再成为思想分析的附庸一笔带
过,而是占有重要的比重,得以从容的展开。这样,我们就随着
著者的引导,领略了张爱玲"化古老为新鲜的笔情墨韵",把握
了她那阴沉、迷惘而悲凉的小说基调;认识了叶灵凤、靳以、吴浊
流、梁山丁、程造之等过去较为陌生的作家的小说艺术风貌,也
重新认识了鲁迅、茅盾、巴金、老舍等小说大家的艺术个性。

　　艺术的定位建立在披沙拣金的资料的搜集与筛选的基础之
上。以往的现代文学史,大多局限于以几位大作家与几种文学
现象来验证某种理论框架或历史模式,无须大量占有资料,框架
如何暂且不说,其史料的严重匮乏也很难令人服膺。而在杨义
看来,尽可能地博览群书,其中包括本来价值不大甚至根本不值
一读的粗糙低劣之作,以告诉一般读者哪些书可读哪些书无须
去读,哪些书当精读哪些书只须浏览,这正是文学史家的职责。
也只有在大量占有第一手资料的基础上,才能写出一部资料翔
实的"信史"。为了写出这样一部"信史",他阅读了两千余种现
代文学原版书与大量报刊资料,记了一万多张卡片。尽可能地
全面占有资料,反反复复地揣摩比较,这才有了可以使自己安

心、使读者信服的作家定位与史脉勾勒。同为文学史家的夏志清对杨义的"用功和努力，极为佩服"，确为个中之言，这"用功"实在是学者尤其是文学史家的基本功。

杨义《中国现代小说史》史料之富赡足以让人惊叹，其构架更是给人以大气磅礴之感，有论者赞之为气势美。一以贯之地以流派为线索，从三个层面——小说观念与思潮的变迁、小说文体演讲的趋势，流派的成因与流变，作家的艺术个性——来架构现代小说史，形成了张弛有度、浑然一体的整体性，这从写作的技术操作来说无疑是一种富于挑战性的选择。形式结构的深层更包蕴着视野开阔、涵容宏大的精神结构。这样，才能揭示五四小说革命的必然，才能理清"京派"与"海派"的来龙去脉，才能录入台湾文学的别致景观，也才能沟通旧派通俗小说与新小说的内在关联。弘阔的框架正是大气之史识的结晶。

文学史自然可以有多种风格，但杨义小说史可以说是最本色的文学史。他以多彩的笔墨描绘出一部绚烂的历史。揭示文学革命与后来的风云突变的背景时，语言仿佛携带着劲风和雨云，节奏急促，色调滞重。评析作家创作个性时，随物赋形，千姿百态。写鲁迅时语调沉雄，写冰心时色彩明丽，写废名时文笔轻盈，写丘东平时情调悲壮，写路翎时情绪激昂，写张爱玲时笔致幽曲……三卷小说史，愈到后来文笔愈为圆润多姿，愈见诗之灵气，愈有散文之美。譬如说张爱玲"对语言的颜色、情调、动静和意蕴多有极其敏慧的体悟，写肖像，写口吻，写神态，写氛围，不乏笔致轻灵，才华闪烁，潇洒自如。纵笔所之，宛若热锅烧豆，欢蹦活跳处粒粒圆熟"。"她以东方圆润的笔墨，给予景物以动的生命，又以西方静观的沉思，给予景物以启示的精魂。"如此美文，能不引人入胜？有论者称杨义《中国现代小说史》是"大雅大俗",其言不妄:专家学者可以从中领略史德之风范、"史诗"性构架、史识之卓见、史功之扎实,一般读者也可以借此了解小说史之全貌、思索文学发展之规律,并从富于感情而文采斐然的描叙中获得审美的怡悦。如此巨著佳构,不仅是杨义治学道路的里程碑,也是中国现代文学研究世纪性成熟的重要标志。

二、转向古典文学:主体性的历史复归

杨义小说史完成了现代文学史研究向文学的整体性复归,实在功莫大焉。卓然建树,为海内外所瞩目。杨义的研究动向,也为学界所关注。他的选题常常出人意外,当年个人申报多卷本小说史曾让人不敢置信,在现代小说史大功告成之后,他把主要精力转向中国古典小说,又着实让人吃惊之余更添困惑。

研究领域如此大跨度地转移,动因何在? 首先是为了搞清20世纪文学与古典文学的内在联系,文学史是一条割不断的长河,即使像新文学这样从精神意蕴到文体形式都同古代文学迥然有别的新质形态,实际上深层也有传统文学的底蕴在支撑。在《中国现代小说史》的撰述中,杨义为探源溯流而披阅过不少古典文献,如果说那时还是服务于现代小说史之研究的话,那么现在则是以整体性地理清中国小说发展脉络为目标了。这是又一种整体性的复归——历史复归。

其次是想解开"不惑之年的新的迷惑"①,即五四以来以为天经地义的文学进化观是否符合历史,也就是说,是否现代作品都比古书高明,是否现代文学在观念和文体上每前进一步,都是

---

① 杨义:《中国历朝小说与文化·序言》,台北业强出版社1992年版。

对古典的超越和突破。这是一种挑战,对既定观念的挑战,对认知模式的挑战。索解历史密码比描述历史脉络具有更大的难度,也具有更大的刺激性。

再次,建立一种宏观的、动态的中国文学评价标准和参照系统。杨义认为,中国文学有自己独立的漫长的历史,有自己独特的文化心理结构与文体表现形式,它与西方文学是两个虽然相切但并非同心的圆。譬如神话,古希腊罗马神话有复杂的情节与史诗的结构,而中国神话则于非情节化中蕴涵着神秘性与多义性;再如小说的叙事方式,西方崇尚科学主义,把完整之物通过破裂而窥其原理,而东方崇尚生命主义,透过表层的形迹而体悟其形成圆融的生命的神理,也就是说,非破裂而重圆融,是中国叙事方式的精蕴之所在。西方的文学观念与学术规范是西方文学——文化土壤的产物,对于中国文学的研究无疑具有借鉴、化用的价值。但若完全移植过来,或捃扯西方文学观念的皮毛,牵强附会或隔靴搔痒地给中国事例贴标签,或满足于为西方观念做例证,则不可能真正切入从而把握中国文学的本质特征,无法传达出中国文学独特的生命形态。中国文学许多领域是尚未充分发掘与进行深度现代化转化的原矿,它的充分发掘与深度转化,不仅可以创造出适于中国文学自身的学术体系,而且将与西方学术平等接轨,引起人类文学观念的巨大拓展、甚至深刻革命。这一跨世纪的历史命题唤起了杨义巨大的探索热情,他要历遍整个中国古典文学世界,在历史追溯中确认中华文化的主体地位。他的治学方略是"利用原有优势,拓展新的优势"[①],他从《中国现代小说史》走来,步入古典世界时便自然首先走进了

---

① 杨义:《中国历朝小说与文化·序言》,台北业强出版社1992年版。

古典小说领域。

杨义果然不同寻常。他"自讨苦吃"地步入浩如烟海的中国古典小说世界不久，就以开阔的现代意识与出色的悟性，独辟蹊径地品出古典小说的深刻意味与别致情韵。譬如《山海经》，杨义注重的是其神话思维，指出它较之西方神话更具原始性与洪荒的气息，人、神、兽形体错综组合，人性、神性、兽性杂糅互渗，见出怪诞与神秘，也见出原始生命意识；其叙事的直觉性或感应性大于戏剧性；其自然神话已赋予人间意味，见出人间历史的痕迹。《穆天子传》也是一部奇书，由于本文缺陷、风尚差异等原因，导致了种种误读。杨义透过神话象征色彩的表层描写，洞察出其史诗价值，指出其想象粗犷雄奇、历史记事与虚构叙事交叉、文体韵散交错等史诗风彩。以往的古典文学界在探讨话本和章回体小说的韵散交错的文体特征时，往往注目于唐代变文，略为前溯也只是提及六朝《桃花源诗并序》一类作品，而杨义则通过《穆天子传》的分析将韵散交错的最初萌芽上溯至中国文化的重要源头——先秦典籍。再如汉魏六朝的"世说体"小说的流变、杂史小说的形态、志怪书的神秘主义幻想、唐人传奇的诗韵乐趣、敦煌变文的佛影俗趣等，一经杨义发掘、勾勒、品味，均令人耳目一新。

进入古典文学领域，杨义并不满足于历史评价与审美分析，他还瞩意于中国小说叙事智慧、叙事典式、叙事技巧等的开掘，为建构中国的叙事学体系而努力。一部《红楼梦》，千人评说，百家争鸣，光是作者问题就争得不可开交。杨义从叙事学角度切入，认为大可不必由书题的复名性与作者的多元性之谜制造查无实据的著作权公案，其实，"烟云模糊处"乃是一种叙事谋略，它借作者的五化身，把文本推向一个包括天与人、僧与俗、京师与外省的宏大空间。展开隐括叙事者审视与体验天地人生的多元视角。而这种富于层次感、穿透力与幻设性的多元视角,只是《红楼梦》实现天书与人书的诗意融合的一种叙事手段,与此相关的还有非情节化描写、影子描写术、超现实叙事、预言叙事等,它们共同架构了《红楼梦》恢弘壮丽、幽曲深邃的叙事结构。关于《金瓶梅》,杨义从"戏拟(parody)"谋略、嘲讽心态、情欲与死亡之母题、市井腔调的叙事语言、具有独特文化内涵和审美奇思的叙事结构等方面,揭示了其世情书与怪才奇书叠印的双重品格。正是通过对历朝小说的叙事结构分析,杨义走向了中国叙事学的理论架构。《中国叙事学:逻辑起点和操作程式》就是对中国叙事文学传统的综合考察与理论概括,文中认为,"中国叙事文学具有自成特色的体制、模式、趣味和评价系统",这一系统的逻辑起点是作为中国人宇宙论和生命论动态原型的周行不殆的圆形思维结构。因而,叙事文学作品存在着潜隐的圆形结构,变动不居的参数叙事,阴阳两极相离相对、相接相间、相含相蕴、相聚相斥所生成的叙事流程、叙事节奏、叙事构成、叙事频率,以及由圆形结构与阴阳互构互动的方式所决定的流动视角。杨义最近完成的中华社科基金项目《中国古代小说史论》,既是这一理论构架产生的胚胎,又是一块已获丰收的试验田。我们有理由相信,随着杨义前导性的开拓、探索与整个学术界的共同努力,独具风韵的中国叙事学一定会为人类智慧作出可以夸耀于世的贡献。

三、学术个性:追求大家风范

若从 1978 年考入中国社会科学院研究生院攻读中国现当

代文学专业算起,杨义在学术道路上已走了 17 个年头了。这期间,杨义发表了近二百篇学术论文,出版了十余种学术专著(《鲁迅小说综论》、《鲁迅小说会心录》、《文化冲突与审美选择》、《中国现代小说史》三卷、《二十世纪中国小说与文化》、《中国历朝小说与文化》、《京派与海派比较研究》、《二十世纪中国文学图志》上下卷、《路翎研究资料》等),年内又将有五种专著问世,总字数达五百余万字之多,可谓建树卓著。他先后破格晋升副研究员、研究员,被评为"国家级有突出成就的专家"、"做出突出贡献的中国博士硕士学位获得者",现任中国社会科学院学位委员、博士生导师,被美国《世界名人录》列入"世界五百有影响的领先者",获美国和英国剑桥"世界传记中心"的"二十世纪成就奖"。

49 岁的杨义怎么竟取得如此赫然的成就? 学术前辈、同代人、尤其是莘莘学子都想索解个中原因。杨义的学术成就不是轻易能够达到的,他那业已成熟且仍在发展着的学术个性可以给我们以许多启迪。

(一)悟性与理趣

读杨义著作,没有那种生硬、艰涩之感。这固然得力于行云流水、随物赋形的语言功夫,但更由于在语言表现的深层,涌动着充满灵气的悟性。这种悟性使审美观照切入自然、把握到位。譬如像鲁迅、茅盾、巴金、老舍等小说大家相互之间的区分相对来说容易一些(当然艺术个性的准确定位同样需要良好的悟性),但像同属左翼文坛乡野风的魏金枝和叶紫,同属东北流亡者作家群的端木蕻良和骆宾基等就较难区分。然而杨义在小说史中以敏锐细腻的悟性将魏金枝和叶紫的创作个性区别为"浙东曹娥江的忧郁"与"湖南洞庭湖的悲愤",将端木蕻良从"现代小说界的边塞诗风"与"大江南北的风俗文化反省"两个方面定位为"土地与人的行吟诗人",将骆宾基于"从边陲烽火中获取忧愤和灵感"与"乡邦和人生反省的交错"两个方面定位为"北望边陲的人生体悟者",都切中肯綮,给读者提供了阅读的可信参数。

　　研究文学,固然要占有第一手材料,也要有现代意识,但怎样使材料与意识活起来,为我所用,成为既符合历史真实,又显示出研究者个性与时代感的新生命,则需要悟性。对此,杨义早就有清醒的意识,或者说对自己的悟性有明确的体认。他在《中国历朝小说与文化·序言》中说:"我之研究文学,非常推崇悟性。众皆知晓,禅宗是以悟为妙谛的,妙谛旁渗,使我国近千年来论诗衡文都是以一个'悟'字作为沟通天人与真幻的心理契机,即所谓'欲参诗律似参禅,妙趣不由文字传。个里稍关心有悟,发为言句自超然'(戴复古《论诗十绝》)。如此论悟,似乎有点虚玄。但若能以悟观文,由文出悟,则是古中国文论中足以同西洋分析文论并峙的一种审美心理优势。"杨义把这种传统审美心理优势继承下来,并且予以当代理性——现代意识与现代批评方法——的烛照,熔铸成由悟入析、悟析兼济的研究方法。这种方法,可以择取恰合对象的切入点,保持历史描述、理性分析中的审美生命力,也可以增加审美感悟的理性力度,拓展审美观照的联想空间。譬如在唐人传奇的阅读中,杨义首先感悟到其间存在着一种"进士与妓女"的潜隐母题。接着他又从《通典》、《续通典》和《北里志》等文献的考察中,进一步感悟到进士和妓女处在唐代社会的荣辱两极,两极相遇,乃是唐人风流的象征。再推究以当时的婚姻制度,就得以分析到"这种风流中存在着一定程度的感情可选择性以及命运的不可选择性。这就造成了大喜大悲的感情波澜和聚散离合的悲剧结局。复考究传奇作者不少人出身进士，因而悟知他们写这个母题不含儇薄之意，倒含有几分风流自赏，并借言情悲剧寻'诗'，寻找唐人至为心折的精神生活方式"。① 单靠悟性，洞察之力必有所不殆，单凭理性，分析必失之浮泛空洞，悟析兼济，方能得出如此丰满而深刻、圆润而清晰的结论。杨义的学术著作，无论是文学史类，还是史论类，都贯穿着悟析兼济的方法，只是前者悟性显得更为突出、理趣较为潜隐，而后者则有所变异罢了。

（二）战略性与开放性

杨义的学术研究富于宏观性、整体性、前瞻性、历史性，这里姑且称之为战略性。

从选题与框架来看，《中国现代小说史》（三卷）、《二十世纪中国小说与文化》、《中国历朝小说与文化》、《20 世纪中国文学图志》（二卷）、《中国古代小说史论》，都见出一种大视野、高视点的战略构图，将要完成的《中国叙事学》更是有一种贯穿古今、平视西方的磅礴气势。研究小说，他注意小说的文化背景，把作品、作家及其所处时代的文化背景作为一个大语境来看待。研究作家，他注意这一作家所受思潮的影响、与历史现象的源流关系、与其所属流派的关联以及与其他作家的异同。胸有全局，局部及细部的操作便有大气贯通其间，每每给人以小中见大、微波巨澜之感。而大的构想，又是从一点一滴做起的，步步为营向前推进。现代小说史完成之后，向古典小说延伸，古典小说研究扎稳营盘之后，再旁及古代诗词、戏剧、散文、历史，走向中国叙事学的建构。从眼前做起，又能放眼未来，或者说为了一个高远

----

① 杨义：《中国历朝小说与文化·序言》，台北业强出版社 1992 年版。

的目标,从切近处做起,这就是他的前瞻性。

世纪眼光是杨义学术战略的重要表现。世纪虽是人为的划定,与历史发展阶段并没有整齐划一的必然联系。但对于中国来说,20世纪的确是一个翻天覆地的时代,尽管旧物的影响一时难以除尽,但皇权毕竟进了陵墓,皇陵成了黎民百姓可以前往参观的文物,文学也从道统与文言的桎梏下解放出来,真正回到人的怀抱、回到人民手里,这样,世纪眼光就有了独特的意义。在1994年4月举行的"巴金与二十世纪"学术研讨会上,杨义以世纪眼光来看巴金的创作,认为在巴金的众多作品中,至少有三种可以传世,这就是《家》、《寒夜》、《随想录》,因为它们最能表现20世纪中国人的心声,这就是:反封建。"我控诉",控诉的是封建家庭专制、封建礼教的罪恶;"讲真话",就是讲述封建主义残余对人的心灵、对民族文化、民族精神的戕害,呼吁绝不容许"文化大革命"似的悲剧重演。1995年1月,杨义发表《中国文学的百年回首》,把20世纪中国文学的基本性格和主要贡献概括为"文学从古典到现代的转型"。他在充分肯定转型的积极效应的同时,也指出了"新的=好的"思维逻辑的负面效应。基于对新文学史的考察,他还指出文学的大国气象与大家风范有待于21个世纪,为此他呼吁以"高峰意识逐渐取代转型意识","实实在在地涵养文学的大国气象和大家风范"。

其实,杨义自身就在不断涵养大家风范,开放性正是大家风范的表现。首先他的知识结构是开放型的。早在孩提时代,他接触了《五虎平南》、《薛家将》、《杨家将》、《三国演义》等民间叙事文学。稍大,受父亲影响读了《黄帝内经》、《神农百草》、《伤寒论》。"文化大革命"中及大学毕业后在工厂工作期间,他浏览了大量哲学、文学、历史学、经济学等学科的著作,其中包括

《资本论》、《鲁迅全集》、《史记》、《资治通鉴》、《元曲选》、《古文辞类纂》等经典。如果说那时的杂学旁收尚属"无为而治"的话,那么攻读研究生以来的博览群书就是有意为之的了。哲学、历史、民俗学、民族学、考据学、心理学、自然科学等,他广泛涉猎。所以他的学养那样丰厚,在著作中上天入地、纵横捭阖,挥洒自如。他的治学方法也是开放的:历史学、美学、版本学、文化人类学、考古学、心理分析、接受美学、新批评、结构主义、文献学、文化学、宗教学等方法兼收并蓄、多元互补,因文本而宜,灵活运用。开放的知识结构与开放的方法体系相互为用,小而言之,解决了研究中的不少问题,大而言之,为文化战略的实现提供了保证。譬如掌握了《诗经》中的人称代词的使用方式,再了解了先秦人以毛色辨马的习惯,然后用语言分析的方法,就破译了《穆天子传》中穆王见西王母时吟咏酬答所隐藏的男女之情的文化密码,也揭示了穆王八骏以八种颜色象征着的世界图式。传统的考据学、版本学一旦与现代批评方法结合起来,多学科的知识与方法一旦交叉融汇起来,就产生了充满生命力的整合效应。

（三）主体性与原创性

杨义在其文化战略的构架上主张主体性与开放性结合,即一方面克服民族虚无主义,从源远流长的中国文化中发掘民族智慧,另一方面摒除文化保守主义,敞开门户,迎接西方新潮异声,汲取异域智慧,以古今贯通、中西融汇的胸襟与气魄铸造中国现代文化大厦。主体性原则也鲜明地体现在他的具体研究之中。当代思潮波翻云涌,学界文坛八面来风,都在杨义默默关注之中,但他从不追求时髦,更无意于搴旗争当"先锋",而是以自我的悟性与学养去汲取、咀嚼、融汇,从而丰富自我、更新自我。

所以他的观点有发展,但没有忽左忽右。他的方法有更新,但不是非此即彼。他的研究视野不断拓展,探索深度不断推进,但总是流贯着杨义独有的学术个性。

正是由于坚持了独立的学术品格,不趋时,不媚俗,也不因袭,不封闭,不停滞,杨义的学术研究才表现出较强的原创性。《中国现代小说史》占有资料之多、结构之宏伟严谨、悟析之曲尽其妙、文笔之酣畅淋漓,均独具一格,令人叹为观止。其体大精深、异彩纷呈,第一次向海内外呈示出杨义巨大的原创力。京派与海派,在其文化品位与文学个性尚未引起学术界足够重视时,杨义追根溯源,发微见著,准确而生动地勾勒出这两个重要流派的来龙去脉、文学风貌,并指出其文化意义。鲁迅、郁达夫、茅盾、老舍、巴金、萧军、萧红等现代作家、学术界的论述可谓多矣,但一经杨义从文化视角切入的独到品味,就给人以新的启迪。《山海经》、《穆天子传》、《世说新语》、唐人传奇、《三国演义》、《西游记》、《金瓶梅》、《水浒传》、《红楼梦》、《儒林外史》等古典名著,有关论述更是汗牛充栋,但一经杨义以富于创意的中国叙事学方法加以阐释,便打开了新的视野,一些在古典文学领域耕耘多年的学者也称赞杨义的新发现。

以杨义对中国现代文学的熟悉与把握的程度,他满可以作出更多小说史的子课题,但他不愿重复,而是执意求新。《二十世纪中国文学图志》是由他创意、策划并作主要撰稿人而推出的新形式文学史。"志"在古代中国是史的分支,将其作为独立形态,则盛于地方志。以志配图,而形成"图志"的,古时也只有地志书。但文学书类配以插图,则规模最为可观,也颇见人间趣味。郑振铎20世纪40年代编选《中国版画史图录》,收录一千数百图,可谓皇皇大观。"但其眼光专注于图,没有超越和透过图,去考察和体悟文学史"。① 20 世纪 30 年代他曾出版过《插图本中国文学史》,"但眼光注重于史,图只是衬托,也没有形成按图索史的透视性眼光"。② 杨义早在进行中国现代小说史的研究时,就从原版书刊的装帧设计与插图中悟出了许多宝贵的信息。经过几年的积淀、酝酿、思索,愈加认识到"作家选作装帧插图的画面也是一种特殊的语言,一种以线条、色彩、构图、情调为符号的'无语言'的心灵语言。它包含着非常丰富的信息量,从中可以窥见文化心态、文学气象、文学气氛,窥见文学史"。③ 于是,他邀集两位同道,广收博采,取精用宏,编著出两卷本图有精神、文有情趣、两者之间互动互映、以图出史、以史统图的特殊形式的文学史。海内外报刊选载部分章节后,引起了学术界的兴趣与好评。继台湾版之后,北京版与日文版也正在筹划进行之中。

有人说杨义头脑里尽是点子,推出来的都是"名牌"。杨义说自己涵养的是民族文化的元气和气魄,努力的是中国文化的充分发掘和深度现代化转化,建造现代的"中国心灵"。杨义不是一味埋首书斋的学究,而是有着深广的人文情怀的学者。杨义从广东电白沙滩上走来,带着农家子弟的勤奋与倔强,带着南海潮汛的开放之风与新鲜气息,带着岭南大家康有为、梁启超的乡泽,将走向更为广阔的世界,走向充满希望的 21 世纪。他将如夏志清所预见——"真会公认是一代'通人'"。④

(原载《社会科学战线》1995 年第 4 期)

---

① 杨义:《二十世纪中国文学图志·序言》,台北业强出版社 1992 年版。
② 同上。
③ 同上。
④ 夏志清 1991 年 9 月 7 日致杨义信。

建立文学批评新模式的卓越实践

——王锺陵教授学术成就评述

彭黎明

一

　　20 世纪,西方产生了众多的文学批评模式,诸如社会历史批评、俄国形式主义、新批评、现象学批评、精神分析、结构主义、解构主义、接受美学、读者反应批评、话语理论、西马、女权主义、新历史主义等,可谓流派纷呈,而中国由于社会历史方面的种种原因,在文学理论领域中,20 世纪基本上处于移用西方理论的阶段,无论是进化论的,还是阶级论的。这一情况在 20 世纪末叶终于有了改变,王锺陵教授的三本大部头的专著(《中国中古诗歌史》、《中国前期文化——心理研究》、《文学史新方法论》)发表后,在全国学术界"连续产生轰动效应",正如著名学者陶尔夫所指出的,王锺陵教授的文学史研究创立了"自成一家的文化——心理批评模式","极大地拓宽了文学史研究的视野"。①

　　王锺陵教授现已在《中国社会科学》等 30 多种刊物上发表

————————

　　①　《河北师范大学学报》1995 年第 2 期。

学术论文约 80 万字,著作 160 万字,还主编书籍约 270 万字。王锺陵先生的论文发表后又广为《新华文摘》、《文汇报》、《文学遗产》、《文艺理论研究》等十余种报刊或转载或摘介。王锺陵教授的著作已流布美国、俄国、日本、韩国、新加坡、中国香港、中国台湾等国家和地区,并获得海外学者的高度评价,刊出书评几十篇。他有关神话思维的论文的英译本已被美国纽约自然历史博物馆(世界级博物馆)的学者收存为文献。

以上研究实绩充分表明:王锺陵教授是当代杰出的、有重要影响的文学史家、文艺理论家和文化—心理学家。

本文意在从新时期以来中国文学研究的历史进程和与世界其他文学研究模式的比较这样一个大的纵横坐标上,来对王锺陵教授的学术成就加以评述。

二

时当 20 世纪 80 年代初期,那似乎是一个初春时节,中国意识形态领域正处于复苏阶段。在文艺理论领域,由于多年的封闭,观念十分陈旧。随着国门的逐渐打开,学人们的眼前突然出现了西方文学和哲学理论的新大陆,加以社会上美学热、文化热又在浪逐浪高地汹涌着,于是在文学研究界中便产生了一股冲动:想要摆脱学科所处的严重落后状态。然而,面对着中国古代文学和文化极其深博的蕴藏以及有着悠久传统的研究方法,古代文学研究者要想取得突破,其难度无疑是巨大的。因而在古代文学研究领域中,不少学人对于革新的可能性是取怀疑态度的,有人干脆认为古代文学研究就是要运用传统方法。而在文艺理论领域中,由于西方著作的大量译介,则又触目地产生了食西不化,徒然堆砌新名词的现象,以上这些便是王锺陵展开他的学术活动时的学科发展状况。这样的一种状况应该说是难度大于机会。

王锺陵的理论意识十分突出,他认定古代文学研究的革新,必须从思维方式和方法论的突破上着手,而在思维方式和方法论上要取得突破,除了要吸收西潮外,还必须消化西潮,并且,进一步从我们民族的传统中,从实际研究中提炼和升华出新理论和新方法来。他有一个强烈的信念:一个有抱负的中国学者应该以创造超越西潮的新理论为自己的目标。其实所谓文学理论本就是文学创作、评论和文学史研究中的种种意见、主张、方法的理论化,因而本是鲜活的。并且,由于文学史研究所涉及的理论问题和哲学具有极为密切的关系,或者径直就是哲学问题,因而这就决定了文学史研究新方法的出现要以哲学的突破为前提。王锺陵展开他革新中国文学史研究的事业的开头,正是明确地以哲学方向和思维方法的改变作为自己工作的前提。由此,王锺陵先生在他的三部专著的撰写中,乃一以贯之地、有机地将文学史研究的革新、文学理论的新构和哲学新方向的探索以及新的文化精神的建立结合在一起。

王锺陵所致力的哲学方向,早在 1986 年,在他的第一本专著《中国中古诗歌史》的"前言"中就已经作了清楚透彻的说明:"马克思恩格斯在否定了孤立抽象的人本主义的研究方法以后,使人的研究转向于同对社会——历史的研究,同对社会经济关系的研究结合起来,这是一个伟大的成就。不过,我们现在还需要对人性和民族性之所在的文化——心理结构作出探索,这是一个新的时代的召唤。"他并特别指出,文学史著作"应该致力于对民族审美心理建构的研究,这一研究,具有十分重要的意义。如果说一个具体个人的文化——心理结构,是这个人具体人性之所在的话,那么一个民族的文化——心理结构,便是这个民族民族性之具体所在。""在东西方文化交流的背景下,对于民族性的探索"乃"是一个牵涉到世界文化发展的意义重大的课题。文学史的研究,在探讨这一课题上有其特殊的优越条件"。显然,这一段话已经奠定下了文化——心理新批评模式的一块最为重要的基石。

这一段话中有四个要点:一是当人们还兜转于动物性与社会性、阶级性与普遍性的怪圈中争论到底何谓人性时,王锺陵独创性地以文化——心理结构对人性和民族性作出了简洁透辟的概括,建立了一个极为重要的跨学科的生长点。二是首次提出了文学史研究应致力于探究"民族审美心理建构"的崭新命题。这一命题,不仅抓住了文学作品及文学史嬗变的心理根源,而且还因为审美心理是整个文化心理的重要组成部分,从而不仅使得文学史研究可以在一个阔大的视域中获得深层次的审视,进而有可能向着高品位的大著作跃升,而且还可以赖此而向其他领域覆盖。也就是说,这一命题,既深化了对文学本体的研究,又在深层次上拓展了文学与其他领域的关联。三是王锺陵提出新时代的哲学发展方向应是推进对于人性和民族性的探究。这一哲学方向既是他的文学新批评模式赖以建构的基础,又是他的文学史研究所致力的超乎其自身之外的一个更高的目的。第四,王锺陵明确地将上述哲学发展方向确定为是一个对于世界文化的发展意义重大的课题。由此,文学史研究获得了前所未有的意义,还没有人这样论述过文学研究的价值。显然,王锺陵先生给予了文学研究一种具有时代性和世界性的、深层次的、全新的视野。

由此，他构筑了一个高屋建瓴的坚实的学术基点，从这样一个基点出发，王锺陵先生便愈益向着构建既超越传统又超越西潮的新文学批评模式成功地行进了。

王锺陵在写出他的名著《中国中古诗歌史》之前，其实已在长篇论文的写作上崭露头角。王锺陵对于学术的虔诚，曾使许多人为之动容。好些看过他工作情景的人，都无不为之感动！当他着手写作《中国中古诗歌史》时，他就终于站到了古代文学研究取得历史性重大拓展的突破口的位置上了。他这部70万字的大书（书写到这么大完全是不期然的），建构出一个博大精深的"有着史诗般的深宏伟美"①的理论殿堂。这不仅在中古这一段，而且在整个古代文学研究中都是破天荒的。更重要的是，这本书不仅大而深，还极为新——无论是体例、方法、内容、文风，作者别出心裁地将他改革古代文学研究的理论主张写成了一篇26 000字的前言，这样，作者的革新理论及其实践就一起放到了学术界同仁的面前。于是，首先在古代文学界，继之在整个文学研究界，就都迅速感受到了一股强烈的冲击波！

然而王锺陵绝对没有想到的是，他的这部处女作（以书为算）竟是他的饮誉中外的成名作。学界名宿及新秀们在《人民日报》（海外版）、《中国社会科学》、《文学遗产》、《学术月刊》等大报刊上发表了众多评论，予王著以极高的评价。

特别引人注目的是，由于产生了大量的文学史著作，许多著作在时流之中，其所获得的评价以及其所受到的注意往往呈下降趋势，但《中国中古诗歌史》却独呈一种上升态势。学术界一直保持着对此著的高涨的兴趣，种种评论文字至今依然方兴未

① 《学术月刊》1990年第10期。

艾。1995 年所出刊的《中州学刊》发表题为《关于"重写文学史"》的综述文章说:"王锺陵的《中国中古诗歌史》是一部见解卓越、体大思精的……著作,它以磅礴的气势,恢弘的议论和充满诗意哲思的文笔,一新人之耳目,在中国文学史研究领域树起了一座辉煌的里程碑","这部严肃的具有史学与哲学双重品格的文学史论著,已经在学术界引起强烈的震撼,激起新老学者的一致赞美。王锺陵的学术实践及其成果,昭示了中国文学史研究的全新的一页"。该文并特别指出:王锺陵的"研究,兼具鲁迅的深刻和闻一多的精美,十分难能可贵而又风格独具"。最近,陶尔夫先生又发表长文,论述王锺陵教授的学术成就。他将自林传甲以来八十多年的文学史研究史,划分为四个大的时期:开创期、成型期、更替期、突破期,而突破期便是"从 1988 年王锺陵出版《诗歌史》开始"的。陶先生并称王锺陵为"有远见卓识能开拓新路的文学史家"。① 学术界经过眼界的开拓和一再的比较后,对王著的价值仍然给予了极高的认可。这说明《中国中古诗歌史》在学术史上已然凝定了它无可取代的地位。它对于现实的文学史论著的写作已具有典范性、经典性。这部书不仅是文学史革新的开创之作,而且还是它经过时间考验了的代表作。

对于人性、民族性之所在的文化——心理结构的探究,必然要求跃升到对人类精神生成发展的把握上,这自然是一个更高、也更为艰难的课题。在对《中国中古诗歌史》的评论正处于高潮之时,王锺陵先生又全心埋头于 60 万字的《中国前期文化——心理研究》的写作中了。此书出版后,《光明日报》(1994

---

① 《河北师范大学学报》1995 年第 2 期。

年 1 月 21 日）评论指出："这部书以极为辽阔的时空视野、包孕万有的雄犷笔力及理论上的深度，再一次引起学术界的广泛瞩目和高度评价。"有的论者则更准确地认为，这部书"虽名为《中国前期文化——心理研究》，实际所阐述的却是不乏殊相性的人类精神的生成发展史。无疑，人类的早期意识史，因为王著的一系列重大突破而显得更清晰，也更成熟了"。[①] 1992 年，王锺陵先生在主编了《中国文人心态史》丛书后，于其总序中又一次概括了他学术努力的目标："要之，具体深入地（而非论纲式的）推进对于人性、民族性及人类精神生成发展的研究，以便由此探索和理解民族精神和人类精神所应有的走向，乃是我一贯致力的学术目标。"

依据王锺陵教授自己的说明，他同文化人类学派的区别乃在于文化人类学派所关注的是一种将工具的运用、生产的状况、行为方式、风俗习惯综合在一起的文化发展，而他关注的乃是与文化发展相关联的人类深层精神结构的形成和流变。精神分析学派注目于探究潜意识，热衷的是梦的解析；而他所关心的乃是像时空观、生死观、宗教观、悲剧感这一类的深层心理及其相互关系。此外精神分析学派注意的是一种所谓的人类意识，比如像所谓"恋母情结"、"恋父情结"之类不仅是跨国度的，而且是跨时代的，而他的探究所关心的乃是共时与历时的统一；虽然时空观之类也是全人类都有的，但他的研究所用力处乃在于把握其普遍性与特殊性的结合，并由这个角度认识特定的民族性。可以看出，王锺陵的理论同精神分析学派不仅在把握对象上不一样，而且在把握方式上也不一样。如果十分简洁地加以说明

---

① 《苏州铁道师范学院学报》1993 年第 2 期。

的话,可以说精神分析学派关心的是精神之深层,并从而走向非理性;王锺陵关心的是深层之精神,着力于融摄理性和非理性。王锺陵同存在主义、结构主义学派有相通,但也有深刻的分歧:一是存在主义往往从强调主体体验走向彻底否定客观性;二是结构主义者主张一种静态的结构,否定历史性,他们当中相当一部分人也否定辩证法;三是他们从重视结构出发,以至于走到否定人的倾向,从而向后现代思潮过渡。以上三点王锺陵都不能接受。而王锺陵则认为意义不是先在的,意义的张扬与结构的形成是同步关系,他所主张的是结构与主体(民族或个人)的统一。他认为结构是在整合过程中凝定出来的,正是在这一点上可以超越结构与历史、结构与主体的分裂。

《中国前期文化——心理研究》一书的成功,使得新的文学批评模式,有了更为深广的文化的和哲学的根基,并且在内容和表现形式上都有了更进一步的丰富,还更为清晰深入地划出了与种种西方哲学流派不同的独特的学术路径。在这两部高品位的大型学术专著获得巨大成功的基础上,王锺陵先生可以着手从自己切实的实践出发,来从理论上完整系统地阐述这一全新的文学批评模式了。王锺陵教授说:"文学史革新……要求从理论上充分地、整体性地阐明一种新的思维方法,亦即是建立文学史学,或曰文学史哲学,以便彻底纠正(庸俗)社会学研究模式中那种平浅的、线性的、二元对立的思维方式"。①

当国内一些学者的研究还刚刚触及文学史方法论这一课题时,又一次出人意料的是,王锺陵教授推出了30余万言的《文学史新方法论》。此书一出版,《光明日报》等全国性大报刊都

---

① 《中州学刊》1994年第4期。

迅即发表了评论,予以高度评价,称:"《文学史新方法论》的价值已经超出了单纯的文学史领域而具有了普遍的价值适用性,它是对所有史的研究在观念上的一次革命。""《文学史新方法论》具有里程碑式的意义"。① 陶尔夫先生评曰:"文学史学这一门崭新的学科以及一系列不曾为人研究过的课题,王锺陵以个人的能力创造性地完成了。"王著"已充分达到这一学科建设的科学水准"。王锺陵"这三部专著的出版,标志着文学史的研究与编写已经进入了一个新的历史时期。"特别重要的是,陶尔夫先生还甚具卓识地指出:"王锺陵所创构的文化—心理批评,是继西方……形形色色批评模式之后又一新的批评模式。这种新的文化—心理批评还因其'知音'与'知心'的程度很高而具有后来居上的态势。它不仅已成功地用于中国文学史的研究与编写,而且还因这一模式的开放性、包容性、实用性与可操作性而对文艺学、历史学、美学以及现当代文学研究,具有启发与借鉴作用。似乎可以预见,文化—心理批评模式的覆盖面将日益扩大,在世界文化的建构过程中也将能触摸到中国文学史新潮之波的涌动"。②

一向严谨认真的陶尔夫先生,话说得意味深长:"王锺陵在更新文学研究方法与建构新的批评模式方面的开创之功","将同他的三部著作一起载入学术研究的史册"。③

众多评论指出,王锺陵教授以拓荒性的实践开辟了一条崭新的学术道路,转换了人们的思维方式,开辟了一代文学史研究

---

① 《河北师范大学学报》1994 年第 4 期。
② 《河北师范大学学报》1995 年第 2 期。
③ 同上。

的新方向。然而,似乎更应该强调的是他对于新哲学方向和新文化精神的探索和推进,对于他一再倡导的将文学史研究"纳入到民族新文化的构建中",并使之"成为其重要的一部分"①的主张,有着更加重要的意义。王锺陵新文学批评模式的可贵,正在于他将这两者有机地凝结为一体。

三

同王锺陵有过深谈的人,往往都会被他面对历史的那股豪气和进取的精神所振奋,王锺陵是一个兼具诗人、哲人和学者气质的人,准确地说,他乃是一位诗人兼哲人型的学者。这样的一种气质使得他的研究呈现出鲜明的特征:他的论著总是将具有极高视点的理论框架同大量扎实的材料有机地融合在一起,并且又总是将严密的逻辑思辨和诗情、文采结合在一起。他的诗性气质导致了他的论著具有一种显著的人文主义精神和对于审美境界的追求;他的学者气质,造就了他的论著具有一种强烈的科学主义精神;而他的哲人气质,则使得他能够将这种人文主义和科学主义精神交融在一种给人以突出的审美感受的深邃宏大的境界里。王锺陵的这种个性气质及其论著的特征,不仅十分切合中国文学研究向前发展的需要,而且也为他构建超越西方学者的文学批评新模式提供了坚实的基础。

源远流长的中国古代诗话、词话、曲话,重视的是对于艺术体会的申述,其体兼说部,已然表明不重视理论的散漫性。王锺陵将这种情况称之为有着历史传统的中国式局限,由此他不仅

---

① 王锺陵:《文学史新方法论》,苏州大学出版社 1993 年版,第 434 页。

旗帜鲜明地提出了"史的研究就是理论的创造"的口号,而且指出了突破上述局限的途径:建立一个科学的逻辑结构。正是在这儿,王锺陵先生准确地抓住了民族思维向前发展的必由之途。从民族思维向前发展的需要出发,王锺陵建立了这样一个信念:我们的任务是使文学史理论形态化。王锺陵那种为论者们所公认的巨大的理论架构力及其细致深邃的思辨力,恰恰提供了他完成上述历史任务的条件。他那几部著作都建构了宏大严密的理论体系,体现了一种将西学高超而系统的逻辑精神渗透到中国文化生命中,以切实梳理和把握中国文化而昂扬起来的精神风貌。奇妙的是,"史的研究就是理论的创造"的追求,既使王锺陵走向对科学主义精神的严谨把握,又使他走向对于人文主义精神的张扬。他一再强调客体是在主体的界限内形成的,他的论著具有一种深沉、崇高、大气包举并富含浓郁哲学意味和丰富审美意蕴的史诗风格。并且更为重要的是,科学主义与人文主义精神在他的新批评模式中,又是浑融的。正是这种浑融,使得王锺陵的文学新批评模式,既吸取了西方理性精神以超越传统,又避免了西方绝对理性的缺陷,以及仅仅以存在和思维的关系来把握文学史运动的狭隘眼界,并且在一系列问题上摆脱了西方学者易执一端的局限,从而能以一个中国学者所擅长的大综合的思维方式——当然是在充分吸收了西方理性精神的基础上,达到超越西方学者的高度。

对于王锺陵新批评模式超越西方文学批评模式的地方,我们可以举几个要点来谈一下:

首先从历史观上说,西方学者出于对旧历史主义的目的论、线性论的不满,由此而颠覆历史,结构主义主张共时性而反对历时性,他们并进一步反对历史的逻辑性,将历史的逻辑性等同于历史的决定论,不仅摒弃黑格尔的逻辑学思路,而且还否定历史的连续性,热衷于在历史中寻找裂隙、非连续性和断裂,新历史主义那种兜转在本文和社会的互动关系中的思路,也还不足以结束西方 20 世纪中许多学派对于共时性和历时性的割裂。

王锺陵教授的思路同西方学者不一样,他虽然也反对历史的目的论、线性论(他在这方面多有精彩的论述),但并不想将逻辑与历史对立起来。他首先从十个方面对黑格尔的发展观进行了深入的批判,①这在国内学界还是首次。并且,与国内学界长期停留在泛泛谈论历史与逻辑统一的状况中不同,王锺陵先生又进而在学术史上第一次将历史与逻辑的统一区分为两种形态,还别开生面地、极富创造性地提出并阐发了建立历时性的历史与逻辑相统一的论题。由此,不仅随机性、偶然性和个人作用得以注入于逻辑性之中,并且历史逻辑再也不是单线的了,而是多组矛盾相交织的双向运动过程,在这一过程中不仅融汇着历史大幅度的涨落和旋转,而且有着边缘和中心的不断的置换。这是一种活的、随机生成的逻辑,它在抛弃了先在性、目的性、绝对性和一种与之相联系的外在的规范性、压抑性的同时,仍然保存了历史的可以理解性及其一定的确定性(详见《文学史新方法论》第五章)。因此,王锺陵先生所提出并贯彻于其论著之中的在民族思维和文化——心理动态的建构过程上来把握文学史的进程的学术路径,既走出了结构主义的凝固性,也迥异于解构主义代表人物德里达的话语的无限分延的不确定性。这样的一种新逻辑学思路由一位现代中国学者构建出来是有其深刻的原因的:中

---

① 参见王锺陵:《文学史新方法论》,苏州大学出版社 1993 年版,第 97—128 页。

国是一个历史意识特别发达的国家,然而走向理性增强逻辑性又是我们民族发展的需要,这样两个方面的存在,必然使得我们民族向着更好地将历史与逻辑结合起来的思路前进。也就是说王锺陵教授所创立的新逻辑学思路乃是一种既保持了我们民族思维之优势,又适合了我们民族思维向前发展需要的,并且还同时避免了旧历史主义弱点和当代西方学术思想缺陷的思维方式。

其次,在文学观上,西方学者有一种突出的语言本体论,并从而形成了一种本文主义传统。福柯将符号凌驾在其使用者之上,并走到了取消主体的地步。结构主义关心的是一个横亘古今的结构而不是人,解构主义则认为本文的作者并不创造意义,本文的意义是在与其他本文的关联中产生的。德里达提出了这样一个命题:"本文之外,别无他物",他从本文间性的理论出发,认为文字本身就可以使自己不朽。即使是新历史主义,也仍然是以文本与语境的关系作为自己理论的核心。

王锺陵先生的文学观不一样。他曾经这样概括过自己的文学观:文学所展示的乃是以语言为介质所构建的为了主体(个人的以至民族的)之存在的艺术化了的或曰审美的文化——意义的世界。对于这一文学观,王锺陵教授在《文学史新方法论》中作了充分的论述。他说:"整个社会科学研究的极重要的价值之一,乃在于为民族构建一个文化——意义的世界。……文学史研究,如能以其浑涵了丰博历史内容的审美的光彩,映现在这一民族文化——意义的世界中,则文学史研究对于民族的存在和发展,就作出了特殊的贡献了"。① 王锺陵先生的这一文学

① 王锺陵:《文学史新方法论》,苏州大学出版社 1993 年版,第 161—162页。

观显然是以他所论述的认知世界及人文世界的生成性为其更深的理论基础的。《中国中古诗歌史》一书中的陶渊明专章对"结庐在人境"一诗有长段分析,其略云:渊明正是以自己哲人的思理和诗家的审美,不断营造着一个自我的空间,从而使得他的感伤之情得到了消释。文化——意义的世界是为人及其群体服务的。这一世界不是一种外在规范了的、强加于人的世界,而是一种自我营造的、属于自我的世界。十分明显,此种文学观比之本文主义的文学观无疑展开了辽阔得多的社会的和历史的空间,并且这一文学观也更准确地抓住了文学的审美特质及其在人类生活中的地位和作用。文学的特质是审美,不是语言;本文不是目的,人才是目的:这是上述两种文学观的显著差别。

既然文学以语言为介质而展示一个艺术化了的世界,文学的本体自必会获得高度的重视,因而王锺陵先生所提出的更新文学史研究的四项原则之第三项乃是"从民族文化——心理的动态的建构过程上来把握文学史进程",①这同西方一些批评模式之将文学分析变成了泛文化议论又大不一样。《中国中古诗歌史》在各种语言、文学现象的分析上倾注了极大的兴趣,取得了学界公认的卓异的成就。另一方面,王锺陵先生又强调说:文学史研究"正是在民族文化——心理的恢弘的视域和深层次的观照下,不仅将解决许多单纯在文学的视界中所不能解决的问题,而且还将饶具一种沉雄博大的气韵"。② 他的《中国前期文化——心理研究》正是由此而透彻明了地解决了一系列文学史、艺术史、文学理论上的难题,提出了许多崭新的见解。

---

① 王锺陵:《文学史新方法论》,苏州大学出版社 1993 年版,第 33 页。
② 同上书,第 161 页。

王锺陵教授的文学观不仅紧扣了文学的本体,而且具有十分开阔的视域。这一文学观不仅超越了中国传统的言志的、缘情的、载道的文学观,而且也超越了西方模仿的、体验的、本文的文学观,具有极大的创造性,十分深刻新颖,它对于文学理论和文学史研究的更新无疑具有极为重要的意义。

再次,从对文学运动的把握上说,新批评、结构主义以及现象学的文学批评所重视的是作品本体。姚斯提出了接受美学,在接受美学的影响下,又发展起种种读者反应批评理论。姚斯在其后期,对于自己的理论有所反思,发觉仅仅注重作品的接受是片面的,他认为应将作家——作品——读者这样一个文学的总体过程作为研究对象。然而所谓"作家——作品——读者"的这样一个模式并不如姚斯所想象的那样可以概括文学的总体过程。而新历史主义则认为,文学作品中所充满的乃是一个个相互较量的力场,并且作品还能影响现实。只要将这一点连同他们的文化交叉蒙太奇的技法一并加以考虑,便不难看出新历史主义不仅过于着眼于文学与外部环境的关系,而且其历史的含义仍然是侧重于共时性的。这样的一种文学批评观无疑其兴趣并不在文学史的纵向运动上。

与上述情况迥然相异的是,王锺陵教授创建的新批评模式在学术史上第一次成功地勾画了文学史的巨系统运动。王锺陵先生的《文学史新方法论》以四章二十一节的篇幅充沛地展开了这一论题。为此他开掘了一系列为前人所忽视的环节。陶尔夫先生认为这四章"首次提出家族色调、乡邦文化与师友唱和三个层次的纵横缠结对文学史的多重影响","对当世传播、后代传世、文学史运动中偶然因素的作用、读解中的变异与新趋、文坛沉浮的内在节律等为一般文学史家所忽视的重要问题进行梳理并作出理论性阐述","对一向不为所重的总集的作用,对选评、诗话、词话、小说点评等所影响的一代风气和逐渐确立的美学传统,包括文学流派、文学史概念的形成、文学读解方法之确立等诸问题,作扇面性展开","几乎涉及上古至近代所有重要文学史现象和文学发展的内部规律"。① 除陶尔夫先生所述,其他像文学史运动的内在机制与展开形式、文化衍生、文化传播的原生状态、文学史运动的动力结构等问题,也都是王锺陵先生首先提出并加以了深刻阐发的论题。王锺陵先生在对上述一系列问题融微观于宏观之中的论述里,不仅表现了十分丰富的学养,而且表现了大气磅礴的综合性、洞察底蕴的深刻性及理论见解的独创性。西方各种批评模式对于上述众多问题基本上都甚少涉及。

最后,研究者和研究客体的关系及个人和社会的关系问题。海登·怀特说:"按照路易斯·蒙特鲁斯的看法,新历史主义所表现的只是努力重绘'最初产生……真正的文学和戏剧作品的社会——文化领域'"。② 然而,新历史主义对于文学产生的这种原初状态的追求,却遇到理论上的困难,弗·詹姆森在认为我们同过去的具体关系是存在的经验时,又忧心于存在主义意识所预先假设了的无限相对主义的危险。此外,西方学者往往徘徊在个人与社会的对立之中,要么是颠覆社会、整体的观念,张扬个人和差异;要么以社会取代个人,像新历史主义就认为人是众多论述的微小产物;又或者是干脆取消人,福柯就认为作者并不重要。

---

① 《河北师范大学学报》1995 年第 2 期。
② 王逢振等编:《最新西方文论选》,漓江出版社 1991 年版,第 496 页。

早在 1986 年,在《中国中古诗歌史·前言》中,王锺陵一方面抨击"在研究工作中乃虚悬出一个和任何认识主体都毫无关系的绝对的客观的'历史'来"的做法,他说:"这种完全客体化了的历史,恕我直言,不过是康德那种属于彼岸世界的'物自体'而已";另一方面则又指出:"然而,我们又不能单纯地说历史的真实存在于历史的理解之中,如果这样的话,历史的理解就可以随心所欲"。王锺陵早就觉察到需要驱除由于个人体验、理解而带来的那种无限相对性。他以简洁而透辟的历史真实的两重存在性原理,既包容了存在历史主义的优点,又避免了其缺点。他所提出的"原生态式的把握方式",就是一种意在避免无限的相对主义的方法。它含有新历史主义那种描绘文本产生的最初语境的目的——如果换用王锺陵先生的概念则应该说成是逼近或曰贴近;不过王锺陵教授的眼光比之以本文为中心的新历史主义要开阔得多,他说:"对历史的原生态式的把握,一言以蔽之,其实即是一种对于复杂性问题的整体把握方式"。① 因此王锺陵先生自己曾强调过:"所谓'原生态式的把握方式',即是说要像历史之原生态运动那样去把握历史,因而这乃是一个建立在时空并包、转换之非线性历史发展观基础上的概念",而绝不应从反映论的角度去加以理解——其实王锺陵正是最早起而在一个气氛并不适宜的时代就攻打过僵硬的唯物论以及文学研究领域中的反映论,冲决仅仅从认识论角度来研究古代文学这一狭隘眼界的有力者。原生态式的把握方式乃是一种历史哲学的概念,内容十分丰富,其重要特点在于强调生成性。原生态式的把握方式,彻底地破除了先在论、预成论和凝固论,科学地

---

① 《文学史新方法论》第 83 页。

解决了研究者和研究对象、后代理解和历史原态的关系问题。王锺陵先生将个人的作用放在社会化的消长兴衰所造成的总体性整合中，以把握其在历史的延伸中的凝定及转换，这就成功地从一种复杂的多元整合的高度解决了如何对待社会和个人的问题。

本文难以尽述王锺陵教授所创立的新文学批评模式之超越西方文学批评模式的地方，像王锺陵新批评模式之成功地消除了二元对立，勾画了中国文学史的原生态生长情状，对于文学史著作的阐述风格的新颖的见解等等，都大大超越了西方诸文学批评模式。如果详细写出来，那将是一本书的内容。许多评论已经指出："事实上，王锺陵在他的论著中对于西方文化巨人的理论也曾有过多方面的超越"，①他"时时批驳诸如维柯、黑格尔、摩尔根等西方文化巨人理论上的错误，并正面提出他自己的见解。他的这些见解往往将有关领域的学术水平明显地更为推进了一步"。② 有关评论认为他在对神话思维的整体性突破上以及对于早期人类意识的研究上已经走到了世界学术的前沿。因此，他能构建出在许多方面超越西方的新批评模式，就不是偶然的了。

四

总之，王锺陵教授所创立的文化——心理新批评模式，是近代以来，由中国学者建构的第一个有严密理论体系的文学

---

① 《光明日报》1994 年 1 月 21 日。
② 《社会科学辑刊》1993 年第 2 期。

批评模式。这一批评模式具有鲜明的中国特色;同时,处在中西文化进行着空前程度的交流、融合以至碰撞的时代,这一批评模式又是在广泛地对西方学术思想进行了吸收和批判、改造以后的产物;更深一层地说,这一新的批评模式开掘了一系列崭新的论题,并以其突出的宏观性、整体性、开放性,以其与民族文化——心理的深层联结,以其对人类精神的博大的把握和张扬,显示了超越种种西方文学批评模式的明显优势。这一新批评模式的出现是同正在进行的社会文化的转型相一致的,它的出现既是民族文化新构的一个组成部分,又必将对民族文化新构的进一步进行产生重要影响。文学新批评模式往往能扩展为一种新的文化思潮。更进一步说,这一新批评模式的出现,对中国文学批评以其独特的面貌和一种更加新颖、完整、宏观、深刻的理论模式自豪地立于世界学术之林中,也具有重要意义。而它对于西方文学理论具有重要的借鉴作用,自当是无疑的。

一种新文学批评模式的出现,不仅表明一种新文学理论的诞生,而且标志着一种新的哲学方向的成熟和一种新的文化精神的凝定。

如果加以简单概括的话,王锺陵新文学批评模式所体现的新的哲学方向乃是:推进对人性和民族性的研究,消解二元对立,建立确定性和非确定性的统一,强调冲和化生、多元勃动融汇的生成性。这种新的哲学方向,不仅适合于我们民族继续前进的需要,而且由于其独特新颖地回答了许多基本的哲学问题——本体论的、存在论的、逻辑学的、历史观的等等,因而它对于张扬一种普遍的人类精神,也将有其肯定的意义。王锺陵新文学批评模式所体现的新的文化精神——那种深沉的民族自信心与开放的人类文化视野的融合,那种在商品化环境中坚持高品位文化创造的心劲,那种在深悉人生苦难的基础上对于历史发展的宏通的期信,那种在对艰难的体验中培植的宽厚的至爱,那种对于民族文化新构的热情和对于人类普遍问题之关注的兼容,那种融入了随机性、历史的旋转及其大幅度涨落和个人作用的活的逻辑精神以及感性和理性浑融的把握方式,那种在学术著作和人生体验中将诸如雅丽庄媚、温婉苍凉、遒劲悲壮、沉郁顿挫、清秀深微、雄力英气等多种风格充盈于其中所形成的多有层次、意蕴丰富的审美境界,等等——乃是在对于历史及人类精神的发展之深入的研究中产生的;是以新的非线性的历史观、浑沦整合的发展观、对于社会和个人关系作出新理解为内容的人生哲学以及对于世界的四重划分的本体论①为其基础的。其中充涌着一股极为深厚的历史的、哲学和美学的意蕴。它不是那种走偏激的所谓"彻悟",也不是那种长期以来流行的建立在线性发展观基础上的浅薄的乐观主义。它是深刻的、睿智的、开放的、崇高的、审美的、气势浑厚磅礴的。这种文化精神同目前成为时尚的调侃人生的假深沉和只追求眼前功效的短视行为以及固持崖岸的守旧态度,适成鲜明的对照。无疑,这样一种文化精神不仅在思维方式上,而且在胸襟气魄等诸多方面都适合了在一个新时代走向高境界人生的要求。

只有把握到新的哲学方向的推进和新的文化精神的凝定这一层意义上,我们才能对于王锺陵教授所创立的文化——心理的新批评模式有更为透彻的理解。西方 20 世纪哲学和文化学

① 详见《中国前期文化——心理研究》第一编第四章和《中国文人心态史》丛书"总序"。

派往往发端于文学批评思潮。正如学界一些有识之士所预料的,中国当代文化——心理的新批评模式之出现,也必将对于"民族文化精神的新构产生深远的影响"。

(原载《社会科学战线》1995 年第 3 期)

我 与 音 韵 学

宁 继 福

　　提起音韵学,不少读者感到很陌生。音韵学是研究古代汉语语音的一门传统学科,它属于汉语语音史。汉语语音史是汉语史的一个组成部分,与它并行的是汉语词汇史、汉语语法史。语音史研究汉民族共同语和主要方言在各历史时期的语音构造,以及语音的演变规律。大学古文古史专业的学生到高年级要学语音史或音韵学。这门课没有多少形象思维,不少学生感到枯燥,不愿意学。当初我也是这样。记得在大学三年级下学期,开汉语史课。任课老师是许绍早教授。先讲语音部分。那个时代的主旋律是阶级斗争,学校里不停顿地批判"封资修黑货",同学们就更不愿学。我的志趣在现代汉语和修辞学。大学五年级念完,毕业分配到江西大学。系里交下来的教学任务偏偏就是汉语史的语音部分。那时的学生都坚决服从组织决定,我接受了。系里让我进修三年。我开始逐字啃《广韵》。事情就是这样怪,不管哪门功课,只要你下定决心,钻研进去,就会产生兴趣。一个学期过后,《广韵》念过一遍,写了厚厚一堆到后来一点用处也没有的笔记,虽然念不懂的地方非常之多,却觉得很有味道。1963 年学校派我去南开大学进修,从著名语言学家邢公畹教授攻读语音史和方言学。1964 年春节,在邢师指导下完成长篇论文《中原音韵二十五声母集说》,不久在《中国语文》发表。处女作的成功给我带来极大鼓舞,决心为近代语音史奋斗终生。那时想得很简单:要深入研究《中原音韵》,回江西去周德清故乡搜集史料并调查高安方言;以《中原》为出发点,向上向下推进,同时准备好讲稿,尽量让学生喜欢这门课。不料,1964 年秋回江西立即下乡搞社教,紧接着去瑞金搞半工半读,不久"文化大革命"爆发。十多年耗费过去。1978 年调入吉林省社会科学院才重新捡起已荒疏的《中原音韵》,从阶级斗争的大风大浪中走出来,躲进音韵学的小天地。

音韵学是既古老又年轻的学科。它作为一门独立的学科,当从三国魏李登的《声类》一书算起,距今已经一千七百多年了。我们的古人对汉语语音的分析研究倾注了大量心血,学者辈出,著述甚丰。有人粗略统计,历代出现的有关音韵学的著述不下七八百种。在传统文化宝库里,音韵学著作占有重要位置。用现代语音学理论研究古人的音韵学著作,始于 20 世纪初。到 40 年代,已取得很大成绩,出现了一批大师级的学者。20 世纪 50 年代和 60 年代初,研究又有很大进展。可是到 60 年代后期,"文化大革命"迫使音韵学的教学与研究在全国范围内停止。20 世纪 80 年代,音韵学研究得到恢复并很快进入了空前的繁荣时期。它的推动力主要来自中国音韵学研究会。该会成立于 1980 年秋,云集了几乎国内所有的音韵名家。学会积极开展学术活动,十几年来共举办了 10 次年会或专题讨论会。每次会都有数十篇论文宣读,并出版论文集。学会又举办了五届音韵学研究班,造就了大批中青年学者。

不过,好景似乎难长。近几年,市场经济大潮席卷一切,音韵学研究一步步陷入困境。如今社会心态好像趋向浮躁,急功近利,办什么事都追求经济效益,发财心切。音韵学属历史学范畴,是一门与经济效益距离比较远的学科。让历史研究迅速转化为生产力,生产出钞票来,很难。不赚钱的事就没有人或很少有人过问。据说有的学校老师想开音韵学课,可是没有学生报名选修。音韵学这门本来就是少数人学习研究的学科会不会变成被社会遗忘的角落呢? 社会科学必须为社会服务,加强应用研究,这无疑是正确的。但应用并不是赚钱,不要以为不能赚钱的东西就是没有用的东西。社会科学以社会存在为研究对象,任何一门学科都不会远离社会,对社会无用。譬如,国家一向强调:加强精神文明建设,弘扬民族文化。弘扬民族文化,可以说就是弘扬民族历史、弘扬民族语言文字。汉语汉字是我们民族文化的重要组成部分,同时又是民族文化的主要载体、主要表现手段。中华民族有五千年光辉灿烂的历史,创造了浩如烟海的文化典籍,这些典籍几乎全是用汉语汉字记录的。整理古代典籍、研究汉语的历史就是弘扬民族文化,就是为社会主义精神文明建设服务。怎能说历史学、汉语史对社会没有用呢? 汉语史、音韵学是语言学的一个分支。语言学对社会有无用处? 是人就要说话,聋哑人不说话,但他的思维的依据仍然是语言。语言对于人类几乎可以说像空气、阳光、水一样。只要人还说话就要有人研究语言学,只要中国人还说中国话,就要有人研究汉语。科学是一个体系,各学科都不是孤立存在的,它们相互制约,形成一种学科链。研究现代汉语、调查汉语方言、推广普通语、调查研究汉藏语系的各少数民族语言,都必须掌握汉语语音史的基本知识,语音史可以说是这些科学的基础理论。

以上是从传统文化、科学体系及学科建设等大道理上讲音韵学的价值、作用。有没有能看得见、摸得着的具体事例,用以说明音韵学的功用呢? 当然有。还是从弘扬民族文化这个话题上说,试从古代哲学和古典文学中各举一例。儒家经典有两段话:

> 《论语·卫灵公》:"子曰,志士仁人,无求生以害仁,有杀身以成仁。"

> 《孟子·梁惠王上》:"古之人与民偕乐,故能乐也。《汤誓》曰:'时日害丧,予及汝皆亡。'民欲与之皆亡,虽有台池鸟兽,岂能独乐哉!"

两段话各有一个"害"字。这两个"害"字词义相同吗? 读什么音? 查《康熙字典》:

> 害 《唐韵》何盖切,《集韵》《正韵》下盖切,《韵会》合盖切,并孩去声。《说文》伤也……

缺乏汉语史常识的读者这字典是查不下去的了,《唐韵》、《集韵》、《正韵》、《韵会》都是什么书? "何盖切"、"合盖切"、"下盖切"又是怎么回事? 这都是音韵学常识知识。字典且不管它,还是说说两个"害"字的意思吧。《论语》里的"害"字,是"伤害"的意思,这是它的本义,现代汉语仍然保留。《孟子》里的"害"字就不能当"伤害"讲。"害"是"曷"的假借字,"曷"是"何不"的意思。为什么说"害"是"曷"的假借字? 这两个字在《孟子》时代同音,都属上古月部,它们是同音通假。可见,汉语语音史的研究能帮助我们读懂《孟子》这段话。

唐代诗人贺知章有一首妇孺皆知的七言绝句《回乡偶书》:

> 少小离家老大回,乡音无改鬓毛衰。

> 儿童相见不相识,笑问客从何处来。

这首小诗千百年传诵不衰,人们欣赏它的情趣盎然、音律和谐,无论从内容上还是从形式上都能给人以美的享受。中国古典诗歌特别讲究音律,如果说诗歌是语音的艺术,这话也不为过。诗人利用汉语语音的韵母和声调,做各种变换、组合,造成艺术旋律。古诗的音律主要由韵律和平仄律构成。韵律,就是人们常说的合辙押韵。平仄律,指声调高低曲直的交替,古平声字属平,古上去入三声字属仄。贺知章这首诗,无论是韵律还是平仄律,都无可挑剔。此诗首句入韵,韵脚字有三个:"回、衰、来"。平仄格式为(以"—"代平,以"丨"代仄):

丨丨 — — 丨丨 —　　— — ⊖ 丨 丨 — —
— — ⊖ 丨 ① — 丨　　丨 丨 ① — ⊖ 丨 —

被圈上的地方,如依典型的平仄律,当用相反的平与仄。这首诗不算失律,哪些地方可平可仄,都是所谓的"一三五不论"。

可是,我们用普通话来念这首诗,就不那么合辙押韵,平仄也不够和谐。第一句的"回"字与第四句的"来"字韵母不同,不相押。第三句第七字"识"今读平声,而平仄律限定它必须读仄声。为什么会这样? 语音发生了变化。汉语语音史告诉我们,这首诗在元代,大都人念起来就已经不合辙押韵,平仄也欠和谐。《中原音韵》将"回、衰"二字入齐微韵,"来"字入皆来韵。"识"字的声调也变成了平声。《广韵》是读入声的。奇妙的是,苏州人读贺知章的诗就合辙押韵,平仄也和谐。语言的发展是不平衡的。南方方音距古音近一些。懂点古音常识,对古诗能玩味得深一些,提高鉴赏能力。

音韵学不可能被社会遗忘,更不能被扬弃,困境是暂时的。金钱有诱惑力,科学和祖国有感召力。文史专业的学生会放眼未来,在精明人和傻瓜的选择上,甘当傻瓜的人将越来越多。音韵学的香火不会断绝。我并不是鼓吹大力发展音韵学研究,也不是主张普及音韵学。

现代、当代的音韵学家研究了近一个世纪,有四五代人为之奋斗,研究得怎样了? 最终的成果是什么? 我以为汉语音韵学研究的最终成果就是编写出一部科学的、完整的、翔实的汉语语音史。这部书应当反映出一个世纪以来的全部研究成果。几代人的心血其实都是为这部书提供素材、准备理论依据。语音史的编写水平首先取决于各种素材的多寡正误。语音史的材料来源不少,像韵书、韵图以及历代学者有关音韵的著述,历代的音释、音义材料,历代诗文用韵,现代汉语方言及古方志中的方言材料,形声字以及古籍中的别字异文,中外译音文献,历代笔记小说中有关语音的记述等等。上述各类原始材料合起来数量很庞大,当逐一做穷尽式的深入研究,不断地发掘出新的素材。可是,我们的工作做得还很不够。就拿韵书来说吧,学术界对《切韵》(《广韵》)和《中原音韵》研究得比较深入,虽然还有许多问题未解决,成绩已很可观。而对其他韵书,像《集韵》、《礼部韵略》、《增修互注礼部韵略》、《五音集韵》、《平水韵》、《蒙古字韵》、《古今韵会举要》、《洪武正韵》、《韵略易通》、《音韵阐微》等,研究就不够,有的尚无人问津。材料太少,编写语音史就不会顺手。但又不能等到一切都齐备了再编写。为了满足教学的需要,也为了总结已取得的成果和对今后的工作指出方向,必须在现有条件的基础上编写出一部汉语语音史来。前辈学者为此作出许多努力,并已取得很大成绩。王力先生 20 世纪 50 年代出版的《汉语史稿》上册,就是第一部语音史。20 世纪 80 年代,王先生又重新编写,出版了《汉语语音史》。20 世纪 70 年代末,邵荣芬先生出版了《汉语语音史讲话》。前辈们的开创之功,令人敬仰,他们的工作为后人继续努力奠定了基础,他们的书得到了广大师生的欢迎。当然,前辈的工作不可能是尽善尽美的。这不是说他们的功夫不够,他们都是学识渊博、眼光敏锐的大学者。只是由于材料不充分,才显得不够详备。几百年间只有一两位学者的反切材料,这个语音系统难以反映出一个历史时期的语音面貌。点太少,两个历史时期的代表音系时间跨度过大,连起来的线自然就单细。况且汉语方言复杂,古今皆然。所谓的"雅言"、"通语"、"正语"、"中原之音"、"官话"以及今天的"普通话",都是各历史时期的汉民族共同语吗?它们之间是什么关系?相连的两个历史时期的代表音系是不是属于同一个方言?这些问题也当深入讨论。一部完整详备的汉语语音史也应当包括主要方言的语音史。

汉语音韵学的研究,任重而道远。我们应当在前辈研究的基础上继续对历代韵书韵图一个一个地做穷尽式研究,对历代作家的诗文用韵一首一首地归纳,对各类原始材料都要一点一滴地挖掘、一砖一瓦地积累,为汉语语音史的建设贡献自己的力量。这是一项艰巨的历史性工程,也需要几代人呕心沥血而不计较经济效益。

在音韵学的小天地里,我匍匐劳作了十数年,在师友们的教诲帮助下研究过几个课题,如《中原音韵》、《元曲选音释》、《五音集韵》、《切韵指南》、《古今韵会举要》等,想从中发掘出12—14 世纪汉语的一些活的语音现象,为汉语语音史近代部分提供点素材。时间流逝得快,而我的工作进展则很慢,几十年过去,做出来的活儿很有限。音韵学研究者是清苦的,前面说过,音韵学与经济效益距离比较远,研究成果写出来出版都很困难。我热爱自己的专业,在这个小天地里耗掉自己的一生时光,也不后悔。我总认为研究汉语史就是弘扬民族传统文化,做好本职工作就是报效祖国。汉语语音史的研究，一个世纪以来得到海外一些语言学家的关注，他们作出不少成绩。对此，我们当然表示欢迎和高兴，学术是无国界的。不过，我们毕竟是中华民族的子孙，一位前辈学者告诫说："研究自己民族语言的历史，不能让别人跑在前头。"是的，科学研究像体育比赛一样，我们必须加倍努力，在自己的研究领域里做一名合格的国家队队员。

（原载《社会科学战线》1996 年第 2 期）

锐意进取　致力挖掘

——宁继福的学术成就

许　绍　早

宁继福,字忌浮,祖籍山东蓬莱。1961 年毕业于吉林大学中文系语言学专门化,统一分配到江西大学中文系任助教,专攻汉语史,从此走上汉语史研究之路。1963—1964 年,到南开大学进修语音史,以近代语音史为研究方向,师事著名语言学家邢公畹教授,受到严格的治学训练,奠定了坚实的基础。到 1978 年调入吉林省社会科学院。经历了十年动乱,一旦得到个安静的做学问的环境,足以舒展才华,更为如鱼得水。从此,驰骋于音韵学论坛,不断以其创新之见引起语言学界的注目。

一

宁继福深深懂得"业精于勤,荒于嬉"的道理,做学问锲而不舍。熟悉他的人都知道,他别无所好,不羡鸟语花香,不恋灯红酒绿,只是潜心研究,醉心学术事业。同他谈过心的人大概都清楚,他有一个很朴实的看法,把音韵学研究看成是弘扬祖国的历史文化,把作出成绩看成是报效祖国。人各有志,他的志向就是为推动音韵学的发展贡献全部的力量。正是这种赤子之心使他坐得住冷板凳，不为金钱、物欲所动，要在学术上孜孜不倦地追求完美的境界。因此他的论著给人一个很鲜明的印象，就是工夫下得很深。

有一个很有说服力的事实是他搜集材料之勤。著述的难点之一在于掌握丰富而正确的资料。做不到这一点，很容易影响结论的严密与正确。一份资料出问题，可能会弄到满盘皆输。有人说，看一部著作的资料准备工作的好坏，就能推测出这部著作的深浅。此言不虚。而宁继福在这方面的做法，向为人们所称道。1985 年，他出版了《中原音韵表稿》，此书早在 1979 年就写成了征求意见稿，并油印出来征求专家学者意见。为了写作此书，他不惜一切时间和精力，广泛搜集充足而准确无误的资料。本来，经过历代学者的努力，已经提供了很多研究《中原音韵》的文献资料和线索，但是他对此并不满足。为了弄清作者江西高安暇堂人周德清的生平等问题，曾经两次专程深入高安县周氏故里调查，跋山涉水，走访城镇农村。到底工夫不负有心人，终于找到古暇堂村，发现了珍贵的《暇堂周氏宗谱》，弄清了周德清的生卒年和《中原音韵》初刻时间及版本。又如 1992 年出版的第二部力作《校订五音集韵》，此书 1990 年已经完成定稿。而为了研究金代韩道昭的《改併五音集韵》，广搜史料，按线索寻找其故里滹阳松水的地理位置，在 1984 年夏又专程赴河北石家庄、正定、灵寿几个县市查访。由于古今地名的差异，加以过去说法不一，这更如大海捞针一样。几经努力，终于在滹沱河北岸灵寿县找到松阳河，河绕县城西南，南入滹沱，城西四公里，有倾井村，为韩姓聚居地。这次考察，虽因韩氏宗谱、家庙荡然无存，未能发现重要的韩氏史料，但是，过去说到韩道昭的籍贯,是据《改併五音集韵》卷首所题"真定府松水昌黎郡"而说是"真定松水",又认为此即今河北正定县,现在根据宁继福的实地考察,得以知道此说不确,古松水即灵寿。灵寿之行同高安之行一样,重要的不是搜集到多少资料,不是徒劳跋涉和收获颇丰的问题,而是这体现出那种锲而不舍的追求科学真理的执著精神,体现出科学研究的正确途径。

宁继福做学问,讲究要熟悉研究对象的全部资料。首先是强调全部。资料有欠缺,留下一些空白,等于给研究留下一些陷阱,局限了自己的视野,所下的结论容易片面,不周全。其次是强调熟悉。各种资料的来龙去脉、重刊翻刻、增删改动、编纂详情,等等,都要了如指掌。不然就是掌握不了资料,有等于没有。宁继福正是坚持了这种可贵精神,才给音韵学界提供了一系列极其宝贵的资料。他为了校勘《五音集韵》,把有关版本搜集齐全,按线索跑遍了北京、上海、武汉、南昌、成都、石家庄等地的15家图书馆,兢兢业业地翻阅大量资料,查清现存《五音集韵》共有金、元、明七种版本,约百部,分别藏于七十余家图书馆,并且翻阅过全部版本,复印了不易见到的金元刻本,然后才开始校勘、整理、夜以继日、参互考寻、爬梳剔抉。正是这种不辞劳苦的执著追求,现在给我们提供了一种最优秀的《五音集韵》版本,这为大家的研究、为祖国的文化事业作出了重要贡献,其功非小。

过去有些人认为,搞科学研究不能强调掌握丰富的资料,而应该强调理论的驾驭能力,他们反对单纯依靠资料归纳,借口资料无法穷尽,也不能一头扎进去而出不来,嘲笑资料工作是钻牛角尖,而把资料搜集放到一个无足轻重的位置上。这种看法,将使理论成为无源之水,不是架空理论,就是只能搞些概念术语游戏。而宁继福正与此相反,强调资料是基础,基础不扎实牢靠,易于脱离实际,得出的结论会经不起推敲。由于他掌握的资料大大超过前人,有足够的论据来论证问题,做起来就游刃有余,所得出的结论就有很大的说服力。许多学者对他的资料工作都备加赞赏,希望今后人们能像他《校订五音集韵》那样一丝不苟地做去,把音韵学古籍的全部资料调查清楚,使人们得到全面、正确的史料,那对音韵学的发展将是影响巨大的。北京大学教授、中国音韵学研究会会长唐作藩先生在《校订五音集韵·序言》里不无感慨地说:"如果我们所有重要的音韵学典籍都像忌浮先生研究《五音集韵》这样,将其旧有的版本与藏馆情况弄得很清楚,那是非常有意义的。"又说:"所有古代重要的音韵学典籍,特别是唐宋以来的韵书、韵图,如果都能像《五音集韵》那样,一一有人做深入细致的校勘与研究,那么科学的汉语语音史就不难建立起来。"面对着宁继福的搜集、整理工作,提出这样的期望是很自然的。

二

著述的另一难点在于有精确的方法,善于分析辨别。从材料到结论,贯穿其间的是研究方法。古人分声析韵,审辨字音,不能说都不注意研究方法,但是,或者方法较为粗疏,或者时时离开所定准则而以己意推测,终致有乖音理。宁继福向来注意研究方法的探讨,同注重资料一样,注意研究方法的精确和创新,力争方法适合研究对象,能反映出研究对象的本来面目。远在 20 世纪 60 年代,他发表于《中国语文》1964 年第 5 期头题的第一篇论文《中原音韵二十五声母集说》就显示出这方面的功底。论文有感于前辈分析《中原音韵》的方法未能尽善尽美,留下来诸多疑难未能解决,其中一个关键问题是如何看待中古的庄、知、章三组声母在《中原音韵》里的分合关系。这个关系表现出复杂情况,如果只抓住某些韵部来观察,可能会得出某个结论,而抓住另一些韵部来归纳,又可能得出另一个结论。前辈在研究时恰恰对此类问题没有作出更详尽的阐述,或把某些现象弃而不顾,或勉强作出解释。有鉴于此,宁继福首次用穷尽式研究方法对有这三组音的十八个韵部作全面系统的解剖分析,做成字数统计表,分组评述其中的种种表现。他同时看出《中原音韵》的另一部分《正语作词起例》对音系问题有所阐述,其中的字音辨似部分对韵部之间和每韵内部容易混淆的字音都作了分辨,给认识《中原音韵》声韵系统提供了宝贵的线索。于是同样用穷尽式研究分析其中的全部 241 组字,从中归纳出三个条例。最后,同《韵谱》部分的分析归纳两相对照,从而得出结论,提出《中原音韵》二十五声母说。该文刊出后,反响较大,得到广泛的好评,专家学者对这个二十几岁的年轻人的穷尽式研究方法和突破局限、大胆创新的精神给予很高的评价。而这种穷尽式研究也逐渐被人们应用到其他领域里去,例如古汉语语法研究,有时就用到这一方法。可见一个正确的研究方法,有时会有很深远的影响。

方法的运用要同研究对象相适应,对不同的对象或者同一对象的不同内容,可能须要改变研究方法,宁继福是深知个中道理的。同是研究《中原音韵》,在有无入声问题上又使用内证法。在 1980 年中国音韵学研究会第一届学术研讨会上,他宣读论文《中原音韵无入声内证》(1985 年发表于《音韵学研究》第一辑),提出内证法,以本书证本书,利用《韵谱》、《正语作词起例》、《自序》等来证明《中原音韵》无入声。周氏把来自古入声的字从同音的阴声韵字群中分立出来，以便人们按图索骥，且对最易出错的地方，如"入声作平声"，反复提醒，还指点出退路，即"有才者本韵自足矣"。本书内部资料完全说明入声已经消失。由于方法对头，所得出的结论自然备受重视。王力先生在 1980 年读到此文后给宁继福的信上说："今天我一口气读了你的《中原音韵无入声内证》，感到特别高兴。以本书评本书的方法是科学的。铁案如山，说服力很强。陆志韦先生《中原音韵》有入声的说法，我一向不以为然。你的论文把这个问题彻底解决了，甚佩，甚佩！"王先生所赞赏的正是科学的内证法，以这一方法来论证而推出的结论必然"铁案如山，说服力很强"。

不断探讨、改进研究方法，不满足于原有的做法，使他逐步达到更高的境界。在《中原音韵表稿》一书里，为了分析明白音类，在总结前辈研究方法的基础上，又提出内部分析法。前辈著名专家罗常培先生研究《中原音韵》音系，曾创归纳法，为音系研究奠定了基础。后来的学者大都沿着这条路，利用罗先生所创条例研究下去。这一方法是否适应实际情况，能不能毫无阻碍地解决音类的分合问题，别人似乎很少考虑这一点，或者考虑过而不过在原有基础上做一些修补。而他却考虑到做学问的程序，主张按部就班从头开始逐步解决，认为要想解决音类分合规律，首先还须讨论音类分析方法。经过穷尽式的研究，他发现归纳法并不完善，不能解释部分事实，虽另创补救办法，也不能据此解释清楚，一些地方难免迂曲难通。从而得出结论："单纯归纳中古声类韵类在《中原音韵》里的分合，不可能分析清楚《中原音韵》的声韵类别"。经过重新认识，结合资料的特点，首次提出内部分析法。所谓内部，指的是《中原音韵》自身。他强调

"应当从两个方面去条分缕析：一、对《韵谱》所收单字逐空逐字作历史来源考察；二、全面整理周德清及卓从之的审音记录"。对这第二方面的工作，即深入分析《正语作词起例》和《韵编》，前辈学者未能给予充分注意，往往弃而不用。而宁继福早就敏锐地发现，"《起例》和《韵谱》一样，是我们分析 14 世纪大都音系的最有权威的第一手材料"。由于方法对头，必然顺理成章地得出合乎规律的结论。

由此可见，宁继福在研究方法的创新方面和资料的搜集、整理、运用诸方面有很多超越前人的地方，这就无怪他的论著一发表出来，都会引人注目，不管同意不同意他的结论，总会让人感到方法独到，材料充实，分析细致、稳妥。对资料和方法的看法、做法，取决于治学态度。宁继福治学一向谨严，对待任何一个问题，都不肯因循苟且，终于作出很大成绩。人们在惊叹他的成就的同时，无不仰慕他谨严的治学态度。国家语委王均教授在读过《中原音韵表稿》后给吉林省社会科学院文学语言研究所领导的信里说："关于《中原音韵表稿》，粗读一遍，觉得该书作者宁继福同志对有关《中原音韵》的资料搜集甚丰，对前人的有关论著都作了认真的有分析、有鉴定的研究，对《中原音韵》各种版本进行了细心的校勘，在此基础上系统地整理出《中原音韵表稿》，作者用功之勤，值得学习。"又说："除单音字表外，从第二章《正语作词起例》分析和附录所辑资料以及所附两篇论文，也都可以看出作者治学态度认真，并有自己独到的见解。"王均先生强调搜集资料和整理资料的独到之处，赞扬作者的用功之勤，点出治学态度认真，这些都说到了本质问题。

三

宁继福在学术上主张创新。他认为，必须学习前人，不能让前人的精辟见解湮没无闻，但是学习不等于因袭，陈陈相因不能推动学术的发展。对所有问题都应该进行深入细致的分析，得出自己的见解，没有创新，不如不写。因此，他对自己的研究对象的各个方面都不放过，也能够解决许多为当前一般研究工作者所忽略而实际上却是颇为重要的问题，能够在他的涉及的领域内推动这一学科继续向纵深广博方面发展。

宁继福的论著，得出了大大小小的很多结论，对这些精辟的论述、推陈出新的创造之功很难在这里一一叙述清楚，我们只想在众多可以一新人们眼光的结论中拿出几点来介绍。

关于《中原音韵》的音系有无入声的问题，历来是个争论的焦点，不管是专家学者，还是初涉此道的新手，只要谈及其中的音系，就回避不了这个问题，原因是周德清在书中对此问题作了一些令人不解的论述。他说："平上去入四声——《音韵》无入声，派入平上去三声。前辈佳作中间备载明白，但未有以集之者。今撮其同声，或有未当，与我同志改而正诸。"这明白告诉人们入声已经消失。可是接着又说："入声派入平上去三声者，以广其押韵，为作词而设耳。然呼吸言语之间，还有入声之别。"这又再明白不过地说明口语有入声。为什么口语有入声而戏曲和《中原音韵·韵谱》无入声？总得圆满解释这个问题。对此，宁继福的解释说服力很大。1990年发表在《陕西师大学报》上的论文《中原音韵与高安方音》从一个新的角度，即把周德清老家高安方言拿来同《中原音韵》做比较研究。发现周德清把自己的家乡话当做正音的对象。周德清晚年主要活动范围是在江西,同他交往密切的朋友也多是江西人,他们所接触的语言很明显也主要是江西方言。周德清的著述首先是为南方的特别是江西的作家、习作者以及演员创作和演唱元曲提供语音规范,矫正方音。可知他想要矫正的仅仅是戏曲创作和演员所使用的语言,是文学语言,而不是人们日常交际所用的口语。周德清只是反对用方言写作,并没有主张南方人操中原之音说话。解决了这个问题,就容易理解周德清所说的"呼吸言语之间,还有入声之别"一语的含义。这是说明他自己和他的主要读者的口语里还有入声。因此周德清把入声字集中排在舒声字后,标明"入声作平声"等等,目的是"使黑白分明,以别本声外来,庶便学者",也就是为"呼吸言语之间还有入声之别"的习作者提供"广其押韵"的方便。至于周德清的另一句话,即"《音韵》无入声,派入平上去三声",这是说明《中原音韵》无入声,中原之音无入声,元曲无入声。可见周德清的两句话指的不是同一个语音系统。宁继福这篇论文是关于《中原音韵》音系研究的最新成果,它的结论和论据将使有入声的主张不那么容易坚持下去。本来,宁继福的力作《中原音韵表稿》已经有力地论证过《中原》无入声,该书在1986年已获北京大学王力语言学奖首届三等奖,可是他不满足于已经取得的荣誉,仍在积极思考各种事实,欲以最有力的资料来印证并检验自己的观点,这是一种敬业精神,难能可贵。

20世纪80年代后期,宁继福全力以赴完成另一力作《校订五音集韵》。金人韩道昭《改併五音集韵》一书在音韵学史上占有重要地位,可是过去对它的认识并不深,大抵不出《四库全书总目提要》所述的内容范围。王力先生看到它并韵不遵唐人同用例的归并，断定是以当时北地的口语语音为根据的，于是指出《五音集韵》是汉语语音史的宝贵资料"。王先生的看法是正确的，但是没有详细论证，还须要证明，才能有说服力。宁继福不避艰难，决心填补这一研究空白，把近代语音史上这一重要而又未加利用的著作整理出来。经过不懈努力，搜集、校勘、整理、发掘，写成《校订五音集韵》，搞清了一系列问题。首先是搞清了韩道昭《改并五音集韵》产生的历史背景。原来《切韵》一系韵书同口语相去越来越远，而等韵学的蓬勃发展，又使人们的审音能力提到一个新水平上，那么用等韵学理论对《广韵》《集韵》作精审分析势在必行，改革旧韵书，以新的韵书取而代之，就是必然的工作了。12 世纪 40 年代，荆璞完成《五音集韵》，到 13 世纪初韩道昭在此书的基础上重新编纂，做了大量的增删、改并、重编工作，把二百〇六韵并为一百六十，名之曰《改并五音集韵》。更为重要的是，宁继福经过深入研究，揭示出《五音集韵》实际包含有两个音系，他叫第一音系、第二音系。这是令人叹为观止的论述。第一音系由三十六字母和十六摄一百六十韵部及四个等交织而成，合并了《广韵》多数重韵和纯四等韵。可是一百六十韵部之数有浓重的术数色彩，大概同邵雍《皇极经世》的"天声地音"有关，邵书"总括十声图"共列出天声（即韵类）一百六十位。从此可见，《五音集韵》第一音系已向活语言靠近了一大步，只可惜并非真实反映实际语音的变化。但是第一音系在语音史上价值虽然有限，在等韵学史上却有深远影响，韵图《四声等子》与之一致，而《切韵指南》则以之为依据，它是研究金元明清等韵学不能忽略的著作。在这里，宁继福并没有用片面的观点来看待第一音系，而是从其复杂关系中深刻指出本质问题。第二音系是由书中的收字、切语的失误反映出来的，包括全浊声母的清化，知照二组混用，疑、喻和影母合流，三四等韵合流，蟹摄的齐祭废灰并入止摄，全浊上声变读去声，等等。这些都是韩道昭口语的自然流露，多方面地反映出近代北方汉语语音系统的发展变化情况，这是更为宝贵的资料。从"审音失误"中发现一个活生生的语音系统，没有满足于指出失误，而是追根溯源，寻找失误原因，从而发现新情况。这正是宁继福目光敏锐、处置有方之处，更令人钦佩。除此以外，宁继福在《校订五音集韵》一书里那种深入细致、观察入微的校勘、订误、再现金元刻本的工作也令人十分钦佩，这就不多说了。无怪本书在 1995 年获王力语言学奖第六届二等奖！这是颁发王力语言学奖以来的第一个二等奖，是对宁继福成就的最好认定。

1992 年，音韵学研究会在威海举行第七次年会，宁继福宣读论文《蒙古字韵与平水韵》，后来发表于《语言研究》1994 年第 2 期。他发现《蒙古字韵》竟然是《新刊韵略》（即《平水韵》）的改并重编！这是一个人们意料不到的而又极有价值的发现，对音韵学史的研究将发生重要影响。他又进一步揭示出韵书是代代相传的，有传承关系的韵书，其间的韵字排列往往一致。由此全面梳理了韵书的传承和派系，并且利用这些发现，以《新刊韵略》为出发点构拟出早已失传的《景德韵略》，同时借此对《蒙古字韵》的韵字做了全面的校勘和补阙，匡正了前人的疏失。

在此基础上，宁继福乘胜追击疑难问题，于 1993 年中国语言学会第七届年会上提出论文《平水韵考辨》，后收入最具权威性的《中国语言学报》第 7 期。《平水韵》一系韵书，是金元明清四朝的科考用书，也是诗人用韵的规范，直到现在写旧体诗词仍遵从它的分韵。可是对此书的来龙去脉，数百年来并没有弄清楚。有的说它是宋人刘渊所作；有的说它是《礼部韵略》的增补;有的说它的注释采自《增韵》;还有的说有两个《平水韵》,106部是107部改并的结果;等等。到底应该怎样认识? 是有一种说法对还是全都不对? 这应有一个明确的答复。宁继福把《古今韵会举要》所引刘渊书同《新刊韵略》逐字比较,以翔实的史料充分论证了《平水韵》成书于金代,现在知道的最早刊本是王文郁的《新刊韵略》。刘渊的书是王文郁书的翻刻本,而刘氏是元代人,非宋人。《平水韵》同《礼部韵略》其实没有传承关系,同《增韵》更没有关涉。宁继福细致入微的分析和不可辩驳的结论得到了与会的前辈和同行们的普遍赞同。音韵学上的许多现象,往往并非孤立地独自发生、发展,它适应着民族本身的历史发展的要求,也受到音韵学内部甚至是语言学内部各部分的影响,不注意到这一点,就不易发现问题,不易理清发展线索。而宁继福对此向来细心追寻,并得出可喜的成果。

1995年宁继福经五年不分昼夜的奋战,又完成了另一专著《古今韵会举要及相关韵书》,这是国家基金资助的课题,按时、高质地完成了,而且通过了专家鉴定。这又是一项填补空白的研究。过去人们只知道熊忠《古今韵会举要》在近代语音史上较为重要,但是对它的整个音系、实际内容并没有作过系统的研究。这次宁继福又以啃硬骨头的精神奋战这一难关。写出定稿让我过目,我非常高兴地读完全书,书中见解高明之处引人入胜,澄清了过去许多模糊和错误的认识,发现了许多新的语言现象。例如指出"字母韵"不等于韵母,把过去视为定论的认识推倒;发现喉牙音二四等字已经舌面化而三等未变,这更是使人目瞪口呆的发现。书未出版,不便多说。中华书局已把该书纳入出版计划,相信不久就会引起音韵学界的关注。

学术上的有些问题,往往是乐山乐水,见仁见智,必然会有不同见解。有见于此,宁继福对那些不同意他某一结论的说法,从来都采取一种探求真理的态度来对待,欢迎展开讨论。但是要想驳倒他的论据和结论也不是那么容易的,那都是他深思熟虑的结果。

四

宁继福还有一些为人称道的地方,例如学术风格。他尊重长辈、胸襟开阔、态度认真、献身学术。他治学的目的是想在音韵学的学术大厦上添砖加瓦,而不是要拆旧换新。有的人以为,应该踩在前人的肩膀上甚至是脸面上攀登,不把别人踩下去,就会妨碍自己爬上去。推倒重来的认识在一段时间内不是没有市场的,其实就是要打倒老一辈,把人家说得一无是处,以确立自己的权威。宁继福历来对此种看法嗤之以鼻。他认识到学术是代代相传的,现代语言学是在传统语言学的基础上发展起来的,其间是传承关系,完全抛弃传统语言学,无法建设起现代语言学,必须在前人研究的基础上一步步推进。因此他很尊重前人的研究成果。在学术上就算是不同意别人意见,也完全以探讨的方式展开讨论,绝不盛气凌人,不说过头话。最多只是说,照人家的说法做去会遇到麻烦,那样的论据对研究对象无能为力,推导不出这样的结论,如此而已。为什么能这样心平气和?因为他懂得这是在探讨学术真理,不是在争个人的高低长短。到底谁真正发现了语言规律,发现了真理,只有通过深入探讨才能明确。因此在学术上他只有"论友",没有"论敌"。就算是自己很有创见之处,他也很谦虚地说成是"补苴前贤的疏漏而已",不值得沾沾自喜,更不能有骄矜之态。正因为他对待学术有清醒的头脑,对老前辈也非常尊重。外出开会,许多人都会看到,宁继福在生活上、学术上对前辈都是彬彬有礼。要知道,他也是快到耳顺之年的人了。对同辈和比他年轻的同行,同样是待人以诚,不管是同他探讨问题,还是向他请教,他都是谦和有加,从不认为自己高人一等。有谁看见过宁继福摆过架子没有?没人看见过。有一件事很能说明问题,他发表论著向来慎重,一些重要的文稿写成后,都要寄送师友审阅,真诚希望提出修改意见,争取不出疏漏或好上加好。大概不少人都帮他审阅过文稿。我本来对近代语音知之甚少,好些文献都没有仔细读过,他还是以师长待之,常来叫我给他的原稿把关。这样虚怀若谷,其实是一种风格的表现,是追求真理的精神体现。文章千古事,稍有不慎,发表出来,造成谬误,有损自己是小事,贻误别人是大事。他曾说过:《礼记》上说"独学而无友,则孤陋而寡闻",如果没有师友的指导切磋,交流信息,想在学术领域里搞出成绩来是很困难的。他的做法,来源于这样深刻的认识,而深刻认识又造就了一个学者的风范。

为人和治学是密切相关的,古人讲究道德文章。处世待人,谦恭有礼,诚心实意,那么钻研学问也必然实事求是,既不哗众取宠,也不搞邪门歪道。观其论著题目,都是有关《中原音韵》、《五音集韵》、《切韵指南》、《蒙古字韵》、《平水韵》等的内容,这都是有关近代语音的重要著作,是大家所关注的,而不是什么冷门。要想在时兴的熟题目下有所发现,独创一说,谁都知道并不容易。宁继福就专攻那些谁都感兴趣而又难度很大的疑难问题,不想从爆出冷门里沽名钓誉。如果没有一点为学术献身的精神,如果在学术上有半点投机取巧之心,也就不会用笨功夫去碰这些费力气的题目。可是,他不但乐此不疲,还作出了令语言学界刮目相看的成绩。诊断了一个个疑难杂症的症结并开出治愈的药方。他对问题的细致入微的分析,其中所表现出来的严密的逻辑性,而且切中要害、分析精到、立论允当,常常令人叹服。邢公畹教授看了《中原音韵表稿》后来信说:"匆匆翻读了一遍,觉得工夫下得很深,分析得很细致、稳妥,非常高兴。"北京语言学院张清常教授也赞叹说:"功力精到,认真细致,十分佩服!"

宁继福的思想品质还有值得称道的一面,就是关心集体,心甘情愿为大家服务。这不是一时一事的表现,而是处处、时时、事事如此。例如他对音韵学研究会的每一件事都热情去做。1980年中国音韵学研究会成立,他就当选为理事,十多年来,学会共召开了十次年会,每一次年会,他都提交高质量的论文,积极参加,而且尽量为大会做些力所能及的服务性工作,减轻会务组的工作压力,什么接个站、接发个材料、论文,通知个什么事,他都干,并不认为这有失身份或不屑一顾。1994年音韵学研究会在天津召开第八届年会并同南开大学一道庆祝邢公畹教授八十华诞。他得知会务组人手不够,就提前几天到天津去帮忙,什么琐碎事都干。他没有很多想法,只是想帮别人一点忙,也是想到在学会里得到师友的教益很多,应该为大家做点事。他认为这是微不足道的事,我却从这里看到了一种高尚的情操。1987年是《中原音韵》作者周德清诞辰710周年的日子,他同杨耐思、鲁国尧先生联合倡议在周德清故里举行纪念活动。为此,音韵学研究会会长严学窘教授委托他为代表,参与筹备工作。他不辞劳苦,专程到江西高安、南昌等地,同有关方面协商、安排,取得共识,终于在当年11月在高安举行了规模较大的纪念会和学术研讨会,推动了《中原音韵》的研究。参与筹备一次全国性的会议,到底要花费多少时间和精力,不用说,大家都能想到。而宁继福出于对严老先生的尊敬,为了减轻别人的负担,却默默地尽自己的义务。这其实也是为学术献身精神的一种体现。

宁继福的为人和治学态度,使他成绩斐然,也使他胜友如云,得到了更好的扶持和帮助。他在吉林省社会科学院得到了历届院领导的鼓励和支持。例如首任佟冬院长很关心他的科研工作,尽量帮助解决搜集资料、出版等问题,始终以一个慈祥的长者的态度来鼓励后辈奋进。

宁继福出生于长白山下一个小乡村。大山是沉稳的,造就了他的沉稳性格;大山也是朴实无华的,又培养了他的艰苦朴素、实事求是的作风。大山养育了他,也陶冶了他,给他以深远的影响。

(原载《社会科学战线》1996 年第 2 期)

心血凝铸的学术之路

——孙中田教授的治学、教学生涯及成就

逯 增 玉

1996 年 9 月 6 日,在东北师大逸夫科学馆会议报告厅,为庆祝东北师大建校 50 周年,一位年近古稀但精神矍铄的教授,正为数百名东北师大暨中文系历届毕业的校友和学生,作精彩的学术报告。教授那渊博的知识、活跃的思维、独到的见解、精辟的语言,不时赢得热烈的掌声。不少校友动情地说:孙先生的学术报告总是那样丰富深刻,精彩纷呈,令我们当年难忘,今天难忘,永生难忘。这位孙先生,就是著名的中国现代文学研究专家、东北师大中文系中国文学研究所所长、博士生导师孙中田教授。

从 1950 年毕业留校至今,孙中田教授已经走过了 46 年的学术生涯。在这近半个世纪的漫长的学术生涯中,孙中田教授以他几十年如一日的求实、勤奋和锐意进取的精神,取得了丰硕的研究成果,留下了坚实而耀人的足迹。

一、情有独钟、硕果累累的茅盾研究

孙中田教授,笔名郑乙,1928 年农历 2 月 5 日生于黑龙江

省安达县（原属肇州县）大同镇。1950 年 7 月毕业于东北师范大学文学院国学科。毕业后留校，曾从事过一个时期的校刊编辑工作。大概是命中注定与中国现代文学研究有不解之缘，在校刊工作不久，便被调入中文系从事中国现代文学教学，这时，由于一位师长调离工作，孙中田先生猛然被推入到第一线，成为教学的中坚和骨干，从此，开始了在中国现代文学研究领域的漫长的跋涉。

在从事中国现代文学教学和研究工作不久，出于工作需要和个人的审美认定，孙中田先生开始较多地阅读起茅盾的作品。作为中国现代文学的大师和巨匠，茅盾不仅身历 20 世纪中国现代文化、现代文学从诞生到发展的整个过程，是那段历史的缔造者、参与者和见证人，而且，更以他在文学翻译、文艺批评和文学创作诸领域的多面出击和大量著述，极大地丰富了中国现代文学的宝库，奠定了他在中国现代文化史、文学史上的崇高地位，是继鲁迅、郭沫若之后我国文化和文学战线上又一面光辉的旗帜。但是，由于时代的原因，20 世纪 50 年代人们对茅盾的认识还达不到这样的高度，作为年轻的研究者的孙中田先生，当时也不能说已经在理性上有了这种清楚的认识，不过，却已在阅读中感知到茅盾及其创作对于中国新文学的不可替代的重要作用，因此，方能选择茅盾作为研究对象，或者说，将茅盾作为研究对象，这种选择本身就包含了也许尚不十分明确的某种自觉意识。研究对象确定之后，孙中田先生便一切从第一手资料做起，查资料，写阅读札记，同时进行深入而广泛的理论阅读，为深化研究作必要的理论准备和建构。经过一段时间的钻研和准备，对茅盾及其创作初步形成了自己的认知体系，于是，于 1956 年发表了《试论茅盾的生活与创作》。作为一篇整体性的作家论的尝试,作者后来认为文章不乏"毛手毛脚"之处,但是在历史的考察中,中国现代文学界的同行们仍然认为此文在当时是"比较有影响"的茅盾研究论著。

进入 20 世纪 60 年代后,孙中田先生开始更加集中地深化了对茅盾著作的研究,并在做好相应准备的基础上,开始着手《茅盾评传》的撰写。不过,在 20 世纪 60 年代的某种"左"的氛围的冲击中,孙先生的研究工作不能不受到干扰。当时,孙先生撰写的一篇研究茅盾散文创作的论文,虽曾得到茅盾本人的肯定并已发排,但因茅盾的职务有所变动,便从刊物上抽脱下来。种种有形的无形的干扰使孙先生的茅盾研究不能如愿进行。这样,到"文化大革命"发生,孙先生的茅盾研究因负有为资产阶级权威"树碑立传"的罪名而被迫中断。不久,知识分子下放农村,孙先生一家老小来到了长白山下的一个小村庄,花费了多年心血草成的茅盾研究书稿,也随孙先生一起"落户"到山区,被珍藏在身边。

1972 年,孙先生调回东北师范大学工作。在当时的情势下,中国现代文学专业课只允许讲鲁迅。于是,孙先生暂时放下茅盾研究,在教学之余,以札记的形式开始了对鲁迅小说艺术形式的研究。后来,这些研究成果以《鲁迅小说艺术札记》为题,于 1980 年 4 月出版。自然,这本鲁迅小说研究专著不能说有多么高深,但在当时的鲁迅小说研究多注重题材主题、思想内容分析的情形下,是书却独辟蹊径,从艺术形式着手展开分析,这不能不显出作者的眼光和卓识。这对摆脱当时刻板雷同的批评模式,应该说具有积极的开拓性作用。这期间,孙中田先生曾被借调到北京鲁迅博物馆两年,注释《鲁迅日记》。在北京的两年,生活条件说不上怎样优越,但研究环境的安静,查阅资料的方便,却给予孙先生以莫大的助力。于是乎,孙先生几乎经年泡在北京图书馆、西皇城根的报刊库,一方面以扎实的文献学知识和实证研究的功力,诠释着近乎"天书"的鲁迅日记,一方面利用这宝贵的时机和得天独厚的丰富资料,抓紧一切时间,甚至是废寝忘食地挤用一切可以利用的时间,修改、充实关于茅盾的专著。

1980年5月,历经多年心血的《论茅盾的生活与创作》一书由天津百花文艺出版社出版。尽管作者认为该书尚有许多地方不能令人满意,但是,在十年浩劫后百废待兴的复苏年代,作为一部全面系统地阐释茅盾的生活与创作道路的、达到了时代的学术水准的专著,却不能不引起学术界和社会的瞩目与赞誉。香港《新晚报》转载了全书的"绪言",香港《文汇报》发表了署名梅子的评论文章《资料翔实的茅盾评传》,该文认为,同此前出现的茅盾研究论著相比,孙著多有突破,至少表现出三个方面的特色:其一,它相当重视对茅盾文艺思想发展变化的阐述,将作者的文艺观放在创作的统帅地位来考察,同时,又特别注目于茅盾文艺批评的评论,这在以往的茅盾研究中是少见的;其二,孙著对茅盾解放前各创作阶段(尤其是大革命前后风云变幻的时期)的局限,包括思想上和艺术上的,并不讳言,有些地方说得深刻而具体,从而使茅盾一生走过的辉煌而曲折的文学道路相当明晰地呈现在人们面前;其三,孙著的几乎占三分之一的三个附录,即《茅盾著译年表》、《茅盾笔名笺注》、《茅盾评论资料目录索引》,是相当难能可贵的,这些附录不仅是研究茅盾必备的基本资料,有重要的史料价值和科学价值,而且,它对当时国内的文学研究和作家研究中重视基本资料的积累与发掘,起到了表率作用,有"突出的表现"。因此,梅子的文章认为孙著是

"迄今最详尽的研究茅盾生平和创作的专著"。日本的中国文学研究刊物《咿哑》杂志对孙中田先生的著作也予以积极评价，称作者是"中国优秀而活跃的茅盾研究者"。日本大阪外国语大学的中国现代文学研究专家是永骏认为，孙著《论茅盾的生活与创作》"对海外研究者来说是很宝贵的"、是"很有帮助、颇有价值"的研究著作。国内学术界对该书也给予了高度评价。1981年《中国文艺年鉴》发表的《茅盾作品和茅盾研究》的权威性专题评论中，认为该书是"本年内茅盾研究的新收获"，文章认为该书"对茅盾的生活、思想、创作的论述，材料比较丰富，论证较为翔实"，书后的三个附录，"对于茅盾的研究和现代文学的教学、研究工作"，有"重要的参考价值"，因而该书是"粉碎'四人帮'后茅盾研究的一个可喜收获"。《茅盾研究》杂志在第1期发表的题为《茅盾对中国新文学的历史贡献》一文中，对孙中田先生的著作作了类似评价。《文学评论》1984年第2期发表的有关茅盾研究评述的专文中，在比照中对孙著"占有材料的丰富"、"运用马克思主义的立场、观点，把茅盾的全部创作看成一个完整的体系并从中寻出其固有的规律"、对《子夜》的史的叙述和对《腐蚀》作为一部政治小说的认定以及对散文大家茅盾的形象内涵和散文创作的开掘，分别予以充分肯定和赞誉。1988年第1期的《文史哲》在对近年来高校文史哲研究成果的综述中，也认为孙著是近年来中国现当代文学研究中代表了时代学术水平的著作。这里值得指出的是，海内外学术界对孙著在茅盾生活与创作的诸多开掘和理论贡献作出充分肯定的同时，几乎不约而同地对孙著的三个资料性的附录作出高度评价，这一点我认为是尤为有意义的。众所周知，进入20世纪90年代的中国人文社会科学界开始大力倡导"学术规范"，而学术规范中的重要要求之一,就是强调掌握原始的第一手研究资料,注重资料积累和发掘,反对凌空蹈虚放言高论。在中国古典文学等传统"国学"的研究中,一向重视对作家年谱等研究资料的编撰,中国现代文学的老一代研究者如李何林、王瑶、唐弢中等先生亦非常重视史料的开掘与掌握。不幸的是这一优良传统在"文化大革命"中遭到破坏,而孙中田先生却在任何条件下始终在研究工作中坚持这一优良传统,以严肃的态度治学,所以在粉碎"四人帮"不久推出的学术专著中竟附录了如此众多而有价值的资料,这的确是十分难能可贵的,显示出扎实的学术功力、求实的治学态度、良好的学术规范,难怪赢来海内外学术界的一致好评。该书后来荣获吉林省首届社会科学优秀成果奖并被一些高校作为研究生教材。

由《论茅盾的生活与创作》开创的研究基点和研究格局出发,孙中田先生在此后的一个时期的有关茅盾研究中,在进行理论、创作研究的同时,也注重于文献的考核和资料的开掘工作,先后编撰了《茅盾在延安》、《茅盾的中学时代》、《茅盾笔名(别名)笺注》、《茅盾研究资料》(上中下三卷)等史料考证性文章和著作。其中《茅盾在延安》一文,以翔实的资料考证,引起了茅盾本人的兴趣。他读完文稿后,认为对回忆这一段历史很有价值,特意让他的家属抄存一份,以备撰写回忆录时参考。《茅盾的中学时代》也因发现了新的资料而不断被研究者引用。《茅盾研究资料》系国家"六五"规划的中国现代文学研究资料之一,也是一项卷帙比较宏大的项目,由孙先生和另一位学者编撰,它为茅盾研究提供了全面的权威性的资料,为研究者带来莫大方便和助益。继之不久,孙先生又编辑了《茅盾书简》,并应人民出版社"祖国丛书"之约,带领一位研究生撰写了名人传记性质的《茅盾》一书。1981 年,茅盾逝世后,孙先生又应邀参加了国家组织的《茅盾全集》的编委工作,并参加了校勘、注释茅盾名著《子夜》和书信集的工作。

从以上的陈述中可以看出,在一个不算太长的时期内,孙中田先生对自己热爱的茅盾研究投入了巨量的精力,花费了无数的心血,取得了为学界公认的众多成就。然而,孙先生自己对已取得的成就却从未满足,恩格斯那段著名的关于科学认识"永远不能通过所谓绝对真理的发现"而"再也不能前进一步"、"再也无事可做"的话,一直是孙先生从事学术研究的座右铭。时值 20 世纪 80 年代中后期,随着中国改革开放事业的发展,中西方文化的交流与碰撞,整个中国现代文学研究及研究者的思维都在寻求着新的嬗变与突破。在时代的推动下,孙先生一方面调动和调整已有的知识与学术积累,一方面广纳新知,力求在两者的融通中拓展自己的学术眼光和思维空间,深化茅盾研究,以达到学术上的新突破。这样,经积年之功,历辛勤求索,孙先生于 1990 年又推出了《〈子夜〉的艺术世界》一书。这本注重在宏观与微观的融贯中、在多元探索中对茅盾代表作、也是 20 世纪世界优秀现实主义巨著的《子夜》进行文本解读的著作,标志着孙中田先生个人的、也是中国现代文学界对茅盾研究的又一新的、具有开拓性的新进展,它的出版,赢得了中外学界的如潮好评。其实,当这部著作的一些章节以论文的形式在国内外发表时,便获得良好的反响。《〈子夜〉的艺术感知与理性特征》在日本《咿哑》杂志发表后,该刊的合评报告中认为,这是对作品本体构造进行内在研究的论著。其他如《〈子夜〉的历史与美学价值》、《〈子夜〉的视点与时空调遣》、《〈子夜〉与都市题材小说》、《节奏、旋律、肖像、性格——〈子夜〉艺术丛谈》、《〈子夜〉的框架结构》等论文发表后,分别被国内的《中国现代文学研究》1984 年、1985 年、1986 年的年度述评和《中国社会科学》刊出的有关《子夜》研究的述评,认为"角度别致"、"帮助我们开阔眼界","认真地从审美深层进行开掘并呈现出别一洞天"。全书出版后,包括《中国现代文学研究》和《中国社会科学》等众多刊物发表的专题评述中,一致公认:"新时期的《子夜》研究的新领域不断得以扩展,不同层面和角度的研究也日益增多,在这方面将《子夜》研究推向了较深刻的理论高度,并获得宏观的历史眼光的,当推孙中田"等的研究成果,"多少年来,学术界对《子夜》的研究,尽管在数量上并不算少,但如此全面、系统、深入的探讨,在孙中田教授这本《〈子夜〉的艺术世界》出版之前是没有过的"。该书"具有角度新、观念新、方法新的特征,在历史和美学的批评准则中广泛吸收和融合心理学、叙述学、音乐学、色彩学、文体学、比较文学等各门学科的知识与观念。因此,其研究成果还具有方法论的意义"。海外学术界对该书取得的突破性成果也予以高度评价。

这里还值得一提的是,早在 1978 年,在学校的支持下,孙先生主持成立了设在东北师大中文系的全国第一个茅盾研究室,后来由于时代和学术发展的需要,又升格为中国文学研究所,由孙先生担任所长。茅盾以及中国现代文学研究仍然是这个所的主攻方向之一,在孙先生的主持下,由老中青构成的学术梯队正在向新的学术高峰攀登。

二、卓有特色、不断创新的文学史著述

如前所述,孙中田先生是在 20 世纪 50 年代初开始从事中

国现代文学的教学和科研的,是建国后较早投入这一研究领域的学者之一。他的茅盾研究,是在治中国现代文学史已具有了扎实的功底和取得了相应成果的基础上开始的,他把茅盾研究始终置于整个中国现代文学的历史框架和发展格局中,予以精审全面的联系和考察。因此,孙先生不仅是著名的茅盾研究专家,也是卓有成就的现代文学史家,在对中国现代文学史的研究和著述方面,在为中国现代文学这门学科的完善与发展方面,孙先生同样付出了诸多心血,取得了令人瞩目的成果。

早在1957年,在对中国现代文学进行了一个时期的深入扎实的研究之后,孙先生便主持编写了《中国现代文学史》(吉林人民出版社出版)。这部著作的上卷出版后,由于不久开始的反右斗争形势的影响,已经完成的下卷未能公开出版。此后,由于转入茅盾研究以及不断的政治运动特别是"文化大革命"十年的耽搁,二十多年的时间里孙先生未再推出文学史著作及教材。不过,对文学史的关注和研究却一直在私下里进行。所以,在中国进入改革开放的新的历史时期之后,孙先生便以极大的热情投入了文学史著作和教材的著述之中。1984年,孙先生主编的上下两卷的《中国现代文学史》,由辽宁人民出版社出版;1988年,孙先生再次主编的《中国现代文学史》,由高等教育出版社作为高校教材出版;1993年,同样由孙先生任主编之一的、作为高等师范学校教材的《中国现代文学史》出版,这部教材因在编写体例、规模、内容上多有创新、特色鲜明而荣获国家教委1995年颁发的优秀教材一等奖。1996年,东北师范大学出版社出版了孙先生独立完成的文学史研究专著《历史的解读与审美取向》。此外,像关于东北沦陷区文学研究的专著和其他文学史研究著作(如中国新文学的文化学研究)等,也都在进行和完成之中。

不论是作为文学史著作还是作为文学史教材，孙中田先生的文学史研究一直具有自己的史学观念、史学理论和史学方法，从而呈现出鲜明特色。他在 1957 年为第一部《中国现代文学史》所写的序言中，开宗明义地指出："本书体例，与现已出现的几种新文学史书籍有所不同。我们认为文学史的主要内容应是作家作品。"本着这样的文学史观念而写成的这部文学史，虽然在今天看来尚存在许多不足，但在当时的历史条件下，特别是在"左"的思潮影响下一些文学史越来越突出强调思潮斗争而忽视文学作品本体的情形下，已属难能可贵。无怪日本的《野草》杂志发表的《〈中国现代文学〉诸版本的比较研究》一文，认为"孙中田等人撰写的《中国现代文学史》是一本在体例上有新变化的版本。……他们将文学史视为作家作品构成的"。到 20 世纪 80 年代，孙先生在进行文学史编写实践的同时，又一再强调"文学的历史就是一部由具有生命力的作品组合起来的"。当然，随着文学史编写实践经验的增多和时代学术思潮的推动，孙先生的文学史观念和理论也在不断地发展丰富。20 世纪 90 年代以来，在中国现代文学界开展的有关文学史观和现代文学研究走向的理论探讨中，孙先生冷静思考，多方探索，含英咀华，连续发表了《历史性的嬗变与拓展——中国现代文学脞谈之一》、《文学迎接新世纪的挑战》、《论文学作品价值的历史变异》等一系列理论文章。从孙先生的文学史著作、教材和理性思索中，可以大致看出，孙先生的文学史理论和观念包含着这样几个方面的内容：

其一，文学史的基本格局应以作家作品为本体。孙先生从 20 世纪 50 年代撰写第一部《中国现代文学史》时就明确而牢固地树立了这样的观念:文学史必须以作家作品为中心和主体。他认为,文学发展的历史驳杂丰富,文学思潮、社团、流派、斗争、论战等往往构成了文学史的主要内容之一且在审视和书写文学史时绕不过它们。但是,这些现象尽管有价值,却不是文学史的本体。正像商品有价值和使用价值一样,这些现象除了它们自身具有合理性的存在价值之外,它们更大的价值,却在于它们的整体性存在和"合力"对作家作品的深在"调控"与影响。换言之,它们的深层和"终极"价值必须落实到作家作品,看它们对作家作品的影响力和"调控力"如何。因此,看取和衡量一个时期文学史价值和成就的大小的标准,在于作家作品的优劣高低而不在于思潮流派的如何宏大,论争斗争的如何激烈。作家作品的多少优劣永远是文学史价值的终极标准。本着这样的文学史价值论观念和原则,孙先生在指导研究生时也始终强调多读作家作品为首要的任务。

其二,在以作家作品为本体的文学史审视中,强调和重视历史和美学相统一的原则。孙先生在日本所作的题为《中国现代文学研究的态势》的讲演中提出:"文学史是历史的美学的综汇。必须从狭窄封闭的模式中解脱出来,看取文学的价值。"他认为,作为文学史本体的文学作品的价值,首先必须体现在它是一个能够被过去、现在和未来审视的美学对象和存在,应该具有比较丰富的历史内容和较完美的艺术形式。在这个问题上,孙先生特别重视作品的形式、文体与美学特征,强调诗学原则和美学原则。他的《〈子夜〉的艺术世界》便是这一思想的体现,他在为博士生开设的讲座中,就专设了《美学研究》的课程。但是,作品(本文)的美学价值并不是孤立存在和完全"自在"的,作品本身(内部)所显现出来的、表面看来纯粹是形式的美学的东西，其实往往通过极复杂的中介与外部世界（历史）相联系，在终极追寻上，美学（形式）是由历史的深在投射和影响而"同一地"表现出来的，或者说，是通过作家的文化——审美心理等诸多中介而被历史所选择和给定的。比如说，解放区文学的基本叙事模式、结构模式及诗学美学特征，个别地看可能是创作主体的作家的艺术选择问题，而整体和深层地予以考察，则宛然可见历史（政治、时代）的面影。此外，文学作品的价值，还受时间和接受者这两个维度的影响。而时间和接受者的情势，亦属于历史范畴。"因此，文学作品的价值，在作品、世界（社会、时代）、艺术家、欣赏者（读者）交互作用中沉浮、变异着，在历史的长河中逐渐地显示出它的科学价值取向"。由此出发，在研究方法上，孙先生主张"客观审视，就是以总体性的开放的目光在弘阔的天地中考察文学的趋势和规律性，不再把文学看成单一的线性因果现象，而是在总体进行全方位的审视"。同时，又认为"如果只着眼于宏观审视，便容易陷于空疏"。主张学习中国传统中"致广大而尽精微"的辩证思想，将"宏观的研究与微观的审视相比照"，"在宏观与微观的关系中，我们既要有弘阔的视野，又不失于微观的探察，构成对立而又互补的状态"。这种文学史观念和方法体现在孙先生的著述中，使其著述既辨析毫芒，悟稀赏独，又高瞻远瞩，全局在胸。见树见林，虽宏大而不空疏，既细致而无拘滞。

其三，强调文学史建构和格局的多样化而不必定于一尊。孙先生认为，作为完成了从古典向现代转换的现代中国文学，时至今日已走过了近百年的历程，已经成为与我们拉开了时空距离的凝固了的历史存在。在史学研究中，作为本真的、原生态的历史过程，后人已无法将其复原和把握，人们只能通过历史过程所留下的文字、图片、文物等"遗留态历史",去窥探和描述原生态历史过程,建构史学体系和模型。而每个人通过遗留态历史去建构史学格局时,都带有程度不同、表现不一的主体性,以主体去透视客体。因此,就像有多少个读者就会有多少个哈姆雷特一样,遗留态历史的丰富性和主体的丰富多样性,自然而且应该使文学史建构呈现出多元性。精神史的模式,形式史的模式,社会历史批评模式,文化史模式……多元文学史模式的建构和阐释系统的确立,将会使文学史格局出现成熟而壮观的景象。

三、勤勤恳恳、乐而不倦的讲学与育人

孙中田先生一生都工作在大学校园,从20世纪50年代至今,几十年来一直置身于教学第一线,先后为本科生、研究生(硕士和博士)、进修生、留学生开过《中国现代文学史》、《当代文学史》、《鲁迅研究》、《茅盾研究》、《作家作品研究》、《美学专题》、《当代文论研究》等诸多课程,为东北师大中国现代文学学科建设,为中国现代文学教学和学术研究人才的培养,付出大量心血,取得显著成效,作出开拓性贡献。在孙先生的辛勤努力下,东北师大中文系的中国现代文学专业不仅成为校系重点学科,而且推居到国内的前列,成为国内为数不多的具有博士授予权的学科单位。并且,从校内到校外,从国内到国外,数十年来多有孙先生讲学的足迹。讲学海内外,桃李满天下,是几十年来孙先生讲学育人生涯的生动写照。

孙先生始终以从教为乐,诲人不倦,言传身教,在长期的教学育人实践中亦形成自己鲜明特色。他教学态度极为认真严肃,每门课程课前都充分备课,写出讲义和参考阅读书目等发给

学生。即便是以前讲授过的课程,在每一次讲授前,他必定重新撰写讲稿,广采博纳,吸收容化新知,不断地把现代科学成果和本学科新的学术成果,化解为教学内容,使得课堂讲授视野开阔,丰富充实,信息量大,活脱而具理性精神。在讲授中,他的教学论理深厚,腹笥充盈,又热情贯注,不失自我的主体地位,且讲究传授方法和教学艺术。一位20世纪60年代毕业且今天已成为某大学教授的学生在其著作《作家的世界》中回忆说:"早在"文化大革命"前,孙中田先生就有了比较高的知名度。他所开的茅盾研究专题课,极受学生欢迎。孙先生严谨的治学态度,课堂上纵横捭阖,侃侃而谈,令学生十分敬慕。"20世纪80年代毕业的一位研究生撰文说:"他以教师为荣,最讲求课堂上的授课艺术。从思想脉络到语言逻辑,从讲台风度到语调控制,每能调理适度,收放从容。在课堂上孙中田老师常将标新而有理智的思想,通过生动新警的语言清晰地表达出来。课堂每因他巧譬连珠、妙语逼人的讲话而气氛活跃,听课成为一种艺术享受。"20世纪90年代毕业的一位本科生也在报上撰文说:"教授始终把教书看做第一天职,他特别注意授课艺术……听完教授的课后,都感到获益匪浅。"孙先生还特别注重在教学和工作中对学生治学能力的培养。特别是对研究生的培养,非常注重因材施教,既注意科学前沿的把握,又强调实践精神。大体说来,孙先生对研究生能力的培养,主要采取两种办法。其一是鼓励学生自己动手,在实际训练中培养思维能力与写作能力。既以现在的博士生班为例。孙先生坚持每周一个下午为博士生授课,授课后围绕一个专题进行讨论,讨论前布置好阅读书目,讨论中每人写好发言提纲,讨论后由孙先生作总结。讨论中的专题每人可根据提纲和进一步的思考写成文章发表,也可把大家共同讨论的结果整合成一篇文章,由孙先生润色后发表。一年中这样共同讨论完成的文章已发表数篇,同时要求每人每年独立完成文章三至四篇。其二是吸收研究生参加先生主持的课题和主编的教材,在先生的言传身教下、在具体实践中锻炼和提高学生的治学能力。在孙先生主编或主持、由高教社出版的《中国现代文学史》、人民社出版的《茅盾》等教材和专著中,都包容着先生指导下的学生的成果。研究生们也从实践中切实感到,每跟随先生参加或完成一次这样的项目,都使自己的治学能力和水平大大提升,获益极大。通过这样的培养方法、科学的训练和严格的要求,孙先生造就和带领出一批出色的卓有成就的学术人才和学科骨干。仅仅20世纪80年代中期以后毕业的硕士、博士研究生中,就有四人被各自所在的学校破格晋升为教授,三人晋升为副教授,三人当选为中国现代文学学会的全国理事,两位博士生的毕业论文被台湾文津出版社编入"博士论文丛书"出版印行,多人被所在的省市和高校评为学科骨干和学术带头人且享受国务院颁发的有突出贡献的知识分子津贴。此外,有许多毕业研究生在省级、学科级和国家级刊物(包括《中国现代文学研究》、《文学评论》、《新华文摘》、《中国社会科学》)上发表过论文,出版过在学术界引起瞩目和好评的学术著作,获得过校级、省级、国家级和海外的学术奖励,不少人不仅成为所在学校的学术骨干和带头人,而且已经或正在成为国内有影响的学术人才。十年心血不寻常,春风化雨铸栋梁,此语用在孙先生身上,可谓再恰当不过了。

然而,孙先生对这一切并没有满足。近年来,除了研究生培养外,孙先生还经常为全系、全校、外校师生和全国进修生开设讲座,作学术报告,以期培养更多的人才,吸引更多的人投身学术事业。事实上,近年来也的确有许多外系、外校、国外乃至理工专业的学子前来随先生就学。

为奖掖后学、培育更多更好的学术人才,孙先生可以说是呕心沥血、无条件地奉献出自己。先生的弟子学生们都清楚地记得,孙先生为使学生们尽早地走进学术前沿和早日成才,经常把自己多年搜集的资料、多年的研究所得和正在思考探索且多有创新的东西赠送或讲授给学生们,乐意并且鼓励学生弟子在进一步深化的基础上将其据为己有,写进自己的文章或容纳进自己的课题。每当学生弟子或自己思考或采纳先生的东西写成论文发表,先生都非常高兴。对待青年后学在研究上的创新锐气乃至偏颇片面之处,每能以宽容平等态度,得引导处循循善诱,得劝诫处慰勉有加,从不摆前辈的架子"捧杀"或"棒杀"。但有合理而出新意者,常不辞辛苦为之举荐。先生在学术上从不故步自封,而是不断坚持真理,超越自我,与时俱进。改革开放的新时期以来,面对扑面而来的西方学术新潮及如潮汹涌的国内学术态势,先生既热情而葆有积极的心智活动,又冷静而不失自我的主体地位。对各种新潮理论和学术新论,从不大加摇头视而不见或盲目叫好,而是以鲁迅"拿来主义"的态度,寻其根求其脉把握其走向,而后或剔除、或化解、或参照,是其所是,非其所非,显示出恢弘的气度与实事求是的理性精神。举凡新时期以来介绍引进的各种西方学术著作,从文艺学、美学、哲学、心理学、社会学、文化学到一些生僻的自然科学著作,先生都尽量地搜集通览,以求为我所用。他不独自己这样做,也要求后学弟子这样做,勉励他们要既读旧书,也读新书,跟上学术发展潮流并最终超越之。为此,孙先生在每周一次上书店时,他不仅逢有新书、好书自己购买,也常转告学生弟子购买。如若学生因经济条件或其他原因而未买到时,孙先生则经常自己掏钱为他们购买。每逢孙先生带领弟子们共同发表文章或完成项目后得到稿费时,先生总是为弟子们买来必要的书籍。出差在外,孙先生也总是不辞辛苦地为学生弟子购买并带回很多急需必要的书籍。先生的这些举措中所包含和透露出来的拳拳之意,常令后生学子十分感动。

孙中田教授今年六十有七,年近古稀,但身体健康,精神矍铄,在学术追求上从无半点倦怠。几十年如一日,他起居有时,劳逸有度,勤勤砣砣,不断地在学术的沃土上耕耘劳作,播种收获。他用自己平凡而高尚的行为,躬行着中国古人的一句圣言:

天行健,君子以自强不息。

(原载《社会科学战线》1997 年第 1 期)

我 与 学 术

赵 园

已到了"知天命"之年。在这个年龄谈"我与学术",我得承认,我是幸运的。

由"学术"看,在我,最可称幸运的,当是在北京大学读书与在文学所搞研究了。

1964 年与 1978 年的两度入北大,其对于我的意义当时并不明了。只是由越来越远的事后看去,才确信那是"命运"。正是北大,决定了我此后所从事的研究的格局。但我无法具体描述校风的浸染,以至某种"传统"的渗透。这类影响确实是无迹可寻的。而我到中国社会科学院文学研究所之时,这个庞大机构正处在一个微妙的时期:旧秩序瓦解,新的则尚未建立。那种散漫的非组织的状态,使得真正"个人化"的工作以及"书斋生活"成为可能。要知道前于此,我的所内的同行,常常被组织在"大兵团作战"中:大项目,集体撰写。我相信不少人的学术潜力,就在这过程中被耗掉了。你大概不会忘记,在一个相当长的时期,个人著述是要冒被目为"个人主义"的风险的。"散漫"与"个人化"之于我,其意义甚至不止在学术。我一向缺乏应付人事的能力,也极其惧怕人事的纷扰。我应当并不夸张地说,正是书斋与个人著述,使得生存在我,不那么艰难了。

我的幸运,还在专业与学科环境。我之从事"中国现代文学研究"全出偶然。当"文化大革命"开始而中断学业时,我还未及学到"现代文学"——那时北大中文系的文学史课程,是由古代部分讲起的。"文化大革命"爆发那年刚刚讲到宋元。我还能记起当我的老师在课堂上将宋词讲得如醉如痴之时,他的学生埋头记录以备批判的情境。"四清"及"文化大革命"前夜的北大,已安放不下平静的书桌。之后,是"横扫"、"派仗"、"教改"(所谓"斗、批、改"),接下来,是"四个面向"——我即插队到中原的一个小村,在锄红薯和侍弄烟叶中度过了两年。1978年恢复研究生考试时,我正在家乡城市的一所中学里。那中学大约没有人认真对待我的报考,因而当我准备应试时,还担任着毕业班的语文课,只由同事处得到了一点帮助。我无可选择。在十几年的荒废之后,我只能报考仅有 30 年历史的"现代文学"以便考取。

复试时,衔着大烟斗的王瑶先生问到我,为什么选择这个专业,我竟不假思索地说,我年龄已大,记忆力衰退,学古典文学为时已晚。王瑶先生莞尔而笑的样子,至今仍在眼前。在一位老先生面前说年龄,或许真的是可笑的,而当时的我,很可能看起来还不算老大的吧。

但我终于感激起这不得已的选择来。一旦进入专业,我和当时我的同学,多少都觉察到了与我们所研究的那一代人、那个时代的精神契合。我的第一篇读书报告,写的是鲁迅。当我在"文化大革命"中通读鲁迅时,这个人之于我,正如对我的友人钱理群,是所谓的"精神支柱"。前不久一个台湾女孩子问我"最喜爱的中国现代作家",我说那是鲁迅。这些年里我改变了许多,而这份喜爱,应是未曾改变且不大会改变的。鲁迅之外,较早吸引了我的,还有郁达夫。经历了一个充满虚伪与禁忌的时代,郁达夫的率真,其学养与其洒脱之至的文字,对于我都有十足的魅力。我和我的同学还发现,正是这专业,满足了我们自我表达乃至宣泄的愿望。或许只有在这种研究中,你才能体验"学术"之为个人境界。你像是"生活在"专业中。而借诸研究对象整理自己有关"知识者命运、道路"的经验之所以可能,当然也因对五四、对五四人物的认同。"认同"所构成的限制,现在已经看得很清楚:我们至今仍在所研究的那一时代的视野中。1984年我的第一部"专著"完稿时,友人为它起了个颇合时尚的书名:《艰难的选择》。其实那部书稿的缺陷正在于,未能充分写到中国现代史上知识分子命运之为"选择"。即使这样我仍然要说,正是上述那种与研究对象的关系,造成了这一代研究者特殊的文学史眼光与见识,他们对这段史的发现与叙述方式。

专业与最初的研究选择,无不因于各人的性情与经验背景,又影响于此后一个长时期的取向——钱理群的鲁迅、周作人研究,凌宇的沈从文研究,以及我的老舍研究和知识分子形象研究都如此。甚至在变换了的对象领域,也仍可见出那一起步于你之重大。在这种意义上,专业选择以及课题选择不也可以视为"选择命运"?

当然也有代价。我不久就发现,那30年的文学,经得起审美度量的作品实在太少了,阅读中不得不用了极大的耐心。那一册《论小说十家》中,集中了我以为较经得起"研究"的小说家。即使"十家"也多少出于拼凑:我也未能免于鲁迅所谓的"十景病"。幸而我们还发现了那些作品的其他价值,比如作为思想史材料的价值。现在不妨承认,以文学为材料作准思想史的研究，多少也受制于材料本身的品质。但更多的作品，即使在这种运用中，也嫌意义过于稀薄。即使如此，回头看那种研究，我仍不认为是精力的浪费。那无论在我还是在我的此后更远离了"专业"的友人，都是真正的开端——至少在学术训练的意义上。别人大约已无从想象，我们是在怎样低的起点上开始"研究"的。在重返北大前，我甚至不曾写过一篇"论文"（"文化大革命"中的大字报除外）。一切都从"零"开始，包括写作。直到毕业时，我仍不习惯于写通常被认为"论文"的论文，以至我的老师也预先为我能否通过论文答辩而捏一把汗。正是研究生三年及毕业后的继续训练，思维的以及写作的（那难以计数的大量摘录、札记），使得此后的研究得以进行。

本文开头所说的"幸运"还不止于此。在专业研究中我收获了友情。我已在一篇题为《遇合》的散文中，写到了因重回北大而与友人间的遇合。我所属这一代现代文学研究者之间较为融洽的关系，也应由一个较为成熟的学科，较为正派的学科风气所助成，由明达的学界前辈、由具学者风范的师长助成。上述种种构成了你生存其中的"北京学界"，它抽象而又具体。这学界较为稳定的价值态度，使你在此后汹涌而至的商业大潮中，保持了一份宁静。你坐在你的书斋里，不必用了"安贫乐道"来自慰或解嘲。你相信你所做的，是任何一个正常社会必有人做的，其价值无须特别论证。当然学术是寂寞的事业，"坐冷板凳"是其职业要求。但并非所有的人都以寂寞为苦。即如我，就不妨承认，正是这一职业，满足了我的精神需求——我难道不应为此感到幸运？

我的幸运，还在于1985年前后的学术环境。有关的经验使我相信，"机遇"之于世俗所谓的"成功"有多么重要。现在人们尽可批评那一时期的浮躁与空疏,但也应当认为,正是那个热情的时代,使得众多的"新人"得以生成。你不但为学校,也为当时极其活跃的期刊,为出版界的大型丛书所塑造,为热忱的编辑们所塑造。我的后来收入《艰难的选择》一书中的某些文字,最初在《文学评论》、《中国社会科学》一类刊物上发表时,曾应编辑的要求而一遍遍地修改。我已印出的每一部书稿,都有编辑者的热情灌注。作者与编辑的"同志"之感,正发生于那一时期的特殊氛围中。你在后来者眼里,的确是幸运的。

1988 年,在大致完成《北京:城与人》之后,我有了难以摆脱的厌倦之感。在此之前也有过厌倦,却不曾如此持久。在年轻的友人面前,我甚至泪流满面,说我不想再搞学术了。我难道就不能做一点别的,比如制作工艺品?这当儿,友人提到了明清,说,何不试试换一个领域?

1989 初夏到 1990 年,我用了差不多一年的时间读《诸子集成》与《四书集注》。我试图由"现代知识者"上溯到其前身"士";我久已渴望达到历史的纵深,探寻"士与中国文化"。但我未立即启程。我又回到了未完成的题目上,为了告别与结束,写完了《地之子》。1991 年秋末访日回到北京,"正式"涉足新的领域。我陆续读了钱穆的《中国近三百年学术史》,梁启超的《清代学术概论》、《中国近三百年学术史》,黄宗羲的《明儒学案》,通读了《明史》,又接着读顾炎武的《日知录》与诗文集。我试着寻找可致力的方向。我首先感到了"明清之际"这一时段的吸引。吸引了我的,是其时士的积极姿态,言论的活跃,精神现象的丰富,其间杰出人物所提供的深度与魅力。那是一个造出了"大人物"的时期。

我还得承认,这一选择也同样应了与对象间的某种契合。

我终不能"为学问而学问"。早已"历史地"铸就了的性格，使我更倾心于明清之际的人物。我追求人生意境与学术境界的合致。虽然到此时，已不像初涉现代文学时那样易于认同，热情洋溢。对三百年前的那段历史，是在较远距离眺望的。

我在香港中文大学度过了1992年那个冬天。三个月里，待在中文大学图书馆，浏览有关明清的书籍，直至春节闭馆。离开北大十年后，坐在南国俊秀的少男少女间，重温图书馆情调，竟也感到了新鲜。春节前的图书馆一派冷清，透过大玻璃窗的斜阳颜色惨淡。翻阅完台湾版的那一大套《明清史料汇编》，我长长地舒了口气：终于有了"题目"。返回北京的书斋，继续读王夫之、黄宗羲、钱谦益、吴伟业，读陈确、孙奇逢、刘宗周、方以智、张履祥、刘献廷、张煌言、祁彪佳、瞿式耜、颜元、朱彝尊……主要由文集而非史著入手，我选择的或许是更繁难的方式，但它适合于我的兴趣与目的。正如在现代文学专业，我关心的是"问题"更是"人"。我由那些文集"读人"。我力图在想象中复原那时代的感性面貌，触摸那段历史的肌肤，力图使三百年前空气生动起来。我明白自己的缺陷。我将具体的研究目标设在"文化—心态"上；我申称我所处理的主要是"话题"而非史实，我关心的是那一时期的士大夫"说"些什么以及何以这样说：虽然这题目也并不容易对付。我重又体验了"不自信"，而且较之研究现代文学之初更不自信，甚至有点儿"如临如履"。但这不正是我想要找的感觉？当初友人向我建议"明清"时，我所想到的正是，这或许将是我最后一次较重大的选择。我必须试试自己的力量与可能性。倘若再不动手，我将会永远地失去了机会与勇气。

我事实上一直在寻求挑战——陌生的知识领域，陌生的理论架构,以至陌生的表述。而尤为我尊重的,是思维能力、"认识能力",以及将认识理论化的能力,包括用明晰的理论语言表述的能力。这或许不是中国传统学术所最注重的能力,却是我自始至终努力获取的能力。甚至不止在弄"学术"之后。"文化大革命"前自觉地读马克思恩格斯两卷集,与"文化大革命"后期读当时所谓"六本书",不就为了上述能力的获取?较之学术建树,我以为更值得追求的,是生命的深。在我看来,上述能力之所以值得尊重,因其非但是"学人"的,也是人的重大能力,甚至有可能是人性深度所系;而我们首先是"人",然后才是以"学术"为业的人。上述价值尺度或能解释我自1978年以来学术上的选择。当着到了"知天命"之年,我不得不遗憾地说,我终未能获得的,也正是最为我所珍视的那种能力。

在不自信中,我仍试着开始讨论几个"话题"——关于"戾气"的,关于"生死"的,关于"南北"的,有关文字分别刊载在《中国文化》、《学人》、《上海文化》上。友人读了我拷在软盘上的《戾气》一文,说"太五四了"。我自己也发现了已有的专业在我的研究中的投影:不止兴趣,而且角度与评价。也因此这是一个新文学研究者所读出的"明清之际"。那一点点意义正应当在这里。

此时我已开始了用电脑工作。电脑给予我的诸种便利之一,即便于修改。即使已发表的文字也仍是"初稿",是有待于不断补充修正的。我不急于完成。我想从容地将一个个题目做下去。这也将是个漫长的学习过程。我曾对人说,我再读一个学位。当然,"学位"只好由我自己授予了。但总算开始了。我告诉友人,这一组文字的发表,对于我的意义也就在"开始"。

这是我以几年的努力期待着的。"学术"之于我已这样重要,如果我不能再度开始,我甚至会怀疑活着的意义。

也如同从事文学研究,我明白自己的极限。我不给自己设置不可能的目标,从不用"终极价值"一类题目恫吓自己,更不以学术为所谓"名山事业"。学术在我,是生命活动,是生命实现的方式。当然我也明白由"历史"及个人资质造成的限制是不可跨越的。在选择中我关心的一向更是"我能做些什么"。我不大在乎别人的估价,"无人喝彩"从不影响我的兴致。我惧怕的是自己,比如那种致命的无力感,比如厌倦。我相信我及我的同代人所做的,只有在"总体估量"中才有意义。我们都是些"过渡性"的人物。倘若我们真的处在文化荒落与繁荣之间,那么我们的使命就在为"繁荣"准备条件。我们参与着"积累"。我们的成绩将沉积在土层中,成为对"天才"的滋养——这难道不是值得欣悦的?

学术繁荣系于新人迭出。看着年轻者的活跃姿态,如对一片生机蓬勃的土地。正是由学术,我生动地感觉着文化之流的推展,心境宽裕而明朗。我激赏我年轻的友人与同行,同时宽慰地想,我已做了我所能做的,虽然所做微不足道。

在春节打给父母的贺卡中,我说,台港人好说"成就感";我对"成就"并不在意。满足了我的,是"力量感"。我在研究中体验自己的力量,思维的以及表达的。"学术"方便了我体验生命。我因而对我的职业、对我的书斋怀着感激。

在"我与学术"这一种关系中,我确实感到"幸运"。当然还感到了别的。我常常想到这份职业的代价,当此之时,甚至不免会有夸张的悲剧之感。幸运感及悲剧之感都是真的。你不可能什么都得到。你只能满足于你所尽力获取了的。

由刊物推动，过早地作了这番回顾，像是为了终结。其实我所希望的正相反。我希望一切刚刚开始，且永远在开始，永远能开始。我想我能。

（原载《社会科学战线》1995 年第 5 期）

"在对象世界中体验自我的生命"

——赵园的学术品味和个性

孙 郁

一

20 世纪 80 年代,那是中国现代文学研究最热闹的时期,不仅产生了众多的有质量的学者和著作,重要的是,对五四的重新认识,恰好与中国的思想解放运动是同步的。因此,那十年间的现代文学研究,真正艺术本体论的成功论著尽管微乎其微,但那种精神启蒙式的情感喷吐,其意义早已超出了文学本身。人们正是通过中国现代文学,开始重新发现了个性主义传统与中国知识者的命运。在整个文学研究领域中,现代文学的魅力,是更直接地体现在当代文化的建设中的。它的浓郁的个体价值参与,人生体验的流露,给当代青年的启示,都是其他文学研究中所罕见的。

我注意到了赵园,她是那时涌现出的青年学者中颇有影响的一位。比之于当代的学人们,她似乎不擅长于理性思辨与逻辑演绎,甚至看不到多少传统治学中那种正襟危坐。赵园的吸引读者,首先是她的那种理性直觉,那种冷峻、沉郁的精神个性。读其文章,可以分享到一种诗化哲学的快感。《艰难的选择》、

《论小说十家》等著作的问世,曾在高校青年中引起过不小的共鸣。从赵园那里,看到了一条通往文化研究的亲近之路。

然而掌握赵园的思路并非易事。她的才气、那种细腻的感觉,带着强烈的主观印记,不随意杜撰观念的严肃的治学态度,不是一般人可以做到的。我惊异于她的良好的理解力,她的近于散文体的风格,和条理清晰的理性顿悟,这与其说来自一种良好的训练,不如说更多带有一种天赋。在感悟的真切与情感的方式上,她和上海某些有才华的青年学者有着某种相似的一面,但又不过于感觉化,其骨子深处,依然带有北大学人的某些东西。"民主与科学"这个已近于空洞化了的字眼,我却在赵园等北大的学子身上,感到被具体化和生动化了。她那代人的价值选择、审美情趣,直接与鲁迅传统沟通着。这种沟通不是简单的理性上的位移,而是切身的情感的契合——在意志、情绪诸方面,那么相近地叠印着——所以,在赵园看似随意的笔调中,却含着大悲苦与大欢欣在。这又使她的学术精神,体现出一种与海派不相同的个性来。赵园的魅力,内在于"五四"的个性主义传统中,她几乎是用全部心血,来重新体验鲁迅那代人的精神过程。尽管历史的局限使她不可能十分自在自为地辗转于历史的精神洞穴里,但我以为,在对象世界与自我意识之间,赵园属于幸运的那一类。她确实找到了属于自我的那种东西,这一点,使她得以较个性化地切入到对象世界里,她把生命的思考过程与历史的文化过程,在一个相知的撞击中,结合起来了。

二

1986年出版的《艰难的选择》,给赵园带来了不小的声誉。

她不像有些青年学者那样以理性的召唤引起世人注意。她的论著一开始呈现给世人的,便是那种琐细的、闪着智慧的东西。我特别注意到了她在《跋语》中所说的那段文字:"写这部书稿,是我对于现代文学进行总体研究的一次尝试。我还会试着从另外的角度描述文学史。本书的基本线索,将贯穿在我今后的文学史研究中;同时我也将以变换了的对象,继续我在书中开始了的研究,研究作为现代知识者的精神产品的现代文学,研究包含在现代文学中的现代知识者的心灵历史。"注重知识分子心灵的过程,注重作品美感背后体现的人的价值情感,这比以往主题——形式的评析方式,在质上有了根本的不同。她稍后出版的《论小说十家》,在风格上和精神的气脉上,表现了同样的一面。她过于偏重知识分子的心理现实,文章散出理性的锐气。但又不像心理分析的论著那样仅注重作家内在的东西,把自我与对象世界分离开来。《艰难的选择》、《论小说十家》的重要性在于,发现了当代知识者与那一代人的血缘联系。赵园把这种联系情绪化了。她其实是为了认识自我和自己的时代,才那样全心地去亲近那些已逝的文化精灵。她太注重知识分子心理困惑的东西、挫折的东西。对苦难的咀嚼,毫无退缩,以至在沉重的审美穿越过程里,体现出孤寂、冷峻的一面。读她的论著,觉得是心智的自然、真诚的倾吐,她很善于把同类题材放到一起加以对比,有时在看似散淡、随意的感悟中,却生动地抽象出一种美学法则。这些法则的发现,多半与作品的精神的矛盾,意志冲突相伴,所以很少看见闲适、悠然的审美自娱。赵园选择了苦涩的精神旅程,选择了艺术中充满苦难的乐章。这其中,大概与她那代人的经历有关吧?她在书中一再强调现代文人清醒的意识与行动意志的矛盾,理想主义与行动意志的矛盾。书中几乎处处弥漫着人的生存困境与自我觉态的复杂冲撞气息。与其说它揭示了现代知识者一段心灵的历史,不如说是看到了赵园这一代人的精神哲学。

不仅是心与心的映照,显示了她洞悉人的心灵过程的才气,更主要的,是她对艺术自身的理解。赵园带有强烈的散文家的气质,她可以一下子进入到艺术的核心部位,三言两语,便道破作家的天机。她对孙犁"单纯情调"的把握,对张爱玲,"开向沪、港'洋场社会'的窗口"的瞭望,对萧红散文化了的小说结构的解析,以及对路翎小说中"犷放、雄强的"个性的总结,都是准确生动的。读《艰难的选择》和《论小说十家》,扑面而来的,是她的聪慧的性灵。她对五四以来的作品的把握,太细腻了。例如对老舍民俗精神的透视,对郁达夫的反观,均有独到之处。我尤其难忘的是读她解析沈从文的一段诗化的、充盈着文化品味的文字,那里已不再仅仅是一种对文体的把握、思想的归纳,它简直是哲思与诗,与东方古典旋律一种现代式的融合。在她的富有穿透力的审美审视里,沈从文精神的原态的东西,被美妙地勾勒了出来。而写萧红的那个篇章,我感觉了一种真正与作家心灵相通的精神震颤。也许,这种感觉在许多人那里都曾具有的,但我却第一次从她的文章中,看到了只有她才能诉诸笔端的感知画图。赵园是真正在气质上和情趣上贴近作品的学者。你丝毫不会感到她学术活动中生硬的主观臆断。五四以后,众多用西式理论读解作品的弘篇大论,如今大多已失去了阅读魅力,包括十年前那些理论上轰动一时的论文,除了史的价值外,重新唤起阅读快感的地方,已寥寥无几了。但赵园写下的文字,在我看来,有一些是带有鲜活的力量的。她是用生命来书写自己的文字,来呼吸历史和文化的。带有强烈主观印记的赵园的存在,让我更进一步地相信,仅仅一味模仿洋人的思维方式,其生命是短暂的。一旦离开科学、冷静的分析,离开有血有肉的感悟,中国的文学研究,便只剩下了干巴巴的教条。赵园没有蹈前人之规,凭着自我的信念与才智,找到了文学研究的表达式,这是她的幸运。

三

单纯地把握一个作家,也许并不困难,甚至像小说史那种一个作家一个作家的描述,只要下了工夫,亦可出现成果。但把个人与个人的创作打破,从众多的作家作品中把握一个时代的风气、特点、知识分子心灵的共性等等,那是除了智慧,仅有工夫而难以为之的。除《论小说十家》中单个作家论之外,迄今为止她出版的另外几部著作,均属于通论式的。她从众多的、不同样式的作家作品中,抽象出一种共有的对象,并对此进行深入细致的研究。例如对 20 世纪三四十年代小说中知识分子形象的某些思考,对"文化大革命"后小说中"新女性"形象的描绘,甚至像"中国现代小说史中'高觉新型'"的发现,都是透着机智与才气的。沿着这一思路,她把人的心灵史的过程的把握,渐渐移向文化寓意较深的城市文明与乡村文明的审视中。1991 年出版的《北京:城与人》,1993 年出版的《地之子》,都是她研究个性新的伸展。在这两部著作里,早期写作中那种悲凉的气息,多少有些弱化,你可以觉得,她对纯文化的问题,产生了较过去更浓的兴趣。简单地把这种趣味的转移,看成审美尺度的更换,也许是一种误解,在她内心深处,我依然可以感受到在《艰难的选择》中所呈现出的情感达成方式。由对人的内心世界的关注,转向对外部文化,尤其是世俗文化的审视,显然把她的视界拓展了。虽然她依然以文学作品的文本为出发点,去扫描文学与世界的多角联系,但这种节制自我的审美偏爱,更为客观化的文化透视,表明赵园文化意识在日趋成熟。《艰难的选择》给人的印象过于内倾、沉重,而《北京:城与人》、《地之子》苦涩的感觉虽依然涌动,但有许多已被一种开阔的文化品味代替了。她学会了较为冷静、全面把握对象世界的新方式,自己已不再仅立于其中,仿佛已有了距离,是站在更高的层次上反观诸物。《北京:城与人》不是一般性质的文化论著,而是借着"京味"作家的作品,考察文人与都市文化复杂的联系。这是她迄今为止的著作中,我最喜欢的一部。赵园在这里把自己的生命意识和鉴赏力,推向了一个新的阶段。她对老舍以来"京味"作家个性的概括,是十分漂亮、精彩的。你很难再找到一种对"京味"作家作品更形象化的概括了。那种感觉、情调,都不是常规下的文人所曾操持过的。她把小说的景观、文化的景观,与人的生命价值,放置到了一个多色调的理性图式中。我在评价该书时曾经说过:"赵园在北京文化与北京人之间,发现了这座古城'内在于人生'的那种格调。由作家创作态度、风格设计,推导并发掘'京味'内在的风韵,不失为一条好的研究途径。作者对老舍很有兴趣,她在老舍为代表的'京味'小说那里,发现了京城文人独有的风格特点。比如对京城人的'理性态度'、'自足心态'、'非激情状态'、'介于雅俗之间的平民趣味'、'幽默'等问题的总结,可以说是对'京味'小说最好的注解。从文学形象折射的情感逻辑方式,寻找北京的市情风貌,赵园是下了苦功夫的。她以良好的悟性,捕捉到了'京味'小说所涵盖的文化哲学,使我们对'京味'小说某些零散的印象,排列组合成一个有序的系统。"①赵园对作家群体风格，以及几代人相近的美学精神的疏理，是富有创见的。她是一个真正懂得并且会进行作品"细读"的人，在她的解读里，常可以发现被别人忽略的东西。她把这些隐藏在作品后的有价值的因素提炼出来，让我们感受到了人性世界中神奇、奥妙的一隅。在对人的复杂性的理解方面，赵园的思考方式与表达方式都是新奇的。她的经验过程只属于她自己，别人已无法重复。学术研究进入了这种状态，便进入了高的境界。赵园在这个境界中给人的提示，比单纯的思辨理论给人的提示要丰富得多。

《北京：城与人》之后出版的《地之子》，照例表现了她良好的天赋。这部描写知识分子与土地联系的著作，可以看出她对文学审美过程的社会属性更广泛的兴趣。此书与《北京：城与人》完全可以看成是一部姊妹篇，尽管思路略有差异，但那种把现代、当代文学打通，甚至直指古代某些文化的研究方式，也流露了她对文化的多方位的喜爱。这时候，《艰难的选择》时期的忧郁的文化批判色彩，被更切实的、不过于动情的文化内省意识所代替了。《地之子》是"探究知识者与乡村、农民间联系及这种联系经由审美活动在作品中的呈现，作为我的'知识分子研究'的一个方面"。赵园承认，倘理解中国知识分子，不把握农民文化与农民性的深层东西，以及它对中国知识层人士的潜在的作用，是不全面的。理解知识分子与农村文化的联系，或许更可以看出现代中国文化核心的东西，五四精英文人的启蒙运动，何以被农民革命的浩大声势所取代，其中内在的意蕴，是发人深省的。赵园无意去探究政治意识与大文化的问题，她在诸如鲁

---

① 《沉重的穿越》，《读书》1992 年第 8 期。

迅、台静农、李广田、张承志、张炜、莫言、刘恒、何士光、高晓声等人身上,看到的还是艺术与心灵间微妙的联系。赵园注意到了几代作家,对乡村文化多样的审美态度。那些"还乡意识"、"文化乡愁",以及诸种"荒原意象",在她的笔下被形象而富有分寸地昭示出来。《地之子》不像《北京:城与人》那么流畅,它或许在整体上显得过于琐碎,文字不及前者清纯。但我依然能感受到厚重的东西。她早期论著的单纯色调,在这里有所改变,对问题的理解有了历史感和沧桑感。由于所涉作品问题过多,《地之子》有零散的感觉,过于零散,有时破坏了阅读的兴趣。就我而言,更愿意读她的作家专论或《城与人》式的论著。我甚至想,对现代小说的审视,赵园在方法论上走进困惑阶段。仅仅从小说的内涵和外延中发现深刻的文化命题,总觉得过于简单,也容易在方式上重复。"文学表达式"中体现的文化问题,毕竟有所限定,要处理好它,的确不易。况且,倘不参照更广泛的文化、历史、乃至哲学,表述这类文化问题,终不如表述艺术本身更从容。但赵园并不愿绅士味地沉浸在艺术的单纯的审美静观中,她的选择,与其说是对艺术的偏爱,不如说是对人生的悲壮的挑战。也正是这种孤独的前行精神,才真正透出她的可爱的人生品味。

四

无论如何,赵园在学术界的出现,是令人惊喜的。她使我们对文学研究与文学批评,恢复了自信。赵园使学术研究进入了艺术化与哲理化的时空之中。她有一句话说得意味深长;"批评也是一种对世界的发现,对艺术世界与生活世界的关系、尤其对于艺术世界自身规律的理论发现,——丝毫没有什么卑微。批评与创作在从事精神创造这一点上是平等的。批评者与创作者是各自领地的主人,不过各有其对象世界与目的物而已。这里我要说的是,批评的尊严不靠赐予,而靠它作为独立的艺术的自觉,靠批评者作为独立的理论工作者的自觉。"(《论余杂谈》)她实际上完成了这样一种自觉。我读她的众多文字,深切地感受到她对艺术与人生的独特理解力,这种理解力,在一个较高的精神层次上,把艺术的美与哲思的美连接起来,创造了批评与学术研究的独特的文体。

赵园很少去写大块纯粹的理论文字,纯粹的理性大多溶解在她的感觉中。在与作品的交流过程里,她比同代的任何一个人,愿意更直接地把她的苍凉的体验,与那瞬间的感受联在一起。这就远远地超过了平庸鉴赏者那种单一的、乏味的意识结构。读她的文章,不仅是一种理性的快慰,更主要是那里所散发出来的悠长而深沉的情感。你会在那些优美的文字与感悟极强的段落中,找出她自我的某些东西。在她同代的批评家中,很少有像她那种注重直觉的参与,她曾经说过一句有名的话:"在我,最猛烈的渴望是认识这个世界,同时在对象世界中体验自我的生命。"这是她早期治学中核心的精神线索。与那些热衷于西方思辨哲学的人比,她更善于避开玄而又玄的宏论,而全身心关注于具体化了的艺术和人生。所以,她的研究论著,介于一种理论、批评和散文自叙之间。这在中国文学研究的历史中,是不多见的。我注意到她的几部著作,都一以贯之地表现了这一特点。她曾认为她这一代学人,在一定程度上凭借了"在灾难性的个人命运中积累起来的痛苦经验,以昂贵的代价,他们换取了属于自己的那一把打开对象世界的钥匙,发现了自己与现代史上那几代知识者的精神感应：由社会意识，民族感情，到悲剧感受。这一代研究者除此之外几乎别无'优势'可言：缺乏必要的知识积累，缺乏理论训练，而且大多失去了无可追回的青春岁月。他们看现代文学的眼光注定了是狭隘的；但也只有这一代人，能以这种眼光看现代文学，充满激情地描述出现代文学的某些重要方面。"（《论余杂谈》）只有读了这一段话，你才可以理解，她的文字所以如此动人的原因吧？我在时下一些二三十岁的青年学者的论文中，已经很少能看到赵园式的沉郁了。这一代人的知识结构也许好于前人，但毕竟属于这一代，而像赵园、钱理群式的感觉方式，终究不会被简单地重复了。这使我更加珍视她和她那代学人留下的文字。你会说他们视野狭小，在理论上缺少创新，等等，但你仍不能不承认，她那代人苍凉的人生体验，与学术间的交织，是有其特殊价值的。这使我更加相信，有责任感的中国学者，从来就不是唯学术而学术的。读解历史，其实也正是读解自我与人生。

赵园的写作有其全部投入的一面，也有其冷静的一面。她在深切地感受的同时，又不过于陷入其中。她写作者的弱点毫不温吞，有时似近于有些挑剔。但这种挑剔中恰可见出她的灼见来。例如说沈从文"哲学的贫困"、文化思想的贫困，是对其价值尺度很见力度的评语。写庐隐的过分悲哀而不会从中超越出来，终有怯弱的一面，真是一语中的。她评价客体，从不盲目地屈从，而是坦然地讲诉自己的见解。在对王统照、凌叔华等人的评价里，那些对其弱点毫不留情的批评，让我感受到了赵园的几分冷酷和严厉。但如果细细品味，其中又不尽是苛刻的求疵，在她一针见血的文字里面，包含着博大的爱意。她是因为看重那代作家，才更为理性地、冷静地投入，在看似尖刻、冷意的地方,倒可以看出她炽热的情感。尽管它隐得很深,但读不出其中的热力来,便不懂得赵园。

要而言之,赵园的重要贡献之一,在于冲破了学院化的学术文体,俄苏文艺理论的结构,与欧美某些美学思想,并没有在她那里生硬地转换。她属于东方,其认知结构,让我想起鲁迅、周作人那代人。鲁迅写中国古代小说史,没有洋人式的方法论,周作人体味希腊文学与中国古代文学,更主要依凭着他思想的性灵。赵园亦然。她并不蔑视理性,我在她众多的文字中,常可以找到曾浸淫于思辨理性的修养过程。不过她并不愿意简单地移植这些舶来品,她一开始就注重于自我的智慧表达式。那些漂亮的文章都是从心灵深处涌动出来的,并且衬托出深邃的、有质感的东西。读她的论著,觉得其中的艺术结论,都是从感觉中自然而然地升腾出的。中国学术界缺少的并不仅仅是新的理论,重要的是,缺少一批细读原作,且艺术感受力强的新人。没有感受力的文学研究是乏味的,文学研究所以不同于哲学、社会学与史学研究,就在于它与感性世界缠绕在一起。在这个意义上,赵园的尝试,对青年一代学人的启示是非同寻常的。她对感性世界富有色彩的描述,使众多伪思辨的研究文体,与其相对照而相形见绌。那些闪光的论著,在我看来,更为深切地记录了20世纪末中国学者较典型的文化心态。它折射出的心智情绪、文化观念以及历史局限,都富有一代人学术意识的某种标本价值。

(原载《社会科学战线》1995年第5期)

独辟蹊径　体大思深

——李炳海教授学术传略

王　凤　霞

最初知道李炳海先生的经历是在他的著作《民族融合与中国古代文学》封面上的介绍:他"1946 年 11 月生。吉林省龙井市人。1970 年毕业于北京大学中文系。1986 年在东北师范大学获文学博士学位"。除了一串抽象的数字,很难获得更生动的信息。在和李先生的日常接触中,很少听到他谈自己的过去,真正对李先生的经历有所了解,是在拜读其夫人史实教授的文集《怡然哉泼彩》的时候。从中得知,李先生不仅是一位著作等身的知名学者,更是有着血肉之躯的常人,在他成功的光环后面,是超出常人的忍耐和自强不息的奋斗。

一、自强不息的奋斗之路

李炳海先生出身于平民之家,作为有多个子女的大家庭的长子,他从小就接受要为弟弟妹妹做表率的教育,养成了严以律己的品德。1965 年,他以优异的成绩考入北京大学中文系。可是,不久,"文化大革命"的开始,打破了他求学的美梦,北大成了"文攻武卫"的"战场",无处安放一个学子的书桌。1970 年，北大毕业后,他被分配到辽宁北部偏僻的农村昌图县东嘎公社,这一去就是八年半的时间。从 24 岁到 32 岁,他生活在这里,忍受着贫穷的煎熬,劳作的艰辛,还有青春岁月的蹉跎。也许是旺盛的生命力使他不甘懈怠,也许是为了发泄心中的苦闷,他拼命地工作,在一次修理拖拉机时,右手绞进履带里,从此中指落下残疾,再也无法伸直。艰苦的环境没有为他提供读书、研究的条件,却磨炼了他坚强的意志。1978 年除夕,国家将要恢复高考制度和招收研究生的消息传到了偏僻闭塞的昌图县,使他萌生了重返课堂继续学习的愿望。面对漫天飞舞的雪花,他用伤残的手写下了这样一首诗:

因谁巨手触天枢,仙女散花自清都。
轻展素笺谱妙曲,巧铺洁毯待舞足。
借得奇气助诗兴,悟取神韵入画图。
暂作礼花伴响炮,旋化春水唱复苏。

这首诗真实地表现了他当时的心境,传达出在大地回春之际所产生的企盼和希冀。尤其值得一提的是,这首小诗几乎成了预言,它的期待很快就如愿以偿。就在这一年,他以优异的成绩考取了东北师大中文系杨公骥教授的硕士研究生,成为"文化大革命"之后的第一批硕士。1981 年,杨公骥教授被国务院批准为首批博士生导师,1982 年首次招生,李炳海先生又经考试被杨先生录取为博士研究生,1986 年获得博士学位,并留校任杨先生助手。

在经历了"文化大革命"动乱、中断十几年之后重新开始学习生活,李炳海先生的心情自然非常激动。然而,对于一个连大学一年级课程都没有学完的人,攻读研究生课程绝非一件轻而易举的事情。单是阅读先秦典籍就是一大难关。不必说佶屈聱牙的《尚书》,莫测高深的《周易》,就连《左传》这样的历史著作,初读时也理不清头绪,对许多文化背景更是感到茫然。他凭着一股拼劲,发扬蚂蚁啃骨头的精神,对相关文献一部又一部地研读。在阅读《老子》时,他发现道经和德经多有重复,就把全书81章逐一抄录,把道经和德经分段加以比较,寻绎彼此的对应关系。在阅读《周易》时,他把384条爻辞按照几个爻位分门别类抄写出来,悬挂在寝室中,反复体味每条爻辞的意蕴及全书的结构模式。经过坚持不懈的努力,他终于开始进入古人的语境,并且能够按照自己的领悟加以解读。20世纪80年代中期,李炳海先生相继发表了有关《老子》和《周易》的论文。其中登在《东北师大学报》的《〈老子〉一书的经传结构及编次》一文,先后被中国人大复印报刊资料转载、《高校文科学报摘要》摘录,并被日本京都大学人文科学研究所作为《东洋学文献类目》的索引。这是李炳海先生发表的首篇严格意义的学术论文,它的成功进一步激发了李先生研读古代典籍的热情,后来相继刊发的有关《周易》的论文也在学术界引起反响。攻读硕士、博士研究生期间,李先生对先秦典籍进行了认真的阅读,做了大量资料卡片,写了许多读书笔记。十几年的含辛茹苦,十几年的惨淡经营,终于获得丰厚的回报。1990年,他被破格晋升为教授;1993年12月,经国务院学位委员会批准,增列为博士生导师。如今,李炳海先生在先秦两汉文学、中国古代道家文学、中国古代民族文学、中国古代辞赋等多个方向均有创新成果,居于国内学术前沿。尤其是先秦两汉文学研究,十多年来一直处于领先地位。李炳海先生已出版学术专著六部,分别是《道家与道家文学》、《周代文艺思想概观》、《部族文化与先秦文学》、《民族融合与中国古代文学》、《汉代文学的情理世界》、《黄钟大吕之音——古代辞赋的文本阐释》。参加20余部著作、教材、辞典的编写。在《中国社会科学》等刊物发表学术论文200余篇,主持省级以上项目6项,科研成果获省级以上奖励6项。他曾获得的奖励有:

1991年被国家教委、国务院学位委员会授予"做出突出贡献的中国博士学位获得者"荣誉称号,颁发证书和奖牌。1992年起享受国务院颁发的政府特殊津贴。1997年被评为吉林省有突出贡献的中青年专家。1998年被评为吉林省首批省管优秀专家。1999年评为长春市首批知名教授。2001年评为吉林省首批特聘教授。

他撰写的学术专著《道家与道家文学》,1995年获国家教委第二届全国高校出版社优秀学术著作奖,吉林省第三届社科优秀成果著作类一等奖。《部族文化与先秦文学》1998年获吉林省第四届社科成果一等奖。《民族融合与中国古代文学》1998年获吉林省长白山优秀图书一等奖、吉林省人民政府奖。《汉代文学的情理世界》2001年获吉林省第五届社科优秀成果二等奖。由袁行霈先生主编,李炳海先生任秦汉卷主编的面向21世纪课程教材《中国文学史》,2000年获北京市第六届哲学社会科学优秀成果特等奖。学术论文《〈楚辞·九歌〉的东夷文化基因》1995年获国家教委首届人文社会科学优秀成果二等奖。

自1986年以来,李炳海先生独立承担并完成国家社科基金课题《道家思想与文学》、国家教委"八五"社科规划项目《民族融合与中国古代文学》,均有最终成果出版。参加国家教育部"九五"重点教材《中国文学史》的编写工作,任秦汉卷主编,已出版。主持的教育部"九五"社科规划重点课题《汉唐盛世文学

与传统文化》,已完成结项;参加 1996 年度国家社科基金项目
《赋与中国古代文化》的研究,承担最终成果全部撰写工作,已
完成出版。

　　李炳海先生的学术研究伸展到中国古代文学和文化许多领
域,并且都有重要建树。其中《道家与道家文学》一书由台湾丽
文出版公司再版,远销香港、日本等地,在海外有很大影响。主
要社会兼职有:复旦大学中国古代文学研究中心学术委员、首都
师范大学中国诗学研究中心学术委员、吉林省第二届学位委员
会委员、哈尔滨工业大学、黑龙江大学等校兼职教授。

二、上下求索的学术历程

　　从时间上划分,李炳海先生的学术研究大致经历了三个阶
段,涉及三个不同的领域:

　　第一阶段是从古代思想流派入手研究中国古代文学。这一
阶段包括两个方面的研究:首先是以儒家思想为重点,探讨古代
文艺思想的辩证结构,侧重于古代文艺理论的研究。以周代文
艺思想为主,同时又旁搜远绍,对整个中国古代文艺思想都有所
涉及。这项研究开始于 1982 年,到 1985 年结束。李先生认为,
中国古代文艺思想滥觞于周代,要对中国古代文艺思想追本溯
源,揭示民族特色形成的深层根源,必须对周代文艺思想进行细
致的探讨;只有这样,才能切实地挖掘出中国古代文艺思想所包
含的深层意识、深层心理结构及其对现当代文艺思想的影响。
他进一步指出,周代文艺思想乃至中国古代文论的总体框架主
要受两方面因素的制约:一是作为等级制和宗法制体现的礼,二
是作为传统哲学的阴阳学说,它们都使周代文艺思想乃至中国

古代文论呈现出辩证的结构。礼不仅影响着周代文艺思想中文质、性情、礼乐、中和等美学概念的运用,而且制约着其基本原则、理论体系,从而强调文与质、性与情、礼与乐、中与和、隐与显、忠与信的协调统一。在阴阳学说的作用下,周代深化了对文艺的本质、特征的看法,并以形与神、气与味、动与静、刚与柔、清与浊、虚与实作为基本范畴。受礼的影响,中国古代文艺思想渗透理性精神,同时又趋于保守;按阴阳学说建立起来的体系,既具有朴素直观的性质,又笼罩着神秘的色彩。这一阶段的研究成果,集中体现在近二十万字的博士学位论文《周代文艺思想的辩证结构》中。(该论文于 1993 年出版,即《周代文艺思想概观》)对中国古代文艺思想的探讨,从开始的零星记载到后来的专门评论,已有几千年的历史,特别是近几十年来,它已发展成为一个专门的科学。但问世的绝大多数论著都是分别对某一人物、某种观念、某部专论加以研究,有些也综合地揭示出与西方不同的民族特色,但却缺乏对这种特色形成原因的追索。李先生的研究则揭示了周代文艺思想的基本特征,并进而探讨了它对后代文艺思想的影响,以及中、西方古典美学的异同,具有非常重要的学术价值。

从 1986 年起,李炳海先生转入对道家思想及文学的研究,这是对儒家文艺思想研究的深化和扩充,是从文学理论与创作实践的结合上,对道家文学进行全面考察,提出了一系列重要命题和综合性判断。道家思想与文学,是个古老而常新的研究课题,前人对此曾做过多种探索。而李炳海教授 40 万字学术专著《道家与道家文学》(东北师范大学出版社,1992 年版)的贡献与突破在于,它通过研究道家在思想体系、文学风格、艺术境界、审美理想、关照方式、思维结构、心理机制、语言符号、创作方法、人生意识等方面的属性及其相互联系,揭示出道家文学的基本特征和普遍规律,还原了道家的理论体系。

道家与儒家是中国古代的两大思想主潮,道家文学与儒家文学则是中国古代文学的两大基本阵营。那么,如何看待两学派的思想渊源?怎样理解两种文学的内在联系?这是研究道家思想与文学首先遇到而且是非常棘手的问题,这种"棘手"便在于道家与儒家往往交错地支配着中国古代作家的思想与创作。经过潜心研究,李先生提出了两个论断:第一,道家与儒家异流而同源;第二,道家文学与儒家文学在历史发展中经历了反复的分化聚合过程。他认为,儒道"在思想渊源上有血缘关系,是同一家族派生的两个分支",[①]其共同的源头是周代的传统观念、传统文学。但两者的继承方式并不相同:道家以片面和颠倒的方式,儒家则以全部和顺承的方式;道家体现为变异,儒家体现为遗传。不同的继承方式使它们的文学表现不断冲突、对抗、分化,相同的源头又使它们的文学表现不断共处、融汇、聚合。反复的冲突与妥协、分化与聚合,使中国古代文学波澜起伏、多姿多彩。

对道家文学本身,李炳海先生重视道家哲学思想的支配作用,着意探究道家审美思想、表现方法、文学风格形成的内在根源;他还重视道家文学与儒家文学的联系与区别,深入开掘道家文学的独特价值;同时他又注意将中、西文化加以比较,进一步揭示道家文学在中国文化史上的价值与局限。经过分析综合,他勾勒出了道家文学的理论框架,即幽妙的玄感、泛神论的体系、崇尚自然的理想、空灵的境界、严峻的风格、齐物的关照方

---

① 李炳海:《道家与道家文学》,东北师范大学出版社 1992 年版,第 3 页。

式、复杂的人生意识、超然的处世哲学、逆反的机制。他认为,道家文学属泛神论文学,其流动性、崇高性与物化境界与泛神论体系直接相连;玄是道家哲学的重要范畴,在其影响下,道家文学追求模糊性、惨淡感和静寂性;道家的审美理想建立在崇尚自然的基础上,无论创作,还是鉴赏、评论,都要求朴素为美、返璞归真;道家重恬淡、尚玄、崇阴等又使其文学表现出清冷、敛啬、象征的严峻风格;以冲虚为本,使道家文学具有空灵性特点;齐物的关照方式要求宏观俯仰、动态掌握、多维审视、自我平衡,从而拓展了文学表现的时空境界;复杂的人生意识使道家文学从养生到长生、乐死与不死、醉睡无梦觉、来世不可待诸方面反映生与死的主题;而在对立的心理作用下形成的逆反思维又使道家常以批判的方法、奇特的语言进行文学表现。在研究和论述这些问题时,李先生采取了横断面剖析的方法,对道家文学的各种文学现象作定性分析。分开看,它们各自代表了道家与道家文学的一个侧面;合起来,它们又构成道家与道家文学的完整体系。

第二阶段是从民族关系切入研究中国古代文学。李先生曾说:"古人谈作诗经验时,称工夫在诗外。对古代文学研究有时于此,有时要跳出纯文本的框子,才能有所突破。"他的研究正体现着这种精神。从 1989 年开始,李先生展开从部族和地域文化角度对中国古代文学的研究。从地域文化角度观照中国古代文学,是探讨部族交融与中国古代文学关系的一个切入点,通过不同文化系统的比较,能够揭示文学风格成因的多源性。在这个研究过程中,李炳海先生论述了夏、楚文化同源于巴、蜀,以及楚文学基本特征的历史文化渊源;提出了蓬莱、昆仑神话同源于东夷,以及古代雷神话主要源于东夷故地和雷州半岛等观点;通过对伏羲、女娲神话产生于黄河流域的考察,挖掘出其所包蕴的阴阳感应观念、化生观念等文化内涵;通过展示南朝家庭结构的变化,剖析了江左文学个性强烈、标新立异、宫体泛滥、情歌流行等特点的成因。而其中,对楚辞与东夷文化关系的探讨尤为系统深入。他在《中国社会科学》、《中国文学研究》、《学习与探索》、《东北师大学报》等刊物发表的十余篇论文中,从原始图腾、方位崇尚、风俗礼仪、神话传说等诸多方面,论证了楚辞中存在着大量东夷文化基因,解开了楚辞的一个千古之谜,从而在文化史的研究中进一步沟通南北。

中国古代文学涉及的民族关系问题,在理论研究和教学实践中一直是个难点,迫切需要妥善地解决。先秦文学发展的多元化态势,很大程度上源于它的多部族成分。由高等教育出版社出版的 42 万字的皇皇巨制《部族文化与先秦文学》选择部族文化作为研究的切入点,肯定各部族及其融合对先秦文学所起的积极推动作用,从理论和事实上雄辩地论证中国古代文学是各民族共同创造的,既有助于深化对中国古代文学发展规律的认识,也将进一步从民族文化生成的角度增强各兄弟民族的向心力。这部著作把先秦文学置于部族文化的大背景下加以审视,追溯先秦文学的发展历程,用各部族文化的特点及其所形成的合力去解释各种相关的文学现象,在研究方法上具有宏观动态的性质,所得出的许多结论有助于解开一系列学术之谜。值得注意的是,李炳海先生在进行这种开创性的探索过程中,并没有停留在文学的外部环境,而是透视文学本身。通过揭示部族文化对先秦文学的浸润、滋养,用积淀的观点阐述人性的历史生成,揭示了先秦文学的丰富内涵,展现出了它的内在机制,以及那个特定历史阶段先民的文化心理结构。从部族文化的角度研究先秦文学,这在国际国内均是第一部,具有开创意义。更为可贵的是,李先生不仅具有文学史家的慧眼,而且具有自觉的学术创造意识。他在该书导言中说:"把先秦文学和部族文化联系在一起研究,可以拓宽视野,解决其他方法难以解决的一些问题,把先秦文学的研究引向深入。"可以说,李先生之所以能在深化与拓展先秦文学研究方面取得如此显著的成绩,与作者这种自觉的学术创造意识是分不开的。

李炳海先生认为,部族文化三个层面即物质文化、社群文化、精神文化是先秦文学各种原型得以生成的决定性因素。各部族文化以文学方式进行汇合时,有移花接木和水乳交融两种类型,形成许多次生态意象。部族文化和地域文化有交叉、有重合,必须把两者结合起来加以研究。夏、商、周既是相继出现的三个王朝,又是并存的三种部族文化,要从历时性和共时性两个角度进行考察。

李炳海先生以翔实的资料和过人的识见,以其文学史家的巨笔,为我们勾勒出一幅大气磅礴、动静结合的传说时代的"文化地图",展示了以夏、商、周为代表的三大部族的发祥地及迁徙路线。伴随各部族的迁徙流动,各部族文化经历了反复的融汇过程。接着,李先生分别从图腾崇拜、灵魂归宿、宗教巫术、祭祀风尚、婚恋习俗、空间趋向、色彩崇尚、祖先神灵和青铜器具等不同侧面,深刻而又清晰地剖析出了三大部族间的文化异同,充分揭示了部族文化与先秦文学之间的内在沟连。所论虽主要限于先秦文学,但其价值却远远超出了先秦文学研究的范围,对整个中国文学和文化研究都有着丰富的启迪性,甚至某些结论实际上构成了解读后代文学作品的必要前提。如李炳海先生以大量的材料证明,发祥于巴蜀的夏、楚两族"把水视为生命的媒介",①"认为水是人的转生媒体,人死之后变成水族动物复活,人的转生是在水中实现的。"②由此,不仅令人信服地对屈原"从彭咸之所居"的历史难题作出了较为圆满的阐释,也为正确解释后代文学中大量存在的水死现象提供了一把钥匙。

中国是个多民族的国家,民族的融合与斗争构成古代中华民族发展史的重要内容。因此,正确认识、理解与回答文学史上的"民族"问题,这是每一个文学史家都必须承担的义不容辞的责任。但是,以往的文学史界只是在谈及元曲时对此有所涉及,更无人由此深入下去揭示中国古代文学的某些规律。李先生认为,中国古代文学处于动态的发展过程中,其中有许多因素发挥着作用,而民族融合便是一个十分活跃而积极的要素,从作家到作品,从内容到形式,中国文学发展的许多重要规律于此得以显示。为此,他选择了众多全新的切入点,探讨了民族融合与中国古代文学的关系问题,在《未定稿》、《文史哲》、《社会科学战线》、《民族文学研究》等学术刊物上发表了二十余篇专题论文,并于 1997 年推出《民族融合与中国古代文学》一书。

对于民族融合与文学发展的关系,研究者大多遵循恩格斯的思路展开探讨,即野蛮民族在征服过程中,绝大多数为被征服者的文化所同化。从中国古代文学现象上看,的确存在主体民族对少数民族的同化,而且处于显性状态,容易辨识;然而,很多研究者忽略了相反倾向的事实:少数民族对主体民族也具有同化作用。李炳海教授的《民族融合与中国古代文学》则避免了

---

① 李炳海:《部族文化与先秦文学》,高等教育出版社 1995 年版,第 164 页。

② 同上书,第 165 页。

这种片面性。他在书的《总论》中精辟地指明："民族融合是一个双向交流、相互渗透的过程"，"汉化与胡化两种趋势总是交织在一起，双方呈逆向运动的态势"，"少数民族的汉化和主体民族的胡化是中华民族得以形成的两种基本方式，二者殊途同归，缺一不可"。这就从理论上拓展丰富了恩格斯的论断，为我们打开一扇崭新的解读古代文学的门窗，向我们展现出一个丰富生动的世界。李先生用翔实的材料、缜密的论证带领我们走进历史的纵深处，去瞻望野蛮与文明的交汇所激发出的文学之光，去探索那些隐藏在文学现象背后的深层文化底蕴。在具体研究中，李先生也贯穿了这一宗旨，对人们习焉不察的文学现象和文化背景给予了充分重视，并进行了深入挖掘，呈现给我们许多耳目一新又极具说服力的阐释。

他认为：（1）在民族融合的影响下，北朝本土作家在人格上发生了三种演变：性格上由共性淹没个性到个性冲破共性、才能上由全面中的片面到片面中的全面、风度上由轻薄狎亵到雅淡清仪，因此也带来了创作倾向的演变，即由外在功利转到内在主体、由浅白鄙俗提升到典型轻艳、由平易直肆转变为委曲婉转。（2）民族融合对中国古代文学既是导致复古的制约力量，又是实现创新的重要契机；既是推进通俗化的强大动力，又是实现典雅化的实际步骤。（3）民族融合促进了中国古代文学的样式的变革，小说、戏剧、词曲、变文的兴盛，都与民族融合时期人的文化素质有关。（4）民族融合强化了中国古代文学的娱乐功能，对政治教化和审美娱乐的比重有所调整。（5）民族融合促进了文学再度与音乐、戏剧联姻，使中国古代文学在新的基础上向综合艺术回归。这就从汉文学的胡化角度揭示了某些文体及作品风格形成的渊源所自，深化了对古代文学的研究。这些成果不仅填补了中国古代文学研究中的空白,而且为学术界增添了新鲜的气息,对文学的综合研究具有启示作用。

李先生在对以往研究忽视的问题或避而不答的难题给出了精当的答案的同时,还对前人得出的一些结论提出了大胆的质疑,而且重新进行了考证、辨析,廓清了一些习见的失误,给人以发聋振聩之感,具有纠偏补正之功。例如,在对词的起源问题上,许多文学史著作把词的产生定于唐代。他引据大量史学资料及歌谣词作,从词的用韵、句法等语言形式方面做了精微的比较研究,最后推出这样的不刊之论:词兴起于民族大融合的南北朝时期,北朝各少数民族乐曲的流行,引起了诗歌形式的根本变化,比南朝的吴声西曲更具有词的特色,是词兴起的直接源头。无疑,这一论断将引起词学研究的一系列相应反响,许多问题将会得到进一步澄清,将会得到更接近事实、更合理的解释。李先生对曲、变文、小说的兴起也做了类似的探讨,得出新的结论。这些见解将会在今后的研究中逐渐显现出不容低估的分量。

第三阶段是从传统文化与文学关系方面研究中国古代文学。为了进一步拓宽自己的研究领域,1996年李先生申报了教育部人文社会科学"九五"规划课题"汉唐盛世文学与传统文化",此项目顺利通过评审,并批准列为重点项目。2000年李先生推出了一部近四十万字的专著《汉代文学的情理世界》,这是第一部系统探讨汉代盛世文学与文化关系的著作,具有重要的学术开创意义。全书从情与理的角度切入,从六个大的方面,全面审视汉代文学,挖掘其哲学、思想、文化内容,解决了以往在汉代文学研究中的一系列重要问题。

在论述汉代文学与文化的关系时,作者紧紧抓住了"情"与"理"来进行思考。情与理是文学作品的灵魂和脉搏。从情理角度入手,也就抓住了探寻两汉时代精神和作家的主体性怎样转化为文学作品意蕴风貌的关键所在。而汉代文学的情与理之所以不同于前代和后代,又由于作家所生活的时代乃是数百年盛世这一特殊环境。人生际遇的有常无常,宦海风波中的出出入入,聚散往来中的人情冷暖,古今交融下的世道沧桑,这些相互纠缠交织的生活命运之网,就成为文人们那种复杂的情与理产生的诱导因素,并进而在文学中得到淋漓尽致的表现。因此,从情与理的角度来研究文学,确是一个相当好的方式。该书在此基础上展开,由丰富的世俗生活层面又深入到思想理论层面,有关汉代社会的人生哲学、社会哲学、历史哲学、自然哲学,以及各种古老的理念,就成为本书关注的重点。同时,作者又极富于历史变革的眼光,特别关注汉代文学与先秦文学和文化的渊源关系,并作出了系统的梳理和探讨。所有这些,使本书对汉代文学所作的分析,不但具有论题的新颖性、见解的独到性、理论的深刻性,而且同时具有方法论上的重要意义。

2001 年 5 月,李炳海先生的另一部研究传统文化与文学关系的论著《黄钟大吕之音——古代辞赋的文本阐释》问世。在这部著作中,李先生不是从抽象的观念、预设的前提出发,而是从文学发展的实际切入,解决了一系列困扰学界的难题。近代以来,由于社会变革思潮的涌动,文学史研究领域流行着"一代有一代之文学"的说法,把各种不同的文学样式分别隶属于某一特定的时代,于是有了唐诗、宋词、元代戏曲、明清小说的称谓。至于辞赋,则把它划归战国和汉代。李炳海先生通过对唐、宋、元、明、清各朝辞赋的研究,发现辞赋并没有因为诗、词、戏曲、小说等新的文学样式的兴盛而衰落,而是呈现出长盛不衰之势,从而指出"一代有一代之文学"这一观念的片面性:"这种观念强调文体迭兴、嬗革的一面,而忽视了文体的稳固性、历史延续性。"①并进而提出"历代有共同文学"的见解,使对文学现象的观察更加辩证。李先生这一观点,对中国古代辞赋的研究,乃至整个古典文学的研究都具有典范的指导意义。

在这部著作中,李先生改变了传统的对文学作品所作的庙堂文学与民间文学、典雅文学与通俗文学的划分,独辟蹊径,将辞赋定位于具有很高的文化品位,有丰富的知识含量,有较大的创作难度的精英文学。这一准确的定位,为我们从文化视野内审视辞赋提供了崭新的视角。

正因为辞赋具有很高的文化品位,所以在对辞赋进行解读时就不可避免地要挖掘辞赋的文化内涵。文学阐释学告诉我们,在对文学文本进行阐释时,不同的阐释者得出的结论是不同的,阐释者的阅历、学识、眼界、视角等因素必然参与对文本的解读。我们读李炳海先生的这部著作,这种感觉尤为明显。李先生以他丰富的文化学知识、独到的眼光、敏锐的洞察力把我们带进了中国古代辞赋的大观园,在我们看似平淡无奇、古奥晦涩的辞赋文本中挖掘出那么多富有深厚意蕴的文化学宝藏。我们不仅从中欣赏到中国古代辞赋的厚重华美,也能领略到李先生的广博的学识及其文学史家的风采。

如在分析咏物赋的物我变形相通的叙事模式时,李先生总结说:"以变形记的方式对于吟咏对象进行拟人化的处理,这种思维方式源于原始神话,是按生命一体化的观念去整合思维对象。后来,随着道教的兴起和佛教的传入,道教的羽化蝉蜕思想

---

① 李炳海:《黄钟大吕之音——古代辞赋的文本阐释》,吉林人民出版社2001年版,第11页。

和佛教的轮回转生观念,都为咏物赋的变形模式注入了活力,使它经久不衰。"①李先生不是停留在对咏物赋的分析、鉴赏,而是追溯其思想渊源,运用中国古代哲学的阴阳五行学说以及佛学、道教的理论,把这种叙事模式上升到合乎宇宙精神的哲学高度。在研究行旅神游赋的纠结演变历程时,李先生从先秦两汉一直追索到明清,发现先秦两汉行旅赋的景物描写,通常都是作为审美观照的对象出现,注重它的感性特征,没有深刻的哲学意蕴,后代的行旅赋的景物描写中则融入了哲理,经历了由自然、人文景观的审美观照到哲学思辨的飞跃。针对这一文学现象,李先生认为正是"魏晋玄学的出现,才使行旅赋明显向着哲理方面发展"。② 在展示古代行旅赋的历时演变过程的同时,也对文学现象的成因进行了回答,从而使得行文在飘逸洒脱之中,呈现出厚重的理论深度。这样精彩独到的见解在文中随处可见,看似信手拈来,实则画龙点睛,是作者多年来潜心钻研、融会贯通的高深造诣的明证,倘若没有极其深厚的传统文化的理论功底和敏锐的穿透力,是根本无法企及这样的高度的。平实的语言,深入浅出,层层深入的论证,逻辑严密的推理,加上翔实丰富的材料,严谨的考证,自然得出令人信服的结论。厚积而薄发,这是李先生的治学原则,对今天学界浮躁的心态也是一剂清心的良药。

综观以往的辞赋研究,其致命弱点是经常偏离文学本位,或依附于政治,或受制于经学。人们经常探讨争论的,往往是属于

---

① 李炳海:《黄钟大吕之音——古代辞赋的文本阐释》,吉林人民出版社2001年版,第141页。
② 同上书,第265页。

辞赋外围或背景方面的问题,而辞赋本体却被忽视。为此,李炳海先生提出辞赋研究视角的转换问题,就是牢固把握文学本位,把注意力集中到辞赋本体、辞赋文本上来,而不能在政治、道德、文化的探讨方面走得太远,以至于往而不返,迷失文学本位。李先生的这部著作确实实践了这一原则。全书从大文化背景观照古代辞赋,同时又紧紧抓住辞赋文本,围绕文本,挖掘出辞赋这一精英文学蕴藏的丰富的文化内涵,旁征博引,为我们准确地解读辞赋提供了一把钥匙。离开了文化背景,对辞赋的解读会流于表面化、肤浅化;但如果只注重其文化内涵,又易于偏离文本,李先生在这一结合点上的努力研究,为我们提供了很好的范例。

在坚持文本本位研究的同时,李先生还提出打通各种文体界限的全方位研究方法。他通过对早期辞赋保存和孕育多种诗歌样式的动态发展过程的梳理,找到了以往诗史研究的弊病之所在。他认为,以往的诗史研究,往往单纯从诗体本身的脉络去探讨它的起源和发展,而很少注意到诗歌以外文体对诗歌的保存和孕育。追溯五言诗、七言诗的起源,首先想到的是到民歌中去寻找根源,遵循的是从民间到文人创造的研究模式,对于词、曲的研究也存在同样倾向。这种思维方法和研究路数并非一无是处,而是有其科学合理的因素,但是,如果把它作为唯一的途径,那就势必严重束缚学术视野,看不到其他文体对诗歌生成、发展所起的作用。他指出,不但辞赋是保存、生成多种诗歌样式的母体,就是其他非韵文类作品,也往往和诗歌存在渊源关系。诗歌史的研究已经和音乐史结合起来,取得了突破性进展,这是值得充分肯定的研究方法。诗歌史研究还要和其他文体相联系,不但要贯通诗歌和辞赋,而且还要把诗歌和散文相沟连,从政论文、抒情文、记叙文等各种文体去考察相关诗歌(包括词曲)样式的生成和发展。不因循成见,勇于突破,这是李先生的自觉学术追求,也是他的研究探索能够取得如此大的成绩的关键所在。

二十多年的学术历程,李先生就是这样执著地走过来的,一旦设定了明确的目标,就追寻到底,决不放松,正是靠着这种韧劲,李先生征服了一个个目标,独树一帜,自成一家,在先秦两汉文学、道家文学、民族文学等领域长期居领先地位,形成了自己的研究特色,即大文化视野下的古代文学研究、多学科沟通,同时坚持文学本位、民族本位和文本本位。

三、新颖独特的治学方法和风格

李炳海教授从 1989 年开始指导研究生,到目前为止,已毕业的硕士研究生五名,博士研究生八名;在读的硕士研究生十一名,博士生六名。在对研究生的言传身教中,不时谈到治学路数、研究方法问题。综观李先生的学术成果,他的研究主要有以下特点:

1. 宏观与微观结合。李炳海先生致力于从总体上把握研究对象,揭示出它的基本规律,最后形成完整的理论体系。在审视研究对象时,他力求大处着眼,宏观俯视,多维切入,动态把握,每一个新见解的提出,都是整个研究体系的有机组成部分。同时,对任何课题的研究,又都从具体的文学现象开始,对作家、作品、概念范畴以及文化背景深入剖析,于细微处见功力。

2. 论述与考据并重。李先生已经问世的学术成果,既不是纯理论性的,也不是专门的考据文字,而是两者的结合。具体来说,在微观研究时,用的更多的是考据;而在宏观研究时,抽象的论述则处于主导地位。考据是理论的基础,理论则是考据的升华。有些时候,为了给宏观研究奠定基础,也有类似专门考据性的成果。如为了论述周代文艺思想,他曾细致考订《国语》、《易传》的标点与注释;为了论述民族融合对中国古代文学的制约作用,他曾著文考察民族融合引起的风俗习惯的变化、南北朝的文献典籍的交流等等。但是,它们只是作为研究的中间环节存在,最终则是通过考据上升到理论高度,揭示出带有普遍性的规律,加工成系统的理论。

3. 分析与综合统一。在逻辑推理中,归纳和演绎、分析与综合都是需要的,它们彼此联系,相互补充。为研究对象的性质所决定,他经常运用的是分析与综合,而归纳和演绎则处于次要地位。具体来说,李先生善于采用披沙拣金和集腋成裘的方法从事研究。"披沙拣金"就是把研究对象的整体加以分解,通过分析错综复杂的大量个别现象,发现事物的诸多属性,并追溯它们产生和存在的根源;"集腋成裘"就是把已经分析出来的各种因素加以梳理,放在整体中加以考察,找出它们之间的内在联系,作为一个有机的总体加以把握。如研究周代文艺思想,首先从中分解出文质、中和、形神、动静等 12 对概念,分别加以辨析考察,然后再把它们纳入各自的框架和整个体系中综合处理。

4. 鉴别与比较兼顾。鉴别是指对研究对象的提炼与分辨。鉴别时,李先生常采用定性分析,并通过数字统计予以显示,从而把定量分析作为定性分析的根据。如论述南朝家庭结构嬗变等问题采用数字统计方法,使结论更可信;研究道家文学则从中国古代文学的整体中加以提炼、分析和辨别。他还充分重视在鉴别的基础上加以比较,以揭示事物的本质规律,既不趋同避异,也不趋异避同。如研究周代文艺思想时进行的中西比较,论述道家文学时进行的儒道比较,探讨楚辞时进行的楚文化与东夷文化比较等等。

5. 把简单的问题复杂化,把复杂的问题简单化。这两句话分别是逻辑学家金岳霖和哲学史家冯友兰两位先生对自己学术专长的总结,李炳海先生从中受到很大启示,并努力在自己的研究工作中加以实践。李先生接触的典籍以先秦时期居多,其中许多概念、命题看似简单,但却具有丰富的文化内涵,如果只是作一般性的理解,很容易忽略它们的宝贵价值。遇到这类问题,李先生采用的是把简单问题复杂化的处理方式,进行穷尽式开掘,充分展示研究对象的丰富性。《道家与道家文学》、《民族融合与中国古代文学》等专著涉及大量的文学作品和文学现象,纷繁杂沓,五光十色。在处理这类问题时,李先生采用的是把复杂问题简单化的方法,最后达到条分缕析,提纲挈领,使人一目了然。

6. 既开垦学术处女地,又要从熟视无睹的对象中有新的发现。中国古代文学是一个传统学科,要在这个领域找出大片的学术空白几乎已经没有可能,但也不是说已经到了山穷水尽的地步,再没有可以拓展的空间。李先生的研究工作由于视角新颖,选择的切入点巧妙,因此,在传统的路数之外找到了可以纵横驰骋的广阔天地,极大地拓展了学术空间。与此同时,他还善于从熟视无睹的对象中不断有新的发现。无论是《老子》、《庄子》、《诗经》等先秦文献的解读,还是唐宋诗词赏析,他都能言前人所未言,有自己独到的见解。他从王翰《凉州词》的“葡萄美酒夜光杯”想到化胡与胡化问题;从王昌龄的《关山月》诗中的“龙城”考证出这一地名由匈奴首都演变为战场专用词的过程,解决了学术界长期争论不休的“龙城”还是“卢城”的问题。

类似发现极其众多,因此,他的课程也深受欢迎。

二十余年的学术研究,李先生形成了自己独特的治学路数,也形成了与众不同的风格,这就是他经常强调的不先入为主、不媚时趋俗和不拘一格。

科学研究的大敌是主观臆断、先入为主,但是,从事科学研究又不能没有联想、想象、甚至是假想。李先生有很强的悟性,学术研究中不时有智慧的火花闪现。对于这类感悟、假想,他总是以极其谨慎的态度加以处理,在没有确凿的证据之前不轻易下结论。无论是给学生讲课,还是他自己著书撰文,始终坚持这个原则。他最忌讳的是预先构制出一个框架、体系,然后硬性地往里充塞内容。他在考证出某些名物典故时曾不止一次地流露出难以抑制的喜悦之情,可是,他在讲述自己的推测、假设时总是说得不十分确定,甚至有几分怀疑,为的是给自己、也给自己的学生留下推敲、思索的余地。在实证过程中的成功使他由冷静转入热烈,而推测、假想虽然有时产生于热烈的激情,但他却采用冷处理的方式,尽量避免牵强附会、先入为主。

由于以往特定的文化背景和政治氛围,中国学术界形成了一哄而起的凑热闹的风气。对于热门话题趋之若鹜,因而出现学术研究的重复和浪费。李先生对此始终保持着清醒的头脑,他不是根据课题的冷热程度来确定自己的研究对象,而是尽量避免人云亦云,步人后尘。在研究佛教与文学的关系时,国内学术界专注于禅宗,而对佛教其他宗派很少涉及。李先生则在二十世纪九十年代中期开始探讨佛教净土信仰与中国古代文学的关系,推出一系列论文,在国内学术界独树一帜。研究孔子,学术界往往是重视他的政治思想、道德观念、教育理念等,李先生则从孔子的时间观、种族意识和色彩崇尚入手,探讨孔子和东夷文化的关系,把他和古希腊哲人相比,开辟了孔子研究的新领域。在李先生看来,要想占据学术前沿,就必须发挥自己的学术独特性,不断转换视角,选择新的切入点。在研究课题的选择上不能亦步亦趋,更不能一哄而起。一哄而起的结果往往是一哄而散,很难后来者居上。

李先生平时很少专门谈研究方法,实际上他本人在研究过程中运用了多种方法,并且都很成功。对各种研究方法不拘一格地加以采纳,使他的论著呈现出多姿多彩的风貌。李先生认为,究竟采用哪种研究方法,主要取决于两方面条件,一是研究者本身的素养、特长、兴趣,二是研究对象的性质,只有将这两者有机地结合起来,才能对相关方法运用得恰到好处。李先生的成功之处不仅在于他能够运用多种研究方法,而且还在于运用过程中的深思熟虑。对从西方引进的研究方法,他不是机械地照搬,而是根据中国古代文学的实际情况加以改造,并进一步丰富它。他指出:黑格尔有关象征的理论只谈到正面象征,没有涉及反面象征,中国古代文学作品却是两种情况都大量存在。荣格的原型批评理论过分强调原型的稳固性,而对它的变异性有所忽视,中国古代文学作品却可以见到原型变异、原型叠合的许多例证。李先生在运用某一研究方法时,还充分注意到它可能产生的流弊,防止走向极端。在运用传统的训诂考据方法时,不忘记进行理论上的升华;在运用文化学、文化人类学研究方法时,不脱离文学本位。正因为如此,他在运用各种方法时,从容自如,游刃有余,真正实现了各种方法之间的融会贯通。

现在,李炳海先生正在进行先秦文学思想范畴及体系探源的研究,他认为,中国古代文学思想范畴众多,体系庞大,对于它的专门研究远未穷尽,还有许多可供拓展的空间。尤其是对文学思想生成期范畴、体系的研究,还显得相对薄弱,有待于加强。先秦是中国文学的初创期,也是中国文学思想的发轫阶段,中国古代文学思想的许多因素,都可以从先秦时期找到原型和根据。因此,全面探讨先秦文学思想的范畴、体系,对研究中国文学思想具有追本溯源的性质,有助于整个研究的进一步深入,对中国古代文学思想的定性、定位会更加准确。

李先生早在 1979 年 4 月攻读硕士研究生时,写了《我站在高高的书架前》一诗,用以表达他的喜悦和寄托,最后两节是这样的:

> 每当我来到这群书排列的房间,/一股神奇的力量涌动心田,/它使我的脚步增大频率,/它使我的血液加速循环。/这就是我膜拜的圣地,/这就是我耕耘的田园,/这就是我精神的寄托,/这就是我生命的源泉。

如今,二十几年过去了,李先生虽然已经硕果累累,但仍旧不改当年的初衷,继续徜徉在知识的海洋,攀登着科研的高峰,以此作为人生的乐趣和生命的寄托。我们衷心地祝愿李炳海先生永葆学术青春,为中国古代文学的研究作出更大的贡献。

(原载《社会科学战线》2002 年第 2 期)

探寻文艺学的综合创新之路

王 元 骧

　　我在研究中比较强调"问题意识"。我的问题主要来自两方面:一是来自理论本身,来自我教学中所遇到的疑难问题。这使我养成了不善于追新逐异、跟风赶潮,而总是以探讨学理、追求学理的完善为目的的兴趣和习惯。所以每当我研究一个自认为有价值的问题时,总是怀着一种虔敬的心情来钻研前人的优秀成果,主观上总希望尽可能多地掌握与之有关的文献资料,通过对文献资料的梳理和分析,来发现和提取它的难点、疑点、争论的焦点和突破的关节点,力图在继承中求得发展,在综合前人一切合理见解的基础上有所创新,从不敢撇开传统侈谈什么"原创性"。二是来自现实,来自自己的人生体验。生活中的一些经历不仅使我走出"童话世界"领略到人生的险峻和严酷,而且也使我更深切地感受到,正因为不少美好的东西在生活中已经离我们远去,我们就更应该在精神上坚定地守护它,因为它会转化为一种动力,而把美的东西重新召唤到我们的生活中来。怎么去维护和召唤呢? 对于理论工作者来说,我认为理论研究就是自己介入现实的一种重要的方式。所以我常常以文艺理论研究来阐述自己的人生理想,认为这比抽象谈论人生问题更为有效。这就使得我的研究没有走上纯学术的道路,而始终怀有强烈的人文情怀,虽然我所关注的现实问题随着社会的发展而发生变化,但这种人文情怀却随着自己社会阅历和人生体验的加深变得愈加自觉。这两方面原因形成了我的理论文章这样一个我自己可以肯定的特色:"学院性"、"思辨性"和"现实性"、"参与性"的结合,即在阐明学理的过程中表达我对现状的看法、体现我对现实的介入;至于能否达到"继承"与"发展"、"综合"与"创新"的有机统一,我就不敢妄言,那只有由学界去评说了!

一

我搞文艺理论和美学纯属偶然。大学读书期间,我酷爱中国古代文学(主要是诗词)。1958 年 8 月大学毕业被分配到刚成立的杭州大学中文系(今浙江大学中文系),员工只有六人,书记、主任、两位讲师、两位助教,我就是两位助教之一。"文学概论"是中文系一年级的主干课,这样,领导就分配我去从事"文学概论"教学。大约不到半年,省委决定将浙江师范学院并入杭州大学。浙师是 1952 年院系调整时由浙江大学文学院、师范学院、理学院的一部分以及之江大学等单位组建而成的,师资实力雄厚,但由于解放前浙大中文系所学的主要是传统典籍,没有"文学概论"课程,自然也没有"文学概论"课的专职教师,"文学概论"教学是由一位从古代文学改行过来的讲师承担,平时从事教学的主要也是他与我两人。两校合并后的中文系一年级新生多达 360 人,还有一千多名函授生分布在全省各地,教学任务之繁重可想而知。所以除了教学之外,根本不可能再从事研究工作,而且自己也根本没有想到要搞什么研究。因为当时青年教师搞研究往往被某些领导看做是"资产阶级名利思想"的表现,是走"白专道路",至少在当时的杭大中文系是这样。

后来业余去搞点研究完全是由于教学的推动,因为在教学过程中常常发现一些疑难问题,觉得自己不深入研究就很难对学生作出有说服力的回答。我把思考的成果写成了一篇长文章,在《文学评论》1964 年 3 期上发表了,从此在某些系领导眼里我也就成了一个"白专的典型",还差一点要对我进行批判。这就是我初涉研究所得到的报偿! 1965 年下乡参加"四清"运动使我逃过了这场劫难,回校后不久就是"文化大革命"了。

我真正沉下心来从事文艺理论研究是到了 20 世纪 80 年代中期以后,因为这样经过将近两个十年的折腾和耗费,我已经是五十岁的人了。从哪里入手呢? 当时文艺理论界正在兴起一场关于"文艺主体性"的大讨论,在学生中也颇有争论,所以我就对这个问题思考起来。

我认为文艺主体论是不无合理之处的,我在 1963 年写的关于阿 Q 典型研究的文章中认为典型是作家对生活的独特发现,就表明我的理解中创作活动是离不开作家的主体意识活动的,但却认为这不足以否定文艺是现实生活的反映这个命题。而文艺主体论把"反映论"等同于"机械反映论"不加分析地予以否定,这在很大原因上是像马克思、恩格斯所说的把"深奥的哲学的问题……简单地归结为某种经验事实",以一般常识的观点把"反映"这个有特定和丰富内涵的哲学概念,理解为"照相"和"复制"。当时我所做的工作主要是想吸取主体性理论的合理因素,对文艺反映论作出新的解释,于是就借用了当时流行的"审美反映论"这一术语,对作家创作中的反映活动在澄清对

"反映"这一概念的一般认识的基础上，又结合文艺活动的审美特点，作了这样的具体阐发：文艺虽然与科学一样，作为人们意识活动的成果，都是对现实的反映的产物，但文艺又不同于科学，它是以作家的审美情感为心理中介来反映生活的。情感不同于认识，它作为需要的主体对于能否满足主体需要的客体所生的态度和体验，所反映的不是事物实体的属性，而是一种关系的属性，它的目的不是为了判明"是什么"，向人们展示一种"实是的人生"，给人以知识，而是为了追寻"应如何"、"应是的人生"，为人们思想定向、行为立法。

这些意见直到现在我还一直是坚持的，但后来也逐渐发现了这些阐释主要还只是对五四以来在我国流传的"认识论文艺观"的丰富和完善。文艺是否仅仅是对生活的反映的成果？仅仅从反映一维、从认识论的视角去研究就能穷尽它的性质？现在看来，即使以审美反映来加以充实和规定，似乎还是不足以作出充分的说明。这使得我渐渐发现，从意志、实践一维，亦即从价值论和实践论的视角来进行研究，对于正确而深入理解文艺性质的重要。这不是说我以前完全无视文艺的实践因素，但由于当时哲学界一般把实践狭隘地理解为生产劳动、物质活动，再加上受了黑格尔、克罗齐、朱光潜等人的美学著作的影响，以致把它看做只是文艺活动中的制作和技艺的问题，是到了传达这一环节才出现的问题，而没有从人生论、价值论、伦理学的角度去进行理解。这首先得益于现实的启示。我在收入到钱中文、童庆炳两位先生主编的"新时期文艺学建设丛书"中的《探寻综合创造之路》一书的"后记"中曾对自己认识的发展作了这样的回顾："我的思想认识大概到了1994年才发生较大的变化，现在回想起来，促使我认识变化的深层原因恐怕还是出于对随着市场经济发展所产生的物欲的膨胀、精神的滑坡,以及由此引发的消费文艺畸形发展的深切忧虑;而直接原因则是在 1994 年暑假前后偶尔间阅读了康德的道德哲学以及其他一些人生论著作所得的启发,使我认识到了从完整的意义上来说,实践不但是一种物质活动,一个生产与制作的问题,同时也是一个人的生存活动,一个按照自己的人生理想和人生目标去生活的问题。"所以,它与本质上是属于理智的认识活动不同,而是属于一种意志的行为。它们之间的区别就在于黑格尔所说的:"理智的工作在于认识这世界是如此,意志的努力即在于使世界成为应如此。"以这样的思想认识来进行回顾,我以前所谈的文艺与科学不同,反映的不是事物的实体属性,而是一种主客体之间的关系属性;目的不只是为了展示"实事人生"以判明"是什么"来给人以知识,而是为了追寻"应如何"、一种"应是人生"的愿景。就不应该只停留在从反映的成果方面,理解为只是作家对现实人生的评介性和选择性的反映所要达到的目的,而更应该从它的功能方面,理解为萨特所说的是"对读者的一种召唤","对社会的一种介入"。它的性质实际上是属于康德所说的实践的理性,其价值就在于为人的行为确立一种有目的的意志。因为"应如何"是一个理想的尺度,它是需要通过人的行动去争取的。这样看来,作家创作就不只是一种认识的活动,同时也是一种意志的行为;文艺就其性质来说就不仅仅是认识的,给人以求知的满足,同时也是实践的,引导着人们为实现美好的人生理想去进行奋斗。我觉得在克尔凯戈尔当年所说的"想方设法愚弄或者恐吓那些权威,使他们不敢说:你应该"的社会中,"最重要的这声权威的棒喝":也恰恰是他所说的"你应该",因为"唯此方能推动时代的前进"! 所以,从实践的观点来看,当一个作品从作家手里完成,它还是一个潜在的实体,而只有经过读者的阅读,观众和听众的欣赏,当读者、观众和听众为作品所感染、所打动,并把作家所期望和追求的转化为自己的期望和追求之后,它的价值才能从潜在的转化为实在的,作家的创作目的才能最终得以实现。因此对于文艺的性质,我们只有从"体"与"用"、"实体"与"功能"统一的意义上,才能作出完整而深入的理解。当然,对于文艺的这种实践的性质,我们自然不能作简单、狭隘、功利主义的理解,好像判断一个作品的艺术力量就看它是否马上转化为人的行动,对现实直接有所作为,因为文艺作品作为作家创造的美的载体,一种作为"观照"的对象,它只能是诉诸人的情感和想象,所给予人们的也只不过是一种精神上的激励或抚慰,为人们在生活中增添一份诗意、一种企盼、一种梦想、一种美好的心愿。虽然这理解和要求可能与我们平时所接触的文艺作品有些、甚至是较大的差距,但正如海德格尔所说的:"一种居住(按:隐喻人的生存)可能是非诗意的,只是因为它在本性上是诗意的;一个人可能失明,但他必须保持作为一个明眼人的本性",同理,就文艺的本性而言,它就应该、也只能是这样。因而人们往往把文艺比做人生的梦,这"梦"虽然被人从以科技理性的眼光认为它是虚幻的、没有实际意义的东西而予以藐视甚至鄙视。然而正如俗话"人生有梦才美丽"所表明的,这种梦想对于人生来说实在是不可缺少的,因为正是这种追求和梦想,才推动人们去进行永不休止的奋斗,去创造美好的现实人生。这是由于精神的东西虽然来自物质的东西,但它毕竟不只消极地反映着现实,而是多少带有像康德所说的"在因果性的反思中所产生的对于将来的预期的意识",所以它对现实总有着一种先导的作用。所以,文艺虽然与科学一样都有认识现实的价值,但就其本性而言却是服务于人的实践的,因而鲁迅把它比做既是"国民精神所发的火光"又是"引导国民精神前途的灯火",它照亮着我们前进的人生道路。①

二

对于这些认识的推进,我也曾在思想上满足过,但深入思考下去,又有一个问题尖锐地摆在我面前:"应如何"毕竟是一个主观的尺度,如果没有客观的依据? 在当今这个价值多元的时代里岂不会陷入价值相对主义? 怎么来解决这个问题,完善这一理论? 以前为我所忽视了的"文艺本体论"的研究,到了这时才开始在我的意识中浮现出来,并发现了它巨大的理论价值。

文艺本体论源于哲学本体论,从西方哲学史上来看,它是古希腊哲学研究的对象。自亚里士多德从"知识论"的角度把"本体"定义为世界的本原和始基、世界发展的"第一动因"之后,人们通常都从知识论的观点来看待它。其实,在当时对"本体"的理解除了知识论的视角之外还有"目的论"的视角。在古希腊哲学中,本体论原本具有知识论和目的论的双重含义,但是后来人们把两者分割,转而仅仅从知识论的角度来理解本体问题,当时的怀疑学派代表人物皮浪就是仅仅从知识论的观点认为它是认识所无法到达和验证的而对它提出质疑。这也为近代的怀疑学派如休谟等人所继承,以至近代西方哲学对本体论未作深入

---

① 参见拙文:《论艺术的实践本性》,《文学评论》1995 年第 6 期;《再论艺术的实践本性》,《文学评论》1998 年第 2 期;《论艺术研究的实践论视界》,《江苏社会科学》2002 年第 1 期等文。前二文收入于论文集《文艺理论与当今时代》,浙江大学出版社 2002 年版。

分析和批判就予以放弃而转入到认识论的研究。

那么,本体论的研究是否真的就没有价值了呢? 这首先引发了康德的思考,他继承古希腊本体论所固有的知识论和目的论的双重含义的思想,把本体论区分为"知识本体论"和"道德本体论",并吸取了近代怀疑论对本体论批判的合理成分,认为知识本体虽不存在,而道德本体却必不可少。其原因就在于它从目的论的意义上确立了人的生存的价值。他把这种道德本体看做是一种"至善",并从至善出发把道德法则导向宗教伦理,假设一个"上帝"来作为人生实践的需要。康德把判断分为"意见"、"知识"(这是柏拉图就已论及的)和"信仰"(这是康德后加的)三种形式,认为"意见"是主客观两方面理由都不充足的,"知识"是主客观两方面理由都是充足的,而信仰则是主观理由充足而客观理由是不充足的。康德自己并不相信"上帝",他从本体论、宇宙论、目的论三方面都论证了"上帝"并不存在。他把"上帝"作为信仰的对象。这种由于目的论与知识论分离所造成的康德的道德本体论的内在矛盾,使得他主观上虽然力图为人的生存确立一个终极目的,但在客观上这目的却是虚幻的、可望而不可即的,以致后来被海德格尔把它发展成为"无",一种离形去智的、不可把握的、无限开放的走向未来的可能性。所以,尽管海德格尔认为诗人的存在和作用就是在世界黑夜的时代里道说"神圣",而这种"神圣"到底是什么,他自己也认为"我们至多只是唤醒大家去期待它",却"无法把它想出来"。正是由于这种本体论自身所存在的虚幻性和空想性,所以,到了后现代主义哲学那里,就索性以批判"在场的形而上学"为名彻底予以否定。这样一来,人也就成了完全失去生存的终极基础的当下的、即时的、无所依凭的精神漂泊者。这就要求我们在文艺本体论的研究上真正有所收获,就必须重建它的哲学基础。

怎么重建? 最根本的一点,我认为就是要克服康德把两个世界分割而重新寻求目的论和知识论统一的道路。这种统一当然不是回到古希腊的神话创世说,而只有在现实的人的活动中,在活动的人的身上才能找到依据。人正是通过自己的活动,使自身得到改造、获得提升,与动物从根本上区别开来。这种区别就在于他有自我意识,就在于他不仅能"感觉到自身",感觉自己怎样活得好,而且还能"思维到自身",思考自己为什么活。这样,就形成了作为真正意义上的人的生活必然就具有的两个世界,即经验的世界和超验的世界,经验的世界是一个相对于人的自然需要而言的物质的世界,在这个世界中,人所追求的是一种"有限的目的";而超验的世界是相对于人的文化需要而言的精神的世界,只有进入这个世界,人才能找到自己所追求的无限的、亦即"终极的目的",从而使得在两个世界、两种目的之间形成一种张力,不断地把人引向自我超越。这种自我超越可以从两方面来看:从空间上来看,就在于超越一己的利害关系而进入到别人的情感生活世界,并通过与别人在思想情感上的交流和沟通,意识到自己活着对别人、社会乃至人类历史应尽到什么义务和责任;从时间上来看,虽然一个人的生命是短暂的,但是当他创造的价值不仅只是为了自己的享受,而且为社会、历史所承认,能在别人那里得到确证、延续和发展,他的生命也就从有限进入无限、从暂时进入到永恒。这两者不是彼此分离而是相辅相成、相互渗透的,它们共同构成了人不同于动物的追求自我超越的本性,这种人的生存自觉乃是人的自我意识的最高标志。

这是我从人与世界、目的论与知识论统一的意义上对于本体论思考的一个答案。我目前就是根据这个答案来看待文艺的性质的。大家平时都说"文学（也可以推广到整个文艺）是人学"，它是以人为对象和目的的，表明文艺所反映的不是脱离人的那种纯粹的"自然"，人就在它的对象世界之中，哪怕是自然山水，花鸟虫鱼，在文艺作品中也都是人的世界。所以对于文艺，我们不仅需要从宏观上联系由于人的活动所形成的人与自己生存世界的关系，而且需要从微观上联系作家与他反映对象的关系以及作家的人格来认识。这样，我们也就把作家的人格引入到了文艺本体之中，表明作为一个真正的作家、一个作为人类智慧和良知的代表的作家，是不可能没有这种不断追求自我超越的人格精神的。正是凭着作家的这种人格精神，才能通过他的作品在现实的物质利害关系之中为人们营造一个"观照"的世界，把人们不断地引向自我超越，从而使我们研究和评价文艺的价值属性找到了最终的理论根据和现实依据。

如果以上对文艺本体的理解能成立的话，那么，超越性也就自然成了对于美和美的文艺的一种根本界定，表明文艺反映人生的目的最终也无非为了回归人生，为了唤醒和激发人的生存自觉，它在满足人的感官的享受的时候，又使人从当下的个人生活中超越出来，去思考和追求自己生命终极的目的。这个终极目的相对于有限的、实际的目的来说，也许是永远只是一种期望和企盼，但它却可以使我们生命不息、奋斗不止，不至于当到达了有限目的之后就会陷入迷茫和空虚，而始终觉得前面还有一个更为高远的目的等待我们去完成，从而使自身的生命价值不断地得以提升和拓展。在这方面，柏拉图、中世纪神学美学、19世纪德国浪漫主义以及后来的存在主义文论都为我们提供了不少宝贵的理论资源，但是它们往往都把这种超越性引向彼岸世界，引向脱离现实。与之不同，我们认为这种追求自我超越的渴望本身就是现实人生所固有的,本身就属于人生的一种追求美好、完善的形而上学的冲动。只不过平时不容易为一般人所发现,而真正的作家由于他本人所具有的超越人格和形上情怀,使得他比一般人更能敏锐地发现它。因此,在文艺作品中,"应是人生"就不能像反映论文艺观和价值论文艺观那样认为只是由作家审美评价所赋予的,它同时也是作品反映生活所达到的思想深度的一个标志,是文艺本体论所要追问的问题的根本。这样,我们就不仅可以把认识论文艺观与本体论文艺观有机地统一起来,而且也使得以往的价值论文艺观由于缺乏本体论的依据所可能导致的价值相对主义,从根本上得到克服,使我们的文艺学成为真正有根的文艺学。①

三

对于文艺本性的认识,我就是这样从认识论视角着眼而一步一步地进入到价值论和本体论视界的,但我从未否定过文艺认识论研究的价值,它始终是我研究文艺价值论和文艺本体论的思想起。若是进入文艺价值论和文艺本体论后回过头来就否认文艺反映论,我认为就必然要从一个片面走向另一个片面。所以,经过这20年的思考和探索,我愈来愈深切地感受到,若要对文艺问题有一个正确而完整的了解,唯一的途径只有走综合研究的道路。这是因为文艺是一个整体。整体之所以是整体,

---

① 参见拙文:《评我国新时期的"文艺本体论"研究》,《文学评论》2003年第5期;《关于艺术形而上学性的思考》,《文学评论》2004年第4期;《文艺本体论研究的当代意义》(待发)等文。

就在于马克思所说的它处于多种关系和联系之中，是"许多规定的综合"，是"多样性的统一"。所以我们也只能以综合的眼光才能对它作出全面的把握。

那么，怎么进行综合研究呢？我认为应该从纵横两方面，即从"层次论"和"活动论"两方面入手。纵的方面是属于"文艺层次论"的研究，就是把文艺看做是一个实体，一种作家创作的成果，以静态的眼光把它分为一般、特殊、个别三个层次来进行考察。从一般的层面上，我先是从认识论视角，后是从价值论视角，都是赞同把社会意识形态界定为文艺的一般属性。意识形态虽然是社会存在的反映，但又不同于科学等一般的意识形式，在阶级社会里，它总是反映着一定阶级和社会集群的思想利益、愿望和要求。所以，它不仅有知识的成分，而且还有价值的成分，因而对于该社会集群的成员来说，必然具有一种价值定向的作用，目的是为了统一和凝聚该集群的社会的力量为着共同的目标去进行奋斗，所以它的性质不但是认识的，同时也是实践的。但意识形态既是一个中立性的概念，又是一个社会学的概念，在阶级社会里，不仅各个阶段的意识形态未必都合乎美的意识，而且集群的意识也未必都能为作家个人所接受。而文艺作为作家所创造的一种美，一种审美反映的成果，就在于它除了超越一己和狭隘的阶级利害关系，以一种普世情怀来审视和关注现实人生之外，还在于它总是通过作家自己的切身体验所把握到的，是从他心底里唱出来的。因此，哪怕是最美好、最能体现广大人民群众理想、愿望和集群意识，也只有转化为作家自己的个人意识，自己的追求、企盼、梦想，自己的人格无意识，才会具有审美价值，并在作品中获得真切而生动的表现。这就使得一切美的文艺作品不仅总是带有一般社会集群意识所不可能具有的作家个人的思想、理想、气质、人格乃至生存状态和生存境遇的印记,是作家独一无二的创造,而且又无不这样那样地反映着作家所代表的集群乃至人类对于美好人生理想愿望和追求,从而使得优秀作家总是作为一个如同荣格所说的"集体的人",一个人类良知的代表出现在作品中,文艺的审美特性即由此而生。要是我们的研究不能进入这些特殊的层面,我们对文艺性质的认识就必然是肤浅的。从个别性的层面上看,文艺这个种概念下又包含着许多类别,如文学、戏剧、绘画、雕塑、音乐、舞蹈等等。虽然它们同属于作家审美反映的成果,但是由于各自独具的内容又使得它们各自有着不同的反映途径和方式。这样,这些类别的文艺的各自所采用的媒介和表现形式也就成了它们特殊的躯体。它不仅制约着作家的想象和构思,而且只有凭借它们,作家的思想和构思的成果才能化为实际存在。文艺作品就是由这样三个层面的制约与反制约所构成的有机整体,它们的关系是:一方面,后一层面总是以前一层面为基础,而另一方面,前一层面的内容又只有当它进入后一层面才能克服自身的抽象性而获得具体的表现,达到内容与形式的完美统一。

但以上这些还都只限于静态的研究,它对于我们理解文艺虽然必不可少,却还不足以最终说明文艺的性质。因为从"体"、"用"统一的观点来看,事物的性质只能在使用过程中、与外界事物发生的关系中才能得到充分的体现,就像海德格尔所说的:"打交道一向是和事物相契合的,唯有打交道之际,用具才能按本来面目在它的存在中显现出来。"这就要求我们必须把"体"与"用",亦即"实体"与"功能"结合起来,把实体看做是价值潜隐的功能,把功能看作是实体价值的显现来进行研究,才会有更全面深入的了解。因而我们必须从静态的研究进一步走向动态的研究,从层次论的研究进一步走向活动论的研究。

"文艺活动论"的研究近年来在我国较为风行,但从理论资源上看,主要似乎是受了阿布拉姆斯在《镜与灯》中所提出的世界、作家、作品、读者文艺四要素的启发,以致不少学者在谈论艺术活动时,把它看做只是由这四个要素所组成的一种外表关系和外部的流程,而没有深入发掘它们之间内在的联系。这就影响到对问题性质的深入把握,因为活动是人的一种有目的的行为,是人为达到一定目的所采取的一切动作的总称,对于文艺活动来说,就是为了实现作家创作目的所形成的一系列动作的流程。在这一过程中,作家无疑是居于主导的地位。所以,要正确地认识文艺活动论,我们首先就必须从作家创作中寻找它的起因。作家创作所面对的不仅是自己生活于其中的世界,而且也是以自己的审美感受和体验与之建立联系的世界。也就是说,在现实生活中,只有那些为作家所深切感受和体验到的人物和事件,才能引起作家的创作冲动,才能成为他作品的反映对象。作家创作的动机和目的无非是为了把自己所深切感受和体验到了的东西经过自己的构思借助一定的媒介而传达出来与读者分享。这决定了创作绝不只是作家个人的自言自语,它对于读者、观众和听众总是抱有一定期盼的,总是力图通过自己的作品把读者引向自己所追求的理想境界。这就是萨特所说的是对读者的一种召唤,对社会的一种介入。因此,只有当读者、观众和听众为作品所感动了,与作品发生共鸣,把作品所表达的思想情感化为自己的思想情感之后,作品的潜在的价值才能转化为实在的价值,作家的创作目的才能最终宣告实现。从这样的观点来看,世界、作家、作品、读者四者之间就不只是一种外在的联系,而更是内在地、为作家的创作目的所支配和规定了的、是为了实现作家创作目的所构成的一个动作流程,是文艺性质的一种历时态的显现方式。这四个环节也是互相制约与反制约所构成的有机整体,它们之间的关系也是双向的。尽管在整个活动中,作家是居于主导的地位,但反过来,读者、观众和听众的审美需求又会有意无意地制约着作家(常常是通过文艺批评),使作家随时根据社会的需要对自己的创作动机和目的作出必要的调整。这种创作和接受之间的互动的关系也可以推广到对文学史的研究,虽然文学史上的那些作家都已作古,但后世的读者总是按照自己的趣味和理解来接受他们的作品的。这些理解如果得到社会的承认,它就会在他们的作品中积淀来,充实和丰富作品的内涵,所以豪泽尔认为历史上许多伟大作家的作品,"部分的都是他们后世的创造",这实际上也就成了读者的一种反馈,因而我们在阅读时就不可能完全按照作家的本意,而总是伴随着历代读者的理解和解释所赋予的意义层一起去理解和接受的。所以它不是"化石",而永远活在我们生活中。

所以对于文艺问题,我认为只有这样纵横交错来进行全方位、多层次、多视角的综合研究,才能对它作出全面而完整的把握。唯其如此,我们才能正确地找到这些局部研究在整体研究中的位置,以及它与其他层次、视角研究的关系,而不至于陷于一隅、以偏概全或造成认识上的错位。而这恰恰是我们研究中最容易犯的毛病。如从纵向的、层次论的角度来看,过去我们以往只着眼文艺与其他意识形态的共同性质,忽视它的特殊的(审美的)和个别的(符号的)特性而流于教条主义和庸俗社会学;现在我们往往又片面强调文艺的特殊或个别的属性来否定文艺与其他意思形态的共同属性而与"为艺术而艺术"、"形式主义"同流。从横向的、活动论的观点来看,过去我们的研究较多地着眼于作家的创作或作品本身一维,而无视读者阅读和欣赏这一环节对于我们全面理解文艺性质的重要地位;现在由于受了解释学和接受美学的影响,又往往片面地强调在阅读和欣赏中读者的理解和解释,而无视作品的客观制约性导致理解的相对主义和陷入"读者中心论"。这都足以说明正确而辩证地理解整体和局部的关系对于我们正确认识文艺问题的重要。

四

最后,我还想说明一下,我这里所谈的都是文艺理论中一些基础研究方面的问题。我这些年来主要精力也是用在这些方面。这除了我是一个教师,我长期从事的都是文艺基础理论的教学工作,我研究的目的首先是为了如何把这些基础理论问题向学生讲深、讲透、讲完整,讲得符合实际,讲得有新意而有说服力之外,还因为我相信马克思说的,"理论只要彻底,就能说服人","就能掌握群众","所谓彻底,就是抓住事物的根本"。而要做到"彻底",我们就必须抓基础的研究,因为基础理论不仅是一门理论科学建立的根基,而且也是我们理论创新、学科发展所首先要探讨和解决的最最根本、也最最关键的问题。回顾两千多年来文艺理论的发展和演变的历史,最先不都是从这些基本观念的突破开始的? 理论的根本既然在于观念,所以我认为理论只能是就事物的本性而言,而不是就具体事物而言。这当然不能理解为理论与现实是分离的。因为从宏观方面来说,一切有价值的理论无不来自现实,在解决和回答现实问题的过程中求得自己的发展;从微观方面来说,一个文艺理论研究者若是没有丰富的实践(创作或阅读)经验,就不可能进入文艺的堂奥,对文艺问题有深入细致的体会和理解,在理论上有真正的发现和建树。但尽管如此,我们还是必须明确理论毕竟不是经验的直接产物,它与现实之间不应只是"描述"的关系,只是为了说明现象、说明现状;而应该是一种"反思"的关系,它既反映着现实的要求,又超越现实、承担着对现实作出评判的任务,并这样那样体现着理论家、乃至他生存的时代、他代表的集群对文艺倡导的性质,目的是为了推动实践的发展。在这个问题上,克尔凯戈尔的有一段话是很能给我们以启发的:"人是什么?只能就人的理念而言","那些庸庸碌碌的千百万人不过是一种假象,一种幻觉、一种骚动、一种噪音、一种喧嚣等等,从理论的角度看它们等于零,甚至连零也不如,因为这些人不能以自己的生命去通向理念"。同样,我觉得文艺理论研究最根本的意义也就是寻求文艺的理念(观念),使我们看待文艺问题有一个理论上的预设。所以,作为一种观念,它不仅是实然的,而且也是应然的,如同文艺本体自身那样,也应该是知识论和目的论的有机统一,否则,它也就失去了自身存在的价值。因此,我认为看待一种理论的成就和水平,就是看它在多大程度摆脱描述而进入反思。但遗憾的是这一点目前还很少为我国理论界所理解,这除了长期以来被理论界流行的实用主义所迷误之外,近年来从西方引入的"反基础主义"、"反本质主义"等洋教条更使文艺理论的基础研究雪上加霜。这种所谓"反本质主义"在我看来完全是一个伪命题,因为我们从来没有认为本质的东西像柏拉图那样可以把它绝对化、抽象化、凝固化的。事实上,这种理解早已受到黑格尔和马克思等人的批判。在他们那里,本质是一个多层次的概念,是流动的、变化着的,它只是对事物的一种简单、贫乏的规定,而绝不是用来直接说明现实的。但"反本质主义"

者对这些本质理论在现代的发展都视而不见,却还以 2500 年前的柏拉图的观点为靶子进行大批特批,这岂不成了无的放矢!本质虽然只是对事物的一种简单、贫乏的规定,但我们之所以还必须予以维护和坚持,因为它为我们的思想提供了一个理论前提和理论依据,为我们理解现实问题确立一种眼光,一种视界,一种标准,一种分析和评判的原则和尺度。要是连这一种理论前提和理论依据都没有了,理论大厦的基础也就坍塌了,我们的思想也势必陷于一片混乱。这个简单的规定对于我们文艺理论来说,也就是文艺观念。但实用主义者多属于一些思想懒汉和浅薄的功利主义者,以为文艺理论就是经验的直接产物,可以不加转化就直接套用到文艺现象上去、直接用来说明文艺现象,否则就斥之为脱离实际。这就把文艺理论教条化了。当然,我们并不否定文艺理论中与文艺现象联系比较直接、紧密的部分,那通常是属于"技"的部分,相对于文艺理论中观念的部分,亦即"道"的部分来说,它毕竟是属于派生的、经验的东西。它只有依附于"道",被一定的观念整合,有了一定的观念支撑之后,才能成为整个理论的有机的构成因素,否则,我们的理论必然会流于琐碎,就很难发出自己的声音,也很难在世界上立足。

这是迄今为止我对于文艺问题的一些基本认识。回顾只是总结过去。我们这辈人过去荒废的时间太多,要读的书读得太少,以至我现在还为补课不得不挤出时间来读书。读书使我感到每天都是新的,似乎自己的研究才刚刚起步。所以,我并不想把这篇文章画上句号,还希望以后能不断有新的、更有价值的学习心得和体会去补充它、完善它……

（原载《社会科学战线》2006 年第 2 期）

学术精神与生命踪迹

王 岳 川

"国学根基、西学方法、当代问题、未来视野",是我学问人生中强调的十六字心经。在我看来,没有这四条法则,学问可能只是知识性的积累,而不会产生思想性的飞跃。正是依据这古今中西的问题意识,使得我在大学时代注重对中国古典文化的研读,研究生时代则转向现代西学的研习,在执教北京大学多年后,又转向中西文化研究互动和中国立场的确立,这是一个在转型的"否定之否定"中精神深化和人格修为的过程。

在我看来,自己的学术旨趣的确有一个转变深化的过程:从《艺术本体论》、《后现代主义文化研究》、《二十世纪西方哲性诗学》、《现象学与解释学文论》、《后殖民与新历史主义文论》的西学研究,到《中国镜像》、《后殖民后现代主义在中国》、《中国书法文化精神》、《全球化与中国》、《发现东方》的中国问题研究,表明我知识结构、心理结构和心性视野的内在调整,也是我对自我思想的清场。我关注时代,但不关注时髦,而是关注在时髦的当下被抛弃被遗忘的学术思想和隐蔽不彰的问题根源。因此,关注当代仅仅是在"问题意识"层面上的,而超越时代和学科领域的制约,不断扬弃旧的知识结构,寻访历史的思想残片并进行个我揪心问题和历史灵魂的对话,是个人学术调整的真实意图之所在。我总不愿服从于现代科层制度将人命定在一个职业框子中,而是想把自己定位为具有较广视野和学术品味的思想者或者自我学术的追问者。正是在这种学术理念的介入中,在北大的 20 年可以说是没日没夜地苦读、苦思、苦写,并尽可能地正视自己的弱点、盲点和误区,从而得以真正面对真实的学术和真实的自我。

在做西学的 10 年(1985—1995 年)我不是全盘西化的拿来主义者;在做《中国镜像》、《发现东方》的学术理路中(1995—2004 年),我的立场也不是民族主义的。我感到应该从全球性视角出发,从生命体验和文明变迁的角度追问困扰人类生命心性的共同问题,在人类文化现状和未来发展的坐标轴上反思中国形象和人类文化走向。在"文化输出"中东方学者应该有自己独立的视点和学术品格,使得在全球性的学术舞台上不使"东方声音"被淹没。

一、知识奠基与生命唤醒

读书是人的存在和精神生态的绿化。1977 年冬,我参加了高考进入大学,高考使我终于完成了人生的成人仪式。大学读书已不仅仅是狭义的读书,而是带有思想启蒙、人格唤醒和心灵震撼等革命性因素在其中。读书成为自我灵肉蜕变、自我生命唤醒的契机。在大学期间,每日十几个小时昏天黑地狂读诸子、经史,尤好老庄。苦读苦背为我大学生活的唯一"活法"。这段时期,几乎只看"国学"书而陶醉于这种鉴往知来之学,真相信"天不生仲尼,万古长如夜"——精神是照亮生命盲点和世界暗夜的光。

沉醉于图书馆成为我大学的"日课"。我无数次进入藏书巨富的校图书馆大库,那塞天塞地的书架挤满了哲人威严的眼睛。自从有人类以来,已经有约九百亿人逝去了,几百万册书在九百亿人这个分母中,渺小得几不可言。而个人经年累月又能看几摞书? 写几许文章? 在知识的海洋前,一滴水是易被"忽略不计"的。我想,凡事有道,读书亦有道。于是慢慢摸索读书门径:泛读,精读,读经典,读对经典的阐释和论战,读善本,读善本提要,补"小学"(文字训诂),补史(史识、史料、正史、野史);从疑处疑,也从不疑处疑,从跟着说到自己说,力求说点新东西,并不惮于不成熟。在生命和学术凝聚含藏的几年苦读中,我意识到有一种新的质素,即超越了个我视域而关注人类问题的眼光慢慢地从生命中升起来。

真正的人生需要文化作为底色,文化的传承在于书籍文本和精神禀赋中。读书生活的独特性在于思接千载,心游太玄,在喧哗与骚动中保持自我思想的独立性,守持人文理性的价值底线和良善心地。读书使人心理、精神、人格气质不断发生根本性的变化,在思想的超越性和言说的有限性之间感到生命的飘逝性,在怦然心动的阅读中体悟无边的人类忧思和生命意义的升华。可以说,我的学术自信和自醒是由西学体悟和中国立场保证的。长期研究国学(大学前一直读经史子集,大学时做唐代文化和文学研究,并对中国上古和中古思想文化问题花了不少工夫),使我意识到,中国的现代化出路问题是一个让学界争论不休的问题,尽管新儒家很深地了解中国文化,但开出的药方却不太高明,事实上内圣(个体修养)是难以开出外王(现代制度)的。中国历史上失去了很多转型机会,不是人不好,而是制度有问题,应使普泛的道德说教让位于真切的制度建立。

大学毕业后,分配到国家教委工作。"北大情结"使我除了工作以外,每过一两周必去北大和北图,总想对先秦至明清的思想史逐一下番工夫,却总感到心气不足功力不逮。有次来到冰天雪地、狂风呼啸、空无一人的未名湖,静静地看静静地坐静静地思静静地感受大风的鼓荡,猛地体悟了"独钓寒江雪"的寓意,坚定了进入燕园深造的念头。

考研究生进入北大后,感到北大学子接受现代西学思想非常前沿——研究生大多谈的是胡塞尔、海德格尔、伽达默尔等。我当时想与其向后退,不如往前走,应好好补习现代西方知识型话语。我采取的方法是从现象学入手,尽可能把握西方文化的根源性问题,发现新时代学术问题,以进入前沿话语语境。在我看来,读原著是做学问的基础,转向西学必须有良好的外语,于是,在翻译并发表了十余篇论文以后,开始着手翻译 Robert R. Magliola 的 *Phenomenology and Literature*:*An Introduction* 对我来说就成为顺理成章的事情。对原著逐字逐句的斟酌使我得以透过语言直接切入思想层面,明白了语言不是思想的"皮"而是"思想"的对等物。同时,得以通过现象学,进入存在诗学、解释学、接受美学、解构主义为线索的学术审理和自我知识系统的补充。我花了一年时间译出这 20 万字以后,自感对英文学术著作的读解能力大大提高了,而且思维框架也有了新的拓展。除了译书以外,还写出了一部 25 万字的《艺术本体论》。

留校任教后,发现西方已经开始超越现代性问题而进入后现代问题领域,解构主义、新历史主义、后现代主义不断推出。西方学者认为中国学界的西学问题落后西方 20 年、30 年,甚至 50 年。我不这么看,我倒觉得中国学者对西方的了解胜过西方学者对中国的了解。1988年接了北大全校选修课《西方当代文化思潮研究》，我分到的讲演内容是《后现代主义文化艺术思潮》。这在当时是一个很新的课题。我收集了很多外文资料，闭门苦读，主编并翻译了《后现代主义文化与美学》。我并不想引进西方的后现代文化，而是要反思后现代文化——我们正在进入现代性时，西方已经用后现代反思现代性弊端了，我们应该对这些问题的正负面效应认真分析。这种正负面的分析已经熔铸在苦写两年尔后出版的专著《后现代主义文化研究》中了。

入思愈深，困惑愈多。就学问而言，我坚持"义理、考据、辞章"三者不可偏废。"义理"主要是指哲学入思方面，"辞章"大抵指语言修辞运用方面，"考据"则侧重对考古学最新材料的运用和文献学修养的根基。在研究中我强调文本细读和考据相结合的方式，主张在读东西方大哲思想时，注意考量每位思想家的思想脉络，考察其怎样进行思想"还原"？在知识考古学的"人文积层"中解决了什么问题？解决到何种程度？有何盲视？怎样评价？如果将人类思想的进展比做一个环环相扣的链条，要进一层弄清楚他们属于学术中的哪个环？他们用了怎样的方法去试图打开这个思想链条上的结？我意识到，问题意识对学者而言极为重要，带着问题去发现更大的深层问题，发现问题的集丛和根蔓，而不是被浩如烟海的书本控制了自己的思想和旨趣，也不轻易相信任何所谓问题解决的答案。在我看来，思考是生命的磨砺，应在艰难磨砺中找到所向披靡的思想利剑，而不是将学术看做一种藏在口袋里把玩的饰物。

我选择了学术，学术也选择了我。北大的学术召唤重新塑造了我的生命编码，使我能告别昨日之我而成为今日之我。因此，与时间赛跑，正确地选择自己的学术道路，而不为一切时髦或偏执的思想导入误区,不为稻粱谋或是简单的日复一日的学术操作而耗费光阴,恰切地认识自身的知识的缺欠和文化身份的合法性问题,从而将补课作为自己的漫长的学术道路的自审意识。

二、思想伸展的教书生涯

对我而言,"思想伸展"并不是发生在 20 世纪 90 年代,而只是说进入 90 年代,我的读与思的意向性转为 20 世纪中西思想问题史的审理,并将"思"作为"读与写"的中介,而使得"读思写"尽可能统一起来。因为读书愈多,歧路愈多,思路愈险。

百年中国历史不断惊人地反复出现某些现象,总是徘徊在激进与保守、现代与前现代、中国与西方两者之间,总是以二元对立的思维模式排斥多元开放的兼容模式,以一种狭隘心态去做激进乌托邦式的表演,未能获得思想文化史的资源共享和真正的学术推进。我常常惋惜人类在某些领域的周而复始转圈:在思维上总是从一个极端走向另一个极端,这种两个极端的跳动,一次次非此即彼的极性思维,导致中国学术文化经验在一代又一代中断裂——总是不可通约交流,不可传递增长,每一代人总是从空白开始去获取自己的经验,然后,又重新抛弃这种经验,历史就这样一代代地荒疏和空洞下去。而在价值观上,则总是以一种暴力对抗另一种暴力,将体制的更迭变成思想的殊死搏斗,甚至不惜从肉体上消灭对手。这种状况导致了思想的反复中断,反复转圈,反复的无效劳作。面对 20 世纪中国问题,不难看到,多少有建设性的问题,有学术启发性的结论,在不断的低水平重复的言述中消失了真正的思想火花。

20世纪90年代研读过一段时间的德里达、福柯、罗兰·巴特,感到要进入学术前沿对话需要弄清他们的思想。但他们似乎过分重视消解颠覆制度和法规,而忽视个体道德内修,使得后现代的价值平面状态成为人文学界的一个问题。看来真是"过犹不及"。这个飞速发展的时代,不管是传统知识、现代知识、数字化生存的后现代知识,都说明理性化的"知识"正在取代过去的感性化的"经验",而人的脑力正在取代有形资产,高科技正在取代传统性产业。不断充斥的剧烈争论的新知识话语——知识权力、知识社会、知识经济,促成了人与人关系的根本改变,人们因现实日益严酷而变得非常现实而世俗。冷漠成为全球病,地球变成地球村。人与人之间心灵包裹了如此坚硬的硬壳,而难以交流和沟通。于是,在商品原则和社会公正之间,触发了个人化世俗化和公共领域交往原则的尖锐论战。在新的语境中,读书和思想当然就是学会拒绝、否定、怀疑,并以此去发现当代话语矛盾,敞开多种冲突中的新阐释空间。

在思想伸展的知识增长中,我明显地感到20世纪90年代具有一种非连续性权力话语更新的特征,或者说是一种话语权力杂糅史,即由多种理论、思想、意识的合力构成,由东方、西方、前现代、现代、后现代等多重语境所构成。可以说,在中国长期以来的巨型权力被分散,成为小权力的相互制约,甚至是知识权力的相互制约,出现了各种知识群体、话语层次和思想学术领域的画地为牢各自为战。在这种复杂的不同往昔的社会网络中,不断更新自己的知识形态,关注知识分子自我的言述方式、知识生产方式和谱系学的研究思想方式,就变得非常重要了。

在后东方时代,关于东方文化魅力、文化对话与差异性互动,也应该成为超越冷战二元对立模式,而进入中西方文化互动互渗中。做西学的基本视角主要有四种：仰视、俯视、歧视、平视。仰视认为西方一切都好，典型的民族虚无主义；俯视是认为中国是精神的西方是物质的，而无视其真正的学术思想；歧视更是认为西方是帝国主义的，应该拒之门外。研修西学应该采取平视——对话的态度，这需要自信同时需要虚心。中国人自立于世界民族之林，当代学者应该明确自己的中国本位立场。唐僧取经，不是留在印度，而是要回到长安。

在全球化的文化语境中从事学术研究，其多艰难和多歧路，使我深信学术确乎是心性化和坚毅者的事，并与其人文心性价值向度相关。使生命充实而有光辉的学术，是需要追求才有可能获得的。而追求的踪迹得以在自己的笔下保存下来，这或许是学者的幸事。当然，真正的读书思考和写作是一件相当痛苦的事情，同时也是一件相当兴奋的事。痛苦于思想的超越性和言说的有限性，而兴奋于写下之后的铭刻性和丧我性。经年累月的深夜读与思、思与言，使我领悟到"生有涯而知无涯"的意味，或许，读书使我与历代大哲面对同一精神层面的根本问题，而写作可以使那稍纵即逝的思绪得以留存。

在我的读与思生涯中，我一次次深切地感到，学术思想史将由真正的具有体验性、思想性、深邃大气的思想者所组成，同样，当代学术文化领域也将由中国优秀学者的创造性思想所构成。真正的学术思想产生于艰难而有效的读书和思想催生之中。学术是艰难的。学术不是晋身之阶，不是骄人之本，不是霸权话语，学术只能是"天下之公器"。应该说，知识者在这个苦难的世纪经历了太多的磨难，因而更需善养精神人格的"浩然之气"。

三、学术研究中的"西学话语"

在世纪之交的人文精神迷茫的 10 年里,我潜心于西方文论——现象学、解释学、解构主义、新历史主义、后现代主义、后殖民主义等的研究,希望通过这种研究,找到西方文化的内在的文化编码和对中国问题的解决方法论。在西学研究方面,出版了 5 本学术专著:《艺术本体论》、《后现代主义文化研究》、《二十世纪西方哲性诗学》、《现象学与解释学文论》、《后殖民主义与新历史主义文论》,还主编过《西方文艺理论名著教程》(下)、《后现代主义文化与美学》(主编翻译)、《20 世纪西方文艺理论大系》(九卷本)等,下面略作阐述:

其一,写于 1985—1988 年的《艺术本体论》,是国内第一部全面研究文艺本体论的学术专著。全书由两部分构成,前三章围绕艺术本体与存在本体的关系展开,后三章是前部分的发展,主要研究艺术本体论的三维构成,将本体论还原为人的活感性的生成活动:在创作中表征为新体验、在作品中凝定为新形式、在解读中生成新意义。大体上说在书中比较有学术新意的观点主要有:

清理了"本体论演进与文艺本体论嬗变"历史,认为在本体的探求中,哲学家依据本质与存在同一的过程中对必然和自由的看法,而形成不同的本体论:古希腊"自然实体本体论"、中世纪"神学本体论"、近代"理性本体论"、现代"生命本体论"。本体论演变实现了四个转向:(1)由传统实在的自然绝对本体论转向人类生命本体——感性生命本体(即由客观世界转向人的生命世界);(2)由恒定不变的存在(自然、上帝)转向人的感性生成(过程、时间);(3)由无时间的大全转向时空之中的过程;(4)由客体论(必然)转向主体论(自由)。艺术同样也经历了一个本体论转换过程:(1)模仿:古典本体论;(2)表现:浪漫本体论;(3)形式:语言本体论;(4)文化:批判本体论。即从模仿外部世界的艺术,愈来愈走向本体的诗(艺术),艺术不再是去意指实在的绝对本体,而是人的活动过程的诗意显现,进而强调新艺术本体论——艺术活动价值论,即社会存在的实践本体论和艺术交流的价值本体论。

追问艺术本体论何以同为当代美学的核心。从以下几方面论证了艺术本体论成为当代美学核心的内在根据:现代艺术作为人的生存方式;危机时代中的写作;从理性批判到语言批判的现代语言本体论转向;后现代文艺本体消解论,并首次提出了"人的审美活感性生成是艺术超越的关键"的命题。认为:艺术作为一种精神价值存在是人的生存世界的价值确证,艺术是人超越生命有限性而获得无限性的重要中介。人作为感性的有限个体进入绝对无限的纯粹自我,需要双重超越即时间和空间的超越。时间作为有限无限关系的交点,在实在论上加以把握,时间成为生命的自身否定关系,如将艺术与时间结合起来,时间就变成一个价值论命题,成为生命自身肯定的过程。换言之,人通过艺术而追求无限,他因这种无限的追求从有限存在之中超越出来,而使这种追求本身变成了无限。艺术活感性具有一个三维本体结构、体验本体、作品本体、解释本体。艺术本体论是历史生成的,没有恒定不变的本体,艺术本体就深蕴在人的历史发展之中,流动在艺术自身的不断变革中,对艺术本体意义的探索成为对人类本体的总体揭示和敞开,这一过程永远没有终结。

在本体论的研究中,我始终认为,孔子、老子、苏格拉底、柏拉图、尼采……这些东西方大哲和我是同一代人,我们面对同一个问题:就是怎样生,怎样死。与他们对话,就是在思考个体生命的存在意义。正唯此,我坚持学术研究"三眼":深情冷眼、童心慧眼、平视之眼。只有这样,才能获得这种与天地万物平等对话和与中西大哲思想问答的精神高度。

其二,写于1989—1991年的《后现代主义文化研究》,是国内第一部全面系统研究后现代主义文化哲学和文艺美学的学术专著。1992年出版后又长期多次再版,在学术界产生了一定的影响。在全书14章中,我力图通过史论结合的研究,使人能对风靡当今世界的后现代思潮作一鸟瞰,并从总体上把握其文化精神。我认为后现代主义作为一种当代世界性的文化思潮已经来临,并引起哲学、社会学、教育学、美学、文学领域经久不息的论争。从积极的意义上说,后现代主义文化在消解深度模式而走向平面模式的意向中,表征出一种对世界的基本态度。它所禀有的反神话的颠覆既有意识形态的潜能,使它能够揭露资本主义意识形态的欺骗性和虚假性,揭示那些潜抑在统治秩序深层的盲视和现代人难以言喻的精神空白和裂隙,书写那些被排斥在中心秩序和既有的历史阐释之下的历史无意识,使那些堂皇的虚假设定、那些对终极本源的承诺在消解中现出本相。然而,当后现代思潮粗暴地将这一切横扫整个文化领域时,它裹挟着那弥漫周遭的虚无主义浸渍了人类精神领域,又致使20世纪思想舞台上真实与虚妄的冲突愈演愈烈。正是基于这种文化处境的严峻性,需要思想者去直面西方文化遭受到的历史困境和现实裂变,并在学术参照、审视和批判的层面重新厘定清新健康的文化精神坐标。

我尽可能地全面描述了"后现代主义文化景观",从历史发展的大视野展示了从现代主义到后现代主义转折的内在原因，认为后现代主义文化逻辑表征为：哲学上是"元话语"的失效和中心性、同一性的消失；美学上是传统美学趣味和深度的消失，走上没有深度、没有历史感的平面，从而导致"表征紊乱"，文艺上则表现为精神维度的消逝，本能成为一切，人的消亡使冷漠的纯客观写作成为后现代的标志；宗教上则是关注焦虑、绝望、自杀一类当代现象，以走向"新宗教"来挽救合法性危机的根源——信仰危机。

对解构主义和新解释学加以长篇的比较研究，分析德里达为自己确立的解构思路是：重新清理地基并彻底动摇那些自明的理论观念，对那些习焉不察的哲学范畴、文学解释理论和语言学概念提出质疑。其采用的方法是从"拆除在场"和颠覆秩序入手，瓦解形而上学的基础，从而打乱逻各斯中心主义二元对立的根深蒂固的系统。而他解构的目的在于：打破千百年来的形而上学的迷误，拆解神学中心主义论殿堂，将以差异性原则作为一切事物的根据，打破在场，推翻符号，将一切建立在"踪迹"上，并以书写的沉默的非现在性去替补语言中心主义的声音的现在性，从而突出差异以及存在的不在场性、消解是移植本文的潜在的形而上学结构的批判方法，它通过"颠倒"和"改变"说话和写作的方法，解构"出场"形而上学，并以"分延"使在者从存在、结构、中心、本源这形而上学的束缚中解放出来。

分析了德法哲学美学思想的差异性，阐释了哈贝马斯以交流理性来对抗后现代性的基本思路，展示了法国哲学家利奥塔德与德国哲学家哈贝马斯的论战，呈现出美国思想家理查·罗蒂、美学家弗·杰姆逊、文论家伊哈布·哈桑、诗学家斯潘诺斯的后现代思想。提出后现代主义不是人类精神的最后归宿，它仅仅是世纪之交人类精神价值遁入历史盲点的文化现象。我们所能做的就是：在告别20世纪之时重新进行价值选择和精神定位，并在走出平面模式的路途中，重建精神价值新维度。

其三，写于1992—1996年的《二十世纪西方哲性诗学》，表明我力图超越一般的西方文论史和西方美学史的研究模式，不再从单一的文艺学和美学学科内部从事研究，而是从思想史的角度研究跨学科语境中的哲性诗学思想，使得这部书不是讨论一般的文论史或美学史著作，而是一部力求阐释广义的文化哲学诗学——哲性诗学的著作。20世纪哲学的问题和命题在诗学思想中的回应，或诗学的当代命题能否逃避哲学话语。这一根本性问题给这一研究提出了更为基本的要求。不仅关注理性，同时关注20世纪人类思想者为之纠缠撕扯的无所归依的思想、情感、审美领域，不仅关注随时代而出现的"新"问题，更关注难以解决的、不断反复出现的"旧"问题。尽管这些"旧"问题在不同历史阶段的"合法性危机"中，拥有了自己不断转型的"新"形态。为此我为自己在方法论上设立了"现象学还原和解释学追问"的立场：不做包罗万象式的哲学话语或诗学问题的"宏伟叙事"，而是注重社会思想理论、语言哲学理论、心理思想理论、文化学思想理论对现代诗学的拓展和改写；不以非此即彼的认识理念使自己屈从于某个结论或与之对立的相反的谬论，未有所得就宁愿暂时搁置而不遽下结论；不带有门户之见或个体偏见去看问题，不为某些时髦的话题所迷惑；不写学者个体的学术思想专史，而是尽可能地将其放在20世纪学术思想史的网络中，去展示思想的多元景观；不盲目听从任何未经审理的思想的召唤，并警惕任何未被证实的思想或伪思想的诱惑；不在乎激进的"理论家"有意或无意的"误读"，而尽量在积极的意义上理解"一切历史都是现代史"。努力在 20 世纪的历史时间隧道中看到的不断延伸的学术前景作为自己的工作平台,并尽可能地在哲性诗学这一阐释框架中,在 20 世纪思想家思想的交织中,透视哲人诗人价值关怀的互通性,进而在现代知识系谱构架中分享每个思想家提供的某方面的知识话语,以及其共同组成的现代性或后现代性理论。

本书区分了三种现代性话语,即"高度现代性"(表征为马尔库塞、哈贝马斯等对卢梭、马克思所强调的解放、救赎与乌托邦精神的继承)、"低度现代性"(表征为福科、德里达、罗兰·巴特对尼采、波德莱尔、西美尔、本雅明的颠覆性思维方式的继承,关注生活世界的变化、揭露现代性的负面效应)和"中度现代性"(表征为布迪厄和吉登斯等以一种反思性态度和实践性策略对现实加以冷静剖解和分析);同时还梳理了 20 世纪哲性诗学从理性批判到文化批判、从文化批判到语言批判、再从语言批判上升到新的"文化批判"(文化研究)的三次根本性转型。认为哲性诗人或诗性哲人由冷战性的冲突对峙,走向了一种新的跨文化、跨国家、跨语言的文化对话,生命意义重新成为新世纪的核心问题。

其四,写于 1994—1997 年的《现象学与解释学文论》认为:"现象学追问"与"解释学逻辑",已然成为 20 世纪人文科学的根本方法和文艺理论和批评的重要原则。现象学具有明显的方法论特征,即作为知识来源和检验标准的"本质直观",并对这种"直观"尽可能如实地加以文字描述,同时,力求对"现象"做本质结构的真实洞察。因此,现象学注重培养主体的"本质直观"和对"现象"的把握能力,尤其注意"事物的显现方式",即关注事物现象和价值是"怎样显现"的,是通过什么"向我显现"

的。现象学文艺理论方法论具有以下一些特点:注意对文艺特殊现象的把握,重视文艺思潮现象的描述和文艺思想一般本质的研究,并努力理解诸本质之间的复杂的网络关系,注重观察文学的文化现象显现方式,尤其注意现象在意识中的构成。同时,将人对现象存在的理论信念和历史偏见"悬搁"起来,使"现象的意义"直观地呈现出来。当然,纯粹现象学还注意"现象学还原"即"观念的还原"和"本质的还原"等,以获得一种纯粹意识。因此,把握现象呈现给我们的多种方式和我们感知艺术对象的真实性,将以自己的准确观察作为直接依据,去描述我们经验中被忽略的体验和经验,从而不断地丰富内在的经验层次、体验结构和本体存在状态。

以解释学为代表的现代哲学不同于传统哲学的重要特征在于:放弃了追求绝对的终极原因、道德价值、目的等传统课题,而是伸张个性的独立批判精神,标举主体性,注重多元的思维倾向。可以说,解释学打破了对原义亦步亦趋的"我注六经"式的思维模式,消解了权威的僵化的"标准"解释,带给现代人以开放的心理素质和多元价值取向:开放、包容、乐于接受新的理解和意义、要求平等对话、注重相互理解和沟通,倾向于批判地思考人生和世界、不甘于盲从与随大流等。在探索意义的思维方向上,不再执著于传统与现代、偏见与理性的二元对立思维模式,而是注重从人生意义上发现传统与现代的内在精神联系,以多向度多层次的理解,使传统向新的生活经验开放,不断寻求生命的新意义。理解的相对性和多元化观念,逐渐铸成现代人的生活观念,并表现出对生活目的与意义的多元理解。在我看来,解释学试图对人类面临的诸多现代课题加以解答,并站在现代哲性诗学的潮头对当代人面临的困境进行反思,使西方思辨哲学逐渐走向实践哲学。而且,解释学从理解的历史性、理解的语言性出发,强调解释的创造性、主体性、实践性,注重理解的相对性和多元性,以及解释学具体方法论,均含有一定的合理因素,对我们理解历史、理解文本、理解自己和他者都富于启发意义。

其五,写于1992—1998年的《后殖民主义与新历史主义文论》,是国内第一次全面讨论后殖民主义和新历史主义文论的著作,梳理了这两种重要理论中几乎所有主要理论家的理论思想,首次全面展示了这些理论家的理论的诸方面,并在平等对话中对其理论的正负效应做出了自己的评价。我认为,每一种文化都有其发生发展的过程,没有一种文化可以作为判断另一种文化的尺度。那种在文化转型问题上,认为只有走向西方才是唯一出路,才是走向了现代文化的看法,应该深加质疑。这种观点实际上是把世界各民族文化间的"共时性"文化抉择,置换成各种文化间的"历时性"追逐。文化的现代转型是一切文化发展的必然轨迹。西方文化先于其他文化一步进入现代社会,但并不意味着这种发展模式连同这种西方模式的精神生产、价值观念、艺术趣味乃至人格心灵就成为唯一正确并值得夸耀的目的,更不意味着西方的今天就是中国乃至整个世界的明天。历史已经证明,文明的衰落对每一种文化都是一种永恒的威胁,没有一种文化模式可以永远处于先进地位。在民族文化形态之间不存在优劣,只存在文化间的交流和互补。让世界更好地了解中国,让中国更好地了解世界,是中国参与世界性话语并破除"文化霸权"话语的基本前提。

就"对话"而言,当代中国学者面临自身传统文化的变革和重新书写的工作,以及中国学术文化重建的任务。西方理论话语的渗入或对话直接取决于本土知识话语动作者的选择,知识者的眼光和胸襟在此变得殊为重要。我们回应后殖民主义的只能是:在新的历史文化话语转型时期对潜历史形式加以充分关注,并在反思和对话中,重新进行学术文化的"再符码化"和人文精神价值的重新定位。后殖民主义理论不仅成为第三世界与第一世界"对话"的文化策略,而且使边缘文化得以重新认识自我及其民族文化前景,但是,后殖民文化的意义不仅是理论上的,更重要的是实践上的,尤其是中国如何面对全球化与本土化成为当代中国学者关注的焦点。我认为第三世界文化学家和文学理论家,应以一种深广的民族精神和对人类文化远景的思考介入这场深入持久的国际性后殖民主义问题和前景,检视与殖民主义的区别和联系,弄清"非边缘化"和"重建中心"的可能性和现实性,分析仇外敌外情绪与传统流失的失语的尴尬处境,寻找自我的文化身份和在世界多元文化中的位置。后殖民主义理论对东方和西方之间殖民性的文化关系的揭示,将有助于中国知识界对现实语境的再认识,并将对中国价值重建的方向定位保持清醒的头脑。

以上五本书可以说是我研习西方文论和美学的结果,尽管满意的不多,但是每本书都留下了我艰难思考的生命指纹。需要强调的是,我研究"后学"的真实目的在于:通过"后学"研究发现后现代后殖民主义对西方现代性霸权的批判,使"边缘话语"得以获得某种发声的可能性,使西方中心主义的合法性受到质疑,使第三世界同第一世界对话和互动成为可能。因此,研究后现代后殖民主义不是目的,相反通过这种研究,力求找到几个世纪以来不断被边缘化的中国文化自己发言的机会,寻求中国形象和中国文化身份的重新阐释和重新确立,进而在中国知识界重新发现和创造中国文化的魅力中实行"文化输出"战略,打破全球化的西方中心主义和文化单边主义,在新世纪世界文化中发出中国的声音,展示新世纪中国文化的精神魅力。

四、思想探索中的"中国立场"

1995 年,在十年研究西学之后,开始反省自己研究西方文论和文化中的价值立场问题和学术旨趣问题,进而思考中国文化的深层问题——全球化中的中国文化立场和身份问题。这促使我关注中国文化问题,并进入一系列中国文化现代转型研究中。世界与中国、本土与他者一直成为我的研究的基本语境,因此研究西学,不是想成为西学研究专家,而是将西学作为中国现代性问题的语境,一种审理"他者"的场域,其目的是想反观中国问题。这样我的研究重心渐渐发生了转型:一方面是主编了近百卷的《中国学术思想随笔大系》和《中国书法文化大观》,另一方面是写了五本学术专著:《中国镜像》、《后现代后殖民主义在中国》、《中国书法文化精神》(韩国版)、《全球化与中国》、《发现东方》。

1997—1998 年写于海外的《中国镜像》,力图全方位地透视中国 20 世纪 90 年代文化研究的意义、文化转型时期的数码复制、知识分子的思想定位、激进主义与自由主义思潮、后现代后殖民主义在中国的问题、新历史主义和女权主义的边缘话语、当代诗人自杀的症候、先锋艺术的实验及困境、批评家的当代分化、大众传媒的形象消费问题以及终极关怀和世俗关怀问题。从跨国语境与当代中国文化的关系层面,讨论当代中国文化思潮与文艺美学的多重复杂关系,对 90 年代的纷纭复杂的文化现象和思想症候作出剖析,勾画出 90 年代中国文化研究的总体格局,力求对 21 世纪前夕的"中国镜像"进行全面审视,同时对世界了解中国近十年文化的最新动向提供一个文化思想文本。

20 世纪 90 年代的中国文化艺术研究,是一个相当复杂而重要的课题。因为,90 年代的问题是同一个世纪的中国知识与思想蜕皮的根本问题紧密缠绕在一起的。20 世纪中国与传统中国相比,一个根本性的不同就在于:中国传统文化在百年间遭到西方文化体系的全面冲击。总体上说,西方文化在几千年的发展过程中经历了起码三次重大的文化转型,即从古希腊的"两希"精神(古希腊精神与希伯来精神),到文艺复兴时期以降的理性精神,再到 20 世纪的反理性的现代主义和后现代主义精神。而中国却延续了两千余年汉语文化形态的单线性文化精神,这一文化精神在 20 世纪初为西方现代性文化所中断。这就使得在传统与现代、东方与西方、现代与后现代之间,中国文化面临总体危机。这一总体危机不仅意味着终极关怀的失落,同时也隐含着价值符号的错位:儒家、道家、佛家三套思想话语,在不断西化的当代人那里出现了与其生存状态和精神寄托中断的裂缝,因而导致新转型学说——新儒家、新道家、新佛家等的出现;而西方基督神学的思想话语资源,与中国人的信仰核心尚存诸多话语冲突之处,难以急切整合。因此,当代中国文化大抵只能从传统文化和西方文化的全新融合及当代转型中,重建新的思想话语资源,才有可能使社会转型所导致的文化危机得以缓解。

我选择了一个独特的学术话语——"镜像"来表达对中国当代文化现象的透视。"镜像"(拉康)一词,意指必须在"他者"面前才能真正认识"自我"。这个他者毫无疑问是全球化中的西方。正是由于多年西方文艺理论研究所形成的宏阔视野,使我认识到,中国只有通过这一现代性"他者"镜像,重新审视自己的过去、现在和未来的形象,才有可能实现新形象的书写。在切入中国问题之前清醒地清理西方知识背景,最终清理中国的学术文化问题,生成批判性眼光和超越性思维,是某种正在形成的学术自觉。我很欣赏王国维的"学无新旧、无中西、无有用无用"的思想,坚持打通中西,会通古今。在我看来,只有面对这诸多公共性的问题并且对这些问题进行严格的审理和深度的阐释,才有可能从"全球镜像"中看清当代"中国镜像",并得以有效地塑造新世纪的"中国形象"。

写于 1998—1999 年的《后现代后殖民主义在中国》,具有以下基本学术意向:(1)关注后现代哲学与中国语境问题,主要对后现代在中国的语境,中国传统哲学与后现代的关系加以厘定,以彰明在近二十年来中国文化界在文化对话和理论变形中的问题意识。(2)注意后现代哲学与文化研究问题,全面讨论后现代哲学的基本特征,它与本体论、认识论、辩证法的复杂关系,与当代信息社会、科学哲学、女权主义、神学问题的内在关联,以及中国学者对后现代主义的学理反思。(3)研究后殖民理论与文化哲学问题,注重从后现代与后殖民的内在关系中,透视后殖民主义在当代中国的理论意向:立足于中国本土化看全球化问题,清理东方主义视野中的权力话语,注重从文化社会公共空间的拓展中对文化哲学、文化研究、后殖民语言、法律、经济等诸多问题加以思考。(4)注意西方学者和海外的华人学者的后现代主义文化论述对中国现代学术思想某些修正和影响,尤其关注全球化中的后现代问题触发的后殖民问题,后殖民话语对中国当代西学研究的"路标"调整作用。(5)关注港台学者"后学"的研究成果的分析和评介,使中国问题有可能在整体意义上得以展现。（6）强调中国学者对后现代后殖民主义的看法，包括其进入中国时引发的论争，产生的文化紧张、思想冲突、话语对抗和理论汰变，使读者能对中国后现代后殖民问题有一个基本定位和把握。总之，在对后学在中国的问题梳理中，使人从这种文化论争的张力中看到文本后面的精神意向，看到在平等的学术对话中自然彰显的价值，看到处于剧烈变化的世界文化大潮中东方学者的对话智慧。这使得这部著作成为中国后现代后殖民地图中的一个坐标，为把握世纪末中国学人对现代性后现代性留下一份学术档案。

写于1995—2001年的《中国书法文化精神》认为，书法是中国哲学美学中的文化瑰宝，具有中华文化生命血脉。全书分为四编，第一编"书法艺术源流论"，第二编"书法发生拓展论"，第三编"书法文化美学论"，第四编"书法文化对话论"。讨论了中国书法艺术基本源流和内容，书法艺术发展史，书法文化美学精神和审美魅力，以及全球化中中国书法文化输出等问题，注重在新世纪的文化语境中，以中国书法与西方艺术进行"差异性"、"多元性"对话，达到多元互补、和而不同，在"阐释文化中国"中力求减低"文化误读"。《中国书法文化精神》在韩国出版，使外国读者能够了解、理解进而欣赏中国书法。我想，在新世纪的文化语境中，以中国书法与西方艺术进行"差异性"、"多元性"对话，达到多元互补、和而不同，是当代中国学者甚至整个汉语学界的任务。这种"阐释文化中国"并力求减低"文化误读"的工作刚刚开始，任重而道远。

写于1995—2001年的《全球化与中国》认为，全球化是当代世界性的重要问题。对这一问题的思考，同当代文化的推进与辩驳相关。相对而言，我更关注全球化对中国文化新形态形成的正负面影响。在全球化问题研究中,我为自己设立了知识的限度或理性的限度:不认为今天存在的就是完全合理的说法,不认为历史会记住现世的写作者,不相信文字的扩张就是价值尺度,不相信滔滔言说就会成为真理。这个全球化时代已经有很多文字游戏,因而我对写作持一种素心人的看法,去冷峻透视那些用大量香甜文字扩散病态心理的写作者。在全球价值的形成中中国文化不可能仅仅被西化,相反,有可能在全球语境中不断创造并增大自己的文化份额,从而在全球价值形成中使中西文化精神从单一接受到多元互动。在中国已经深切地了解西方而西方对东方仍然不甚了了的前提下,重新清理思想文本和文化精神,在"文化拿来"中做好"文化输出"的准备,使文化对抗走向真正的文化对话。

写于 1998—2003 年的《发现东方》,注重一个世纪西学进入中国以后怎样改写了我们的思想和语言方式,并探讨中国传统资源在后现代世界重获阐释的可能性。我不相信中国文化五千年的文明在一百多年的历史中就烟消云散,而要采用福柯的知识考古学的方法,考察中国文化哪些部分已经死亡了或永远地死亡了? 哪些部分变成了博物馆的文化只具有考古学的意义? 哪些部分变成了文明的断片可以加以整合,整合到今天的生活中? 还有那些文化可以发掘出来,变成对西方一言独霸的补充,一种"他者"的言说,一种对西方的质疑和对话?

所谓"发现"或"探索"(discover),不是中国要去拯救西方文明,"发现"只是为了减少误读,纠正我们在西方人视野中的"妖魔化形象"。"文化输出"不是高势位地征服别人,文化是一种对等交流的东西。近代中国科技和制度一度落后,并不意味着中国的文化精神和思想学术就一无是处。中国文化作为中国思想中精微的部分,能承载 21 世纪独特的中国本土精神,并对人类的未来发展尽一份文化重建之功。西方中心主义立场的解读并不能"发现"一个真实的中国。中国"文化输出"和"发现东方"不可能靠西方"他者",只能在全球化和后殖民语境中,中国学者自己发掘出中国文化新精神,从而使中国文化不在新世纪再次被遮蔽。在借助"他者"力量的同时,我们应该自己说话,使中国文化得以在新世纪的全球文化平台上"发言"。

因此,我强调当代中国学者面临自身传统文化的变革和重新书写的工作,以及中国学术文化重建的任务,并进入具体文化输出的实践领域。文化输出的原则是"以我为主,东西互动,和而不同,重建中国形象,保持文化生态"。本土学者可以更到位地真正理解真实的中国形象,结合西方学者和本土学者阐释中国的长处,就可以整体性地推介中国文化,让世界认识到中国文化不是西方人眼中的那种扩张性文化,中国人不是霸权主义者,中国文化不是持"中国威胁论"人士宣扬的那种冲突性文化,不是 19 世纪后西方人眼中的愚昧落后衰败脆弱的文化。中国文化是一种有深刻历史感和人类文明互动的历史文化,是具有书画、琴韵、茶艺等艺术性很强的精神文化,一种怀有"天下"观念和博大精神的博爱文化。近些年来,西方提出"生态美学"或"生态文化"的新理论,其实吸收了东方尤其是中国文化中很多思想精髓,如绿色和谐思想、辩证思想、综合模糊思想、重视本源性和差异性的思想、强调"仁者爱人"等思想。这些思想是中国思想对西方的一种滋养或者互动。在我看来,个体在面向世界和未来的学术历程中始终发扬两种精神:一是中国的玄奘那种锲而不舍的"取来"与融会的精神,二是鉴真和尚将中国文化和宗教全面"输出"的精神。

五、生命与学术的内在感悟

读与写作思考，是学者生命的完满形式。经验告诉我，读经典性的书具有方法论的意义。西学是必读之书，从古希腊一路读下来，会使人全面修正自己的话语系统和心灵编码，并在瞬息万变潜流涌动的学界中，保持刚正不阿的学术眼光和遗世独立价值情怀。然而，泰西语种纷繁，皓首亦难穷经，如果一个人一定等到精通了数门外语再思想，他就有可能让自己的灵性和思考僵化在语言规则中了。因此，选择最重要的外语方式进行学术资源撷取，足矣。通过语言进入思想的底层，重要的不是纳入哲人的结论和训示，《庄子》中轮扁早就对桓公说过："君之所读者，古人之糟粕而已。"重要的是获得一种整体性思维，一种穷源究底本质直观的基本学理，一种进入问题的入思角度和人性升华方式。也许，有时读书会令人蓬头垢面甚至"心斋""丧我"，但没有这种阅读进入的工夫，就没有思想诞生的可能，对西学就会终身处于隔膜和一知半解之中。

在全球化中一味读西学仍不足取。大学者具有高蹈的境界和中西互动的眼光，问题结穴处，终归于大涤——无论研读古代还是当代，无论研读中国还是西方，都相互关联相互促进，现世虽不见用，或能有裨后人，关键在于关注问题的意义。中西对话如果不在"跨文化"之间、"主体间性"之间、"他者间性"之间进行，问学的深度和推进力度就要大打折扣。在读与思中，我们也许可以更深刻地感领到：无论是读书还是被书读，书都需要人这一主体才能彰显意义。藏书而不读书，以书为巨大的光环来遮掩内在空虚，无疑是一种过分精致的矫情。读书固然重要，但读书本身不是目的,沉浸或玩味于渊博,而终于丧失自己的独立见解,甚至满足于成为"两脚书橱",是难以提出真正的有思想创建性的观点,更难以形成真正的思想体系。

当代中国文化研究中的文化心理结构性的问题,值得关注:在共同性和差异性问题上,应更注重"差异性";在现实性和可能性的问题上,应更注重"可能性";在让步性和立场性问题上,应更注重中国"立场性"。古人云"天不变,道亦不变"。黑格尔也说,永恒的是自然的巍巍高山,而人在其中是瞬间的存在。但是在我看来,有些东西——精神情怀是不能变的。

在学术研究中我领悟到:传统是一元的,有时甚至是专制的;现代变成了二元对立的文化——有传统就有现代,有先进就有落后,要把一切变成二元的;后现代主义提出多元,或一分为三,这样就使得任何东西都多元性地理解。人们变得更聪明更宽容,心态也更平和。开放社会实际上是把人的内在空间扩大,外在空间缩小,地球变成了"村"。现代人在无穷扩张自我,当扩张到一定的时候,也就丧失了"自我"。自我的消失使得人们成为"非我",这在本质上是对生态文化和文化生态美学的违背。因而,"发现东方"与"文化输出"从根本上说,意味着人是目的,意味着"发现东方"这一思想在东方主义话语中有其自身独特的性质,即不断坚持中国阐释观,中国不是任何"他者"的文化附庸和话语倾销地,在新世纪有可能从东方思想中获得新的整合性话语。"发现东方"是理念,"文化输出"是实践,人类的长远目的是多元文化互动,使每一种文化都学会尊重文化"他者"。

人对外界空间的无尽征服,使人变得越来越渺小。现在科学家们基本达成了一种共识,那就是太阳系不只是一个,而是十亿个。我们面对着浩瀚的时空大限,宇宙也不只是一个,而是复数——数十个或上百个。在这个宇宙中,发光的物体只有5%,有95%不发光的物体默默地主宰着宇宙的命运。在这复数的宇宙中,人只不过是一粒灰尘,至于写下的文字更是在茫茫太空中缥缈若无,所做的任何事情对于茫茫宇宙来说,都微不足道。霍金说人类也许活不过这千年,因为地球环境在恶化,在百年左右海平面将升高而使威尼斯被淹没。因此,人类的未来应该是东西方所共同来思考的未来。生命中不可承受之轻往往让我们不堪其重,使我有时觉得写作的意义的失落仍然需要重新寻绎。没有人能够阻挡斗转星移的岁月变迁,我们微渺如尘埃的生命能做些什么? 我们只能在体悟宇宙天地境界之后,顺应这生命的洪流,尽己所能为推进这潮流的前行做些事情。如果能在入世之中时常怀抱着旁观者的清醒和超脱,再以更加执著的精神入世,顺应大化,也就是所谓的大智慧了。

人在写作中渐渐老去,又在思想的铭刻中苏生。茫茫凡尘的大千世界,人只能活一次,几十年以后都走了。我们天天都要面对死亡和意义飘逝,何其伤悲,何其绝望。我铭心刻骨地感领到,人活着走向生命尽头是需要勇气的——每天要面对云起日落的悲壮,生命力在时光的年轮中一点点抽掉,需有坚定的意志和信念才能好好活下去。写作占有了我生命的绝大部分时间,是一门异化的艺术,但写作也可能使我的思考成为大家分享的思想,而使写作者生命复活。正是在这个意义上,作为个体的人只是茫茫宇宙中的一颗流星,但他通过写作的铭刻性而与无尽宇宙相联系。

每当子夜时分,喧嚣的都市终于静下来,我在燕园静谧的书房中一灯独荧,好像自有宇宙以来只有一个我,好像自有我以来才有这个宇宙一般。心静极了,每每著文作书时,有听滴滴雨见婆娑叶之境,有感绵绵无期秋雨之界,有疾风骤雨之期,有爽快明洁之时,有生命在点滴中飘逝之感念,有狂涌澎湃之思绪,有和弦在鸣奏之雅致,有"谁共我,醉明月"的豪情,有时耳际会感受到晨曦,有时心中会响起笛鸣!当夜阑无声,唯有众星应和一线光明时,杳缈浩宇,唯在心念之间!唯在字的运笔之触!

写作与思考筑成了我完整的学术人格,那就是处身艰难之中,而思考云天之外的事情,决不为俗事小事苦恼自己。学术岁月使得我在文本阅读中尽可能细腻,甚至达到一种相当苛求的地步。而在思维的发散和迎接挑战时,学会了领略和包容,学会了既能远观那种高大的意向而又能平视身边事物。时间的流逝使得生命成为飘逝的,怎样才能使飘逝的成为永恒的?怎样才能使流逝的岁月铭刻生命和思想的记忆?怎样才能在生命的个体存在中感受到人类性存在?我明白:真正的生命时间,不是以当下的现在为核心的过去、现在、将来逐次相替的线性流逝过程,而是在这静止凝定的瞬间,让时间之光烛照真正的人生,向我们澄明生的真谛。这种"实现了的时间"往往使人感悟到一种"天地境界"。这一境界能自行扩散蔓延,使人被一种绝对庄严的沉默所攫住。这种无声却震撼人的沉默犹如"寂静的钟声"(海德格尔语),在一片死寂中唤醒对存在的思考,透过日常生活时间那浮沉飘荡的无聊空虚,而闪现出诗性光辉和陶冶出一种不畏迷误走向真理的生存态度。

能在此中领悟存在意义者,其学术人生当无怨无悔。

(原载《社会科学战线》2004 年第 2 期)

为学与为道

——中国学人的学术之路

下

主　编 ◎ 邴正　邵汉明

副主编 ◎ 王卓　于德钧

人民出版社

目　录

史学大师梁启超与王国维

周 传 儒

　　六十年前,所谓清末民初时代,中国学术界曾有一度蔚然称盛的发展。这是由于诸朴学大师前后踵起,集乾、嘉、道、咸、同、光二百年之潜研积蓄,成其所谓今古文、汉宋学、经学、史学、小学、甲骨学、金文、版本、碑铭、竹简、经卷之学,竞奇争妍,齐兴并举的盛况。又由于西方文明已系统地、大量地传播到我国,获得广泛的研学探求。这两种来源不同的知识,交流综合,汇成一代的新学问。尽管当时政治紊乱,民生凋敝,而文化之花依然在这荒榛败垒之中推陈出新,鲜艳夺目。

　　这一时代的宗师、巨匠、学者、闻人,著者另有一篇国学运动回忆录,作比较详细的叙述。我追随有年、亲炙教诲的梁启超、王国维两位本师,正是在当时以至到今日学术界一致宗仰的史学大师。现谨就所及见知,举其治学行事崖略,以供时贤参较,并抒个人追思。

　　这两位大师从文化继承、学术渊源而言,皆同出于乾嘉之学,读经书,治小学,曾一度受科举之毒。然皆不久即毅然改途,另治新学。梁师侧重经世致用一面,王师侧重训诂考据一面。梁善综合,好作系统研究,所有著作,多洋洋洒洒,远瞩高瞻,不

1

论总论分论,自成系统,自成一家之言。王师则点点滴滴,好为分析比较,作专篇,不著书,据材料之言,说明一事一物即是,不旁搜远绍,不求系统,不求完整,不为著作添枝叶。梁师贵通,王师贵专,梁师求渊博,王师求深入。一综合,一分析;一求系统完整,一求片言定案。鹅湖之会,朱讥陆之博大,陆讥朱之支离。朱熹说"旧学商量加邃密,新知培养转深沉";陆九渊说"博大功夫终简易,支离事业竟浮沉"。王师殆绍继晦庵方法,梁师殆承袭象山方法。

梁师于16岁露头角,二十余岁名满天下。王于22岁,至沪谋生,半工半读,40余岁,始获成名,50岁,始驰誉全国。一早达、一晚成。若从社会地位,历史声望言,梁似为王之先进,实则梁长于王三岁、后于王二年而殁,实同行、同辈、同时代人。

一、两大师的少年时代

梁任公先生,名启超,号卓如,又号任甫,别署饮冰室主人。原籍广东新会,出身于一富裕中农家庭。幼而敏慧,初入私塾,读四书、五经、三传,皆娴熟,有神童之目。遂旁及四史、两鉴、诸子、百家。四部要籍,数年间已多所通晓。科举入股制艺,亦所娴习,13岁入泮、16岁中举。时阮元在广州办学海堂,招集两广少年,讲秦汉百家、六朝文学、隋唐经学、宋明理学,任公先生以总角岐嶷,周旋其间,灿然英发。贵阳李芯园提学两广,爱其才,亟为赏识,以其季妹妻之。后与陈千秋谒见康有为,大悦其说,遂入长兴里,为万木草堂弟子。同门中,陈千秋治刑名法律,梁伯芳治佛藏,曹著伟治道家,梁任公治墨家,人称四怪。并有麦孟华字儒博,号蜕庵;潘之博字若海号弱庵,亦皆邃于学,人称万木龙象。

从此可知新会之学，师事南海，而不是继承南海。南海之学，出于朱九江，但亦受了龚定庵、阎百诗之影响。学宗公羊，主张据乱、开平、大同、春秋三世之说。著《新学伪经考》，认为群经多由汉刘向、刘歆父子所改窜，所谓经古文皆伪。又著《孔子改制考》，认为后儒所传三代典章、文物、制度皆经孔子所改窜，其最高最大之理想，为世界大同，著《大同书》，否定国界、种界、男女之界，曾刊行于《不忍杂志》中。至于当世之务，则在于小康。为达此目的，宜采用东西洋新法，故主张变法维新。

新会梁先生，其见南海也，在 16 岁中举之后，于学已有成。在万木草堂时，治墨家学，以后作《墨经校释》、《墨子学案》，不谈公羊学，亦不谈经学；后又学唯识论于欧阳敬吾，作《千五百年前的留学生》，阐述玄奘，皆与南海无关。甚至书法学《圣教序》、《张迁碑》，诗学社、韩，皆与南海不相侔，只在名分上、道义上是师生。

公车上书，请求变法之后，新会在沪办《时务报》，发表文章甚多。又帮助李提摩太从事翻译科学书籍，大量刊行，开通民智。又到长沙，帮助湖南巡抚陈宝箴办时务学堂，与唐才常、蔡锷相结纳。其后，唐才常在湘、鄂发动革命殉国。蔡锷赴日本，入士官学校，学习军事。回国后，到云南办讲武堂，为发动讨伐袁世凯妄复帝制打下军事基础。

戊戌政变是康、梁政治活动最高峰，轰动全国、闻名世界。失败之后，南海周游列国，凡 16 年。新会由日本人帮助，寓居日本须磨，亦有 15 年。有间，办《新民报》，介绍欧美政治法律、历史地理、科学等学说。以其文字通俗易晓、流畅奔放、笔锋有情，清末民初人士多曾受其影响。

政变之前与逃日期间,发表政论文章甚多,然学术性文章亦不少。如《中国学术思想变迁大势》、《新史学》、《张骞传》、《班超传》、《郑和传》、《罗曼罗兰传》、《意大利建国三杰传》等等,俱收入中华版之《饮冰室全书》与商务印书馆版之《饮冰室丛书》中。

从戊戌到辛亥,14 年间,当梁正在呼云唤雨,笔走风雷之日,王尚碌碌无闻。梁居东 15 年,王则悄悄赶来,逐步追上。

王国维先生,字静安,又号观堂,浙江海宁人。祖及父,俱国学生。7 岁入私塾,12 岁博览群书,16 岁入州学,读前四史,治骈文。18 岁,始知新学,22 岁,至上海,从上虞罗振玉于农学社,开始学日文、英文、德文,攻科学、哲学。自 27 至 30 岁,皆醉心哲学,尤喜康德、叔本华、尼采之说。所以哲学不能饫其欲,改治文学。原有骈文、古文、诗词、经史基础,进步甚速。尤好唐、宋诗歌、宋词、元曲。所著《唐宋大曲考》、《宋元戏曲史》、《曲录》、《戏曲源流》,前人无为此学者,后人有为之者而未能轶出其范围。

30 至 40 岁,海宁在沪,结交沈曾植、缪荃荪,又尝从柯劭忞、傅增湘、刘鹗、王襄研究甲骨、钟鼎、版本学与元史、西北地理之学。对新发现之材料,发生浓厚兴趣,于后两者,用力尤勤。罗振玉雄于财,搜求甚富,交游亦广,对本为寒士之王海宁,在所治学术上给予巨大匡助。

梁好经世致用,辛亥革命后,即准备离日本回国。而王则湛心学术,随罗振玉出国去日本。紫气东来,彩云西去,各行其是,各得其所。

二、两大师的中年时代

中年,应以辛亥革命时开始。其对梁方 37 岁,王则 34 岁,正精力旺盛之日。虽彼此参商,各自为谋,而十年之后,各有千秋。

梁自须磨出发,取道东京,归大连,转入沈阳,以气氛不对,仍遄赴日本。次年,袁世凯已攫得革命果实暂告定局,始返北京。时国会与总统不合作,而国会中复党派林立,纷呶不休。梁与汤化龙、张謇、林长民等相接近,先组进步党,后成立研究系。并在袁政权中出任司法及财政部长,旅进旅退,无所建树。自1915—1918 年的四年之中,其所参加之活动,与国计民生有关足为一述者,计有三事:

1. 帝制之役。袁世凯阴谋称帝,梁遣其弟子蔡锷,返至云南,起兵声讨。自己又化装南下,由广州入桂林,策动陆荣廷,组织西南军政委员会,通电全国,一致讨袁。蔡锷率滇军,由叙府及纳溪两路入川。在纳溪市坝,抵御北洋军曹锟、张敬尧、吴佩孚与川军周道刚诸部,历时匝月而相持不下。于是,促使成都陈宦宣布独立,袁世凯忧愤而死,称帝丑剧终场。

2. 对德宣战之役。1914 年,欧战爆发,历时三四年,日本参加协约国对德、奥宣战,出兵侵夺当时为德所占的青岛。北洋军阀政府尚贸贸然主张中立。任公先生说段祺瑞,力主对德宣战,组成参战军。1918 年,巴黎和会中国出席代表得以争取保全青岛及山东主权。

3. 反复辟之役。黎元洪以总统名义迫任国务总理的段祺瑞下野,段反抗,闹起所谓府院不和的纠纷,张勋率兵数万人自徐州入北京，伺隙又搞起扶溥仪复辟的闹剧，康有为实为其主谋。任公先生说段祺瑞声讨张勋，派李长泰、冯玉祥率军自天津进讨，于北京天坛击溃张勋部，复辟闹剧刚一上场即告垮台。

此时期中，梁新会在政治上虽有小成，发动参与了反袁、反德、反复辟，在学术上，并无大成就。而在精神上，则十足表现其平日所主张"不惜以今日之我与昨日之我宣战"，甚至不惜以今日之弟子与昨日之师傅宣战。《论语》有云："时哉，时哉"！孟子亦云："彼一时也，此一时也"。先后在日本时期，及民国初年，新会所遗留之政治性学术性著作，多能证明其爱祖国、爱人民、爱自由、爱民主的思想。试读其《意大利三杰传》、《欧游心影录》可知。

1912 年，静安先生 35 岁。随罗振玉东渡日本，与彼邦人士内藤、藤田、狩野、白鸟、箭内、桑原诸大师相往还，其学更深入、成熟、老练、独到。罗振玉挟其大云书库所藏书籍、拓片、竹简、写经、钟鼎、甲骨以俱去，亦使静安先生获得探索、研究、考释的莫大便利。

海宁首由古器物转入金文，又由钟鼎转入甲骨，更由甲骨而疏证《说文》，遍及群经、诸子。兼治竹简、写经、古度量衡，皆有独到之处，卓然成为大家。《观堂集林》所收诸名篇大抵构思拟定于此时。41 岁时返沪，讲学于广仓明智大学。时罗振玉、姬觉弥方从事甲骨之搜集与整理。海宁出其全力，考释殷墟书契，佐助罗氏成《前编》、《后编》、《菁华》，据姬所藏，著《戬寿堂所藏龟甲兽骨考》。甲骨之学，蔚然成为独立门户。更以之与小学、经学相印证，所得更多。

关于钟鼎的著作，有《说觥》、《说盂》、《说彝》、《说俎》诸文，皆以实物与铭文相结合，是正旧说，独出新解。其毛公鼎、散氏盘、虢季子白盘、克鼎、大小盂鼎诸考释,皆深刻精到,往往以一字一句之微,引出地理、历史许多问题,有关古史研究极巨。关于甲骨之著作,如《殷卜辞所见先公先王考》、《明堂寝庙通考》、《生霸死霸考》、《说自契至成汤八迁》,皆戛戛独造,凿空神悟,融会贯通。甲骨本散乱残片,一经其手,便能横通直贯,证明《史记》、《殷本纪》、《三代世表》之真,从而知《夏本纪》、《历代诸侯年表》亦有所本,把中国上古史,上推二千年,甚至帝俊、帝喾亦有着落。不仅是司马迁的功臣,亦是古代史的大功臣。

一部《尚书》,不过数十篇,短者数十言,长者数百言。吉金有铭文者甚多,而散盘、白盘、毛鼎、克鼎,铭文亦皆多至数百言,综而言之,几等于一部新《尚书》,凿凿可靠,视伏生口传者应更属真确切要,海宁钩玄探赜,功绩之大为何如!

王著《观堂集林》六册,实为其一生精力之所萃。大抵居东5年、广仓明智6年,以其精神旺盛、思想专注、材料顺手、典故熟悉、恣意探讨、振笔写成,故能字字珠玑、论断确切。这些文章才是精深、成熟之作,可以传世播远。

窃以为静安先生其学奠基于早年时期,大成于中年时期。此后另辟新战场,仅作动员准备,尚未作战。新会早达,海宁晚成。分道扬镳,同工异曲,皆三百年学术之继承者,新学术之开创者。

三、两大师晚年会师清华

五四运动发生于1919年,时梁46岁,王43岁。在这个伟大运动中,大师梁新会仍然站在时代前列;五四运动以后,北京方面涌现整理国故浪潮,曾于北大、师大、女师大、法大、清华、燕京、南开,多次作学术公开讲演。成《要籍解题及其论法》,《先秦政治思想史》,《清代学术概论》,《近三百年学术史》,《中国历史研究法》,《陶渊明》,《中国书法》,《宋代考古学》,《学术讲演第一辑》及第二辑、第三辑,《大乘起信论考证》,《诗圣杜甫》等著述。从这些著作看来,他不是思想家,不是经师。于学,他讲整理国故,而不讲训诂、考据、名物。他是一个史学家,特别是学术文化史专家,有巨大之贡献。既富有渊博的学识,又富有综合之才能,扼要钩玄、深入浅出。在这方面,同时代的人,除章太炎师生,有所不慊之外,如胡适、梁漱溟、陈垣、丁文江,皆视新会如宾如师。又如蒋百里与徐志摩,则持束脩赍见跪拜称弟子。一般均认太炎为南方学术界的泰山,任公为北方学术界的北斗。

1923年,北大成立国学研究所,胡适主其事。章门弟子、两沈、三马、朱、钱诸大师皆主讲席,唯黄侃、吴承仕不与其事。胡氏建议,聘请王海宁为通讯导师。王曾为之讲授最近三十年中国之新学术,又公布研究论文题目,如《诗经》中联绵字之研究、古音韵之研究、共和以前年代之研究、魏晋以来度量衡之研究等。前此伏处广仓明智学院,兹一登龙门,名震京师。甲骨钟鼎学、流沙坠简学、元史学、西北地理,皆为近代绝世之学。

越二年,清华亦成立研究院国学门。胡适推荐王海宁、梁新会为导师,继又增聘陈寅恪、赵元任、李济,五星繁奎,盛比鹅湖。以清华设备之富,梁王声望之隆,清华研究院遂远远超过上海之哈同书院(广仓明智学院)、吴锡国学专修馆乃至北大国学研究所之上。新会讲儒家哲学、历史研究法、荀子、王阳明。又为大学部诸生讲中国文化史。同时为燕京大学讲古书真伪及其年代,实为一生用力最专、治学最勤、写作最富之时间。虽其所讲半属入门之学,为诸生指示治学途径及方法,然亦足以见其实欲包举两千年来中国之学术文化合于一炉而冶之。在其先后所讲、所写学术论著中，自中国学术变迁大势、先秦政治思想、儒家哲学、孟荀学说、王阳明知行合一之教，下至清学概论、近三百年学术史等，已具有全部学术史规模。至于中国文化史，则体大思精，原拟讲四十篇，仅讲完第一篇都邑即因病辍讲。1927 年，新会以便血病到协和医院求治。医生首谓病灶在牙，尽拔其齿。继又谓病源在肾，割去一肾。其实便血非致死之症，有历二三十年而仍健在者。五六十高年之人，生机已滞，割去一肾，从此委顿，既不能讲学，亦不能写作。新会雅好文学，尤爱苏、辛词。易箦前，仅完成《辛稼轩年谱》，享年 56 岁。作为及门弟子，谨略述我自身之感受：一为人格的伟大感召力。新会尊重学术、尊重学者。对前人负责，对后代负责。这种严正的情操，对当时受业诸青年、弟子感化力极大。皆心悦诚服，潜移默化，奉为楷模，循守弗渝。二为学识渊博，会通今古，贯串百家，既汪洋若千顷之陂，莫测涯涘，又扼要钩玄，深入浅出，使人人可游溯，处处可有得。如要籍解题、古书真伪皆是。三为融会汉学家治经、治小学与欧洲治社会学、治历史学之方法，严正精审，密不透风。其历史研究法为总论，补篇则分论也。总论中泛论史料之搜集、审定、编比、考订。分论则注重如何写作，始足称核古证今继往开来之信史谳书。四为在群山万壑中独辟蹊径。如对清代学术，以清学概论开其端，以近三百年学术史总其成。前此为此学者，无此渊博，后人为此学者，无此精邃。总之，天才横溢，兴会淋漓，情操严正，学识深湛。舌端笔底带感情，使亲闻謦欬者如坐春风，披阅文章者如沃醇醪。

由中年转入晚年的王海宁，从所著《观堂集林》看来，似乎他在史学、经学、小学各方面，已感发掘尽净，因转其锋芒，钻探金石、甲骨。钟鼎中之可采取者，一律搜罗，甲骨中之可以提炼者，一律穿贯。其尚有可为者，无非异书、佚书，如《山海经》、《水经注》、慧琳《一切经音义》、《竹书纪年》、《世本》之类，又从而一一探索之，以为研究上古史之辅助。海宁之治版本学，殆出于此。版本之学，出于傅增湘之启发；音韵之学，出于缪荃荪之示范；元史学之重视，由于柯绍忞之提倡；西北地理之追求，出于沈曾植之鼓励。于此足见良师益友在治学上的重要性，不可局限于一人一家。海宁精力弥满，才思焕发，目光敏捷，对新鲜事物反应力甚速而吸收力甚强，不仅善于与人为善，取人为善而已。以元史学为例：二十四史中，辽、金、元三史，最为芜杂。元脱脱主编的辽史、金史，既有重复更有纰漏，明刘基、宋濂，虽号大儒而元代史识不丰，撰写元史，草率殊甚，脱略太多。于是修改、整理这三史，成为史学界之迫切任务。世界范围之治元史学者，有拉斯特的《史集》，多桑的《蒙古史》，浩吾德的《蒙古史》，向达译的《鞑靼千年史》。中国史学家柯劭忞，写了一部庞然巨帙的《新元史》，老前辈屠寄，亦写了一部《蒙兀儿史记》，洪钧作过《元史译文补正》。蒙文的《蒙古源流》、《元朝秘史》，先后译成汉文，姚士鳌、札奇斯钦二人根据蒙古材料，写了些有关论文。静安先生对于此道，尚无系统的创作。但由《耶律文正年谱》、《西辽考》转入西北地理、四裔碑铭之学，发生浓厚之兴趣，用力甚勤。自讲学北大研究所、清华研究院以来，已舍弃甲骨、金文、经学、小学不治，而以其全力考证四裔金石文献。成《鞑靼考》、《萌古考》、《黑车子室韦考》、《蒙鞑备录、黑鞑事略及蒙古史料四种校注》，足以见其用力之所在。

唯此等专门之学，未尝以之训导学生，其在北大研究所之研究题目，为诗书中成语之研究、共和以前年代之研究、古文字中连绵字之研究。其在清华所讲演题目，研究题目，为宋代金石学、近三十年来新发现、中国历代之尺度。更以较长时间专题讲演古史新证、尚书、仪礼、说文部首等，足见海宁认为后生治学，当以小学、经学为主，而归本于史。在这些方面，海宁真不愧为泰山北斗，令人仰之弥高，钻之弥坚。

海宁晚年，欣逢时会，新史料层出不穷，又接近罗振玉、伯希和、内滕虎次郎、箭内亘，对于钟鼎甲骨、塞上坠简、敦煌卷轴、内阁档案、四裔碑铭，多观摩而考证之。成为绝学，则前人未闻未见，后生所不识不知，孤往独来，冥搜潜索。使其迟死十年二十年，其嘉惠士林者，当更不知如何丰富。其讲学北大研究所时，不过四十七八岁，讲学清华研究院时，才及半百，正精力弥满、学问成熟、著述彪炳之际。51 岁，恝然弃世，真学术上莫大之损失。如再活二十年，亦将逾七十，我这个学生，活到 80 岁，仍觉顽健，同学中康强于我者更大有人在。每思及此，不胜心痛。追维当时噩耗传出，海内外学者，同声哀痛，确为学术界一巨大损失。

静安先生在学术上之贡献，以个人之感受及主观判断，有如下之几端：一、集清代朴学之大成，入程延祚、孙诒让、吴大澂、俞樾之堂奥，俨然经学大师。二、凿通龟契，考证钟鼎，归本《说文》，无愧于小学泰斗。三、继踵何秋涛、魏源、迈越柯劭忞、沈曾植，悍然为元史及西北地理学前锋。四、前无古人，一空依傍，在宋元戏曲中开辟新大陆。五、注《水经》，说音韵，辑佚书，辑校古本《竹书纪年》，疏证今本《竹书纪年》，开后人治学之先河。六、大处着眼，小处着手，旁征博引，排比钩稽，往往从一二字、一二句说明典章、制度、文物，示治学方法之典范。新会之博不可及，海宁博而且专，每治一字，皆有独到，使后学者有望尘之叹。

作者在追随梁王二师若干年中，有几件事，铭刻于心，至今不忘者，撮录之，以昭明前辈，重交情，讲义气，关心师友、门生如何做人，所谓身教。

其一，奖掖后进。刘节入学不久，于《东方杂志》发表《洪范疏证》，新会召之，大加奖励。余永梁作了几篇关于契文考释，新会以其所藏《殷墟书契前篇、后篇、菁华》全套赐之，勖其继续努力。姚名达著《章实斋年谱》、《邵念鲁年谱》，为之介绍商务印书馆刊行。同学中有生活困难者，为之承揽松坡图书馆编写卡片索引，给予补助。介绍王庸、刘节、谢刚主入北京图书馆，管理海氏纪念室、历史舆图室。介绍方壮猷做丁文江秘书，介绍周传儒入暨南大学做副教授。无论在校、毕业，皆为之安插工作。

其二，尊师重道。1926年，康有为逝世，新会于法源寺设祭坛开吊，率门弟子致祭。自己披麻戴孝，有来会吊者，叩头还礼，有如孝子。然而复辟之役，则义正词严，加以讨伐，公私分明。

其三，爱友。1927年国民党北伐，北京草木皆兵，海宁震动自沉。新会养疴津门，闻之大恸。不顾亲友阻劝，驱车入京，到清华为之办理善后。

其四，厚待知识分子。1926年，曾琦到北京，自谓在沪征得太炎先生同意，纠合南章北梁，组织第三党。新会倦于政治，不同意。曾请遣弟子辈会商，我见曾琦于其西城寓所，畅谈天下大事。历一日，意见终不合，丁文江亦表示不同意，遂罢。梁以无名氏名义，赠3000元作活动费，而曾以铜狮子一枚（长半尺）回敬。

其五，尊重科学。协和医院在当年为北京首屈一指之医学机关。新会因便血、入院求治，而拔齿割肾，轻举妄动，置一代大师于死。当时,报章拟揭发之。新会力阻,自云:"毋以一人影响科学事业。"用心良苦!

其六,眷怀后辈。谢刚主好书法,毕业时,静安师亲书落花诗二首于扇面为赠。新会闻之,亦购一檀香木摺扇,并照录此二诗赠余。嘱曰:"以此兼纪念王师也。"我保存之至今。华东师大史学史组征求文献于沈阳,特拍照而去。

在悼念王梁二师相继殁世之余,曾作长词二首,以表哀思。一述学术,一述功业,文字工拙,非所计也。

(一)悼念王静安师,寄调宝鼎现

乾嘉盛事,今古文扬镳分治,惠、戴传经徐传礼,朱、段、孙、俞工解字,释解经推高邮父子。阎、毛独出心裁,高阁翻出公羊纸。百家争鸣可喜。

海宁奋起当季世、溯千年、凿通龟契。散盘、盂鼎陈新义,流沙坠简供驱使,考鞑靼西域西使记,玉振金声观止。更有词话传人间,点缀风光旖旎。

西山草木清华,灿舌莲天花乱坠。雪初霁满庭桃李,看诸儒同对。那堪风雨满高楼,怅昆明涟漪。过名园,触目凄凉,孤坟残,月如水。

(二)悼念梁任公师,寄调摸鱼儿

三江五岭钟灵气,惯会八方风雨,草堂万木开经筵,一时豪杰如许。扬南海,抑中山,高睨雄谈如龙虎。维新未遂,算滇南护法、马厂誓师,平生志半吐。

廉颇老,晚年息影清华,遍释群经诸史。春风桃李三千人,黔发朱颜玉树。凌云志,生花笔,甚似五星聚东鲁。鹅湖盛会,朱陆各扬镳。独步杏坛,呼王陈共语。

从1957年反右到1966年"文化大革命",十年之中,我被抄家十次以上。存书存稿，多致毁灭。本文主要根据记忆写成，无参考书籍，亦难于校订。脱略错误之处，在所难免。人名、地名、书名、年月庸有违失，望读者随时指正。

（原载《社会科学战线》1981 年第 1 期）

陈寅恪文化心态与学术品位的考察

傅 璇 琮

陈寅恪是一位史学家,但是他的成就的意义和影响并不限于历史学界。如果我们要探讨中国近现代的文化思想史,要研究自清末特别自五四以后,一部分上层知识界人士怎样企求将传统的治学格局与西方近代文明相结合,以开拓一条新的学术途径,希望建立一种新的思维模式,那么,陈寅恪无疑是一个不可忽视的代表人物。

陈寅恪为后人留下了好几部专著和数十篇文章,就他所涉及的专题领域,逐一进行具体的探讨,这是一条路子,也是一种必要的探求的途径。但作为一代大师,陈寅恪的意义绝不限于在专题领域所取得的具体成果,他的著作,作为一个整体,在近现代学术史上,有着超出于具体成果的更值得人们思考的启示。陈寅恪树立了一个高峻的标格,使人们感到一种严肃的学术追求,一种理性的文化心态。如果我们在这些方面进行一些求索,则对陈寅恪研究的深入或许会有所助益。

一

对陈寅恪的研究,先要消除一些误解。误解之一是仅仅把他看做考据家、资料家。1958 年,在中国的思想文化界,有所谓"拔白旗"的口号,展开了对所谓资产阶级学者的批判,也就在这个时候,提出了在资料的掌握上要"超过陈寅恪"。① 言下之意是陈寅恪的思想已不值得一提,他不过在资料的掌握上还胜人一筹。在台湾的学术界,也有类似的看法,譬如前几年出版的一部颇有影响的著作《新史学九十年》,就把陈寅恪归入"史料学派",并且说,"从著述的实质看",陈寅恪比傅斯年"更能代表史料学派",说"他对新史学的贡献,首推史料扩充"。②

作为严肃的学者,陈寅恪当然是强调原始资料的重要性,强调对资料和史事进行严密的考证的,但把陈寅恪的学问仅仅归结为考据,那只是看到它的极为次要的部分。陈寅恪曾谈到宋代史学的成就,说"中国史学莫盛于宋"。③ 又以之与清代相比较,认为"有清一代经学号称极盛,而史学则远不逮宋人"。④ 有些论著对陈寅恪的这一说法表示不解,并"举证以辟之"。⑤ 应该说,陈寅恪对清代史家的实际成就是十分推许的。大家知道,他对同时代的史学家陈垣极为钦佩,并引为同调。抗战时期他

---

① 郭沫若:《文史论集》,人民出版社 1961 年版,第 15 页。
② 许冠三:《新史学九十年》第 4 卷,香港中文大学出版社 1986 年版,第 235 页。
③ 《陈垣明季滇黔佛教考序》,《金明馆丛稿二编》,第 240 页。
④ 《陈垣西域人华化考序》,《金明馆丛稿二编》,第 238 页。
⑤ 杜维运《清代史学与史家》一:《清代史学之地位》。台湾东大图书有限公司 1984 年版。

为陈垣的《明季滇黔佛教考》作序,这时陈垣孤居于日军侵占下的北平,陈寅恪流徙于西南边徼的昆明。他在序中满含故国山河兴亡之情,以民族气节与学术品格相砥砺,说:"先生讲学著书于东北风尘之际,寅恪入城乞食于西南天地之间,南北相望,幸俱未树新义,以负如来"。① 可以注意的是,对这位他所极其钦佩并引为知己的学者,他特地将清代的大学问家钱大昕来作并比,说:"盖先生之精思博识,吾国学者,自钱晓征以来,未之有也"。② 由此可见他并没有贬低清代的史家。他之所以认为清代史学远不逮宋人,用他自己的话来说,则为"清代之经学与史学,俱为考据之学",③而他所推崇于宋人的,则在于"宋贤著述之规模"。这里所谓的规模,在陈寅恪看来,就是像他累次称述的如《资治通鉴》、《建炎以来系年要录》那样会通史识与资料,自成体系,而能在当代和后世产生强烈影响的巨著。当然,对于宋清两代史学的比较评价,清代史学是否即等于考据学,有不同的意见尽可展开讨论。本文只想说明,在陈寅恪看来,单是考据之学是不足以成大家的。在自许"平生治学,不甘逐队随人,而为牛后"④的他说来,绝不以考据资料自限,自可想见。陈寅恪所强调的,也是他的难于超越之处,是他的通识,或用他的话来说,是学术上的一种"理性"。⑤ 关于这点,后面还要讲到。简而言之,他所说的通识或理性,就是经过他的多方引证和细密考析,各个看来零散的部分综合到一个新的整体中,达到一

---

① 《金明馆丛稿二编》,第 241 页。
② 同上书,第 239 页。
③ 同上书,第 238 页。
④ 《朱延丰突厥通考序》,《寒柳堂集》,第 144 页。
⑤ 《王静安先生遗书序》,《金明馆丛稿二编》,第 218 页。

种完全崭新的整体的认识，使人有可能从他的带有某种预见或推导出发，拓展出新的学术境域，牵引出一种新的见解，犹如拨开史料的丛林，穿越歧说的迂回，给人一种豁然开朗的快感。

还有一个似乎不但涉及他的文化观念还涉及他的政治思想的问题，也容易给人误解。1932—1933 年间，他作《冯友兰中国哲学史下册审查报告》，其中说："寅恪平生为不古不今之学，思想囿于咸丰同治之世，议论近乎曾湘乡张南皮之间"。① 这几句话，"不古不今之学"是指他的中古史研究，比较清楚，但后两句却不好理解。《陈寅恪先生编年事辑》记 1961 年其老友吴宓自重庆来广州看望他，吴宓曾在日记中记道："寅恪兄之思想及主张毫未改变，即仍遵守昔年'中学为体，西学为用'之说。"吴宓是他早年留学美国时结交的好友，后又为清华国学院的同事，这次旧友重逢，陈寅恪是十分珍惜的，他在赠诗中有"暮年一晤非容易，应作生离死别看"的沉重的感叹。② 因此，吴宓日记中的记载应该说是真实表达陈寅恪当时的见解的。这就是说，他的所谓"思想囿于咸丰同治之世，议论近乎曾湘乡张南皮之间"，具体说来，就是张之洞所概括的"中学为体，西学为用"。

曾国藩、张之洞是近代中国的政治人物，"中学为体，西学为用"主要也是一种政治纲领。那么，陈寅恪是不是也以此来表达他的政治思想呢？有些研究者是肯定这一点的，如认为张之洞的"中体西用"说，"甚至过了几十年，包括像陈寅恪那样有高度西方文化修养的资产阶级学者也仍然自称其政治思想是在

① 《金明馆丛稿二编》，第 252 页。
② 《赠吴雨僧》，《诗存》，第 46 页。

'湘乡南皮之间',这就说明,绝不可以低估这种理论的严重影响了"。①

如果说,经过了清末民初政体的变化,又经过1919年五四运动对西方民主、科学精神的输入与阐释,到了20世纪30年代,像陈寅恪这样的学者还恪守封建传统文化与政治体系,并说自己的头脑还停留在19世纪后期洋务派中体西用时代,这简直是不可思议的。

这里我们不得不稍稍加以论析。

作为学者,陈寅恪在论著中是从来不谈现实政治的,也从不表露自己的政治见解。除了上述一处引文以外,他再也没有提到过曾国藩。不过从家世渊源来看,他的祖父两代确与曾国藩、张之洞有过政治上的关联。陈寅恪的祖父陈宝箴,早年入曾氏的两江总督幕,曾调解曾国藩与江西巡抚沈葆桢之间的冲突,得到曾国藩的器识,被誉为"海内奇士"。② 陈宝箴与张之洞的关系更深。光绪八年(1882)他擢浙江按察使任,为人诬告罢官,至光绪十二年(1886),因当时任两广总督张之洞的奏调,才又重新出仕,到广州任辑捕局。戊戌(1898)维新时,陈宝箴任湖南巡抚,在此之前几年他即在湖南设工厂,通汽船,办学堂,积极推行新政。但是他看不惯康有为托古改制的一套,曾上疏请毁其所著《孔子改制考》一书,而主张由老成持重、有经验威望的张之洞来"总大政,备顾问"。③ 陈寅恪于1965年夏至1966年春所作的《寒柳堂记梦》,也记及陈宝箴与荣禄、张之洞的关系:

---

① 李泽厚:《中国近代思想史论》,1978年所写《后记》。
② 黄濬:《花随人圣盦摭忆全编》,陈三立:《散原精舍文集》卷5《巡抚先府君行状》。
③ 《巡抚先府君行状》。

"先祖之意欲通过荣禄,劝引那拉氏亦赞成改革,故推夙行西制而为那拉后所喜之张南皮入军机。首荐杨叔峤(锐),即为此计划之先导也。"①杨锐即张之洞的学生。陈寅恪的父亲陈三立,虽官吏部主事,但一直陪侍陈宝箴,特别是维新时期,更在湖南佐其父推行新政,因此也与张之洞相熟。光绪三十年甲辰(1904),那时陈宝箴已死,三立闲居南京,曾陪张之洞游燕子矶。时隔十余年,即1917年,他率儿孙辈重游燕子矶,所作的诗中,还特别注明:"甲辰夏从张文襄游此,回首十四年矣。"②可见对张之洞的感情。《寒柳堂记梦》中《清季士大夫清流浊流之分野及其兴替》,还特别写道:"自同治至光绪末年,京官以恭亲王奕䜣李鸿藻陈宝琛张佩纶等,外官以沈葆桢张之洞等为清流。"陈宝琛为陈三立的座主,沈葆桢、张之洞与陈宝箴有故,则陈家当时的政治分野也于此可见。

可以说,陈寅恪所谓"议论近乎曾湘乡张南皮之间",从家世渊源来说,是与其祖父两代对曾张的交谊有关的;陈寅恪出身于名门世家,长期受传统教育,他不可能摆脱家庭的影响。而另一方面,这也牵涉对近代中国如何走向富强之路(也就是如何维新)的不同的主张。陈寅恪曾经述及,晚清之言变法者,"盖有不同之二源,未可混一论之"。③ 所谓"二源",照这篇文中所说,一是郭嵩焘,"颂美西法";一是康有为,从中国传统的学问着手,"治今文公羊之学,附会孔子改制以言变法,其与历验世务欲借镜西国以变神州旧法者,本自不同"。而陈宝箴是倾向

---

① 《寒柳堂记梦》第六:《戊戌政变与先祖先君之关系》,《寒柳堂集》,第181—182页。

② 《陈寅恪先生编年事辑》,第41页。

③ 《读吴其昌撰梁启超传后》,载《寒柳堂集》。

于郭的,文中说宝箴在治军治民的实践中,"益知中国旧法之不可不变",后结识郭嵩焘,"极相倾服,许为孤忠闳识"。按郭嵩焘曾任清政府的驻英法公使,由于他对资本主义社会有直接的接触,因此他对当时世界的认识,对中国如何向西方学习走富强之路,其见识远超出同辈。他曾说:"计数地球四大洲,讲求实在学问,无有能及泰西各国者",①"其强兵富国之术,尚学兴艺之方,与其所以通民情而立国本者,实多可以取法"。② 正因为郭嵩焘那时的"颂美西法",乃遭到一般顽固保守派的攻讦,梁启超在《五十年中国进化概论》中谈到郭的《使西纪程》"一传到北京,把满朝士大夫的公愤都激动起来了"。这确如陈寅恪上文所说,"当时士大夫目为汉奸国贼,群欲得杀之而甘心者也"。之所以目为汉奸国贼,无非郭氏说出了一些守旧者不敢听、也听不懂的话,那就是西洋也有二千年的文明,中国"实多可以取法",而处于国弱民贫、列强觊觎的环境,"此岂中国高谈阔论、虚骄以自张大时哉"(《使西纪程》),如此而已。不过他的言论思想却受到陈宝箴的赞许,陈三立所作其父行状中说:"与郭公嵩焘尤契厚,郭公方言洋务,负海内重谤,独府君推为孤忠闳识,殆无其比"。当时陈三立也曾从郭"论文论学"。陈寅恪由此得出结论说:"据是可知余家之主变法者,其思想源流之所在矣。"

陈寅恪并没有详细论述这两派变法主张的分歧,不过参照有关的文献,仍可测知其旨意所在。康有为确不具备郭嵩焘那样广博的西方知识,他对西方事物和文化的了解是浅薄的,不过

---

① 郭嵩焘:《伦敦与巴黎日记》,湖南人民出版社。
② 《清季外交史料》卷4,光绪元年十一月,《请将黔抚岑毓英交部议处疏》。

他从今文经学的"穷则变,变则通,通则久"的朴素变革原理出发,迫于民族危亡的形势,大胆提出政体改革的方案,要求急切掀起一场自上而下的改革运动。而郭嵩焘则如当时许多洋务派人士,特别是其中的知识分子那样,把重点放在输入西方的学理,以开启民智,同时联合一些封疆大吏和地方士绅,举办实业,以富促强,因此力主稳健,不求急变。在改革的方案与价值的取向上,两者确实存在明显的差别。也正因为此,如郭嵩焘那样才投向曾国藩,而陈宝箴等也就依傍张之洞。在这方面,陈寅恪受家庭的影响也是很深的。譬如我们还可指出,张之洞在提出"中学为体,西学为用"的同时,在《劝学篇》中还对当时维新派人士鼓吹的民权说大加挞伐,公然说:"方今中华,诚非雄强,然百姓尚能自安其业者,由朝廷之法维系之也。使民权之说一倡,愚民必喜,乱民必作,纪纲不行,大乱四起。"①这里把张之洞中体西用的政治含义表露得很清楚,这就是,尽可以兴办轮船铁路等实业,却必须反对西洋输入的民权平等,而维系中国固有的纲纪。过了半个世纪,当1945年陈寅恪著文谈到戊戌维新时,却又对民主学说在中国的实施表示了极大的悲观:"自戊戌政变后十余年,而中国始开国会,其纷乱妄谬,为天下指笑,新会所尝目睹。……自新会殁,又十余年,中日战起。九县三精,飙回雾塞,而所谓民主政治之论,复甚嚣尘上。余少喜临川新法之新,而老同涑水迂叟之迂。盖验以人心之厚薄,民生之荣悴,则如五十年来,如车轮之逆转,似有合于所谓退化论之说者"。② 应当说,陈寅恪立论的基础与张之洞是不同的。张之洞是说中国根

---

① 张之洞:《劝学篇内篇·正权第六》。
② 《读吴其昌撰梁启超传书后》,《寒柳堂集》,第149—150页。

本不能实行民权政治,否则必定大乱;陈寅恪则是说戊戌以后,政体虽然起了变化,但民主之说仅作为当权者玩弄的工具,而他又看不到今后民主政治的真正前途。我们从这里可以感到这位真诚的学者对民族命运的关切和忧虑,但也不得不惋惜他过多地承受传统的影响,因而限制自己的眼界,缺乏对当时强大的民主运动作足够的估计。

上面我们从家世渊源方面论析了陈寅恪的"思想囿于咸丰同治之世,议论近乎曾湘乡张南皮之间"的含义。但是从根本上说来,他的"中学为体,西学为用"是与张之洞不同的。张之洞的中体西用说有着强烈的政治内涵,而陈寅恪则是借用,是用来说明他对中外文化相互交流和影响的看法。正是这方面,陈寅恪的思想表现出极大的丰富性,也是构成他可以称之为文化史批评的学术体系的重要组成部分,在近代学术文化史上作出独特的贡献。

"思想囿于咸丰同治之世"这两句话是在《冯友兰中国哲学史下册审查报告》的末了说的,此文的前半篇,陈寅恪主要来说明不同文化互相吸收所产生的积极成果。譬如他说,同样研究朱熹,阎若璩在清初以辨伪观念,陈澧在晚清以考据观念,来治朱子之学,都有所创获;但真正对朱学的研究能"成系统而多新解"的,则为冯氏此书,而其主要原因乃在"取西洋观念,以阐明紫阳之学"。也就是说摆脱传统治学的模式,吸收西方近代科学的成果,以中西两种不同思想参照,才能将古典哲学的研究系统化起来。文章的后半篇又着重谈到佛教输入中国,也同样经历与本土思想相适应的过程。"释迦之教义,无父无君,与吾国传统之学说,存在之制度,无一不相冲突。输入之后,若久不变易,则决难保持。是以佛教学说,能于吾国思想史上,发生重大久远之影响者,皆经国人吸收改造之过程。其忠实输入不改本来面貌者,若玄奘唯识之学,虽震动一时之人心,而卒归于消沉歇绝。"外来的佛教是如此,本土的儒道两家,在长时期的发展中,都有互相吸收的情况。

对于文中这些学术文化方面的论述,白寿彝先生《中国史学史》有很好的分析和概括,说:"这几段话,论述了先秦儒学逐渐演变而成新儒学及儒学与法典相结合而成为支配公私生活的力量;论述了佛教和道教在学说思想方面的影响比儒学要大,而道教以善于吸收因而包罗很广,佛教以外来宗教在得到改造之后才能在中国站住脚跟。陈寅恪先生这些论述的特点,在于纵观中国两千年的历史,阐述了民族文化传统力量的分配和演变、中外文化接触后互相影响的状况。"①

陈寅恪根据上述学术思想史发展演绎的规律,归纳出下面带有通则性的语句:

> 窃疑中国自今日以后,即使能忠实输入北美或东欧之思想,其结局当亦等于玄奘唯识之学,在吾国思想史上,既不能居最高之地位,且亦终归于歇绝者。其真能于思想上自成系统,有所创获者,必须一方面吸收输入外来之学术,一方面不忘本来民族之地位也。

这段话,我们现在看来,似乎也没有什么特异之处,那是因为我们有了近几十年来思想文化界几次重大变化的体验,而陈寅恪则是在 20 世纪 30 年代初说的,人们不得不佩服作者以高度概括的语句所表现出来的卓识。陈寅恪首先肯定,处在当今的世界,要真正能在思想上有所创获,必须吸收输入外来学说,

---

① 白寿彝:《中国史学史》第 1 册,第 133—134 页。

那种故步自封、夜郎自大、不知天地之广、龟缩于封闭体系而自欺欺人是不足语于学术开创的。但外来的学说必须为我所用，以我为主，"不忘本来民族之地位"。吴宓日记中在"即仍遵守昔年'中学为体，西学为用'之说"下加括号注"中国文化本位论"七个字。我们不清楚这七个字是陈寅恪的原话，还是吴宓自己的理解。"中国文化本位论"的概念也还不太明确，它的含义需要科学的界定。不过从《冯友兰中国哲学史下册审查报告》一文的主旨来看，以"中国文化本位论"来说明陈寅恪的中体西用说，大体上还是可以使人理解的。这就是说，陈寅恪只不过借用张之洞的术语，来表达他个人对如何接受外来文化的主张。他的这种以我为主、为我所用的文化主张，正是他所倡导的学术理性的表现，对今天也还有极大的认识意义。

二

在近现代中国有影响的史学家中，恐怕没有人像他那样集中注意于文化问题的。我个人认为，对文化作用的重视，对文化发展过程的深入阐发，已构成他的学术体系的核心。笔者另有一篇论文谈到这个问题，即发表在《中国文化》创刊号（1989年12月上的《一种文化史的批评——兼谈陈寅恪的古典文学研究》）。文章认为，作为一代学术大师，陈寅恪有他的学术体系，这个体系，不妨称之为对历史演进所作的文化史的批评。对于陈寅恪来说，文化史批评不是一种偶然性与局部性，而是一种根本观点，那就是对历史、对社会采取文化的审视。他的研究使某一具体历史事件得到整体的呈现，使人们更易于接近它的本质。他是既把以往人类的创造作为自然的历史进程，加以科学的认知,而又要求对这种进程应该具备超越于狭隘功利是非的博大的胸怀,而加以了解,以最终达到人类对其自身创造的文明能有一种充满理性光辉的同情。笔者认为,这就是贯串在他大部分著作中的可以称之为文化史批评的学术体系。

陈寅恪在对历史、社会所作的文化审视中,确实很强调以中国本土文化为立足点,来研究或吸收外来文化。这当是他所一再揭橥的理性精神的表现。譬如他在 20 世纪 30 年代前期所作的一篇文章中,运用他所特有的多种语言学知识的素养,谈到比较语言学的研究,认为各民族的语言各有其语法、语音上的特点,应当从语言本身的历史发展来掌握各自的特性,并从这些特性的彼此异同来做科学的比较,而不能以某一种语言作为固定的标准,以此来衡定本民族语言之是否合于规则。他郑重地说:"从事比较语言之学,必具一历史观念,而具有历史观念者,必不能认贼作父,自乱其宗统也。"(《与刘叔雅论国文试题书》,下同)①正因如此,他对用英语语法理论来套用汉语的《马氏文通》作了尖锐的批评:

> 夫印欧系语文之规律,未尝不同有可供中国之文法作参考及采用者。如梵语文典中,语根之说是也。今于印欧系语言中,将其规则之属于世界语言公律者,除去不论,其他属于某种语言之特性者,若亦同视为天经地义,金科玉律,按条逐句,一一施诸不同系之汉文,有不合者,即指为不通。呜呼! 文通,文通,何其不通如是耶?

陈寅恪由此更推广论及文学的比较研究,认为这种比较研究也应当注意历史演变以及不同系统文学观念的异同,"否则古今

---

① 《金明馆丛稿二编》,第 223 页。

中外,人天龙鬼,无一不可取以相与比较。荷马可比屈原,孔子可比歌德,穿凿附会,怪诞百出,莫可近诘,更无所谓研究之可言矣。"这些话说于五十多年以前,我们现在读来也还是那么新鲜。陈寅恪确是那样一种学者,对于他们的认识,不是一次或一代人所能完成的。陈寅恪著作中有着超越于具体史事证述的深刻思考,我们每次接触它们,都会发现一些过去没有觉察到的有意义的内容,同时,上面的这些话,更是充满对于民族文化的信念,他强调应该首先对本土文化有足够的研究,才能站在平等的地位对外来文化的价值有真正科学的识别和取舍。他在1927年所作《王观堂先生挽词》中称道张之洞"中西体用资循诱",其实在的含义应即如此。他所借用的中体西用的命题,应该在新的历史条件下,作出符合于陈寅恪学术体系实际的确切的解释。

上述这种民族文化本位的观念,运用到专题研究,确能在旧材料的基础上产生新见解。大家知道,陈寅恪刚到清华国学研究院,研究的重点是佛经与佛教翻译文学,他运用在国外获得的比较语言学这一现代科学知识,潜心于原始资料的寻讨,好比在从未经人开发过的沃土上耕作,随处都能作出令人歆羡的成果。刊载于《清华学报》7卷1期的《莲花色尼出家因缘跋》(1932年1月)就是这方面出色的代表。他查阅当时北平图书馆藏敦煌写本诸经杂喻因由记第一篇,有记莲花色尼出家因缘的。佛教故事中写及莲花色尼的颇多,这一写本所述即其中之一。但他发现原来所记七种咒誓恶报,写本只记载六种,最初怀疑七字是六字之误,或写本原有脱文,遗去一种恶报。他从这一极易为人忽略的细节入手,进行考证,得出了一个极富理论价值的科学结论。原来鸠摩罗什译众经撰杂譬喻经卷下第37节,所载故事情节与此写本适相符合,该处载一人娶两妇,大妇无儿,小妇生一男,大妇心内嫉之,以针把此小儿刺死。小妇乃求僧人相助,立誓报仇,使大妇经受种种烦恼痛苦。所设咒誓恶报,都记有七种。据此,文中认为:"传写之讹误,或无心之脱漏,二种假定俱已不能成立。仅余一可能之设想,即编集或录写此诸经杂喻因由记者,有所恶忌,故意删削一种恶报。"从这一合理的设想出发,他从印度原文资料中找到所缺的一种恶报。他翻检出巴利文涕利伽陀第 64 莲花色尼篇第 224 偈及第 225 偈,述母女共嫁一夫,其夫即其所生之子。又查出其他经文所载此尼出家因缘,与敦煌写本大抵相同,但其中有一事为敦煌写本所无者,即莲花色尼屡嫁,而所生之子女皆离去不复相识,后又与其所生之女共嫁于其所生之子,既经发觉,乃羞恶而出家。

这一故事当然出于佛教宣扬的善恶相报、因缘相循的宗教观念。在原始印度佛教那里,由于社会伦理观念的各异,记述并阐扬这种因果报应并不悖于教化,但这一情节却与汉民族传统的伦理观念相距太远。文中说:"佛法之入中国,其教义中实有与此土社会组织及传统观念相冲突者",这就有逐渐适应的过程。有些适应的过程可以载之于书,如"沙门不应拜俗"、"沙门不敬王者"等,屡见于记载,不必忌讳,"独至男女性交诸要义,则此土自来佛教著述,大抵噤默不置一语"。因为这与汉民族的伦理观念直接相冲突,佛教传译过程中碰到此类记载,只有删削不书。文中说:"莲花色尼出家因缘中聚尘恶报不载于敦煌写本者,即由于此。"

结论下得似乎平淡无奇,通篇也似乎是一篇考证文字,但今天的读者不难看出它的文化史研究的意义。两种不同文化的接触,并不是两水分流,必然有一种拒斥与吸收的过程。这篇文章通过一个实例,指明这种斥与收的过程是怎样交织在一起的,而决定的关键则是本民族的文化心理与传统的道德观念。这种将考证演绎与理论阐发糅合在一起,以一个小的实例阐发文化史发展的大道理,在陈寅恪用起来确是十分得心应手,这除了他具备多种语言修养外,重要的就是他在那时已经逐步形成的文化史批评的学术体系。

文化本位论,或者文化史批评,是陈寅恪历史观的轴心。他讲"从史实中求史识",讲"理性"、"通识",都离不开这一点。大而至于民族国家的兴衰变革,小而至于个人命运的浮沉升降,他都认为应从文化这一基因加以解释。他曾谈过自己的治学趋向,说"寅恪不敢观三代两汉之书,而喜谈中古以降民族文化之史"。① 在《隋唐制度渊源略论稿》和《唐代政治史述论稿》中,都反复强调种族与文化问题是研究中古史最重要的关键。而种族与文化相比较,文化则带有更为本质的属性。这种观念,或这种文化心态,在他论述王国维死因的诗文中,就有深刻的表述。对这个问题稍作一些考析,对于我们探讨陈寅恪思想的不同的侧面,或会有些帮助。

王国维自沉于北京颐和园昆明湖,是 1927 年 5 月。那年王国维 51 岁,陈寅恪 38 岁。两人均为清华国学研究院导师,最初居地比邻,时相过从。陈寅恪的挽词中说"风义生平师友间",可见两人的交谊。王国维的死因有种种说法,时隔六十余年,至今似乎还有探讨的兴趣。笔者以为,诸说中唯有陈寅恪的说法最有理论价值,因为他摒弃各种琐细的枝节,直接从王国维所承受的思想负担着眼,而思想负担中又抓住其不堪忍然的文化精神的痛苦,这就超脱于王国维这一具体的研究对象,具有一定的

① 《陈垣西域人华化考序》,《金明馆丛稿二编》,第 239 页。

普遍意义。

陈寅恪对王国维死因的分析，集中于两处，一是 1927 年王死后不久所作的《王观堂先生挽词序》，一是 1934 年所作的《王静安先生遗书序》，而以挽词序所论为最详，今节要如下：

> 凡一种文化值衰落之时，为此文化所化之人，必感苦痛，其表现此文化之程量愈宏，则其所受之苦痛亦愈甚；迨既达极深之度，殆非出于自杀无以求一己之心安而义尽也。吾中国文化之定义，具见《白虎通》三纲六纪之说，其意义为抽象理想最高之境，犹希腊柏拉图所谓 Idea 者……夫纲纪本理想抽象之物，然不能不有所依托，以为具体表现之用；其所依托以表现者，实为有形之社会制度，而经济制度尤其重要者。故所依托者不变易，则依托者亦得因以保存。……近数十年来，自道光之季，迄乎今日，社会经济之制度，以外族之侵迫，致急剧之变迁；纲纪之说，无所凭依，不待外来学说之捃击，而已销沉沦丧于不知不觉间，虽有人焉，强聒而力持，亦终归于不可救疗之局。盖今日之赤县神州值数千年未有之巨劫奇变；劫尽变穷，则此文化精神所凝聚之人，安得不与之共命而同尽，此观堂先生所以不得不死，遂为天下后世所极哀而深惜者也。

1934 年所作的遗书序，说得简短些："寅恪以谓古今中外志士仁人，往往憔悴忧伤，继之以死。其所伤之事，所死之故，不止局于一时间一地域而已。盖别有超越时间地域之理性存焉。而此超越时间地域之理性，必非其同时间地域之众人所能共喻。然则先生之志事，多为此人所不解，因而有是非之论者，又何足怪耶？"话虽然不多，与挽词序仍是同一意思。这里所说的理性，也就是文化的意义，不过文中用"超越时间地域"几个词，容易引起误解，以为此种理性或文化可以脱离时间与地域的条件而抽象存在。从上下文义看，这几句的意思仍是指王氏之死并非某一具体的时地因素，而是一种文化因素，这也就是挽词序中所说的纲纪。

不难看出，无论挽词序还是遗书序，陈寅恪的笔端都是满含感情的。这在长篇歌行体的挽词中表现得更明显。如说："依稀廿载忆光宣，犹是开元全盛年。海宇承平娱旦暮，京华冠盖萃英贤。当日英贤谁北斗，南皮太保方迁叟。""开元全盛"是用杜甫"忆昔开元全盛日"的典故。杜甫以安史之乱后的残破局面来缅怀开元承平之治，可以使人理解，但陈诗以开元盛世来比光（绪）宣（统）衰朝，却令人费解了。何况还说那时海宇承平，英贤荟萃，而总挈学术思想界全局的则是可比之为司马光的张之洞，这些都留有令人寻思的余地。诗末又说："回思寒夜话明昌，相对南冠泣数行。犹有宣南温梦寐，不堪灞上共兴亡。""回思"句，据其弟子蒋天枢先生注，是指"陈先生曾在清华工字厅与王先生话清朝旧事"。明昌是用元好问诗典，乃金世宗年号，那时正值金之盛世。1926年陈寅恪刚入清华，与王国维同寓工字厅，所居比邻，学问切磋之余相与话清朝遗事，理所当有，但何至以清季与金之盛时相比，并且还至于南冠而泣，这也使人质疑。

笔者以为，要了解陈寅恪的这些话，还应从他的家庭影响来作若干探索。

陈宝箴虽主维新图强，但前面说过，他与康、梁的开议院、变政体，掀起一场政治运动的主张不同，作为地方大吏与富商士绅的政治代表，他更带有对清政府的依赖性。但终于也因顽固守旧派的全面复辟，与其子三立均受到革职永不叙用的处分。父子两人，带着寅恪等儿孙辈，返归于江西故居，表面上超脱不问世事,实际上郁结幽忧之情不能排遣,"往往深夜孤灯,父子相语,仰屋欷歔而已"。① 陈宝箴卒于光绪二十六年(1900)庚子六月,那时正值义和团起义及八国联军进攻北京,他死前数日,尚给旅居于南京的儿子写信,"勤勤以兵乱未已,深宫起居为极念"。② 可见陈宝箴直到死,仍然以清王朝的孤臣孽子自居。

　　陈三立经历了辛亥武昌起事及清帝逊位、民国建立的大变化,但现在我们翻阅他的诗文集,真会大吃一惊,他的思想感情竟与亡清遗老完全相同。他在为清室旧臣所作的墓志碑传与序跋中,在眷眷不忘前朝的同时大骂辛亥革命为乱臣贼子,说"辛亥之乱兴,绝羲纽,沸禹甸,天维人纪,寝以坏灭";③说"邪说诡行,摧坏人纪,至有为剖判以来所未睹,奋臂群呼,国亦旋复,而祸难汹汹,犹不知所届"。④ 他把清政府的被推翻,称做"国亦旋复",可见其感情所系。更甚者,张勋复辟,在稍懂事理的人看来,其是非美丑本可一目了然,而陈三立却为张勋作墓志,其着眼点亦在于张勋之所谓"眷顾君国,忠悃贯终始"。⑤ 不过《散原精舍文集》倒是无意中提供了不少资料,反映出清室旧臣的遗老心态。如"蒿庵先生官安徽巡抚,引归之,越二年武昌难作,率土骚然,寻改国步。于是先生避乱沪渎,儵椽栖息,鬒鬓皓然。蹐天栖地之孤抱,无可与语,辄间记诗歌以抒其伊郁烦毒无聊之思,宛然屈子泽畔、管生辽东之比也"。⑥ 当时确有一批人

---

① 《散原精舍文集》卷5《巡抚先府君行状》。
② 同上。
③ 《散原精舍文集》卷10《俞觚庵诗集序》。按此文作于1913年。
④ 《散原精舍文集》卷7《刘镐仲文集序》。此文亦作于1913年。
⑤ 《散原精舍文集》卷13《张忠武公墓志铭》。
⑥ 《散原精舍文集》卷7《蒿庵类稿序》。

在清政府中做过官,辛亥革命后无所依托,只得跑到上海,约集一些故老,吟咏酬唱,所谓"迨国骤变,大乱环起,四方人士暨生平相识视旧,类辟地羁集沪上",而散原老人亦与此辈先后俱至,"居久之,无以遣烦忧,始纠侪辈十许人,时时联为诗社"。①这些"海滨流人遗老,踽踽番市楼壁之下,足迹不窥境外",而却"举冤苦烦毒愤痛,毕宣于诗"。② 上海当时是列强侵略中国的第一块立足点,也是所谓冒险家的乐园,而这些逊清遗老们却把它视为托身之地,近代中国的复杂也于此可见。

陈三立的政治态度后来有了变化,他在 1932 年所作的《顾印伯诗集序》、《吴湘筼文集序》等文,对辛亥起义已均持中立立场,称武昌起事为"革命军起"。③ 不过从整个说来,他的思想情感是与这些海滨流人、清室遗老相通的。我们应当足够估计他所给予陈寅恪的影响。散原老人把这些遗老们的言行比之为"屈子泽畔,管生辽东",与陈寅恪诗中所述的"回思寒夜话明昌,相对南冠泣数行",情绪上是十分接近的。这里面很可能也倾注了陈寅恪的家世兴衰之慨。对于这位受传统影响很深的学者来说,这是可以理解的。

但陈寅恪的经历毕竟已与其祖父两代不同,他在 13 岁即随兄东渡日本,整个青少年时期主要是在资本主义国家度过的。他所达到的中西文化修养,已使他对王国维及其死,最终能摆脱感情上的纽结,而以清醒的理性态度,对其学术成就和文化心态作整体的剖析。这是他超越于乃父及风义兼师友间的观堂先生

---

① 《散原精舍文集》卷 10《书善化瞿文慎公手写诗卷后》。
② 《散原精舍文集》卷 10《俞觚庵文集序》。
③ 参见《散原精舍文集》卷 17。

之处。

陈寅恪对于王国维的学术成就与治学方法,曾概括为三点:一、取地下之实物与纸上之遗文互相释证;二、取异族之故书与吾国之旧籍互相补正;三、取外来之观念与固有之材料互相参证。陈寅恪概括出的这三点,都表明,王国维之治上古史、民族史、小说戏曲史,都已突破旧的封建思想体系。要达到王国维的学术成就,不但光靠乾嘉考证之学办不到,就是清末民初其他一些学术流派也难以承担。事实表明,王国维在早期曾广泛接触过西方的哲学理论和文艺作品,并经过西方近代自然科学方法论的训练。就是说,正因为他接受了当时西方资产阶级意识形态相当的影响,并以其学术思想来治中国的古代文史之学,作出令人注目的成绩,才引起当时中国学术界的巨大反响和深刻变化,这也就是陈寅恪在《王静安先生遗书序》中所说的"转移一时之风气,而示来者以轨则"。

陈寅恪的深刻之处在于,他揭示了在近代新旧交替的中国社会,一个虽然接受过西方资本主义文化和治学训练的知识分子,即使因此他在好几个学术领域作出堪称拓荒的成绩,但由于他所固有的封建主义体系没有变,随着客观的政治斗争与思想冲突的日益发展,他本人的思想矛盾也日益尖锐,最终不但他的学术业绩,就连他本人,也会被他所据以安身立命的文化精神所葬送。在挽词序中,陈寅恪引用《白虎通》的三纲六纪来解释王国维的文化精神,指的就是王国维的政治观和人生观,合起来也就是世界观。在这里,陈寅恪明确的说,王国维是死于他的封建主义文化体系,也就是死于他不能自拔的封建主义世界观。他满含感情地为之惋惜,同时他又冷静地指出这一种必然,即"终归于不可救疗之局"。这样一种分析,即使过了半个多世纪,现在看来，也是十分深刻的。

三

我们在前面说过，陈寅恪的祖父两代曾是他们那一时代的改革者。他们热切关心国事，深为中华民族受到外国侵略者蹂躏而扼腕愤慨。第二次鸦片战争，英法联军侵占北京城，火烧圆明园，陈宝箴正因参加会试落第，滞留京师。"一日饮酒楼，遥见圆明园火，搥案大号，尽惊其座人。"①这种民族危亡感应该是他日后力图振兴实业、维新自强的思想触发剂。陈三立入仕之初，即随侍其父游宦各地，他目睹清朝吏治的腐败，往往"醉后感时事，讥议得失，辄自负，诋诸公贵人，自以才识当出诸公贵人上"。② 父子二人热心参与政治，但受到政治的牵累，在百日维新失败后受到革职的处分。散原老人在后半生以诗文自娱，有盛名于东南，但仍为中国受到日本军国主义的欺凌而忧心如焚。1932 年 1 月日军攻打上海，十九路军奋起抵抗。这时他正居住在庐山牯岭，闻讯日夜不宁，订阅航空沪报，"报至则读，读竟则愀然若有深忧。一夕忽梦中狂呼杀日本人，全家惊醒"。③ 终于在他晚年移居旧都北平不久，卢沟桥炮声起，日本侵略军进城，老人不胜家国之悲，一气之下，绝食而死。

比较起来，陈寅恪倒是走着一条平静的学者道路，长期不太过问政治。即使处在国内战争和抗日战争的激荡年代，他似乎

---

① 《散原精舍文集》卷 5《巡抚先府君行状》。
② 《散原精舍文集》卷 1《故妻罗孺人状》。
③ 《陈寅恪行生编年事辑》，第 78 页。

也力争过一种书斋式的生活,搞他的与现实保持相当距离的中古史研究。

但这只是这位学者的表面现象。在灾难深重的旧中国,恐怕没有一个有良心、有正义感的读书人是会真正漠视政治的。我们从陈寅恪留存的旧体诗中,可以真切的感觉到民族的前途,国家的命运,在这位学者心灵上所加的重压。不过对于像陈寅恪那样出身于书香门第,早年又长期留学欧美诸国,直接受到过资本主义文化熏陶,具有相当高深的中西文化修养的人来说,这种重压表现的,不是直接的呐喊怒吼,而是冷静地、从容地对本土文化的观察和体验,对外来文化追求一种理性的比较和分析。这种学术心态,贯串在他的几乎所有著作中。陈寅恪走着适合自己方式的道路。数十年来他孜孜不倦于著述和教书,即使在悼念抗战时期因贫病流离而过早逝世的史学家张荫麟的诗中,感叹"九儒列等真邻丐,五斗支粮更殒躯",或因眼疾久治不愈,而深恨于"天其废我是耶非",①他都没有想到过要放弃文字生涯。他对学问执著之情,正植根于他对祖国历史文化的赤子之忧。

陈寅恪的这种学术心态,似乎还与他早期的求学经历有关。这里试作一些剖析。

戊戌变法失败后的第二年,公元 1902 年,陈寅恪即随其兄师曾,东渡日本留学。而在此前的一年,陈师曾即已在上海入法国教会学校读书。1904 年夏,陈寅恪假期返国,同年冬,又与兄隆恪同考取官费留日,陈三立特地从南京赶至吴淞送别。1909 年,陈寅恪又经由上海赴德留学,陈三立又至沪上,赋诗送别,有

---

① 此处诗句分别见《诗存》第 15 页《挽张荫麟二首》,第 17 页《目疾久不愈书恨》。

"分剖九流极怪变，参法奚异上下乘。后生根器养蛰伏，时至倘作摩霄腾"之句。① 陈三立当时对西方的认识当然茫然得很，但从诗中可以看出他对儿子出洋留学，确寄以厚望。像陈三立那样，以清室的遗老自居，却力促其几个儿子出国，去接受与故老传统迥异的西学，可以提供我们去进一步认识处于新旧交替中而又急剧变化的近代中国，人的思想面貌的异常复杂性。这之中，可以看出近代某些知识分子的思想脉络。陈三立作于1913年的《庸庵尚书奏议序》，曾谈到甲午战后，朝野上下，变法之论骤起，但他批评论者"于人才风俗之本，先后缓急之程，一不关其虑"。② 他在早期所作的《罗正谊传》，③ 叙述这位湘潭人尝为郭嵩焘所聘课其子，后又应彭玉麟所聘到暹罗考察，但终不得大用，"乃引归，发愤太息，务张泰西之美，而痛中国之所由蔽，以为富强之术，宜专教育人才，师夷所长，去拘墟之见，除锢蔽之习"。陈三立对此是深表赞同的。

这使我们想起中国近代历史上另一位向西方学习的著名人物严复。严复那时的思想很明确，他认为西方之所以强，乃在于"一一皆本之学术"。④ 他在《拟上皇帝（光绪）书》中，说要改变中国积弱的局面，重要的是治本而不是治标，"标者，在夫理财、经武、择交、善邻之间；本者，存乎立政、养才、风俗、人心之际。"⑤正因如此，他在康梁等上下奔走、热心议政的时刻，却始终不参加

① 《散原精舍诗续集》卷上《抵上海别儿游学柏灵》，又参见《编年事辑》第28页。
② 《散原精舍文集》卷7。
③ 《散原精舍文集》卷2。此文作于戊戌前。
④ 《严复集》，第11页。
⑤ 《严复集》，第65页。

实际政治活动,而埋头于西方学术文化思想的介绍。他在《原强》中说:"善夫斯宾塞尔言曰:'民之可化,至于无穷,唯不可期之以骤。'"①他就是着眼于用西方的学理,并企求以长期坚韧的努力,来改变处于封建末世的社会习俗和文化传统。严复的思想当然要比陈三立深刻得多,但两人在这一点上有不少相似之处,由此可见出,近代社会中确有一部分人主张以渐进的方式,力求在学术文化上树立黜伪崇真的风气,②借以发明新义,开启民智,通过长期的努力,造成中国富强的文化上和思想上的坚实基础。这应该是一股客观存在的思想倾向。陈寅恪由于家庭环境的浸染,肯定会受到这方面的影响。

同时,我们不能忽略他早期留学欧美诸国时所受西方近代学术思潮的影响。陈寅恪 13 岁东渡日本学习,除了中间有短暂的假期返国外,一直到 16 岁。不久,20 岁时又赴德国,入柏林大学,后又入瑞士苏黎世大学。23 岁回国,而 24 岁时已在法国就读于巴黎大学。26 岁返国,30 岁到美国哈佛大学,32 岁离美赴德,在柏林大学研究院。这样,直到 36 岁时受聘于清华大学研究院返国。如果从 13 岁算起,到 36 岁,共 24 个年头,而他在日本、德国、瑞士、法国、美国等著名学府学习或研究,加起来有十七八年。这就是说,从少年起,经青年而步入中年,他的大部分时间是在资本主义文化为主体的社会度过的。其间他在德国逗留的时间最长,有 7 个年头。陈寅恪在论著中从未提到过他

---

①　《严复集》,第 25 页。

②　严复曾说,西学之"命脉",乃在"于学术则黜伪而崇真,于刑政则屈私以为公"。见《严复集》第 2 页。这当然是对西方资本主义文化的不免幼稚的想法,但对照于当时一切处于因袭守旧的晚清社会,他的这些话仍有刺激和针砭的作用。

从西方学者那里接受什么思想或观点,但据他的姻亲暨同窗俞大维回忆,陈寅恪在欧洲确曾受到德、法、俄等国学者的某些启发,并转述陈寅恪的话,说"他研究中西一般的关系,尤其于文化的交流、佛学的传播及中亚史地,他深受西洋学者的影响"。①19世纪末20世纪初,德国正是著名历史学派兰克学派形成并占据主流地位的地方。本世纪英国著名史学家古奇,在其享有世界声誉的《十九世纪历史学与历史学家》一书中,把兰克在德国史学界的地位与歌德在文学界中的地位相并比,盛赞他是"近代时期最伟大的历史家",正是兰克在历史学上作出的成就,"使德国在欧洲赢得了学术上的至高无上的地位,直到今天他仍是我们所有人的师表"。②这部著作出版于1913年。可见直到20世纪一二十年代,西方学术界仍对兰克予以崇高的评价。而那时的德国正是陈寅恪游学的地方。有些研究者曾提到过陈寅恪受兰克学派影响的问题。这方面没有直接证明的材料,不过从治学的路子看,笔者倒是倾向于两者有着一定的关联。

陈寅恪在欧洲,那时他所学的,主要并不是历史学,而是语言学。据同时代人回忆,他在欧美,除了学习欧洲一般语言以外,着重学习梵文、巴利文,以及蒙文、藏文、突厥文、西夏文、波斯文、土耳其文。他是从语言学而转向历史学的。这种独特的学术准备很值得人思考。而据古奇所述,兰克早年在来比锡大学,开始学习的是神学和古典语言学,他还学习希伯来文的《旧约全书》。后来他"从语言学转到了历史的研究"。古奇说:"对于

---

① 《历史语言研究所集刊》,俞大维:《怀念陈寅恪先生》。
② 〔英〕乔治·皮博迪·古奇:《十九世纪历史学与历史学家》,耿淡如译,商务印书馆1988年版,第215页。

这一漫长的学习时期,他从未感到遗憾,他认为,对于古典知识,年轻人熟悉得越多越好"。①而陈寅恪在德国时,曾寄给他妹一封信,说到那时对学藏文甚感兴趣,认为藏文与汉语属同一语系,正如梵文与希腊拉丁及英俄德法等之同属一系。这样,从同一语系在音韵、训诂等的比较,作深入的研究,"则成效当较乾嘉诸老,更上一层"。但他认为,语言的研究毕竟不是他注意的重点,他的注意点乃在一历史,二佛教。②我们不敢说陈寅恪与兰克学术道路和学术兴趣的这种仿佛一定有传承的关系,那或许是一种偶然的巧合,但其间思想上的联系毕竟是值得作进一步的探讨。

古奇的书中曾对兰克的史学贡献概括为三点:第一,尽最大的可能把研究过去同当代的感情区别开来,描写事情的实际情况;第二,建立了论述历史事件必须严格依据同时代资料的原则,应当重视并善于利用档案;第三,对权威性的资料应当加以鉴定、比较和分析,从而创立了考证的科学。兰克在柏林,曾在档案馆中发现 16 世纪和 17 世纪威尼斯大使的报告 47 册,视为宝藏。这些珍贵的原始资料的发现,使他猛然领悟到:近代欧洲的历史必须借助新鲜的、当代的资料予以重写。兰克的代表作《教皇史》,正是不理会当时社会政治的各种争论,也不带个人的主观热情,"而是平心静气地把教廷作为一个伟大的历史现象来论述"。③《教皇史》的出名正是由于它的客观叙述。正如 20 世纪前半期意大利著名史学家克罗齐在谈到兰克时所说的:"他觉

① 〔英〕乔治·皮博迪·古奇:《十九世纪历史学与历史学家》,耿淡如译,商务印书馆 1988 年版,第 176 页。

② 陈寅恪《致妹书》,原载《学衡》第 20 期(1923·8),转引自汪荣祖《史家陈寅恪传》第 53 页,台湾联经出版社 1984 年版。

③ 本段所述,皆据《十九世纪历史学与历史学家》第 6 章《兰克》。

得他只能表明'事情真正是怎样发生的',这就是他的整部著作的目标,他坚守这一目标,从而获得了别人所得不到的声誉"。①

与此相类似,陈寅恪对新资料的利用,一开始就很重视。刊载于 1930 年《历史语言研究所集刊》第 1 本第 2 分册的《陈垣敦煌劫余录序》,说"一时代之学术,必有其新材料与新问题",只有用此种新材料,来研究新问题,才成为时代学术的新潮流。稍后所作的《王静安先生遗书序》,如前面说过的,他把王氏的治学成就归纳为三点,头一个即为取地下之实物与文献记载互相释证。这种不囿于旧有的材料,努力开拓新史料,力求发现前人未曾涉及的新境界,使学术研究能不断有新的生气和转机,这也是陈寅恪揭橥的"史识"的重要内容。

不过我认为,在这方面最值得提出的,是陈寅恪对学术研究所抱的严肃认真、不受世事干扰的态度。古奇曾指出兰克的治学倾向,是"竭力使历史研究脱离政治",②克罗齐也讲到兰克的信仰者,"他们爱慕文化,但不愿沾染党派的激情"。③ 陈寅恪是否受到这方面的影响,限于材料,本文不敢作进一步的发挥,但从陈寅恪的一生著述看,他确实是把学术看成他一生唯一的追求,而做学问则必须摆脱各种世务的干扰。他在 1929 年所作的《清华大学王观堂先生纪念碑铭》中,明确宣告:"士之读书治学,盖将以脱心志于俗谛之桎梏,真理因得以发扬。"④俗谛的范围可以包括很广,而陈寅恪最鄙视的是以学问为利禄的工具。

① 〔意〕贝奈戴托·克罗齐:《历史学的理论和实际》第 7 章《实证主义的史学》,第 232 页。商务印书馆"汉译世界学术名著丛书",1982 年版。
② 《十九世纪历史学与历史学家》,第 247 页。
③ 《历史学的理论与实际》,第 232 页。
④ 《金明馆丛稿二编》,第 218 页。

他非常看不惯做学问上一种只求"速效"的"夸诞之人",他把这种人之所谓做学问比喻为画鬼,"苟形态略具,则能事已毕,其真状之果有与否",可一概不管。他讽刺这种学风为"声誉既易致,而利禄亦随之"。① 他认为具体学术成果可能会被后来者所推翻或代替,但他始终相信严肃的学术研究中那种"独立之精神,自由之思想",将"与天壤而永久,共三光而永光"。② 限于他当时的思想条件,他当然还不可能对他所谓的"独立"、"自由"作出科学的界说,并且他以"独立之精神"、"自由之思想"来称赞王国维也未免过当,但他把这种"独立"、"自由"与"俗谛"相对而言,明显是表示一个愿以终身奉献学术事业的研究者应有的高洁的志趣。在这方面,他把学术的分量是看得很重的。他在抗战时期的桂林,处于那辗转流徙的境地,盛赞语言文字学家杨树达安于"持短笔,照孤灯",甘居寂寞不废著述的风概,并有为而发地说:"与彼假手功名,因得表见者,肥瘠荣悴,固不相同,而孰难孰易,孰得孰失,天下后世当有能辨之者。"③这使我们想到曹丕极力提高文学创作的地位,以为是经国之大业,不朽之盛事,"是以古之作者,寄身于翰墨,见意于篇籍,不假良史之才,不托飞驰之势,而声名自传于后"(《典论论文》)。飞驰之势者,即借功名利禄而能声势赫赫,高车驷马,招摇过市之谓也。曹丕认为文学作者可不凭声势依托而为自己开辟道路,魏晋时期因而被誉为文学的自觉时代。陈寅恪上述称赞杨树达的话,也同样表现了一种学术上的自觉,一种对从事于民族文化研究

① 《金明馆丛稿二编》,第 238 页。
② 同上书,第 218 页。
③ 《杨树达积微居小学金石论丛续稿序》,《金明馆丛稿二编》,第 230 页。

的自信。同样作于抗战时期的为邓广铭先生《宋史职官志考证》作的序，也极力赞扬邓先生摒弃世务，"庶几得专一于校史之工事"，并且不无天真地说："不屑同于假手功名之士，而能自致于不朽之域"。① 也是出于这样一种学术心态。

应当着重提到的是，前些年，海外有些研究者有时抓住片言只语，或根据陈寅恪旧诗中的某些句子，就断定他的一些学术论著寓对现实的讽刺，并进而论定陈寅恪对中共政权深致不满。譬如说他成于 1951 年的《论唐高祖称臣于突厥》一文（刊于《岭南学报》第 12 卷 2 期）为影射中共对苏联的"一边倒"政策，希望毛泽东像唐太宗那样，"改弦易辙，独立自主"。又说陈寅恪晚年完成的七八十万字的《柳如是别传》，乃陈氏的忏悔之作，后悔于大陆解放初没有听从他夫人去香港、台湾的劝告，因而以柳如是比其夫人，自比为钱谦益。钱最先在抗清上动摇失节，后在柳如是的鼓动下，联络郑成功，奔走反清，陈寅恪写此书时有引领遥望台湾国民党之意，云云。

如果从事于严肃的学术探讨，那么对于陈寅恪的学术论著和旧体诗作是否有现实寓意，是不妨作深入研究的。但可惜，有些研究者往往先有固定的看法，然后用猜谜式的方法，把不相干的事物硬凑在一起。本文不打算逐一对一些具体论点提出讨论，谨就陈寅恪总的治学态度谈一些看法。

大家知道，在国民党统治时期，陈寅恪对时局是深为不满的。1932 年，他在一篇文章中，曾对友人说："吾徒今日处身于不夷不惠之间，托命于非驴非马之国"。② 抗战时，他对读

---

① 《金明馆丛稿二编》，第 246 页。
② 《俞曲园先生病中呓语跋》，《寒柳堂集》，第 146 页。

书人颠沛流徙、不免饥寒的处境深为感慨,在诗中屡次表示:"著述自惭甘毁业,妻儿何托任寒饥","读书渐已师秦吏,钳市终须避楚人"。对于当时国民党统治区物价飞涨,纸币贬值,奸商大发国难财,而做学问的人则不免挨饿,他都在诗中流露出强烈的不满:"淮南米价惊心问,中统银钞入手空","大贾便便腹满腴,可怜腰细是吾徒"。在那种情况下,国民党还为其最高领袖作九鼎祝寿,陈寅恪对此表示严正的态度,而与一些御用文人划清界限:"九鼎铭辞争颂德,百年粗粝总伤贫"。

但即使如此,他还是尽可能安心下来,做他的学问。他在寄杨树达的一首诗中,前一句说"蔽遮白日兵尘满",是那样的战火纷飞的年代,后一句说"寂寞玄文酒盏深",自甘于寂寞,在学问的研索中求得自慰。陈寅恪有一种极可贵的自律精神,那就是,不管现实是怎样的使人不满,不管自身的遭遇有怎样的不幸,他对于所从事的祖国文史之学绝不能放弃。他于抗战胜利后远涉重洋,到英国医治眼疾,而终于无效,这时他羁旅异国,想到的是他已经动手而尚未完成的元白诗研究,所谓"余生所欠为何物","归写香山新乐府"。在由英赴美,于大西洋中,他又吟道:"去国羁魂销寂寞,还家生事费安排。风波万里又间世,愿得孤帆及早回。"他觉得他的事业是在中国,只有返国,才能安心:"毁车杀马平生志,太息维摩尚有家"。①

前面说过,在灾难深重的旧中国,一个有良心、有正义感的读书人是不可能漠视政治的。事实说明陈寅恪并不是政治上的

---

① 以上两段所引诗皆见《寅恪先生诗序》,不一一列举篇名。

麻木者和冷淡者。不过他对政治与学术有自己的看法。他在1945 年所作的《读吴其昌撰梁启超传书后》中,①说梁氏高文博学,但"论者每惜其与中国五十年腐恶之政治不能绝缘,以为先生之不幸"。陈寅恪历数梁启超政治表现之可为世人效法者,从而指出,是因为世局太黑暗了,使这位本来可以专心于学术的专家,终于"不能与近世政治绝缘","此则中国之不幸,非独先生之不幸也"。这话是说得很沉痛的,并明确表示士人之不得不分散心力,不能专志于学术,是由于黑暗腐朽的现实。而就他自己来说,则尽管在诗中明白表示对世局的种种看法,直抒胸臆,无所讳饰,但在学术著中,他则完全以学术探求的本身出发,不作什么影射譬喻,不受世局变化的影响。他曾以欧阳修著《新五代史》为例,说欧阳修之所以在这部史书中特立《义儿传》一目,只不过受北宋当时"濮议"之刺激,"以发其愤慨"。这种"专就道德观点立言",而不考虑史事本身的需要,这对于历史家来说,"不免未达一间"。② 陈寅恪在这里严格注意,不以个人的政治好恶来影响其学术趋向和历史评价。所谓陈寅恪的论著隐寓对现实的讽刺,实在是并不了解他的学术心态,没有理解陈寅恪作为一位自树高格的严肃学者,实没有必要也不屑于作这种浅薄的比附。

(原载《社会科学战线》1991 年第 3 期)

---

① 文载《寒柳堂集》,第 148—150 页。
② 《论唐代之蕃将与府兵》,《金明馆丛稿初编》,第 276 页。

终身以发展学术为事业的学者

——纪念顾颉刚先生

郑 天 挺

过去学者,劬勤不倦,著作等身,由于生活环境(包括职业)促成的多,由于个人爱好的少,由于把它当做一生事业去努力的更少。前两者嘉惠一时一代,后者有功后世,更值得人们尊敬。

顾颉刚先生就是终身以发展学术为事业的学者中的一个。

顾颉刚先生是我五四时期北大同学。他本来高我一年,是哲学系(当时还称哲学门)的。我在中文系,有些课程在一起学习。他的学习成绩是当时佼佼者。

1921 年,北大筹设研究所国学门,就是后来的文科研究所(在前研究所分在各系),主持人是沈兼士,主要助手就是顾颉刚先生,还有黄文弼、胡鸣盛。他们认为学术工作主要是给人们以方便。古类书保存了很多亡佚的旧籍,今存的书籍在文字上必有不同,是校勘家经常翻阅的书。但古类书的分类,按事不按书,使用不便。于是他们从事古类书的还原工作,重新按书、按时代、按有关人物加以剪贴。这些重编古类书,限于当时条件未经印行;但来查阅的人非常多,确实为旁人提供了极大方便。

20 世纪 20 年代初，许多旧小说标点印行。顾颉刚先生认为古籍的标点整理工作尤为需要，不唯可以流通古籍，还可以帮助青年学习。因为懂得古汉语的人越来越少了。这是很重要的学术事业，当前不做，将来能胜任的人更少了。一次在北京中山公园他激动地告诉朋友们，要从《史记》标点入手，然后再进行《汉书》等书的标点。后来他果然独力把《史记》完成出版。标点《二十四史》这一重大的学术事业，到 20 世纪 70 年代，在周恩来总理亲自关怀下，经过全国专家的共同努力，终于完成。这是由顾颉刚先生主持的。

顾颉刚先生认为，发展中国传统学术，要从整理着手，于是提出疑古，并刊布《古史辨》。但他不仅是停留在对古史的怀疑上，而是为了认真发掘问题，探索问题，开辟一条研究古史的道路。一时学者影从，成为古史辨派。

"九·一八"后，顾颉刚先生鉴于国土遭到蹂躏，提倡注意边疆，研究地理，组织禹贡学会，倡导抗日，影响极大，其目的还是为了维护中国文化事业的不中断。

顾颉刚先生近年专搞《尚书》，注《大诰》达几十万字，也是为了祖国学术事业的发展，而绝不是炫耀自己学问的博洽。

顾颉刚先生著作很富，主编的更不胜举。他的朋友学生遍于海内外，书札尤多。如能广为搜求，编纂成书，必可以洞见他对祖国学术文化的热爱，对青年的启迪不倦，殷殷以树立新风气，追求新事业为职志的宏愿了！

顾颉刚先生的逝世，是我国学术界的巨大损失。在他逝世的前两天，我得云南大学李为衡教授来信，谈到 12 月 21 日在北京医院谈话的情况，还以我为问。我们四五年不见了，我原想春节去看他,想不到遽尔永别!60 年前同学老友,固然不胜悲痛,而对他的终身以学术为事业的精神,尤其感到是学术界的无可弥补的损失。

（原载《社会科学战线》1981 年第 3 期）

顾颉刚先生与《尚书》研究

刘起釪

一、对《尚书》研究的重视

顾颉刚先生一生在古史研究上的卓越成就，往往是由《尚书》研究得来的。例如他在学术上最擅名的"层累地造成的古史观"的学说，就是早年在把《尚书》和《诗经》、《论语》比较研究之后得出的。那时他在北大毕业后留校工作不久，正承受了五四新文化运动思潮的激荡，接受了西方传来的"古史茫昧无稽"的说法，开始具有了要对传统的古史重新进行探索的炽烈愿望；又和胡适、钱玄同进行了一年多的辨伪活动和讨论，对伪古书和伪古事有着敏锐的观察力。当在大学工作了一年多之后，于1922年春因祖母病重，请假回苏州老家侍养，就经人介绍住在家里给上海商务印书馆编《中学本国史教科书》。这一下，就由对《尚书》和《诗经》、《论语》的研究，引出了他那有名的学说。他记当时情况说：

> 我的根性是不能为他人做事的，所以就是编纂教科书，
> 也要使得它成为一家著述。我想了许多法子，要把这部教
> 科书做成一部活的历史，使得读书的人确能认识全部历史

的整个的活动,得到真实的历史观念和研究兴味。上古史方面怎样办呢?……思索了好久,以为只有把《诗》、《书》和《论语》中的上古史传说整理出来,草成一篇《最早的上古史的传说》为宜。我便把这三部书中的古史观念比较看着,忽然发现了一个大疑窦——尧、舜、禹的地位问题!……我把这三部书中说到禹的语句抄录出来,寻绎古代对于禹的观念,知道可以分为四层:最早的是《商颂·长发》的"禹敷土下方……帝立子生商",把他看作一个开天辟地的神;其次是《鲁颂·閟宫》的"后稷……奄有下土,绩禹之绪",把他看作了一个最早的人王;其次是《论语》上的"禹稷躬稼"和"禹……尽力乎沟洫",把他看作一个耕稼的人王;最后乃为《尧典》的"禹拜稽首,让于稷契",把后生的人和缵绪的人都改成了他的同寅。尧舜的事迹也是跟了这个次序:《诗经》和《尚书》(除首数篇)中全没有说到尧舜,似乎不曾知道有他们似的;《论语》中有他们了,但还没有清楚的事实;到《尧典》中,他们的德行政事粲然大备了。因为得到了这一个指示,所以在我的意想中觉得禹是西周时就有的,尧、舜是到春秋末年才起来的,越是起得后,越是排在前面。等到有了伏羲、神农之后,尧、舜又成了晚辈,更不必说禹了。我就建立了一个假设:古史是层累地造成的,发生的次序和排列的系统恰是一个反背。(《古史辨》一册《自序》51页)

这就很清楚地说明了,他从《尚书》和《诗经》、《论语》这几部最早的文献的比较研究中,得出了作为他后来学术中心思想的有关中国古史的基本看法。他在上引同一段文字中还说,"《尧典》、《皋陶谟》是我向来不信的,但我总以为是春秋时的东西,哪知和《论语》中的古史观念一比较之下,竟觉得还在《论语》之后"。这就是他对《尚书》本书的篇章最早提出了自己的论断,从而在他以后的学术实践中,一贯重视对《尚书》的考辨和研究。

他所引到的《尧典》、《皋陶谟》,是汉代所传《尚书》中称为《虞书》的两篇,还有《禹贡》、《甘誓》,是汉代所传《尚书》中称为《夏书》的两篇,加上《商书》五篇,《周书》十九篇,就成为汉代所传《今文尚书》二十八篇。过去一直相承以为这《虞、夏书》四篇是虞夏时代的原有真实文献,是孔子删存的"先王"的宝训。顾先生在他进入学术研究的初期,就明确指出了这几篇不可能是虞夏时代的文献,只能是春秋战国时代的文献,表现了他对《尚书》的研究精神。

《尚书》实际是幸获保存下来的我国最早的一部历史文献汇编,构成为它的主体的,是周代那十几篇真文献,其中有几篇在传下时可能受到史官的润色加工。其次是商代的那五篇文献,传到周代时,在文字上受到周代较大影响,有的可能是商的后裔宋国史官加工写定的。至于虞夏的四篇,除较简短的一篇《甘誓》,其素材可能源自夏代的口耳相传材料,商代可能初步写下,到周代才写定成篇外,其余《尧典》、《皋陶谟》、《禹贡》三篇,事实上当然应如顾先生所指出的,不是虞夏文献,而是成于春秋战国之世的关于古史的作品。

这样一部史书,到汉代被尊奉为儒家"五经"中最重要的一部经典,今文二十八篇之外,又加了汉人编造的一篇《太誓》,共二十九篇。西汉后期又出现了《古文尚书》,比今文多了十六篇。东汉《古文尚书》盛行,但却只有和今文相同篇目的二十九篇。永嘉之乱全都散失,到东晋,出现了伪《古文尚书》五十八篇,系把今文二十八篇析成了三十三篇,新编造了二十五篇伪古文,从此夺得了《尚书》的正统地位直传到近代,成为整个封建时代从天子到一般读书人都必须遵读的政治和道德教科书。

顾先生在20世纪20年代提出了他的著名的古史学说之后,为了对古史作深入的分析探讨,就准备据旧系统的古史文献作下列四个考:(一)辨古代帝王的系统及年历事迹,作《帝系考》;(二)辨三代文物制度的由来与其异同,作《王制考》;(三)辨帝王的心传及圣贤的学派,作《道统考》;(四)辨经书的构成及经学的演变,作《经学考》。以为这四种是旧系统下的伪史的中心,倘能做好,所要破坏的伪史就可最后完结(见《古史辨》四册序)。他所设想的这四个考,《帝系考》是属于民族史和宗教史方面的,目的是推翻盘踞在古史中的种族的偶像;《王制考》是属于政治制度史和社会制度史方面的,目的是推翻盘踞在古史中的政治的偶像,《道统考》是属于思想史和宗教史方面的,目的是推翻盘踞在古史中的伦理的偶像;《经学考》是属于学术史和思想史方面的,目的是推翻盘踞在古史中的学术的偶像。他以为把这四考作成之后,就可以对中国旧系统的古史作一总清算。

20世纪20年代末年起,顾先生除了已对上述四方面搜集材料,并已作出不少考辨成绩外,还想到要对准与这四方面都起关键作用的首要堡垒进击。这样的首要堡垒,就是顾先生久所重视的这部封建时代神圣的政治和道德教科书《尚书》。

这部《尚书》之所以引起顾先生重视,首先,从"帝系"方面来说,最先由儒家确立起来的尧、舜、禹、汤、文、武这一古史骨干系统,就是由《尚书》的《尧典》、《皋陶谟》、《禹贡》及全书各篇建立起来的,因此《尚书》可说是封建史学的奠基者;而伪《古文尚书》则是"三皇五帝"说的最后确定者。其次,从"王制"方面说,儒家所托古提出的一些制度,也多在上述这几篇中,所以顾先生1931年在燕京大学为了准备作《王制考》,特地开了"《尚书》研究"一课,可见它对古史政制方面关系之巨。再次,从"道统"方面来说,儒家所倡的道统,就是利用《尚书》所建立的这一帝系树立起来的。而所艳称的"尧舜禹三圣传授心法",则是由伪《大禹谟》提出来的,直接影响成为封建伦理学说的中心。宋代理学之所以称为道学,就是以"三圣传授心法"中的"人心惟危,道心惟微"四语为其理论核心之故。最后,关于"经学"方面,则《尚书》是"五经"中地位最尊的一经,纷扰两千多年的今古文之争就主要是由它和《左传》引起的;而伪《古文尚书》又是伪书中的典型标本,历代帝王和士大夫都把它作为伦理和政治规范的圣经,影响千余年来封建历史非常巨大。因此顾先生认定,要有效地从四方面清算古史,就必须首先攻破这一首要堡垒,把它从"圣经"地位恢复到原来的史料真面目。

《尚书》除了是上述四个方面的重要史料外,以今天学术项目来说,它还是研究我国古代语言、文字、文学、哲学、文化思想、神话、古代社会生活、法制与法学等等的重要资料;还保存有自然科学方面如天文、地理、土壤、物产、经济活动等等古代的许多重要资料。因此顾先生下决心对它进击,一生锲而不舍地对它进行了全面的研究。

二、研究《尚书》遇到的困难、
问题和前人已做的工作

顾先生常说,《尚书》作为最古的一部文献史料,除了有纷扰了两千年之久的今古文之争这一主要问题外，还有与这一问题交错地存在着的各种问题，要研究它就像攀登珠穆朗玛峰，处处是困难，处处是麻烦，连造诣之深如王国维先生也说《尚书》"于六艺中最难懂"，"于《书》所不能解者殆十之五"（《观堂集林》卷二，1页）。因此要研究好这部书，其难度之大，是客观存在的。现在粗略综观它的困难和问题，主要有下列几方面：

（一）文字的艰涩，随之以解说的分歧。因周初诸诰用的是岐周方言，到战国时，对于以东方语言为基础形成的通用语言来说，它已是难懂的死文字。传到汉代更难懂，司马迁只把能懂的战国时写成的或修改成的几篇译载在《史记》里，"殷盘周诰"等篇明明很重要，他只一笔带过。今文各家就对它望文生义提出妄解；古文家则据汉代语言搞文字训诂，据汉代制度谈器数名物；再到伪《孔传》和各家义疏出现，在今、古文基础上提出魏晋至隋唐的一些看法；到宋儒，以他们的理学思想为指导，又提出许多维护礼教和空疏的议论。这样就使《尚书》的解释五花八门，而字句也随之遭到不少窜乱。加上古代文字不规范，随便用同音假借（实即错别字），又因字少，一字数用，不知其确用何义；亦有古人不错的字，传写致误（如"文"字古文误隶定成"宁"），等等。遂使《尚书》文字成了很难攻的一大难关。

（二）竹简易毁，造成各种错乱。由商周传至春秋战国，时间太长，竹简易朽，除损失者外，保存下来的至少须移写数次，每移写一次必有错讹；而彼此传抄，更易分歧。竹简又易散乱，最易造成脱简、错简、脱字、错字。故战国之世所流传的《尚书》各篇不仅儒墨两家的本子不同，即墨子一家三派所传同一篇《尚书》亦互有出入。再经秦火及楚汉兵乱，所有劫余更是残破，今文三家亦各自不同。后来刘向、刘歆、贾逵几次以古文校今文，发现各篇脱简、错简、脱字、异文等情况 。今所见《禹贡》、《洪范》、《康诰》、《梓材》、《诰诰》及其他一些篇的错简现象层出不穷,至于诸篇文字之讹乱,指不胜屈。

以上主要是属于《尚书》原本的问题,还有更严重的问题是:

(三)历代不断的造伪:(1)战国时的伪《夏书》;(2)西汉初期的伪《太誓》;(以上两者是今文。)(3)西汉中期的伪《百两篇》和伪《书序》;(4)汉代各种扑朔迷离来历不明的古文,如壁中书,中秘本、中古文、河间献王本等等。当时虽不以造伪称,而其可靠性一直成问题(只有《史记·儒林传》载孔氏家藏本,又东汉杜林漆书本为可信);(以上两者是古文。)(5)晋代出现有标为《孔传》的伪古文,这一古文夺得《尚书》的正统地位直传到近代;(6)晚至明代还出现丰坊《古书世学》,伪称是殷亡时箕子带至朝鲜之本与秦火前徐福带至日本之本两种,其中多出《神农政典篇》,《洪范》多52字。而各种伪书出现时,不仅伪造篇章,往往还要伪造古字体以表示其古,伪汉代古文伪造科斗文,晋代伪古文伪造"隶古定"。隶古定又发展成两种:一为奇字较少一些的"宋齐旧本",一为全部奇字的"伪中之伪本"。唐代天宝间把它改为今字(楷书)本,又改错了许多字,不幸流传至今的各种版本,就只是这一改错了字的伪古文本。

(四)封建时代的反动思想统治,给《尚书》蒙上种种霾雾。如今文家以汉代的神学"阴阳五行说"解释《尚书》,给加上种种灵光;古文家以"圣道王功"说《尚书》,如释"稽古"为"同天"之类;宋代理学家又凭伪古文鼓吹"三圣传授心法",把君统、道统、学统以《尚书》为中心结合起来,等等。

段玉裁把上面许多情况中的一些称为《尚书》所遭的"七

厄"，顾颉刚先生指出，实际上远远不止"七厄"，要进行科学的整理，首先需要摧陷廓清这些东西。

所幸前人已做了不少工作。宋代吴棫已开始怀疑伪古文，朱熹宣扬了吴棫的观点，明梅鸷进一步作了考辨，清初阎若璩就最后确凿判决伪古文之伪（惠栋作了补充）。于是这一皇皇圣经被痛快推翻，是清代学者所完成的一项可佩的科学成就。

清代学者接着突破宋学，上寻汉古文；又接着突破汉古文，上寻汉今文（即清末学者所说的"汉学之攘宋"和"西汉之攘东汉"），他们在继推翻伪古文之后，力图否定汉古文，他们认为今文是完美无瑕的。这是到清末为止学者所达到的学术境界。

其实在伪古文问题解决之后，《尚书》原本的文字及其错乱方面的问题就突出来了。清代中叶一些学者中有识者就开始从这方面下真正工夫，注意勤加校勘，又从语言、字形、训诂、语法等方面进行工作，到今已有二百多年历史，如段玉裁、王念孙、引之父子、吴大澂、俞樾、孙诒让等人的研究成果，为了解《尚书》文字提供了超越一切古人的成就；江声、王鸣盛、孙星衍、皮锡瑞、陈乔枞等人的著作，则搜集了有关古文、今文的丰富材料。其他学者著作有助于《尚书》研究者尚有之，除胡渭《禹贡锥指》是对《尚书》的《禹贡》专篇的巨大贡献外，他如黄式三、戴钧衡、吴汝纶诸人的书，各从某一方面对通读《尚书》有用。另有以古文家自守的章炳麟，运用文字训诂素养，对新发现"魏石经"的钻研亦有裨了解《尚书》。特别是近代，在清人成就基础上，加上西方学术影响，又因甲骨文金文研究的成熟，新材料的增多，更出现了新成就。比如王国维（包括其学生杨筠如）、郭沫若、杨树达、陈梦家、唐兰等人，都通过对甲骨、金文的研究而对《尚书》研究作出了贡献，王国维尤为突出。当前则如于省吾先生有《尚书新证》专著,这是运用甲骨金文研究于《尚书》方面的一部系统的杰构;还有胡厚宣先生运用甲骨学材料结合文献解决了《尚书》中一些疑难问题。其他现代学者足称道者尚多;还有一位基本承古文之说的曾运乾,亦对《尚书》语法研究有创获。此外近代自然科学者如竺可桢、刘朝阳等,从天文学方面把《尚书》研究推进到一个新的科学水平上,从而现代学术中的土壤、地理、政治经济、民俗、神话、社会等学科,亦有助于提高研究水平,如辛树帜先生的《禹贡新解》就从农业学角度对《尚书》作了钻研。这些都是前人已做的工作。

顾颉刚先生承清学之后,继前人的成就,立足于清季所已达到的学术境界之上,加上现代学术水平,于是继"西汉之攘东汉",客观上不仅承担了如清末学者所预料的"以战国诸子之学攘西汉"的任务,而且也承担了以现代科学方法整理《尚书》的任务。他自己说,还要"拿了战国以前的材料来打破战国之学","从圣道王功的空气中夺出真正的古文籍,也可说是想用了文籍考订学的工具冲进圣道王功的秘密库里去"(《古史辨》第一册《自序》)。他就以这样的精神来研究《尚书》。他的《古史辨》就是对儒家用《尚书》所建立的"尧、舜、禹、汤、文、武、周公"这一君统和道统所发出的有力的一击。他继《古史辨》之后,勤勤恳恳地对《尚书》研究付出了辛勤努力。

三、把《尚书》研究推进到一个新水平、新阶段

顾先生研究《尚书》,如前面所说是从 1922 年就开始了的。1923 年提出了对今文各篇的全面意见,1925 年今译了《盘庚》、《金縢》两文,先后载《古史辨》第一、第二两册。1926 年起到厦

门和广州在大学任教,就开了《尚书》和《左传》两课。1929 年起到燕大及北大,更为了摧毁旧系统古史政治方面的偶像,而不光是经学方面的探索,也专门开了《尚书》课。他在中山大学编的《尚书》讲义,搜集自汉代至近代研究《尚书》的主要各家之说六十二种,编为《尚书学参考资料》八巨册,这是研究《尚书》最根本的物质建设。在燕大编的《尚书研究讲义》分甲、乙、丙、丁、戊五种,每种中再分册搜集资料,作专题研究。这段时期内,又搜集《尚书》经文文字变迁资料,和顾廷龙先生合编了《尚书文字合编》,由琉璃厂文楷斋刻字铺以木版摹刻(当时未印出,最近顾廷龙先生正在加工定稿,争取较快印出)。又主编了一种按书中任何一字即可查到书中任何一句的《尚书通检》,为研究或阅读《尚书》提供了非常方便的工具。又编《尚书学讨论集》稿,着手抄集文字数百篇,可以了解《尚书》研究全貌。这些都是顾先生对《尚书》研究所下的工夫。

顾先生以为自己既承清学之后,又受了现代治学方法的影响,最后接受了历史唯物主义科学理论,自应在前人学术成果基础上,对《尚书》作出与前人不同的成绩。既然前人已揭露出了壅蔽《尚书》的三个障碍物,即伪古文,汉古文,道统,自己就应当继续进一步彻底扫除净尽这三个障碍物。关于伪古文,前人成绩巨大,只要继续做些补苴充实就行了,但在整理方面要更提高一些,充实一些,合于现代学术要求。关于汉古文,他相信清末今文家之说,以为是"新学伪经"(这是尚待研究的问题),但以为当时今文家偏于宣传,论据疏阔,尚不足以服人,有待自己继续踏实深入做精微探索工作。关于道统,虽然五四运动以来已经给以毁灭性打击,但一直到全国解放前,始终阴魂不散。非常可庆的是人民革命胜利,就像丽日中天的阳光驱走爝火萤光一样,科学的革命理论自然把这些作为封建遗骸的东西从根本上清除干净。但从学术上阐释清楚道统之为物,它的形成,它的作用,它的影响,它到底是什么一回事,等等,则尚有很多工夫要做。所以在自己拟做的"古史四考"中,以它作为重要的一个考,即以《尚书》为中心,就全史中的道统活动作系统研究。

顾先生还以为他的《尚书》研究的主体工作,并不限在上述三项。这三项只是前提,要在清除这三个障碍物之后,进而研析今文二十八篇。虽然清初学者推翻伪古文,清末学者又勇于否定汉古文,但他们都完全相信汉今文二十八篇。其实早在宋代,已有人怀疑过今文,如苏轼《书传》指出《康王之诰》的释衰服冕为非礼,即凶礼中不当设吉礼,疑汉代《顾命》之文不足信;程颐《书说》则疑《金縢》之文不可信;又有括苍王廉也说"《金縢》非圣人之言"(《经义考》引);吴棫《书稗传》则疑《梓材》是《洛诰》脱文;赵汝谈《南塘书说》"于伏生所传诸篇多所掊击觝排"(《直斋书录解题》语),其书中即疑《洪范》非箕子作;洪迈《容斋三笔》载晁以道对《尧典》、《禹贡》、《洪范》、《吕刑》、《甘誓》、《盘庚》、《酒诰》、《费誓》诸篇都质疑;最后王柏承诸人之说,对《诗经》、《尚书》都怀疑,他的《书疑》于《舜典》、《皋陶谟》、《益稷》、《洪范》、《多士》、《多方》、《立政》都更易经文,进行疑辨。清代汉学家因为反宋学,所以一律不承用宋人之说,只有清初对当时社会上没有影响的大学者王夫之,在他的《书经稗疏》中有对今文内容质疑之语,例如对《金縢》篇即提出可疑者十二点。又有一个非治经学的文人袁枚曾说:"《金縢》虽今文,亦伪书也"(《金縢辨》)。又以为今文的《舜典》、《禹贡》、《吕刑》诸篇中关于征苗的话亦不可信(《征苗疑》)。可知疑今文者清代还是有的。即如康有为、梁启超为今文派,一般尊信今文,但他们也指出《尧典》中有"蛮夷猾夏"、"金作赎刑"等时代在后的语句,以疑《尧典》的真实性(见《中国历史研究法》)。到钱玄同氏当然就更清楚地断言今文中有伪篇了。他在《答顾先生书》中说:"现在的二十八篇中,有历史价值的恐怕没有几篇,如《尧典》、《皋陶谟》、《禹贡》、《甘誓》等篇,一定是晚周人伪造的。"(《古史辨》一册76页)所以顾先生就明确提出对今文二十八篇的疑辨,明确断言《尧典》、《皋陶谟》、《禹贡》三篇是战国时伪造的,并对其他各篇不断进行了探索。

当1923年春顾先生倡始的古史论战展开后,他于当年6月1日给胡适的信中就提出了自己对二十八篇的看法,以为依它们的可靠程度可分成为三组。信中说:

先生要我重提《尚书》的公案,指出《今文尚书》的不可信,这事我颇想做。前天把二十八篇分成三组,录下:

第一组(十三篇):

《盘庚》、《大诰》、《康诰》、《酒诰》、《梓材》、《召诰》、《洛诰》、《多士》、《多方》、《吕刑》、《文侯之命》、《费誓》、《秦誓》。

这一组,在思想上,在文字上,都可信为真。

第二组(十二篇):

《甘誓》、《汤誓》、《高宗肜日》、《西伯戡黎》、《微子》、《牧誓》、《金滕》、《无逸》、《君奭》、《立政》、《顾命》、《洪范》。

这一组,有的是文体平顺,不似古文;有的是人治观念很重,不似那时的思想。这或者是后世的伪作,或者是史官的追记,或者是真古文经过翻译,均说不定。不过决是东周间的作品。

第三组(三篇):

《尧典》、《皋陶谟》、《禹贡》。

这一组决是战国至秦汉间的伪作,与那时诸子学说有相连的关系。那时拟书的很多,这三篇是其中最好的。那陋劣的(如《孟子》所举"舜浚井"一节)都失传了。

但我虽列出这个表,一时还不能公布,因为第三组我可以从事实上辨他们的伪,第一组与第二组我还没有确实的把握把它们分开。我想研究古文法,从文法指出它们的差异,但这是将来的事情。

对于第三组,我想做两篇文字——《〈禹贡〉作于战国考》、《〈尧典〉、〈皋陶谟〉辨伪》。(《古史辨》一册201页)

他这一区分大体已取得学术界的公认,不少学者也在纷纷探讨某篇成稿于何时,某篇写定于何时了。顾先生自己则通过这篇把对于二十八篇鸟瞰性的意见提出来,对于《尧典》、《皋陶谟》、《禹贡》三篇自己有坚定的识力知其为伪书,但对于其他各篇,则持着审慎的意见。其所以如此的原因,后来在《三皇考·自序》中说明:

伪《古文尚书》出于魏晋,它所引用的材料大都存在,容易启人怀疑,因此,虽有经典的权威,终为明清学者所打倒。可是二十八篇传于春秋战国,编定于汉初,可供研究的材料太少了,我们虽有好多地方觉得它可疑,但竟有无从下手之苦。将来如能有大批的新材料出现,解决了二十八篇的问题,还解决了五帝的问题,那才是史学界的大快事呢。(《古史辨》七册49页)

可见顾先生是用实事求是的态度,科学求实的精神来对待今文二十八篇的。他认为整理研究二十八篇,要做很多工作。

他说：

> 民国二十年（1931），我在燕京大学讲授"《尚书》研
> 究"一门功课，第一期所讲的便是《尚书》各篇的著作时代，
> 其中如《尧典》、《禹贡》等篇，因为出世的时代太晚了，所以
> 用了历史地理方面的材料去考订它，已经很够。但到了
> 《商书》以下各篇，因为它们的编成较早，要考定它们著作
> 的较确实的时代便很费事，这是使我知道不能单从某一方
> 面去作考证的。因此我便有编辑《尚书学》的志愿，编辑的
> 方法，第一是把各种字体的本子集刻成一编，看它因文字变
> 迁而沿误的文句有多少。第二是把唐以前各种书里所曾引
> 用的《尚书》句子辑录出来，参校传本的异同，并窥见《逸
> 书》的原样，第三是把历代学者讨论《尚书》的文章，汇合整
> 理，寻出若干问题的结论。第四是研究《尚书》用字造句的
> 文法，并把甲骨文金文作比较，最后才下手去作《尚书》全
> 部的考定。（《尚书通检序》）

顾先生一生对《尚书》的研究，就是按这一规划进行的。如
几次编"《尚书》研究"讲义，编刻《尚书文字合编》，主编《尚书
通检》，集录或剪辑《尚书学》资料，今译《尚书》一些篇章，写研
究《尚书》有关问题的专论，以及在经常留意材料的过程中写成
笔记达数十册，等等。特别是顾先生脑子里面经常装着《尚
书》，无论在阅览中，在生活中，在见闻中，遇到的足以引起联想
的材料，得到的一些有关的感受，都立即联系到《尚书》问题的
解释上来，例如刚到重庆不久，夜间仰看大梁子一带万家灯火，
如在天上，这是由于大梁子在重庆为地势较高之故，于是回想在
西北时从飞机上看到下面连山叠嶂，远比它处为高，始悟这一带
在《尚书·禹贡》里称为梁州，就因为它是地势高亢的西北高原

之故。又如读到《元秘史》中载元太宗害病，其弟拖雷请于神而代死，就推断《尚书·金縢》所载周公请代武王死的故事也是可靠的，因而打消了对《金縢》篇的疑虑，肯定它原来是真实文件，不过在流传中经周代后期的史官阔饰加工了。又如读到元曲中常有许多补足语气而没有意义的衬字夹在句中，就想到《尚书》中许多难懂的文句，其中一些字毫无办法解通，料定必然也有一些是无意义的补字。又如自己札记了许多中山国的材料，以为中山王倡虞夏文化，崇信墨学；墨子也提倡"夏政"与"禹道"及"尧舜之道"，大概就是以中山国所倡之虞夏文化为之温床。因而推论《禹贡》中的冀州，正是中山国王为了追迹虞夏盛世，欲以自己鲜虞族为中心才标举出来的。而《禹贡》的扬州是东方的中心，为吴越族地区；雍州是西方的中心，为秦族地区，刺州是南方的中心，为楚族地区；与北方的冀州分峙于天下。因此以为《尚书》中的几篇《虞夏书》，当是冀州进入中原城市文明时代之中山国所综述编订，与周族诸国传写《周书》，商族宋国传写《商书》，楚族传写《三坟、五典、八索、九丘》情况正同。诸如此类，不论随时遇到什么材料和感触，就立即融会贯通到《尚书》研究上来，几乎达到了"造次必于是、颠沛必于是"的程度。一般人看来与《尚书》毫不相干的材料（例如元曲），他都能用来与《尚书》联系起来，更进一步用于他的古史研究上。他自己说，有很多见闻中遇到的资料能拿来作印证，往往是偶然的发现，但由于自己长期注意《尚书》的问题，在脑子里不知转了几千百度，所以一些表面不相干的材料，一经遇上就立即抓住了它的用处，于是就以这种寝馈不忘的精神来从事这一研究。但由于资料太繁，问题太杂，长期劳神疲形于其中，遂来不及做"最后才下手去做"的"《尚书》全部的考定"工作。

顾先生以为在二十八篇中,《尧典》、《禹贡》两篇尤有着特殊意义,因为它们实际是战国时儒家遍搜材料精工编造而成的。他们以《尧典》建立帝王系统和古代制度;以《禹贡》综述地理和贡赋等,以他们当时所居显学地位的鼓吹,遂使这两篇构成了上古史料的重心,尤其《尧典》可以说涉及中国古史的各个方面,因此这两篇成为全书重点所在,顾先生就下决心要对它们进行考辨。在上面所引 1923 年 6 月致胡适谈二十八篇的信里,下文紧接着提出了准备写研究《禹贡》与《尧典》、《皋陶谟》两文的提纲:

(一)《〈禹贡〉作于战国考》:(1)古代对于禹的神话只有治水而无分州;(2)古代只有种族观念而无一统观念;(3)古代的"中国"地域不大;(4)战国七雄的疆域开辟得大了,故有统一观念,……九州之说得以成立,而秦始皇亦得成统一之功;(5)邹衍"大九州"之说即紧接九州说而来;(6)分野之说亦由九州说引起;(7)—(10)(按,皆考论九州州名);(11)所以考定《禹贡》为战国时书而非秦汉时书之故(1.禹尚是独立而非臣于舜,2.每州尚无一定的一个镇山,3.不言"南交")。

(二)《〈尧典〉、〈皋陶谟〉辨伪》:(1)尧舜之说未起前的古史;(2)春秋时的尧舜与战国时的尧舜;(3)一时并作的《尧典》、《舜典》;(4)今本《尧典》、《皋陶谟》的出现(1.取事实于秦制,2.取思想于儒家与阴阳家,3.取文材于《立政》与《吕刑》);(5)《尧典》《皋陶谟》与他书的比较(按,以七个问题分节与《论语》、《诗》、《吕刑》、《洪范》、《周书》、《楚辞》作比较);(6)《尧典》、《皋陶谟》的批评(倒乱千秋式的拉拢,思想进化程序的违背);(7)所以考定为秦

汉时书之故（按，举了五点）；（8）《尧典》、《皋陶谟》杂评
（按，取文中词语所反映事实在后者七点）。（《古史辨》一册
202—205页）

在这两篇提纲之后，顾先生接着说明这两篇文字要慢一点
做，因为牵涉的地方太多了，非多下些苦工，不易做得惬心。到
1931年至1933年，他在燕京大学所编的《尚书讲义》五种，就专
评这两篇，其中丙、戊两种就专研究《尧典》，甲、乙、丁三种就专
研究《禹贡》。其关于《尧典》部分，编了下列五种：（一）《尧典》
评论；（二）《尧典》著作时代之问题；（三）尧、舜、禹禅让问题；
（四）朔方问题；（五）虞廷九官问题，还作了《尧典疏证》。关于
《禹贡》部分，编了下列四种：（一）《禹贡》之研究讨论文献汇
集，附：《十三州问题讨论》、《九族问题讨论》；（二）《周礼·职
方》、《周礼正义》资料录；（三）《王会篇笺释》；（四）《汉书地理
志》与索引。这就为这两篇的研究揭明了纲要和提供了资料。

顾先生以为我们现在可以看得清楚儒家编造《尧典》、《皋
陶谟》、《禹贡》等篇的用意所在。前两篇是儒家政治理想的结
晶而把它史事化的，也就是把自己的政治理想作为古代固有的
历史提出，作者尽量利用了不少远古材料，借了尧、舜、禹、稷、
契、皋陶、伯夷等许多古代不同时期、不同民族的不同传说中的
祖先或神话人物，"倒乱千秋式的拉拢"，集中安排到一个朝廷
里，成为同气连枝的君臣、兄弟、姻戚，又从而编排其在位的先
后，成为前后相承的政权继承人。又把他们说成是理想的圣人，
作出了很多美政。这就使人们读了之后，只觉得美好的尧舜盛
世早已存在于远古，大家只应一心向往着儒家指出的黄金时代，
朝着他们指引的这一方向走去。至于现在所见今本《尧典》，顾
先生在讲义中提出了可能写定于汉代之说，主要理由是文中十

二州、南交、朔方等地名,郊祀、封禅、举贤良,制赎刑、三载考绩等制度,都到汉时才有,等等。这一说当然有人提出了不同的意见,例如十二州问题,郭沫若同志却提出了可能系据十二宫配十二国土之说,其他讨论意见也还有一些。所以顾先生在1935年9期《禹贡》半月刊上写了《〈尧典〉著作时代问题之讨论》一文,申述了他的看法。

现在我们稽考《尧典》的内容,觉得它实际包括三个来源:(一)远古的素材。儒家为了表示所编造这篇文件是真正古文献,所以尽量搜集所能找到的远古材料,如早于历法的观象时代的远古天文资料,早期历法资料(有纯阴历时期和阴阳合历时期不同来源的资料),还有如四方神名和四方风名,对自然的祭祀、各地各族的祖先神及神话等等资料,既可自甲骨文和金文中得其痕迹,复可与记载古代神话的《山海经》、《天问》等书相覆按,很显然,《尧典》在这方面是把神话故事变成历史故事的典型,神话中的事物都给历史化了、人化了。又如由传说保存下来的远古氏族部落政治生活的一些情况,像部落会议情形,像两头政长的活动,等等,都以折射的方式映入了《尧典》中。这一部分是《尧典》中最可珍贵的部分,最富史料价值的部分。(二)儒家的思想或其理想的材料,它对流传的一些不同历史传说所作的拼凑整齐。像德治观点,像修齐治平的"《大学》之道",都是儒家所有的,与古代无关。像虞廷各宫,"倒乱千秋式的拉拢",可能是由于他们无时代观念,以错误理解的框框去套古人,遇上了当时所见许多古代不同时代不同民族的人名资料,就一齐收来,像现代笑话中所说的那样把关公和秦琼编到一个剧里面了。(三)汉代的影子。这是汉代经生重新写定《尧典》时,因没有时代观念所无意地愚昧地带进去的一些东西。这是无容为讳的,顾先生所举的许多事例中有好些是对的。但像司马迁著《史记》一样,是人所共知的事,可是现传的《史记》中,掺入了不少司马迁死后的事,晚到王莽时扬雄评司马相如的话也在《史记》中,所以周代写定的《尧典》,到汉代掺入些秦汉的东西是不足为奇的,并不影响《尧典》成于周代,正像不影响《史记》成于司马迁手一样。我们今天提出对《尧典》的这些看法,是由顾先生运用他敏锐的观察力所提出的一些看法启发我们这样看的。

顾先生又以为《禹贡》是战国之世走向统一前夕由当时地理学家所作的总结性的地理记载,把当时七国所达到的疆域算做天下,而根据自然地理来划分区域。希望统治者对于各州的土地都能好好地利用和整治,各地把特有物产进贡到中央王朝,田赋则根据各州土地的肥瘠来决定等次。这是战国时对实际的政治地理作出的一个理想式的规划。在两千多年前,对亚洲东部地理能有这样的科学性的观察和认识,真可以誉为科学史上的杰构。但是儒家把它作为大禹时代的作品,以为是禹治理洪水奠定九州的纪录,把禹美化为继尧、舜后的平地成天的一个圣王,就显然不符合历史真实了。顾先生为了更好地研究《禹贡》,认识到应结合历史地理的研究来进行,因此就创办了《禹贡》半月刊,成立了"禹贡学会",付出了很多时间和精力在这上面,这将另作专文叙述。

由于顾先生的这种努力,深入考辨了《尧典》、《禹贡》两篇,以充分论证揭露了这两篇和《皋陶谟》篇是儒家为了建造他们的学说所加工编造的,这就从根本上动摇了儒家利用这几篇所建立起来的古史系统。

到1959年,顾先生决定集中力量整理《尚书》本文,先从最难的做起,以为在周诰八篇里《大诰》是第一篇,又是很难读的一篇,而它在周代历史里又是极关重要的一篇,必须努力突破这一重点,因此就决定下手做《大诰译证》。1962 年已写出初稿,由于完成的篇幅过大,就择其要点精练成《〈尚书·大诰〉今译(摘要)》发表于《历史研究》1962 年 4 期上。文章分为校勘、解释、章句、今译、考证五个部分,进行了周详、细致、深入的研究。这是对《尚书》按篇进行校释整理的试作,也是他研究整理《尚书》的样本。学术界很重视这一新作,纷纷有人写文章或通信提出了支持和商榷的意见。其中有代表性的是李平心先生的专文,他热烈地推许这一著作,认为顾先生这项研究和整理《尚书》的法式,有下列几个特点:(一)把校勘、考证、训解、章句和译述有机地综合起来,组成一个研究体系;(二)据广泛搜集的材料从事校释,吸收各方精华,丰富《尚书》学内容;(三)打破经学史上门户之见,择善而从,并以自己研究心得加以发展,不囿于一隅一格;(四)把各种问题的专门探索同《尚书》的一般研究结合起来,能使专门知识和特殊材料为校释服务;(五)能从历史角度进行考索,以求全面地具体地弄清楚《尚书》各篇的历史背景和历史脉络。以为可以说是对《尚书》力求进行总结性的整理工作,提出了别具一格的著作体例(《历史研究》1962 年 5 期《从〈尚书〉研究论到〈大诰〉校译》)。可见这一著作,体现了《尚书》研究的新的水平。

顾先生的《大诰译证》工作,1962 年以后继续深入、扩充,把全文分成了上下两编,上编为“校勘”至“今译”四部分;下编为“考证”部分,把产生《大诰》这篇重要文告的历史背景即周公东征管、蔡、武庚事件,作了细致的考证。除把这一关系于周王朝成败的重大历史事件考订清楚外,更清理出了周初民族大迁移的重要史实。由于顾先生在治学上务博求全的特点,以至材料愈聚愈多,史实愈析愈明,于是由《大诰》本文的译证,发展成对周初历史的研究,以至稿件愈写愈繁,最后达到六十万字左右,其中上编二十余万字,下编近四十万字。计1962年完成下编初稿,1963年以后逐年增订改定成新稿,到1965年改定成第四稿,1966年将完成最后定稿,以"文化大革命"事起搁笔。到这时下编形成了独立的《周公东征史事考证》专稿,是顾先生又由史籍的研究转向史事的考订了。这是他到了74岁高龄的工作。而他这一繁重工作的目的,还是为了整理研究《尚书》中所涉及的问题。

顾先生的一生中,为《尚书》的整理研究付出了这么多辛勤的耕耘劳动,把《尚书》研究逐步推到一个新的水平,进到一个新的阶段,本准备在一个个问题研究透彻的基础上,"最后才下手去作《尚书》全部的考订",写出一部关于《尚书》全书的系统专著。由于问题太多,牵涉面太广,资料太繁,搜集、整理、积累、寻析这些资料和问题就耗去了大半生,到开始坐下来准备写的时候,已经到了暮年,而又遭逢十年动乱,就被耽误下来无法写出这一专著了。这是多么值得惋惜的事!这就成了后继者责无旁贷的重任,必须尽一切努力,把顾先生在《尚书》研究上给学术界留下的丰富遗产传下来。

（原载《社会科学战线》1984年第3期）

昔年从游乐　今日终天痛

——敬悼先师钱穆先生

李　埏

一

1936 年,我在北师大历史系上学。这年的下半年,学校聘请钱宾四(穆)先生来系兼课,讲授秦汉史。宾四先生是北大的名教授,同学们早就想望风采,希望得亲炙受业。因此,课程表一公布,大家便奔走相告,莫不雀跃。那时,北师大文学院在石驸马大街,最大的一个教室只能容二百人。而听讲者,除本校学生外,别校一些学生也闻风而来,所以把教室挤得水泄不通。这种状况直到学期末课程结束时犹然。

宾四先生讲课,从未请过一次假,也没有过迟到早退。每上课,铃声未落,便开始讲,没有一句题外话。似以炽热的情感和令人心折的评议,把听讲者带入所讲述的历史环境中,如见其人,如闻其语,永远留在我们的脑海中。我在中学时已阅读过《通鉴》、《史记》和《汉书》;在读私塾时代,还背诵过《史记菁华录》以及《古文观止》中所选的秦汉文章如《过秦论》、《治安策》、《贵粟疏》等等。因此,初上课时还自以为有点基础,不料,听了几次课后，我便不禁爽然自失。我简直是一张白纸啊！过去的读书，那算是什么读书呢。过去知道的东西不过是一小堆杂乱无章的故事而已。我私自庆幸有机会遇到这样一位良师。每当下课，一些高年级同学陪着先生边走边质疑请益，我也跟在后面侧耳倾听。在这种时候，先生不仅解答疑难，还常常教人以读书治学的方法。我觉得这比之课堂听讲得到的益处，有过之而无不及。

一天下课后，质疑的人不多，我便鼓起勇气上前求教。先生诲人不倦，导人使言，走到校门，意犹未尽。平常，先生一出校门便雇车回寓。这天，因话未讲完，便不雇车，徒步沿林荫道边谈边走，一直走到西单。在西单，先生踌躇了一下，问我："你下面有课吗？"我回答："没有"。于是先生说："那我们到中山公园去坐片刻吧。"到了中山公园，在今"来雨轩"坐下，先生平易地教导我说："你过去念过的书也不能说是白念。以后再念也不是一遍便足。有些书，像史汉通鉴，要反复读，读熟，一两遍是不行的。你现在觉得过去读书是白读，这是一大进步。可是后之视今，亦犹今之视昔。古人说，学然后知不足，教然后知困。学无止境呀！现在你应当着力的，一是立志；二是用功。学者贵自得师。只要能立志、能用功，何患乎无师。我就没有什么师承呀！……"这番教导，真可谓金石良言。去今虽已五十多年，但每忆及此，仿佛还在耳际。我自愧未能如先生的期许，成为栋梁之材，所幸也未曾违背师教，成为不可雕的朽木。先生的教导真使我一生受用不尽。

大约这以后不久，我到北大去访友。谈及宾四先生的教诲，那友人说："我们北大有所谓'岁寒三友'，你知道吗？所谓三友就是钱穆、汤用彤和蒙文通三位先生。钱先生的高明，汤先生的沉潜，蒙先生的汪洋恣肆，都是了不起的大学问家。你不来听听他们的讲课，真太可惜了。"我回校后，反复考虑，决心转学北大。于是次年暑期北师大南苑军训，我抗命不去，为的就是要应转学考试。

可是，"人生不如意事常八九"。转学考试前夕，卢沟桥炮声响了。我仓皇南归，与诸师友相失。心想，要能再见宾四先生一面可多好啊！何时才能再见到宾四先生呢？

二

卢沟桥事变使我转学北大从宾四先生问学的愿望成为泡影。万料不到，一年之后我转入西南联合大学，又和宾四先生重相见了。宾四先生开"中国通史"课。按规定，我可以免修，但我仍选修了，而且把它定为自己着重努力的一门功课。

那时的西南联大，播迁未定，没有自己的校舍，临时租借昆明大西城内外的几所中学校供文理法三个学院使用。城外的省立昆华农业学校和城内的省立昆华中学是上课的地方。宾四先生的通史课便排在农校主楼上的一个大教室。这是西南联大当时最大的教室，大约有一百多套桌椅，可坐二百多学生。为何要用这么大的一个教室？因为教务处凭经验料到，这个课的听课者一定是为数甚多的。

果然不出所料，听课人数确乎不可胜数。那时，先生住宜良岩泉寺撰《国史大纲》。每星期四乘滇越火车赴昆明。当晚即讲授通史课，共两小时。星期六晚又续讲两小时，都是七点到九点。其所以排在晚间，原因是听课者众，白天没有共同时间以满足大众的要求。西南联大继承北大自由讲学之风，允许校内校外人士旁听，而且尽可能兼顾其便。因此其他大学的学生，中学教师以及社会上有志于学史的人们皆来听讲，以致教室虽甚宽敞，仍不能使人各得其所。一张两人并用的课桌，总是三个人挤着坐。椅子坐满了，许多人便席地而坐。室内外的地上坐满了，便坐到窗台上。有的人连窗台也挤不上去，便倚墙而立。常见许多同学去上课时，都拿着一张报纸，为的是用以代席。这种状况，自开学以迄学年结束，始终一样，真是狷与盛哉！

宾四先生早已蜚声史坛。在史林中，即使是持论不同者，也莫不承认他是卓越的史学家。但是，我们这些亲受业者对他的崇敬则尚有另一个方面——同等重要的一个方面，那就是他首先是一位人师，一位好老师。关于这一方面，就我的管见所及，至少有以下几点：

第一，宾四先生对教学有高度的责任感。在我随侍讲席的日子里，我没有见他缺过一堂课。他总是在上课前几分钟便进入教室；而下课则要等答完学生的疑难才离开。出了教室，总还有一些学生陪着他边走边谈，直到出了校门他上了车而后已。那时，他住在宜良城郊西山岩泉寺。宜良在昆明东南，距昆明七十余公里，有铁路和公路可通。但当时公路无客车行驶，旅客只能乘滇越火车。火车自宜良开往昆明，一日两次：第一次太早，从岩泉寺动身无法赶上；第二次自开远来，中午十二时（北京时间下午一时）过宜良，下午五时半抵昆明。宾四先生即乘此次车到昆明，上当晚七时的通史课。可是火车站在昆明城外东南角，联大在城外西北角，乘人力车约需一小时才能到，而火车照例晚点，晚二三十分钟乃属常事。这就使宾四先生每次刚下火车，便上洋车，直趋课堂，连宿舍也不能进去一下，晚饭也顾不上吃。联大在东城财神巷（后改为才盛巷）租一院房子作单身教授宿舍,宾四先生来昆明时即下榻彼处。其所以如此紧张,当然是不愿迟到。实际上也只有一次,火车晚点几乎一小时,迟到约20分钟。可是尽管如此,听讲者仍等候着无一人离去。我多次看见宾四先生满面通红,大汗淋淋地走进教室,从人缝中挤上讲台。

有同学问:何不早一天来,免得如此紧张?宾四先生说,他正为这个课程写讲义。一切用书和资料都在宜良,来早一天便停写一天,所以不能早来。(那讲义即后来由商务印书馆出版的《国史大纲》)由此可见,他把全部精力和心血都付与了这个课程。其负责和认真的态度,实在不可多得。当时学校共开出三门中国通史课,学时学分一样。有一门只讲到王莽;另一门讲到南北朝;唯有宾四先生担任的这一门讲到清代,按计划完成。

其二,是宾四先生的有教无类、诲人不倦的教学态度。先生讲课很严肃,不苟言笑;虽思如泉涌,但没有一句题外语。因此,初侍讲者常对先生有一种威严的印象,心存敬畏,不敢率尔发问。可是,课后一经与先生接谈,无不感到"即之也温",和蔼可亲,敬畏之心顿时变成了敬爱之情。于是,许多学生都无拘束地于每星期五六的下午,到才盛巷宿舍去拜谒请益。宿舍为一斗室,室内唯一榻、一桌、一椅。学生们或坐床上,或倚壁而立。一些人方辞出,一些人又进去,常常络绎不绝。但先生毫无倦怠厌烦之意,必使来者人皆餍足而后已。

来拜谒求教的并不全是联大学生。据我所见,其他大学的学生,中学教师,在报馆、银行、机关工作的人,读过先生所著书而未听过讲课的人,……多是二三十岁的青年,但也有一些年逾不惑或知天命的中年人。对这一切来谒的人,先生是极少问其姓名和职业的。因此,若非其人自陈,先生便不知其为何许人。

但不论知与不知，先生都一样和颜悦色地接待，真是一视同仁，有教无类。同时，有些问题也很浅近，殊不必烦先生一一作答，但先生还是认真地解答。因此，我尝请问："有些人似是慕名而来，欲一瞻风采而已。何以先生也很认真地赐以教言？"先生说："你知道张横渠谒范文正公的故事吗？北宋庆历间，范文正公以西夏兵事驻陕西。横渠时年十八，持兵书往谒。文正公授以《中庸》一卷，说：'儒者自有名教可乐，何事于兵。'横渠听了，幡然而悟，遂成一代儒宗。可见有时话虽不多，而影响却不小。孔子说：'知者不失人，亦不失言。'我宁失言，不肯失人。"我听后感到，先生之所以诲人不倦，是对求教者有厚望、有深意的。

其三，是言教身教，感染学生敬爱祖国历史。当时教授们讲课，例有所谓"开场白"，就是头一次课不讲课程内容，而讲一些与这门课程有关的问题，如本课程的重要性和教学计划，教本及参考书，作业与考试，……宾四先生所讲有异于是。他主要讲：祖国历史有其独特之处；作为一个中国人，应感到它是可敬可爱的；大家读史治史应取的正确态度，不应当以古非今，也不宜厚今薄古，不可崇洋，也不可自大；应认识统一和光明是中国历史的主流，分裂和黑暗只是中国历史的逆流，若非如此，中国历史岂能绵延数千载而不绝……。凡此所述，具见于后来出版的《国史大纲》书首所载"凡读本书请先具下列诸信念"及"引论"中。回忆先生作此讲演时，感情是那样的奔放，声音是那样强而有力，道理是那样深切著明。那时正是国难方殷，中原陷没，学校播迁甫定，师生们皆万分悲愤之际。因此，先生的讲演更能感人动人，异乎寻常。两个小时的课，自始至终，人皆屏息而听，以致偌大一个教室，挤得满满的，好像阒无一人似的。从先生的讲授中，学生们不唯大大增加了国史的知识和兴趣，而且强化了爱国主义思想和民族自信心。有的人受历史虚无主义和全盘西化等思想的影响，对国史不甚重视，听后也有转变而大异于往昔。这样的课堂讲授，岂止授业解惑而已。

但给听讲者以深刻印象和影响的，不只是这始业的第一堂课，以后的每堂课莫不如是，甚至更为深巨。因为随着课程的进展，从每章每节的讲授中，我们不仅具体化、活生生地看到中国历史的可敬可爱之处，而且从先生讲授时所表现的、所流露的对国史的无限深情和崇高敬意，看到了榜样，感受到了更大的感染力。但是，就我而言，大概由于鲁钝之故，一个学期之后，领悟才大为提高。这其间有一件最值得回忆的事，那就是先生的石林之游，当第一学期最末一周的星期五下午，我到才盛巷去看望先生时，先生说："最近我写一篇文章《国史大纲·引论》，即将脱稿。拟脱稿后休息一下，看看滇中山水。听说石林很奇，就在你们路南。你寒假回家吗？能否陪我一游？"我听了喜出望外，于是约定行期，由我接送导游。到约定时间，我先一日到宜良，次日中午乘滇越火车南行两站至狗街子站下车，然后先生换乘滑竿，我则与随先生同往的一中年人骑马，山行四十华里，傍晚抵路南县城。次日游石林，又次日游芝云洞，第三日游大迭水瀑布，第四日上午送先生复经狗街子返宜良。此行经过，先生《师友杂忆》中有记述，我不过略为之注。我这里要说的是，当我去宜良迎候先生时，一见面，先生便以《国史大纲·引论》原稿授我，说："此稿于前二日写完，是我南来后最用力之作。等从石林回来，我便要送昆明中央日报去发表。你可在此数日内先读一读。"我于当夜即挑灯快读一遍；到路南后又细诵一遍。我何幸成了读此宏文的第一人！

《国史大纲·引论》要旨，通史始业第一课本已讲及，但课堂上迫于进度，为时间所限，先生只能简要地讲述，我的笔记又不免有脱漏讹误，所以领会极为不足。今获睹先生手稿，口而诵，心而维，认识乃有所加深，有所加广。同时，又得随侍左右请益，许多问题乃涣然冰释，学业大进一步。例如，尝与同学议论，对祖国历史当存敬爱之说，用于盛世固宜，也可用于衰乱之世吗？现在我明白了：我国数千年历史，屡经衰乱而不灭绝，而且每经一次衰乱，文明反而更进一步，足证我国家我民族有强大的、坚忍不拔的生命力。作为这个国家民族的一分子自应有自豪感；对这个国家民族的历史当然应有敬意和感情。在送先生返宜良途中，我以这一体会质诸先生。先生遂乘便指教我，大意是：治史须识大体，观大局，明大义。可以着重某一断代或某一专史，但不应密闭自封其中，不问其他。要通与专并重，以专求通，那才有大成就。晚近世尚专，轻视通史之学，对青年甚有害。滇中史学同仁不少，但愿为青年撰中国通史读本者唯张荫麟先生与我，所以我们时相过从，话很投机。你有志治宋史，但通史也决不可忽视。若不知有汉，无论魏晋，那就不好，勉之勉之！先生的这番教导，我一直作为座右之铭，虽不能至，但总是心向往之。

第二学期开学后不久，《国史大纲·引论》在昆明中央日报上刊布了。大西门外有一个报纸零售摊，一早报纸便被联大史学系师生争购一空。一些同学未能买到，只好借来照抄。下午，同学们开始三三两两地聚集在小茶馆里或宿舍中讨论起来。此后数日，大家都在谈论这篇文章。有的谈这个问题，有的谈那个问题。据闻，教授们也议论开了，有的赞许，有的反对，有的赞成某一部分而反对别的部分……联大自播迁南来，学术讨论之热烈以此为最。一天，先生对我说："一篇文章引起如此轩然大波是大好事。若人们不屑一顾,无所可否,那就不好了。至于毁誉,我从来不问。孔子说得好:不如其善者好之,其不善者恶之。说到毁誉,不妨取王荆公与杜醇书一读。"我回校后,即到图书馆借王临川集读之。原来《与杜醇书》中有如下几句话:"夫谤与誉,非君子所屳也,适于义而已矣。不曰适于义,而唯谤之屳,是薄世终无君子也。唯先生图之!"我由是而知,在对待毁誉问题上,先生与荆公虽悬隔千载,却是很相契合的。

大概一是由于诵读《国史大纲·引论》得到的启发,二是由于上学期听讲得到的教益,第二学期我们所受的感染更深,先生的示范作用更大,我们对先生的崇敬也更高了。这学期,先生从唐代安史之乱讲起(也就是从《国史大纲》第二十七章起)。这正是我最感兴趣的部分。当讲到庆历变政和熙丰变法何以发生、何以失败,以及范仲淹、王安石、司马光等人的政见、学术、人品时;当讲到宗教文化,如禅宗、理学,及其代表人物慧能、神秀和程朱陆王等等时;当讲到南北经济文化之转移时……我都觉得闻所未闻,有一种茅塞顿开之乐。那时张荫麟先生也正为联大历史系开宋史课,采取专题讲授方式,内容和通史课多不同。我同时选修,同样深受教益。我后来之所以专心研读宋代历史,不能不感激两先生诱导之赐。唉唉,卢沟桥之变是我国家民族的不幸,也是我的不幸。我被迫离开文化古都,流亡南下,几死者数。但料不到在昆明竟能与吴晗先生、张荫麟先生和宾四先生诸师相值,并承他们给予亲切的教诲,这又是不幸中之幸事。现在呢,睽违宾四先生已近半个世纪,先生已归道山,但当年上通史课的情景,先生的声音容貌犹在耳际目前。遥望海峡彼岸,我怎么献上这一炷心香?唯有在此遥遥心祭而已!

三

宾四先生在联大仅一年。1939年7月初暑假开始,先生告假返苏州省视太夫人。初但欲在苏州小住数月,后延至一年;又以受齐鲁大学聘,可更住一年,所以1940年初秋方辞家入蜀,移帐成都华西坝。1943年春,先生应浙江大学的邀请,到贵州遵义作短期讲学。其时我也在那里,于是又获亲教。计自联大一别,至此已与先生分别三年有半了。这其间,我多次肃函求教,得先生复书十余通。十年浩劫中,师友书翰全被抄没,但先生手教四通因置于一旧杂志中幸存。这四通手教主要是教我治史,同时也述及先生近况,因此以与《八十忆双亲》及《师友杂忆》合读,可以对先生有更全面的了解。至于教我治史的那些教导,想必同门学友以及今日有志国史的青年,都是很愿意一读的。出于这样的考虑,所以我把它抄录于下(标点是我加的):

第 一 书

埏弟如面:七月初一别,转瞬将及三月。前接弟书,欣悉近况。仆此次归里,本拟两月即出。奈家慈年高,自经变乱,体气益衰。舍间除内子小儿一小部分在北平外,尚有妇弱十余口。两年来避居乡间,一一须老人照顾,更为损亏。仆积年在平,家慈以多病不克迎养,常自疚心。前年自平径自南奔,亦未能一过故里。此次得拜膝下,既瞻老人之颜色,复虑四围之环境,实有使仆不能恝然遽去之苦。顷已向校恳假一年,暂拟奉亲杜门,不再来滇。弟志力精卓,将来大可远到。去年仆往来宜良昆明间,常恨少暇未能时相见面。方期此次来滇,可以稍多接谈之机会,而事与愿违,谅弟亦深引为怅也。惟师友夹辅虽为学者要事,要之有志者自能寻向上去。望弟好自努力,益励勿懈!……

此询

　　近祉　　梁隐手启　八月廿六晨

　　来信或寄上海爱麦虞限路一六二号吕诚之先生转,或寄苏州海红小学转,均书钱梁隐收可也(埏注:钱梁隐为先生避日寇迫害所用的化名。吕诚之即吕思勉。信末日期为1939年)。

第 二 书

　　埏弟如面:接诵来书,岂胜惋怅! 自顾德薄,于弟等无可裨补。然与有志者相从讲贯,不有利于人,亦有利于己。此次杜门,遂成索居。不仅使弟等失望,即穆亦同此孤寂。惟有志者能自树立为贵。虽此隔绝,精神自相流贯,甚望弟之好自磨砺也! 张荫麟先生年来专治宋史。弟论文经其指导,殊佳! 在此无书,抑短札不足剖竭,不能有所匡率矣。归时经沪曾摄一小影,大可为此行纪念,即以一帧相赠。嫌太小,可夹爱读书中,悬壁则不称也。率此顺颂

　　近祺

　　小兄穆手启　一月八日(埏注:此书作于1940年)

　　1940年秋,我与今南开大学教授王玉哲先生同时考入北京大学文科研究所。入学后,共同作书告宾四先生。时先生已在成都,翌年元月复示如下。

第 三 书

　　埏哲两弟英鉴:即日得读来书,获稔近况为慰。穆本无意离滇,惟老母年七十五,穆年四十六,事变前后未亲慈颜已五年。适因归里省视,而齐鲁许其在家作研究,因遂决心

杜门。惟既受人惠，不当不报，本年遂来此间。蜀中久想一游。成都风物颇似北平。所居在城外，离城尚三十里。一孤宅，远隔市嚣。有书四万本，足供缮帑。每周到城上课，一如往来昆明宜良间。乡居最惬吾意。惟研究所诸生极少超迈有希望者。齐鲁文史各系素无根底，华西金陵各校程度亦差，颇恨无讲论之乐。在此授通史及诸子学两门。诸子学先讲《论语》。两课皆开放旁听。仍在夜间授课。有远道自城来者。亦有一二启发相从之士，然皆非学校学生也。大抵国内优秀青年皆闻风往滇。此间只齐鲁医学金陵农院较有生色耳。欲在此间振起文史之风，大为不易，信知英才之难得。两弟皆卓越，平日甚切盼望，期各远到。恨不能常相聚，不徒有益于两弟，亦复有益于我耳。再三读来字，岂胜怅惋！然学问之事，贵能孤往。隔阔相思，往往有一字一语触发领悟，较之面谈为更深切者。故师友集合，有时不如独居深念，对古人书，悟入之更透更真；而师友常聚，亦有时不如各各暌违而精神转相欣合者。窃愿以此相勉，并盼时时勤通讯闻，亦足补其缺憾。埏弟有志治宋史，极佳。所需《续资治通鉴长编》，当代访觅。惟此间旧籍，在最近一年来已颇难见，恐不必得耳。又，私意治宋史必通宋儒学术；有志于国史之深造者更不当不究心先秦及宋明之儒学。拙著《国史大纲》，对此两章著墨虽不多，然所见颇与当世名流违异，窃愿两弟平心一熟讨之。哲弟治吉金古文字学，深恐从此走入狭径，则无大成之望。惟时时自矫其偏，则专精仍不妨博涉也。《史纲》成之太草促，然，实穆积年心血所在，幸两第常细心玩索之。遇有意见，并盼随时直告，俾可改定，渐就完密。最近一年内，拟加插地图，并增注出处及参考书要目，以后并随时增订。近人治史，群趋杂碎，以考核相尚，而忽其大节；否则空言史观，游谈无根。穆之此书，窃欲追步古人，重明中华史学，所谓通天人之故，究古今之变，以成一家之言者。本不愿急切成书，特以国难怅触，不自抑制耳。相知者当知此意。其中难免疏误，故望弟等亦当留心指出，可渐改正也。滇中常遇空袭，近迁黑龙潭想较好，然警报来仍以走避为是。穆在成都，遇警即避，惟在研究所则否。孔子所慎在斋、战、疾，近世战事更当慎，此非畏葸也。远隔无以相告，姑述此亦表其相关切之微意耳。匆匆不尽，即复顺颂

进步　　　　　穆手白　一月二十日夜十一时

第 四 书

埏弟如面：两函先后收到。穆以武汉大学宿约，亦欲嘉定山水稍陶哀思，因于三月中旬转来此间。拟于四月杪返蓉。在此开短期讲课两门：一中国政治研究，一秦汉史，均以清晨七时起讲。听者踊跃，积日不倦。墙边窗外，骈立两小时不去者复常一二十人。青年向学之忱，弥为可感。惟恨时艰日重，平日所学殊不足真有所贡献耳。弟能研讨宋儒学术，此大佳事。鄙意不徒治宋史必通宋学，实为治国史必通知本国文化精意，而此事必于研精学术思想入门，弟正可自宋代发其端也。欧范两家皆甚关重要。惟论学术方面，欧集包孕较广。弟天姿不甚迟，私意即欧集亦可泛览大意。不如于宋学初期，在周程以前，作一包括之探究。大体以全氏《学案》安定、泰山、高平、庐陵四家为主，或可下及荆公、温公。先从大处着手，心胸识趣较可盘旋，庶使活泼不落狭小。此层可再与汤先生商之。弟论《国史大纲》几

点皆甚有见地。书中于唐宋以下西南开发及海上交通拟加广记述。其他如宋以下社会变迁所以异于古代者，尚拟专章发之，使读者可以了然于古今之际。至问立国精神之衰颓于何维系防止，此事体大，吾书未有畅发，的是一憾。然此书只有鼓励兴发，此层当别为一端论之也。鄙意拟于一两年来，再为《国史新论》一书，分题七八篇，于宗教、政治、文学、艺术各门略有阐述。此刻胸中未有全稿，尚不愿下笔也。专此复颂学社

钱（制）穆手启　四月十六日

（埏注：此书作于 1941 年，四川嘉定武汉大学。时，太夫人方逝世于苏州。书中的汤先生，即汤锡予（用彤）先生，时任北大文科研究所所长）。

四

1943 年春，宾四先生应浙江大学的邀请，自成都赴贵州遵义讲学，为时一月。那时我也在浙江大学任教。想不到，既不在昆明，也不在成都，却在黔北这个山洼里的小城见到先生。自从送别先生离开昆明到此时，已经三年半了。真是"东山犹叹其远，况乃过之，思何可支"！我的欣喜是无法形容的。

遵义城以湘江中分为二：在江西的部分为老城；在江东的部分为新城。先生抵后下榻老城水硐街，和我住处极近。中间只隔一座郑莫祠（奉祀郑珍、莫友芝的祠堂），步行三分钟可到。学校为先生雇一厨师治餐。先生约田德望教授夫妇和我参加共食。因此，我每天必见先生至少三次。遇到上课或有事时，那就成天在先生左右了。

先生自重庆到遵义这段路程乘的是"邮政车"。那时滇川黔之间的交通唯有汽车。达官贵人和富商巨贾之辈有小轿车专用,至于一般旅客则只能乘"木炭车"(以烧木炭为动力的客车或货车)。木炭车极慢,又易"抛锚",常常是一天的路程要走几天。邮政车(运送邮件的货车)烧汽油,较快;邮局出售司机旁的座位票,售价较高,极难购得。因其虽不如小轿车的轻便舒适,但比之木炭车又算是好多了。先生在重庆得一北大毕业生之助乃购得车票。到后我问先生途中劳顿否? 先生莞尔笑答道:"我是乘驴子车来的,还好。"我不解其意,再问:"何谓驴子车?"先生说:"你知道'人骑骏马我骑驴'那首打油诗吗? 我坐的是邮政车,虽不如轿车之佳,但胜木炭车多矣,故我称之为驴子车。"在座诸人听了皆大笑。先生偶尔说两句幽默的话,总是很风趣的。

到校后第三天上午,学校在新城中心丁字口一寺中为先生举行盛大的欢迎会。当时的遵义无大建筑,这寺最大,浙大租用为图书馆和大礼堂。竺可桢校长主持,致欢迎词,盛赞先生的成就和治学精神。接着请先生讲演。先生讲了大约一小时半,讲的是中国传统文化的特点,无一句致谢之类的客套话。这次讲演可算是先生在浙大讲学的第一课,因为这正是所要讲的第一个题目。浙大校本部及文学院在遵义,全体师生和许多职工都不请自来,争一听先生宏论,以致寺院虽很宽敞,后来者仍无立锥之地。我来遵义已十阅月,从未见过如此隆重而热烈的盛况。

此次讲演之后便开始讲学。新城有一大教室,可容百人。先生每周到那里讲课二次,系统讲授中国文化史专题。我每次都随先生一同去来,并遵嘱做笔记。讲了五周,课程结束,我以所做笔记呈先生。对先生后来撰著《中国文化史导论》,可能起了一点备忘的作用。

先生很喜欢散步。每晨早餐后，由我陪从，沿着湘江西岸顺流南行；大约走一小时，再沿着去时的岸边小道回老城。这样的散步，除雨天外，没有一天间断过。先生总是提着一根棕竹手杖，边走边谈。先生说，他很爱山水，尤爱流水，因为流水活泼，水声悦耳，可以清思虑，除烦恼，怡情养性。沿湘江散步便有此乐。在《师友杂忆》里，先生对这些谈话也有所记述，这里我就不重复了。

散步时先生的谈话无异是对我的耳提面命，对我尔后的立身为学都是深有影响的。先生讲课谈话极少重复，但对学史致用一事却谆谆再三言之。先生说：学史致用有两方面，一是为己，二是为人。为己的意思是自己受用。若不能受用，对自己的修养毫无作用，那何必学呢？为人就是为国家、为社会。倘若所学对国家社会毫无益处，那是玩物丧志，与博弈没有什么不同。近世史学界崇尚考订，不少学者孜孜矻矻，今日考这一事，明日考那一事，至于为何而考，则不暇问。这种风气，宋时朱子已批评过。你们决不宜盲目相从，只窥一斑，不睹全豹，要识其大者。先生关于治史的教言还很多，但这里不能备举了。

先生还应我的请求，为我讲述家世和生平。在讲述中，我看到先生有时很高兴，有时很感慨，不能自已，一连讲了三个早晨。我听了很感动。知道先生很早便志于学，又能刻苦自励，所以虽无师承，终成一代大师。我对先生说，孟子说的"若夫豪杰之士，虽无文王犹兴"，先生可以当之了。三年半后，先生将重游昆明讲学，我应五华学院之请，据先生所谈，写了一篇介绍先生生平大略的文章，刊于1946年10月的昆明《民意日报》上。风行草偃，它曾鼓舞了许多好学的青年。此文惜已久佚，但《八十忆双亲》及《师友杂忆》既出,我的那篇小文也没有什么用处了。

先生在遵义,尚有一事当记。那也是在散步中,先生问我近读何书,我答:方看完一本克鲁泡特金的《我的自传》。克氏是安那其主义巨子。我虽不赞成那种主义,但对克氏其人甚感钦佩。先生听了,索观其书,我旋即奉上。先生很快看了,也很感兴趣。于是命代觅其他有关安那其主义的书,得三数种。先生边看边对我讲:安那其主义与中国先秦道家思想有可比较之处,也连续讲两三个早晨。讲后,先生便作文一篇,题曰:《道家与安那其主义》,旋即刊于《思想与时代》杂志上,引起了读者的极大兴趣。

先生在遵义的这一个月,我觉得过的特别快。竺校长很想留先生长期设帐浙大,殷勤劝说,但先生终以主持齐鲁研究所工作之故,不克接受。所以仍按预定计划,再乘邮政车返川。行前二日,先生书一横幅赐我,上录杜甫《奉简高三十五使君》诗:

> 当代论才子,如公复几人。骅骝开道路,鹰隼出风尘。
> 行色秋将晚,交情老更亲。天涯喜相见,披豁对吾真。

> 杜诗一首录赠　幼舟仁弟　钱穆

多少年来,这条横幅,我一直悬于壁间。但十年浩劫中亦被抄没,今已不知所在了。

五

抗战胜利,西南联大等迁滇大学陆续复员离去,昆明最高学府唯遗一座云南大学,大家顿感寂寥。于是联大留下的师范学院同仁们拟扩建为"昆明师范学院",同时社会贤达于乃义昆仲也筹建"私立五华学院"。于乃义字仲直,昆明人,自幼好学,尝从滇中前辈袁嘉谷、秦光玉诸先生治国学,亦治佛学。其兄乃仁(字伯安),善货殖,抗战期中积资巨万。于是有意捐资兴学,创办私立五华学院(清末有五华书院,学院亦名五华,有承其余绪之意)。仲直知我师事宾四先生久,因托我代致意,遂请来昆讲学。云大文史系主任方国瑜先生闻之,亦托我代为敦请。最后决定由两校合聘。宾四先生因素爱昆明气候及景物,又感于方、于诸先生的诚意,遂同意南来,于 1946 年 10 月初乘飞机抵昆明,下榻翠湖公园中省立昆华图书馆内。先生还代五华及云大聘请李源澄、诸祖耿等先生来任教,不久也先后抵达。加上原已留昆的刘文典、罗庸等先生,昆明的学术空气为之一振。

先生到昆之夕,仲直昆仲在其府第设晚宴为先生洗尘,我也被邀及。席未终,先生忽大呕吐,乃知先生近患胃病。后来我又好几次看见先生呕吐,觉得病情不轻,不可忽视。延中西医诊治,都说首要的是注意饮食起居。我想,先生命驾来滇是我促成的,我有责任改善先生生活。怎么改善呢? 唯一的办法只有请先生与我同住,由我亲自服侍。经多方努力,租得唐家花园中一小院房屋,于这年 11 月中迁入。唐家花园是唐继尧故居,在昆明北门内园通山。园中有三小院,房屋素来对外出租。适遇最西一院空出,我便去承租。租金虽昂,可是环境清幽,确是游息藏修的好所在。迁入后,先生的生活皆由我的妻子调理。先生的胃病得稍缓解。唐园中有一西南文化研究室,为唐家藏书之所,与我们小院相距百米。管理人员知先生为著名学者,特开放供使用,于是先生每日看书著述其中,甚以为便。唐园又很宽,几占园通山之半。佳木葱茏,曲径通幽。先生朝夕散步其间,起居乃稍安适。

先生每周到云大及五华各授课一次。在云大讲中国文化史,在五华讲中国思想史。两校相距很近,学生们大多两处听课。先生又向五华提出设"专书选读"课,先定七种古籍,由文史系学生选习。先生自任《左传》,命我辅导。这书,我幼年时曾从塾师读过,实不甚了解。现在得从先生系统地认真地学习,乃稍有所知。

寒假后,军官学校办一将校训练团,特请先生每周讲一次中国古代军事史。先生命我随往笔记,以备将来撰专书之用。那时,我正主编一"文史"副刊。先生结合讲课,写成春秋战车、甲士、徒卒等考据论文。我请求刊于副刊,先生允诺,遂于1947年四五月间刊出。

唐园虽居之甚安,但不可久居。因为唐筱冀(唐继尧之子)自香港回来,决定于雨季之后收回出租的三院房屋重修,将作他用。同时,无锡豪商荣氏捐资筹办江南大学,欲聘先生主讲席,托人致意。先生因拟还乡一观究竟,7月初乘飞机东归。归后不久,来书辞云大及五华来年之聘。两校皆大失望,乃托于乃仁君乘其往沪办理商业之便,专程赴无锡敦请。先生不能却,允再来昆作短期讲学。于9月杪(阴历中秋之夕)飞抵昆明,11月归去。我送先生至机场,握手而别。不料这一别遂成永诀,痛哉!

1949年春,先生应聘赴广州华侨大学讲学;不久随校迁香港。到广州后,尚有一手示寄我。抵港后,音问遂绝。40年来,相见唯梦寐中。先生归道山,亦不得执绋尽礼。终天之痛,竟成了终天之恨,伤已!

(原载《社会科学战线》1991年第4期)

萧一山传略

江　地

一、勤奋治学的青年时期

萧一山先生是我国久负盛名的历史学者,清史专家。他原名桂森,号非宇,以 1902 年(光绪廿八年)3 月 30 日,出生于江苏省铜山县(今徐州市)县城西关一个贫寒的城市市民家庭里。父亲萧宗雅,母亲伏氏,都是普通的劳动人民,据说他们的先祖是从外地逃避灾荒而来到徐州,才勉强定居在这里的。萧宗雅有些文化,在附近做乡村塾师,依靠微薄的收入,勉强维持着一家人的生计。

幼年时,萧一山跟随着他的父亲,就读于私塾之中。时当清朝末年,所读无非是四书五经之类,但也读了一些著名的史书如《史记》、《汉书》和《资治通鉴》等。从他后来的著作看,他年轻时,对于郑樵的《通志》、刘知几的《史通》、顾炎武的《日知录》和章学诚的《文史通义》等书,都用过工夫,而且他才思敏捷,善于执笔为文,这就为后来治学奠定了良好的基础。但是,他年幼时期的家庭经济情况不好,萧家人口众多,本来没有继续读书的可能,幸好他有一位比他大二十多岁的长兄就业较早,在陇海铁路当职员。靠着这位长兄的经济资助,他才能够读中学、读大学。艰苦的家庭生活和卑下的社会地位,锻炼了萧一山的智慧和能力,他在学校里不仅是名列前茅的好学生,而且萌发了爱国主义的思想,他后来曾经回忆说:"民国三四年间,海上有译日本稻叶君山氏之《清朝全史》者,颇风行一时。余方读中学,以国人不自著书,而假手外人,真吾国学术界之耻也! 稍长,乃埋头致力,发奋著《清代通史》。"①

1918 年,即五四运动发生的前一年,萧一山投考入山西大学预科。据他的同班同学、后来在解放之初任山西大学校务委员会主席的张克昌教授生前回忆说:"萧一山在山西大学读书时,已经把他的精力集中到清史的研究上,每日伏案疾书、勤苦不辍,此际他已写出了《清代通史》的部分初稿。繁重的研究工作,使他心力交疲,神形憔悴,常常胃口不开,吃不下饭去,只好在粗茶淡饭中多放一些辣椒以佐食。"

1920 年,萧一山转入北京大学政治系学习,但在北洋军阀的黑暗统治下,他的愿望很快破灭了,他对政治系的课程不感兴趣,对于治学和从政这两个方面,终其一生,始终是以治学为重点,坚持着他的清史研究工作。1922 年,北京大学组织了一个内阁大库档案整理会,在著名的明清史专家朱希祖和孟森等教授的指导下,组织了一批年轻的教职员工和同学进行整理工作,年轻的萧一山便积极地参加了进来。这使他有机会接触到大量的清代档案,如誊黄、敕谕、诰命、实录、试卷、题本、表等,其内容涉及地丁、漕米、旗营、军饷、垦牧、建筑、濬治、清丈、盐行、课税、织造、鼓铸、物价、黄册等众多方面,这使这个年轻人不仅大大地

---

① 萧一山:《〈清代通史〉下卷讲稿辩论集·序》,中华印书局 1934 年版。

开阔了视野,增长了知识,而且这个史料的海洋里,有他著《清代通史》取之不尽、用之不竭的珍珠宝贝,他在这里辛勤地耕耘着,这意味着这本著作的完成,有了营养上的保证。此书中之所引用的谕旨和奏折特别多,而且引文甚长,就与他这段工作有关。他后来曾经回忆此事说:"清代内阁档案自拨归国立北平大学整理后,余亦躬与斯役,披阅所及,取证滋多。此虽案牍之言,实难尽信,然较之官书,胜万万矣。"①

萧一山在北京大学读书及著书时,正值五四运动前后,马克思列宁主义已经传入中国,北京大学又是新文化运动的摇篮,李大钊、陈独秀都在这里执教。当此社会主义思潮正在兴起之际,这不能不影响这个思想敏锐的青年萧一山,因此,他前往找他的师辈李大钊为此书作序,并请他提示教益。李大钊在此书的序言中写道:"萧子一山,以绩学之余,著《清代通史》一书。书成,拟以示愚。愚受而读之,知其书之性质为有清一代之中国国民史。置之史学系统中,当为普通史中之记叙的国民史。取材既极宏富,而于文明及政治诸象,统摄贯通以为叙述,且合于社会诸象悉相结附不能分离之史理。余故乐为之序,冀著者之益精厥业,以此为重作各史之先声也。"②李大钊希望他把清史写成中国人民的历史,希望他运用历史唯物主义的方法论来进行研究,希望他以此观点写出一部中国通史来。在这种进步思想的影响下,他在初版的《清代通史》叙例中说道:"近世'唯物史观'之学说兴起,谓经济之趋势,当求诸历史;历史之变迁,亦根据于经济;二者有相互之关系,而历史之因革,尤以经济为转枢。此

① 萧一山:《清代通史》卷上,"叙例",商务印书馆1932年版,第2页。
② 萧一山:《清代通史》卷上,"序",中华印书局1923年版。

盖社会主义(Socialism)之大旨,而以目前的实际的生计问题,为中心者也。"这种良好的影响,使他在全书的结构上,基本上是以社会、经济、政治、文化四者为内容,而在方法论上采用逻辑的方法与历史的方法相结合的方法,其叙事方面则以年经事纬为脉络,这都成为本书成功的基本因素。40年以后,他在台湾修订此书时,叙例中的这一提法,仍然保留着,这是难能可贵的。

　　1923年,萧一山的《清代通史》卷上出版时,他还是一个年仅21岁,大学还未毕业的年轻人。在这样的年龄,出版这样大部头的著作,而且达到了相当的水平,这不能不引起学术界的重视,也引起了一些大学教授们的惊异。日本京都帝国大学教授今西龙为此书作序说:"可惊的,是这书比起诸大家费掉多少岁月所著述的都好,可算现时第一的佳著!而著者萧先生乃是一个年纪还不到22岁的青年学者。他既有天赋的聪明,又富于春秋,只须好学不倦,将来造诣,实未可限量,必有成为世界的大史家之一日。"①梁启超为此书作序时说:"萧子之于史,非直识力精越,乃其技术,亦罕见也。……读兹书,何其乙乙而抽,渊渊而入,若视菴摩罗于掌上,而嚼谏果于回甘也!遵斯志也,岂惟清史?渔仲、实斋所怀抱而未就之通史,吾将于萧子焉有望也。"②这都是一些前辈对一位年轻学人鼓励的话,也寄以殷切的希望,梁启超甚至说,当代若有顾炎武的话,肯定会对他的著作给予公正的评价。

　　1924年,萧一山从北京大学毕业,并留校任助教。次年,经

---

① 萧一山:《清代通史》卷上,"序",台湾商务印书馆1972年版,第5页。
② 同上。

梁启超推荐,他到清华大学讲授中国通史,并担任该校"留美预备部"的研究指导,同时,他还在北京大学与北京师范大学等校执教。为了教学的需要,他在这年写成了《中国通史讲义大纲》一书,此书仅在清华大学校内印行,没有正式出版。1927年,萧一山离开清华大学仍回北京大学教书。这年,他的《清代通史》上卷,由上海商务印书馆出版,次年,此书中卷又由该馆陆续出版发行。这两厚册书,字数达130万左右,布面精装,是当时印刷术的最高水平的表现。由于商务印书馆是一家历史悠久、在国内外有很大影响的出版社,这使年方26岁的青年史学家萧一山获得了极大的成功。他在清史的研究上,有如此丰硕的成果,这使他成为和他的师辈孟森先生等相提并论的学人。孟森当时已是全国著名的明清史专家,这可以说是青出于蓝而胜于蓝,冰出于水而寒于水,徒弟和师傅并驾齐驱,有些后来居上了。

1929年,雄心勃勃的萧一山在北京创办了一所"文史政治学院",这是一所从小学到中学到大学各级学制齐备的完全大学,主要目的是培养文史经哲的文科学生,不学习自然科学的课程,以便学生精力易于集中,造就高级社会科学人才。但这所学校没有能够继续下去,不久就由于经费困难而停办,以萧一山当时的名望和社会地位,要把这个学校办下去的确是困难的。但他曾以该院的名义,印行过《清代通史》卷下二册,这也是内部讲稿,没有正式出版。他还在此出版了他的《清代学者生卒及著述表》一书,这就是后来《清代通史》七表中的《清代学者著述表》的最初印本。

1931年,萧一山到南京中央大学任教。1932年9月,《清代通史》由商务印书馆重版,谓之国难后第一版。这是"一·二八"事变以后,在淞沪抗战中,上海商务印书馆的涵芬楼和东方图书馆藏书及部分作者手稿,被日本帝国主义的炮火付之一炬,在全国人民的同仇敌忾声中,商务印书馆从废墟中挺身而起,迅速恢复出书,这是中华民族之不可侮的具体表现,可以说是一种豪迈的民族气节。就在此年,萧一山出国到欧美考察文化教育,他曾经访问过英、法、德、意、奥、荷等国,并在剑桥研究了一年。在伦敦,他搜集了有关太平天国及天地会的文献。1934年回国以后,就把这些资料整理出版,这就是1935年由南京国立编译馆出版的《太平天国丛书》第一集,由北平研究院出版的《太平天国诏谕附考释》、《太平天国书翰》和《近代秘密社会史料》等书。《清代通史》以及这些著述的出版,奠定了萧氏在中国史学界的地位。当他在国外尚未归来之际,陈恭禄和许霁英等人已经在《大公报》、《北平晨报》、《国风》半月刊等报刊上著文评论他的著作,萧氏也加以辩驳作答。从这次讨论的结果来看,萧一山的著作得到了学术界的肯定,他成名中国著名的史学家。

二、功成名就的教授时期

1935年9月中旬,应其同乡、河南大学校长刘季洪的邀约,萧一山到开封,任河南大学文学院长兼教授。据他自己的回忆,当时河南大学文学院有文史、英文和教育三个系,次年法学院裁撤,始将经济系并入,共为四个系。在文学院任教授的有嵇文甫、高亨、张维华等。1936年,范文澜应萧氏之邀,到该院任教授,并作《经世》半月刊开封分社的主编。这个刊物的出版,对团结河南抗战力量,推动救亡事业,起了相当的作用。萧一山在文学院除了授课之外,还做了这样几件事情:一是聘请了一些名流学者到该院执教或讲学,执教者有如上述,讲学者有马君武、黎锦熙、任鸿隽、张忠绂、陶希圣等。二是成立了河南省历史研究所，其中有两名研究生，他们的主要任务是帮助萧氏继续修订其《清代通史》。三是创办《经世》半月刊，并成立开封分社，为他后来发起组织"经世学社"奠定基础。按"经世"，就是经邦济世，经世济民之意，清代中叶贺长龄邀魏源编成《皇朝经世文编》，其分类是学术、治体、吏政、户政、礼政、兵政、刑政、工政，从中可以窥见经世学派的主要精神，是抛弃空疏无补于实际的考据之学，而致力于研究当时的社会现实问题，魏源和龚自珍都有这种强烈的要求和愿望。龚自珍的诗有"昨日相逢刘礼部（刘申受），高言大句快无加，从君烧尽虫鱼学，甘作东京卖饼家。"①他称考据之学为虫鱼小技，要一把火烧掉它，而魏源当时即致力于研究国际、边疆问题，研究河防、吏治、盐政，都是这种求实精神的表现。萧一山深受这种学术思潮的影响，他说："（清军入关以后）人民蜷伏于积威之下，不特无言论集会结社之自由，且亦无治学谋生思想之自由，于是士子相率钻研于故纸堆中，而考据训诂之小学遂风靡于一世，置明道救世之大学——经世学——而不敢讲，买椟还珠，号称汉学复兴，实际是瞽世的俗学。"②可知他是主张经世学，认为这是明道救世之学的，创办这个刊物的意义就在于此。

抗日战争开始以后，开封受到战火威胁，河南大学文理学院迁到豫鄂交界的鸡公山，范文澜同志随行，农医学院迁往南阳以西的镇平，校长刘季洪想把学校全部迁川，校址已择定在万县，

---

① 《龚定盦全集》，"定盦集外未刻诗"，世界书局1935年版，第5页。
② 萧一山：《中国近代史概要·引论》，台湾台北三民书局有限公司1964年版。

图书仪器已经装箱运往武汉。但河南籍的部分教职员工反对迁川，他们主张不要离开河南，刘季洪遂辞职而去，萧一山也辞职到了武汉。

1938 年，萧一山到四川三台，任迁往该地的东北大学文理学院院长兼教授。这年 7 月，在中国共产党人的倡议下，国民党政府在武汉召开了第一届国民参政会，作为团结全国各党派、各阶层一致抗日、争取胜利的民意咨询机构。参政员的名额由初时的一百五十名增至二百名，萧一山成为第二届和第三届的国民参政员。由于国民参政会的存在时间是从 1938 年 7 月到 1947 年 6 月，它共举行过四届十三次大会。除了第一次大会在汉口召开，最后一次大会在南京召开以外，其余十一次大会均在重庆召开。因此，在整个抗日战争时期，萧氏是一直在重庆、三台和后来的陕西城固三地之间，来来往往为校事和国事而奔走的。这时，他已是中国著名的文化人之一，其社会地位与声望仍然在继续上升中。

1941 年，国民党政府教育部实行所谓"部聘教授"制，它挑选一些资望较高，任教十年以上的教授，由教育部直接聘任，其办法是每学科每校设一人为部聘教授，月薪为六百元，外加研究补助费四百元。第一批确定的部聘教授三十人，代表史学界的，是萧一山和陈寅恪两人。以当时在昆明的西南联合大学为例，部聘教授中有清华大学的吴宓、吴有训、庄前鼎、陈寅恪；北京大学的汤用彤、饶毓泰、曾昭伦、张景钺等人。① 1944 年，萧氏到陕西城固，任西北大学文学院院长兼教授。在抗日战争期间，一些

---

① 《抗战时期的西南联大》上，《文化史料丛刊》第 4 辑，文史资料出版社 1983 年版，第 41 页。

从沿海迁往内地的大学，有一部分迁到陕西城固、汉中一带，组成了西北联合大学，作为临时权宜之计，而另一部分则迁往云南昆明，组成西南联合大学，亦作为临时权宜之计。这两个地方在抗战时期遂成为大学的集中地区，西北联大和西南联大就成为内地最优秀的大学，成为学术与人才的中心。到了抗战后期，有的大学就从中分离出来，独立建校。萧一山到城固时，西北大学已从西北联大中分离出来，但校址还没有迁回西安，仍在城固。他在这里仍然是一面教书，一面著书，学术活动仍然是他的中心，他是学者，不是政治家。根据《李宗仁回忆录》来看，他和蒋介石、陈诚都是熟悉的，蒋曾几次邀他到国民党中央任职，都被他婉言辞谢不就，这都是实际情况。不过，他在陕南却与李宗仁相遇，又成为桂系的上宾，因为也就在此年，李宗仁奉命担任"汉中行辕"主任，驻地是汉中，汉中与城固相距甚近，李闻萧的名望，曾多次造访晤谈，颇为投契，这又使他和国民党方面联系起来，为萧以后的行踪，伏下了隐线。

在这期间，他的著述活动是：《清史大纲》一书，于1944年在重庆以经世学社的名义出版。《曾国藩》一书于1944年在重庆由胜利出版社出版。他的清史七表，即今日所见《清代通史》第五卷的七种表：《清代大事年表》、《清帝爱新觉罗氏世系表》、《清代宰辅表》、《清代军机大臣表》、《清代督抚表》、《清代学者著述表》、《清代外交约章表》，早在1926年即开始起草，此后不断修订，到1937年全部完成交上海商务印书馆付印。由于抗战爆发，商务内迁，该馆仅仅于此年在重庆出版了《清代学者著述表》一种，其他稿件均复失落，以致后来不得不据初稿重新补写。他把他的《清史大纲》改名为《清代史》，于1945年由商务印书馆在重庆出版，次年再版。这是一部约二十万字的小书，是其清代通史未正式出版前的压缩本,简明扼要,适合于普通读者使用。萧一山在这期间虽已功成名就,但治学仍然非常勤奋努力,著述丰富,硕果累累。实际上,终其一生,萧氏始终是这样治学不辍的,除了《清代通史》是总结性的著作外,其他著作还有数十种,单篇论文更多,目前尚无法统计。

1945年8月,日本帝国主义投降,抗日战争胜利,萧氏以北京尚有住宅,尚有藏书,急于复员回京,也无意于在西北大学待下去。但当时汉中尚无火车,连汽车也很少见,交通不便,关山阻隔,实在是困难重重。李宗仁此时已发表为"北平行辕"主任,将飞往北平就任新职。萧氏应邀搭飞机一同赴京,在李宗仁的再三邀约下,他同意担任"北平行辕"秘书长的职务,成了国民党的高级官员。回京以后,他一面履行新职,一面仍然在北京大学教书,以示不脱离学术界。他仍然住在他的旧居,不住官邸,这也说明在从政与治学这两方面,他始终是以治学为主要方面的。秘书长的职务,他一直担任到1948年李宗仁当了副总统时为止。

这是解放战争时期,当国民党发动全面内战,运送大量军队进攻解放区时,内战阴云,沉重地压在中国人民的头上。就在这种极不安定的环境中,萧一山继续埋头著述,进行学术研究,1948年以北平经世学社的名义,出版了他的《非宇馆文存》十卷,共三册,举凡萧氏所编有关太平天国书籍的序跋,及有关太平天国的论文、考证等,也均收入此集。此书印数不多,在社会上流传甚少,它和《清代通史》一样,不仅国内市场上已经绝迹,就是在一些较大的图书馆里,也已经很难找到了。

三、完成巨著的台湾时期

1948 年的春夏之交,国民党政府在南京匆匆忙忙地召开了所谓"行宪国大"。萧一山以国大代表的身份,参加了这次会议,并当上了监察委员。这个闲职,他大约担任了很久,包括他到了台湾以后。这年年底,大约和胡适、梅贻琦等同时,萧一山坐着国民党派来接运一些著名文化人的飞机南下,这已经是北京被围、全国即将解放之际,他应台湾大学校长傅斯年之邀,到台湾大学任教授。他从此离开祖国大陆,就没有再回来。

萧一山到台湾以后的数十年经历,我们所知甚少,只知道他担任过中央研究院院士、中国近代史研究所专任研究员,中国史学会监事等职。1952 年,台北的中华文化出版事业委员会出版了他的《清史》一书,这书曾多次重版,我们见到的有 1979 年和 1980 年台北华冈出版有限公司的版本,全书大约二百页,是一部小书,实际上也是《清代通史》的压缩和摘要。次年,台北的中华文化出版事业委员会出版了他的《曾国藩》一书,这当然是他 1944 年在重庆出版过的那部书的再版。

1959 年,台湾成立了《清史》编纂委员会,张其昀任主任委员,萧一山和彭国栋任副主任委员,彭兼总编纂,委员有方豪、李宗侗,宋晞,杨家骆,蒋复璁(此人 20 世纪 80 年代是台湾国立故宫博物院院长)、黎东方、简又文(长期住香港,已去世)等二十人。他们集中了一批专家,历时一年,对《清史稿》一书进行增删改补,把它编成正式的《清史》,八大册,约七百余万字,已于 1964 年正式出版。改编了的《清史》,十分之八是《清史稿》的原文,只有十分之二是改写的。计有本纪廿五卷,志一百三十六卷,表五十三卷,列传三百一十五卷,以上为前七册的内容,第八册是补编,计有南明纪五卷,明遗臣列卷二卷,郑成功载记二卷,洪秀全载记八卷,革命党人列传四卷,全书总共五百五十卷。洪秀全载记八卷,约十八万字,是在香港的简又文撰写的。萧一山著述繁忙,无暇及此,他的副主任委员仅是虚衔,没有参加实际工作,他只补写了一篇六百字左右的姜炳璋传,就算交了差。①

在 20 世纪 50 年代和 60 年代之间,萧一山"屏绝一切外务,闭户潜修,寝馈三年"。② 他全力以赴,进行《清代通史》的修订和编写工作,他的夫人和子女都被动员起来,帮助他进行抄缮、誊清工作。在此期间,他曾经于 1960 年应美国国会邀请,赴美讲学一年。1961 年台湾商务印书馆又重版了他的《太平天国诏谕及书翰》一书。到 1962 年全书四百一十余万字的巨著《清代通史》终于修订、编写完成,这年 9 月由台湾商务印书馆正式出版,谓之修订本台一版,这部书共有五厚册,红色布面精装,重达六公斤左右。这是四十年来萧一山的心血的结晶,是他经过终生断断续续的劳动之后,才得以使全书杀青出版的。这不仅对他个人是件大事,也使台湾学术界轰动了,国民党政府曾经传令嘉奖,1963 年台湾出版的《中国一周》杂志,在其第 692 期上出版了《"清代通史"出版祝贺专辑》,以示庆祝,台湾学术界人士发表了不少文章,来称颂此一巨著最后完成的盛举。如张其昀撰文说:"欲求良史之才,深识远览,博而能断者,莫过于萧氏是书",包遵彭撰文说:"此书之价值,在 40 年前已驰誉国际矣。

---

① 戎笙:《台湾清史一瞥》,《清史研究通讯》1984 年第 1 期。

② 包遵彭:《读萧一山先生〈清代通史〉》,台湾《中国一周》杂志 1963 年第 692 期。

已故美国国会图书馆东方部主任休穆氏,哥伦比亚大学教授富路特氏,均取是书为蓝本"。"以如此浩瀚之史料,复杂之现象,作者乃以其理想驾驭史实,纲举目张,面面俱到。……斯真可达渔仲、实斋所谓圆通之旨,而尽新史学有系统有组织之能事。"①在其他报刊上,也有类似的庆祝文章,如胡秋原在台湾《中华杂志》第 17 卷第 192 期上曾发表了《我所知道的萧一山先生》一文等。为了纪念这一部大著的完成,其手稿已存入台湾国立历史博物馆,加以妥善珍藏。该馆在介绍此书时说:"自来以一人之力,能有此种著作者,殆属创举。是书体裁新颖,组织严谨,考据翔实,文笔流畅,极尽马、班之义法,梁启超、今西龙之序又可以见之矣。"②此书出版以后,在国内外影响不小,曾经多次再版,我们现在见到的,除 1962 年的修订本台一版以外,还有1972 年的修订本台三版和 1980 年的修订本台五版。在此期间,他的《中国近代史概要》一书,于 1964 年由台北三民书局有限公司出版,另外还有《民族文化概论》和《洪秀全》等书,后两种我们没有见到,无法作进一步的说明。

萧一山原来住在台北,有时偶然到美国去,《清代通史》全部完成出版以后,他就长期移居美国,只是偶尔到台北去了。他在年逾古稀之际,适逢党的十一届三中全会以来的对外开放政策,近年来,他和他在大陆的亲属书信不断,并把他的著作寄回了国内一部,使其子女得以见到。1978 年,他在台湾参加"清史档案研究会"期间,因心脏病发作而突然逝世,终年 77 岁。在

---

① 《"清代通史"出版祝贺专辑》,台湾《中国一周》杂志 1963 年第 692 期。
② 《中华民国当代名人录·萧一山传》,台湾中华书局 1978 年版,第 483 页。

晚年,他怀念着祖国,怀念着大陆上的亲人,他曾经有意回国探亲,但因故未能成行。在《清代通史》的"叙例"中,1923 年他在结尾是这样写的:"萧一山谨识于北京",而 1962 年修订本在台湾出版时,他郑重地改成了"萧一山谨识于北京银闸",在补写的叙例中,他又郑重地记上了"萧一山谨识于台北板桥"。这种细微的增改,表达了他的故国家园之思,是非常深刻的。他是多么渴望着在他的余年里,能够见到他业已强大起来的祖国!他渴望着能够见到他的尚在大陆的亲人和老朋友呵!然而,这个愿望没有能够实现,他还没有来得及回到大陆,就溘然长逝,这是非常遗憾的。

(原载《社会科学战线》1987 年第 2 期)

我所知道的史学家吴晗同志

夏　鼐

20 世纪 30 年代初的清华园,是《早春二月》中的芙蓉镇,一座"世外桃源"。校园中的古月堂,据住在这里的诗人吴雨僧(宓)教授说,便是大观园中的怡红院,虽然红学专家们都不同意这说法。校园中小桥流水,绿树成荫。绿荫中露出矗立于小丘上的白色气象台,背衬着蔚蓝的天空。园中还点缀着红砖砌成的大礼堂、体育馆和图书馆,以及几座宿舍和教学楼。教学大楼中教课的有几位当时中外闻名的大师。吴晗同志的治学,便是在这个环境中熏陶出来的。他在校读书的几年中,勤奋攻读,打下了后来做学问的基础。

吴晗同志当时名叫吴春晗,字辰伯。他个子不高,戴着近视眼镜,衣着朴素,几乎终年穿着一件布大褂。那时他刚年过二十,但已是一位饱读古籍的青年学者了。他是 1931 年暑假后转学来清华大学的。听说他曾在上海中国公学读过一年书,选读了胡适校长的一门"中国文化史"的课,写了一篇《西汉的经济状况》学年论文,便初露头角,受到胡适的赏识。他后来也不讳言自己是胡适的学生,不过在政治觉悟提高后便"反戈一击"了。曾在中国公学教过书的王庸教授,解放后在一次闲谈中曾对我说,他在中国公学教过几年书。他所教过的学生中天分高而用力勤的,只有二人,后来都学有成就;其一便是吴晗同志。

1930 年他因家贫辍学,北上到燕京大学,在图书馆中工作了一年。在燕大时,结识了燕大"国学研究所"的陈垣所长和研究员顾颉刚、容庚等,文学院的钱穆、张尔田、邓之诚等诸教授。次年他转学来清华大学。当时清华教授中的著名学者,仅就文史方面而言,就有陈寅恪、朱自清、闻一多、郑振铎、俞平伯、黄节、潘光旦、金岳霖、雷海宗、冯友兰、蒋廷黻等诸教授。他又时常进城,到他的老师胡适家中做客,又与在北大执教的一些学者相结识。他那种求知若渴的精神,很为前辈学者们所赏识。同学中有人给他起个外号叫做"太史公"。

我和他相识,是由于我也是同一年转学来清华历史系的。当时清华大学制度,自二年级起所开课程多是选修课程,而我又须补读历史系一年级的一些必修科。那一年中,我们很少共同上课(也许便没有),所以当初并不相识。第二年(1932 年)他担任清华学生会所办的《清华周刊》文史栏主任,看到我所投的几篇稿子,他采用了。是年十月的一天,他来了一张条子,约我去面谈。我们虽然已经同学了一年多,这还是第一次正式相见面谈。我们谈得很融洽。我最初觉得他是以一个老大哥的身份来招呼我的,加之我不善于与陌生人交际谈话,所以初见面时有点不自然。但是他是那么爽直和坦白,谈了一会儿便驱散了我的拘谨。

到了第二年即 1933 年的初春,有一天,他忽然来找我。他说:他已决定不再担任文史栏主任的职务,他要推荐我来担任。我拒绝了。我说我不会组稿,不能干这种工作,还是由他继续干下去为是。他劝我说:"答应下去吧,不要害怕,你会办好的。

拉稿的事，我帮你的忙。我所以要你来替代我，因为我有朋友，也有敌人。你呢，你似乎没有很亲昵的朋友，但也没有反对你的敌人。"经过他几次的劝说，我才答应下来。那一学期的《清华周刊》(第三十九卷)中文史栏所刊登的稿子，有许多篇是他拉来的，尤其是第八期《文史专号》，更是如此，我的工作主要是审稿和退稿。半年的工作使我深感到来稿不少而可采用的来稿太少，拉稿不易而退稿更难。由于退稿，不知得罪了多少投稿者。半年后，我也步吴晗同志的后尘，不再继续干下去了。

我们临毕业的前两个月，即1934年的4月下旬，吴晗同志约我到他房间去商量组织史学会事。这事他从前也曾向我提起过。这时他已约好几位志同道合的朋友，筹备已有眉目，约我加入。他说：我们组织这个会的目的，是为了经常叙会一起，交换各人的心得，以便能对中国新史学的建设尽一点力量。

是年5月20日星期天，我们进城到骑河楼的清华同学会里，和别的发起人一起开个会。发起人一共十人：吴晗、汤象龙、罗尔纲、梁方仲、谷霁光、朱庆永、孙毓棠、刘隽、罗玉东和我(那天孙同志因事未来)，我们开了一天的会，通过了会章，把这团体叫做"史学研究会"，曾有人提名吴晗同志为主席，因为筹备工作中他最卖力气。他再三谦让，后来大家推汤象龙同志为主席。吴晗同志干起事来，总是有那么一股劲儿，勇往直前，热情洋溢，但是从来不计较报酬、名义和地位。那天会上还决定每月叙会一次，并且继续征求会员。后来张荫麟、杨绍震、吴铎诸位也加入这个会。当时大家都是青年人，有的还在大学读书，有的也是刚出校门不久的青年史学工作者。后来加入的会友张荫麟先生当时已是名教授，但是他是个早慧的学者，当时仍很年轻，不过三十岁左右。这个研究会，后来主办过两个日报的《史学副刊》。此外,《社会经济史集刊》(社会科学研究所出版)主编和撰稿人也是我们会友。那年冬间我离开了北京,但由吴晗同志的私人通信中,我知道在他们的主持下,会务蒸蒸日上。一直维持到七七事变。此后,烽火连天,会友星散,这个会才跟着也"寿终正寝"了。

吴晗同志学识渊博,而且博而能专。他在校读书时已是明史专家,已曾发表过好几篇有关明史的论文。除了《清华周刊》之外,他还曾在当时几种重要学术刊物如《燕京学报》、《清华学报》、《文学季刊》等上面发表过几篇有分量的学术论文。他当时是胡适的信徒,以胡适的"大胆的假设,小心的求证"为座右铭。胡适是五四运动以后中国资产阶级史学的代表人物。平心而论,资产阶级的史学思想和史学方法,在当时反封建的新文化运动中是起了一定的积极作用的。资产阶级史学家有他们的阶级立场,有意地或无意地为本阶级服务,因之,他们的史学研究,尤其是历史观、选题和评论方面,都会打上阶级的烙印。但是,他们那种搜集、鉴别和排比史料的方法方面,仍有许多可供我们参考的地方。

吴晗同志对于治学方法,总是强调要先打好基础,主张"多读多抄"。他自己在青年时候便开始这样做。他自己说,在大学学习时,虽然住在北京,京戏却一次也没有看过。但是他当时却经常进城上北京图书馆去摘抄卷帙浩繁的二千九百余卷的《明实录》(当时未有刊本)和一千七百余卷的《李朝实录》(当时日本有影印本,但印数极少,国内仅北图有一部)。我们第一次见面时,他便滔滔不绝地大谈他自己的这种治学方法。他还提起在馆中时常遇到的前辈史学家孟森(心史)先生,当时已年逾花甲,但还是一有时间便来馆摘抄《明实录》和《李朝实录》。

吴晗同志提倡抄书,不仅眼勤,还要手勤。他说:"抄录下来是为了巩固自己的记忆,也为了应用时可以查考。"(《学习集》第14—15页)听说他后来积累了一万多张摘抄史料的卡片。又听说在他决心离开清华教学工作从事政治时,把这全部卡片送给接他的明史课程的学生丁则良。丁则良死后,这批卡片到哪里去,我便不知道了。

他在鉴别史料方面,态度很是谨严。对于许多文献和传说,都不轻易置信,要加以考订。尤其是遇到有矛盾的地方,总是去细心寻求解决的线索,鉴别真伪,以求得到客观史实的本来面目。他当时曾对我们说:一篇好的考据文章,犹如剥笋子一样,一层一层剥下去,终于得到真正的核心。写作的人写得痛快,读的人读起来也觉得痛快。他自己的许多文章便是这样的。为了《朱元璋传》中彭和尚(莹玉)的结局问题,虽然毛主席曾对他指出彭和尚的结局不应是功成身退,吴晗同志还是一定要查出有关彭和尚被元朝军队杀害的可靠史料,才心安理得地把它写入书中。

至于排比史料和写作论文或专著的问题,他继承了我国从《左传》、《史记》以来的传统,文笔简练谨严,而又生动活泼。他是写文章的能手。他写的杂文另具一种风格,是中国作家协会中这方面的一员健将。他主张"文章非天成,努力才写好",因之,他提倡"三多:多读书,多写作,多修改",而不同意"文章本天成,妙手偶得之"的旧说法。(《学习集》第16页)他的史学著述,不仅内容充实,逻辑性强,而且文笔流畅,没有含糊或晦涩的地方,这是得力于他青年时写作方面的修养。

他的史学文章,充分表现了实事求是的学风。他青年时便主张为学要实事求是。到了晚年,在接受了马列主义之后,他仍是主张"违反实事求是的学风,是非马克思列宁主义的学风,是不合于毛泽东思想的学风"。他对于20世纪60年代初期我国史学界开始出现的那一股邪风的苗头,很不以为然。他说:"不从历史的具体实际研究出发,而只从今天的某些政策、方法出发,强迫历史服从今天的实际,是非科学的、非历史的学风",他是"坚决反对"。(《学习集》第272页)谁知道这种邪风后来越刮越厉害,成为一股血腥的恶风。在"四人帮"统治史学的时候,他便成为这股恶风的牺牲品。

我回想起往事,时常不胜惆怅。我仍然记得1935年初夏,我由安阳参加考古田野实习后返北平,顺便参加了在清华工字厅举行的史学研究会的年会。吴晗同志在会上宣读了一篇论文:《建文生母考》。那时正是日本帝国主义占领我国东北后,扶植傀儡溥仪为满洲帝国皇帝,正向华北作进一步的扩张。华北乌云满天,大家心情都很沉重。我在古月堂与他握手凄然告别时,彼此都感到后会不知何时何地,但是也都估计到后会不会是在北平了。

一别六年,我们虽然相隔万里,通信也不多,但是我知道他为学日进,著作日富。我由伦敦到开罗,又勾留了一年余。1941年初,我返国到四川南溪李庄工作。途经昆明时,我在城里遇到他和向达同志。久别重逢,欣喜可知。三人一起下乡,步行二十多里,花了两个多小时,才抵达他们所住的浪口村。在路上和在他们的家中,我们畅谈一切。昆明冬天和暖如春,阳光灿烂,山茶花正盛开,但是时常有日寇飞机前来昆明上空投炸弹,大家胸中充满着憎恨和愤慨,心情很不安静。向达同志于1938年8月提前由欧洲返国,当时他是抱着奔赴国难的满腔热情。但是返国后一年多的经历,把他的梦想完全打破了。国民党反动派对外消极抗日,内政腐败专制。他觉得很是失望。他说还不如回到书斋中安心学术工作为佳。我问吴晗同志,"老吴,你是否也有回到书斋的打算?"他苦笑着说:"我还没有离开书斋过呢!"

但是,他不久终于离开书斋,投入反对国民党反动派的政治斗争中去了。昆明一别,我们又是十年未见面。我只知道他从1943年起,在党的帮助和教育下,他响应时代号召,挺身投进斗争的激流中去。他这段转变过程和后来斗争的情况,他的许多朋友近来在悼念他的文章中写得很多,这里不再重复了。抗战胜利前后,我正在西北荒漠中从事考古工作和历史语言研究所考古组作室内研究。我只听说他在昆明和在北平,和其他进步教授和学生一起,展开对反动派的斗争。当时反动派恨之入骨,称他为"赤化分子",叫他"吴晗诺夫"。他与被叫做"闻一多夫"的闻教授齐名。闻一多同志被反动派暗杀后,我们都替他担心。但他并没有被屈服,反而斗志更为昂扬。最后他由北平跑到党中央所在地西柏坡去。

北平解放后,吴晗同志以军代表的身份回到清华园,参加接管工作和后来学校的管理工作,但不久便负担起北京市副市长的职务。1950年7月我接受中国科学院的聘约,北上北京到考古研究所工作,乘间到清华园访友。那时吴晗同志已当上副市长,但仍住在清华园西院的旧式平房中。十年未见,他已老得多了,头上添了几根白发,并且开始脱发。但是他还是有那么一股劲儿,甚至于可以说比从前更加朝气蓬勃、精力充沛了。那时他很忙,家中接见来客,几次城内打来电话。我们只匆匆地说上几句话,我便起身告辞了。临走时,他说:不久要搬到城里来住,可以有更多的机会见面。不过我后来始终没有去过他的副市长"官邸",只在公共场合或会议上曾几度相见。他除了副市长的工作以外,还担任民盟领导工作。1937年他光荣地加入了中国共产党。他全心全意地为党做了许多工作,是很有贡献的。

自从他积极参加政治活动以后,他没有大块时间可以坐下来专心从事史学研究了。但是他仍抓时间、挤时间来读书和写作。他这时期内很少写长篇的学术论文,但是却写下许多杂史、评论和札记,还修改或重写他从前的著作。在领导史学研究工作方面,他是中国史学会的理事,又是北京市史学会的会长。他还亲自领导主编过好几种小丛书(《中国历史小丛书》等),还主持过改绘杨守敬的《历代舆地图》(后改名《中国历史地图集》)的工作。他真是一个坚持社会主义道路而又有专业知识的领导干部。我还记得1951年2月初,在一次新史学研究会上,大家讨论到在中国科学院中应该筹建历史(古代史)研究所的问题。会后郭沫若院长曾和郑振铎所长商量,打算将考古所历史组划出来,成立一个历史(古代史)研究所,并且打算请吴晗同志来具体领导这个所的业务工作。后来考虑到北京市未必肯放他,这事便搁下来了。事虽未成,但可见他当时在史学界的声望。大家对他的组织能力是有很高评价的。

吴晗同志在保管首都文物方面,也起了重要的作用。他很重视出土的考古资料,认为"是可靠的历史资料"。(《学习集》第282页)1956年他同郭沫若、沈雁冰、范文澜、邓拓、张苏同志一共6人,写报告请示国务院,要求发掘十三陵中的长陵。后来决定先试掘定陵,郑振铎同志反对这件事,以为当时考古工作很忙,这些不急之务可以暂缓。我还替郑同志做说客,知道吴晗同志是此一举的发起人,亲自劝说他不要急于搞这项发掘工作。我说:"老吴,你还记得我毕业后改行搞考古的时候,曾经问过你:如果由你来选择,你打算挖掘什么古迹。你不假思索地说:

'挖明十三陵'。但是现下你应该从全国整个考古工作的轻重缓急来考虑问题,不能以明史专家的角度来安排发掘工作。"他笑了,说记得有这样一回事,但是还是坚持要发掘,先发掘定陵。后来郑振铎同志以主管全国文物工作的负责人的名义打报告请示周总理。周总理接受郑同志的意见,由国务院下指示,短期内不准再发掘古代帝王陵墓。吴同志也便同意在定陵发掘后暂时不再发掘长陵,认为周总理的指示和郑同志的意见是正确的。1959年9月,我还陪同他到元大都后英房发掘工地去参观。这是一座保存比较良好的元代民房遗址。我建议加以保存,可以作为一个现场博物馆。他同意了,还吩咐在场的市文化局的一个同志做计划及预算。后来不到两个月,反动文痞姚文元写的黑文《评新编历史剧〈海瑞罢官〉》发表了,吴晗同志横遭迫害。这保存古迹的事不再提起了。他想保存的古迹也遭破坏无遗了。

他的治学精神的另一特点是谦虚不自满,乐意接受别人的意见。1959年9月他在《人民日报》上发表了一篇《论海瑞》。其中有一段引《海瑞行状》中的"特其质多由于天植,学未进于时中"一句话。他译为"他的本性是天赋的,大概读的书和当时的人不大一样"。我读了后,写封信给他,大意说:尊译"时中"一语,译文大成问题。《礼记·中庸》说:"君子之中庸也,君子而时中",郑玄注:"时节其中"。孔颖达疏:"时节其中,谓喜怒不过节也"。这里是说他的学习还未达到"随时节制而不偏"的境界。古人处世治事之道,都称之为"学",不一定指读书。他收到信后,立即回信说:"示悉。承教时中译文,甚是。这是我的疏忽,当在出集子时改正。谢谢。一隔几十年,头发都白了,得兄信,恍如重温旧谊,极喜。以后盼多指教。"过了几年,我有一次又给他去信。那是我在 1963 年春做胃切除手术后在小汤山疗养的时候。我在病房无事,便翻阅他所赠的《学习集》。我发现引文有问题,便写信给他,大意说:大作《〈敕勒川〉歌唱者家族的命运》一文中,引斛律金的话"明月猎得虽少,他射的鸟总是背上中箭"。就常理而论,这是错误的。鸟飞戾天,猎者仰射,中箭处应在胸部,不在背上。就训诂而言,《北史》和《北齐书》的《斛律金传》中都说:"光(即明月)所获禽兽或少,必丽龟达腋。"其中所引斛律金的话皆为"明月必背上着箭"。正确说是禽或是兽。但猎人骑在马上射兽,中箭处为背脊而非胸部。"丽龟"一词,出于《左传·宣公十二年》:"射麋丽龟",孔颖达疏曰:"丽为着之义。龟之形,背高而前后下。此射麋丽龟,谓著其高处"。鸟背并无龟形隆起,可见此乃指兽无疑。吾兄酷嗜钓鱼,而不习打猎,故易致误。他回信说:"承指出背上着箭是指的野兽而非飞鸟,甚是。我确是只会钓鱼,不会打猎。有渔无猎,只能算个半个渔猎社会的人,不如你全面也。出院后,请你吃一次小馆子,吹吹牛,如何?"实则我不仅不会打猎,并且也没有钓过鱼。他不仅虚夸了我,后来还真的请我吃一次馆子。那是一年以后的事,我已出了疗养院,恢复上班。5 月间,石榴花正盛开。他在北海庆霄楼召集修改杨图委员会的一部分同志,商谈抽出有关北京城的几幅历史地图,另编一集。我不是杨图编委,但这次承他约我参加。会后在仿膳饭庄吃了一顿。谁知道后来"四人帮"逼害他时,竟把这次会议叫做"庆霄楼事件",说是一起严重的反革命事件,阴谋搞政变。这是他的几大罪状之一,同时也牵涉了我,说我参与了这件反革命阴谋。谁叫你嘴馋,这是活该! 当时某单位还特别派人三番两次来外调,要我写材料。那位外调人员指着他皮包里的文件说:吴晗都已经交代了。他交代的材料便在这里。我说："他既已交代了，那便解决问题了。我确实不知底细，不知道有什么阴谋，既然是阴谋，难道人家还会在公开会议上宣扬吗？"他瞪着眼骂了我一顿，说我顽固不化，死不悔改。真是有口难分。但是他们也没有如愿以偿，没有获得假证明。

吴晗同志于1959年底动笔试写京戏《海瑞罢官》，写完修改后曾经上演。1965年11月10日反动文痞姚文元抛出了他的黑文后，批判《海瑞罢官》的运动便开始了。到12月底便逐渐展开。听说吴晗同志最初还很自信，认为这是学术问题，不是政治问题。他曾愤愤地说："姚文元的文章连起码的史实都不顾。"后来被迫写自我批判，在12月30日《人民日报》上发表。文中虽承认"这不止是一个学术性问题，而是一个政治性问题"，但他仍以为通过这次的批评和讨论，展开百家争鸣，分清是非，可以提高学术水平。文中用大量的篇幅来考证退田、除霸、修吴淞江等的史事。有人以为吴晗同志的政治敏感性很强，实则他始终是个文人、学者，书生气很重。中年以后他喜欢谈政治，后来又投笔从政，但是并不懂得政治。有人说，吴晗同志写《海瑞罢官》直刺林彪、"四人帮"祸国殃民，刚正不阿，致遭毒手。实则1959年底他着手写这本戏时，林彪刚取代彭德怀同志当上国防部长，劣绩未显，"四人帮"则还未登台操权作孽；而且吴晗同志曾多次声明，这戏只是为了歌颂海瑞的刚毅精神，并没有隐射讽刺任何人物。我是相信他的话的。林彪、"四人帮"阴谋篡党夺权，借《海瑞罢官》以掀起批判运动，打开一个缺口，把矛头指向北京市委，指向党中央许多革命老前辈。吴晗同志和别的千千万万的无辜受害的好人们一样，成为这个阴谋的牺牲品。

　　1966 年 5 月间,批判《海瑞罢官》运动已入高潮,并且已经开始批判"三家村"中另一位健将邓拓同志。有一天,向达同志进城开会,会后和我一起到东安市场中和平餐厅用餐。他对我说:"辰伯真害人不浅! 他写了一本戏,害得我好几次远道来城里参加批判会。"又问我去过老吴的副市长"官邸"没有。我说从来没有去过。他叹口气说:从前我经过他家时,门前总是停着几辆小轿车。今天我经过时,双门紧闭,真是门前冷落车马稀了。我听了后,深有所感。回家写了一首打油诗《赠吴晗》:"史学文才两绝畴,十年京兆擅风流。无端试笔清官戏,纱帽一丢剩秃头"。还没有等到我寄去,而传来关于他的消息越来越恶,遂未寄去。后来我便将诗稿毁掉,深恐被发现又得多挨斗一次。最初我还时常在报纸和小报上看到全市性斗争黑帮大会的挨斗者名单中有"反共老手吴晗"的名字,后来便阒然无闻了。好久以后,我才知道他已于 1969 年 10 月 11 日含冤逝世。他的最后遭遇,非常悲惨。他是被投入监狱,打成内伤,口吐鲜血,最后被折磨摧残致死。

　　粉碎"四人帮"后,吴晗同志的冤狱得到了平反。1979 年 9 月 14 日我参加了他的追悼会。会上看到了他的遗像时,他生前那种谈笑风生的形象又复呈现在眼前。回忆起将近五十年的往事,仿佛如昨。时光若驶,他已成为历史上的人物了。前几天,我参加了重建中国史学会的筹备会议,看到了当年(1951 年)该会理事名单,一共 43 人,已去世的便达 27 人之多,其中便有他的名字。吴晗同志终年 60 岁。如果他不遭受"四人帮"的残酷迫害,可能他今天还生活在我们中间,生龙活虎一般地工作着,继续为中国史学做出贡献。不过,"野火烧不尽,春风吹又生",年轻一代的史学工作者正在迅速萌长、壮大。他们中有许多都曾受到他的影响,有的还是他的受业弟子。我相信,在不久的将来,我国史学园地中将是春色满园。我们更会想念他这位辛勤的园丁。他不仅用笔杆写作史籍,还用他的鲜血、他的生命,写出了悲壮的史篇。我们深刻地怀念他。他的崇高品质和治学精神将永远留在我们的心中。

（原载《社会科学战线》1980 年第 2 期）

烈士丹心　史家本色①

——深切怀念吴晗教授

张友仁

吴晗教授惨遭林彪、"四人帮"和他们那个"顾问"的残酷迫害,于1969年10月11日含冤去世,已经十年了。虽然,老师的教学笔记、谈话记录、书信和照片,几乎全部丧失了!但是,老师的音容笑貌和热情教导却依然深深地铭记在学生的心中。

1943年吴晗教授在昆明国立西南联合大学历史系任教,我在经济学系读书。当时他和历史系另一位教师各教一大班"中国通史"课,吴晗老师在昆华北院的南教室讲课,我却被分配在昆华北院北教室另外一个班上听课,对于那位给我们讲课的老师的资产阶级史学观点,我们这些青年学生深感不满,于是我和同学就常去"偷听"吴晗老师讲课。他讲课既严肃又生动,史料翔实,分析透彻,与众不同,博得了广大同学的尊敬。下一学年,我又继续去旁听吴晗老师给历史系学生开设的"明史"课,这是在联大新校舍南区北门边的一个不大的教室里上的小班课。他讲授的内容有明皇朝对劳动人民的残酷剥削和压迫,统治阶级

---

① 中国民主同盟中央委员会挽吴晗同志的挽联中的话。

内部的钩心斗角和像走马灯般频繁发生的政变,东厂西厂特务机构的残酷统治和文字狱的瓜蔓般的株连,农民斗争的不断兴起和起义大军的风卷残云等等,给我留下了深刻的印象。

虽然,史实的细节渐渐淡忘了,但是其中有两条极为深刻的教导我是永远不会忘却的。第一条是任何反动统治者的统治寿命都是不会长的,他们不是被革命的劳动群众所推翻,就是被反动统治阶级内部的倾轧所篡夺,这在明代的历史中表现得特别明显。这一教导,在当时给人们以启示,使人们坚信国民党反动派的统治必将很快完蛋,新中国的春天必将很快来临。第二条教导是,中国历史上有不少正直的史官,为了忠实地记载历史事实,不怕坐牢、刑罚和杀头,他们的大无畏的实事求是、刚直不阿的精神,是我们的学习榜样。我深深地感到,老师自己就是在史学工作中刚直不阿的极好榜样,他以自己的生命维护了历史的真实,忠实地履行了自己的教言。现在想来,吴晗老师对我们的这一教导,无异于他一生的自我写照。

1947年春,在清华园吴晗教授家里,他对我在《文汇报》文教版"人物志"等栏上写的一些文章,加以鼓励,并且和我畅谈了他的前半生,吴晗老师有意让我为他写点传记文章。可惜,后来我因工作繁忙,一直无暇顾及此事。虽然他早已以自己的鲜血和生命写下了自己的光辉历史,但是就我来说总觉有负于吾师,至今犹深以为憾!

吴晗老师生于1909年,是浙江义乌吴店苦竹塘人。旧学制的中学毕业后,当过小学教员。不久,考入杭州六和塔边的之江大学预科。由于之江是教会学校,学费太贵,一年后他又转入上海中国公学,为了投考北京大学史学系,1931年他以写史学论文所得的稿费作为旅费,只身从上海来到北平,投宿在沙滩北京大学文理学院附近的小公寓里。每天到北京图书馆里去看书，准备入学考试。当时的北京图书馆新址尚未落成，旧址还设在北海公园内琼华岛的山坡上。进北海公园是要买门票的，但到图书馆读书的人可以不买。他连续在图书馆苦读了整整108天，才参加了大学的入学考试。他投考北大史学系的考试成绩是，国文：一百分，英文：一百分，但数学却得了零分。其实，数学成绩的好坏，并不影响他成为一名"有学力、有能力、有魄力的历史学家"（这是曾任北大史学系主任、西南联大学历史系主任多年的郑天挺教授后来对他的评语）。可是当时北大入学考试有一条合理的规定，即这三门主要课程中任何一门得零分，就取消录取资格。因此，他很遗憾地未能考取北大，而北大也很遗憾地失去了这一名好学生。同年，他又投考清华大学历史系，考试成绩仍是国文：一百分，英文：一百分，数学：零分。清华虽然也有一门零分不得录取的规定，但是学校领导考虑到他优异的国文和英文成绩，认为他是十分难得的人才，经过研究，竟破格将他录取。清华录取他以后，当时的北大校长曾因为自己的不合理规定落选了人才而深为遗憾，并且准备修改那种规定。的确，后来北大在这方面是改得灵活一些了。清华发榜了，他就"从沙滩提上行李，跳上一辆洋车，直接到了清华园。那正是'九·一八'事变那一年的秋天"。

他刚到清华历史系，就因成绩优异而跳了一级。学生时代，他半工半读，担任过清华校刊编辑等职务，写过不少学术论文在《清华学报》、《清华季刊》、《燕京学报》等刊物上发表，并以此筹措自己及弟妹的学费。1934年，他以优异的成绩毕业，留清华大学历史系任助教。抗日战争爆发后，清华和北大、南开一起南迁到昆明，联合成国立西南联合大学。他1937年夏应熊庆来

校长(前清华数学系主任)之聘到昆明的云南大学任教,不久以
后,又回到西南联大任教,先是兼课,后是专职,先在四川叙水分
校,后回昆明本校。那时候通货恶性膨胀,物价飞涨,教授们也
过着清贫的生活。他常挎着菜篮到府甬道的菜市买菜,可是他
的菜篮里常常是空空如也。有一次他苦笑地对我说:"菜(指副
食品)又涨价了,什么都贵得很呀!"

　　面对国民党反对统治下民不聊生的局面,国民党军队在日
本帝国主义的大举入侵面前的节节败退,他愈来愈痛恨国民党
反动派的卖国独裁统治,愤然走出书斋,在地下党员的帮助下,
1943年在西南联大参加了中国民主同盟。从而,为争取民主,
反对独裁进行了不懈的斗争,深受进步青年和学生的爱戴。当
时在昆明积极参加民主运动的还有西南联大的闻一多、朱自清、
张奚若、费孝通、闻家驷等教授。在校外工作但经常到联大参加
活动的有周新民、李公朴、楚图南、田汉、李何林、光未然等同志。
在重庆沙坪坝大学区积极参加民主运动的教授有杨晦等。他们
经常参加当时进步同学组织的许多公开活动,推动了我国西南
的民主运动。记得在1944年5月3日晚上党的地下组织通过
历史系学生会举办的纪念五四座谈会上,吴晗教授激昂慷慨地
说道:五四运动为的打破一个牢笼,打破一重束缚,但这牢笼,这
束缚,直到今天还没有打破。他要求青年学生"向黑暗势力攻
击","去冲破种种束缚"!

　　吴晗教授在党的地下组织的直接领导下,做了大量的争取、
团结、教育知识分子的工作和组织青年学生的工作。1945年3
月,党组织决定成立"民主青年同盟"(简称"民青"),在民青的
建立和发展中曾得到他的大力赞助。他还帮助建立了秘密的印
刷厂,翻印了党的不少文件和毛主席的《新民主主义论》、《论联

合政府》等著作。民青的建立和发展,从联大扩大到昆明全市,甚至还扩大到云南外县,为昆明的学生运动准备了骨干力量,促进了昆明民主运动高潮的到来。

1945年5月4日昆明青年在云南大学操场升旗台前举行了五四纪念会和盛大的游行示威。大会发扬了五四革命精神,热烈响应党和毛主席在党的七大上提出的"废止国民党一党专政,建立民主的联合政府"的伟大号召。几千青年冒雨(不久雨过天晴)走上昆明街头高呼"立即停止(国民党的)一党专政"、"成立联合政府"、"取消特务组织"等口号,"起来! 不愿做奴隶的人们! ……"的雄壮歌声响彻了祖国的南天。党领导的这一标志着昆明民主运动高潮到来的集会和大游行,也是和吴晗教授们的赞助、组织和参与分不开的。记得他和闻一多教授都曾冒着急雨站在云大操场的升旗台上,并且用热情的语言激励着群众。在昆明他还主编民盟云南省支部的机关刊物《民主周刊》,并在它和其他进步刊物上,一再撰文抨击国民党反动派一党专政下,国土沦丧、贪污泛滥、特务横行的滔天罪行。

抗日战争刚一胜利,国民党反动军队就不断向我解放区进犯,并且丧心病狂地阴谋发动全面内战。吴晗教授积极响应党提出的"制止内战危机"、"成立民主的联合政府"的号召,英勇地投入了反内战、反独裁的民主运动。

1945年11月25日晚,昆明学生在西南联大图书馆前草坪上举行以"制止内战"为中心内容的时事晚会。晚会进行中,国民党反动军队包围了联大新校舍,步枪、机关枪、迫击炮在会场周围齐放,枪弹、炮弹从会场低空飞过,妄图利用恫吓手段,迫使会议解散。闻一多、吴晗、钱端升等教授没有被枪炮所吓倒,仍冒着危险和青年学生一起坚持把会议开完,并通过了一项要求国民党政府停止内战的通电。次日,伪中央通讯社发布消息,诬蔑前晚学生集会为"西郊匪警"。同学们义愤填膺,为了抗议国民党反动军队的枪炮围攻和新闻诬蔑,决议罢课。在罢课抗议期间,国民党反动派实行了最残酷的镇压手段:派武装特务和部队打到联大进行屠杀,制造了震惊全国的"一二·一"惨案。惨案发生前,吴晗教授就和进步同学并肩战斗,积极组织全市大中学教师的罢教活动。经过一番努力,昆明全市大中学教师宣布从12月4日开始"无限期罢教,一直到学生复课为止",并发表声明抗议国民党反动派的法西斯暴行。教师们的这些行动,有力地支持了同学们的正义斗争。

1946年3月17日昆明学联为"一二·一"四烈士举行了殡仪,三万多群众护送着四烈士的灵车在全市游行示威并举行入葬仪式。吴晗教授和闻一多教授等凛然无畏地走在队伍的前列。我当时担任罢课委员会的摄影工作,拍下了浩浩荡荡的群众队伍,其中有一张就是吴晗老师和一多老师英姿勃勃地并肩走在队伍前列的照片,背景是云南大学大门口"为国求贤"的牌坊。当时在白色恐怖下为了老师们的安全,我和摄影组的同学们没敢公布这张照片,而让一位同学把底片隐藏起来了。出殡游行的队伍走遍了昆明城的大街,回到联大新校舍北区的"一二·一"烈士墓地,进行葬仪。一位同学代表昆明学生联合会激动地宣读了《四烈士葬仪祭文》,文中说道:"我们将以更坚定一致的步伐前进,我们要集中所有力量向反动的法西斯余孽痛击!""我们进军的方向:民主!"陪祭的闻一多教授在墓台上以极其沉痛的心情沉默良久,才向群众演说:我们活着的道路还远,工作还很多,一定要继承四烈士的遗志,誓向反民主的势力斗争到底,为民主、自由、富强、康乐的新中国而奋斗!"现在杀死四烈士的凶手还没有惩办,我们要追他们,追他们到天涯海角!""四烈士的血债一定要用血来偿还!"吴晗教授也是陪祭人之一,他接着慷慨激昂地发表了演说,指出"四烈士的墓地已经成了民主的圣地","四烈士墓上有'民主种子'四个字,我觉得这个种子应该迅速发芽成长,这个地方应该改为'民主圣地'。在历史上中国有圣地,而今天的圣地是民主的圣地……"(这里他用隐约的语言暗指着延安)"我们要踏着四烈士的血迹前进,直到把反动势力完全消灭"。"不久,将会有许多朋友要离开这里,将来民主的、幸福的新中国来临的时候,我们永不忘记在西南的角落上,也有一块'民主圣地'!"

　　1946年5月西南联大开始迁回北平、天津,恢复北大、清华、南开三校建制,同学们分批离开昆明,先乘卡车经贵阳到长沙,换轮船经武汉到上海,再转乘海轮到秦皇岛登岸,改乘火车到北平。同学们在昆明时,早对特务的跟踪盯梢、伺机谋害有所提防,经常组织对进步教授的护送,使特务们无机可乘。当同学们陆续离开昆明以后,国民党特务就乘机对早已列入他们暗杀名单的进步教授下了毒手。7月11日到15日民主战士李公朴、闻一多在几天之内先后被国民党特务用无声手枪暗杀了。吴晗教授因送夫人袁震同志经重庆赴上海治病,早于5月离昆明,方得摆脱了特务的毒手。离开昆明前,吴晗教授曾去闻一多教授住处告别,临别时闻一多教授和家人送他们到院门口,闻一多教授心情沉重,勉强作笑地说:"两个月后北平见!""回到清华园时,我要先看你旧居的竹子!"7月18日晨吴晗教授在上海报纸上惊闻这一噩耗,悲愤填膺,彻夜不眠,挥泪写下了《哭公朴》、《哭一多》等悼念文章。他明明知道特务暗杀的名单里还有他,但他仍冒着生命危险参加了上海各界人士举行的李公朴、闻一多烈士追悼大会，并且在会上发表了怒斥国民党反动派法西斯暴行的演说，充分表现了他的大无畏的革命精神。7月在上海，他荣幸地见到了周恩来同志，在谈话中，周恩来同志对他在民主运动中的努力作了充分的肯定和热情的鼓励。后来，吴晗老师不但多次撰写纪念闻一多教授的文章，还曾建议民盟把他殉难的日子定为民盟先烈纪念日，把他们的殉难经过写成《李闻案调查报告书》发表，出版《人民英烈》，以此告慰烈士在天之灵！不久，吴晗老师又积极投入编辑《闻一多全集》的工作，在他和朱自清等教授的积极努力下，四厚册的《闻一多全集》得以在解放前迅速出版。在编辑过程中，吴晗老师坚信闻一多教授既是学者又是民主战士，全集中光有学术著作是不行的，一定要把他参加民主运动所作的演说词搜集进去。为此，他把我从自己原始记录中整理出来的一多师在昆明后期所作的重要政治性演说词，一一收入全集，并来信对我表示亲切的鼓励。解放后，他又响应毛主席的号召写了《闻一多颂》，根据民盟纪念先烈的要求写了《闻一多先生传》。王康同学在写作《闻一多》电影剧本时，也得到他很大的支持。

1946年10月清华校舍初告修复，我作为一名北大学生和清华同学一起从北大四院（现新华社所在地）坐卡车回到清华园。这是阔别九年后第一批来到清华园的大学生，学校在"清华园"牌坊前举行了返校仪式，还拍摄了电影。那时候吴晗老师已先期返抵清华园，他不但到"新斋"学生宿舍欢迎我们，而且向我们介绍了李闻惨案，介绍了国民党反动派于1946年7月发动内战以来的形势，还向我们介绍了清华学生从"五·四"、"一二·九"以来的光荣革命传统。

随后，他积极地投入北平的民主运动。1946年12月1日他为《文汇报》组织了纪念"一二·一"学生运动一周年的专页。1946年12月24日晚"沈崇（北大学生）事件"发生后,他在清华大学群众集会上严厉痛斥了美蒋反动派的暴行,对北大的抗暴运动作了有力的支持。在清华党组织的发动和他的积极活动下,大批清华同学于12月30日来到沙滩和北京各校的队伍汇合,举行了上万人的"抗议美军暴行"的游行示威,并在东单广场沈崇事件发生地召开了群众大会。北平的抗暴大游行和集会,点燃起全国抗暴的怒火,把"一二·一"运动所掀起的反内战运动和反帝斗争有机地结合起来,成为解放战争时期国民党统治区反美反蒋爱国运动的序幕。

此后,蒋管区民主运动的高潮一个接着一个,举其大者就有:1947年2月的抗议反动政府非法捕人的运动,5月的反饥饿反内战运动,7月到9月的助学运动（实质上是反饥饿反内战运动的继续）,1948年3月的抗议非法查禁华北学联的反迫害运动,4月的抗议师院"四·九"血案的反迫害运动,5月发生的反对设立特种刑事法庭的斗争,5月30日和6月9日的两次反对美帝扶植日本的运动,7月发生的反剿民、要活命运动,等等。在这一系列民主运动中,吴晗老师都与广大进步同学休戚与共,并肩战斗,并且团结了一批老教授,为中国人民解放事业作出了可贵的贡献。"一身重病,宁可饿死,不领美国的'救济粮'"的朱自清等教授1948年6月签名的抗议美国扶植日本和拒绝领取"美援"面粉的宣言书,就是吴晗教授参加起草并亲自征集签名的。

吴晗老师在北平秘密编辑并出版了一种封面用《社会贤达考》、《沧南行》、《论南北朝》等不同书名伪装起来的不定期刊物《自由文丛》,为了迷惑国民党特务,书上有的印着香港出版、有的印着上海出版的字样。他亲自撰写《"社会贤达"考》、《提高和普及》、《旧戏余谈》等文章,同美蒋反动派进行针锋相对的斗争。

在人民解放战争节节胜利当中,蒋介石狗急跳墙于1947年7月19日颁布了所谓《戡乱总动员令》,采用法西斯手段对青年学生和进步人士进行疯狂的镇压。10月27日国民党政府悍然宣布中国民主同盟为"非法团体",勒令解散。吴晗同志在党的地下组织的帮助下,不畏强暴、立场坚定、旗帜鲜明地同反动政府以及民盟的个别领导人进行了针锋相对的斗争,拒不接受解散命令,并领导北京市民盟组织转入地下,坚持斗争。

解放战争时期,他住在清华大学旧西院十二号。这是一所中式院子,北房一排,靠东边一间是他的卧室,另外几间连成一起作为书房和客厅。东西厢另有厢房。这个古老的院子是当时民主青年和进步教授经常出入的场所,多次民主运动的宣言、通电就是在这里起草的。在那里还有军调部撤销时叶剑英、徐冰同志送给他的一台收音机,用以收抄解放区的电讯,然后刻印成电讯稿秘密传播。他们还曾利用这个院子掩护过我党地下工作者。我和同学去过多次都得到他和师母的热情接待和鼓励。1947年一个星期天的早晨,我和同学去了,他因头夜写作睡得太晚而尚未起床,听到我们来了,就急忙起床。我们想告退,他和师母怎么也不让我们走。我们劝他先吃早饭,他也不吃,喝着清茶和我们一谈就是一上午。另有一次,在他家里谈起人民革命胜利后如何处决蒋介石的问题,有人说,应该把他公审,然后在广场上当众用炸药炸死。他说:这样还太便宜他了,应该多炸几次,也就是把引线点着,快着到他身边时让引线熄灭,如此反复进行多次,然后再把他炸成齑粉。在这谈笑风生的言谈中,可见他对敌人的无比仇恨,对人民革命的胜利抱有无限的信心。

那时的北平,随着内战的展开、通货膨胀的加剧和物价的加速度上涨,教育工作者的实际收入也越来越低,一般教职工被迫在饥饿线上挣扎,就是大学教授们也不得不过着贫困的生活。他曾到东单旧货地摊上买旧衣裤穿。1946年秋他还特地向我们介绍过买旧裤子的经验,"一定要将裤裆对着亮光照一照,否则就会上当!"1946年底我在《文汇报》上发表的《在北国的寒风中抖索着的教授们》一文,就是以他和其他一些教授的生活作为写作的背景的。这种情况,导致了解1948年4月5日北京各校讲师、助教和职工发出《为争取合理待遇告社会人士书》,并宣布罢教。这时,吴晗老师带头并且发动各校120名教授签名也宣布罢教,表示响应和支持。

北京解放前不久,他积极响应党中央关于召开新政治协商会议的"五一号召",准备去解放区的前几天,1948年8月15日早晨我去看他。在清华旧西院西北边的树林中和他谈话,我们都坚信不久以后他就会回到北京的。在树林边我给他拍了一张半身照片留念。不久以后,他于9月6日到达上海,准备经香港进入解放区,后知那条路有困难,又回到北京,经地下党协助,他和夫人一同进入石家庄解放区,来到党中央所在地西柏坡,受到毛主席和周副主席的亲切接见和热情鼓励。

1949年2月北京解放后,他随同钱俊瑞等同志身穿北平市军管会的灰军装和灰大衣,到北京大学民主广场参加对北大的接管仪式。解放前拍的那张照片直到1949年春在北京大学"孑民纪念堂"召开的中国民主同盟北平市第一次盟员大会上,我才交给他,他很高兴地回想起当时的情景。就在这次会上,我们正式选举他担任民盟北平市支部的主任委员。1958年以后,他还担任了民盟中央副主席。在民盟工作中,他诚恳接受党的领导,努力贯彻党的路线、方针、政策,广泛地接触和团结了文化教育界和学术界的新老知识分子。

全国解放以后,吴晗教授还担任了清华大学历史系主任、文学院院长、校务委员会副主任委员、中央人民政府文教委员会委员等多种职务。从 1949 年 11 月起,他被选为北京市副市长,分工主管文教工作和民政工作。对提高首都中小学教育质量、普及文化科学知识、整理和保护首都文物古迹、建议发掘定陵和建立定陵博物馆等方面做了大量的工作,取得了显著的成绩。就是在建设首都公共厕所这样一件似乎微不足道的小事上,都充分体现他对人民生活的关心,使首都人民至今身受其惠。

吴晗老师早在 1943 年参加民主同盟以后,就有在将来参加中国共产党的愿望。他也曾以此来勉励民盟的同志们。但同时他也存在着革命成功以后,“功成身退”,回到书斋专心治学的“清高”思想。1948 年到达解放区以后,认真学习马克思列宁主义、毛泽东思想,提高了思想觉悟,曾给毛主席写了一封长信,提出入党的要求。在党的教育和帮助下,经过长期革命斗争的锻炼和考验,世界观得到不断的改造,终于在 1957 年光荣地加入了中国共产党,由一位资产阶级学者、革命民主主义者成为无产阶级的先锋战士。当时由于工作的需要,他的党员身份并没有公开,但他更为勤恳地为党工作,努力贯彻党的路线、方针和政策,为社会主义革命和社会主义建设事业作出了积极的贡献。在 1965 年他克服身体上的困难,积极参加了赴西藏的慰问团,在拉萨,因有高山反应,曾靠吸氧气过日子。回京后却兴奋地向我们谈论西藏的丰富宝藏,农奴制的极端残酷,解放后的新貌等等。不意这竟是我们最后一次见面。后来,就只曾在街头墙报上看他到"坐喷气式"的照片了。

解放以后,他身兼的职务还有:全国人大代表,全国政协委员、常委,市人大代表,市政协委员、常委、副主席,全国青联副主席、秘书长,中国科学院哲学社会科学部委员、历史研究所学术委员、《历史研究》编委,北京市历史学会会长,等等。他在繁重的行政工作面前,从不放弃学术研究工作,而且以极大的热情组织史学界的学术活动。他写过不少小品文。他根据中央负责同志的建议,响应毛泽东同志的要学习海瑞刚直不阿精神的号召,写了《海瑞骂皇帝》、《论海瑞》和历史剧《海瑞罢官》,深得广大群众的喜爱和赞扬。

林彪、"四人帮"和他们那个"顾问",为了篡党夺权的需要,于 1965 年 11 月 10 日抛出《评新编历史剧〈海瑞罢官〉》这篇黑文,把《海瑞罢官》诬蔑为"反党反社会主义的大毒草",一位积极反蒋并从革命民主主义者转变为无产阶级先锋战士的共产党员竟被诬陷为"反共老手",一个从未被捕过的人竟然被蛮横地定为"叛徒",解放战争中的坚强民主战士的一些历史功绩竟被诬蔑为"特务活动",敌我颠倒,一至于此,真是令人发指!吴晗老师未死于国民党反动派的无声手枪之下,却死于用"最最革命"的词句装扮起来的反革命阴谋集团的酷刑审讯和逼供。在他大口吐血的时候,周总理曾经再次指示抢救,可是"四人帮"及其"顾问"却以加紧迫害来对抗总理对他的关怀。这不仅是老师一人一家的浩劫,而且也是从反面给全党全国人民以极其深刻的教训。

现在可以告慰于吾师的是:党中央执行人民的意志已经于 1976 年 10 月一举粉碎了"四人帮",持续十年的革命和反革命的大搏斗,终于以中国人民取得伟大胜利而告终;老师一家的冤案也和他们制造的大批冤案一样得到了彻底的平反；新华社在报道中宣布："吴晗同志是中国共产党的好党员、坚强的革命战士、著名的历史学家"，并且号召"要学习他……鞠躬尽瘁的革命精神"和"坚持实事求是的科学态度"；老师的新编历史剧《海瑞罢官》已经重见天日；老师的遗著《朱元璋传》、《灯下集》等已经重新出版，有的正在整理编辑准备出版。人民将永远怀念您的坚强的革命意志和优秀的革命品质。

（原载《社会科学战线》1980 年第 2 期）

勇猛的先驱者的启示①

——纪念吕振羽同志

廖 盖 隆

我对有机会参加纪念中国杰出的马克思主义历史学家吕振羽同志的学术讨论会,感到由衷的高兴,同时这使我产生了对吕振羽同志的无限的思念和敬佩之情。吕振羽同志是我的老师,我在延安时就听过他的中国古代史的讲演;他的许多著作,如《简明中国通史》、《史前期中国社会研究》、《殷周时代的中国社会》、《中国社会史诸问题》等我都读过,得到了许多教益和启示。

我对中国古代史没有做过专门研究,是个门外汉,所以我无法判断吕振羽同志对中国古代史的所有见解是否都完全正确。但是我喜欢听吕振羽同志的讲演,喜欢读他的史学论著,衷心钦佩这位史学界的老前辈。这是因为他的讲演和论著善于运用马克思主义的立场、观点、方法来探索解决中国史学领域中的问题,理论性强;因为他是在史学领域向马克思主义的敌人冲锋陷

---

① 本文是廖盖隆同志 1986 年 10 月 6 日在纪念吕振羽同志学术讨论会上的发言。

阵的勇猛善战的先驱战士,他从 20 世纪 30 年代初起就发表了许多关于中国社会史的富有战斗性和说服力的论著;因为他善于使历史的研究古为今用,并且富于开拓精神,对于中国古代史提出了许多独到的见解;因为他有很好的史德,对于和自己的观点不尽相同的马克思主义史学家既不盲从,也不排斥,而是采取谦逊的尊重的态度;还因为他毕生治学勤奋,著作丰硕,给我们留下了非常宝贵的精神财富。

例如,在古代社会史分期的问题上,吕振羽同志认为殷商是奴隶制,西周到春秋是早期封建制(即领主封建制),战国以后是后期封建制(即王权专制下的地主阶级剥削制度);尤其是他认为中国从西周时起就进入封建社会这一点,我认为是比较符合历史实际的。当然,中国历史上是否有过如同古代希腊那样的典型的奴隶制,还有待于研究。事实上,世界上许多国家民族都没有经历过典型的奴隶制阶段,因此,我认为拘泥于马克思、恩格斯关于几个社会发展阶段的模式,并没有特殊的意义。马克思自己在 1857 年到 1858 年经济学手稿中就说过,世界上有些民族是从原始公社制进入奴隶制的,也有些民族是直接从原始公社制进入封建制的。

又如,吕振羽同志认为中国历史上不仅是有过春秋战国时代的一次百家争鸣,而且还有过殷周之际、两汉时期、两晋南北朝、唐朝、两宋、明清、中国旧民主主义革命时期特别是新民主主义革命时期等多次的百家争鸣。这个见解也是很有道理的。因为从古以来,科学文化只有在互相竞赛、互相争论中才能发展,这是历史事实,也是一个规律。我认为,吕振羽同志关于中国历史上有过多次的百家争鸣的论断,对于我们现在和今后长期内为了实现整个社会生活的民主化和促进科学文化的繁荣发展,而自觉地认真贯彻执行双百方针,有重要历史意义。

吕振羽同志在中共中央高级党校 1959 年班讲授中国历史时指出,我们之所以要学习历史,是为了认识人类社会历史发展的规律;是为了吸取历史上的经验教训,使我们能够正确地认识、掌握和执行党的政策;也是为了批判地继承历史遗产,使过去的历史遗产为共产主义事业服务。因此,他指出:"我们学习历史特别要着重学近代史、现代史,尤其是近代工人运动史、党史。我们不能因为在这里讲古代史,就把古代史的重要性夸大起来,超过近代史、现代史。"吕振羽同志的这些精辟的见解,对于我们学习历史特别是学习近代史、现代史、中共党史,也是很好的启示。

现在,我们的国家正处在社会主义的全面建设和全面改革的伟大新时代。这个时代是从 1978 年 12 月党的十一届三中全会开始的。吕振羽同志生前已经看到了这个伟大时代的开始。党和国家在社会主义现代化建设新时期的总任务,就是建设一个现代化的高度民主的高度文明的伟大的社会主义国家。我们将力争在下一个世纪上半期达到这个目标。这是一个从经济、政治、文化等各个社会生活领域全面地协调地建设社会主义的总任务。为了顺利地进行社会主义的全面建设,我们正在对高度集权的经济体制、政治体制、文化体制、进行全面的改革,以便打破僵化的社会主义传统模式对于我国的经济发展、政治发展和精神发展的束缚,实现党和国家政治生活的民主化,经济管理的民主化整个社会生活(包括文化生活)的民主化。我们史学界特别是现代史学界、党史学界的光荣任务,就是要沿着上面所说的吕振羽同志所提示的正确方向,为社会主义的全面建设和全面改革这个人类历史上空前伟大的事业积极贡献自己的力量。我认为,这就是我们对杰出的马克思主义历史学家吕振羽同志的最好纪念。

（原载《社会科学战线》1988 年第 2 期）

于省吾先生及其学术贡献述略

黄锡全　于德偶

　　于省吾先生,字思泊,号夙兴叟,斋名双剑誃、泽螺居。1896年12月23日(光绪二十二年十一月十九日)诞生于辽宁省海城县西十五里中央堡,1984年7月17日病逝于长春,享年88岁。先生一生致力于古文字学、古籍整理、古代历史、古代文物等方面的研究,治学严谨,成绩卓著。毕生六十余年学术生涯,笔耕不辍,著书14种(未正式出版者不计)、论文近百篇。是我国著名的古文字学家、考古学家、古籍整理专家。去世前,先生曾担任九三学社中央委员会顾问、吉林省政协常委、国务院古籍整理与出版规划小组顾问、中国古文字研究会理事、中国考古学会名誉理事、中国语言学会顾问兼学术委员、中国训诂学会顾问、中国大百科全书编辑委员会顾问、吉林省历史学会常务理事等职,是吉林大学一级教授、博士研究生导师。

　　先生少承庭训,学习勤奋。17岁入海城中学,后入奉天教育会国学专修科,未及结业,就以优异成绩考入沈阳国立高等师范,1919年毕业。此后,曾先后任安东县县志编辑、奉天交通银行职员、西北筹边使署文牍委员、奉天省教育厅科员兼临时省视学等职。1924年任奉天省城税捐局局长。1928年,张学良筹建奉天萃升书院,聘先生为院监。为开化东北、传播国学,先生曾亲自聘请国内一流知名学者为该院教师。如聘高步瀛先生主讲文选,聘王树楠先生主讲经学,聘吴廷燮先生主讲史学,聘吴闿生先生主讲古文。先生因此也曾受其影响,更喜爱"桐城派"古文。在此前,先生也曾有《未兆庐文钞》行于世。1931年"九·一八"事变前夕,萃升书院停办,东北形势急剧变化,为避免日寇的奴役统治,先生毅然变卖了在奉天及海城的家产,辗转迁居北京。

到北京后,先生开始研究古文字及从事古籍经典的校订、研究工作。为了更深入地从事研究和著述,先生几乎动用了大部分资产,甚至不惜变卖夫人首饰,来收集甲骨、青铜器等文物,很多是有名的兵器,如吴王夫差剑、少虞剑、吴王光戈、楚王酓璋戈等。先生很得意收藏的上列两把剑,遂以"双剑誃"名斋。此后的著述便多冠以斋名"双剑誃"。先生珍藏的文物约有二百多件,解放后全部捐给故宫博物院和中国历史博物馆。为了辨别文物的真伪,先生曾潜心研究过青铜器的时代特征,并对收藏的文物作过精心的整理。先生辨别古文物真伪的功力,也是这时候不断总结经验教训锻炼出来的。

在北京,先生一面从事著述,一面从事教学。20世纪三四十年代,先生先后担任辅仁大学教授、燕京大学名誉教授,讲授古文字及古器物学等。此间出版专著有《双剑誃吉金文选》等十余部著作,还编撰有《双剑誃殷契骈枝四编》及《契文例》稿本(曾毅公助理),发表论文近二十篇。在这么短的时间内取得如此丰硕的研究成果,可见先生惊人的笔耕毅力及对学术事业执著追求的精神。1952年全国高等学校院系调整,先生被聘为故宫博物院专门委员。1955年,东北人民大学(后改为吉林大学)

匡亚明校长至京，聘请先生为该校历史系教授，先生欣然同意。同年 6 月正式奉调长春。从 1955 年至 1984 年，先生在长春生活、工作了近三十年。

在吉林大学工作期间，除去历次运动及"文化大革命"，先生主要是培养研究生和从事著述。1956 年至 1966 年期间，先生曾先后招收三届 6 名研究生。1978 年恢复研究生招考制度，先生置年迈体弱于不顾，于 82 岁高龄继续招收研究生 5 名。1981 年又继续指导博士研究生 3 名。1980 年与 1983 年，受教育部委托，主办全国具有讲师以上水平的古文字进修班两期，共招收学员二十余名，为全国高等院校及文博单位培养了一大批专业人才。在此期间，先生出版专著有《商周金文录遗》等多部著作，主编《甲骨文考释类编》，并发表论文六十余篇。直至生命的最后一息，先生都没有停止从事著述及教书育人的工作。

综观先生一生所走的学术道路及取得的学术成就，其贡献是多方面的。在这里，只是就下列几个方面谈一点认识和体会。

一、在考释古文字方面的贡献

先生研究古文字，是从 20 世纪 30 年代初寓居北京时开始的。那时先生已经三十多岁接近四十岁了。由于先生具有深厚的古典文献功底及古文字学基础，加上治学勤奋，所以后来居上。四十多年中共考释出一大批前人不识或误解误释之字，并提出了突破传统"六书"的文字学理论，为学术界所称道。

首先是考释甲骨文字。殷商甲骨文，自清末发现以来，经过不少学者，尤其是罗振玉、王国维的不断研究，取得了不小的成绩，但也存在很多不易解决的疑难问题。仅就文字考释方面而言,越往后考释疑难文字的难度就越大。据初步统计,甲骨文不重复的字约有五千左右,能认识者也就千字左右,多数还不认识,这就影响到对有关问题的进一步研究。先生认为"这是我们应当担负起的一个艰巨任务"。因此,先生知难而进,在前人研究的基础上,经过不懈的努力,终于在1940年至1943年间,连续出版了考释甲骨文的专著《双剑誃殷契骈枝》初编、续编、三编,在同行中崭露头角。1979年,先生总结了四十多年来研究甲骨文的成果,删订《殷契骈枝》三编,与新释合为一编,题名《甲骨文字释林》,由中华书局精装出版。全书190篇。20万字左右。这是先生积一辈子心血研究甲骨文字的精华。全书用"分析偏旁以定形,声韵通假以定音,援据典籍以训诂贯通形与音"(陈梦家《殷墟卜辞综述》)等科学方法,新释,或纠正前人误释及前人已释而不知其造字本义者,约有三百来字,论证简洁严谨,结论多属可信。如释气、释败、释襄、释大夏风、释虹、释屯、释奊、释尼、释婢、释弗、释宀、释庶等等,以及释小王为孝己、羌甲为沃甲、膏鱼为高鱼等,其例不胜枚举。是罗、王之后考释文字最多的学者。同时。先生在该书中所释的"具有部分表音的独体象形字"、"附划因声指事字",则是对传统文字学理论"六书"说的发展和突破,开创了考释文字的新方法和新途径。先生的《双剑誃殷契骈枝》及《甲骨文字释林》的出版,受到了学术界的普遍重视和高度评价。如王宇信在《甲骨学通论》中指出:

> 于省吾在甲骨文字考释的广度和深度方面超过了前人。不仅他考释或加以解说的三百多个甲骨文字对我们很有参考价值,而且他将罗、王以来考释甲骨文字的方法加以继承并发展,对我们今后文字的考释工作将发生深远的影响。

此外,陈伟湛、唐钰明在《古文字学纲要》中,吴浩坤、潘悠在《中国甲骨学史》中,王宇信在《建国以来甲骨文研究》中,以及曾宪通在《建国以来古文字研究概况及展望》(《中国语文》1988年第1期)一文中,都对于省吾先生在甲骨文字考释方面所取得的成就做了概括性的评述,并给予了高度评价。

这些评论,应该说是比较公允而符合实际的,代表了学术界的看法。郭沫若先生再版他的甲骨文重要著作《卜辞通纂》和《殷契粹编》时,就特别邀请于先生在文字考释方面进行校订,并将校改之处,录于该书的眉端。1977年,中华书局邀请先生主编《甲骨文考释类编》,先生去世前已完成部分资料长编,近经增补编辑抄正,不久即可面世。

先生考释甲骨文字的成就大于其他方面,但于金文的研究也下过一番苦功,提出了不少极富创见性的解释,也作出了比较突出的贡献。先生曾计划继《甲骨文字释林》之后,总结对铜器铭文研究的成果,出一部《吉金文字释林》,预计考释文字二百个左右,并曾就书名一事还与他的研究生反复琢磨过。先生之意是,《甲骨文字释林》当初应取名《古文字释林》,以后所辑均同样命名,仅以一辑、二辑、三辑等以别之。可惜此书未能完稿而先生即溘然长逝。回忆先生当时谈起宏伟计划的情景,仿佛先生根本就没有考虑过他已经是八十多岁高龄老人似的。尽管我们今天已难以见到先生对二百字左右金文考释的全部内容,但从已发表的论文中可窥见其梗概。如《释中国》、《释敫(举)》、《释盾》、《释两》、《释能和羸以及从羸的字》、《释从天从大从人的一些古文字》、《读金文杂记五则》、《关予利簋铭文的释读》、《墙盘十二解》、《寿县蔡侯墓铜器铭文考释》等等,相当精辟地考释了一大批难度较大的铜器铭文。由于先生长于字形分析和音韵、训诂，又善于利用出土文物等材料，因此，所考文字及所释字义多令人信服。如通过偏旁分析，释出了一批从能从羸和从天从大从人的古文字；对武王克商时的利簋中"岁贞克闻"的解释，对矞为管蔡之"管"的考证；利用出土文物与古文字字形的演变，论证"盾"的变化及"登盾，生皇画内"的含义；释秦公钟蠚蠚为蠚蠚，读"趞文武"之蠚蠚为蔼蔼，训为威仪之盛；读蔡侯钟"鴍鴍为政"之"鴍鴍"为"懋懋"，训为"黾勉"；读墙盘"方蛮亡不规见"之规为踝，训踵，解为方蛮无不接踵而至，等等，于形、音、义等均密合贯通。又如《释叒》一文，先生根据甲骨、金文中兴字的构形，以纳西族文和古代典籍为证，释此字为"举"，为进一步研究族氏文字树立了榜样。另外，《甲骨文字释林》中也包含了不少先生对金文考释的意见，早年出版的《双剑誃吉金文选》，对青铜器铭文的训释，也多有独到之处，其著录的金文书籍，如《商周金文录遗》等，为促进金文的研究起到了积极作用。

先生研究战国文字及汉隶"古文"等方面，也有不少新的见解。这一方面，以前似乎不大为人们所注意。其实，早在先生开始研究古文字时，就曾注意到战国古文及秦汉篆隶对于研究甲骨、金文的重要性，考释文章中不乏征引这类材料以阐明文字的源流。1943 年出版的《双剑誃殷契骈枝三编》中就专附有"古文杂释"。其中考释战国文字者，如释古玺质、阴、畤等字，释古货币文虞阳、铸、均、居、踆、堂等字，释古陶文脊满等字，等等，多准确无误。《论俗书每合于古文》，是继罗振玉《古文间存于今隶说》之后，主张研究商周古文字及《说文》古文等还要注意秦汉以后所谓"俗体"中所保存的"古文"形体的又一篇力作。全文共举 64 字为例，逐字进行分析论证，亦多准确无误。

另外，先生所藏有关书籍及资料中，也每见有眉批，其中不乏先生的精辟见解。如能将先生的笔记(先生不做卡片,以防丢失)及眉批等综合整理出来,可以看出先生有很多考释文字的意见未能来得及整理发表。如 20 世纪 50 年代商承祚先生赠送"思泊先生考正"的《信阳出土战国楚竹简摹本》(晒蓝本)中,先生就有不少旁注及眉批。现罗列几条如下:

简 2—01 ❀,摹本缺释。先生旁注云:"专,从刃从刀同,同第一组刚字从刃。"又于眉批云:"❀系专字,龙节遄从专作❀可证。"

简 2—03"一簙竽",先生眉批云:"夸从于声,瓠从夸声。簙通瓠,古韵同属鱼部。竽三十六管,以管贯瓠,故曰簙竽。"

简 2—11 厬,摹本释畾。先生旁注云:"厬,从聂。"筌,摹本释遂。先生旁注"筌"字,云"非遂字,从朩"。

简 2—13"一红介之留衣"。先生于"介"旁注云:"介古界字。'红介'犹言'红格'"。

先生曾有撰写《战国文字释林》(开始叫《古文字释林》,见《文献》19 辑)一书的计划,可惜未能实现。

如果将先生所释之甲骨文(三百)、金文(二百)、战国文字及尚未整理之考释文字的意见一起计算,先生一生考释、训释的文字,估计有六七百字之多。

总之,先生在考释古文字方面取得了举世瞩目的惊人成就,作出了巨大的贡献。

二、在整理校订古籍方面的贡献

先生学术贡献的另一很重要也是很具有代表性的方面,就是利用古文字材料及研究成果,参以旧书写本及出土文物等材料来校订古代典籍,开创了科学整理古籍的一个新途径。先生一贯认为,先秦典籍原是用先秦古文字写成的,其在流传中出现的种种错误,与当时的古文字在形、音、义各方面的特点有密切关系;又因汉代学者译释先秦古文献时已不能完全认识古文字,再加以口耳相受及辗转传抄,以致错误较多。今天纠正其错误,不仅要直接利用或联系当时文字的形、音、义的特点加以研究,而且还要利用同一时代的典籍及出土文物等相互验证,才能有所创获。清代乾嘉学者,由于受当时条件的限制,虽然根据流传下来的古书相互比勘以校正本文和训释的错误,做了大量工作,取得了很大成绩,但存在的问题仍然不少。今天能有条件用古文字校勘典籍,这是一种直接有效的方法。同时,先生又主张地下出土的资料与文献资料有主辅之别,要以发掘的文字资料为主,以古典文献为辅。既要用发掘的文字资料来纠正古典文献之讹误,又要用古典文献来补充发掘的文字资料之不足。两者辩证地结合起来,交验互证,才能全面研究问题,才能解决问题。先生是这样认为的,也是这样身体力行的。20世纪30年代初,先生一到北京后就开始了这方面的工作。他将对古文字的研究与校订古籍有机地结合起来,取得了很大成就。解放前就连续发表并出版了多部著作。由于先生精通古文字,又具有群经诸子、目录版本、典籍校勘、考古发掘、音韵训诂等方面的修养,所以所阐述的问题能左右逢源,所校所释多令人信服。下面仅据修改增订后的《诗经・楚辞新证》,各举一例,以见一斑。

《诗・绵》"古公亶父,陶复陶穴"之"陶复陶穴"一句,两千年来旧注及解说《诗》者对于"陶"和"复"字一向训释不清,而清儒又多拘泥于《说文》,误以为"陶复"是于地上复筑土室。先生根据典籍,及西安半坡、华县元君庙的仰韶文化和大汶口的龙山文化等墓葬和遗址中有红烧土的发现,交验互证,认为此句的"陶"字为动词,义为"烧制"是说住穴与复穴的内部都用陶冶出来的红烧土所筑成,为的是质地坚固,以防潮湿。又指出,"陶复"的"复"字应在句末,为与上下句押韵而与"穴"字颠倒,本应作"陶穴陶复"。"复"系开掘于住穴内的地窖,用以储藏谷物之类。这是周人詠太王在幽穴居之事。

《楚辞·大招》"小腰秀颈,若鲜卑只"一句,旧注虽知"鲜卑"为带钩,由于未能验诸实物,每语意笼统不清。先生以郑州战国墓中出土的带钩实物为例,详细指明带钩各部位的名称,最后指出,此句"是以带钩之形制比拟女人之腰颈。'小腰'指带钩身部中间言之,'秀颈'指带钩左端弯曲处言之"。

这样交验互证地校订古代典籍,不仅文义较旧注通达,细微而准确,令人信服,而且开创了整理古代典籍的新路,受到了学术界的肯定和称赞。胡朴安在《中国训诂学史》中,认为先生这种整理、校订古籍的方法有"筚路篮篓,以启山林"之功,为训诂学开辟了新的途径,并推崇先生为"新证派"的代表。

三、在利用甲骨金文研究商周历史方面的贡献

先生在运用马克思主义理论为指导,利用古文字研究成果及古代典籍,结合历史学、考古学及民族志等,来研究、探索中国古代历史及有关制度方面,也作出了不少成绩。先生研究古文字与古代典籍,并非仅仅是为了解决其中的疑难问题,而是要透过这些材料来探讨当时的历史面貌。在《甲骨文字释林·序》中,先生曾明确阐述了"研究中国古文字的主要目的,是为探讨

古代史"的观点,并就此作了进一步的论述。先生说:

> 中国古文字中的某些象形字和会意字,往往形象地反
> 映了古代社会活动的实际情况,可见文字的本身也是很珍
> 贵的史料。在本书中,我利用甲骨文字的构形和甲骨文的
> 记事,对我国成文历史的开始,对我国古代社会的经济基础
> 和上层建筑,都进行了一些研究。而特别值得注意的是,其
> 中所反映出来的商代统治阶级对人民的践踏和刑杀,在这
> 里有必要概括地阐述这一问题。

紧接着,先生通过列举甲骨文中有关"人身的蹂躏"、"捆
缚"、"械具和图圄"、"肉刑"、"火刑"、"陷入以祭"、"砍头以
祭"、剖腹刳肠的"炏与屯"为例,说明商代统治阶级践踏和刑杀
人民的残酷性,进而指出文献中所载关于商王统治时期的所谓
"修正刑德,天下咸欢"(《史记·殷本纪》)多为颂扬粉饰之词。

先生所发表的单篇论文,也多具这个特点,即运用马克思主
义的史学观,通过对古文字的考释来研究商周历史。如《略论
甲骨文"自上甲六示"的庙号以及我国成文历史的开始》、《略论
图腾与宗教的起源和夏商图腾》、《从甲骨文看商代社会性质》、
《商代的谷类作物》、《从甲骨文看商代的农田垦殖》、《关于商周
时代对于"禾"、"积",或土地有限度的赏赐》、《殷代的交通工
具和驿传制度》、《岁、时起源初考》、《"皇帝"称号由来和"秦始
皇"的正始称号》等,就我国成文历史的开始、古代的图腾制度、
商周时代的社会性质及阶级斗争、农业生产、土地制度、驿传交
通等等方面,都提出了比较新颖的见解,"做了创造性的探索"
(王宇信《甲骨学通论》)。如通过辨析甲骨文中的黍、稷、菽、麦、稻
等,证明我国商代已经具备了后世所习称的"五谷"。据典籍,
垦田始见于《国语·周语》。先生通过对甲骨文坚字的考释,认

为圣田即垦田,说明商代武丁时已有农田垦殖。先生根据甲骨文、金文及文物考古资料等与古籍记载相互印证,说明殷代不仅有了车马、步辇和舟等交通工具,而且也盛行单骑与骑射;先生又根据甲骨文迶与遷字的形义演变及"迶人"、"遷往"、"迶来归"等辞例,以金文及传记资料为佐证,将过去多认为"驲传"起源于春秋的时间推前至殷代。等等这些,虽不能都视为定论,但先生是在努力运用马克思主义史学理论来探索商周历史及其有关制度。

关于古文字资料在研究古代历史上的地位问题,先生也一向认为(见《甲骨文字释林·序》):我过去一再强调要以地下发掘的文字资料为主,以古典文献为辅。像甲骨文这种保存在地下的文字材料,是三千多年来原封不动的。而古典文献则有许多人为的演绎说法和辗转传讹之处。……当然,我们同时也要用古典文献来补充地下发掘的文字资料的不足,特别还需要用地下发掘的实物资料,来补充文字资料的不足,把这几方面辩证地结合起来,交验互证,才能使我国古代史的研究不断取得新的成果。

先生研究古史的论文及所取得的成就基本体现了他一向主张的这种思想。先生"通过古文字考释研究商史,为恢复我国古代社会面貌作出了贡献"(王宇信《甲骨学通论》)。

四、在教书育人方面的贡献

先生对学术事业的另一贡献是教书育人。先生一生的学术生涯,除从事研究和著述外,就是培养人才。

先生培养学生,认真负责,方法得当,效果好。归纳起来,约有下列几个方面。

一是教导学生熟读原始材料,掌握好学习方法。先生指导研究生,学甲骨文时,就以《甲骨文合集》为课本;学金文,就以《殷文存》、《续殷文存》、《三代吉金文存》等为课本,叫学生老老实实地一片片、一篇篇阅读,有疑问者,研究生先行讨论,实在不明者,由先生答疑。学习中要学生随时记下重要材料及心得。对前人的解释,先生教导学生不要一味盲从"大家"或"权威",要以怀疑的态度去思考每一问题,进而才能发现问题,久而久之,积少成多,自然会有不少收获。

二是教导学生治学要勤奋,要有锲而不舍的精神。先生做学问一向是一丝不苟、勤勤恳恳的。到晚年每天都是清晨三四点钟就起床从事著述,因此以"夙兴叟"名号。先生经常用美国爱迪生的名言"天才是百分之一的灵感,百分之九十九的汗水"来告诫、勉励学生。先生常说,"念兹在兹,食兹在兹。做学问贵有恒,功到自然成","不怕慢,就怕站,站一站,二里半"。这些风趣而带有哲理性的教导,至今还在先生的学生中广为流传。先生在生命的垂危之际,于病床上还用手指比画字形以教导学生,真可谓是"鞠躬尽瘁,死而后已"。

三是强调学生做学问要严谨,要知道"阙疑"。先生做学问以严谨著称,对乾嘉学者中的段玉裁、王念孙、王引之治学严谨、无证不信的精神倍加推崇。先生在整理《甲骨文字释林》时,对早期研究中误释或有疑问者"大加删订",几乎删去一半,意在"宁缺毋滥"。先生常说,做文章要"流于既溢之外"(苏东坡语),论证一个问题要"严丝合缝",文章要短小精练,少说废话。

先生不仅对他的研究生是如此,凡是登门或书信求教者,都一视同仁,耐心指教。1975—1978 年间,先生对浙江的一位下乡插队但热爱甲骨文的青年,为鼓励他学习,帮助他寻找学习的机会,在年迈多病的情况下,短期内竟回复书信达 17 封之多(见《于省吾先生书简》),可见先生对后学的关心和爱护之情。

先生的贡献是多方面的。此文记述的仅是其中的几个方面。1996 年是先生诞辰一百周年,谨以此文作为对先师思泊先生的怀念。

最后,敬以自撰之联,献于先生之灵:

> 校群经诸子,育中华英才,鞠躬尽瘁;
>
> 考甲骨金文,写商周历史,博大精深。

于省吾著作目录

专 著

①《双剑誃吉金文选》,大业印刷局,1933 年。

②《双剑誃尚书新证》,大业印刷局,1934 年。

③《双剑誃吉金图录》,1934 年。

④《双剑誃诗经新证》,大业印刷局,1935 年。

⑤《双剑誃易经新证》,大业印刷局,1937 年。

⑥《双剑誃殷契骈枝》,大业印刷局,1940 年。

⑦《双剑誃吉器物图录》,大业印刷局,1940 年。

⑧《双剑誃殷契骈枝续编》,大业印刷局,1941 年。

⑨《论语新证》,1941 年辅仁大学讲演集第二辑。

⑩《双剑誃殷契骈枝三编》,大业印刷局,1943 年。

⑪《商周金文录遗》,科学出版社,1957 年。

⑫《双剑誃诸子新证》,1940 年大业印刷局初版,1962 年中华书局再版。

⑬《甲骨文字释林》,中华书局,1979 年。

⑭《泽居螺诗经新证·泽螺居楚辞新证》,中华书局,1982 年。

未出版著作

①《双剑誃殷契骈枝》四编。

②《契文例》(曾毅公助理)。

③《国语新证》(初稿本)。

④《逸周书新证》(初稿本)。

⑤《尔雅新证》(初稿本)。

⑥《甲骨文考释类编》(主编)。

⑦《吉金文字释林》(未能完稿)。

(原载《社会科学战线》1995 年第 2 期)

金毓黻传略

金 景 芳

金毓黻先生，辽宁省辽阳县后八家子人。生于 1887 年 7 月 19 日（清光绪十三年旧历五月二十九日），1962 年 8 月 3 日殁于北京，终年 75 岁。

先生初名毓玺，20 岁后始改名毓黻。原字谨庵，后改静庵。

先生少小时，家有祖遗田产二三十亩，生活粗能自给，不算宽裕。6 岁入私塾。自 16 岁起，因家境不济，无力读书，改习商业四年。先生于日记中说："忆年十六七时在书肆购得《三鱼堂集》，绎诵数过，以谓近代醇儒，莫清献若。乃因其绪论，以求濂洛关闽之书。复得《正谊堂全书》。宋贤嘉言，灿然具在，而其中有清献著作四种，尤所葆贵。因是更求所著之《四书大全订本》、《困勉录》、《松阳讲义》、《三鱼堂日记》及《膌言》，皆已得之。"又说："余志学之初，由先生（陆陇其）入，于此不敢持异同之见。"可见先生于习商时并未废学。同时也可以看出，先生少时受宋明理学思想影响很深。观先生自号静庵，且以静晤名室，其言曰："静晤者，期于静中有所悟也。"又说："吾人唯守定动中求静，静中求乐。"又说："人能于至动之中以求至静，然后能以静制动，而不为外诱所夺。然非功夫深至者，亦未易几此，是又在吾人之自勉也。"又说:"《易》曰:'吉凶悔吝生乎动者也。'吉居其一,而凶悔吝居其三,此昔贤之所以主静戒动也。"又说:"余自十五六岁后,一日未尝废书,自谓渍于义理者甚深,故于任事事人,皆守皎然不欺,蒙难而贞之义。"可知先生后来虽以史学和文学名家,而作为立身行事的指导思想,却始终是宋明理学。

先生20岁时入辽阳县立启化高等小学堂。先生所以中止习商,重新入学,主要是由于受该校校长白永贞的赏识。先生于日记中说:"余少受知于佩珩(自永贞字佩珩)先生,承其奖饰拔擢,始出泥滓而履坦途。40年来,得时时温理故书,日与古人晤对,而不致为君子所弃者,师之赐也,如何可忘。"即指此事而言。自此以后,先生读书都享受官费,不用家庭负担。1908年春,先生考入奉天省立中学堂。学堂设在沈阳北关,俗称北关中学,在当时很有名气。同班50人,先生年最长。同学多一时硕彦,如吴家象、孙国封、汪兆璠等,后来在学界、政界都负盛名。时当有清季世,省人主速开国会,以救亡御侮,议久不决。一夕,先生随各校代表会于谘议局,先生于议长吴景濂前,抽刀断指,血淋漓于襟袖,一座大惊,皆泣下。先生少时意气风发如此。1912年冬中学毕业。1913年秋考入北京大学文科,1916年夏毕业。先生在大学的后二年,适逢蕲春黄侃季刚执教。先生有诗追念黄师说:"少小牵家累,自恨颇废读。二十复就学,唯日恐不足。廿七登上庠,人海纷相逐。廿八逢大师,蕲春来黄叔。授我治学法,苍籀许郑伏。研史应先三,穷经勿遗六。文章重晋宋,清刚寄缛郁。"先生以后治学,实以黄氏为法。

先生由北京大学毕业回到东北,在沈阳文学专门学校任教,同时兼任奉天省议会秘书,后升任秘书长。1920年10月至齐齐哈尔任黑龙江省教育厅科长,共5阅月。从这一年起,开始写《静晤室日记》。1921年春,在吉林任永衡官银钱号总文书,不半载,离去,任吉林交涉署第一科长兼秘书。1922年7月改任吉长道尹公署总务科长。1923年任吉林省财政厅总务科长。1925年5月17日任吉长道尹公署总务科长,18日任长春电灯厂厂长。先生于日记中尝自述本志说:"余本书生,嗜古成癖,不幸而投身政界,而与政治关系甚浅,而外人不之知也。且吾国数千年之惯,学优则仕,仕优则学。学问政治无明确之界画,故学问之士非投身政界无以谋生。实以此为谋生之具,非以其有兴味而为之也。必于此处洞悉无遗,始有以明吾辈之素守。"先生在这一时期著有《辽东文献征略》和《长春县志》。

1929年3月9日,先生任东北政务委员会机要处主任秘书。1930年1月22日,任辽宁省政府秘书长。1931年4月18日,任辽宁省政府委员兼教育厅长。同年9月18日夜间,日本帝国主义对辽宁省政府所在地沈阳突然发动进攻。由于南京国民党政府指示东北地方最高军政长官张学良将军实行不抵抗政策,日本帝国主义侵略军轻易地占领沈阳,坐令陷敌的政府工作人员以及老百姓都成了没有娘的孩子。面对这突然事变,人们只能各行其是。于是有的逃往关内,有的奋起抗敌。先生当时没有走这两条道路,眷恋与辽宁省政府主席臧士毅的关系,跑到臧家与臧共商对策,而日宪兵突至。先生继臧被捕之后,亦被捕去囚禁。后虽获释,仍不得自由。日本人以先生乃东北人望,屡以美官厚禄相诱,例如委以营口盐务署长、安东省长等伪职,均转托臧士毅婉言拒绝。当此时,实际上先生是以老母在堂,采取辞尊居卑,伺机逃走的对策。陷敌四年,终于 1936 年经由日本东京潜回祖国。先生有《沈阳蒙难记》一文,记叙了陷敌及逃走的详细情况。

先生在任辽宁省政府秘书长和教育厅长期间,曾成立东北学社,出版《东北丛镌》,先生任总纂,唐兰、王永祥任编辑。在陷敌期间,先生曾利用各种有利条件,集中精力致力于东北地方史料的搜集整理工作。先后编辑出版了《渤海国志长编》20 卷,补遗一卷,《辽海丛书》十集,《文溯阁四库全书原本提要》32 册,《奉天通志》100 册,《宣统政记》13 卷。

当 1936 年 7 月先生由日本乘轮船转抵上海时,首先往访黄炎培,承告以蔡元培先生久居此间,可往一谒,遂见蔡,蔡喜甚,嘱持函赴南京见傅斯年。至南京,又由傅介绍见翁文灏(时任行政院秘书长)、罗家伦(时任中央大学校长)、段锡朋(时任教育部次长)。不久,先生受聘为行政院参议、教育部特约编辑、中央大学教授。是年 9 月 2 日起,编写东北史讲义,9 月 11 日开始为中央大学历史系讲东北史。在此期间,并在《黑白》半月刊撰有《辽海丛书录》,在《禹贡》半月刊撰有《辽海丛书目录提要》。1937 年 5 月前往安庆,任安徽省政府委员兼秘书长。只六个多月,由于"七·七"抗战,安徽省政府改组,先生乃于是年底溯江而上,转赴重庆。1938 年春又回到中央大学任教授兼历史系主任(时中央大学已迁重庆)。1938 年 11 月始撰宋、辽、金史讲疏。1940 年 3 月,应邀任国史馆筹备委员会顾问。是年写成《东北通史》卷上。撰《辽海先贤志》,先成《王浍传》一篇,凡分五节:一、发端;二、本事;三、考证;四、文录;五、补传。又撰《宋、辽、金史纲要》上中下三编。上编政治之部,中编制度之部,下编社会文化之部,全书约 30 万言。1941 年秋,由于东北大学校长臧启芳坚邀,到四川三台东北大学任教。在该校先成立东北史地经济研究室,后改为文科研究所,先生均兼任主任。在此期间,先生主编《志林》刊物。并将《东北通史》卷上用石印出版。1943 年,先生将其所藏东北文献资料编成《东北文献拾零》和《辽海书征》各六卷及《东北古印钩沉》1 册,作为东北大学丛书出版。又撰有《文心史传篇疏证》约 3 万言。1944 年,先生第三次到中央大学任教,担任文学院长。先生于是年 6 月 13 日日记中说:"阅报知《中国史学史》已在商务印书馆出版,为之一喜。此书已在香港出版一次,乃未得见,盖为兵戈所阻也。此次实为再版。"于 8 月 31 日日记中说:"余尝有志修《清通鉴》,亦可名为《通鉴清纪》,录《史稿》所举诸要事,一一系于各年之下,使人一览而得。其于穿插连贯之际,又应虎虎有生气,使读之为之忘倦。茫茫此愿,不知何时可酬。"撰《东北要览》凡得 20 余万言,由三台东北大学排印。1945 年"八·一五"抗日战争胜利后,9 月间,先生经国民党政府监察院副院长刘尚清的推荐任监察委员,仍在中央大学任教。9 月 6 日,应国民党政府教育部之聘为东北教育复员辅导委员会委员,在部开第一次会议。同年 10 月 19 日任清理战时文物损失委员会委员。1946 年 4 月 26 日,由重庆飞南京。同年夏回到东北,参加"东北视察团"工作。8 月编成《宋、辽、金史》,被列入大学丛书。1947 年 2 月,先生辞去监察委员及中央大学教授的职务,改任国史馆纂修。同年 4 月,国民党政府教育部聘先生为沈阳博物馆筹备委员会主任,兼东北大学历史系教授。在此期间,先生继续致力于东北文献资料的甄择选录工作。整理东北图书馆所藏清室内阁大库的明清档案,将明代天启、崇祯两代内外各官署奏稿、折帖辑成《明清内阁大库史料》第一辑,共 525 件。

　　1949 年 1 月,北京解放,旧的国史馆并入北京大学。先生转入北京大学文科研究所,兼任教授。同时还在辅仁大学兼课。同年 12 月先生的《明清内阁大库史料》第一辑由北大出版组分上下册出版发行。1950 年先生在北大与田余庆等共同编辑《太平天国史料》一书,是年 10 月,以北大文科研究所名义由开明书店出版。该书搜集有英国大不列颠博物馆及剑桥大学图书馆所藏太平天国珍贵史料,被中华书局三次重版。1951 年,抗美援朝事起,配合运动,先生主编《五千年来中朝友好关系》一书,历述中、朝两国悠久的友好历史。1952 年,全国实行大学院系调整,先生被调到中国科学院历史研究所第三所任研究员,负责搜集整理地震史料,又参加中国近代史资料第三编《太平天国资料》的编辑工作。1955 年,赤峰县发掘辽墓,出土文物甚丰。先生十分重视,亲自前往考察,并于次年《考古通讯》第 4 期发表《略论近期出土的辽国历史文物》一文。1956 年,先生编成《中国地震年表》二册,由科学出版社出版。同年,先生在《新建设》杂志上撰文,建议组织全国学术界的力量普修全国地方志,保存旧志优点,增添有关劳动人民生产劳动及生活状况部分,以为祖国日益发展的社会主义建设服务。1957 年,先生修订所著《中国史学史》一书,将原书第十章删去,改换第九章标题,由商务印书馆再版。

　　先生自述生平说:"余之生平,颇殚于学,雅有书癖,无书则不欢。治事有暇,辄以书自遣,篝灯展卷,常至深宵。时复未明即起,振笔疾书,以此为乐,不知疲也。此非有人驱迫,不期其然而然,此可述者一也。余早治文学,雅喜桐城,继嗜《文选》,钩章棘句,固不愿为,而纵笔所之,恣所欲言,亦复自成篇章。至于诗歌韵语,亦喜为之,佳日美景,有触而发,务令情韵不匮,不复计其工拙。近二十年,究心乙部,实则不废文事,以谓文能优美,乃称佳史,此可述者二也。余之研史,实由清儒。清代惠戴诸贤,树考证校雠之风,以实事求是为归,实为学域辟一新机。用其法以治经治史,无不顺如流水。且以考证学治经,即等于治史。古之经籍,悉为史裁,如欲究明古史,舍群经其莫由。余用其法以治诸史,其途出于考证,一如清代之经生,所获虽尠,究非甚误,此可述者三也。上述三端,是为余治学之梗概。"(见1944年2月16日《静晤室日记》)又说:"余之治学途径,大约谓始于理学,继以文学,又继以小学,又继以史学。"(见1944年3月9日《静晤室日记》)又说:"生平喜读乙部之书,重点放在宋辽金三史一段,并注意东北地方掌故,自谓薄有基础。"(见1956年5月14日《静晤室日记》)

先生喜藏书,其自撰《千华山馆书目序》说:"大抵自壬寅(1902年)讫丁未(1907年),喜购宋明理学之书。自戊申(1908年)讫壬子(1912年),则喜购古文家专集。自癸丑(1913年)讫壬戌(1922年),又喜求经训小学之书,迨癸亥(1923年)讫今,则致力乙部,于东省掌故之作及乡贤遗著,搜求尤力。盖至是四变矣。前后三十年间,得书无虑二千余种,一万四千余册。"此序撰于"九·一八"事变后在沈阳陷敌时。及潜回祖国,曾将所藏书托书商古香斋主人洛竹筠转运北平,寄存友人家。1936年归国后,审知此书已被友人卖掉一部分,遂将其残余部分运到南京。嗣1937年,抗战军兴,日军南侵,南京危殆,又将存书二百余种,并石刻拓本古迹照片若干件,共计22木箱,送存于安徽采石镇北大同学鲁亚鹤家。当1946年5月22日由采石镇鲁宅取回此书时,只有残存17麻袋而已。

先生自1920年开始写日记,历40年不辍。一律以特制立行红格纸,用毛笔书写。积 170 册。分装 17 函。先生的日记取法于李慈铭《越缦堂日记》,即"匪惟谈理治学之语,层见叠出,即所作诗文亦悉以入录。作日记读可,作全集读亦可"。先生与友人王寒川书说:"仆伏处一室,常以笔札自遣。每有欢欣抑塞,辄于日记发之。敝帚自珍,比于良友。"(见 1944 年 2 月 17 日《静晤室日记》)

先生天资甚高,诗文敏速绝人。早在北大读书时,从陈衍石遗学诗,但不以宋诗相标榜。平生为诗,于古体诗取法大、小谢,于近体诗则盛称李义山与杜樊川,尤喜元遗山的诗作。为文则受黄侃季刚的影响较深。平日喜读《后汉书》,以为晋宋人之文,文质兼备。

先生书法功力很深。对颜平原、李北海、米元章诸家书都曾刻意摹临,而尤得力于圣教序。字迹风神秀逸,逼近王右军。

先生平生喜游历,慕徐霞客之为人,遇有佳山水,往往流连忘返,长吟漫酌无倦容。

先生为国史馆纂修时,注意搜访东北现代政治人物的事迹,例如张作霖、王永江、郭松龄、杨宇霆、袁金铠、王树翰等,先生都撰有别传,载于日记中。这些材料极为宝贵,因为多得自参与内幕人的口述。其细微曲折,不是外间人所能知道的。又,先生撰有《王观堂先生轶闻》一文,记王国维生前与徐恕行可的过从,为王氏为什么投湖自杀的最可信材料,亦载在《静晤室日记》中。先生晚年治史,于隋唐五代颇多用力,惜未及成书。

先生父名德元,字子惠,母吴氏。生子三人,长毓璧,字式如,早亡;季毓纶,字著青;先生是其仲。夫人赫孟宾,善持家,是先生贤内助。有女一人名淑君,适东北师范大学教授邹有恒。

子四,长佑、长衡、长铭、长振。

先生在旧史学领域中是一位卓有成就的学者,是本世纪我国马克思主义新史学产生之前有数的几位史学名家之一。在当时,堪称北方史坛巨擘,海内学界之第一流。先生先后受聘为中央大学历史系主任、文学院长及国史馆纂修,正是因为他的博学和在学界的声望得到时人重视的缘故。

先生治史,继承了我国旧史学的诸多优良传统,终生勤苦钻研,博极群书,悉心考索,实事求是。先生做学问尤其注重实地调查,解决问题务求达到折中至当,切理餍心而后已。

先生治史的重点和成就在东北地方史方面。著述很多,而且每一部都是很精的。涉及的方面也极广,每一方面都有深入的研究。可以毫不夸张地说,东北史这门学科的基础是由先生奠定的。所著《东北通史》、《宋辽金史》、《渤海国志长编》、《辽东文献征略》等,至今犹为东北史学者案头必备之书。

先生不是一位马克思主义学者。先生治学的观点和方法始终未曾越出旧史学的范围。这是由于时代和个人经历造成的,我们不必也不该苛求于他。先生青年时代就读于北大,受过新思潮的洗礼,但从学术思想的主导方面看,所受的影响还是传统的东西多。先是在北大读书受黄季刚先生的熏陶至深,随后回东北从政,所遇全是一派陈旧气氛。先生所执赞称弟子者如世荣、吴廷燮,所敬事者如袁金铠、金梁、李西、杨钟羲、陈思诸人,或清朝遗老,或旧式文人,与先生朝夕过从,耳濡目染,不能不使先生的学术思想偏于旧的一方面。

先生是一个赤诚的爱国者。有人以先生陷敌时曾任伪职为病。此由不了解先生当时苦衷以及不了解先生陷敌与脱险所经历的细微曲折的事实所致。实为过论。

解放后先生参加新中国的建设工作,经过思想改造,学习马克思主义,思想发生深刻的变化。可惜先生去世过早,我们未能得见他为祖国文化事业作出更多的贡献。

（原载《社会科学战线》1986 年第 2 期）

金毓黻先生治学道路初探

范 寿 琨

金毓黻先生(1887—1962 年)是我国著名的历史学家、古文献学家、东北史研究的奠基人。

先生于 1916 年毕业于北京大学文科。曾从政 18 年,1936 年起在大学从事教学工作,先后受聘为前中央大学教授、历史系主任、文学院院长、东北大学教授、东北史地经济研究所主任。解放后,继续在高等学府和科研单位,从事教学和科研工作 13 个春秋,曾任北京大学教授、中国科学院近代史研究所研究员。

先生在史坛活跃三十余年,一生侧重东北史研究,著述繁富。据约略统计:出版史学专著 16 部(其中 3 部是集体协作的成果)、丛书与史科书 8 部,撰写和发表史学论文百余篇,特别值得提出的是先生积 40 年不辍写的一部尚未出版的《静晤室日记》,堪称学术巨著。这些著作写作精,功力深,填补了史学不少空白。辑录、保存东北史文献,也是裨益后人、功德无量之举。

先生虽已作古,但其治学道路、治学精神及治学方法,仍为后学者提供了许多值得借鉴的可贵经验。

一、爱乡邦重外交而研史

1840 年鸦片战争后,中国封建社会发生了根本性的变化,开始逐步沦为半殖民地半封建社会。帝国主义侵略日益加深,民族危亡,日甚一日,先生故乡东北,正是日俄帝国主义觊觎争夺的重点地区,民族矛盾十分尖锐,边疆问题十分严重。

先生爱乡邦御外侮的情怀,在《静晤室日记》中多有抒发,现略举如下:先生曾指出,"夫一方之景物,一地之特点,有心之士搜罗爬梳而出之,兴趣正复浓厚。就奉天一省言之,中国人士辄鄙为朴僿犷獷,无文学述作之士,不知八百年前有熊岳王氏,四世以文学、政事、忠节著称于辽金二代,王子端庭筠之诗文之书画皆卓绝一世,为赵闲闲、元遗山诸公所叹服。"在"九·一八"前夕,先生敏锐地认识到:"东北地理与外交之关系亦繁。近年发生之问题,如南北满之断限、中俄之划界、间岛之争执,皆引起历史沿革之讨论……"又说:"考从前日人以辽河以东,长春以南为南满区域,今则进而至辽河以西,长春以北,借口某地属于奉省,某地属于内蒙,因以扩张优越权利,至无终极。至于延边一带,本属于我国之地,往者中国与朝鲜以图们江为界,而日人横谓今之图们江为豆满江,而图们江自别有在,不能混而为一,因此谓间岛为朝鲜所有。不知图们、豆满为一音之转,无可置疑。日人盖欺吾国政府无人留意及此,遂为无理之争执,盖地理之有关于外交者如此。"先生在黑云压城的民国年间,曾组织"东北学社",研究迫在眉睫的东北问题。在例会上,邀请当时在上海主办"日本杂志"之陈彬和来沈演讲。陈氏一针见血地指出:"彼邦(日本)之学者,由历史上地理上作种种之证明,谓东三省非中国之故土,其意欲歧东北与中国而二之,故不称东北而称满蒙,盖以研究之方法为吞并之先声,其用心甚苦,亦即以学者为前驱也。"先生赞叹道:"此论至谛,足发吾人深省"！(此引文和以下未加注者,均引自《静晤室日记》)。

我国学者由于对边疆史地素少研究,在前清以至民国边疆交涉上受人欺骗,吃了不少亏,在这种形势下,研究西北以至东北边疆史地者先有张穆、何秋涛、屠寄,后有曹廷杰、杨同桂、吴廷燮、孟森、冯家升诸君。先生为有志有识之士,投身东北史研究势在必然,而且贡献卓著,成绩斐然。

先生早在从政之时,就经常注意搜集东北故实,所经意者乃在高句丽、渤海及辽金清三代之史迹。把研究东北的鹄的定为撰写渤海国志、改撰《金史》、重编辽东新志。他还注重收集、出版东北史文献。于1927年出版了《辽东文献征略》,1934年出版了《渤海国志长编》二十卷、补遗一卷,这是填补空白之作,对渤海史研究作出贡献。1929—1935年出版了《奉天通志》二百六十卷(此系多人集体之作,最后由金氏汇纂成书)。此外还有《长春县志》等书问世。尤其是在1931—1934年由辽海书社出版《辽海丛书》十集八十三种一百册之巨,更为可观。先生所撰之论文,如《东北释名》,以及后来撰写的《从历史上证明东北为中国领土》、《历史上之东北疆域》、《东北榷名》等,也都是针对性很强的为东北正名之作。先生步入史坛,显示出出类拔萃的才华,在文风不盛的东北更为难能可贵。

先生所著《东北通史·引言》中就研究东北史之原因表述的已很清楚:一则"基于爱乡之心";二则"溯自逊清之季,国人怵于外患日亟,多喜谈边疆地理";再则"今有一奇异现象,即研究东北史之重心,不在吾国,而在日本是也"。基于以上三点,使先生走上研究东北史的道路,并添加了永不衰竭的动力。先生由研究东北地理,到研究东北史,由研究东北史,到研究辽金史,这是很自然的研究顺序。

二、"理文小史"四学的坚实基础

先生自述:"余往岁笃守余杭章氏学派。"他青年时期在北京大学求学之时,适遇蕲春黄侃季刚执教,不仅学到很多知识,而且接受了治学方法。所以先生非常推崇这位恩师。有诗为证曰:"……廿八逢大师,蕲春来黄叔。授我治学法,苍籀许郑伏。研史应先三,穷经勿遗六。文章重晋宋,清刚寄缛郁。"当时北京大学文科的教师,大部分是章太炎的学生,黄先生也不例外。章太炎为朴学大师,治文字、音韵、训诂之学尤为精邃。先生请业于黄季刚先生门下,衣钵所传,家法自正。

先生在其自撰的《千华山馆书目序》中说:"大抵自壬寅(1902年)讫丁未(1907年),喜购宋明理学之书。自戊申(1908年)讫壬子(1912年),则喜购古文家专集。自癸丑(1913年)讫壬戌(1922年),又喜求经训小学之书。迨癸亥(1923年)迄今,则致力乙部(史学)。"撰写序言的时间是"九·一八"事变之后。抗战时期东北大学近代史研究学社曾邀先生讲学,先生讲述自己的治学途径:"大约谓始于理学,继以文学,又继以小学,又继以史学。吾国学术应不出于理文小史四学。"这番话与先生所述的购书顺序相印证,完全是一致的。这个顺序也就是先生笃守章氏学派治学法的明证。

先生学识渊博,打基础竟积23年之久(有些年是业余读书或搞学术研究)。6岁读私塾,从小时的1902年算起,还在从事商业时,他就读了一些理学书籍,如《三鱼堂集》、《正谊堂全书》、《四书大全订本》、《困勉录》、《松阳讲义》、《三鱼堂日记》,以及《賸言》等。先生自号静庵,而且以静晤名室。这里强调一个"静"字。所谓静中有所悟,静中求乐,以静制动。先生恪守理学家的信条,不仅指导做学问,而且指导立身行事。先生对文学素有修养,读过古文家专集。在 1920 年始撰的《静晤室日记》中多有旧体诗作,如辑起来竟足一本诗集。先生自述,"撰述史学文章的文字有三要:一曰雅而能健;二曰举重若轻;三曰无格格不吐之病。余向以此自负。近年撰《宋辽金史》及《中国史学史》亦本此旨为之。"又说:"就写文章的技术来论,第一要整洁无疵,第二要生动有力,二者缺一不可。所谓整洁,即是应讲的要讲,不应讲的不讲,多一分则太长,少一分则太短,必须恰到好处,才算整洁。所谓生动,即是文似看山不喜平,所讲都是活泼泼的东西,跃之如在纸上,使人寻味不尽,如此才算生动。"先生的史学著作,确实在文字上得力于文学的功力。先生早年曾收集《史记》和"苏诗"的妙语佳言,并分别辑起,积累以备写作之用。先生多富文采,史学著作之语言既简洁又生动,所以他在这方面自负也颇有道理。先生一向注重研究小学,在文字、音韵、校勘、训诂上下过不少工夫。在这方面反映了章氏学派的影响,以及黄侃大师言传身教的结果。先生运用小学这个工具研究学问触类旁通。先生考古今地名之变,知牡丹江一名呼尔哈河。呼尔哈三字急读之则为呼汗,由呼汗河而推知呼汗城,即呼汗河旁所筑之城曰呼汗城,为渤海上京龙泉府,今黑龙江省宁安县城西南之渤海镇。考阿什河原名阿勒楚喀,阿勒楚喀即按出虎之对音。今阿什河即金之按出虎水也,得出按出虎水之所在,则金上京之所在不难知矣,果于今阿城县南得一古城,俗名白城者才是金朝的上京。又如,本文前面曾提及日本帝国主义者为侵略我国领土,故意把图们江与豆满江说成两江,企图把我国的延边(间岛)霸为己有。先生指出实际图们与豆满为一音之转。以上所讲的"对音"、"一音之转"皆涉音韵。先生精通小学,研究史学,特别是历史地理则可得心应手。先生研究学问的最后归宿是研究史学。除了理学、文学、小学的根基可为史学服务外,研史本身也有个打基础的问题,先生在1920年总结了以前的治学经验教训,提出:"尝谓与其读宋儒经注,不如读清儒经注,与其读清经注,不如读汉唐诸儒注疏,与其读注疏,不如读《十三经》白文,盖以注解经,不若以经解经,以汉唐宋清人之见解经,不若以周礼之见解经。《易·大传》曰,易简而天下之理得,解经读史之法亦唯易简而已矣。余往岁笃守余杭章氏学派家法,颛治笺疏之学,而于评点之学,抄选之业视为末务,鄙夷不屑道,是故读书愈多,迷惘愈甚。八稔以来,迄无所得,譬之治丝而棼,此之谓也。兹读张刊《史记》,讽籀白文,绌绎文义,而所得已非少,加以归氏点定者,章段疏落,节分句析,足以醒心豁目,文中难解之义,多了然于浏览之余,不可谓非快事已,其有名物制度舆地河渠实有不能解者,再觅注本求之,注意既深,所觅必多,较之颛阅注本,自必事半功倍。凡事之甘苦,必经验久而始知之。"中国古书未经整理甚为难读,做学问之趣味,即在于此。若经他人整理,读之固不费力,然所得结果,离开拐棍难于走路,久之则会把创造力汩没殆尽。先生从治学甘苦中得出"以经解经"的结论。先生精读《史记》这部史学名著,受益匪浅,而精读《十三经》也是治史的重要基础,所谓诸经皆史也。总结了8年,即1912—1920年的治学的得失,先生在新的基础上又继续阔步前进了。治"理文小史"四学,是我国治学的传统,先生继承发扬了这个传统。四学相互为用,相得益彰。先生自述早年对从政不感兴趣,只为谋取职业而已。嗜好读书,读书成癖,这却是本愿。迄 1931 年,已进入中年时期,"理文小史"四学的功力已臻深厚,这为他后来成为史学大家,创造了条件,并打下牢固的基础。

三、抄书和札记的知识积累

先生读书既重博览,又重精读,精读是在博览的基础上进行的。强调运用目录书作向导。先生指出:"《书目答问》能为初学指迷津,择善本,比《四库全书提要》尤为切要。"《书目答问》虽简,但不容忽视。先生视《十三经》、《二十四史》、《十通》、《通鉴》如"布帛菽粟,不可斯须去身"。这些书有的需精读,有的可作工具书,置放案头,随时查寻。再者,先生在日记中曾记下缪赞虞先生所谈考究历代社会应先看 8 种书:王应麟《困学纪闻》、顾炎武《日知录》、赵翼《陔余丛考》、《廿二史札记》、钱大昕《十驾斋养新录》、俞正燮《癸巳类篇·附癸巳存稿》、朱二新《无邪堂答问》、俞樾《茶香室丛钞》。强调"先读此八书,寻得端绪,再事探讨之功,可以事半功倍。否则古人业已讲过,枉费搜索,光阴不免虚掷矣。"先生记下此话,以示赞同和重视。经验之谈,对研史有助。

先生思得积累资料的"自课之法",集中起来有重要的两条,一曰"抄书",二曰"札记"。

所谓"抄书"。先生指出:"得有古人佳篇名作……则唯有手抄之一法。手抄一过,则印象深,成诵易,保藏久,且以铢积寸累之功,而求名世不刊之作,积之既久,成帙斐然,偶一展玩,心旷神怡,费省而效巨。"一般讲抄书就是随时抄录资料卡片。关键是随手抄、不断抄,铢积寸累,坚持下去,必有所得。古人所编《太平广记》、《太平御览》、《文苑英华》、《册府元龟》等巨著,某种意义上看,都是抄书抄出来的。

先生于1940年下半年移居四川三台,任东北大学教授,僻居西郊,仅用两阅月,即写成专著的宋代制度一章。在写作过程中,他进一步披阅了大量史籍,如《通考》、《会要》、《长编》、《宋史》四书达数百卷之巨帙,参以宋人笔记文集数十种,头绪不为不繁,短短的时间毕其功于一役,"其功修勤于往日,亦不无分寸之获"。所谓"往日之功",就是得力于往日读书、抄书的积累,绝不是临时抱佛脚就能奏效的。可见有成就的学者,无不得力于抄书。先生读书披沙拣金,收集资料铢积寸累。天长日久,"费省而效巨",竟成为一代史学巨擘。

所谓"札记"。先生推崇张子横渠,学习他作札记的办法。先生指出:"昔张子横渠教人,读书有得则随手札记,盖心思触机偶开,稍纵即逝,随手撮录,则不致旋得旋失,此诚读书之良法也。"先生在日记中多次强调作札记的重要性和作札记对做学问的意义,"读书心有所得,则随笔札记。不然时过则心思复塞,欲记不得矣,盖随笔札记之文,无谋篇布局之苦,无起伏照应之法,顺势书去,自成节族,而奇思奥义名论精语往往出乎其中,妙语天成,有意为之,反不工矣。"先生勤于札记,他说:"吾辈设中夜伏枕偶有所得,即应披衣而起,记之于简,否则睡醒再思,常患茅塞,运思之巧,亦逝而不留,何可轻轻放过。"又说:"东坡绝句,多由妙手偶得,有意求工者不能几也。"

先生称道顾亭林及其所著《日知录》。指出,顾亭林先生学问精卓为清儒之冠。他的学问之精博,即自抄书得来,其毕生著作极富,而人之称之者,乃在日知一录,此录即由平日札记铢积寸累而成。顾氏随手札记而成的《日知录》,名曰日知,亦即日记之变体。先生所撰《静晤室日记》,即是积40年之久每天随手札记而成的。这部巨著也可看成一部大型札记。先生还推崇清代会稽李莼客先生《越缦堂日记》,"匪唯谈理学之语,层见叠出,即所作诗文,亦悉以入录,作日记读可,作全集读亦可。吾人于此书中,可辑出诗集、文集、经说、杂著多种,而先生之精神面貌,学修德业,胥可于此一编中窥见之。"这种日记绝非漫然记述仕履之迹,晴雨之课也。《静晤室日记》与《越缦堂日记》很有相似之处,不过前者比后者,又有所完善和提高而已,这类日记就是学术著作。

《静晤室日记》内容丰富浩瀚,蔚为大观。该日记从形式上看,所记时间之长、篇幅之大实属空前。先生自述:"昔贤者……皆有日记,多者亦不过五六十册,若积至百册以上,则余固未之闻也。"《静晤室日记》从1920年3月6日起,到1960年4月30日止,长达40年之久。日记共17函,170册,每函10册。日记用纸是统一的红竖格纸,毛笔字迹挺拔秀丽,标明函册、卷数和起讫年月,封面题书长篇巨作和重点文章目录,每页印有"静晤室"书口。日记装帧整齐划一。字数共约四百多万字。从内容上看,日记是一部包罗"过去之陈迹,读书之所录,游迹之所见,以及读文杂著"的巨著。当然日记中也有生活琐事,不过篇幅很少,而日记的绝大部分篇幅都涉及学术活动,不少是学术著作或著作的雏形。就历史学而言,大致可分为以下几类,即"东北古代民族、东北历史遗址考证、东北人物、东北开发、东北掌政、金石碑志、断代史迹(渤海、辽、金、宋、元、明、清、近代),经济史、外交史、文化史、官制、历史书目、学术交流、其他知识等"。先生自视这部日记非常珍贵,他说:"可谓繁而不杀,取而覆视,则往事历历在目,如影片之一演再演,辄有百读不厌之感。……语曰,家有敝帚享之千金,此之谓也。"他在日记积至百册的抗战时期曾说:"余违难远客,旧籍尽失,唯百册之日记尚随行箧俱来。每于暇日帚阅,宛若重晤良友。"把日记当成"良友",当成享之千金的"敝帚",可见《静晤室日记》在先生心目中的地位,从而也反映出日记的学术价值。江宁吴廷燮在《静晤室日记叙》中也对该日记予以肯定和高度评价。先生在自述中有一心愿:"于国家盛明之日,作一太平幸民,又得从容辑其所记,别为数类,以次刊印,求正于世,是为此记之幸,亦妄欲期之于异日者也。"先生所期望的"国家盛明之日"已经到来,从《静晤室日记》中分门别类,至少可辑出"历史学"、"考古学"、"文献目录学"、"读书札记"、"诗集"、"杂著"、"文集"、"金毓黻先生年谱"、"掌故时事"、"治学方法"等类。我想不久的将来先生的夙愿一定会实现,《静晤室日记》的出版,将在学术园地里放出瑰丽的异彩。

"抄书"是读书和著作的第一步,而"札记"则是"抄书"的深化和发展。

四、博考与考察的研史途径

先生在学术上多才多艺,但主要精力和成就在于史学。先生的治学方法、治史经验是一份宝贵的学术财富。荣孟源同志曾对先生日记中治学方法的记载予以注意,在《静晤室日记》扉页上作过标记。先生靠多年学术实践总结出的治学经验和治学方法,对后学有指导意义,较之耗费很多时间凭个人经验事倍功半地去摸索,助莫大焉!

首先,研史要善于寻找研究课题。"一应寻史眼。所谓史眼,即今之所谓点。然有点不可无线,有线而能贯通,乃知眼之可贵。明人张燧著论史之书,名曰《千百年眼》,亦此意也。二应于他人不注意处注意之。史学千头万绪,若其事已为多人所注意,则必得有解决之方,若他人不注意,而吾注意及之,则必有意外之创获,此研史者所有事也。三应于不明了处求明了。研史之结局不外求得当日之真像,真像亦即所谓原状也,皆不能做到十分,努力为之,不过得其近似,即比较的近于原状而已。四应因小见大。研史之对象,琐屑事多,而大事少,不能就许多琐屑事,窥见一时代之全体,则研究琐屑者,不为徒劳无补,是之谓因小见大。五应就前人已成之绩再事深求。凡历史上一问题,多数人以为解决者,实则并未彻底,尚有从容讨论之余地。吾人万不可过信前说,而因已成之绩,再事深求,有进一步之收获,即可突过前人。果无所获,再笃信其说未晚也。"以上为先生研史之五法。综而言之,"一须求正确;二须求贯通"。

其次,研史要博考典籍。先生治宋辽金史时,先以本史证本史,如以宋史之列传证本纪,以表志证纪传。次以诸史证本史,如治宋史证以辽金二史,治辽金二史,亦取宋史为证。再次,则以他书证本史,如治宋史,应取宋人文集笔记以为互证。先生又注意到,宋金二史两两对勘,始得其实。因为《宋史》每有曲词,而《金史》则不为隐讳,元顺帝时修二史,两存其说以待后人定耶。研究《宋史》诸志每感困难,因脱落极多,而且首尾不甚连贯。先生就找出它的来源之书——《通考》、《会要》、《长编》一阅,研读起来则势如破竹。先生考证辽金之世的宁江州。遍读《辽史》、《金史》、《扈从东巡日录》、《柳边纪略》、《吉林通志》及近人笔记,证之前史之行军路线,皆无一不合,又附近别无古城可以当之,结论谓扶余石头城子为辽金之世的宁江州。而高江村以今乌拉街、杨大瓢以今之额赫穆站、景方昶以今之伯都纳旧城为辽金时的宁江州皆非也。这是读书多而后能定,读书少者不能知也的必然结果,此之谓"博考"。

再次,研史要重视学术考察。先生治史,不仅重视典籍,而且重视考古资料;不仅大量收集墓志碑刻、古货币、金石之印、各种文物,尤重身履其地的学术考察。在这方面,他十分推崇屠敬山、顾亭林等先哲。屠氏遍游全国,著成《舆图说》、《蒙兀儿史记》、《黑水行记》等。顾氏所著《天下郡国利病书》大抵于船唇驴背成之。这些靠实地考察写成的大作,皆被先生称赞为"甚有见地"!"不愧为名作矣"!

先生以屠、顾为榜样,进行学术考察。足迹涉过东岳泰山、西岳华山以及峨眉山、长白山、医巫闾山,遍历东北地区。辽海松漠之地的四大古都,一为宁安县之东京城,渤海上京龙泉府之故地;一为巴林左旗之波罗城,辽上京临潢府之故址也;一为宁城县之大宁城,辽中京大定府之故址也;一为阿城县之白城,金上京会宁府之故址也。这四处重要遗址,先生去三剩一,独临潢府未至。1934 年 1 月 21 日所记日记中说:"余于去夏旅行宁古塔、东京城等地。途次山中野生白芍药极多,所见绝无红者,此为女真故地,则《金志》所言信矣。"又如 1923 年 2 月 15 日的日记中指出:经考证白狼水不是有人所讲的老哈河,而应是大凌河。然后先生指出:"自来讲地理者多据古书图籍考订得来,不能身履其地,故不免呈臆之谈。"这个论断是很有道理的。治历史地理者要博考群书,还要身履其地,治东北历史何尝不需如此。先生勤奋治学,不仅写出《东北通史》的大作,而且编著了

《辽陵石刻集录》、《东北古印钩沉》等书,还写出论文《东丹王陵考察记》、《长白山考》、《略论近期出土的辽国历史文物》、《东北地理学之概要略说》等多篇。这些著作不少得力于博考典籍和学术考察。

五、相互研质的良好学风

旧中国的学者多属个体脑力劳动者,很少协作,因而学术成就受到局限,而先生与众不同之处,体现在学术生涯中,基本属于开放型的学者。

先生长于著书立说,一生刻苦钻研,主要著作是《东北通史》、《中国史学史》、《宋辽金史》和《渤海国志长编》等。除此之外,先生还积极参加集体编纂书稿,成书数种。

先生在学界为加强学术联系,反映学术成果,以推动爱国运动和学术事业,曾在民国年间倡导成立东北学社,出版《东北丛镌》杂志。抗战期间,他在东北大学任教时又主编过《志林》刊物。

先生对出版有学术价值的新书,总是及时阅读,予以评价,从中吸取学术营养。如对钟泰先生所著《中国哲学史》,对周谷城先生所著《中国通史》,对吕思勉先生所著《中国通史》,对李洁非先生所著《东北小史》等书,皆"亟借而读之","爱不释手"。称赞为"近日出版界之佳制","诚今日出版界之可称者"。特别值得提出的是,1945 年和 1947 年先生在国统区分别阅读了范文澜同志所著《中国通史》和吕振羽同志所著《简明中国通史》。当时的评价是:"统观编辑大旨系主唯物史观,以农夫工人之能自食其力者为国家社会之中心,如君相士大夫富商豪民皆在排斥之列。"以上所说还是较为客观的。对周谷城和吕思勉二位学者分别著有《中国通史》，先生称为"鸟瞰式"和"虫蛀式"的不同写法，其评价是各有千秋，都很成功，值得效法。抗战时期，先生在重庆发掘汉墓，就与郭沫若、马衡、卫聚贤等君合作，过从交往，互赠诗篇。与日本学者鸟居龙藏、山下泰藏等也多有学术交往。当然先生与学术名流联系甚多，在此不再赘述。

先生早在1937年就明确指出："日人无论在何地方皆集于一中心点而发挥，就此点为贯彻之研究，可以得到历史之发展。另一方面中国人喜立一广大计划，而不能使之实现……研究治学之士多属闭门造车，曾少集合同好互相研质之机会，是以各有所得失而虚耗精力，亦时有之，此诚学术界不治之症也！"这种"不治之症"就是文人学士"闭门造车"的不良学风，是先生所反对和鞭笞的。从中也可以看出先生宽广博大的学术胸怀和一反旧俗常规的远见卓识。

六、随着时代前进的历史学家风度

先生之所以能成为史学大家，最根本的原因是勤奋和随着时代不断前进。

先生少小时家境贫困，求学甚晚，大学毕业后又多年从事政务，直到中年才步入高等学府执教，晚年转入社会科学研究机关。先生自述的一段至理名言，谨记如下："余谓人生以勤为本。一曰思勤，思勤则虑事周密；二曰口勤，口勤则博咨广询；三曰手勤，手勤则事无留滞；四曰脚勤，脚勤则不为人欺。持此四勤以处事，事未有不举者，故古人曰勤则不匮。乃世人多昧此理，宅心不虑，治事不勤，欲其不偾事也鲜矣。"先生又曰："庄子曰,鼹鼠饮河不过满腹,余顷读古人书,唯患读之不尽。古人谓恨不十年读书,固有读书恨晚之意,然可读之书甚多,岂十年之力所能尽也。"先生发愤读书,勤奋治学的精神跃然纸上。先生读书成癖,写作成癖,经常工作到深夜,甚至通宵达旦,先生不以为苦,反以为乐,自觉做而不受外人驱迫,"不期其然而然也"。直到年近七旬高龄,为夜间读书妨及睡眠,则移于清晨,每日早起一二小时,以弥此缺憾,而夜间亦可稍事早眠,不致伤及脑力。试之,果有成效,则坚持不懈。先生发愤忘食,乐以忘忧,不知老之将至。真可谓活到老,学到老,著作到老!

先生大部分年华是在旧中国度过的,从其所走过的治学道路,以及治学观点、治学方法来看,尚属于旧史学的范围。这点不可苛求,也不应苛求。难能可贵的是,先生能随着时代前进的步伐向前迈进。先生 60 岁时北京解放,他在晚年开始了崭新的生活,学术生涯谱了新篇。从《静晗室日记》的记载看,1949 年 8 月 3 日北大史学系邀郭沫若、范文澜、侯外庐、杜守素四君开座谈会,所谈为"中国封建社会何以如此之长"的问题。1950 年 1 月 13 日记有荣孟源同志撰文谈及"无产阶级处理史料实事求是"的问题。1956 年 6 月 25 日记有尹达同志谈"历史地理是历史研究中极重要的一个环节"的问题,先生悟出了"一切都依条件、地方和时间为转移"新的历史观。可见先生初步接受了马列主义的辩证唯物主义和历史唯物主义。先生扬长避短,在其《自传》中表示:"我要把做人民史料专家的志愿,作进一步的体现。"为配合抗美援朝,保家卫国的正义斗争,先生和田余庆共同主编了《五千年来中朝友好关系史》。先生参加集体编写的《中国近代史资料》、《太平天国资料》以及《地震年表》都已出版,还修改再版了《中国史学史》。他在《新建设》杂志上撰文,建议普修全国地方志，以期为新中国建设服务。晚年治史扩展到隋唐五代领域，颇多用力，偶有著文，可惜没有来得及成书。

　　1987 年 7 月 19 日，是金毓黻先生 100 周年诞辰，为表示对先生的缅怀和敬意，特作此文，以志纪念。

　　　　　　　　　　（原载《社会科学战线》1987 年第 3 期）

献给惊沙大漠中的拓荒者

——向达先生逝世十四年祭

萧 离

向达先生不幸逝世于 1966 年 11 月 24 日,到今天,已经快十四个年头了。对于这一位国际知名的历史学家、中西交通史方面的学术权威,多少应该由他来完成的工作没有能完成,多少可以给后人留下来的东西没有来得及著书立说,对我们的民族文化遗产,特别是历史科学研究来说,真是一项无法弥补的损失! 以先生那样阔达的胸襟和壮实的体质,要不是晚年迭遭蹉跌,尤其是"文化大革命"初期林彪、康生、陈伯达、江青等一伙横加在他身上的种种折磨、迫害和缺医少药的对待,光是疾病,未必能把生命的休止符画在 66 岁这个仍属于老中青年的学问家身上的。

先生字觉明,湖南溆浦人,土家族。1900 年生。在长沙读完明德中学后,由于当时"实业救国"思想的影响,本想进南洋大学(后来的"交大")或北洋大学学理工,然后去美国学化学工程,因家庭经济条件限制,停学一年后,只得报考南京高等师范学校(后改"东南大学"),先入"数理化部",但因兴趣关系,同时选了不少"文史地部"的课。入学后,正赶上五四运动的余波,先生参加了校内外的活动:在校内曾当选为班代表,参加学生自治的工作;在校外则走上街头,从事抵制日货和欢迎"德""赛"二先生的群众运动。因此"数理化部"的课程学得都不太好,数学甚至差到不及格的程度。强扭的瓜既然甜不了,索性按照自己的兴趣和爱好,宁愿降一级转入"文史地部"了。(上述情况系根据1951年先生面谈记录,另据解放后先生手写的一份《自传》上说:"1923年高师毕业,1924年在东南大学毕业,在师范学的是文史地,在大学学的是历史。")

1924年先生毕业于东南大学,当时"毕业即失业",找工作是相当困难的。正巧赶上当时商务印书馆步日美等国后尘,计划编辑《中华百科全书》,招考临时工性质的暑期编辑,先生考上了。期满后因成绩优异被留了下来。就这样在商务一直工作到1930年。当时商务的老板王云五对工作要求是严格的,同时剥削也是厉害的。他规定每人每天翻译1500字,译得不够数,第二天还得补足,反之,超额也加点钱,但为数不多。

1930年,由于"南高"同学赵万里先生的介绍,先生来北平参加成立不久的国立北平图书馆(即现在的北京图书馆)的工作,任该馆编纂委员会委员。这段工作对先生一生来说是十分重要的,因为本职工作给他带来了最好的自学条件。据夫人郑宜君先生回忆:在商务印书馆和北平图书馆期间,青年时代的先生,刻苦自学,夜以继日,每天很少在12点以前睡觉,有时常常夜读到一两点。特别是北平之后,名家云集,先生虚心请益,——这些都是后来在做学问上得有成就的关键。

从1933年起,先生同时在北京大学任讲师,讲授《明清之际西学东渐史》。也正是从这时起,先生步入了他学术研究工作的第二个重要里程(如果前面说的刻苦自学、狠打基础是第一个重要里程的话）。既然选定了这条披荆斩棘的道路，便下定决心攻克前进途中的重重障碍。当时，记载大量有关中西交通史料的敦煌卷子，虽然北平图书馆还保存有一部分，但大部分已被伯希和、斯坦因窃往巴黎和伦敦，要尽可能地一窥敦煌经卷的全豹，就必须远涉重洋，——当然，这不是像玄奘那样去西天取经，而是去"西天"把经接回到它的老家来。这种事情，在旧时代的旧中国，可不是那么容易办到的。

先生原计划先去巴黎，看看法国汉学研究的情况和有关中西交通史方面的资料。1935年秋，由于另外一项工作的机会，先生先去了英国，先在牛津大学图书馆任交换馆员，替牛津整理中文图书。1936年秋，牛津工作完毕，便去伦敦，在大不列颠博物院内着手研究敦煌卷子和太平天国文书，——这是北平图书馆交给先生的研究项目，一项严肃而漫长的工作。事实上，英国人把大量敦煌经卷窃去了三十多年，却连一个起码的目录也没有编写出来。从当时条件和可能的速度估计，全部八千多卷经卷得花费六年时间才能够完成，时间和财力都是不允许的（先生当时的生活费用，靠在牛津取得的工资和向中华文化基金会请得的为数不多的奖学金来维持的）。1937年夏，"七七事变"爆发，不得不把这项工作停止下来。这年年底，先生离英伦转赴欧洲。便中曾到柏林普鲁士科学院看了德国人从新疆窃去的壁画和唐人写本以及该院所藏的吐鲁番出土的古文书。也到过德毕士顿、慕尼黑，主要是看画苑和博物馆。在巴黎的国家图书馆里，先生继续研究该馆所藏由伯希和窃去的敦煌卷子和明清之际天主教有关文献，前后花了几个月时间，对这些流出国外的我国珍贵史料进行抄录、照相，光是有关天主教文献就抄录过四五十种，加上在英国时抄录所得，总计约为一二百万字，这对祖国文化遗产是一项何等重要的贡献！

这里有必要补述几句："七七事变"后，先生在巴黎时曾遇见当时为革命奔走的吴玉章同志，吴老了解先生当时工作的意义，曾力劝先生不必急于回国，而是尽可能的暂留巴黎工作，因为将来国家还需要更大规模地开展学术研究活动。这样，先生直到1938年秋才回到烽火中的祖国。

回国以后，除了在浙江大学（当时在广西宜山）任教半年外，由于北京大学文科研究所缺"西域史"导师，先生应聘前去昆明任教，同时兼任西南联大历史系教授。其间曾两度参加中央研究院组织的西北史地考察团，在额济纳和敦煌一带进行工作，这时先生担任考察团考古组组长。特别是在敦煌这一年多里，"弟视云岗，儿蓄龙门"的敦煌文化艺术，那些出自我国古代劳动人民之手的高超艺术成就，高超的智慧和辛勤的创作的结晶，曾给饱览文献之后的先生提供了最丰富、最生动、最有说服性和最具魅力的佐证。这些浩如烟海的感性知识，大大增强了我们这位有抱负的史学工作者万里长征的信心和脚力。

在敦煌期间，先生目睹帝国主义分子对我国历史文物劫掠和破坏后的残景，也亲见少数"名流学者"为一己私利不惜损毁敦煌文物的劣行，激于义愤和匹夫有责的那个"责"，写了一篇文章（《论敦煌千佛洞的管理研究以及其他连带的几个问题》）登在当时的重庆《大公报》上，文中提出了自己对千佛洞这稀世之珍保管和研究工作的意见，文章引起了国内学术和文化艺术界的普遍重视。到今天，已在敦煌坚持工作37年的常书鸿先生还逢人就说，他之所以决心去敦煌工作而且一下就把"根"扎在鸣沙山下，先生那篇文章当时是一个重要的近因。

在治学方面，先生一贯以谨严著称。同时也汲取欧美、日本大学问家的治学方法和优秀成果,使文献记录与实际考察相结合,因此在先生研究所涉及的各个方面,都能有深的造诣和新的进展。先生有时也研究一些别人所不注意的问题,但二三十年来,始终不离中西交通史方面的研究,旁及敦煌学、少数民族问题等等。一句话,总是环绕着中西交通这条主线进行的。早年在商务时,先生就曾写过《印度现代史》、《中西交通史》以及和敦煌有关的文章,如《唐代佛曲考》、《隋西域音乐》等,第一个提出这些音乐来自印度的论点,这种新的论点颇受日本学者的重视,历史学家林谦三在他的《隋唐燕乐考源》一书中就曾多次引用过先生的论断。

对敦煌学中关于佛曲的说法,先生早年有不同看法,但当时因材料不足,在《论唐代佛曲》一文中,只作出"龟兹苏祇婆琵琶七调渊源于印度北宗音乐"的假设,十几年后,经过在巴黎对于大量材料的整理和触类旁通的考证,才写成《唐代俗讲考》一文,正式证实中国的白话文学远在唐代就已经建立起来了。以唐代通俗文学《维摩故事》为例,原先不过两万字左右的短篇,后来经过口头文学边讲、边唱、边丰富、边加工的过程,包括对故事中人物性格的生动描述,现在已经发展成长达 20 万字的长篇小说了。这种创见给后来的通俗文学以及小说创作开辟了广阔的道路。先生这方面的努力在中国白话文学史上也是一项相当重要的贡献。

先生还有一部分工作在国外引起的重视远甚于国内,《唐代长安与西域文明》一书中所搜集的材料都是人所共见的,但先生却能推陈出新,心裁独出。比如从卷帙浩繁的唐诗中摘引有关篇章来证明和理解当时音乐、歌舞、绘画等等,借以复原唐代人民文化生活以及民族间的亲密交往关系。直到今天,该书仍不失为一部在历史科学上有价值的著作。此外,有些看来是很细小的问题,先生也不轻易放过,在《长安打球小考》一文中,先生第一个提出了关于唐代打马球的研究。

在"敦煌学"方面,先生是有数的权威之一。从1935年翻译斯坦因的《西域考古记》开始,写过许多关于敦煌和西域考古方面的文章,如《敦煌藏经过眼录》、《西征小记》、《莫高、榆林二窟杂考》、《张仪潮补传》、《两关杂考》、《敦煌艺术与西域的关系》等等,都是中西交通史、艺术史方面的重要论著。

先生离开我们已经十几年了,今天,雪夜灯前,《唐代长安与西域文明》中《作者致辞》一段抚今追昔的话语,仍十分动人心魄,先生说:"回想以前埋首伏案于伦敦、巴黎的图书馆中摸索敦煌残卷,以及匹马孤征、仆仆于惊沙大漠之间,深夜秉烛,独自欣赏六朝以及唐人的壁画,那种'擿埴索涂'、'空山寂历'的情形,真是如同隔世!"在解放初期那一段百废俱兴的日子里,亲见历经忧患的祖国从血泊中喜得新生,先生写道:"尤其令人兴奋的是解放以后这些方面都焕然改观了。敦煌千佛洞设立了研究所了。石窟里面装上电灯了。西自天山,东至于海,所有的石窟寺都由国家进行保护了。敦煌发现的俗讲文学的话本也已汇集起来即将出版了。"因而先生的心情,不再像过去那样动不动就"感慨系之",而是"凡在见闻,莫不欣跃"了。

抗战期间,先生在西南联大任教,为了探索云南古代的历史,曾把当时所能借到的记录南诏史实的四种版本的《蛮书》合抄成册,加以校勘、诠释,1942年就已经完成了《蛮书校注》的最初稿本。1946年在北平,1947年在南京又见到了其他几种重要版本,前后经过20年的搜求,海内一些有关《蛮书》的重要版本几乎都看过了,也积累了大量关于校注、诠释的资料,直到1961

年才定稿成书。这种锲而不舍的精神,精益求精的态度,表现了先生作为一位历史科学工作者可贵可敬的风格。

记得1951年时,先生曾兴致勃勃地谈过:全国解放后,研究历史科学的天地广阔了,条件充分了,他打算从云南入手,从事边疆少数民族的研究。如前所述,这个动机当然与先生治学的那条主线——中西交通史有关。另一方面,1951年先生在参加中国人民第一次赴朝慰问团回国后,曾去新疆南疆一带传达中国人民志愿军抗美援朝、保家卫国的英雄业绩,先生说:"这次南疆之行对我有很大的教育意义,使我对党的民族政策的正确性有更深的体会。"又说:"我这个姓(向),在湘西原来就是少数民族,六七百年来由于种种原因,数典忘祖,解放后才重新提起。"于是,先生主动请户籍警在"民族"栏里把"汉族"改为"苗族"。(1957年确定土家族这个少数民族时,又改为土家族)民族身份确定之后,作为一个少数民族的历史学家,对于研究少数民族的历史、文化,先生更感到责无旁贷了。令人遗憾的是1957年时,由于这样那样的"理由",先生在政治上被错划为右派,同时,借口先生在少数民族问题上某些不同的看法和意见,竟被无中生有地在这上头也做起文章来,无知地诬陷先生放弃中国科学院学部委员和北京大学一级教授不当,想去攫夺一个自治州州长的职位。但是从那以后直到"文化大革命"初期漫长的日子和较多的接触中,很难听到出自这位长者之口的任何一句怨怼之词。先生总是该做什么做什么,能做什么做什么,而且做起来又总是一如既往地把工作尽可能地做好、做扎实。有一次,我们不约而访,则见庭阶寂寂,翠竹萧萧,先生正一几当门,负暄危坐,用朱笔在《大唐西域记》上作蝇头批注,固乐在其中也。

尽管在历史科学研究领域里先生早已蜚声中外，但在谈话中总是谦称自己的研究工作，从旧的考据上讲，不如德国学派之细密，从唯物史观的新方法上讲，自己还是一个小学生。先生曾说过，哪怕自己所能做的不过是为下一代的开路工作，但有勇气也有决心，筚路蓝缕，任此艰巨。解放初期甚至更早一些时候，先生就有了这样的抱负，而且也打下了如此坚实的基础。先生还说过：过去客观地把历史当成孤立的知识来研究是不对的，没有与民族的生活、感情融合在一起的历史，不是真正的历史。

前面曾多少涉及一点先生学生时代的政治倾向，那种寻求真理、主持正义的态度和爱国主义的精神是毕生一贯的。

"七七事变"前，先生在伦敦时，曾参加"中国留英学生抗日救国会"的工作（一起参加的有王礼锡、吕叔湘先生等），一面发动华侨群众进行抗日救亡活动，一面和国民党"蓝衣社"操纵的"留英学生会"展开了多次的斗争。与此同时，还办了一份油印报纸，免费供华侨阅读。这份报纸共出过一百多期，在荷兰、比利时甚至开罗都能看到。

回国后到昆明时，目击国民党反动派日暮途穷之际的种种倒行逆施，正义感迫使先生参加到联大教师发起的、表示抗议的罢教行列。"一二·一"运动时，先生曾写文章旗帜鲜明地表示支持。但当时先生的着力点还是集中在做学问上面。因此，抗战胜利，复员北平，这位学问家以为从此可以专心致志、"本本分分"地埋头于竹简和卷帙之中了，但现实却猛烈地摇撼着他的书桌，先生再也沉默不下去了。

1946年冬天，北平学生正卷入一场抗议美军暴行的罢课斗争。是年12月31日夜里，北京大学学生会忽被暴徒砸毁。第二天民主广场上发生这样一件事情：一位中年教授指着几个学生特务的鼻子声色俱厉地质问:"你们这帮家伙,昨天晚上带来些什么东西把学校砸了? 你们,哼! 把北大的脸都丢尽了……"

那帮狗腿子摩拳擦掌地反问:"你是什么人?"

"什么人?"这位教授沉着地、一字一顿地回答:"国立北京大学文学院史学系教授,姓向名达。"先生一面回答,一面把袖子捋起来,准备迎接特务们的挑战。广场上的学生立即围上来保护先生,并把先生劝走了。这个大义凛然的场面,使得几位目睹的女同学掉下了眼泪。

在那黑云压城的日子里,先生是著名的北平十三教授《保障人权宣言》上签名者之一。同时签名的还有陈寅恪、汤用彤、徐炳昶、朱自清、俞平伯等教授,先生曾为此奔走过。事后,在1948年春天的"黑名单"中的"教授、学者"一栏里,先生名列第三。

也正在这个时候,当有人"考证"出来三国时候就有了特务这种东西时,先生当即在《文汇报》上发表文章补充说:五代时候就有关于特务的记载了,那时把它们叫做"狗"。文章刚登出来,先生就接到一封匿名信,大意是:"你的文章写得痛快淋漓,但要知道闻(一多)、李(公朴)是前车之鉴……以后光做学问好了,不必多管闲事!"

先生并没有理睬这些"忠告",现实教育了他,他和革命靠得更拢了。

解放初期的一段时间,先生除仍任教北大外,还兼任北京大学校务委员会委员、图书馆馆长,并担任中国科学院学部委员,历史研究所第二所副所长,《历史研究》、《考古学报》等杂志编委,南京博物院专门委员等职。繁忙的工作和社会活动并没有

影响他的学术研究,五十出头的人,正是经过了长期的扎根、孕
蓄、丰富、发展过程,开出创造性花朵的最美好的时代……

在抗美援朝前线,先生作为祖国慰问团的一员,履艰涉险,
谈笑风生。尔后去西北各地作传达报告,其间只要时间和条件
允许,两关内外,瓜沙旧地,都又一次留下了他不辞辛劳的足迹。
其他时间,除参加必要的社会活动外,他全心全力地集中在完成
《蛮书校注》一书和《大唐西域记》的整理、校注工作上,直到
1966 年夏秋间不得不中断这方面的努力为止。

"文化大革命"初期,一场席卷全国的灾难性风暴是从北京
大学开始的。作为历史学家的先生,似乎有一种朦胧的预感。
从手边颇不容易地保存下来的一些短信中可以看出,自 1966 年
6 月起,先生一改过去那种豁达、隽永的笔墨,甚至也一改过去
那种有时是不必要的工整和细致——信的书写格式,邮票的选
择和贴法等等。先生似已忧心忡忡于风暴已经来临之后的来日
大难。尽管处在当时压顶而来的白色恐怖之下,万语千言,无从
明说,但今日展读遗札,字里行间,就足以把我们带回到那个
"黄钟毁弃、瓦釜雷鸣"的溷浊时代,那个把我们民族陷于空前
的悲剧的时代,把我们民族文化陷于空前浩劫的时代! 但即令
是在那个人人自危、自顾不暇的非常时刻,先生仍嘱我有机会时
带信给几位我们共同认识的人。——这中间,有归国的华侨老
专家,有同乡的老作家,也有有才能、有成就的艺术家。先生还
是太天真了! 他估计也是希望的是:"将来每一个人大约都要
入八卦炉中一煅,经此一烧,然后可以凤凰涅槃,获得新生!"先
生劝人"不必耿耿",并说只要"老老实实,实事求是,一定可以
过去的"。无奈事与愿违,所谓"凤凰涅槃",不过是佛门的虚幻
与慰藉,而现实是——这是中国知识分子,中国道德、文化的一

场深灾重难。老老实实,实事求是又怎能够逃脱得了罪恶的魔掌呢。

事隔十几年了,当时妖云魔雾笼罩一切,是非有无今天已不易回想得那么真切。仿佛记得后来北大历史系曾一度迁往十三陵搞什么"斗批改"。去后不久,先生因病回城治疗。之后,我们也成了专政对象了,咫尺天涯,无由问讯。但一个终生难忘的印象是我们和先生的无言之别。时间大概在"红八月"上旬,我们"奉命"去北大看大字报,去时是集体行动,我们担心未必能有机会对暂别的长者作可能的趋访。所幸带队的"造反派"在队伍进入北大校园后就宣布"自由活动",这提供了我们一个难得的"假公济私"的条件。当我们走马看花地在人群中挤来挤去了一阵子之后,不由自主地向燕南园宿舍区移步。时近正午,我们有意地在先生住宅附近徘徊,心想:即令不便搭话,哪怕能从篱落间一瞥那熟悉而尊敬的身影……正悬想间,果不其然先生拖着沉重的步伐,踽踽独行在那条回家的小径上。头上戴的是一顶大而旧的草帽,身穿白色短袖旧衬衣,一条洗得发了白的黄色短裤,着袜布鞋,肩上挂一个军用水壶,右手提着马扎……这才几天,神态已大非往昔可比,——这就是我们可以引为骄傲的东西交通史方面的学术权威!大概由于在围观中拔了一上午的草或者从事其他据说是可以使一位有成就的专家学者"改造思想"的劳动,先生在疲惫中有点迟滞,有些茫然,腰明显得弯多了。司马迁受刑后还只是被幽囚在蚕室里,而我们的做法则是在光天化日和众目睽睽之下的"示众"。彼一时也,我无法描述当时极度矛盾的心情,多么想趋前一见,却又不得不用最大的克制功夫隐身于一列小柏树的后边,用模糊的泪眼目送这位受难中的长者,一步一步地走进那个横楣上贴着先生亲笔写的

"四时康乐"横披的小门,然后,绿色的双扉挡住了伛偻的背影,我们仍呆呆地木立在那里很久很久,虽然当时不曾料想到这次的无言之别竟成了憾恨终身的人天永诀。

前面谈到,先生是一位国际知名的学问家,但是,从我个人的接触中——作为一个新闻工作者,常有一些涉及文史方面的常识性问题要向先生请教的,先生不曾留下"坐皋比讲易经"或者对人耳提面命的印象,先生总是那么平易近人的。回答问题时,深入浅出,切中要害。记得有一次某单位有关系到历史地理方面的重要问题就教先生,三位来访者提出了一连串包括某些相当冷僻的问题,先生一一作答,如话家常:某事查某书某章某节,某事先查某书,再查某书。问者心悦诚服,执礼愈恭。先生娓娓不倦,毫无半点骄颜傲色,犹如一潭微波不兴的秋水。

这里还想举这样两个例子:有一位见多识广,对文史、考古、书画、佛理等俱有研究的老者,先生对他平时也是尊为前辈的。这位老者恃才傲物,很少听他称许过别人,唯独折服先生。一次,老者捧出一卷贝叶经来,托我转请先生审评,先生认真地看过后,让我把意见带给老先生,老先生听了,连连点头说:"向先生这么说了,那就是了。"

前面提到的那位同乡老作家,20 世纪 30 年代时以多产著称。今天,国外仍然"热"着他的作品、风格和文字魅力。但解放后在文学创作方面他却近于搁笔的程度,改弦易辙去搞文物,搞物质文化史,搞古代服饰,又成为国内数一数二的专家。我有时真诚地也是半讲笑话地问:"什么时候您下了这么些工夫,读了这么些东西,攒了这么多学问?"老作家笑了笑,同样真诚地,但却所答非所问地说:"我这点点本事算得个什么,人家向先生才真是个做学问的读书人。"——从这里可以得出这样一个题外的结论:文人不一定都是相轻的。

不妨再举在所谓"拔白旗"中一个小小的穿插:当时有些无知的年轻人,可能是受了"人有多大胆,地有多高产"荒谬思想的影响,提出了"××有什么了不起的,他不过是多读几百本书而已。我们加把劲,几百人一人读它一本,很快就能超过他的。"我曾以此征询先生的看法,先生莞尔一笑,说:"一个人读几百本书和几百人读几百本书大概不一样吧。"

由于学术研究范围侧重在中西交通史方面,无论是在1957年以前或者以后,先生经常用他的学识为国家民族、为国际斗争服务的。虽然"不在其位",但只要是能为力处,总是竭尽所能地"谋其政"的。例如,先生曾接受有关部门的委托,整理柬埔寨的古代史资料,在这方面,先生总感到近百年来某些有关边界问题的材料、地图、有关国家的政府档案、调查报告等,我们"公私收藏都很缺乏,因此事到临头,不免有些手忙脚乱之感"。先生希望"今后能做到未雨绸缪",则"亡羊补牢,犹未为晚"。——尽管先生身受种种挫折、歧视和不公平的对待,但一片谋国忧心,充分体现了中国老一辈知识分子的器识和胸襟。

最后,再从另一个侧面来看一看这位学问家的赤子之心。

一家朋友远去西双版纳体验生活,把一双髫龄儿女存托在我们家里,先生和孩子们的父亲本来并不怎么熟识,但了解到这种情况后,经常带些礼物、吃食来看望孩子。

当时,我们家的那个刚戴上红领巾的小女儿和先生是忘年之交,有时先生不期而至,相差四五十岁的一老一小居然能够很相投地对话。先生有时有所赠予,一本儿童读物或者由外地带回来的线编凉鞋,必有一纸工笔短柬,而且逢"你"处一定郑重其事地称"您"。

　　不仅对于熟识的和有些关系的幼小者如此,就是在车站上、公园里,碰上天真活泼的孩子或者牙牙学语的幼儿,先生都要弯下腰去和他们认真地攀谈,或者伸开双臂把对方抱过,然后童颜白发,一齐憨笑起来,——这是一幅人世间多么美好的画图!

　　先生不仅爱孩子,也爱自然,爱古迹名胜,爱泉石花草,一句话,爱生活,爱真善美。

　　"文化大革命"前,有一年,玉兰花开时正赶上"大风扬尘",先生信中说:"第二天风势稍杀,天气仍然不好。下午我不死心,一人去颐和园看看,乐寿堂前院白玉兰全凋谢了,西跨院那棵大玉兰还剩三分之一,只后院的紫玉兰尚未开放,可算差强人意。如要看玉兰,我想碧云寺的几株,也许开得迟一点,能够赶上一看。稍迟,天日晴和,去游一次香山如何?"

　　有一次信中谈到竹子,在我们的故乡湘西,竹子到处成林成片,在北方,先生慨叹"种竹大概颇不容易",因此也就十分珍惜旧居院中那几行青翠。由此,先生谈到当时王府井荣宝楼上北京、上海等处木版水印画展览。"我最喜欢郑板桥的墨竹,其中一幅有板桥道人题诗一首,末两句云:'而今重种扬州竹,依旧江南一片青',有风趣,有寄托。如其也出售,不如买一幅,日对潇湘万竿,胜似凭吊'枯竹',不识以为然否?"

　　在一次陪伴先生登上香山玉华山庄,凭栏遥望烟霭苍茫中的戒台寺时,从戒坛谈到千佛,谈到长安的碑林和大小雁塔,谈到先生的两次"西征",曾相约在适当时候,追随先生再循"丝绸之路"重访旧游踪迹,不仅瓜沙、两关,甚至古楼兰、罗布泊,包括塔克拉玛干沙漠中的残城废堡,聆听我们这位最有资格的"导游者",从 ABC 起为我上一堂一堂的西域考古现场教学课。……十几年之后的今年早春时节,我有陕西之行,当我只身离京之前和在微明中进入古长安时，追怀往事，不禁怆然。而先生笔下提得最多的古长安，——这座人物荟萃之城，谈起先生来，识与不识，同声叹惋。一位老专家问起《大唐西域记》的校注情况，怅然地说："向先生不在了，谁来完成这项工作？"当然，他和我同样相信会有人来完成它的，但正如老专家说的："有向先生在，不是顺当得多而且质量上也有保证得多么。"

来到西安十天之后，我搬离喧闹的旅馆，坚决住进小雁塔来。这里十分清静，加上来后又赶上一场春雪，有时还相当冷。但我谢绝了老友们的好意劝阻，因为我和先生有约在先，天若有情啊！——不正是"今我来思，雨雪霏霏"么！我披衣夜起，呵手捉笔，就算是我的"践约"吧。以上种种是十几年间在和先生交往中，先生口述，手写和其他一些使我们深有感触并铭记难忘的点滴材料，很惭愧，——同时也是处于"锁笔封笺"22年中的我的一点情有可原之处吧。——直到先生含冤去世十几年之后，才能把它整理出来。

1979年春天，我曾回到一别三十多年的故乡——湘西土家族苗族自治州，3月18日上午车过临近自治州的溆浦县时，（我是知道先生的骨灰已送回他的生身之地的）我把头紧贴着车窗，看清清溆水蜿蜒流动，乡云春树，激起我多少心潮。但因行色倥偬，未能一表我们由衷的悼念。那么现在，又是一年多之后了，让我把这篇不成敬意的文字，当做一把山花，奉献给先生的在天之灵！

（原载《社会科学战线》1980年第4期）

罗尔纲先生的治学风范

郭 毅 生

罗尔纲先生诞生于 1901 年,是 20 世纪的同龄人。新中国成立以来,他是硕果累累的著名社会科学家。他从青年时期开始进行学术研究,至今已 65 周年。他学识博雅精深,在考据学、金石学、文学史、近代军事史等方面都作出了可贵的贡献,宛如颗颗明珠,在学坛熠熠生辉。尤其是在太平天国史研究方面,更蜚声海内外,是这门学科的开拓者、取得最大成果的专家和培育了众多中年学者的一代宗师。罗先生对太平天国史的钻研,锲而不舍,用力最勤,时间最长,成书三十余部,达七百余万言,真是著作等身,令人有"高山仰止"之感!他的道德情操和品格修养,集中表现了中华民族优秀的文化素质,值得当代青年引为风范,加以学习和发扬。

一、攀登金顶的大学者

西川拜佛的人,以登峨眉、攀登金顶为目标,虽然途中要经历"九十九道拐"的艰辛和"钻天坡"的险峻,然而为了看到"佛光",冒艰险是值得的。攀登科学的金顶更难于上钻天坡,它与旅游不同,往往需要花费毕生的精力和岁月。罗尔纲先生正是这样一位从青年时代开始,孜孜不懈、奋力攀登科学高峰的大学者。65 载的学术生涯至 90 高龄而不辍撰述,这在古今人间也是弥足珍贵的。

罗尔纲先生是清光绪二十六年十二月初十日(1901 年 1 月 29 日)出生于广西贵县城关镇榕兴街家中。少年时体弱多病,但好学敏求,在贵县中学成绩优异。1925 年在上海浦东中学就读时,积极参加"五卅"反帝爱国运动。后因病回乡,又参加贵县"微熹青年社"这一进步组织。1926 年,考入上海大学三年级,这时正是"国民革命"、反帝反封建的高潮时期。这年 10 月,罗尔纲满怀革命热情撰写了《怎样集中革命势力》、《农民运动的紧要》、《今后的努力》等政治论文,先后发表于《民国日报》的"觉悟"专栏中。次年,因病辍学,养疴于澳门。后返回上海,转入中国公学。1930 年夏毕业于该校文学系,至校长胡适家整理其父胡传遗稿,并帮助胡适做《醒世姻缘传考证》工作。1931 年秋回贵县,担任县志局的特约编修,撰写成《太平天国广西起义史》。此书稿于 1934 年被友人汪原放转借给陈独秀阅读,陈读后十分赞赏,向胡适提出要请罗尔纲与他合写太平天国史,可见其对罗先生学术的推许。1934 年稍晚,罗返北平,任职北京大学文科研究所,从事整理艺风堂金石拓本的工作,三年间除整理出六千余件外,并写成《"金石粹编"校补》四卷。1935 年春,寓居以陶孟和为领导的社会调查所宿舍,以两个月的时间著成《太平天国史纲》一书,将该所多年研究中国近代经济史的成果全部吸收于其中,使该所研究人员为之惊叹。此书于 1937 年出版,篇中指出"太平天国的性质是贫农的革命",这个观点在当时的学术界确乎是独具慧眼的。40 年后,费正清在《剑桥晚清史》中评价说:"罗尔纲的《太平天国史纲》现在仍然是最好的一部概论性著作。"在抗战前的几年,他还发表了一批有价值的考证和论文,如《洪大全考》中,他揭露清方奏牍之蒙骗欺饰,考证洪大全并非实有其人,后来发现的材料印证了他这个论断是正确的。如《清朝统治阶级诬蔑太平军放火奸淫掳掠考谬》一文,以详瞻充足的史料为太平军辩诬,铮铮有声,一扫反动统治者的狂吠和阴霾。抗日战争期间,他转徙到昆明和四川泸州李庄,在中央研究院的社会研究所从事清代兵制的研究。那时生活条件艰苦,还常遭日军飞机的空袭,他无论溽暑寒冬收集整理资料,写成《湘军新志》、《捻军的运动战》、《绿营兵》与《晚清兵志》(内包括《淮军志》、《癸甲练兵志》、《海军志》、《陆军志》、《军事教育》、《兵工厂志》共计六种)等书共一百万余言。这部稿本不知因何流落到外间去,后来有在台湾旧书店购得其中一卷《淮军志》稿本,在香港影印流传。罗尔纲撰著的清代军制,专家给以高度的评价。1986 年 11 月在北京召开的中国近代军事史学术讨论会,对《绿营志》、《湘军兵志》评为"力作",其结论已为研究中国军制史者所普遍接受。美国学者拉尔·尔·鲍威尔读了《湘军新志》后,称罗尔纲是"中国军事史家",认为他这些专著,"对充分了解清军事制度和权力结构的本质极其重要"。当这些晚清军事史完成后,他遂于 1943 年专力于太平天国史,数年间写成《太平天国史稿》、《太平天国金石录》、《太平天国的理想》、《李秀成自传原稿笺证》等多种。

中华人民共和国成立之时,罗尔纲已年近半百,他欢欣鼓舞,焕发出科学的青春。1950 年他在南京积极筹办太平天国起义 100 周年纪念展览,往来于苏浙皖各地,调查太平天国史迹,征集和编纂太平天国文物、文献资料,承担起筹建南京太平天国纪念馆的任务。1951 年,开明书店出版了《太平天国史稿》与《李秀成自传原稿笺证》,这两种书受到广大读者的欢迎,畅销全国,不到半年就重版发行,以后又数次修订,增益内容,再版面世,成为图书馆和新书架上最受青睐的读物之一。在此数年中,罗先生还整理出版了他的太平天国史论文集,计有《太平天国史记载订谬集》、《太平天国史事考》、《太平天国史料辨伪集》、《天历考及天历与阴阳历日对照表》、《太平天国史料考释集》、《太平天国文物图释》、《太平天国史迹调整记》共 7 种,约 150 万字,推动了太平天国史研究的开展。1954 年夏,罗先生奉调由中国科学院经济研究所转到近代史研究所,范文澜所长十分尊重罗先生的研究工作,仍请他留在南京继续整理史料和撰著,至 1964 年 4 月工作完竣,始从南京堂子街搬迁返北京近代史所工作。

在 1950 年至 1959 年这 10 年间,罗先生还有一桩突出的重大学术贡献,即搜集整理完成了《太平天国资料汇编》计 1200 万字,《太平天国文献》共 4 集。为了发掘整理这些材料,他甘心坐冷板凳,并亲自带领工作人员深入到南京图书馆的颐和路书库和蟠龙里书库去摸底查找太平天国资料,把七十多万册书,除去"经"部以外,"子、史、集"各部都按次序地、逐排逐架地、一册不漏地查找,一页一页地翻阅。这样寒暑无间,逐年累月地搜寻,终于使许多沉眠在书架上、蛛网尘封的孤本秘籍,得以重见光明,公之于世。他为了使研究者能尽快利用这些资料,便从中精选出 180 万字,编为《太平天国史料丛刊简辑》,很快便在 1961 年出版了。他所作这些重大的资料建设,为新中国的太平天国史研究奠定了坚实的基础。

1964 年夏秋以后,由戚本禹出面掀起的"李秀成叛徒问题"

的浪潮掩盖了舆论界。罗尔纲面临着折腰和抗辩的考验。他选择了科学的良心，撰写成三万余言的长文，阐述自己的学术观点，报纸上只摘登了一部分（即《忠王李秀成的苦肉缓兵计》）。接着来的是"文化大革命"的大批判，在十年浩劫炼狱般的日子里，他已年近古稀，当他挨完批斗回到家中后，一种出于对祖国、对科学的热爱，使他马上投入了书的海洋中。他寂寞地翻阅着、撰写着，街上"横扫一切"的喧嚣，"知识越多越反动"的威慑口号，他没有去理睬。当此之际，许多学者被迫放弃了科学研究，罗尔纲却以一种泰山崩于前而色不变的沉静钻研着。他终于迎来了1978年党的十一届三中全会。这以后他虽年届80高龄，但思维之敏锐、逻辑之清晰和撰述之勤勉，令人敬佩。1979年《历史学》第2期发表了他的重要论文《太平天国政体考》，即后来称为《太平天国军师负责制》的长文。同年，编成《太平天国史丛考甲集》，由三联书店于1981年出版。随后又完成丛考乙集、丙集的编定，陆续问世。加上20世纪50年代所刊出7本集子，计考证论文集为10集，可谓洋洋大观矣！1982年，中华书局出版了罗先生的《李秀成自述原稿注》，这是他经49年笺注而成的心血之作。1983年，《文史》发表了他的《水浒真义考》，将《水浒传》的原本和作者详为考析，得出独立的结论。这年又修订了《绿营兵志》，改写《湘军兵志》，交付中华书局于1984年出版。对于太平天国的经济，罗先生一直在研究，1984年《历史研究》第1期发表了他的《再论天朝田亩制度》，对太平天国的土地政策和实施作出了新的论证。1985年，罗先生将经营数十载的《太平天国史》，全88卷凡150万言的稿本，交给中华书局付印，即将出版。1986年底，40万字的《困学集》也由中华书局出版。1989年，《困学丛书》上下集80万字，由广西人民出版社出版了。

以上约七百万言的著述,虽尚未包括待印行的,已是丰硕无朋、难以企及的了。黎澍同志在给罗著《水浒传原本和著者》的序言中称道他是"近代史所著作最富的人,一个真正的专家"。言简意赅,确非虚语。

下面我们再来赏析罗尔纲先生的学术特色和造诣,便可以体会到他所达到的深度和高度。

二、博雅与精深

孔子论治学,主张"博学而识之"。博学方能不囿于一隅之见,得融会贯通之妙。识者见识之谓,当指看问题能透过表象,得其精髓,见其本质,知流俗所不能知,识愚庸所未曾识。刘知几著《史通》,提出"才、学、识"三个尺度。章学诚在《文史通义》中感慨说:"才、学、识得一不易,兼三尤难"。罗尔纲先生自谦才非管乐,但学养之渊厚,这是学术界所公认的。我这里特别要论述的是他的"识",即他在太平天国史研究中卓越独到的识别和论断。

1. 孤怀宏识的李秀成伪降说

罗尔纲为主张李秀成伪降说,挨过大批判,吃个大苦头,但他不悔。学者中慑于"为叛徒辩解"的政治帽子,往往随大流或噤若寒蝉。所以罗先生的伪降说,只闻空谷回鸣,和之者寡。从这个问题,我们便可以看出罗先生学术见地的高厚。

罗先生从青年时开始给《李秀成自述》作笺注,经半个世纪而不辍,参阅中外有关资料多至数百种。他写过《忠王李秀成传》,出版过五种《李秀成自述》的笺注,1964 年夏在风狂雨骤中还挺身撰成《李秀成的苦肉缓兵计》，20世纪80年代又修订为《李秀成伪降考》，最后写成《李秀成传》，以罗先生之严谨和精于考证，他对李秀成是否是叛徒和叛变这样的重大关键问题，是不能不作严格而缜密的考证的。从以上著作中可以看出，他是当代掌握李秀成的史料最多，研究最深透的专家。那些只摘取《李秀成自述》中一些表面字句，就贸然作论断的人，未免显得浅薄无根了。

李秀成是忠是奸？他的品德和素质是什么样？罗先生在写李秀成传与《伪降考》中反复仔细研究过，他考核了二十多条证据，得出结论是"铁胆忠心"。特别是李秀成拒绝李世贤的出走建议，回京与洪秀全共守危城；"临难让马，舍命救主"以保幼主突围；明知幼主已脱险，却对曾国藩说"十六岁幼童，定然死矣"；对湖州和江南太平军今后的战略计划，绝对保密，不透露丝毫等等来判断，这是叛徒所不可能作的。因之，罗提出了伪降说，即李秀成学蜀汉姜维假投降，劝钟会独立之事。1977年12月，曾国藩的曾外孙女俞大缜教授亲自提供证词，证示"李秀成劝（曾）文正公做皇帝，文正公不敢"，又说"李秀成确是想学三国中的姜维"。① 有了曾家这个口碑，罗先生的伪降说便得到有力的证据，这桩学术大公案到此便可完满结束了。

罗先生有一次与我谈话中问道：你认为李秀成的品质如何？我答道：当天京城破、刀丛夺命之时，李秀成换战马给幼主突围而出，自己却骑驽马而被俘，这是忠贞品格的鲜明体现。罗先生

① 罗尔纲：《困学集》第202—205页。据知，俞大缜教授曾在1964年上书周总理，报告曾家口碑相传，李秀成确实劝曾国藩做皇帝。俞教授上书说：李秀成实乃伪降，并非叛徒。1977年冬，她又写了上引的材料。

进一步说道:李秀成是个"外柔内刚"、"外圆内方"的性格,你看他在 1862 年冬消灭抢船匪群,逮捕苏州恶霸大地主徐少蘧,便是外面示柔,不动声色,里面却藏着猛若迅雷的刚强一手的事例。① 在《太平天国史》的"李秀成传"中,罗先生从李秀成的出身、处境和教育等方面阐释了他这种"绕指柔、纯金坚"的品格是如何形成的。我很钦佩,在我的师友中和我读过的著作里,终于有人如此深入地从性格和品质的角度去分析和认识李秀成。

李秀成是个富于谋略的帅才,梁启超推许他为近代大政治家,罗尔纲总结当时人对李秀成军事素养的认识,说他是"一个出类拔萃、足智多谋,专用智取的杰出军事家"。李鸿章与李秀成搏战多年,他论李秀成则谓:"深佩其狡猾"、"诡谲多谋"、"最多狡谋";曾国藩也说他"狡诈百端"。② 李秀成深知"兵者,诡道也"、"兵不厌诈"。他的外柔内刚的性格,使他在国破被囚之时,"更只有用软计暗中跟敌人搏斗,他的伪降,正是他的软计"。李秀成半生戎马,血战多年,生死早已置之度外,罗先生认为他的"收齐章程"是出于计谋,不是出于怕死,这是符合李秀成军事素养的。许多的论者可惜并不了解李秀成,只好简单地认定李秀成对敌投降了。章学诚曾告诫说:"不知古人之世,不可妄论古人文辞也;知其世矣,不知古人之身处,亦不可遽论其文也。"③罗先生之论《李秀成自述》与别人不同之处,就在于他密切联系李秀成当时的处境、条件。以李秀成这个能刚能柔的人物,罗先生在分析他应付敌人的供词里,不是看表面文辞,

---

① 罗先生这段话也写进了《李秀成伪降考》和《太平天国史》第 57 卷《李秀成传》中,可参考。
② 参见《太平天国史》第 57 卷,第 2048 页;又《李秀成伪降考》等。
③ 章学诚:《文史通义》内篇 2,"文德"。

而是透过文辞，于无字处见真谛。所谓"知人论世"，正是罗先生的独到处。

2. 虚怀若谷，不断修正《天朝田亩制度的实施问题》的论点

罗先生坚持李秀成伪降说，并不是出于偏爱或固执，而是相信自己的论证是正确的。罗先生坚持真理，同时勇于修正错误。在关于太平天国土地政策和实施的问题上，充分体现了他学者的诚实和虚怀若谷的泱泱大度。

20 世纪 50 年代中，罗先生在《太平天国史事考》一书的《天朝田亩制度的实施问题》一文中，考明太平天国并不曾施行过《天朝田亩制度》所颁布的分田方案，澄清了一桩重大史事。他根据当时所能见到的史料，作出了"太平天国实行了耕者有其田"的论断。以后，不断发现新史料，表明太平天国地区的土地关系十分复杂，罗先生感到自己的论断未尽符实，心中自责自疚，在病榻上久不成寐。他写道："我深深体会到，做科学研究是一条艰苦的路程，是免不了常会有错误发生的。一个科学工作者必须勇于承认错误，欣然去改正错误……向前迈进，然后方有利于人民的科学研究事业。"①他不断地探索前进。20 世纪 60 年代初，他又写道：不仅在太平天国后期苏、浙地区存在着准许地主收租的事实，早在太平天国前期，即"在建都天京一年多就不得不准许地主暂时'照旧交粮纳税'"。② 后来他曾多次和我谈论这个问题，运用阶级斗争，各阶层与各政治势力的相互作用所造成的合力决定历史面貌的观点，去分析太平天国的土地关系和土地政策。1984 年，他不顾年迈体衰，亲笔写成《再论

---

① 罗尔纲：《太平天国文物图释》"序言"，第 8 页。
② 罗尔纲：《太平天国史料丛编简辑》第 1 册"前言"，第 17 页。

"天朝田亩制度"》的论文,文中考察了 1854 年太平天国施行
"照旧交粮纳税"、准许地主收租的原因,又以可靠的史料考证
"当时太平天国统治苏、浙时,'着佃交粮'是普遍的,而地主收
租却是局部的"。① 他在这篇文章中充分注意了"当时苏、浙地
区阶级斗争是十分激烈的,情况是十分复杂的"这一历史状况。
因此,他采取了辩证的方法去分析太平天国的土地政策,而不是
孤立的、静止的就局部现象进行考察。当然,太平天国的经济制
度和政策是个重大问题,学者们见仁见智,意见未必相同。然而
罗先生这种勇于修正自己论点的科学态度是高尚的,更是值得
学习的。

3. "军师负责制是太平天国的光辉创造"

太平天国的政权性质和政治体制是多年来大家集中讨论的
问题。罗先生对此更悉心研究,他写道:"我近年研究太平天国
政体问题,1978 年写了一篇《太平天国政体考》……这年冬,进
一步研究,写成《太平天国政体再考》,刊于《太平天国史丛考甲
集》。1981 年春再改写,用《太平天国的虚君制》标题……会后
复改写,定名为《太平天国的军师负责制》。经过四年的探索,
重写了四次专文,考明了太平天国的政体,并非君主专制,而是
军师负责制"。② 什么是军师负责制呢? 罗先生考证说:太平天
国的政体是以天王洪秀全为君,君位崇隆,却临朝而不理政。国
之一切军国大事,均由军师裁决。军师是政府的首脑。其证据
是:一、太平天国的正式文告、檄文都用左辅正军师杨秀清、右弼

---

① 《历史研究》1984 年第 1 期;《太平天国史》第 23 卷"五、天朝田亩制度
的实施问题"。
② 罗尔纲:《治学篇》2,见《困学丛书》上,第 107 页。

又正军师肖朝贵的名义颁布,他们在檄文中自称"本军师",代表国家昭告天下,而不用天王的名义颁布。二、中国历代由皇帝降诏处理国家政务,称为"上谕"。太平天国并无"上谕",而是由军师发出"诰谕",颁行天下。天王虽偶发"诏旨",皆超脱于政务。三、太平天国的"朝内官",供职于天朝宫殿即天王府的官员共1600余人,都是天王的侍从仪卫人员,没有一人是管理国家政事的。四、军师府如东王府等,则各设六部尚书。东殿六部尚书,每部12人,共72人,分掌一切行政事务。全国各地向东王呈上"禀奏",又从东殿不断发出"诰谕",进行指挥,每天川流不息。有时一天发出"诰谕"达300件之多,这便证明军师是执掌国家军国大政的。五、太平天国虽设有六官丞相,但"丞相"只是一种官阶,并不掌管国家政务。

关于太平天国体制的特点,简又文先生在他的名著《太平天国典制通考》的"天号考"中曾提到"太平天国体制实为天王与五王'共有、共治、共享'性质","实开亘古未有之怪异政体"。他不曾深入去考察,只停留在感性认识阶段。罗先生则以数年时间熟虑精思,升华为"军师负责制",这是政治制度史研究的突破和大贡献。不仅如此,他还追溯"军师制"的源起,指出这种体制渊源于"元末农民大起义后的《三国志通俗演义》和《水浒传》,便反映了一种防止暴君出现,限制君权的政治思想"。他以明锐的阶级分析,指出这种政体是中国长期农民起义发展到高峰时期的历史创造。他辩证地分析这种政体的二重性:"既包含有农民民主的一面,又沿袭了封建主义的另一面。因此,它不同于我国自秦代到清代二千一百多年的君主专制,也不同于近代西方的内阁制(君主立宪制),它当然还不是一种超越封建主义范畴的新的国家制度,然而却不能不说是太平天国的光辉创造。"①这段清新流畅的文字,其思路之明晰,分析之辩证而不固执一端,谁能想到这是出自 80 高龄之手笔！罗先生在《太平天国史》的"政体"志中,对"军师负责制"有专卷论述,读者可以细读,便能吸取到更多。

4. 体大精思的《太平天国史》

罗尔纲先生著作中最为宏伟的一部,是即将出版的《太平天国史》。这部专著共为 88 卷,约 150 万言。他从 1955 年命笔至 1964 年完成初稿,后又经二十载反复增删修订,至 1985 年交付中华书局,经之营之,共达 30 年之久。学术界渴望这部书,我在执笔写此文时,有幸拜读过这部巨著的清样。我以"体大精思"四字来表达自己的感想,然而它却远不是这四字所能概括的。

我国史书体制,有纪传体、编年体、纪事本末体及政书等多种形式,而以纪传体为主。纪传体的优点在于分类系事,"显隐必该,洪纤靡失"②而且纪、传、表、志,便于寻索。其缺点则在于记事分散,"大纲要领,观者茫然",③难得一事之全貌。罗先生撰《太平天国史》,比较了前代史乘的体例,对纪传体取其长而补其短,即在全书之首的第一卷,对太平天国的时代背景,革命经过的分期,革命的性质和成就,失败原因及中国近代史的影响等,作综合的论述,称为"叙论"。在这开宗明义的一卷里,既有始末的叙述,又有总体的评论,使读者开卷即可对太平天国史的大纲要领,全面情况,得到一个概括性的认识。这种"叙论"为

---

① 罗尔纲:《太平天国史丛考甲集》第 65— 66 页。

② 刘知几:《史通》第 2 卷,"内篇"二体第 2。

③ 章学诚:《章氏遗书》第 2 卷,"史篇别录议例"。

纪传体所无,是一种突破和创新。范文澜同志生前曾看到这篇"叙论",给予了高度的评价说:"可以不朽矣!"罗先生在此书中,删去了君主至上的封建性的"本纪",将洪秀全、洪天贵的事迹移归到"传"中,这就体现了广大人民创造历史这一马克思主义的历史观,使人们对《太平天国史》有鲜明的时代感、亲切感!第二卷即第二部分,是"纪年",按时期顺序专记每年每月发生的大事,将编年体改为纲目体,虽仍依年月纪事,但大纲小目,对史事进行有组织的叙述,避免了编年体"流水账簿"的枯燥和毫无主次。第三部分是"表",表以载各地各族起义人物、事件、王侯百官,各种人物、经济贸易表等。简明易查,宏纤俱备,共 19 卷。第四部分是"志",志是各种专门史,共 20 卷,凡政治、经济、军事、外交、宗教、礼仪、文化艺术等等各方面皆有专志,这部分浓笔重墨,精彩迭现,令人有美不胜收之感。第五部分是传记,共 47 卷,这是全书比重最大的。上起天王洪秀全,下至乡官胡万智,各地各族起义人物如刘丽川、杜文秀,洋兄弟如罗孝全、呤唎等,只要事有可传,皆予载入,体现了太平天国史的人民性。罗先生写人物传,史事详赅,生动具体,而且笔端有感染力,使人读后,歌哭感慨,往往有之。

据我所知,罗老著此书,态度严谨,精益求精。我曾比较过书中的《李文彩传》,其初稿甚简,定稿则吸收近年研究成果,增详了李文彩在贵州部分;杨秀清、杜文秀等传,皆博采诸学者,使之臻于完善。我想起,蜜蜂采百花而酿成蜜,大海纳百川而成其深。罗先生撰著《太平天国史》,其采择百家,经 30 年冶炼熔熔,而成这部大书。它是当代太平天国史研究的结晶,也是新中国学者们共同的骄傲。

三、锲而不舍　精益求精

　　罗尔纲先生在学术上作出的重大贡献,其成功的奥秘何在呢?从前面的论述中,我们已可看出,他勤奋治学,慎思明辨,不囿于陈说,勇于创新,不断开拓前进。他这种学术上的创新和开拓精神,表现为锲而不舍的执著追求,对他所钻研的问题,精益求精,期于至善。这一点在罗先生身上表现得特别突出。

　　例如关于洪大全的考证:先是在1934年夏,罗先生写出《贼情汇纂订误》一文刊于《北平图书馆馆刊》上,指出太平天国没有天德王洪大全这人。其后,俞大纲先生以故宫文献馆《洪大全供》为据,发表文章,不同意罗先生的看法。罗进一步撰写《洪大全考》,发表在清华大学创刊的《社会科学》上。其考证详审精当,俞大纲读后为之倾服,亲自登门拜谢说:"大著《洪大全考》拜读了,我完全赞同,我一年前的见解错了,今天特来拜候你,请教!"按说一般人对此问题可以认为满足了。但罗先生却并不满足,他仍不断收集材料,十年后又重写文《天德王洪大全考》。直到解放后,根据新发现的史料,写成五万余字的《洪大全考》,载于《太平天国史事考》中,最终解决了这件历史公案。关于太平天国的政体,罗先生发现了问题,不断去研究,从"虚君制"说到"军师负责制",先后四载,数易其稿。关于太平天国的土地政策,罗先生数十年不断探讨,不断更新自己的认识,使自己的学术见解如实反映历史的客观实际。

　　最典型的例子表现在对《李秀成自述》的研究上。罗先生给《李秀成自述》作笺注,坚持49年,先后出版了五种版本,直到1982年的《李秀成自述原稿注》出版,罗先生花费了大量心血,他自己感慨说:我从青春注到白了头!这种长期不懈的坚毅,确乎是难能可贵的。关于《李秀成自述》的真伪问题,曾经波澜层出,是太平天国史中一大争议。罗先生为了鉴定李秀成自述原稿是否为李秀成的亲笔,他特地走访请教于书法专家丁云青,又潜心去研究宋明以来的书法著作,运用"书家八法"的理论,把《李秀成自述原稿》与李秀成真迹《谕李昭寿书》两个文件的相同字制成照片,挂在墙上对比研究。他还创造性地把两个文件中相同笔画提析出来,对运笔和写法进行比较,朝朝暮暮,不时观察。最后判断出两个文件皆出自同一人的手笔,从而证明《李秀成自述原稿》是李秀成的真迹。他写成《笔迹鉴定的有效性与限制性举例》一文,取得了书法家和史学界的一致同意。他这种不畏艰险,勇于攀登、穷追不舍的精神,终于攻破了许多学术暗堡,给太平天国史开拓了广大领域。

四、一 代 宗 师

罗先生的学术贡献不仅在于他著作等身,享誉中外,而且在于他哺育和培养了新中国一批中年的专家教授和人数众多的太平天国史研究队伍。鲁迅先生特别爱护青年一代,他培养了许多青年作家,从而繁荣了中国的现代文学。罗尔纲先生也正是这样,他对后辈学者的栽培抚育,真可谓春风化雨,泽惠情深。1987 年,我们编撰了《罗尔纲与太平天国史》一书,庆祝他学术研究 60 周年。在此书中,许多学者都谈到罗先生对自己的教诲和帮助。茅家琦教授推崇备至地写成《一代宗师罗尔纲》;祁龙威教授撰写了《罗尔纲赞》,记述了罗先生对他的热忱指导;段本洛教授说罗先生是他的"启蒙老师";苏双碧编审写道:"罗老总是诲人不倦,他把所知道的史料以及他自己的学术见解,都毫不保留地说出来,经常还要搬来许多史料,一条一条的指给我看。"广西桂林市博物馆的梁碧兰同志说:"我与罗老素昧平生,至今未能一见,他的关怀与教育却使我终身受益,永志不忘。"为什么呢?她说罗老在溽暑燠热的伏天帮她审改文章,还复信给她,表扬优点,指出不足。她说罗老"还特地给我复印三十多页资料,亲自装订好寄来,扉页上又写了两行使用资料应注意的问题"。像这样一位全心全意、诲人不倦的老师,怎能不使人终身难忘呢!我因工作在北京,得拜谒于门下,更是沐恩受惠。1981年春,我在罗先生的指导下撰写《太平天国经济制度》一书,他不仅鼓励我进行实地考察,而且还致函有关博物馆和图书馆,请他们给我提供当地的宝贵资料。临行前,他又亲手抄了一份他所知的各馆所藏太平天国史的稿本、抄本的目录给我,以便按图索骥。后来书写成后,他老人家又抽出宝贵时间,逐章逐节地详细审阅。那段时间正是他忙着为《李秀成自述原稿注》与《太平天国史》两巨帙定稿,却屡次放下自己的著作来为拙著进行审改。这种牺牲自己,甘当人梯的精神,闪耀着高尚的道德光辉。罗先生对同辈和后学的科学研究,总是满怀热忱地倾力相助,引导他们走进历史科学的殿堂。许多感人的事迹,我是在编《罗尔纲与太平天国史》一书时,才从来稿中得知的,但我从未听罗老自己说起过这些事。孔子曾感叹:"天何言哉!四时行焉,百物生焉,天何言哉!"罗先生正是这样。春雨润物细无声,洒向人间都是爱。太平天国史研究在今天郁郁葱葱,成为繁花盛开的大园地,居于世界领先地位,这和罗老这位辛勤的园丁用他的心血来浇灌是分不开的。

(原载《社会科学战线》1991年第4期)

博览勤闻　多闻阙疑

——学习父亲郑天挺先生的治学精神

郑 克 晟

郑天挺先生不幸因病去世了,这不仅使史学界失去一位道德高尚、诲人不倦的师长,同时也使我们的家庭中失去了一位循循善诱、和蔼慈祥的父亲。

自他老人家去世后,我思绪万千,不时潸然泪下。回忆起他多年对我们的教诲,深感有负他对我们的企望,每思及此,真是惭愧万分。在这里,我仅就他在治学方面的几个片段写在下面,以表达对他的怀念。

一、精读一本书

郑老向以治学谨严、精于比证著称。他经常强调学习和研究历史要详细占有资料,要资料之所得就在于认真读书。他强调读书要做到"博、精、新"三字,即"博览勤闻"、"多闻阙疑",但他更强调的还是要精读一本书。

郑老读书非常认真,经常反复地读一书。例如《东华录》,这本是极寻常的书,他也反复阅读。读《圣武记》时,也是如此。

在20世纪60年代时,他凡见到不同版本的《圣武记》就买,然后对照着认真阅读。那一时期,他常至外边作报告,提倡精读一本书。他说:"精读要一字不遗,即一个字,一个名词,一个人名、地名,一件事的原委都清楚;精读是细读,从头到尾地读,对照地读,反复地读,要详细作札记;精读一书不是只读一书,是同一时间只精读一本,精了一书再精一书;精读可以先读一书的某一部分;精读的书可以一人一种。"又说:"精读与必读还有不同,精读的书不一定人人必读,如有人可以专读《山海经》,但《山海经》不一定人人必读;必读的书可以精读而不一定人人精读(如《通鉴》)。"他还特别强调了读书与写作相结合的问题。他不仅这样说,同时也是这样做的。果然,由于那个时期的大学生着重基础知识,根底好,后来都取得了不小的成绩,今天他们大多成为史学新秀。

二、写文章要精粹

郑老经常说,"文章要写得短些,精粹些,要画龙点睛"。翻开他所著《探微集》可以看出,他的文章以短者居多。抗战初期他刚到云南不久,对西南边疆史地发生了兴趣,连续写出了《发羌之地望与对音》、《〈隋书·西域传〉附国之地望与对音》、《〈隋书·西域传〉薄缘夷之地望与对音》以及《历史上的人滇通道》等文,每篇少者一千余字,多者不过四千余字。其中《发羌之地望与对音》一文发表在《史语所集刊》八本一分,全文仅三千余字,得到当时学术界好评。1942年左右,罗常培教授曾将该文向有关学术机构推荐,原定授予较高奖,但以文字短少,只能降等获奖。他听到这个消息后非常气愤,认为文章质量的优劣难道非看长短吗？因而加以拒绝。

他在1940年所写的《张文襄公书翰墨宝跋》，全文不过两千字，而他对该文比较满意。他前几年有一次还谈到这篇文章，认为该文主要是解决在没有任何线索的情况下，如何从中找出线索，从而解决一个人究竟为谁的问题。这也是过去的治史方法之一，不能不知道。他还写有另一篇短文，是为罗常培教授论著所写的序言，即《恬盦语文论著甲集序》。文章不过一千多字，其中把清代一些著名学者所作的序跋加以重点考察，将其优点及特长逐个加以指明，认为许多文章的好坏，都可从书中的序跋文中得知，序跋文字"包罗万有"，"古人精蕴，往往而在"。因此，他认为每读一史书，应先看序文，从而即可知道该书的价值。1939年，他从魏建功先生处看到四川乐山《重修凌云寺记》的拓本。他注意到该碑列衔之第一名"口王驾前"四字，认为口字应系"国"字，第二字王字上画微低，应为"主"字，即"国主驾前"四字，从而证明孙可望不仅自号为"国主"，即他的部下"亦以国主称之"，"此所谓'国主驾前'即可望麾下也"，说明孙可望称"国主"及"'驾前'二字之专属可望，不仅一时一地为然，其所称由来久矣"。说明孙可望早即专横跋扈如此。这篇文字也不长。

他写的稿子非常清晰、认真，也不喜欢别人替他抄。他认为自己抄稿也是改稿的一部分。除非时间确实来不及，他总是亲自誊写。

三、教学工作一丝不苟

郑老不仅治学谨严，从事教学亦非常认真，一丝不苟。过去我经常认为,老人家教了一辈子书,成绩卓著,讲堂课大约无须准备。这种想法真是大谬不然。他的晚年姑且不论,即在 20 世纪 60 年代初期,他每次备课也都是异常认真,从不应付。记得 1962 年秋天,他那时住在北大编写文科教材,我在北京工作。一次下午他要为北大同学讲课,我才注意到,每逢他下午讲课,中午则仍然备课,从不休息。不仅在北京如此,到了天津讲课亦是如此。一般情况,每逢上课之先,他经常手执卡片,翻来覆去思索;看完一遍,又站起来在屋中蹓蹓,然后回过身来再看,几乎每次都这样。备课如此,阅卷时亦同样认真。记得 1952 年夏天,他在北大为史二同学阅明清史试卷,每张卷子都要反复看多次;评分时也是再三斟酌,从不马虎。1978 年南开明清史的研究生复试,他阅卷时也是反复翻看,有时已经打了分又有改动。

四、关心年轻人成长

他对年轻同志也爱护备至,从不忽视。20 世纪 60 年代初期,他的一位研究生和他关系很好,不时侃侃而谈。郑老一向注意清代雍正时期的问题。这位同志在他的指导下,对雍正时期诸问题涉猎甚多,取得了可喜的成绩。后来他谈到,在昆明时就曾让大家注意有关雍正的问题,但认真研究者少。后来倒是清华几位年轻人注意了这一问题,成了专家。他让我们今后还应对这段历史深入研究。

不仅如此,即使是原来素不相识的年轻人,他也同样热情鼓励,帮助和启发他们学习历史。几年前,郑老曾在《光明日报》发表一短文,对当时研究历史的方向问题有所阐述,得到了一些年轻人的反响,以后又和他们在通信中建立了友谊。有一位昆明粮食局的年轻人，经常在信中得到老人家的帮助。这位同志本也要报考南开的明清史研究生，后来又改变主意，考入中国社会科学院的研究生，向他表示歉意。他认为本应如此，毫不介意，日后仍然对这位同志不时指导和勉励，使这位年轻人非常感动。还有一位上海的工人，1978年投考他的研究生，经过初试及口试后，成绩均佳。到了复试时，这位同志可能答题时稍有疏漏，成绩不太理想。他并没有将这位同志优先录取。后来这位同志考入另一大学作研究生，他还特地向其导师介绍，认为在那里学习比在他的名下当研究生更合适。他老人家永远是这样谦虚、笃实，令人尊敬。他的这种高尚品德和献身教育的精神，无疑是值得我们学习的。

（原载《社会科学战线》1982年第3期）

勇敢的探索者

——记历史学家周谷城教授

范 文 通

中秋佳节刚过,我又见到了周谷城先生。

墙边的丛菊还未绽蕾,庭中的老来红正开得烂漫。书房的桌子上铺满写好了行书的宣纸,周先生手里拿的毛笔刚放下,又从茶几上捧起一本书。书名是周先生自题的:史学与美学。他用深沉的语调说道:"这本书终于与大家见面了。"

在那真理面前不能平等的年月里,这本书是周先生横遭迫害的所谓"罪证",也是周先生不屈斗争的历史见证。特别是其中的"时代精神汇合论",竟曾列为当时全国重新批判的"黑八论"之一。

兼著《中国通史》和《世界通史》的周先生治学整整 60 年了。

他那顽强踏实的研究作风,他在学术上的成就,都给人以"老当益壮"的启迪。

一、探索的道路

朋友们敬佩周先生孜孜不倦的探索精神。他文章中清晰的思维、鲜明的观点、严谨的结构、豪放的文笔,无不使人感到熨帖舒适。

但是朋友们更敬佩的是周先生的为人和他在学术上求真的勇气。中国老一辈知识分子正直刚强的性格,"威武不能屈"的品德,在周先生身上集中体现出来。

无论是国民党反动派的淫威恐吓,还是"四人帮"的残酷迫害;也不管是遭受精神肉体折磨的痛苦,还是各种"棍子"、"帽子"的狂飞乱舞,都不能使他屈服。周先生经受了种种政治学术上的考验,大家是有目共睹的。

周先生从小就养成了与困难斗争的倔强性格。这种性格对以后的治学见解和勇气有一定的影响。熏陶培养这种性格的启蒙老师,是他的母亲——一个没有上过学的农村妇女。周先生说他的性格像母亲,母亲寿命长,对他的影响也大。人称严父慈母,周先生则有慈父严母。

周先生于1898年出生在湖南益阳县一个贫农家庭里。7岁起在家乡"周氏族立两等小学"读书。1913年进入省立第一中学,从这时起,周先生系统地读了《史记》、《汉书》、《国语》、《战国策》等古书,还特别喜欢英语,曾在学校里创办英语学会,自封为会长。他对教师讲课不是全盘吸收,而是有分析地独立思考讲课中的每一个问题。

不少人以为周先生是毛泽东的同班同学,实际上他们不是同学。只是教过毛泽东的三个教师都教过周先生,这三位教师是杨昌济、袁吉六和符定一。杨昌济是杨开慧的父亲,在省立一中教修身课,杨老师的课讲得很好,给周先生印象很深。只是修身课这门课程流于公式化,学生感到枯燥乏味。听课的学生越来越少,最后只剩下几个人,周先生是其中的一个。周先生十分敬佩杨老师的渊博学问,但反对他教材中的一些内容,像修身课讲义一开头就要学生做到十四条"无",第一条就是"无多谈"。周先生对同学说:"我是喜欢讲话的,要我'无多谈',怎么受得了。"

袁吉六是前清进士出身,长得一脸浓黑的络腮胡子,同学们叫他"袁大胡子"。袁老师是湖南第一师范的老师,到第一中学教周先生的国文课。周先生在班级里作文向来名列前茅,成绩都在90分以上。他喜欢从古书上引经据典来说明道理,文章中有些生僻字连老师批改作文时也得查字典。袁老师在班上布置的第一篇作文评分特别严格。全班只有周先生一人得60分,其余平时得八九十分的只得了二三十分,最低的只有五分。袁老师在评讲作文时特地用了周先生的作文作例子。周先生在文章里运用《诗经》中的"日月其除"一句,在"除"字右上角打个圆圈,以注明这个字释义还不同其他用法,读音不读平声,是读去声。袁老师称赞周先生善用古人句子。以后他曾对人说过:"我在第一师范教书时古文好的学生是毛泽东,在一中古文好的学生是周谷城。"

符定一是周先生在省立一中读书时的校长。袁世凯称帝时,杨度为首发起成立"筹安会",符定一紧跟杨度,充当湖南筹安会会长。他在湖南鼓吹帝制,为袁世凯当皇帝大造舆论。

周先生说:"符先生给我最深的印象是思想变化大,他和杨度一样,以后都转到社会主义一边来了。"

杨度后来由周恩来批准加入了共产党。符定一不去台湾,也投奔共产党。解放后,周先生去北京看他,谈起工作安排,符先生希望仍然从事教育工作,委托周先生为他说项,最好当上海复旦大学校长。后来毛泽东要他担任全国文史馆馆长,他欣然从命了。

周先生从历史唯物主义观点出发,从两个鼓吹帝制的湖南同乡身上,得出这样一个看法:历史是在前进着的,人的思想亦在不断发生变化。既然沉溺封建主义思想的可以转化到社会主义一边来,那么三民主义信徒是否同样可以转化到社会主义这边来呢? 应该说历史已经为祖国统一创造了思想条件。

1919 年,在北京高等师范求学的周先生参加了五四学生运动。在学生罢课期间,他阅读了大量的古今中外书籍,为后来的学术研究打下了深厚的基础,并开始对美学的研究。他的同学周予同当时正在编辑《教育丛刊》杂志,他在杂志上发表了一篇研究美学的文章,题目叫《论美育》。

这时周先生开始阅读马克思、列宁的一些著作,开始探索中国社会的历史发展和现状等问题,他认为中国封建制度虽被推翻,封建势力还是存在着的。为此,后来他曾与胡适就这一问题展开过辩论。

1921 年,周先生到湖南第一师范教书,担任师范部英文兼伦理课的教师。毛泽东这时任小学部主事。周先生和毛泽东经常相互借阅马克思主义的理论书籍,研讨一些理论问题,两人的友谊是从这时开始深厚起来的。

在第一师范工作期间,周先生发表了他的第一部著作《生活系统》。

在毛泽东的影响下,周先生参加了 1924 年至 1927 年的大革命。1927 年春天,毛泽东邀请周先生参加全国农民协会(在武汉)的工作。协会的秘书长是夏明翰,周先生担任协会的宣传干部,撰写过《农村社会新论》一书。

大革命失败后,周先生被迫前往上海,从事翻译工作。先后翻译了《文化之出路》、《苏联的新教育》、《苏联及其邻国》等书籍。

1930年,周先生在中山大学教书兼社会学系主任。次年淞沪战争爆发,上海大批学生到了广州,纷纷找周先生,要求借读于中山大学,周先生全部接受。他特地请了杨东莼(共产党员)给学生讲辩证唯物主义,张栗原讲人类学,他自己讲授中国社会发展史。为了让学生了解一些马列主义史学观点,他又开了英文史学名著选读。所选的教材中有摩尔根《古代社会》一书的开头和结尾部分,有恩格斯的《家庭、私有制和国家的起源》一书的最后一章,有黑格尔的《历史哲学》一书的导言,有叔本华《意志世界》一书中论历史的一章。周先生还特地将《共产党宣言》改用其他题目编在名著选读中。

当学生学习兴趣正浓的时候,学校当局竟散布"周谷城从上海带来大批共产党,宣传赤化"的流言。一天,周先生讲完课回到办公室,见桌子上放着一封寄给他的信。他拆开一看,原来是封匿名信,信中扬言"要用手枪对付"。周先生最后被迫离开了中山大学。

在中山大学任教期间,周先生翻译了黑格尔《逻辑学大纲》的全文,《小逻辑》的大半部分。还翻译了美国社会学家的一些名著,并出版了三册《中国社会史论》。

1933年,周先生担任暨南大学教授兼史社系主任,讲授中国通史课。当时大学文、理、法各学院都要教中国通史,课多教师不够,周先生以前写过《中国社会史论》,在这个基础上搜集各种资料,编写成两册《中国通史》,于1939年正式出版。书一出版,受到学生和读者的欢迎。系里的反动当局却认为这部书里有马列主义观点的嫌疑,不准作教材给学生用。更有甚者,竟散布流言飞语,污蔑周先生是"俄国人的孙子,拿了卢布写中国通史"。

对学校反动当局的狂言滥词,周先生全不理会。校方宣布不让他再教中国通史,改教世界通史,并且只许教世界史学史,以达到折磨他的目的。周先生满不在乎,他感到要深入研究中国历史,了解它的过去与现状,不懂得世界史是不行的,应该将两者结合起来研究。

从暨南大学到复旦大学,周先生多年一直酝酿世界史的编写方法。他结合教学实践,探索世界史方面许多学者关于世界史研究和编写的方法,并加以分析比较。经过几年的努力,他编写的《世界通史》一二三册在上海商务印书馆出版了。

二、治学的特点

60年来,周先生的著述有十多部,论文二百余篇,文字达三百万字之多。

周先生60年来探索经验和学术成就形成了自己的治学特色,这就是学贯中西,博大精深,见解独特,系统性强。有人评价他的著作是"纵论古今,横说中外",不是没有道理的。他研究的范围广,社会科学领域中的史学、美学、哲学、心理学、政治学、社会学、逻辑学、教育学都有所涉及,都有专著或论文,而且不少见解是独特的。

周先生曾谈起自己的著作,"我写书和写文章,好像很杂;既写历史,又写逻辑,又写文学。但这不是偶然的,在我的思想系统中非写这些不可"。他从1924年起,就把自己著的《生活系统》一书作为著作的体系。

就拿编写《世界通史》来说，周先生力求达到统一整体。这在他著的《中国通史》的"导言"里，就用了"历史完形论"这个题目，指出历史事件组织成为整体的必要性。

周先生反对那种流水账式的通史编写方法。他批评《资治通鉴》的编写方法，认为在这部史书里，把历史事实一件一件记在发生的日子里，把日子又记在月里，把月又记在时或季节里，把季节或时记在年里，叫做以事系日，以日系月，以月系时，以时系年。时间的先后同春秋一样，秩序不乱，但事情的条理或统一整体不易看出来。这样的史书，读者对史事得到有条理的认识，需靠自己动脑筋，这样读史书等于著史书了。宋朝袁枢读《资治通鉴》，自己归纳整理，竟成了另一部书，即《通鉴纪事本末》。

同样的道理，周先生在以往的世界史中，发现其中有一个共通之点：就是不从世界全局出发，没有统一的整体。往往偏重欧洲国家的历史。这些世界史都是从埃及开始，接着就是希腊罗马，这是所谓古典世界，古典世界之后，便是基督教，这种写法就是"欧洲中心论"。世界上现有的许多世界史，都是以"欧洲中心论"作为出发点的。

经过多年的探索研究，周先生决心在世界史编写方面找出一条新路来，向"欧洲中心论"的传统成见挑战，这在中国史学界还是第一次。周先生参阅了大量书籍材料，克服偏向某一局部的毛病，他编写的《世界通史》重点着眼全局，统一整体。他从有文化的或文化较高的许多古代文化区同时写起。在第一册里，从世界全局出发，连举了六个古文化区：这就是尼罗河流域文化区、西亚文化区、爱琴海文化区、中国文化区、印度文化区、中美文化区。

向"欧洲中心论"挑战，周先生旗帜鲜明。为了肃清长期以来"欧洲中心论"在中国史学界的影响,周先生连续发表了《史学上的全局观念》、《论西亚古史的重要性》、《评没有世界性的世界史》、《论世界历史发展的形势》、《迷惑人们的'欧洲中心论'》等论文,有力地批判了"欧洲中心论"的偏向。一些"欧洲中心论"的辩护者看了周先生的文章大为恼火。他们气急败坏地指名攻击周先生,诬蔑周先生的文章是奉命写的,更为恶劣的是胡诌什么"中国人不配批评'欧洲中心论',只有欧洲人才配"。后来他们又变本加厉攻击周先生的《世界通史》,污蔑为"不仅仅是以中国为中心的'中国中心论',而且是以汉族为中心的'汉族中心论'"。

1975 年美国出版了一部三卷头的《世界通史》(Peter Gay 及 John A. Garaty 两人主编),在"导言"里写道:"西方与非西方之分,西方为主与非西方为附之分,已完全不适用了。"这也说明周先生的观点即使在国外,也不是孤立的。

最近,周先生的《世界通史》第四册据说即将出版,是讲民族解放运动的,与前三册合璧成为一个系统。

三、搞学术研究不怕政治压力

解放以后,周先生在党的"百花齐放,百家争鸣"方针的鼓舞下,对学术研究和探索的劲头更大了,兴趣也更浓了。他先后就逻辑学、史学和美学等方面的研究发表了不少新的见解,以期引起讨论,促进社会主义学术文化的繁荣。他一直认为"争辩讨论是推进学术的最好办法"。

周先生勇于坚持自己的学术观点,从不随大流,作一些人云亦云的表态。他不愿意把自己的观点强加于人,乐于听取别人的批评。只要有一点可以借鉴或值得推敲的意见，他都高兴接受。他不但与一些有名的学者专家开展辩论，而且常常在休息的时间里同一些青年史学爱好者讨论磋商。他不同意把学术范畴的讨论以简单的政治鉴定来区别是非。可是在20世纪60年代极"左"思潮泛滥时期，他的愿望与现实是违背的。他提出的一些学术观点，像"无差别境界"、"使情成体"、对"时代精神"的解释等，本来可以通过学术讨论来分清是非的，却受到政治上一次接一次的压力与迫害。

20世纪50年代周先生发表了《形式逻辑和辩证法》一文。这篇文章的发表，像一石激起千层浪，在逻辑学界里引起了一场大争论。

在这篇文章里，周先生认为形式逻辑与辩证法不同。形式逻辑只求推理过程是否正确，辩证法所要求的是事物发展变化的规律。

正当逻辑界展开争论的时候，那个自诩为"辩证法权威"的康生来到上海，他看到周先生关于逻辑的不同见解，认为是触犯了自己"权威"的尊严，就下令对周先生进行"批判"。康生亲自找报社负责人定调子，强迫报社在刊登周先生的文章时要加编者按语，名义上是提醒读者注意"消毒"，实际上是公开表态，全盘否定周先生的观点，周先生不畏险阻，顶住这个沉重的压力。

在美学研究中，周先生亦花了不少心血。他试图阐明历史之创造与艺术之创造之间的关系和差别。先后撰写了《美的存在与进化》、《史学与美学》、《礼乐新解》、《艺术创造的历史地位》等论文，借以阐述自己的美学观点。

周先生认为，历史是人民创造的，艺术是艺术家创造的。就创造而言，两者相同。不过历史之创造其实现之理想是"真正的",实现了的理想即成为新的历史现实。艺术之创造其实现的理想则不然,是"虚拟的"。实现了的理想不是历史现实,而是艺术作品。我们拿艺术作品去感动人,使之创造历史,那是完全可能的,也是应该的,不过那已是进入历史创造的范畴了。

20世纪60年代初期,三年自然灾害造成的困难逐渐消除了,国民经济正在开始好转。周先生满怀希望,为了促进学术发展,在1962年底,发表了《艺术创作的历史地位》一文,又引起了美学界的一场大争论。这时周先生虽已年逾花甲,精力还十分充沛,他期待"抛砖引玉",开展学术讨论,想不到受到更大的政治压力。

围绕文章的争论主要有两点,即"无差别境界"与所谓的"时代精神汇合论"。

周先生提出的"无差别境界",是反对艺术无冲突的。他认为"无差别境界,不仅没有艺术创作,而且没有一切创作的活动可言"。他又认为有"矛盾",也有"不矛盾",宇宙是由不矛盾与矛盾构成的。"例如矛与盾,是互相矛盾的,然而矛却不能同自己矛盾,而只能同一于自身,否则不成其为矛。盾也不能同自己矛盾,而只能同一于自身,否则不成其为盾。"他举了大量生动的例子说明自己的观点。

对于"时代精神"的解释,周先生经过多年的探索,认为时代精神是不同阶级不同个人思想意识的统一整体。

当时上海的主要负责人热衷极"左"思潮,他没有弄清楚周先生的观点是什么,就同康生一样,给周先生作"政治鉴定",戴顶"资产阶级学术权威"的帽子,指示市委写作班子的"金棍子"姚文元去罗织罪名。

姚文元出自政治上的需要,把周先生对时代精神的解释全盘否定,来个一棍子打死。他在与周先生"商榷"的文章里,以抽象的概括取代具体的分析,给周先生下个"走进死胡同"的结论。周先生写了《统一整体与分别反映》一文进行说理辩论,但是姚文元硬把学术讨论纳入他需要的"政治轨道"中去,肆意歪曲,并对周先生进行恶毒的攻击。周先生明白这批"金棍子"是在蹂躏党的双百方针。这批人不是在学术上"商榷",完全是在搞政治诬陷。他顶着"金棍"、"帽子"的重重压力,从未改变自己的见解。

《统一整体与分别反映》文章发表以后,周先生读了毛泽东的一段话(即1964年春节座谈),信心增加了不少。毛泽东说:"一切事物都是对立的统一。五个指头,四个指头向一边,大拇指向另一边,这才捏得拢。完全的纯是没有的,这道理许多人没有想通。不纯才成其为自然界,才成其为社会,才合乎辩证法。不纯是绝对,纯是相对的,这就是对立的统一。"从这以后,姚文元就没有再写"时代精神(就是革命精神)"的文章了。但不出两年时间,这个观点又成了"全国共批之"的所谓"黑八论"之一。

周先生坚持学术见解,不畏政治压力。他喜欢把自己倔强的性格比做"湖南蛮子"。当然,"湖南蛮子"的性格在"四人帮"横行时期是不相容的。

四、十年动乱 经受考验

十年动乱一开始,周先生是所在复旦大学首当其冲的批斗对象。"罪名"一个接一个,"帽子"一顶又一顶。大小批斗会数十次。但他一次也没有承认过自己的"罪行",反而利用一切可以发言的机会,进行说理斗争。有一次姚文元亲自出马,公开点了周先生的名,指示余党徐景贤等组织三十多个"团体"联合召开批斗大会,"批判"发言足足有几个小时。等到"批斗"结束,大会执行者以为这下子已把周先生"批"倒了,问周先生服不服罪。周先生对着话筒大声讲:"说革命精神是时代精神,对;但说时代精神只是革命精神则不对。正如说人是动物,对,但说动物是人则不对。"大会执行者哑口无言,一些人则冲上来拳打脚踢。不管拳脚交加,周先生坚持学术见解,置生死于度外,从未低头屈服。以后开会,这批人有了"经验","批判"发言一结束,就马上宣布散会。周先生嘲讽他们说:"不让我发言,我就不发言;但要我发言,我只有老一套。否则我将成为两面派,罪更大。"

周先生身遭迫害,对于群众,特别是年轻人,从来没有丝毫的埋怨。"牛棚"出来不久,他走在马路上,听到背后有人在议论他,或是喊他的名字。有时他看到一些青年人对他指指点点,他没有避开,索性走近他们,和蔼地问道:"小同志,叫我有啥事情吗?"弄得这些青年不好意思走开了。

周先生的家属也受到株连。老母亲九十多岁了,满头银发,看见年近古稀的儿子遭受折磨,老人家心里不好受。当一批人来抄家,要带走老太太的一块衣料时。倔强的老太太面对手持皮带、臂佩袖章的人怒目相视,据理力争,不让带走衣料。老太太的反抗,弄得来抄家的人有些难堪了。他们万万没有想到,九十多岁的老太太竟然会反抗,当然他们把这股怨气发泄在周先生的身上。不久,老太太去世,"四人帮"的爪牙竟不准周先生佩戴黑纱,也许是对老太太反抗行动的一个报复。周先生的大女儿(党员)在北京一所中学教书,受到株连被活活打死。另一个女儿也被迫害致残。

粉碎"四人帮"以后，周先生在北京开会遇见原上海市委领导陈丕显同志。陈丕显同志告诉周先生："他们（四人帮）公开弄死你不好办，要叫你气死，或自己去死（自杀），这样才达到他们的目的。"周先生听了会意地笑起来，用笑声表达了自己的意思：我没有被整死，因为我还是个"湖南蛮子"嘛。

五、一息尚存　探索不已

现在周先生虽已八十五岁高龄，仍然精神抖擞，治学兴趣不减当年。他继续探索研究学术问题，撰写美学、逻辑，中外历史方面的文章，还参加了许多社会活动。

1949 年 9 月，周先生应邀参加了第一届全国政协会议。他被安排在无党派民主人士一组里，共 12 人，组长是郭沫若先生。现在这个组仅剩周先生一个人了。周先生常笑着说："谁寿长，谁先死，大概也是注定了。"第一届政协后，周先生曾任第一届、第二届、第三届、第五届全国人大代表。

目前周先生是全国政协常委，全国人大代表，宪法修改委员会委员，上海市人大常委会副主任；此外还担任中国农工民主党第一副主席和上海市委主任。

在学术方面，周先生担任的职务更多了。他现在是中国史学会常务理事兼主席团成员（曾任第一届执行主席），上海史学会会长及社会科学学会联合会副主席。

周先生热爱青年，关心青年的成长。不少青年来信来访，他总是认真接待。尤其对那些好学上进的自学青年，给予学问上的指导，思想上的鼓励。

农村青年奚柳芳写了《肃慎东迁考》等学术论文,求教于周先生。周先生在繁忙之中,甚至在开了一天会以后,顾不上休息,热情接待小奚,并耐心解答提出的各种问题。小奚对周先生治学博大精深早就钦佩,受到周先生的指导鼓励之后,在自学的道路上步伐更快了,现在他已是上海一所大学的古籍研究人员了。

上海青年在交通大学中心广场举行庆祝五四 63 周年营火晚会。周先生作为运动的亲历者,被邀参加这一生气勃勃的盛会。他望着一张张被营火映得通火的笑脸,不由激情奔越,感慨万千,即席赋诗一首,赠给与会青年,表达老一辈知识分子的心愿和希望。诗曰:"重逢佳节数'青年',五四精神代代传。民主科研持莫舍,事功学问要争先。文明两个应抓紧,原则四条不可蠲。百废并兴今更美,从知进步已空前。"

党的十一届三中全会使周先生精神倍增,思想更解放了。他不满足过去的学术成就,在史学、美学新领域继续努力探索,大胆提出新的见解,两年来已发表多篇论文,这在老年学者中也是不多的。

在《中外历史的比较研究》一文中,周先生对历史研究提出新的看法。在《封建长期,似乎不长》一文里,周先生从世界历史全局观点出发,结合中国封建社会的发展特点,"把中国封建时代之开始安排在秦以后,或公元二世纪的下半期。"这种见解在史学界关于中国社会分期的讨论中还是第一次。

周先生在近作《所谓意境》一文里,就"意境"问题作了通俗的解释,提出自己独到的见解。"所谓意境,照我的解释,就是由反到合的过程。"他认为"凡存在发展变化的东西,都包含正、反、合三阶段。正,是指一切社会现实。现实社会中有劣习弊端,缺点错误,我们要去批评它,改造它,提出一个改造的理想,这就是反。通过斗争,克服困难,反掉现实中的缺点和毛病,实现比原有的现实更高的理想,这样的新东西,就是合"。在古代文论中对意境从未有过清楚的解释。王国维的"意境说"带有一些美学因素,其所谓"有我之境"、"无我之境"的解释也是朦胧的。周先生从美学角度点明了意境的本质,还揭示了生活与艺术在意境方面的共同之处,这不能不看做是一个美学上的创见。最近在上海美学研究会上作"精神文明与心灵美"的报告,鼓励大家要造成一个上海的美学学派,并戏作七绝一首曰:"学问从来为事功,不争门户不称尊。春申今日称多士,美学无妨张一军。"

现在周先生每天清晨四点多钟就起床,他早上最关心的一件事就是收听中央人民电台的新闻广播,这已成为多年的习惯。虽然年事日高,他在许多社会活动之余,总是抓紧点滴时间研究学问,最近又完成了一篇论文《论古封建》,并已译成了英文。

党的十二大以后,周先生心情无比激动。他决心为开创学术研究的新局面贡献出自己的全部力量。

(原载《社会科学战线》1983 年第 2 期)

我师金景芳先生的学术精神

吕 绍 纲

　　我给我师金景芳先生做助手多年,多有机会聆听先生教诲,比较了解先生的为人和为学。《社会科学战线》编辑部嘱我写一篇介绍先生学术的文章,我自认责无旁贷,写好写不好都要写。

　　先生生于 1902 年,如今九十多岁,身体还相当好,能独自下楼出户散步,能去公共浴池洗澡。医生说先生的大脑要年轻 20 岁,我以为不止。反应之机敏迅捷,不比 60 岁人差,甚至记忆力也比我们好。

　　先生有形的学术成果很宝贵,先生无形的学术精神更宝贵。先生身上执著而一贯的学术精神,表现在多方面,一下子说不完全,这里就我体会最深的说三点:一、做有用的学问,不为学问而学问。二、独立思考,实事求是,绝不人云亦云。三、抓关键问题,关键问题中抓要害,不拘泥于枝叶。三点相互关联,无有隔限,不宜分章立节,只能浑沦地依次说开去。

　　1. 所谓做有用的学问,不为学问而学问,是我从先生的学术实践中体悟出来的,先生自己并不立言,只是默默地做。

　　抗日战争期间,先生曾就读于四川乐山复性书院,从马一浮先生学,同学都是一时之英才。这当然是学习的好机会。但是书院的主课是宋明理学和佛学。宋明理学、佛学固然是大学问,然而毕竟虚玄,易使人精神沉入消极,不如孔子的学问实在,切合实际,于人生于社会有用。于是先生不大理会宋明理学、佛学,把主要精力用在攻读《春秋》三传上,且多有心得。先生的独立精神和才华,甚得马先生赏识。多年以后,马先生重新认定为数不多的弟子时,先生名列其中。

或许有人会认为先生这样做实不足取,但是我以为很对。回顾当年复性书院多少同学天赋卓越,才华横溢。有的出身北大,熟谙国学,精于外语。只因潜心佛、理,学问未深入,精神先沉浸其中不能自拔,渐渐失去自我,远离社会,终为时代所疏远,一个个无声无息地消失在历史激流中。这是个值得借鉴的教训。

在复性书院的众多学子中,先生不与众人同,走着一条务实的学术道路,不搞宋明理学、佛学,搞孔子、六经,重点攻《春秋》、《周易》。建国以后在吉林大学历史系教书,乃由经学转入史学。在史学研究中,几十年一直抓有重大学术意义的问题,从不在枝枝叶叶、无关痛痒的问题上斤斤计较。翻开先生的古史著作《中国奴隶社会史》和两本论文集,看见的是诸如古史分期、中国奴隶社会的特点、古代阶级斗争、宗法、井田、分封、孔子、老子、荀子、孙子、《周易》、《尚书》等等大问题。

学问的直接目的是解决问题,追求真理。真理要有价值,要有学术意义。先生总是用这个标准衡量他人,要求自己。于近代学人中先生推崇孙诒让,因为孙诒让用 20 年工夫写出一部《周礼正义》,学术价值无可估量。于近时学人中先生最佩服王国维。王国维学问之渊博,论著之丰富,为大家所公认。先生最看重王国维学术的另一卓越之处:文章没有一篇不是解决问题、不是有重大学术意义的。先生总是以此自勉,同时激励我们,不解决问题、没有学术价值、缺少独立见解、人云亦云的文章,一定不要做。

要文章解决问题,首先要做到抓的问题真正是问题。我们常常看到一些学术论著,或者费偌大的力量考证一事,或者花毕生精力研究一人。成果出来了,学术价值却小得可以忽略。因为他考证的问题实无学术价值,他研究的人原来鲜为人知,影响极小。这种情况并不少见,甚至大学者也往往不免。先生谆谆嘱咐我们,做学问千万以此为戒。

2. 先生自 1954 年从沈阳东北图书馆调到吉林大学历史系任教起,坚持独立思考、实事求是地研究孔子,几十年风雨不懈,老来弥笃。

先生坚信自己对孔子的认识是正确的。先生从孔子思想自身和孔子在两千多年历史中的影响考察,认为孔子及孔子思想在不同的历史时代有不同的意义。凡在革命风暴掀起时,人们要求破坏旧秩序,孔子和孔子思想成为历史前进的障碍,必然受到批判,五四运动是典型的例子。旧秩序破坏之后亟须建设新秩序的时候,孔子和孔子思想就有用了。建国以后,理应汲取孔子的东西为今所用,可惜我们反其道而行之,批孔愈演愈烈,使两个文明的建设都蒙受损失。

在以阶级斗争为纲的年代里,一个普通教授要给孔子和孔子思想作出实事求是的评价,谈何容易! 先生硬是坚持,且敢于同当时的“左”派理论权威针锋辩论。“文化大革命”中被“造反派”赶进牛棚,挂上“孔教徒”的牌子,还是“死不改悔”。

先生这无所畏惧的精神来自对马克思主义的理解。先生坚信,根据马克思主义的原理看孔子,孔子的思想有时代性,也有超时代性。所谓超时代性,是说孔子的东西在孔子之后两千多年的今天仍然管用。管用当然是指精华而言,例如孔子的仁说、持中观念、教育思想,对精神文明建设大有用处。建设中国特色的社会主义,必须弘扬民族优秀传统文化;民族优秀传统文化内涵极广泛,就其思想与哲学这一重要方面来说,主要在孔子和孔学。孔学被汉代和汉代以后的人扭曲得面目全非。我们要像修整古动物化石那样,仔细地剔除附着在化石身上的真石,把孔学与后世儒学分别清楚。后世儒学,从董仲舒开始,到宋明理学,学者固然可以作为传统思想文化的组成部分加以研究,但是不可以把它们作为精神文明建设的养料交给人民和青年一代。因为它们大多不具有超时代性。它们曾经是精华,却早已变成糟粕。五四运动所竭力抨击的封建礼教就是由它们陆续累积造成的。七八十年前人们一再唾弃的东西,今天怎可当做国宝捧在手里啧啧叫好!

先生这一孔学观、儒学观在学术界多少有些孤立无邻,但是先生不以为孤,相信真理在自己一边。先生独立思考,唯真理是求,绝不人云亦云的精神,于此可见一斑。

先生常常同我谈论朱熹。当今人们颇看重朱熹,先生则一反众议,对朱熹持批判的态度。朱熹在中国思想界独领风骚六百年,权威甚至高过孔子。先生认为,朱熹思想,论深度,论价值,根本不能与孔子同日而语。例如朱熹说"盖《易》只是个卜筮书,藏于大史大卜以占吉凶,亦未有许多话说。及孔子,始取而教,译为'十翼':《彖》、《象》、《系辞》、《文言》、《杂卦》之类,方说出道理来"。[1] 把八卦、六十四卦及卦爻辞看做彻头彻尾的

---

① 《朱子语类·易类》。

卜筮之书,并无哲学可言,哲学是孔子作《易传》加入的。这肤浅的易学观不能与程颐比,尤难望孔子项背。关于太极,朱熹说:"易者阴阳之变,太极其理也。"①以太极为理,而他的理又是先物而在,超越具体世界的本体。这又与孔子言"易有太极,是生两仪"者不同,与老子的"先天地生","独立而不改"的常道如出一辙。朱熹释《中庸》亦根本谬误,释"中"仅仅为"不偏不倚",②给儒家道统"允执其中"陡然加入自伪古文《大禹谟》撷来的"人心惟危,道心惟微,惟精惟一"③三句,为他的义理之性与气质之性的人性说张本。朱熹说仁是"爱之理,心之德"④,与孔子讲的"仁者人也,亲亲为大。义者宜也,尊贤为大。亲亲之杀,尊贤之等,礼所生也"⑤大相径庭。

朱熹的体系是个谬误的体系。它的所有理论,最后通向一个礼字。不是孔子讲的为仁义之形式的礼,而是十足的封建礼教的礼。清人戴震(1724—1777)作《孟子字义疏证》,对朱熹的体系作过入木三分的剖析、批判。如今二百多年过去,历史已进入建设有中国特色的社会主义的新时代,竟有不少的人视朱熹的体系为宝贝,毫无批判地加以推崇、弘扬。先生对此忧心忡忡,不时地对我说,朱熹的东西只能做研究,不可以汲取。

3.先生早年研《易》,迄今七十余年,总是独立思考,绝不依草附木。20世纪50年代先生著《易论》,讲《周易》有辩证法。一位大家说,《周易》哪里有辩证法呢?先生说,《周易》哪里没

---

① 《周易本义》,天津古籍书店1986年版,第314页。
② 朱熹:《中庸章句》题下注。
③ 朱熹:《中庸章句》序。
④ 朱熹:《四书章句集注》,中华书局1983年版,第48页。
⑤ 《礼记·中庸》。

有辩证法呢。依然故我,不为所动。学术界长期以来流行《易传》成书于战国时代的观点,人多势众,而先生坚信孔子作《易传》的传统说法符合实际。长沙马王堆帛书《周易》出土后,更加坚信不移。

令人欣慰的是,先生这一观点已逐渐不显孤立。李学勤先生见解与先生同。张岱年先生对先生的观点表示理解、赞赏。张老在一篇文章中说,"金景芳先生独抒己见,坚持认为孔子作《易传》是历史事实,也表现了独立不惧的勇气","孔子撰写《易传》,从历史条件来说是完全可能的。古代史的许多历史事实,不可能有百分之百的证据,但是也不容百分之百地加以否定。肯定《易传》系孔子所著,还是有一定根据的"。①

赵俪生先生在一篇文章的后记中说:"经二三年来之反思,鄙人之认识有所改变。吾人生于近世且习学历史,不能不受考据派甚深的影响,不知不觉间亦受疑古学派之影响。故对金老孔子三代表作之见解迟迟不能首肯。但倘从'剔抉网罗'之角度进行思考,则《易·系辞传》谓为孔子代表作亦未尝不可。其下篇中某些语句,谓为孔子亲撰,谓为非孔子他人无可能代撰,亦完全能在科学上立住脚跟。这样,将孔子代表作幅面扩大,对孔子思想之论证范围,亦自必扩大,自人生哲学扩大到宇宙论。至此,孔子之学为考古派与疑古派缩小而又缩小者,乃臻其原应具有之幅面。金老之功在此,鄙人之局限亦在此。"②

独立思考与实事求是,两者互为前提,互相包含,未可分离。

---

① 张岱年:《祝贺金景芳九五寿辰》,《金景芳先生九五寿辰纪念文集》,吉林文史出版社 1996 年版。
② 赵俪生:《我看儒学》,《金景芳先生九五寿辰纪念文集》,吉林文史出版社 1996 年版。

先生治学一向实事求是,知错必改。先生早年相信伏羲始作八卦之说,20世纪80年代受《尧典》的启发,看法有改变。从《尧典》说"钦若昊天,历象日月星辰,敬授人时"知中国古人自然之天的天概念之产生不会早于尧时,而八卦之产生以有自然之天的天概念为前提,故八卦不可能作于尧之前。《系辞传》"包羲氏始作八卦"云云一段话,当为后世不知何许人抄书时所窜入。

还有《左传》,先生先前曾认为《左传》不是《春秋》传。20世纪80年代初据《史记·十二诸侯年表》孔子"论史记旧闻,兴于鲁而作《春秋》,上记隐下至哀之获麟,约其辞文,去其烦重,以制义法。王道备,人事浃。七十子之徒口授其传指,为有所刺讽、褒讳、挹损之文辞不可以书见也。鲁君子左丘明惧弟子人人异端,各安其意,失其真,故因孔子史记,具论其语,成《左氏春秋》"这段记载,经仔细体会,乃改变旧看法,认定《公羊》、《穀梁》、《左氏》都是《春秋》的传。《公羊》、《穀梁》以义解《春秋》,《左传》以事解《春秋》。

4. 先生学术活动的重点在古史研究。提起古史研究,人们立刻会想到本世纪马克思主义的引入、地下史料的涌现和疑古思潮的崛起这三件大事。三件大事的交织影响,使传统史学后的新史学既新鲜又复杂。先生在汹涌的史学大潮中独撑小舟,临险不惊,处变不乱,一直向前,靠的是在无师自学的困境中养成的坚毅不可拔的学术精神,即本文开头提到的三条。

先生治古史一向以马克思主义为指导,先生的大作《中国奴隶社会史》、《论井田制度》以及《论宗法制度》、《中国古代史分期商榷》、《论中国奴隶社会的阶级和阶级斗争》等著名论文,都是马克思主义指导下的产物。可以说没有马克思主义就没有先生的史学成就。先生善于把马克思主义理论、方法同中国古史实际结合起来,收到水乳交融、相得益彰的效果。

先生对马克思主义"中心悦而诚服"。20世纪30年代开始接触马克思主义,迄今有关的重要原著多已熟读,且善于领会精神要旨,贯通于古史研究之中。马克思主义指出奴隶社会有古典和古代东方两种发达形态。中国属于哪一种?先生根据历史实际情况认定,中国是古代东方型的发达奴隶社会,与古希腊、罗马不同。古希腊、罗马的作坊、农场里那种被绳索羁绊着,可以买卖,属于某个奴隶主私人所有的奴隶,古代中国没有。中国奴隶社会的主要劳动者是生活在农村公社中的"庶人"、"野人",即马克思说的"普遍奴隶"。这由众多文献记载的国野、井田、宗法、分封诸制度中能够得到证明。奴隶社会是人类历史上第一种以剥削、压迫为前提的私有制社会,也是第一种前资本主义社会。有无可以买卖的,牛马式的、属于私人某些的奴隶,不是奴隶社会的本质特征。古希腊、罗马有这种奴隶,是奴隶社会;中国古代没有这种奴隶,也是奴隶社会。两者都是典型的、发达的奴隶社会,特点各有不同。史学界由于对此问题的认识不同,导致了在古史分期问题上的严重分歧。

先生用二十多年工夫研究这个问题,写出一系列论著,其中以《中国古代史分期商榷》一文和《中国奴隶社会史》、《论井田制度》二书影响为最大。《中国古代史分期商榷》一文写于1978年,主要是对郭沫若关于中国古代史研究的某些重要结论提出质疑与批评。文章投给《历史研究》。向史学界最高权威提出挑战,在当时是史学界一件大得不能再大的事,《历史研究》当然不愿意轻易发表。不料这时郭老去世。1979年春天,《历史研究》在当年第1、2期上把文章连续发表出来。发表之后没有见到认真的有水平的反批评文章,倒是有人或者背后不负责任地议论,或者在不被注意的刊物上发表说三道四的文章,不讨论学术问题本身,只对先生进行毫无根据的人身攻击。说什么郭老刚死就发难,郭老生前为什么不说;批评郭老是为了抬高自己,等等。先生对此泰然处之,一言不发。因为他知道自己的使命在学术,计较这些,徒费精神不值得。

先生对先秦史上诸如井田制度、宗法制度等重大问题一一提出自己的见解。胡适坚决否定井田的存在,认为豆腐干块的井田制度不可能。郭沫若虽不赞成胡适的意见,却也不信《孟子》与《周礼》,而凭自己的脑子构想了另外一种井田,实质上也等于否定了井田。先生根据恩格斯《马尔克》一文和马克思《给查苏里奇的第三篇信稿》对欧洲农村公社的描述,对照中国古代文献的记载,论定井田制度不仅确实存在过,而且是历史之必然。其实质是差不多一切民族都有过的"把土地分配给单个家庭并定期实行重新分配"。①

先生还解决了诸如国野、贡助彻、《周礼·载师》七等田等一系列相关的问题。正确地了解井田制度,其他如田制、军制、礼制、刑制、税制、教育等等才能讲明白,也才能真正了解中国奴隶社会。先生解决了井田制度问题是对先秦史研究的重大贡献。

宗法制度问题,清人程瑶田、凌廷堪、郑珍和近人王国维已经讲清楚了,不应有什么争议,乃时贤在疑古风的影响下,多不信古人,逞臆为说。说"天子是天下之大宗","诸侯是一国之大宗",全然不顾古人有"诸侯夺宗"、"君是绝宗之人"的正确论断,强行混宗统与君统为一。先生不满意这种做法,因于1956年征引大量资料并以马克思主义理论为指导,写成《论宗法制

---

① 《马克思恩格斯全集》第21卷,人民出版社1965年版,第159—160页。

度》一文。申明西周宗法制度的最基本的特征是"别子为祖"。所谓"别子",就是令公子、公孙与君统相区别,即从君统中分出来,另立宗统。公子与公(新君)虽有兄弟之亲,但实行宗法后,公子应称公(新君)为君,不得论血亲关系称兄或称弟。其实质是文明社会发展到一定程度之后,政治关系要加强影响,尽可能摆脱血缘关系的束缚。更进一步说,就是王权、君权要与自身所在的血缘关系隔断,形成君统、宗统两个统系。关于宗法制度的这一理论进展,是先生的贡献。

先生还对奴隶社会的阶级和阶级斗争、夏部落及商文化起源、民族融合、夏代由氏族制向奴隶制的过渡、春秋与战国分界、奴隶社会与封建社会分期等问题进行了深入、独到的研究,取得重大成果。

5. 本世纪的中国新史学,受疑古派的影响相当大。先生对疑古之风一贯采取抵制、批评的态度,从不含糊。疑古之剑主要杀向两方面,一疑古史不可信,二疑古书尽伪。胡适说:"大概我的古史观是:现在先把古史缩短二三千年,从《诗》三百篇做起。将来等到金石学、考古学发达上了科学轨道以后,然后用地底下掘出的史料,慢慢地拉长东周以前的古史。至于东周以下的史料,亦须严密评判。宁疑古而失之,不可信古而失之。"①顾颉刚说:"我知道要建设真实的古史,只有从实物上着手的一条路是大路,我的现在的研究仅仅在破坏伪古史的系统上面致力罢了。"又说:"我就建立了一个假设:古史是层累地造成的,发生的次序和排列的系统恰是一个反背。"②李玄伯说:"用载记来

---

① 转引自顾颉刚:《古史辨》第1册,上海古籍出版社1982年版,第22页。
② 同上书,第52页。

证古史,只能得其大概……所以要想解决古史,唯一的方法就是考古学。我们若想解决这些问题,还要努力向发掘方面走。"①

20世纪二三十年代这些强烈的疑古观点,影响相当深远,建国后数十年来绵绵不断,许多学者认为古书不可信,因而古史也不可信,唯相信出土实物。先生则主张文献与实物并重而以文献为主。但先生并不轻视地下材料,只是说要把文献材料放在重要地位。先生说:"研究原始社会的历史,由于缺乏文字记载,不能不主要地依赖于考古发掘。到了文明时代,已经有了文字记载,虽然考古学的重要性仍然不应忽视,但研究这时的历史应以文献为主。章炳麟不相信甲骨文,显然是一个不能原谅的错误。王国维则不然,他应用甲骨文字,作《殷卜辞中所见先公先王考》,纠正了古书上的错误,使那些顽固地不相信甲骨文的人,也不能不心服口服。这就说明地下史料是重要的。但比较起来,我看研究古代史应以文献为主。"②

当年疑古派学者断言古书尽伪,古史是后人层累地造成的,古史必须由地下材料来说明。说来也巧,近几十年地下出土的材料越来越多地证明古书不伪,大多可信。例子多的是,20世纪70年代山东沂蒙地区银雀山汉墓同时有《孙子兵法》和《孙膑兵法》两部简书出土,证明《史记·孙子吴起列传》所记不虚,确实有《孙膑兵法》这部书。《周礼》早已为疑古派定为伪书,不可用以研究古史,可是近几十年来陆续有人用金文材料对照研究《周礼》,发现《周礼》职官多有与全文相合之处,《周礼》的史

---

① 转引自顾颉刚:《古史辨》第1册,上海古籍出版社1982年版,第270页。
② 金景芳:《中国奴隶社会史·自序》,上海人民出版社1983年版,第4页。

料价值不容否定。张亚初、刘雨说:"正如我们研究殷周的甲骨金文离不开汉代的《说文解字》一样,要想了解西周金文中的职官,也无法脱离《周礼》一书。这说明其书虽有为战国人主观构拟的成分,然其绝非向壁虚造。由于作者去西周尚不算太远,故书中为我们保存了许多宝贵的西周职官制度的史料。"①两位考古学家在20世纪80年代讲的这番话与20年代疑古派学者讲的大不相同。考古学与历史学兼治兼通的李学勤先生发表许多文章论证古书大多可信,前不久有《走出疑古时代》论文集问世。这就说明,疑古派期望考古学成果证明自己正确,然而今日不少考古学家却不接受疑古派的观点。先生抵制、批评疑古派的立场越来越多地得到考古学的支持。

6. 治古史还有个如何对待考据的问题。先生一向认为考据是重要的。对清儒的考据功夫和成果以及无征不信的原则,至为赞赏。常说,宋人重义理,思想活跃,善于宏观把握问题,抓住要点,但是考据、训诂功夫差,往往由于一个关键字词没弄懂而讲错意思。清人重考据、训诂,补救了宋人的缺点。先生特别赞赏王念孙、王引之父子的方法,重考据而不泥于考据,善于微观宏观兼顾,由解字解词推及释章义篇义。先生自己也时作考据,且不乏精彩。《诗》"二南"之南字,古人或解作方向之南或解作"南夷之乐"之南,皆不得要领。先生释南为任,"周南"、"召南"是"周南之国"、"召南之国"的简语。"周南"的诗从周公所任之国选出,"召南"的诗由召公所任之国选出。既打通了《诗》的一个难点,又给周、召分陕而治的史实提供了重要佐证。《中庸》"率性之谓道",朱熹释率为循。率固有循义,但是先生认为

---

① 张亚初、刘雨:《西周金文官制研究》,中华书局1986年版,第112页。

此率字应训帅,不当取循义。若训循,则全句谓道是循性的。性而可循,岂不等于说可以任性,可以无忌惮。《中庸》必无此义。若训帅,谓性由天赋,自然生成,须由道来统帅它,制约它,则文通意顺,"率性"之义必如此。讲对一个率字,《中庸》全篇皆通。先生考据大多如此,着眼于解决问题,不为考据而考据。

清人作疏,往往见木不见林,释字不解文义,或者开列年货单子,俱引前人甲前人乙怎么说,唯不下己意,不予折中,不言自己怎么看。先生告诫我们千万别犯清人的这两个毛病。近年先生指导我撰写《尚书新解》,时时提醒我注意,字义、词义要弄通,句义、篇义更要弄通。实在不通的则存疑。前人的说法分歧很大,我们要在充分研究、深思熟虑的基础上提出自己的见解。在这一点上要学江声的《尚书集注音疏》、胡渭的《禹贡锥指》,不要学孙星衍的《尚书今古文注疏》。

7. 先生的史学根底在文献。于文献尤长于五经。由五经而孔子,而孟荀,而老庄,而孙子,而韩非,无所不精。这使先生的史学研究形成了两方面的特色,一是文献学与思想史结合,一是社会史与思想史贯通。文献学、思想史、社会史三者结合、贯通,造就了属于先生自己、富于个性、浑然一体的学术体系和学术精神。这里不需我赘叙,张岂之先生已有极中肯的概括。张先生在一篇文章中说:"金老很注意文献学研究与思想史研究的结合。前人作中国文化学术思想史研究,没有不在文献学上下工夫的,因为这是研究的基础。但是,前人研究文献学,有时过于偏重训诂考据,忽视了文献的思想内涵。或者,前人作学术思想史研究,过多地从义理方面加以发挥,而忽略了某些范畴、概念在文献上的本来意义。金老在学术研究上没有汉学与宋学的偏颇,而力求采取二者之长。他依据独立自得的研究,将历史文献学的实事求是精神与思想史的理论探索融为一体,从而在中国思想史的研究中提出了许多新见解。我们读他的《易论》、《古籍考证五则》、《释二南、初吉、三飡、麟止》、《论孔子思想有两个核心》,就可以体会到金老在这方面的功夫之深。如果进一步读读金老的名文《老子的年代和思想》、《关于荀子的几个问题》、《关于孔子研究的方法论问题》、《中国古代思想渊源》,即可看到'由辞以通道',将历史文献学与思想史研究有机结合的范本"。"思想史研究和中国社会史研究的结合,这是金老学术研究中的另一个注意焦点。在历史上,任何一种有体系的思想理论都是根植于一定的社会历史土壤。因此,思想史研究的难点就是科学地揭示历史演变和逻辑演变的一致性。许多马克思主义学术大师在这方面作出了重要贡献。这是不可等闲视之的。如果思想史研究只是由概念到概念,由范畴到范畴,依照西方某些哲学的思想体系,或者依照研究者自己的思想体系,将一些概念和范畴纳入到一定的理论架构中间去,这样的工作当然不能说没有意义,但是就其研究过程来说,那只是做了一半,或者说还没有达到研究的终极目标。金老觉得这样的研究有必要向前推进。他参考了其他学者在社会史研究方面的成果。进一步提出了自己的独立见解。应当指出,金老在中国社会史研究中是做出了很大成绩的。他的《中国奴隶社会的阶级结构》、《中国古代史分期商榷》、《论井田制度》、《马克思主义关于奴隶制的科学概念与中国古代史分期》等论文,实际上构成了金老关于中国古代社会史理论体系的基础。而金老关于中国古代思想史和经学史的若干观点都与他的社会史观点密切联系着,形成了一个整体。金老的研究成果充分显示他是一位有系统的社会史理论的古史专家、古文献学家和思想史家。"①

　　张先生对先生文献学、社会史、思想史三方结合贯通这一特点的分析，至为精辟、全面，不需我更作补充。

　　8. 先生治学善于抓关键问题，在关键问题中抓要害；抓住要害，反复思考，步步深入，加以突破。在文献学、社会史、思想史诸领域的研究中无不如此。上文已涉及许多，这里仅举两个新近的例子说明。

　　近两年我撰写《尚书新解》，于《盘庚》篇遇到困难。汉人都说盘庚迁殷的原因是"去奢行俭"和躲避河圮。并且说主张迁殷者只盘庚一人，下层民众和上层贵族都反对。根据这一说法讲《盘庚》，根本讲不通，经文中找不到"去奢行俭"和河圮的记载，亦不见下层民众有反对迁移的言论。先生抓住盘庚为何迁殷这一关键问题加以研究，发现汉人之所以把问题搞错，原因有二：第一对《盘庚》篇头之"盘庚迁于殷，民不适有居"两句话理解有误。他们以为"盘庚迁于殷"是正文首句，说盘庚迁至殷，故"民不适有居"谓民不往新居地去，抵制迁殷。第二把"民不适有居"之适字讲错。

　　先生经过反复思考，发现"盘庚迁于殷"不是正文首句，它是个单独的句子，不与下文连贯，在篇中起提纲挈领的作用，可视做全篇之题目。"民不适有居"才是正文首句。适字是问题关键所在。此"适"字汉以来都训"往、之"。适字固有往义之义，但也有悦义乐义。《一切经音义》引《三苍》云："适，悦也。"《广韵》："适，乐也。"先生认为此适字必当为悦、乐之义。"民不

---

　　① 张岂之：《金老与中国思想史研究》，《金景芳先生九五寿辰纪念文集》，吉林文史出版社 1996 年版。

适有居",民不喜欢现在之"有居",故有迁徙的要求,因此盘庚才有告诫官员们"无或敢伏小人之攸箴"语。这样理解"民不适有居"全篇皆顺。倘依汉人旧说释适为往为之,说下民抵制迁殷,则《盘庚》篇不可通。

　　仁,是孔子思想的核心。先生对孔子这个仁字一直都在研究,认识在不断地加深。先生释仁主要根据《易传》、《中庸》、《孟子》,不同意韩愈"博爱之谓仁"和朱熹"仁乃性之德而爱之本。因其性之有仁,是以其情能爱"①的说法。《易传》说:"立人之道曰仁与义。"《中庸》说:"……修道之谓仁。仁者人也,亲亲为大;义者宜也,尊贤为大。亲亲之杀,尊贤之等,礼所生也。"《孟子·离娄上》:"仁之实,事亲是也。义之实,从兄是也。礼之实,节文斯二者也。"先生据此认为,仁中有义,二者不可分。仁义是内容,礼是形式。仁与人本为一字,仁就是人。仁起于血缘关系亲亲之爱,而后推及政治关系而有义。最近,先生的认识又有深入,指出许慎《说文》释仁字为"亲也,从人二",正切合孔子"仁者人也"之意。仁之二人一表示自己,一表示别人。亲字表示己与人之关系应当是爱。《中庸》记孔子所说"仁者人也"云云那段话,讲仁讲义讲礼,三者归结到一点,就是一个仁字,仁就是人。所以先生说:"近世有人说,孔子之学是人学,是人本主义、人道主义,尽管这些概念不是中国固有的,我看是对的。"②

　　我所知道的先生的学术精神,大体如此。最后借用任继愈

---

①　《朱子文集·答张钦夫》。
②　金景芳:《论孔子的仁说以及其他相关问题》,《中国哲学史》,1996年第2期。

先生在一封信中讲的一段话作为结束语。任先生说:"金先生为人为学深受学术界的敬重。他为国家培养了大批中青年学者,都已成为学术研究的骨干。这也是他的重大贡献。像金先生这样德高望重的学者乃国之重宝,祝愿他健康长寿。"

(原载《社会科学战线》1996 年第 3 期)

茹苦含辛六十载　披肝沥胆育英才

——记佟冬同志从事教育科研工作六十年

陆 二 生

今年,是吉林省社会科学院名誉院长、吉林省历史学会理事长佟冬同志从事教育、科研工作六十周年。在这极不平常的六十年间,我们国家经历了翻天覆地的变化,佟冬同志也从一个单纯的青年学生,成长为党的坚强战士,成为史学家、教育家和社会科学研究事业卓有成效的领导者、组织者。

佟冬同志 1905 年 7 月 27 日(农历六月二十五)出生在辽宁省辽阳县城西北四河堡村的一个农民家庭。尽管家境贫困,但由于他天资聪颖,矢志读书,得到亲友接济,就读于辽阳县中学,1926 年于师范科毕业,以学品兼优,被校长举荐到县里最好的第七小学任教。这是佟冬同志从事教育、科研工作的起点。

1927 年,在一位颇有见识的族兄的资助下,佟冬同志考入沈阳东北大学。一年后就读完俄文系预科,转入国文系深造。当时,读书救国的风潮对青年影响很大,对于一个靠人施舍的穷学生,当然比谁都更勤奋刻苦地学习,他一头扎进书本里,决心用优异的成绩报答亲友,报效祖国。

1931 年,"九·一八"事变爆发,加速了东北沦为日本殖民地的进程,也改变了广大东北学生的命运。随着在沈阳的东大倒闭,佟冬同志学业中辍,被迫回乡,为了餬口,到县里一所中学任教。教学之余,圈点杜诗,寄托自己忧国忧民的襟怀。一年半以后,因不甘忍受亡国奴的奇耻大辱,离家南下,于 1933 年夏,逃亡到北平,重入东大,在经济系学习,第二年到中国大学国文系借读。这时,佟冬同志在经济上已得不到亲友的接济,每月只有 4 元 5 角钱的流亡学生补助费,生计日绌,不得不到东北大学图书馆抄写书签,挣得微薄报酬,以维持最低水平的学习、生活费用。

随着日本帝国主义者侵略的加剧,全民族抗战的崛起,在北平城内,在全中国大地上,再也放不稳一张书桌了。饱尝流亡学生之苦,常怀收复故土之志的佟冬同志,在共产党地下组织的引导、启发下,终于找到了革命的真理,认识到只有共产党才能救中国,和师友们一道加入了中国共产党领导的抗战行列。1935年冬,轰轰烈烈的"一二·九"学生运动爆发了。在游行队伍中,有一幅赫然醒目的"东北大学"横额,由东大师生高高擎起。这四个大字,就出自佟冬同志的手笔。因积极参加抗日救国活动,佟冬同志先后两次被国民党当局逮捕,经党组织多方营救始得出狱。经过斗争的磨炼,佟冬同志迅速成长为一名无产阶级的先锋战士,1937 年 1 月,光荣地加入了中国共产党。

1937 年 11 月,佟冬同志随东大党支部辗转来到太原,在八路军第一游突纵队政治部任秘书,嗣后又到临汾八路军总部,任随营学校政治教员。

1938 年 4 月,组织上送佟冬同志到革命圣地延安去学习。他到延安后,先在抗大政治教员训练队学习一个月,5 月,入中央马列学院学习,7 个月以后,分到历史研究室,同尹达、杨绍萱等同志一起,从事中国马克思主义历史科学的建设性工作,从此跻身于历史学家的行列。

1938 年秋,范文澜同志携带三十几箱图书,从河南游击区来到延安,主持历史研究室工作。金灿然、叶蠖生、谢华等同志也先后来历史研究室工作。这时,毛泽东同志建议历史研究室编写一部通俗的中国通史读本,供干部学习,以便使同志们较全面地了解自己祖先的历史,认识历史发展的规律,掌握中国未来的命运。根据毛泽东同志的指示,范老很快拟出编写提纲。经过具体分工,佟冬同志负责撰写秦汉至三国部分的书稿。在条件十分有限的情况下,同志们夜以继日地奋战,先后写出初稿,交范老笔削,历时两年,终于在 1941 年完成了四十余万字的巨著《中国通史简编》,交到解放出版社,很快就印出来,发给全党,传到祖国各地。

毛主席看到《中国通史简编》,比谁都高兴,首先代表亿万革命人民,满腔热情地给予充分肯定,认为是我们党在延安又做了一件大事,共产党人对自己国家几千年的历史取得了发言权,拿出了系统的科学著作。它象征着共产党人能胜任一切工作,能达到一切革命目的。在毛泽东同志关怀、鼓励下,在范文澜同志具体领导下,参加《中国通史简编》的编写,是佟冬同志为中国马克思主义史学建设所作的积极贡献,也为他日后从事历史教学、社会研究的领导、组织工作,提供了宝贵的经验。

由于革命战争的需要,1943 年 1 月,佟冬同志被调到留守兵团和晋绥陕甘宁五省联防司令部工作。他把历史研究暂告一段落,重又穿起军装。1944 年又到联防政治部工作。在这段时间,经常给肖劲光同志讲解《资治通鉴》等历史典籍,以历史学家的知识,为革命作出特殊的贡献。

1945 年 8 月,抗战胜利,日寇投降,东北大地光复了。同年10 月,佟冬同志随大批延安干部回到了久别的家乡,积极参加东北根据地的建设。从 1933 年夏逃亡北平,至此屈指十二年,河山依旧,换了人间,当年游子,今日革命骨干,真是百感交集,泪湿襟衫。离别多年,久失音信的妻儿,一朝重逢,确有相对如梦寐之慨。然而这时,他无暇怀旧思昔,更顾不上儿女情长,全身心投入到建设东北根据地的火热斗争中去。他先后担任了鞍山市政府秘书长、辽阳市委宣传部长、辽阳市参议长、辽东省委秘书科长、辽东省委组织部副部长,为人民政权的建设,为支援人民解放战争,为培养大批革命干部,倾注心血,作出了贡献。作为一个革命领导干部,他的经验更为丰富了,他的才能更加成熟了。

中华人民共和国成立以后,大规模经济建设和文化建设开始了。1951 年 3 月,佟冬同志重返文教战线,就任辽东省教育厅副厅长。同年 10 月,被调往长春,任东北工学院长春分院院长,第二年 9 月,任总院党委书记。

1953 年,东北人民大学拟议创建历史系,在酝酿系主任人选的时候,人们自然而然地想到了作为历史学家的佟冬同志。在今天有些人看来,一个学院党委书记到另一学校做系主任,是不可思议的。但是一向以革命利益为重,以事业为重的佟冬同志却淡然处之,毫不计较,欣然到东北人民大学就任历史系主任兼学校研究部部长。

创业难。创建一个综合性大学的历史系困难很多,而最难的是聘请教师。经过一番艰苦的努力,请到了一批教授、讲师,但是,有些人要价太高,难以满足,致使有的课程开不了。这时佟冬同志硬汉子的倔脾气上来了,找来几位年轻同志,把他们推上了讲台。历史系办起来了,而且逐渐在全国教育界有了一定的地位。

为了提高教学质量,佟冬同志一方面注意发挥老教师的专长,一方面经常找青年教师商量教学计划,进行业务指导,鼓励他们放开手脚,大胆实践,在教学实践中增长才干。在他的领导下,一支新老结合的有相当业务水平的教师队伍成长起来了。

佟冬同志经常深入到学生中去,几乎全系每个学生的名字,他都能随时叫出来,对大多数同学的学习与思想情况,都了如指掌。他时常晚上到学生宿舍里,和大家促膝谈心,以自己的亲身经历与感受,向同学们讲授革命道理,启发他们学习的自觉性,传授治学经验和方法。他当年的学生,现在许多人已是讲师、副教授,每当他们提起佟冬同志,心目中立刻浮现出一位白发苍苍、循循善诱的忠厚长者的形象。

为了在业务上有更多的发言权,佟冬同志工作之余,系统地阅读了大量汉代文化典籍,掌握了许多第一手资料,对汉代学术思想史进行了深入的研究。

后来,佟冬同志又接任了东北人民大学的校领导工作,先后当过代理书记、副校长、第三书记,为东北人民大学(后改为吉林大学)的早期建设,作出了不可磨灭的贡献。

1960年前后,周恩来到东北地区视察,曾两次建议:东北是工业基地,工艺技术不比关内落后,但文史科学就不相称了,腾出手脚时,应抓一下这方面的工作。当时一些在东北工作的领导同志,也深感东北文风不盛,有改善的必要。东北局宣传部的领导同志,根据周恩来的建议,以及中央有关加强文科教育的指示,振兴东北社会科学事业,酝酿建立一所东北文史学院。东北局宣传部部长关山复同志亲自来长春拜访佟冬同志,请他献计献策。佟冬同志根据自己多年的经验，感到建立文史学院，一是学生来源有困难，二是师资力量不足，不如建个研究所为好，难度小，收效快。最后，东北局宣传部采纳了佟冬同志的意见，决定在长春建立东北文史研究所。

1961年春，组织上决定调佟冬同志到北京工作。关山复同志闻讯赶来长春，挽留他主持东北文史研究所的创建和领导工作。他毅然放弃了进京的机会，走上了新的岗位。

当时正是国民经济三年困难时期，东北局仍决定拨款用于文史所的创建，足见党和国家对这项事业的重视。佟冬同志自知任务艰巨，更感到组织上对自己期以厚望，于是重新焕发起当年创建东北人大历史系的精神，把全部心血倾注到创建东北文史研究所的事业上。

在东北局书记处、宣传部和吉林省委支持下，办公地点很快解决了，工作人员陆续调进来了，图书资料源源不断购进来了，由陈毅元帅题写的"东北文史研究所"的大牌子挂起来了。为了筹办文史所，佟冬同志经常往返于沈阳、天津、北京、南京、上海等地。有时为了能及时请来学者讲学，顾不得辛苦与安全，竟登上运输飞机。有一次他到外地聘请学者，回长春时已是大年初一，去接站的同志发现整个车厢就他一个人。

从1961年夏到1965年夏，东北文史研究所先后从吉林大学、吉林师范大学、北京大学、南开大学、武汉大学、山东大学、华东师范大学、南京大学、复旦大学、四川大学、辽宁大学的中文系、历史系、哲学系的毕业生中，选拔了三批学员，近百名，成为社会科学战线上一支风华正茂、朝气蓬勃的后备队和生力军。在佟冬同志亲自主持下，对学员的选择是很严格的，在德智体三方面都有具体的要求。同当时流行的用人标准不同的是，在注重学员政治条件的同时,强调看其在业务上基础是否坚实,有无培养前途,往往先看毕业论文,后看档案。对于家庭出身不好的人,佟冬同志常说,他们搞原子弹不行,搞古文古史还不行吗?这些,后来在十年动乱中,他们自然都成了被批判的靶子。

在选拔第一批学员时,佟冬同志的小儿子是吉林大学中文系毕业生,他向父亲提出到东北文史研究所学习的请求。佟冬同志考虑到要在选拔人才的工作中树立良好的风气,拒绝了儿子的请求。这一次从吉大中文系选了另外四名学员,他说服儿子去了外地广播电台工作。

东北文史研究所的任务,主要是为东北地区高等学校、文史科学研究部门、党政领导机关培养一批具有马列主义理论修养、能熟练阅读古籍、通晓古文古史、有较好的接受能力和表达能力、能独立进行学术研究的专门人才。为了培养这样的人才,针对当时高等教育的缺陷,东北文史研究所的政治理论学习以读马克思主义经典原著为主,在业务学习方面,强调打好基础,从读十三经入手,一本一本地读。为了指导学员打好古文古史基础,从1962年以来,陆续请一些著名专家学者来所讲学。先后有吴兆璜、马宗霍、陆懋德、钟秦、金兆梓、孙晓野、李秦荪、纪湘涛、邱琼荪、向迪琮、陈登原、沈文倬、洪诚、吴天五、陈直等人,讲授了《尚书》、《诗经》、《周易》、《周礼》、《仪礼》、《左传》、《论语》、《孟子》、《史记》、《汉书》、《说文解字》等经典,以及古代文字、音韵、训诂、乐律、目录校勘等课程。佟冬同志要求学员尊师重道,敬老尊贤,循序渐进,首先把老先生的学问、知识学到手,然后再批判地继承,先钻进去,再走出来。每一批新学员来所,他都亲自逐一进行个别谈话。他同学员一起听课,定期听取每个学员汇报学习情况,亲自检查学员的学习笔记,亲自主持对学员的业务考核,亲自参加阅卷,在全所大会上作考核的总结、讲评,对于学习扎实,有独到见解的学员热情地予以鼓励,对于有的人好高骛远、坐不住板凳的苗头进行尖刻的批评。为了提高学员的政治觉悟,所里经常请东北局宣传部关山复、刘敬之等领导同志给学员作国际国内形势报告,针对学员思想、学习、生活上出现的问题,佟冬同志见微知著,及时进行思想教育。他十分关心学员的生活,经常到食堂检查伙食情况。在佟冬同志和所党委领导下,东北文史研究所上下一体,教学相长,形成了良好的政治空气和学习风气。全体学员一律住在所内,图书资料室日夜开放,晚上谁最后离开谁负责闭灯锁门,每天上午讲课,下午自学,晚饭后学员们围着小楼走几圈,就都在灯下读书,直至深夜,一度所里考虑到大家的健康,决定晚11点熄灯,这个决定却受到许多学员的反对,不久取消了这个禁令。有时院子里落叶满阶,佟冬同志拿起扫帚去清扫,这就成了无声的命令,全体同志纷纷走出书斋,进行清扫。1965年我国成功爆炸了第一颗原子弹,全所同志在地下室餐厅里会餐庆祝,佟冬同志兴奋地说,让我们像《水浒传》里说的那样,大碗喝酒,大块吃肉! 全场欢声雷动。

东北文史研究所的独特的学习内容和学习方法,在东北文教单位引起强烈的反响,黑龙江大学、哈尔滨师范学院派教师来所进修,每有著名专家来所讲学,常有领导同志、省内学者来听讲,当时吉林大学校长匡亚明同志就是其中最积极的一个。但是毋庸讳言,在"左"的思潮盛行的时候,东北文史研究所的这一套,也是够惊世骇俗的了。社会上有些人对之飞短流长,持怀疑态度。对这些,佟冬同志常常只用一句东北俗话予以回答:"不听蝲蛄叫!"

经过一段严格训练和精心培养,学员们提高很快,到 1965年夏,前两批学员完全可以独立进行专门研究。在学员参加社教回所后,全所建立了中国古代史第一及第二研究室、中国近代史研究室、中国文学第一及第二研究室、中国思想史研究室 6 个研究室,其中包括 16 个专业研究组,制订了具体研究规划,一些学员陆续写出初步的研究成果。东北文史研究所由培养学员为主,转入以研究为主的新阶段。

1966 年春天,正当东北文史研究所满园花开,嫩果压枝的时候,一场史无前例的政治风暴来临了。一夜之间,好端端的文史研究所,变成了现代"孔家店",属于砸烂对象。佟冬同志自然成了这个黑店的"老板",许多学员成了黑店的"小伙计"。一幅满园花落,草木凋枯的萧条景象,呈现在人们的眼前。

在这场灾难中,佟冬同志"享受"到那些对"牛鬼蛇神"的所有"待遇",但是,天性嫉恶、公方不曲的佟冬同志,凭着自己的党性,凭着对共产主义的决定信念,凭着几十年的斗争经验,从未向邪恶低过头,表现了一个老党员、革命知识分子的高风亮节,在任何威逼下,都没有说过违心的话。即使是那些使人无法抵御、有口难辩的批斗会,也没能使这位年逾花甲、体弱多病的老人屈服。有时实在无法忍受了,他就默默吟起诗来,以示反抗,聊以自勉。

1969 年,东北文史研究所被"彻底砸烂"了。1970 年,佟冬同志被遣送到蛟河县"插队落户"。

1972 年,佟冬同志被召回长春,建立吉林省哲学社会科学研究所,主持日常工作。他把这个所作为党的事业,尽心竭力去办好,积极搜集散失的图书,招回被遣散的研究人员,领导开展专业研究。不料却招来弥天大罪,"四人帮"在吉林省的代理人,把研究所斥为"穿旧鞋、走老路、回潮倒退"的典型,派人来参加批判会,勒令佟冬同志"爬坡"。他再也咽不下这口气了,愤怒的双眼迸发出抗争的光芒,脸上的肌肉不停颤抖,完全失去了血色。他拍案而起,对着上面派来的人说:告诉你们的"总管",这个坡我爬不上去,不爬了! 说罢,拂袖而去。抗争的结果,他再次被罢官,贬回家。他内心除了愤怒不平,又觉得问心无愧,心地坦然。研究所的同志们从老所长的抗争中,看到了共产党人的浩然正气,看到了党和国家的希望。

1976 年 10 月,"四人帮"终于垮台了。年逾古稀的佟冬同志重返研究所领导岗位,在党的十一届三中全会精神指引下,抖擞精神,日夜操劳,大刀阔斧地进行拨乱反正。为适应社会科学事业发展的需要,在吉林省委的领导下,1976 年 10 月,研究所改建为吉林省社会科学院,佟冬同志任院长兼党组书记。在佟冬同志领导下,经过全院同志的努力,吉林省社会科学院几年来有了较大的发展,培养起一批人才,写出了许多在省内、在全国有影响的学术成果。由佟冬同志亲任主编的大型社会科学综合性杂志《社会科学战线》,在国内外学术界,产生了一定的影响。

根据地方社会科学院的具体条件,佟冬同志提出要把吉林省社会科学院办出地方特点来,明确了研究重点要放在对东北历史与文化、东北亚问题和吉林经济的研究三个方面,努力为四化建设服务。佟冬同志还亲自领导《东北通史》的编写工作,不顾 80 岁的高龄,奔走于白山黑水之间,进行历史考察,翻阅古籍,搜集与东北史有关的资料,具体指导几个编写组的编书工作。佟冬同志主编的《东北通史》不久即可脱稿,交付印刷。

自从党中央提出干部年轻化的方针以来,佟冬同志多次向上级组织部门提出辞去领导职务的请求,省委考虑到工作需要,迟迟没有批准。直到 1985 年初,才批准佟冬同志的请求,但仍要他担任吉林省社会科学院名誉院长。

现在,佟冬同志虽然身在家中,但心仍然眷注在社会科学事业上,他继续批读《辽史》等与东北历史文化有关的古籍,继续指导《东北通史》等书的编写工作,继续指导《社会科学战线》的编辑工作,继续关心中青年科研人员的成长,他决心把自己最后一点心血都洒在社会科学园地上。

(原载《社会科学战线》1985 年第 4 期)

学界一棵常青树

——记我国世界上古史研究的开拓者日知先生

于桂芬　张玉来

1984 年在我国教育界和史学界发生了值得书写一笔的大事:东北师范大学日知教授(原名林志纯),与复旦大学周谷城教授、武汉大学吴于廑教授三位著名世界史学家怀着急切的心情,联名上书国家教育部,大声疾呼"古典文明研究在我国的空白必须填补"。教育部对三教授的建议高度重视,专门为此颁发了一份关于加强世界古典文明史学科建设的文件。

是年,林志纯教授年届 74 岁,已过古稀之年。实际上,为开垦世界上古史这片荒原,他已辛勤耕耘了三十多个年头。此时,老教授捧读教育部文件,不禁欣喜若狂,老泪纵横。近十二年来,林教授抖擞精神,以更加旺盛的精力,令人钦敬的开拓勇气和无私奉献精神,在我国世界上古史学科史上树起一座座丰碑:建立我国第一个世界古典文明史研究所,创办我国第一本外文世界古典文明研究杂志,编辑出版我国第一套中外文对照的世界古典文明研究丛书,为国家培养出第一批可与国际同行对话,并引起关注的高水平世界古典文明科研人才,使东北师大历史系世界古代史成为全国重点学科。

如今,86 岁高龄的林教授依然精神矍铄,声若洪钟。依然在呕心沥血,挥洒汗水,一点一滴地实践心中的宏伟蓝图。有幸与老教授接触过的晚生和国内外同行,无不受到老先生那视治学为生命的精神状态的强烈感染,顿生崇敬之情,不由想起那总是充满生机的松柏:植根祖国的沃土,枝繁叶茂,四季常青。

一、"象牙之塔"——高处不胜寒

人们不理解,尤其那些对世界上古史涉猎较少的人们更不理解,为何到了 20 世纪 80 年代中叶,建国已 45 年的时候,我国世界上古史学科竟然还那么落后,还有那么多空白需要填补?

笔者曾就这个人们关注而又心生疑惑的问题就教于林教授。林教授没有正面回答这个问题,而是讲述了一个发生在几年前的真实故事。

那是在 20 世纪 90 年代初,曾师从林教授门下,攻读埃及学,已在一所高校任教的博士,得到了公派赴英国访学的机会。就在这位博士差不多做好了出国前的各种准备工作的时候,有关部门给学校打来一个紧急电话,询问这位博士懂不懂阿拉伯语? 研究埃及学为什么不到埃及而去英国? 这是一个看来合情合理而又十分严肃的问题:这位博士是研究埃及学的,埃及是阿拉伯国家,通行阿拉伯语,你不懂阿拉伯语,又不到埃及去,怎么能研究埃及学? 接电话的同志据实相告:这位博士懂英语,不懂阿拉伯语。于是他赴英访学的事儿便被搁置下来了。

谈到这里,林教授说,这个在常人看来合乎情理的问题,但从世界上古史专业角度看却是一个天大的笑话! 因为研究埃及学根本就不需要懂阿拉伯语,而且现在的埃及人研究埃及学也需要到国外去学习。

其奥妙何在呢？林教授说，这是世界上古史的一个常识性问题：古埃及并不讲阿拉伯语。埃及学是研究古代埃及语言文字、考古、历史、社会、经济、文学、宗教、艺术和建筑的一门综合性学科。它研究的年代从大约公元前5000年到公元650年阿拉伯人征服埃及这段时间。至公元1世纪，当地就很少有人懂古埃及语了，当时通行的是希腊语和克普特语。而到阿拉伯人征服埃及时，古埃及象形文字就成了无人知晓的"死文字"。

18世纪初，欧洲学者进入埃及和两河流域，在考古发掘中发现了古代文物和铭文，但读不懂，便带回欧洲。1822年，法国学者商博良成功地破译了拿破仑远征军从尼罗河三角洲带回的罗塞达石碑和另一块方尖碑的铭文，才标志着一门新兴学科——埃及学的诞生。目前，作为研究埃及学基础的大量典籍和考古文物大多保存在德国、美国、英国、法国等国的博物馆里。这些国家研究埃及学的水平也处于国际领先地位。于是在世界上古史的研究中就出现了这样一个奇异的现象：创立埃及学、从事埃及考古发掘、释读成功古代埃及文字的，不是古埃及人的直系子孙，不是金字塔文化的后人，而是后世的法国人、德国人、英国人、美国人。创立亚述学的也不是古苏美尔人、巴比伦人、亚述人的后裔，同样是近代西方学者。故此，人们就不难理解，现在的埃及人研究埃及学为什么也要到西方发达国家去学习了。

这段故事的真谛终于被有关部门所理解，那位博士也在事隔几年之后，于1994年得以赴英国伯明翰大学访学一年。不该发生的故事虽然有了一个完美的结局，但它留给人们的思考却没有完结。我国对世界上古史的研究水平处于落后状态这是显而易见的。同时它也从一个侧面映衬出从事世界古典文明研究是相当艰巨的工作。如果说,从事一般社会科学研究需要坚实的专业基础、较高的科学能力和外语水平,而对于世界上古史学者来说则是远远不够的,他们还必须通晓国外文明古国特有的古文字:比如研究埃及学的学者必须通晓古埃及的象形文字,研究亚述学的学者必须通晓西亚楔形文字。

人们常把科学研究比做攀登险峻的高山,而研究世界上古史则确如攀登象牙之塔了。世界上古史的研究既为"象牙之塔",就难免给人以"高处不胜寒"之感。正因为如此,林教授和周谷城、吴于廑三教授才在一篇文章中诚挚呼吁:"像我们这样从事于古代史这一学科研究的老一辈人所遇到的文字和资料上的局限,能够在未来年轻一代学者的手中得到克服。"

从事世界上古史研究的内在规律和特点,注定了这一学科在我国的发展必定要走一条崎岖不平的道路。林教授的命运是同我国世界上古史的研究紧紧连在一起的。他走过的道路,在很大程度上反映出我国这一学科走过的艰难曲折、充满艰辛的历程。

二、43 岁,转变科研方向

提起林志纯教授,不少人会很陌生,但提起日知先生,很多人就很熟悉了。史学界对日知更是耳熟能详。因为从 20 世纪 50 年代起,林教授就以日知为笔名发表了大批学术著作和学术论文。日知语出《论语》:"日知其所亡,月无忘其所能。"意为一天天知道别人不知道的事儿,一个月一个月不能忘记已经知道的东西。日知,反映出林先生对知识的渴望与追求,也是他一生的座右铭。

林志纯教授是 1950 年带着《史记》、《汉书》、《清史稿》，以及自编的秦汉史、魏晋南北朝史讲稿，应召由上海大厦大学（华东师大前身）来到东北师大历史系任教的。虽然此前他一直兼教中国古代史和世界古代史，但却以中国古代史见长，是国内公认的秦汉和魏晋南北朝史专家。20 世纪 50 年代中叶，他曾在国家权威报纸与郭沫若先生就我国古代史的分期问题展开过讨论，引起学术界的普遍关注。当时东北师大世界古代史教学十分薄弱，1953 年学校希望林教授全力转入世界古代史研究。林教授欣然从命，是年他 43 岁，已过不惑之年。

学者都视科研方向为第二生命。林教授为何在不惑之年还有胆量转变科研方向呢？除了他怀有炽热的爱国热情、献身祖国史学事业的雄心壮志外，还与他走过的道路和靠自学打下的广博的学业基础有关。

林志纯教授 1910 年 11 月出生于福州市一个书香门第的家庭。祖父、父亲都是私塾先生。林志纯年幼时，父亲就谢世了。从此家道中落，日渐贫穷。哥哥早早当了学徒，他没有去当学徒，是由于父亲朋友的劝阻："林家可不能断了书香呀！"这样，母亲送他读了小学，后来又读了师范。为了生计，从小学高年级到师范，他都是一边读书，一边当兼职教师的。他当过小学教师，也当过中学教师，师范刚毕业他便当上了小学校长。

林志纯上学前便在伯父指导下熟读《诗经》、《论语》、《左传》。上学后更迷恋于历史学科。直到 1937 年他 27 岁时才圆了大学梦。不过他为了维持学业，依然要当兼职教师。半工半读的生涯，更激发了他强烈的求知欲望。他苦读二十五史，还自学了俄文、拉丁文。1941 年，林志纯由上海大厦大学毕业，留校任讲师，不久晋升为副教授。

艰难曲折的求学经历铸造了林教授坚忍不拔的性格、百折不回的毅力、不断开拓创新的品格。这或许成了他人到中年尚敢于转变科研方向的"资本"。

转入世界上古史科研领域后,林教授面对的是比20世纪80年代中叶落后不知多少倍的严重现状,称得上是一片真正未被开垦的荒原。一切需要白手起家,从零做起,然而林教授毫不畏惧,雄心勃勃。他公开表明,"不当世界上古史教授","要从古文字抓起"。其拓荒者的决心令人为之动情。他的众多学生至今对此依然记忆犹新。

他以拼搏的姿态,同时着手进行了多项奠基性的工作。他亲自主持了购置西方古典图书、杂志的工作。从国内外购进了包括多卷本埃及学辞典、亚述学辞典、希腊、拉丁大辞典、洛依布古典丛书在内的大批图书。希腊研究杂志、罗马研究杂志等国外出版的古典文明研究杂志差不多都是从这些刊物创刊第1期开始一本一本购齐的。林教授此举不仅反映了他的严谨学风,而且反映了他的治学主张,那就是要用研究中国古代史的方法去研究世界上古史。仅仅掌握别人的研究成果是不够的,还必须掌握第一手资料,尤其是考古发掘中的新发现,真正做到从第一手资料中得出我们自己的结论。这些图书文献不仅为当时,而且时至今日仍然为有志从事世界上古史研究的莘莘学子提供了有利条件,同时也为我国世界古典文明学科在20世纪80年代的腾飞奠定了坚实基础。

适应教学的紧迫需要,林教授昼夜不舍,从事翻译和著述。他翻译了马克思的《资本主义生产以前各形态》、苏联的《世界古代史教学大纲》、古典作家亚里士多德的《雅典政制》等多部著作,撰写了十余篇学术论文。

转入世界上古史伊始,林教授便在 1953 年春秋两季招收了两批共 14 名研究生。1955 年,又配合苏联专家举办了有来自全国各地高校 28 名中青年教师参加的世界上古史进修班。这些研究生和进修学员毕业后,分赴全国各高等院校和研究机构,成为我国世界上古史学科的骨干力量。后来,他们大多成为教授,有的还成为著名学者。

在林志纯教授的不懈努力下,我国史学界第一本世界古代史的专业刊物《古代世界史通讯》于 1957 年问世。这是林教授组织东北师大、东北人大(吉林大学前身)等 5 所高校历史学科编辑出版的。刊物的多数文章为林教授的弟子撰写,他本人还亲自撰写一篇《古代希腊历法简介》。这本刊物不仅起到联系国内世界古代史研究力量,传达国外此学科科研信息的作用,而且成为我国世界古代史学科开始走上正轨的标志。

林教授周身洋溢着勃勃朝气,似乎有使不完的劲儿。他在世界上古史科学园地四面出击,节节制胜,硕果累累,使东北师大世界上古史研究和教学水平在当时就有很大名气。他还应邀到北京大学、山东大学等高校讲学,参与编写全国高校通用的世界上古史教学大纲,成为国内颇有名气的世界上古史专家。20世纪 50 年代末期,林教授曾作为史学界代表出席在北京举行的国庆招待会,这是国家对这位有突出贡献的史学家的褒奖。

可惜的是,由于愈演愈烈的极"左"思想的袭扰,林教授不得不放慢挺进的步伐。他只好将主要精力从科学研究和培养高层次人才转入本科生的教学。

然而,即使是本科教学,林教授也有其与众不同的风格与特色。早在 1952 年,他就编写出世界上古史讲义。后几经修改,成为我国第一部高校世界古代史教科书,于 1958 年由高教出版社出版。按常理,有了自编的公开出版的教科书,从事本科教学应是一件很轻松的事儿。不过对于林教授来说却并不轻松。虽然这本教科书已发至学生手中,但每上一次课,他又将新编写的讲义发至学生手中。新讲义融入了世界上古史最新的考古发现和他的最新研究成果。林教授一直坚持这样一个学术主张:科学研究的生命在于创新,要不断有所发现,有所创新,不能老是停留在原来水平上。

在三年困难时期,林教授过的是"五段式"生活。第一段,每天上午给学生讲课;第二段,每天下午参加"神仙会",即和各民主党派、无党派教师一起讨论时事政治。当时,林教授还是一名无党派人士,他是 1978 年加入中国共产党的;第三段,晚上到教学楼或学生宿舍为同学辅导,当面答疑;第四段,从学校返回家里已是九十点钟了,这时才开始撰写第二天的讲义,写完之后再一笔一笔地刻好腊版。这时已时至午夜或午夜之后了;第五段,第二天早晨赶赴学校印刷厂或街道打印社,把当天讲义印刷出来,然后夹起还散发着墨香的讲义赶赴课堂。提起这段生活,林教授记忆犹新的不是生活节奏的紧张,而是和工人师傅们建立的良好关系。只要他拿来刻好的蜡纸,工人师傅便会飞速地赶印出来,从未耽搁他使用。

林教授感人至深的教学精神和对学生的高度责任感令师生们赞叹不已。然而在当时那种不正常的政治气候下,林教授这种"五段式"生活方式却被扣上了"白专"、"业务至上"的帽子。林教授不为所动,依然"我行我素",他觉得自己没有什么错。后来事情又发生了戏剧性变化。上面传来一句毛泽东的指示:教师不写讲义不给开饭。于是林教授的政治命运也随之发生了变化,遽然间由"业务至上"的典型变成了正面典型。这变化令林教授哭笑不得。但也不能说没给他带来任何益处：从此他再不用把新刻好的讲义交由年轻的党员教师审查了，可以直接发到学生手中。

岁月悠悠，往事如烟。林教授教过的几代学生大多也年过半百了。他们可能遗忘了林教授的授课内容。然而，老教授那令人感动的教学精神与教学方法，对学生的高度责任感他们却是永远难以忘怀的，并成为他们珍藏在心灵的一份宝贵精神财富。他们许多人至今仍珍藏着林教授在课堂上发给他们的讲义。

三、一场感人的"战斗"

林志纯教授的日程总是排得满满的，总有做不完的工作。他长年累月夜以继日的工作，一天只睡五六个小时。从来就没有过什么节假日。这还不说，偏偏他还有一股急脾气，遇事说干就干，急如星火，走起路来比年轻人还快。不消说他的工作热情和献身精神，单讲那过人的精力也令年轻的学生们自叹弗如。他的许多弟子感慨地说，与林先生接触，你会感到他不仅仅是在紧张工作，而是在"战斗"。他打的是一场终其一生的"持久战"！这里讲述其中的一段。

这场"战斗"始于那场给国家带来无穷灾难的"文化大革命"的高潮。当多数教师在这场劫难中陷入困惑和迷惘时，林教授的内心却酝酿成熟一个极其"不合时宜"的宏伟蓝图：编一部打破深受苏联体系影响的，融进最新考古发现、国内外最新研究成果的世界上古史！按照固有的风格，他毫无顾忌，说干就干，迫不及待地付诸实施。

当然,他还需要作出一点儿不置身运动之外的姿态:比如编写"毛泽东论历史人物"、"鲁迅语录"作为应付。实际上,主要精力他却"偷偷"地用在了艰苦的编书工作上。他查阅各种文献资料,作出大量笔记。他急需查阅国外最近出版的有关学术杂志。但是由于动乱,我国与国外正常的期刊交流已经中断。这不能不使老教授心急如焚。在万分焦虑之中,他突发奇想;一时看不到学术期刊,何不查阅外文报纸,因为外文报纸都是十分重视考古新发现的。于是,林教授便成了那段时间吉林省图书馆为数甚少的读者之一。他经常步行到省图,一个人坐在静静的外文报纸阅览室里,查阅《纽约时报》、《泰晤士报》等发达国家的报纸,捕捉任何有关古代世界考古新发现的信息。

经过两年多的奋力拼搏,林教授在 1972 年编写出长达四十多万字的世界上古史书稿。联系到当时那可怕的政治气候,人们可以料想,林教授是冒着多么大的风险,表现出何等令人钦敬的勇气呀!

书稿刚刚脱手,适逢高校招收工农兵大学生,于是便成了工农兵学员们急需的教材。书稿最初是油印成册的,1973 年学校把它作为校内教材出版。刚刚印出上册便风行全国,成为许多高校的世界古代史教材。

1975 年,人民出版社辗转看到了这部教材,虽然只看到了上册,仍然从那蕴涵其中的学术水平发现了这部书稿的价值。社领导和历史编辑室领导立即商请林教授对原稿进行修改、扩充,使其成为一部《世界上古史纲》。为了迅速使这部学术著作面世,出版社恳切希望林教授来京,在出版社进行修订工作。

这时,林师母——在吉林工业大学任教的陈筠下乡"插队"刚刚返回长春。他们一双儿女正在读中学,需要照看生活。但林教授毅然决定立即携师母一道赴京。林师母从此再未返回吉林工大任教,成了林教授的"专职业务秘书"。林师母当丈夫的秘书已二十多年。如今已78岁,依然在帮林教授打字、翻译外文资料,处理日常杂事。当两位老人把孩子安置在亲友家,与他们告别的时候,那情景的确充满了战士即将奔赴战场的气氛。

人民出版社腾出一间房子,林教授和师母就在这里安营扎寨。这本是一间工作室,没有生活设施,吃住都不方便。林教授向来对生活没有什么要求,随遇而安,能将就就成。就是在这种条件下他开始了忘我的工作。他晚上一直工作到很晚,实在太累了就打个盹,醒来又接着工作。一天午夜,他要查一个字的出处,手头的工具书一时查不到,操起电话便询问历史研究所的胡厚宣研究员,全然忘了此时正是人们进入梦乡的时候。长时期的超负荷工作,使他的两眼充满了血丝,后来又得了痔疮。痔疮发病时,疼痛难忍。不能坐在椅子上,他就站着工作。人民出版社的领导和编辑们对老教授这样忘我的工作热忱,无不表示由衷的钦佩,多次劝导老先生到医院就治,或是休息几天。但林教授总是说:"没事,没事。赶书稿要紧!"

林教授两次赴京,大约在人民出版社紧张工作了半年多时间,长达60万字的,浸透他才智、心血和汗水的《世界上古史纲》终于完稿了。书稿是林师母一个字一个字抄写清楚的。

林教授以马列主义、毛泽东思想为指导,吸收中外30年来的考古成就、文献考订和释读的新成果,冲破苏联史学研究对我国史学研究的长期束缚和西方史学的偏见,提出了自己一套完整的包括一系列新观点的体系。专著通过大量历史事实,阐述了人类原始社会和奴隶社会两个历史阶段的发展过程,在极为广阔和十分复杂的上古领域中,深入讨论了劳动创造人类、原始社会的分期、农业之发生、文明的起源与人工灌溉之发展、奴隶社会前期的阶级关系和阶级斗争、从公有制到私有制的中间阶段、大土地所有制与小土地所有制的斗争、奴隶制城邦与奴隶制帝国、国家发生的三种主要形式等一系列长期存在争议的学术问题。

至此,这场"战斗"应该收兵了。但林教授却认为还未到大功告成的时候。他召来了7位早年弟子,要他们集体讨论,分章修改原稿。其意不言自明:不仅要使书稿质量提高一步,同时对正在走向成熟的弟子们也是一次再培养。可谓用心良苦,令人感动。弟子们的改动都很少,有的对原稿基本未作改动。然而林教授却表示要用集体名义署名。弟子们极力反对这一主张,认为书稿是林先生多年辛勤劳动的结晶,我们只是参加了一些讨论,作者理应只署林先生一人。但林教授不改初衷,后来这部学术专著是以世界上古史纲编写组名义出版的。

专著一问世,便在国内史学界引起巨大反响,并为国内外同行所关注。专著提出的某些观点已渐为学术界所接受。北京大学马克尧教授、中山大学孔令平教授分别在《读书》和《历史研究》发表书评,指出这部专著"是我国学者以马列主义理论为指导,有自己的观点、风格的第一部世界上古史的学术专著";"对世界上古史一些带有重要规律性的问题提出了独创性的见解","是我国历史上研究世界古代史一个很了不起的成就,开创了我国世界古代史研究的新局面"。《世界上古史纲》先后获多项奖励,仅国家级奖励就有两项。

值得补充一笔的是,这部学术著作所得稿酬,林教授只拿了前言部分,其余全部按修改篇章分给了弟子。这部著作所得奖金,他也一分没要,全部留作有志从事世界古典文明史研究生的奖励基金。

林教授撰写《世界上古史纲》的经历一时在国内世界史学界和东北师大传为佳话。在这段经历中,他确如一名战士,表现出感人的奋不顾身的战斗精神,同时也展现出战士的高尚而宽广的胸怀。

四、开拓者的风姿

自闯入世界上古史领域以来,林志纯教授内心就涌动着一个强烈的愿望,就是要向世界表明,我们中国人不但有世界上唯一的从上古延续至今的伟大历史文明,而且中国学者也有勇气和决心,有智慧和能力攀登世界古代文明的科学高峰,在埃及学、亚述学、希腊与罗马古典学等基础学科能尽快与发达国家站在同一起跑线上。为此,他倾注大量心血,做了大量奠基性工作。然而由于"左"的干扰,林教授的努力遇到了重重阻力。我国对世界古典文明的研究,与国外相比,差距不但没有缩小,反而又拉大了。

党的十一届三中全会的胜利召开,我国学术界迎来了阳光明媚的春天,林教授终于可以一展宏图了。他紧紧抓住这难得的历史机遇,不顾年事已高,以战斗的姿态,开始了新的拼搏。1978年,他开始招收世界古典文明研究生,至今已为国家培养了四十几名从事世界古典文明研究的博士和硕士。

1980年,在林教授的倡导下,东北师大历史系成立了西亚、北非、欧洲上古史研究室。国家教育部关于加强世界古典文明学科建设的文件下达后,在这个研究室基础上建立了东北师大世界古典文明史研究室,不久又改称东北师大世界古典文明史研究所。研究所成立伊始，便开创了国内世界上古史研究的新格局，开始了向四门以古代文献研究为基础的学科的勇猛进击：以古希腊和拉丁文献为研究对象的古典学，以西亚苏美尔、阿卡德楔形文献、文物为研究对象的亚述学，以古埃及象形文学、文物为研究对象的埃及学，以古代小亚赫梯楔形文献、文物为研究对象的赫梯学。

在林教授的苦心经营下，研究所创建了我国第一个，目前尚是国内唯一的专门收藏古典学、亚述学、埃及学、赫梯学、古代巴勒斯坦、以色列研究、古典考古学、近东考古学等有关世界古代文明史图书、杂志的中、西文专业图书馆。

研究所主办的世界古典文明史试办班于 1985 年开班。试办班每期从北京大学、复旦大学、武汉大学、南开大学、东北师大和北京师大各遴选三四名品学兼优的学满三年的历史系或外语系学生，集中在东北师大学习两年世界古典文明史课程。在大学本科集中两年时间学习世界古典文明史，不仅是我国教育史的一个创举，而且为从事这一学科的专门研究输送了基础更为扎实的人才。但林教授仍不满足。在他的竭力倡导下，又于 1989 年办起了十年一贯制世界古典学研究班。进这个班的学生，如通过硕士、博士两次考试，便可从大学一年级开始一直读到获得博士学位。首批进这个研究班的学生，如今已有 2 名被公派到德国攻读学位。还有 3 名仍在林教授门下攻读博士学位。

人们赞叹林教授比年轻人还要强烈的开拓精神、进取精神，更钦敬他那种百折不挠、坚忍不拔、不畏艰难的意志和毅力。有些事儿难度之大令人望而生畏，办起来十分棘手，但他毫不退缩，硬是靠一股韧劲儿把它干成。出于加强与国际同行进行学术交流的考虑,尤其是 1986 年他接到他的弟子吴宇虹从英国寄来的对我国故宫所藏马骨楔形铭文的释读文章,他便设想出一本外文《世界古典文明史杂志》,刊登中外学者在这一领域的最新研究成果。青年弟子们都认为这是一件难事,他却不以为然。他坚持认为,既然事业需要这样一本刊物,就应该想尽办法办好它。出创刊号时,他正因严重的心脏病住在医院里,生命处于垂危之中。林师母白天在医院护理他,晚上怀着沉重的心情,抓紧时间用一台手动打字机把那些用西文写的,又多有古文字的稿件一字字打出来,然后再把稿件送到他的病房,生怕他的生命发生意外,看不到梦寐以求的刊物。林教授就是在病榻上,忍受常人难以忍受的病痛,审阅那一篇篇稿件的。这本刊物最初只有内部发行刊号,为了获得公开发行刊号,林教授与一名弟子几次到北京申请。为了争取时间,买不到软卧,他就坐硬卧。下了火车,顾不上就餐便开始找有关部门倾诉衷肠。其情切切,不能不令人为之动情。有关部门终于给了这本刊物公开发行的刊号。

现在,《世界古典文明史杂志》已发行了 10 年,与国际上包括美国国会图书馆和英国大不列颠图书馆在内的四百多家学术机构或图书馆建立了交流关系。美国、德国、奥地利、荷兰等国的有关学术机构还将这本刊物列入期刊索引。德国哥廷根大学著名古典学专家克拉森教授曾撰文盛赞林教授,称"他创办的研究所及出版的《世界古典文明史杂志》无疑会产生巨大影响"。克拉森教授本身也是这本杂志的撰稿人,并几次应林教授之邀来华访问讲学。

作为我国世界古典文明史研究的开拓者,林教授脑海里想的不仅仅是迎头赶上西方发达国家的研究水平,他还把目光投向世界,考虑外国人怎样更好地研究中国古代史,作为中国学者应该为外国学者研究中国古代史做点什么工作。其视点之高,视野之开阔,叫人叹服。1988 年,林教授与周谷城、吴于廑、周一良、任继愈、张政烺等 9 位著名学者联合发起,由他本人担任主编的《世界古典文明丛书》开始投入运作。由林教授撰写的"丛书缘起"这样写道:"为了促进中外古典文化交流,为了把西方古典文明引进中国,把我国古典文化向世界传播","这套丛书采用中外文对照印本:近东古文献采用楔形文字或象形文字的拉丁音译与中文对照方式,西方古典文献采用希腊文、拉丁文与中文对照方式,中国古典文献则采用中国古文字(甲骨文、金文)和现行文字与英译对照方式。"这是一项浩大的跨世纪的工程,需要几代人的努力才能完成。按照丛书设想,单就中国古典文献而言,就需把从甲骨文、金文,先秦直至魏晋南北朝的所有文献全部译成英文。

最初,一家国家级出版社慨允承担这套丛书的出版工作,但是由于众所周知的原因,学术著作出版难的矛盾愈演愈烈,那家出版社仅出了一本,便改变初衷,表示无力继续出版了。林教授不得不又为丛书的命运到处奔波,四处游说。确有一股明知很难却硬是为之的味道。无法说清林教授为此倾注了多少心血,费了多少口舌。至今,这套丛书已有 8 部专著面世。其中就有他本人编著的两部:《古代中国纪年》和《孔子的政治学——论语》,他与张政烺教授合编的《云梦竹简》三册。还有美国亚述学家雅各布森的《苏美尔王表》、古罗马学者 T·李维的《建城以来史》。陈连庆教授著,张政烺教授校的《曶鼎铭文研究》更是开创了把甲骨文译成外文之先河。丛书的出版标志着我国世界上古史研究水平已发展到一个新的阶段。

丛书的编辑出版工作仍在继续进行,这项工作不只需要克服困难的勇气和决心,还需要无私奉献的精神。因为这样的专著是拿不到稿酬的。林教授对他的弟子们讲:"干我们这一行就要作出个人牺牲,世界上出版的古典文明研究的学术专著和论文,都是不给报酬的!"在他的激励下,弟子们仍在埋头丛书的著述,乐此不疲。

林教授在世界古典文明研究领域纵横驰骋、开拓进取的同时,还不时杀回中国古代史研究领域。他站在一个新的高度,即用研究世界古代史取得的最新成果来研究中国古代史。他发表了多篇关于中国古代民主政治的学术论文。他首次在史学界提出中国古代同样存在一个城邦民主时期:从商周至战国。先秦中国并不知"专制君主"为何物。1989年他在人民出版社出版了由他主编并参与撰写的《古代城邦史研究》。这部学术专著首次把中国古代城邦与希腊、罗马、西亚的城邦列入同类加以研究。林教授这一系列研究成果对于中国古代城邦史研究提出了新的概念、新的观点,给中国古代史研究与中西历史比较研究领域开创了方向,注入了活力。

五、为人师表,培育高层次人才

林志纯教授已发表了百余篇学术论文,十几部学术专著,可谓著作等身,学贯中西,造诣精深。但就其本身而言,他的精力,他的心血倾注更多的不是在学术著述上,而是在培育高层次人才上。有人曾劝他在有生之年多写几本专著,他却说:"我们国家目前急需的不是学术专著,而是专门人才。有了专门人才就会有更多的学术专著。"

从严执教,是林教授一贯的教学准则。进入新时期以来,从招收第一批研究生起,他就对弟子们提出了更高的要求:必须至少掌握一门古典文字:拉丁文、希腊文、埃及象形文字或西亚楔形文字;至少掌握两门现代外语。他认为只有这样才能直接阅读古代文献,获得具有独立见解的研究成果,才有可能赶上国外的研究水平。他真诚地希望学生们能超过自己。他心无旁骛,一心向学。到山东讲学,没游过泰山;到武汉开会,没游过三峡;多次放弃出国开会机会。他也要求弟子们全力以赴做学问。他一向没有节假日,也要求弟子们不休节假日。这样的要求,在常人看来似乎有些"过格","不近情理"。但林教授的弟子们却渐渐地心悦诚服:自己导师的治学生涯不就是活生生的榜样吗?

1978 年他招收的 4 名研究生可能终生都不会忘记,在林教授门下他们没休过一个假期。由于特殊的历史原因,4 名学生的年龄都偏大,年龄最大的一名学生已 38 岁。他们都已结婚成家,有的还有了子女。可是每到寒暑假到来之前,导师就提前打招呼:"假日是做学问的最好时机!"这些已有妻子、丈夫和子女的莘莘学子还能说什么呢?唯有听从导师教诲,埋头治学,苦斗一个假期。有一个假期,林教授亲自带他们赴京,遍访北京各大图书馆,普查世界上古史的典籍,他们是住在北京师大的地下招待所里度过这个假期的。

林教授不仅是严师,也是弟子们的慈父。他关心学生们的身心健康、生活疾苦。大多数情况下,不是学生来找他,而是他去学生宿舍或住宅去找学生,问寒嘘暖,询问有什么困难没有。东北师大研究生宿舍看门的老大妈曾不无感慨地说:"林先生是到研究生宿舍来得最勤的老先生!"一位女博士生在读书期间生病,林师母亲自煮好鸡汤给她送去。两位家境困难,即将赴德国攻读博士学位的学生,出国前需在京集中学习德语,是林教授代缴了 2000 元学费。学生们出国进修或是攻读学位,他时刻挂念着他们和他们在国内的家属,一方面不断对学生寄予殷殷嘱托,一方面不时探望学生的家属。为了给弟子们请外教或解决其他有关弟子们面临的紧迫问题,他不时找学校有关部门去申辩。急情之中,有时还会发火。可他自己生活中遇到的任何困难,却从来没有找过任何人。林师母这样述说他与学生的关系:"他是把学生看成上帝!他平常连自己有几件衣服都记不得,可是学生们的哪怕再小的事儿他也会放在心上。"

林教授还是弟子们的人生导师。他本人一生淡泊名利,只想报效国家。多少中外有关机构要免费把他收入各种名人录之中,他从来不肯提供资料。评定高级别教学奖,他是校内公认最有资格享受的,可他连申报表都不肯填写。他也循循善诱,引导自己的学生专心治学,把名利看得淡一些。张强博士至今还清楚记得,他报考林教授硕士生前,老教授与他进行的一次谈话。在谈话中,林教授拿出一本沉甸甸的《剑桥古代史》,指着封面的第一主编爱德华的名字,对张强说:"你知道吗?爱德华都当了这样的名著主编了,但他还只是大英博物馆的埃及古物的保管员!"老先生的良苦用心,不言自明。张强没有辜负导师的热诚期望,安于坐"冷板凳",主攻古希腊史学家修昔底德所著《伯罗奔尼撒战争史》的研究,虽已在孤寂中耗掉 11 年时光,还要数年才能啃下这块又古又洋的"硬骨头"。

林教授炽热的爱国热忱,为国争光的雄心和半个多世纪如一日的拼搏历程,本身就是对弟子们的无声教诲,开启和滋润着弟子们的心田。他的几位从海外学成归来的弟子表示,他们之所以按期归国,有的甚至在国外苦学了 8 年仍毅然返回祖国,在很大程度上是深受林教授精神的感召,是在效法林教授。

林教授的心血和汗水已结出丰硕的果实。新时期以来,他已为国家培养出 12 名博士,三十几名硕士,目前他仍在指导 10 名博士研究生。他的弟子们有很多人以出色的研究成果在国际学术界崭露头角,引起国际同行的关注。由林教授培养的硕士拱玉书,赴德国慕尼黑大学治学 8 年后获亚述学博士学位,现任北京大学东方学系东方文学研究室主任,并被评为北大跨世纪人才。他已用德文发表一部专著《论楔形文字的结构及其演变》和三篇学术论文。其中一篇发表在最有影响的世界古典文明专业杂志之一《亚述学杂志》上。国外有专家兴奋地说:"中国人终于有人能在《亚述学杂志》上发表文章了!"师从林教授门下获硕士学位,又在英国埋头苦读 8 年,获伯明翰大学博士学位,现在东北师大世界古典文明研究所从事亚述学研究的吴宇虹博士已三次参加国际亚述学学术会议,每次都向大会宣读一篇学术论文。他已在国外发表一部 50 万字的学术专著《古巴比伦马瑞、埃什尼敕那和马瑞三王国史》,并在国内外发表二十多篇学术论文。现在吉林大学执教的令狐若明博士和北京大学历史系博士后颜海英于 1995 年 9 月出席了在英国剑桥大学召开的第七届国际埃及学学术会议。他们都在会议上宣读了论文。令狐若明还在大会上介绍了中国埃及学的研究现状,引起了与会代表的兴趣和关注。

86 岁高龄的林志纯教授不知老之已至,还在以旺盛的精力孜孜以求,辛勤耕耘,仍在勾画着、实践着振兴我国世界古典文明研究的宏伟蓝图。他的为学、为人,堪称学界楷模,一代师表。

（原载《社会科学战线》1999 年第 4 期）

蔡尚思教授走过的道路

马学新　张跃铭

我国著名的历史学家、中国思想史专家蔡尚思教授走过的路,是一条跟着时代潮流不断前进而历尽艰辛的路。

一、访问"鬼怪",破除迷信

蔡尚思,福建德化人,生于 1905 年 11 月 10 日。他父亲是一个私塾先生,母亲是一个出身于城市贫民、善良贤惠、勤操家务的妇女,一共生了 10 个孩子。蔡尚思排行第三。父亲对母亲轻则辱骂,重则痛打。幼小的蔡尚思对此愤愤不平。稍懂事后,看到几个妹妹一生下来就送人,更加痛恨重男轻女的封建道德。他当面指斥父亲的"霸道"、"不公"。那种不平则鸣、刚正不阿的性格,从小就鲜明地显露出来了。

蔡尚思 8 岁入私塾,后改进离家很远的县立小学。因天天疲于奔走往返路途,不能集中精力读书,考试往往不及格,只好弃学,从事农业劳动。他种地粪田,砍柴割草,负重挑担,饲牛喂猪,备尝各种艰苦。

旧德化是个落后山区,迷信空气十分浓厚,求神拜佛之风到处盛行。大人们又经常谈鬼说怪,使孩子们闻而生畏,一到晚上就不敢出门。唯有蔡尚思与众不同,觉得鬼怪神仙、阴间地狱之事,只有耳闻而未眼见,决意去弄个水落石出。一天夜晚,他约了同村一个青年,到深山古庙去访问"鬼怪"。一入破庙,就听见一种怪声。那青年战战兢兢地说:"鬼——鬼叫了!"蔡尚思循声走去,只见窜出几只老鼠,原来那怪声是它们发作出来的。这时,那青年又指着庙外隐隐约约有几个黑影在晃动,说是"鬼来了"。蔡尚思走过去,哪知到了跟前,原来是几株树枝在风中摇曳。从自己这一次亲身体察中,蔡得出一个结论:鬼怪等等绝不在身外,而在心中,所谓鬼怪,全是心理作用和迷信者虚构出来的,盲目轻信是要上大当的。

有一次,村里姓蔡的人聚在一起祭祖宗,毫无根据地说宋代蔡襄是他们的祖先,沾沾引以为荣。对于长辈们出于虚荣心的乱认祖宗,蔡尚思十分不满。他公开讲:"我们这些姓蔡的也许是蔡京、蔡卞的后裔,不是蔡襄的后裔,为什么不祭蔡京、蔡卞?"还说:"不应该看祖先贤不贤,而要看我们自己贤不贤!"这自然引起了轩然大波,族里的人都骂他是"大发妖怪的言论"。蔡尚思听了,对他们这种愚昧的举措感到可笑,又可怜,从而越发觉得急需学习文化知识、探索科学道理。

二、苦中奋斗,有胆有识

1921 年,蔡尚思到离家乡一百多里外的永春中学读书,在校长郑翘松和老师郭鹏飞的指导下,经常通宵用功,到了废寝忘食的程度。有了一点零用钱就积起来,汇到上海的扫叶山房、文瑞楼等书店购书。在四年多时间里,他的知识面扩充到诸子哲

274

学、司马迁、班固的史学，唐宋八家的文学，特别是用功研究韩（愈）文，打下了较广阔而坚实的基础。

这时，家境却一天天坏下去，蔡尚思常常为生活所迫而陷于窘困的境地。但是，这并没有窒息他求知的欲望。一天，他偶然从报上看到北京清华学校研究院招生的消息，便准备去投考。德化县一位姓陈的校长听说此事，当面劝阻蔡尚思说："小水出小鱼，大水出大鱼。我们命定地生在小地方，缺乏图书文化，只能成为小读书人。"蔡尚思却说："正因为如此，我越发需要到大都市去做学问了。我是不迷信这种地理命定论的。"他父亲不相信自己的家门会飞出"金凤凰"，加之囊空如洗，无力供应北上远行的费用，所以极力反对。可是蔡尚思主意已定，坚持不变。父亲没法，只得筹借了一百块银元，送他踏上了去北京寻师问学的路途。

由于闽南发生战事耽搁了旅程，蔡尚思到北京后没有赶上清华学校研究院的考试。但他没有忘记自己"男儿立志出乡关，学不成名死不还"的誓言，便到处打听学有专长的名师而去旁听学术演讲。特地专诚前往清华园去拜访王国维、梁启超，请两位大师指点治学之道。王国维看了蔡尚思中学读书时的几篇古文稿，很欣赏，评价说："如陈玄传等，其有思致笔力，亦能达其所欲言，甚为欣喜！"进而鼓励他："年少力富，来日正长，固不可自馁，亦不可以此自限。"梁启超读了蔡尚思的《论名家思想》一稿后，写信说："大稿略读，其见精思，更加罩究，当可成一家言，勉旃！"蔡尚思得到两位名师的教诲，无比感动，决心无愧于他们的期望，努力攀登知识高峰。

这以后，蔡尚思分别考入了孔教大学研究科和北京大学研究所。他同时从梁启超问思想史，从王国维、江瀚问经学，从梅光羲、李翊灼问佛学,从陈大齐问西洋哲学,从陈垣、柯劭忞、朱希祖等问其他专门史,并与蔡元培通信请教。他生平得到名师的教益,实以此时最多。当时,蔡尚思的经济更为拮据,有时一天只吃一个小馒头,喝几碗凉水,肚子饿得咕咕响;一件破棉袄,穿过几个寒冬,还不得更换。他为了勉励自己以忍饥耐寒的精神冲破生活困难关,写了《苦中奋斗》四句话:"发愤著书史迁悟,穷且益坚王勃序。贤哲多从苦中来,苦中奋斗才可取!"

孔教大学研究科和北京大学研究所,在当时处于对立的地位,表现在宗教与非宗教、尊孔与反孔、读经与取消经学科、封建与民主等方面。北大研究所强调学术民主与自由研究,推崇五四前后蔡元培主持北大时所倡导的良好学风,这对蔡尚思有很大的影响。而孔教大学校长、康有为的高足陈焕章,则是奉孔子为教主的孔教会头子,满头脑的封建意识,经常大骂从事反孔、废除经学科的北大派。当他看到蔡尚思写的《孔子哲学之真面目》初稿后,曾特别指示说:"你在文字方面,不要引据今人的话,尤其是白话文;在思想方面必须先深信孔子是大宗教家而又不下于佛、耶等教主。我校最重要的一点,即在孔教二字,如你不承认它,那就没有我们立足的余地了!"蔡尚思想:我好在不是一个旧式妇女,不然的话,岂不是从"三从"变成"在家从父,出嫁从夫,夫死从子"和"在校从师"的"四从"了么? 因此,当陈焕章又搬出他那套"先信后学是治学要诀"的说教时,蔡尚思当面反驳指出:"先信后学"是宗教家传教的方法,以"信"决定"学",其实是取消了真正的学,这种"信"只能是一种盲从迷信。反之,如果先"学"后"信",对一切学问,研究它而不迷信它,才是科学家治学的方法,应该大大提倡。这番道理,显露了蔡尚思的胆识,使陈焕章瞠目结舌,无言以对。后来,此事传开去,在死水一潭的孔教大学成了轰动一时的新闻。

但是，即使是像陈焕章这样的反面教员，对蔡尚思来说，也还是有益处的。因为当时如果没有他对孔子尊得太肉麻、太没有道理，也就不会引起蔡尚思的反感和唱对台戏。正是打那以后，蔡尚思的思想由尊孔进到疑孔，从旧民主主义发展到空想社会主义。1928年，蔡尚思著《伦理革命》，提出公人、同利、平权三大宗旨，改儒家私有的小人伦观（君臣、父子、夫妇、兄弟、朋友）为公有之大人伦观，即"地球一家，天地为家；人类十亲（父母、兄姊、夫妇、弟妹、子女），凡人皆亲"。发出了革旧传统思想之命的呐喊。这时，他还没有研究过马列主义理论，没有接触到共产党人，因此只能达到这种思想境界。

三、思想大转变，学问大发展

1929年，蔡尚思由蔡元培介绍到上海大厦大学任讲师，编著《中国学术大纲》等教材。第二年任复旦大学教授，年仅25岁。这时，他的思想愈来愈以康有为、严复等人的日益开倒车为戒，而以李大钊、鲁迅等人的日益向前进自勉。

1931年秋，蔡尚思到武昌的华中大学教书，结识了进步学生何伟（原名霍恒德，解放后曾任教育部长等职）等人，冒着杀头的危险，开始秘密研究马列主义，如有新书，便互相介绍和借阅。有一天晚上，何伟约了几位同学来到蔡尚思住处。他们带着《共产党宣言》，一起学习。蔡尚思是学历史、教历史的，但以往对许多纷繁复杂的历史现象不能作出科学的解释。他关心祖国的前途、命运，曾幻想会出现一个好的政府来实行民主政治，结果在黑暗的现实面前碰得粉碎，他对北洋军阀、国民党政府和旧社会的一切产生了极端的不满,但又没有找到出路。这时,通过学习马列,特别是读了《共产党宣言》后,明白了许多新道理。

夏天的武昌异常酷热,是有名的"火炉",但却成为蔡尚思偷读马列书的大好时机。他关起门来,把书铺在屋内的地板上,脱去衣服,埋头研读,汗流浃背而不顾。两三个暑假下来,他先后偷读了马列主义理论著作几十种,并将所作笔记、心得体会编成《社会思想表解》。这一段时间(1931—1934年)是蔡尚思思想大转变时期。他开始站在阶级立场看问题,应用唯物史观,信仰科学社会主义,而不再盲从其他学说了。马列主义真理像春风吹开了他的心扉,开阔了他的眼界,使他看到了光明和希望的所在,奋而写出《世界三大思想势力》的14句话以为纪念,其中的8句表达了他当时的思想感情:"思想虽复杂,三家可包罗:前进归马氏,倒退从释迦;尚有孔仲尼,自谓不偏颇。最后胜利者,非泰山恒河。"

1933年,蔡尚思加入宋庆龄、蔡元培、鲁迅等领导的中国民权保障同盟,从事争取人民言论、出版、集会、结社等项自由的活动。1934年,蔡尚思由于同华中大学校长意见不合,愤而辞职。他利用失业时间,入住号称藏书为"江南之冠"的南京国学图书馆,发愤埋头读书。有一次,一位馆员问:"先生来馆的读书计划如何?"蔡尚思答道:"至少要把馆藏的历代文案翻完。"馆员摇摇头说:"古来没有此种人。搞文学史的人,尚且不能如此,何说搞思想史、文化史等门的人呢?"蔡尚思说:"事在人为:一年可以等于二三年。我决心每天用十多个小时翻阅中国历代文集。"馆员听后只是讪笑蔡尚思太不自量。无知的嘲讽,反促使蔡尚思横下心来:"一言既出,驷马难追!我如不说到做到,将来就无面目向此等人告辞而走出这个图书馆的大门了。"从此,他拼命学习,每天 24 小时,他吝啬地留下五六个小时睡眠,其余时间都用在勤学上:白天,阅览室开放,他就抓紧分秒多看书,用最简单的文字把重要内容记下来。晚上,则伏案于斗室的小油灯下,做比较详细的追忆笔记。他以"不勤学即自杀,不自杀即勤学,无必死之精神,则无必成之事业"作为座右铭,时时鞭策自己努力向上。他深入到南京国学图书馆卷帙浩繁的书本里,却没有被知识的"迷宫"所困。他运用自己独特的"简批而不自抄"的快读法,从庞杂纷纭的图书资料中,找到贯穿全局的精髓。

蔡尚思的惊人勤奋和才思敏捷,为图书馆馆长、历史学家柳诒徵所赏识,把他比做开矿的矿工,采蜜的蜜蜂。经过柳诒徵的特别关照,他得以自由搬书阅书查书。一年多时间,蔡尚思读尽了馆藏历代文集数万卷,搜集到中国思想史等资料几百万字。蔡尚思过去很迷信权威学者,到了此时才发觉他们也未必完全正确。号称"国学大师"的章太炎断言:总计三千年来主张井田者只有四人,而他却查出几十个人;陈垣的《史讳举例》,他过去只叹"观止"而无异议,到了此时才知道缺笔和改音均非始于唐,避讳的方法和种类均应增补好多类例来。这是他学问大发展的时期,为其后的学术研究打下了雄厚的基础。后来,蔡尚思每念得这段生活,总是充满感情地把图书馆比做"太上研究院",把图书称为"太上导师"。

四、不屈于威武,不愧对真理

1935 年下半年,中国共产党发表了著名的《八一宣言》,号召全国人民组成抗日民族统一战线。蔡尚思发自内心地赞成这一主张,他冲破阻挠,加入了中苏文化协会。1936 年,共产党员何伟往来武汉、上海、天津等地做地下工作。蔡尚思在他的访问和指导下,为党秘密转信,暗藏文件,掩护同志,开始了政治上的大转变。

1937 年 8 月 13 日,日寇攻占上海。当天夜里,蔡尚思携着妻儿,从沪江大学匆忙逃入旧租界,除携带一两箱史料外,所有图书和衣物全部丢弃。不久,他被校长借口经费无法维持而解聘。一家四口人,连安身之地都难以找到,三迁其居,苦不堪言。但是,他的爱国之心、民族气节未有丝毫的改变。敌伪时期,汪精卫曾派人拿了一尺多长的大请帖,邀他参加所谓"收回上海租界的隆重典礼",他拒不出席。日帝高级机关发出通知要他参加宣扬"大东亚新秩序"的座谈会;陈公博、林柏生等汉奸,设宴相请,伪国立交通大学也聘请他为教授,他都置之不理。有人拉他当日伪一大型刊物主编,薪俸从优,也被蔡尚思严词驳回:"心安理得之事,虽毫无酬报,吾亦为之;吾不当为之事,虽并发此钞票之银行而亦送我,终不能稍动吾心。吾可以死,决不为此无人格无理性之工作。"当时,伪钞日跌,实物日涨,为了养家糊口,他先后兼任沪江、复旦、光华、东吴四个私立大学和无锡国学专修学校(迁沪)的教授,但每月的总收入仍不能不免于妻儿啼饥呼寒。他还要亲自上街排队买煤球,肩袖上被用粉笔编上号码,买好再背回家。儿子想在小摊上买几毛钱一小包的花生米,也因囊涩而只有用眼泪回答:"我真有愧,做不起你的爸爸。"在这样困难的境遇里,他宁肯过背煤球、吃米汤的苦日子,也不去赴日伪的酒筵,这曾被讥为"太固执而不知道适应环境"。然而,这正是蔡尚思引为自豪的中国人的骨气所在。

抗战胜利了,人民欢呼若狂,希望从此天下太平,不再有战乱之祸。可是从峨眉山下来的蒋介石,要从人民手里抢夺胜利果实,疯狂地燃起了全面内战的烽火,把中国重新推入灾难的深渊。在祖国走向光明或者黑暗的紧急关头,蔡尚思从现实中认清了自己应有的责任,积极投身于斗争的激流,成为昂首作狮子吼的革命战士。

1945 年,蔡尚思与郭沫若、茅盾、马寅初、马叙伦、陶行知、翦伯赞、郑振铎、叶圣陶、胡绳、杜国庠、许涤新、周建人等 24 人,发起组织"全国学术工作者协会上海分会"。1946 年 9 月,他又与张志让、沈体兰、周予同 4 人,在中国共产党的地下组织领导下,发起组织"上海大学民主教授联谊会"(简称上海"大教联"),会员后来发展到一百多人。蔡尚思任干事,兼"文研"("大教联"附设的文化研究所)常委。他不顾自己生活上的极度困难,不怕敌人政治上的各种迫害,奔走于各种进步活动之中,和会员们团结一致,配合解放战争,同国民党反动派展开了不屈不挠的斗争。

他的笔,这时成了斗争的锐利武器,先后为二十余家报章杂志写了一百多篇文章,无月中断。这些文章,痛斥反动政府"为君主而非民主,官生而非民主,治标而非治本,革名而不革实";将国民党与袁世凯、清政府类比;揭开国民党二中全会反民主、破坏政治协商会议、无丝毫诚意于最后和平的黑幕;主张对不合理之政权必须加以破坏而不宜安分守己;支持各界群众反内战、反迫害、反独裁的斗争等等。他还利用大学讲台,宣传人民民主和社会主义思想。他对国民党反动统治的揭露和抨击,是多么大胆,多么痛快淋漓,又是多么大快人心啊!这些话,在人民群众中引起深刻的共鸣,强烈的反响。江西萍乡一位读者特别寄一封信给蔡尚思说:"鄙人亦略识历史,兼好研究时弊。愿先生再接再厉用三寸毛椎击毁原子弹,个人利害勿顾也。"同时又有一读者录文天祥《过零丁洋》中"人生自古谁无死,留取丹心照汗青"两句话赠他。蔡尚思一腔正义,能言人所欲言,能言人所不敢言,更加表现出历史学家的大无畏精神!1948年11月国民党教育部特别下一个命令给沪江大学说:"据有关机关报称'该校中国通史教授蔡尚思,系奸党分子,持论狂妄,平日教学专事打击政府;而在沪版《大公报》暨其他杂志发表之言论,尤言伪而辩,悖逆反动'等情,仰密切予以注意为要。"于是,派出特务专门监视蔡尚思的一举一动,还寄匿名信恫吓他:"如果不识相,小心吃枪弹!"对此蔡尚思却视如无物,凛然毅然,以正义斗争的精神冲破了当时袭来的法西斯白色恐怖。

五、思想史上的重要建树

蔡尚思先生于20世纪30年代出版的《中国思想研究法》、《中国历史新研究法》两本姐妹书,是在南京国学图书馆涉猎几万卷图书并搜获中国思想史等资料数百万字的广博基础上写成的,确是博极群书,食而能化,如史学家柳诒徵所说:"集合种种思想言论,错综条贯,纬以精思,而成此绪论……其博贯独到处,语语石破天惊,洵为并时无两之巨著。"艺术家欧阳予倩教他"寓批评于叙述之中",他就多引古今人的言论,寄托自己的新见解,在思想极不自由时代,真是颇费苦心的。他又于1941年写成《蔡元培学术思想传记》,也有一些特色,把蔡元培的思想分为教育学、哲学、美学和科学等15方面,并附有考异即考今。书中对社会与个人的关系,实事求是地予以分析,从而作出对蔡元培的令人信服的评价:"先生不愧为近代思想界首屈一指的卫兵与嫘母"。蒋维乔先生赞叹这部书："博访周谘，允称信史"。

解放战争时期，蔡尚思先生在地下党的领导下，勇于同反动派进行斗争，写出论文多达百余篇。其中有很多关于反孔、反封建传统思想的文章，不久集合成为《中国传统思想总批判》正补两编，内容包括古代近代现代。夏康农教授称他"引证渊博，立论酣畅，读来宛如重温《新青年》时代打孔家店之盛况，而取材之赅博尤且过之"。范文澜同志也认为"对封建残余进行严正之批判，作用甚大，殊堪钦佩"！

在解放战争时期的学术论文，除有关反孔、反封建传统思想方面以外，还有关于先秦诸子、宋明理学、近现代思想界几个代表人物如谭嗣同、蔡元培、冯友兰、梁漱溟等的论断。

六、为了新中国而奋斗

1949 年，在迎接解放上海的日子里，蔡尚思与沪江大学一部分教职员组织的"革新会"经过斗争，把为帝国主义服务的反动校长凌宪扬逐出校门。受到师生们拥戴的蔡尚思，被选为行政委员，代行校长职权。解放后，改设校务委员会，他改任副主任委员，主持日常工作，为把基督教大学改造成为新民主主义大学进行了极其艰苦的工作。1950 年，蔡尚思与冯定、李亚农、刘佛年、郑易里、胡曲园、姜椿芳等二十余人，发起组织"中国新哲学研究会上海分会"；与周谷城、周予同、顾颉刚、李平心、吴泽等 14 人，发起组织"中国新史学研究会上海分会"；并分别当选为这两个学会以及后来成立的上海哲学社会科学界联合会的理事。1952 年，高等学校院校调整，蔡尚思又回到复旦大学任教，兼任历史系主任、校务委员会委员。他在知识分子思想改造、

"三反五反"等一系列政治运动中,在工作和其他各项活动中,自觉接受党的教育和考验,不断进步。1953 年,蔡尚思光荣地加入中国共产党。从此,这位正直的学者,即以先锋战士的姿态活跃在学术界,活跃在教育战线上。

蔡尚思从 24 岁起执教,先后讲授《中国学术大纲》、《儒家思想》、《墨子研究》、《中国历代文选》、《中国史学史》、《中国政治史》、《中国社会史》、《中国教育史》、《中国通史》、《中国哲学史》、《中国思想史》等课程,教学经验异常丰富。他讲课,口若悬河,滔滔不绝,博通古今,有胆有识,深受师生们的欢迎。他倡导求实、"创天下之所无"的学风和"学无顶峰"、"永不毕业"的科学态度。对待学生,只要好学喜问,就循循善诱,诲人不倦,在他的培养下,一批又一批的文史哲人才成长了起来,对祖国教育文化事业作出了贡献。

七、史学研究的新贡献

解放后,蔡尚思尽管公务丛脞,仍然治学不懈,勤于著述。从 1949 年到 1964 年,他发表了近三十篇学术论文。从 1959 年到 1961 年,他与几个朋友主编《中国新民主主义革命时期通史》,分担思想文化方面,注重历次思想问题论战,对主要人物如冯友兰等也有详评,把他们放在历史中去具体分析。

新中国成立 30 周年之际,他先出版了《中国文化史要论》的人物编、图书编,主要是尽量避免"人云亦云"、"陈陈相因"的旧观点,而多提出自己的新看法。对于工具书、语言文字学、文学、史学、哲学、医学科技等,均有所评论,被学术界老前辈称许为:"以一生心得,独抒己见,在学术界中,实属创举。""史论结合，言简意明。融会贯通，集中国学术精华于一书。""不少画龙点睛之笔，要言不烦，一语破的，尤富启发。"

他的《中国思想史通论》一书，积三十年之精力，点点滴滴地积累完稿。全书共七十余万字。所引用的资料，自六经、诸子、二十五史、历代名家文集，旁及国外汉学家论著和近代报章杂志统计资料，无不尽力搜辑。可惜，这部见解独立，征引繁博的中国思想史巨著，还没有来得及刊印问世，便在十年浩劫中被抄走，至今下落不明。

八、在十年浩劫中

20 世纪 60 年代后期，一场大浩劫落到了中国人民的头上。像蔡尚思这样的学术界老前辈，自然是劫数难逃了。他被诬陷为"反革命"、"臭老九"，先是靠边站，后来连人身自由都失去了，遭到了批斗、关押、改造，种种的迫害。他的家前后被抄达十次之多，一部分珍贵的图书、资料、手稿，都被洗劫。除了《中国思想史通论》和《中国思想研究法长编》（三十多万字）等书稿至今寻无下落以外，像"中国通史"、"中国政治史"、"中国社会史"、"中国思想史"、"中国哲学史"、"中国教育史"、"中国史学史"等讲稿，也多散失。一些难得的反面材料，如戴季陶、张君劢等人的书，更被作为他的"反动罪证"片纸不留。对于一个学问家来说，还有比这更惨重的损失吗？眼看着自己用几十年心血和汗水写成的书稿、讲义，以及千辛万苦得来的资料毁于一旦，再也无法恢复、无法补偿，蔡尚思感到万分痛心。不久，在南京工作的大儿子，因受到株连，含恨自尽，年仅三十多岁。……然而这一切，尽管使蔡尚思在身体和精神上受到极大的摧残，但他的意志却没有些微的衰退,丝毫不为所动。

蔡尚思的骨头一向很硬,在林彪、"四人帮"的法西斯高压下,他从来没有低下过头。在一次所谓的"政治学习"中,当有人当众骂他是"反革命"时,他拍案而起,厉声责问:"既然认为我是反革命,为什么不敢将我这个反革命关到提篮桥监牢里去?""你们自我标榜的立场鲜明,到哪里去了?!"他接着就大声宣称:"你们不敢送我去坐牢,就足以证明我不是反革命!"这一来遭到了围攻。"大胆!"、"猖狂反扑!"的叫嚣声从四面向他扑来,一些歹徒还乘机对他动手动脚。蔡尚思没有丝毫畏缩,针锋相对地进行了斗争,在他的正气大义面前,那些自称"左派"的人灰溜溜地败下阵去了。

"批儒评法"时,"四人帮"一伙威逼、利诱蔡尚思写文章"骂宰相",蔡尚思一眼看出:他们的矛头是指向周恩来的。他不是以默默来表示自己的"廉贞",而是刚正不阿,保持自己的直道。要他不尊重历史,无原则吹捧吕后、武则天,他坚决不干;要他写"批孔子"、"骂宰相"的影射文章,他断然拒绝。他这样表白自己:"我是一个共产党员,在任何时候都绝不牺牲党性原则去换取个人的什么好处。""古今中外许多志士仁人为真理而献身,蔡某人是决意追随他们的!"充分表现出一个共产党员的崇高气节和铮铮铁骨。由于具有坚不可摧的信念,蔡尚思相信我们的党终究会度过危难,取得胜利,所以在动乱的情况下,还将自己过去的稿费和节省下来的钱,共计 1 万元,作为党费上缴。

九、老骥伏枥写新篇

"四人帮"垮台了。蔡尚思的生命重新获得了巨大的活力。

蔡尚思除了担任复旦大学副校长、研究生部副主任、中国思想文化史研究室主任等职务，还是全国宗教学学会常务理事、中国史学会理事、中国现代史学会和中国哲学史学会的顾问。在行政、教务工作和社会活动十分繁忙的情况下，依然高度珍视学术生命，从不放松自己的史学研究。近五年来，蔡尚思发表了二十多篇学术论文，完成了《中国文化史要论》、《孔子思想体系》等专著，正在写作《中国佛学思想史》等书。他致力于通过实践经验有所创新发现，而反对学术研究中的陈陈相因，人云亦云，在史学研究中，又作出了许多新贡献。

现已发稿的《孔子思想体系》一书，由研究室同志助编，是蔡尚思先生五十年来的研究成果。从孔子的生前事迹到孔子学说在封建时代的演变、五四时期对孔子思想的批判，包括政治、经济、哲学、文艺、史学、教育等方面的思想，终于证明孔子思想体系的中心是"礼"而不是"仁"。他对这个重大问题的看法，是非常认真而有前后的不同的。他对孔子思想的研究，既有重点，又较全面，实是古来少见的。

其次，关于佛学的研究和评价。从清初到民国时代，代代都有佛教徒，也出了一些佛学家。关于佛学的研究和评价，尤其在对待纲常礼教的一个根本问题上，主张佛教最富有平等思想者，有章太炎、陈伯达等；主张孔佛同样注重平等者，有谭嗣同、欧阳渐等；主张孔佛二教相反者，有范文澜等人。蔡尚思研究结果，发现孔佛二教不仅一致，而佛教的三纲思想比儒家有过之而无不及。他们同有极不平等的思想，同是奴隶社会的产物，同为封建社会的"牧师"。而佛教各宗的观点，原来也是大同小异、万变不离其宗的。

再次，大胆公正评点人物。蔡尚思以历史的、辩证的唯物主义态度,大胆、公正地评点古往今来的各种人物,不拘泥成见,不随波逐流,不主观抑扬。他在《中国文化史要论》中评李贽:"他的《藏书》,比较有平等精神;而他的《续藏书》即明代部分,可就露出了奴才相,竟吹捧他的本朝头一个皇帝明太祖是万古一帝。"评章太炎:"在枝叶问题上反孔,在根本问题上尊孔,是一个小反孔、大尊孔的人。"评胡适:"在中西学、中英文各方面都有相当根底,颇像严复;有时比较浅薄,颇像梁启超。他大力提倡白话,功不可没。他的思想,在新文化运动时期起了相当积极的作用。"谈到研究鲁迅,蔡尚思说:"我们以他的言论为主要标准,并不等于以他为'顶峰',一切都以他的是非为是非。那种庸俗地顺从他,不是真正的尊重他。"这为我们拨乱反正、实事求是评价人物功过是非,是极有启发的。

坚定的政治信念,踏实的科学态度,赋予蔡尚思顽强的学术生命,使他数十年如一日,矢志不渝;对于做学问,从不盲从迷信,也不忌讳别人批评。他认为学人都难免有时代的局限性,永远不能到达顶峰,因此应当努力向前,不断有新的建树。他常常谦虚地说:"在学问知识中,即如所谓九牛之一毛、沧海之一粟,也不足以比喻自己的浅见和无知。我是一名终生的'研究生',永远不会毕业。"

(原载《社会科学战线》1982 年第 2 期)

记李学勤先生

晓　云

李学勤先生的经历简单,我们很容易在他的著作封皮上找到,如前几个月出版的《夏商周年代学札记》说,他"1933 年生于北京,读书于清华大学哲学系。1952 年至 1953 年,在中国科学院考古研究所参加编著《殷墟文字缀合》,1954 年到中国科学院历史研究所工作"。他曾任中国社会科学院历史研究所所长,现在的名片上印的是:中国社会科学院古代文明研究中心主任,清华大学思想文化研究所、国际汉学研究所所长,中国先秦史学会理事长,夏商周断代工程专家组组长,国际欧亚科学院院士。

和李学勤先生日常接触,很少听他谈自己的过去,因此,想在这里介绍他五十年来在学术道路上的历程,取材上很困难。以下所述,是由他多次谈话中抽取连缀起来的,未必准确,只希望能给读者提供一个剪影式的大略印象。

一

有一次我们谈起,最喜欢的事是什么,最不喜欢的事又是什么。李先生说,他最喜欢的是看书、买书,最不喜欢的是浪费时间。

他从小不但喜欢看书,还喜欢在书摊、书店买书。20 世纪80 年代他为《晋阳学刊》写过一篇自传,其中讲到 10 岁前后就自己买书的事。小学三年级时,他和一位同桌(后成为名诗人)相约去市场买书,那位同学买了一册作文书,他自己买的是一本养兔法。李先生回忆起这件事,不禁大笑起来。

作为穷学生,他手头没有多少钱,为了买书常常得省掉早餐。新书比较贵,只好多买旧书,以致他对民初以来的出版物相当熟悉。有一次他与一位前辈老先生讲起一桩刑事案件(滕爽、逯朋案),非常清楚,老先生大为惊异,认为按他的年纪是不可能知道的。

范围宽泛,是李先生从小看书的特点。后来,其兴趣逐渐集中在科学、哲学方面。他再三说过,他爱读上海出的《科学画报》,除了新出的每期必读,又在旧书摊上把多年来出版的搜集全套,逐期通读。创刊号《画报》他找了几年,是一个书摊主人特意找到送给他的。连《画报》中最无趣味的栏目《植病丛谈》,他也不跳过,这大大扩展了他的知识基础。李先生说,他永远对《画报》当时的主编卢于道先生及其夫人卢邵潆容深怀感激之情。卢邵潆容翻译的科幻小说《庞大的智星》,他也很喜爱。

李学勤先生的外语能力,很大程度上也是在广泛读书间养成的。他常看纸皮袖珍本的英文书,并告诉我们第二次世界大战期间第一种袖珍本 Pocket Book 是小说《失去地平线》。至今他仍保存着对教授中国留学生日语有重大贡献的松本龟次郎的有名课本《日语肯綮大全》。他很喜欢引用胡适先生在这本书前的题词:"学得一门外国语,好像开辟了一个新世界。"不过这已经不是他早年读过的那一本了。他曾多次向友人推荐这本书,把自己收藏的送给人,连最漂亮的一册精装本也送掉了。他苦笑说,手头这一本,是他买过的装帧最差的一本。

说李先生在中小学时用很多课余时间读书,不要以为他当时真的闭门不出。其实,好多活动他都积极参加,还担任过中学学生会的负责人。无怪乎李先生在谈及当前学生"减负"时,总是有满腹感慨了。

不时有记者访问李先生,问及他的经历,常提两个问题:第一,你为什么上大学念哲学系? 第二,你念哲学系,为什么又去研究甲骨文?

李先生说,第一个问题很好回答。他那时读过不少中西哲学书籍,对哲学和哲学界有一些了解。商务印书馆《大学丛书》中金岳霖先生的《逻辑》,特别是其中介绍数理逻辑的部分,对他非常有吸引力,于是就报考清华哲学系了,当年他以第一名被录取。

到清华报到时,有文学院一位教授在清华学堂接见谈话。教授翻阅他的成绩,问他:你的考分很不错(英语98分),为什么考哲学系? 他听了心中极不高兴,觉得是轻视哲学系了。但他坚持了自己的选择。

金先生有一次在课堂上说李学勤有哲学素质,李先生说自己当时很不好意思,不过他觉得这是他所受到的最大的夸奖。

第二个问题,李先生说很不容易说清。他很小时就听说过甲骨文,1949年前后在北京图书馆见到甲骨文的书。随后,他依靠北图,自己学通了这门学问。

李先生说,他特别喜欢那些看不懂的东西。有一次,他买来一本英国印的三面开金的皮面小书,是专为练习记忆用的,书中以打字键盘上的各种符号(如@、#等)代替英文26个字母。这样的小书他都珍爱了好几年。在他当时看来,甲骨文和数理逻辑是一样的,都是看不懂的东西。他正是凭这种"童心",学会了研究甲骨文。

李学勤先生研究甲骨,是从整理拼合 20 世纪 30 年代殷墟出土品入手的。由此,1952 年中国科学院考古研究所约他参加《殷墟文字缀合》的工作,这成了他在学术道路上的转折点。

二

《殷墟文字缀合》于 1955 年出版。20 世纪 50 年代,李学勤先生的主要研究兴趣是在甲骨学方面。那时正是殷墟甲骨分期讨论热烈的时候,针对董作宾先生的分期学说,陈梦家先生和日本的贝塚树、伊藤道治先生的论文提出了不同意见。在这样的氛围里,李先生也投入了分期的研究工作,写出了《评陈梦家殷墟卜辞综述》、《非王卜辞》等文章。1959 年出版的专著《殷代地理简论》,实际也与这一问题相关。分期问题成为李先生甲骨研究的主要内容,最近他在《学林春秋》中写了一篇《我和殷墟甲骨分期》,对此有较详细的叙述。

1956 年,他写了一篇《谈安阳小屯以外出土的有字甲骨》,文中指出山西洪洞坊堆发现的一片刻有文字的胛骨,是西周甲骨文,与殷墟卜辞有别,同时还考察了陕西张家坡的卜骨,推测其刻辞可能和易卦有关。并断言甲骨并非殷人的"特产",预料"非殷代的有字甲骨"将来会有更多的发现。这一论断随着以后全国许多地点发现的周代甲骨而得到证实,西周甲骨已成为甲骨学研究中的一部分。

这一时期,李先生还对战国文字、玺印、陶文、货币及简帛等作综合研究,写有《战国器物标年》、《战国题铭概述》等文章,从而使战国文字研究逐渐成为古文字的一个新的领域。

"文化大革命"以后,李先生将较多的精力投入到对青铜器及其铭文的研究上。他主张以经过考古发掘的青铜器为主要对象,对其形制、纹饰、铭文结合起来进行全面的分析。如《西周中期青铜器的重要标尺——周原庄白、张家两处青铜器窖藏的综合研究》一文,就是利用有标尺作用的青铜器窖藏,将青铜器各器之间互相联系,使之成为西周早中晚各期范畴的青铜器标准。李先生还认为,"不能以金文为限,有时没有铭文的青铜器反而更重要"。对青铜器的分期,李先生总结出"首先以发掘材料为依据,将器物依其形制、纹饰归纳若干组,再考定各组的绝对年代",这成为他对青铜器分期研究的主导思想。

1975 年前后,李学勤先生参加了国家文物局组织的新出土简牍帛书整理小组,对这些古代文献进行整理注释工作。经他拼复的有长沙马王堆汉墓帛书中的《五十二病方》、《养生方》、《杂疗方》等医书,以及几种"刑德"和"阴阳五行"等。整理了云梦睡虎地秦简、江陵张家山汉简,还先后参与了河北定县八角廊、安徽阜阳双古堆、大通上孙家寨等简牍的整理工作,并为许多报告、释文定稿,近来又对郭店楚简进行研究。

这些出土的大量而丰富的古代文献,对过去在疑古思潮影响下所认识的学术史面貌有较大的距离。李学勤先生根据众多的出土文献材料,对易学、尚书学、黄老之学,以及秦汉之际学术思想的流传等,提出许多精辟的见解。李先生还根据出土文献,对过去被疑为伪书的古籍进行了"平反",指出古代的书籍经过漫长的传承,古书的形成也往往经过了很长的过程,过去认为的伪书,其实应是与古书的整理情况有很大关系。他还特别对清

代以来的疑古思潮作出了反思,提出了"走出疑古时代"的主
张,在学术界引起极大的反响。

李学勤先生现为国家文物鉴定委员会委员,经常参加古代
文物的鉴定。他多次前往美国、加拿大、澳大利亚、日本、新加坡
及欧洲许多国家和地区访问讲学,考察了很多博物馆、美术馆、
大学,以至许多私人所收藏的中国文物。这些文物范围非常广
泛,包括了甲骨、青铜器、玉石器、漆器、铜镜、玺印、带钩、货币等。
对其中精美且有意义者,发表了大量的研究、鉴赏文章。这些论
文已汇聚成《四海寻珍》一书出版。对欧洲所藏的中国文物,李先
生与他人合作编著了《欧洲所藏青铜器遗珠》、《英国所藏甲骨
集》以及《瑞典斯德哥尔摩远东古物博物馆藏甲骨文字》。

李先生的学术成就,已为国内外学术界所关注。他的《东
周与秦代文明》一书,由海外著名学者张光直教授译成英文出
版;《古文字学初阶》,被译成日文和朝文发行;《比较考古学随
笔》,则先后发行了香港繁体字版和内地简体字版。

1996 年 5 月,李学勤先生被任命为国家列入"九五"期间重
大科研项目的"夏商周断代工程"的首席科学家、专家组组长。
他为此倾注了大量精力,从研究课题的制定、论证开始,到工程
的具体实施,再到目前的结题、验收工作,他都本着严谨的科学
态度,努力工作,对工程中的许多问题逐项研究,写出了几十篇
札记,已作为"夏商周断代工程"丛书之一——《夏商周年代学
札记》出版。

三

最近几年,李学勤先生还做了不少其他方面的工作。

他一直希望为母校清华做一点事,由于清华文科的重建,这个心愿得到机会实现。1992 年,清华建立了国际汉学研究所,他担任所长。"汉学"这一个词,英语是 Sinology,本义是关于中国历史、语言、文化等等的研究,无分中外;但在国内,习惯上专指外国人对中国的研究。李学勤先生认为,中国学术界有必要研究国际汉学的历史和现状,这种研究应该成为一门有现实意义的学科。

国际汉学研究所的工作,开始不为一些学者所理解,经过努力,逐渐得到各方面的支持。研究所没有自己的经费和编制,仍然出版了一系列专著和论文,翻译了若干本汉学著作。研究所还有集刊《清华汉学研究》,与泰国华侨崇圣大学、中山大学合办的《华学》,与法兰西远东学院等合办的《法国汉学》。这些工作促进了国际汉学的研究,如前些时《中华读书报》的文章就指出,国际汉学研究是"冷板凳坐热了"。

1998 年,李学勤先生撰文介绍了刚刚在英国出版的《光明之城》。这本书作者是意大利的犹太商人雅各·德安科纳,他在南宋末年航抵泉州,写下了比马可·波罗更早的中国游记。经李学勤先生提议,清华国际汉学研究所组织了《光明之城》的翻译。中译本于 1999 年 11 月出版,一时风行,听说最近即将重印。

李先生有一个看法,国际汉学的历史是广义的中国学术史的一部分,是外国人研究中国的历史,与中国人研究自己的历史有很多联系。因此,他提倡研究国际汉学,同他近年重视学术史的研究是一致的。

20 世纪五六十年代,李先生参加过侯外庐先生主编的《中国思想通史》的工作。近年他回到这一方面,特别强调学术史的研究,这是和他在新出土简帛书籍方面的探讨有关的。他对简帛书籍的研究,不限于考古学、古文字学的层面,更进一步去考察其学术思想的内涵。在他看来,由于大量简帛书籍的出现,不仅先秦秦汉学术史需要重写,汉代以下,宋、明、清代的学术史上很多基本问题也不得不重新考虑。这样,他提出了"重写学术史"。

李学勤先生又主张,在当前世纪之交的时刻,应该对学术史进行全面的回顾总结。这就不能限于古代,更要把重点放在近现代的学术史。各个学科都应回顾本身的发展,还应把各学科(不分文理)综合起来考察,写出系统的学术史。他觉得,兹事体大,如果不能一次编成比较完备的《学术史长编》,不妨先编一批学者的综合年谱,作为《学术史长编》的基础。

为了开展学术史的研究工作,李先生已培养指导了若干位博士、博士后,专门做这方面的课题,一部多卷本的《中国学术史》不久可以完成。他还在烟台大学建立了中国学术研究所,计划集中研究学术史。

李学勤先生投身于学术研究,已近五十年了。有人问他对自己过去的工作有什么看法,他说他已经选择了他所能选择的最好的道路,至于走得怎么样,只有由大家评说了。他还说,在年轻的时候,他曾对自己提出几项要求,要学习什么,研究什么,可是由于大家知道的原因,时光流逝,一些理想是无法实现了。他现在做的,有些只是想为别人开一个头,并不是他本人的能力所能及的。

(原载《社会科学战线》2000 年第 4 期)

开拓清史研究领域
推动清史事业发展

——戴逸教授学术传略

王 俊 义

戴逸教授是我国当代在海内外有重要影响的著名历史学家,尤其是对于有清一代的历史,无论是在以其个人的研究成果开拓研究领域方面;或者是以其声望与影响推动研究事业的发展而论,都建树丰硕,贡献卓著,实处于执牛耳的翘楚地位。

笔者从 20 世纪 50 年代中期起即为戴师之弟子,以后又承蒙其提携与厚爱,曾长期作为他的同事和助手,因不揣浅陋,草成此学术传略。

一、从江南少年俊彦到著名历史学教授

戴逸,原名戴秉衡,江苏省常熟市人,1926 年 9 月 10 日生。现为中国人民大学教授、清史研究所名誉所长,兼任北京市文史研究馆馆长、北京市社会科学联合会副主席、中华炎黄文化研究会副会长等职。一个人从幼年起生活于什么样的环境,其在少年、青年时代走过了一段怎样的学习和生活道路,乃至于逐渐形

成了什么性格、志趣、理想、爱好,对其日后人生道路的选择,有着重要影响。戴先生的故乡常熟,既是江南景色秀丽、物产丰腴的鱼米之乡,又是文化积累丰厚、人文荟萃之区。这里自古以来,便哺育了许多著名的政治家、文学家、诗人、画家和藏书家。如明清之际在桂林坚持抗清而壮烈殉国的名士瞿式耜、光绪皇帝之师翁同和,小说《孽海花》的作者曾朴,等等,都是常熟人。清代江南有名的藏书家铁琴铜剑楼瞿氏就是戴家的近邻。而且,在他的老师和亲友中,既有清朝的举人、秀才,也有南社诗人。戴逸先生在如此浓郁的历史文化氛围中,耳濡目染,自幼就对祖国的历史文化产生了浓厚的兴趣。他刚迈入小学门槛,就迷恋于阅读以历史故事为内容的连环图画,如《东周列国志》、《三国演义》、《说唐》、《西游记》、《水浒传》等等,都使他看得津津有味,爱不释手。这些历史连环图画,描绘的历史知识虽不见得准确,却唤起了其对历史的特殊兴趣和爱好。

戴逸进入中学后,随着年龄增长,对历史的爱好与日俱增,语文和历史是他最爱好的课程,除学校教读的课本外,还大量阅读课外文史读物。常熟市内的几家古籍书店,摆着各种线装书,也成了他经常光顾的地方。旧书店中没有座位,他就捧着书,站着阅读。什么"四书"、"五经"、"唐诗"、"宋词",他都贪婪地翻读。有时,他还把家中给的零用钱积攒起来,买些自己珍爱的廉价书。有次,买了部残缺的《昭明文选》,他如获至宝,便又设法借得完整的本子,于课余时间一字一句地抄写补齐。他一边抄写,一边装订,直至完整无缺。就这样,日积月累,到读高中时,自己竟拥有了一个小小的藏书室。有了自己的书,他在阅读时,就用红蓝色笔,浓圈密点,甚至练习标点断句。如同他在一篇自述中所说:"每当夜深人静,万籁俱寂,独坐小楼之上,青灯黄卷,咿唔讽诵,手握彤管,朱蓝粲然。"①正由于他在十几岁时,就对历代文史名著,下了如此刻苦攻读的工夫,所以,几十年后,仍能对许多文史名篇佳作,抑扬顿挫地背诵如流。

中学时代的戴逸,在贪婪地阅读各种史笈诗文名篇的同时,也不断练笔习作,他15岁起,便开始在当地报刊上发表自己的散文——《春》。此后,便一发而不可收,陆续在常熟、上海、天津、北京等地发表了散文、小说和短论,如《谈扇》、《爱山篇》、《送毕业同学序》、《巫师娘》、《高中国文课应该改革》等。他当时显露的才华,即为师友称道为"少年才子"。今天看来,确不愧是江南少年俊彦。

自幼酷爱文史的戴逸,于1944年高中毕业后,理应到名牌文科大学深造。但受社会和家庭影响,他迫于舆论压力,在同年违心考取了上海交通大学。但交大的课程设置,与其一向的志趣格格不入,他一心想念的仍是历史和文学,致使他深深彷徨与困惑。最终竟不顾家庭和亲友的劝阻,放弃了在交大已有两年的学历,于1946年转入北京大学史学系。

戴逸进入北京大学这座洋溢着民主、自由的学术殿堂后,真是夙愿以偿,如鱼得水。当时的北大,名师云集,胡适、贺麟、郑天挺、邓广铭、杨人楩、沈从文等文史哲大师,都曾为他授课。图书馆中那浩瀚的藏书,更令他如进宝山,目不暇接。他如饥似渴地读书,废寝忘食地学习,恨不得吞下全部知识,并立志献身于学术研究。然而,事与愿违,当时的国民党统治政治腐败,民不聊生,富有正义感的戴逸,对之深恶痛绝。此时解放战争的隆隆炮声,更把他从一心钻研学术的梦想中惊醒。他虽是爱读书,但

① 戴逸:《我选择了历史专业》,《书林》1982年第5期。

更爱祖国,关心国家、民族的前途和命运。因此,他不顾个人安危,奋身投入进步学生运动,并成为北大学生会的负责人之一,在白色恐怖中,同国民党反动派开展了英勇斗争。他的革命行动,很快被国民党反动派察觉,即将其列入黑名单,发出通缉令。因此,他不得不割弃心爱的学业,离开北大,通过封锁线,毅然奔向解放区,进入设在河北省正定县的华北大学一部学习,后留校在著名的中共党史专家胡华教授领导的中国革命史组工作。

1949年他又随华北大学进入解放后的北京,满怀喜悦之情迎来新中国的诞生。从1950年中国人民大学成立至今,他一直在该校从事教学与研究。曾先后在中国革命史教研室、中国历史教研室、党史系、历史系、清史研究所工作。在长达半个世纪之久的教学与研究生涯中,他辛勤耕耘,勤奋治学,著书立说,教书育人,淡泊名利,不求闻达,以献身学术的执著追求,将全部心思精力倾注于历史学科的教学与研究。由于其教学和科研成绩突出,1955年尚未进入而立之年,即被评为副教授。1959年参加了全国群英会。1961年被评为全国文教战线先进工作者。同时,从1961年起,便担任中国人民大学历史系副主任兼中国历史教研室主任。"文化大革命"期间,他曾以莫须有的罪名横遭批判。1978年,在"文化大革命"中被解散的中国人民大学重新复校,并成立了清史研究所,他迅即担任副所长、所长。1982年任国务院学科评议组成员,博士研究生导师。1986年被评为全国教育系统劳动模范,获"人民教师"光荣称号,1988年任第七届全国人民代表大会的代表,1992年任国务院古籍整理小组成员。

由于戴先生在历史学学科领域,成就卓著,贡献卓越,且道德风范也为人钦敬。故在史学界深孚众望。曾历任北京市历史学会第四届、第五届会长。自 1988 年起，又任中国史学会第四届、第五届会长。他还曾先后到越南、日本、美国、德国、苏联、澳大利亚、加拿大及中国香港、台湾地区访问讲学。1995 年、2000 年又两次率中国历史学家代表团出席国际历史科学大会，促进中外学术交流，推动中国历史学界进一步走向世界。

戴逸走上治史道路的半个多世纪以来，历尽甘苦，终于成为著述等身、桃李满天下、享有国际声望的历史学大家。从一个江南少年俊彦，到北大的进步学生，到著名历史学教授，就是他所经历的人生道路的轨迹。

二、循着"逆向回溯"的路径研治清史

戴逸作为一个历史学家特别是作为清史专家，他的学术生涯并非直接从研究清史开始，而是循着"逆向回溯"的路径步步推进，如同他在《我的学术生涯》一文中所述："但我的治学，沿着'逆向回溯'的路径进行，即由近而远，由今至古。最初我从事党史和革命史研究，稍后研究中国近代史，一步步往前推移回溯。"①

一个学者在选择自己的研究方向时，固然出发于自己的志趣和爱好；同时，又不得不根据工作的需要而服从组织的安排。戴逸的学术生涯是从 1948 年离开北京大学史学系开始的，当

---

① 戴逸：《我的学术生涯》，《当代学者自选文库·戴逸卷》，安徽教育出版社 1997 年版，第 1 页。

时,他割弃心爱的北大历史学专业,跑到解放区——河北正定华北大学。在"华大"这座革命的熔炉中经过一段时期的学习,在分配工作时,他填写的志愿是"历史研究",而后却被分配到该校一部政治研究室革命史组,在著名的党史专家胡华教授领导下工作。在此过程中,他学习到许多革命史知识,阅读了大量珍贵的中国共产党的历史文献,同时也协助胡华教授收集资料,进行党史、革命史有关问题的研究。直到1949年回到北京,在华北大学基础上成立了中国人民大学。他依然在胡华领导下,继续从事中国革命史的教学与研究。中国革命史是一门政治性、思想性、理论性很强的事业。根据教学和研究工作的需要,此间,他系统地、废寝忘食地攻读了大量马列主义经典著作,所用的时间几乎超过从事革命史专业的时间。由此奠定了他深厚的马列主义理论功底,并养成经常坚持阅读马列经典著作的习惯;从而树立了唯物史观,坚信马克思主义是指导历史研究的科学理论,只有用这一科学理论来指导历史研究,才能透过历史的表面现象探索其深层本质、揭示历史发展的规律。自觉地运用马克思主义这把锐利的解剖刀去分析和研究历史,这也是戴逸长期从事历史研究的突出特色。在认真学习阅读马克思主义理论的同时,戴逸还以旺盛的精力,着重于中国革命史的科学研究。当时,曾以王金穆的笔名于1951年撰写并出版了《中国抗战史演义》一书,这是他的处女作,却一版再版,销行甚广。为了配合解放之初全国范围掀起的学党史、革命史的热潮,他还与彦奇一起协助胡华主编了《新民主主义革命史参考资料》,此书经胡乔木同志审定,由商务印书馆出版,畅销几十万册,所得稿酬极为丰厚。是时,正值抗美援朝,他与胡华、彦奇爱国热情高涨,三人联名以所得稿酬,与别人一起购买了一架飞机,捐献给前线的志愿军战士。① 戴逸等人的这一义举,使我想到优秀的历史学家,必须站在时代前列,有充沛的爱国主义激情,而戴逸在初入史学战线时,便努力使自己具备这样优秀的情操和品格。

1952年,戴逸所在的中国人民大学革命史教研室一分为二,原来的历史组单独成了中国历史教研室,因缺少中国近代史的教师,戴逸又被调到该教研室承担中国近代史的教学工作。本来,中国近代史的教学任务由著名的老一辈历史学家尹达教授承担,但他这时却调离了人民大学,他的此项教学任务不得不落在年轻的戴逸肩上。从此,他先后担任几届研究生班的导师,主讲中国近代史。那时,中国近代史所研究才刚刚起步,尚未有一本完整的马克思主义的近代史著作(只有范文澜同志的尚未写完的近代史),更没有一本适用的教材,浩如烟海的资料也还未及整理,一切都必须从头做起。为此,戴逸不得不精心备课,常常是夜以继日,通宵达旦地忘我工作。皇天不负有心人,经过刻苦努力,戴逸的授课终以精辟的见解、严密的逻辑、生动的语言、丰富的史料,受到所有学生的欢迎。我1956年进入人民大学历史系学习时,正好有幸听戴老师讲授中国近代史,他当年讲课时声情并茂的风采仪形,至今仍嵌印在我的脑海深处。戴逸通过几年教学实践,对整个近代史的全过程了然于胸,形成了较系统的看法,且积累了一些新的观点,深感这一领域的研究亟待开辟,于是决定要写一部多卷本的中国近代史。因从1956年起,经过两年时间的潜心研究和写作,其《中国近代史稿》第一

---

① 戴逸:《与胡华同志相处的岁月》,《语冰集》,广西人民出版社1999年版,第215—216页。

卷由人民出版社于1958年出版。此书以其新颖的论点、严谨的结构、缜密的论证、丰富的史料，及其清新的文采等独具的特色，在学术界引起强烈反响，受到史学界和读者的高度评价，作者也由此声誉鹊起，成为国内知名的青年历史学家，并奠定了他在史坛应有的地位。《中国近代史稿》第一卷完成后，在担负繁重教学任务的同时，又着手第二部的编著。不过，从1957年以后，频繁的政治运动接连不断，同时，他又先后担任大量行政领导工作，个人用于研究写作的时间日益减少，直到1964年才完成第二卷的写作，打出征求意见稿后，尚未及修订出版，便不得不下乡参加"四清"运动。不久，又爆发了史无前例的"文化大革命"。在祸国殃民的"文化大革命"中，他也因曾撰写过《论清官》及《〈海瑞罢官〉代表了一种什么社会思潮》，被诬陷为是吴晗的同调，而遭无情打击。随之，又被下放五七干校劳动。这近十年的宝贵光阴，正值戴逸四十多岁，乃精力充沛、思想成熟的黄金时代，本可更多地从事学术研究，却不得不与书本绝缘，中断了研究工作，实在是时代的厄运、历史的悲剧。戴逸所在的中国人民大学在"文化大革命"中也一度被迫停办，直到1978年在郭影秋校长等人的努力奔波下，才得以重新复校，并成立了清史研究所。他本人在回顾自己的治学道路时说："清史是我毕生研究的专业范围。我前半生研究中国近代史，属于晚清时期。后半生研究鸦片战争以前的清史，属于清前期和中期。"如前所述，戴逸在研究中国近代史之前，还曾研究过党史、中国革命史。也正是我们在前文所说的，戴逸是循着"逆向回溯"的路径，即从研治党史、中国革命史、中国近代史的研究走向，最后落脚于研究清史的。

从表面上看，戴逸以研究清史作为自己毕生的专业研究范围,但是未能一开始就从直接研究清史入手,似乎是走了一大段迂回的路,有些事倍功半。实则不然,事实上他沿着"逆向回溯"之路,经过对党史、革命史、近代史的研究,对最后转入整个清史的研究却大有裨益。因为他通过党史、革命史的研究,曾系统而认真地攻读了马克思主义经典著作,既奠定了深厚的理论功底,又大大提高了理论思维能力。同时,对党的历史及其思想、路线、方针、政策,也有了深刻的认识和了解。正如戴逸自己所说:"对现实知道更多,对历史会理解得更深。"①至于他从事过的中国近代史——包括鸦片战争之后道光、咸丰、同治、光绪、宣统等朝的历史研究,亦即晚清史研究,正是清史的组成部分,只不过是一段时期内,史学界把中国近代史与鸦片战争之前清前期、清中期的历史有所割裂。事实上清代历史进入晚清之后,沦入半殖民地半封建社会,愈来愈衰败和腐朽,并非偶然,许多问题都可以从清前期、清中期的历史中找到根源。晚清史正是清前期、清中期历史的延续和发展。戴逸通过对近代史亦即晚清史的教学与研究,恰恰得以更清楚地了解清代历史的来龙和去脉。他之所以能成为一代清史名家,对清史的研究博大精深,主要就在能自觉的以唯物史观为指导,运用自如的做到史论结合,他的一系列清史论著常能独辟蹊径,发人之所未发,思人之所未思,正得力于他扎实的国学基础和深厚的理论功底,及其对时代精神的把握,并体现在自己的研究之中,而这些却正和他"逆向回溯"的治史路径有关。

---

① 戴逸:《我的学术生涯》,《当代学者自选文库·戴逸卷》,安徽教育出版社 1997 年版,第 6 页。

三、令人瞩目的学术成就与治学特点

戴逸从事历史研究特别是清史研究工作的半个多世纪以来,著述丰硕,据不完全统计,截至目前,已公开发表出版的研究成果达五百多万言,其主编的各种图书更是以数千万言计。作为新中国有代表性的历史学家,其学术成就与研究成果,既反映了鲜明的时代特征,又有显著的个人特色,这里只着重介绍他在清史领域的成就。

谈到戴逸在清史领域取得的成就,有必要对其之前清史研究的历史状况稍作回顾。从 1644 年顺治朝建国到 1912 年宣统帝被辛亥革命推翻,这 268 年的历史构成清朝断代史。作为中国最后一个封建王朝的清代史,在中国历史上具有重要地位和影响,它承上启下,既是中国古代封建社会的集大成和终结时期,又是中国近代社会的开端。处于历史转折点上,和当代中国社会有密切联系。当代中国的政治、经济、文化、军事、外交、民族关系等方面的问题,大都是由清朝演化、延伸而来。要了解当代中国的国情,就离不开对清朝历史的深刻把握和科学分析。因而,研究清史有重要的历史意义和强烈的现实意义。然而,长时期以来对于清史的研究却十分薄弱。清朝灭亡之前,虽然也建有国史馆,并编纂了如《实录》、《圣训》、《方略》、《会典》之类的文献。其中陈述了某些历史事件的过程,记录了各种典章制度的轮廓和细节,收集整理了不少政府档案,为后人对清史研究提供了些依据和史料。但是,在封建专制主义之下,对本朝的历史整理只能是歌功颂德,不可能进行客观的研究。清朝灭亡后,北洋政府又曾开设清史馆,编纂了 536 卷的《清史稿》,这可谓是一部较为详备的大型清史之作,它按照纪、传、表、志的史书体例记叙了清代的人物、史实、典章制度、艺文,也网罗了大量史料。但是,由清朝遗老领衔编纂的《清史稿》完全是站在清王朝的立场上,粉饰清朝的统治,充斥着歌功颂德的话语,对于资产阶级革命和农民起义都极尽诋毁诽谤之能事,思想观点极其陈腐。另外,在编纂方法、史料考订等方面也有不少错乱和讹误。因此,虽是研究清史不可或缺的史籍,但绝非是一部科学的清史著作。继《清史稿》之后,由于保存在清宫中的大量档案流传于社会,且被一些研究机构和有心的学者做了些初步的编辑整理。此时,有少数严肃的学者如孟森等,对清史又进行了开拓性的研究,留下了《明清史讲义》、《明元清系通纪》等。这些著述对清前史和清史中的主要历史事件、人物、典制进行了深入的研究和考证,为清史研究做了许多奠基性的工作,反映了作者在其所处时代所能达到的水平。还有萧一山的《清代通史》,摆脱了封建时代纪、传、表、志的传统修史体例,以当代新式的通史体裁,对有清一代的历史进行了系统的研究和评述,对清史学科的建设起了推动作用,功不可没。在此前后,还有梁启超、钱穆,都撰写了《中国近三百年学术史》,集中而全面地论述了清代的学术思想,成为后人研究清代学术的圭臬之作。但这些学者与著述,因受时代条件的限制和个人的局限,尚未能以唯物史观作指导,大量的宫中档案也未能充分利用,在研究范围方面也比较偏窄,或限在某一领域,与建立科学的清史体系尚相距甚远。

继而,又有郑天挺、王锺翰、杨向奎、商鸿逵诸先生,致力于清史、满族史及清代学术的研究,他们都是清史学界的前辈。同时,他们也都是处于新旧时代转折过程中的学者,其学术活动,从解放之前持续到新中国成立之后,其研究成果,既有扎实的传统史学功底,又不同程度接受和运用了唯物史观,在各自的研究领域都卓有成就和贡献,尤其是王锺翰先生直到目前仍老当益壮,在清史、民族史研究领域辛勤耕耘,论著丰厚,影响重大。这些清史界前辈的贡献和成就,都嘉惠后学,为今天的清史研究起着先驱的作用。但平心而论,上述诸前辈的学术成就也多反映在清史有关的某些领域,如政治史、经济史、民族史、思想史等,或属某些专题,及一些重要人物、事件与典制方面。而且以个人之力,我们也不能苛求这些前辈构建成全面、系统完整的清史体系,更不可能完成以唯物史观为指导,能反映时代精神和面貌的大型清史。

戴逸与上述诸位清史学界前辈不同的是,他生也晚,所处时代不同,其正式走上治史道路时,既能充分吸收这些前辈的学术成果,又能沐浴时代精神,学习和掌握马列主义唯物史观。同时,还能利用大批经过整理出版的各种新的史料。这些得天独厚的主客观条件,使他的学术研究成果与学术成就,有可能在前人基础上大大向前推进,这也符合学术的发展规律。

戴逸的主要学术研究成果,除前述 1958 年出版的《中国近代史稿》第一卷外,在其转入清前期历史研究后,又一部力作则是《一六八九年的中俄尼布楚条约》,撰写这部著作时,适值中苏珍宝岛事件之后。当时,中苏两国正在举行边界谈判,有关方面希望历史学界能对边界问题进行研究,以供谈判时作为历史依据。戴逸以饱满的政治热情,接受了研究《尼布楚条约》并撰写相关著作的任务。这一课题显然有很强的政治性,但他在研究写作过程中,尽可能的以科学的态度,保持冷静客观的立场,力求从学术研究的角度弄清中俄东段边境的沿革,既利用了当时苏联方面公布的档案资料,包括俄方使臣戈洛文的日记,也利用了我国翻译的在中俄谈判中充当译员的外国传教士张诚、徐日昇的日记,又从故宫中查找到有关尼布楚谈判时的满文奏折。同时,还查阅了北京图书馆珍藏的有关善本书籍。终于以四年时间,真实而详细地论述了尼布楚条约签订的背景、谈判的情况、条约的文本和争议的问题等,写成《一六八九的中俄尼布楚条约》(人民出版社 1977 年出版),书中以有说服力的论据,清楚考证了许多与边界有关的重大问题,披露了许多以往史书中从未记载的、也鲜为人知的历史细节,澄清了中苏边界上一些有争议的问题,为我国外交部在中苏谈判与交涉方面提供了有力的历史依据。这无疑是清史研究中开拓研究领域,填补研究空白的重要著作。

1978 年中国人民大学复校,清史研究所也正式成立,该研究所的任务和长远目标是编写大型清史。戴逸考虑到大型清史的编写有待各方面条件的准备和积累。鉴于当时社会上尚无一部系统、完整而篇幅适中的清史著作,他建议先编写一部简明扼要的清史,以清理清代近三百年的发展线索,探讨其中的重要问题,一方面满足社会上学习与研究清史的需要,同时又能培养和组织清史研究队伍。因由他领衔主编,并组织当时清史研究所的有生力量,着手《简明清史》的编写。在此过程中,他以 7 年的时间和精力,阅读了大量历史资料,冥思苦想,考虑和研究了清史涉及的很多问题,而后对参加编写人员提供的初稿,逐章、逐节、逐句、逐字进行了改定,甚或完全重新写作,而编著成《简明清史》第一册、第二册,于 1980 年、1984 年先后由人民出版社出版。《简明清史》在前人研究的基础上,特别是吸收了 20 世纪 70 年代末至 80 年代初的清史研究成果,以简洁明快的语言、丰富典型的史料、较为广阔的视野,构建了清史体系,成为国内第一部以马克思主义唯物史观为指导,比较系统、全面研究鸦片战争以前的清代历史专著。该书出版后,被国家教委指定为大学文科教材,还先后被评为国家教委的全国优秀教材,并荣获北京市第一届哲学社会科学优秀成果一等奖、吴玉章优秀教材奖,且多次重印,至今已累计印刷多达八九万册,在国内外学界产生了广泛影响。《简明清史》作为戴逸研究清史的主要代表作之一,对于促进清史学科的建设和发展,对于推动和开拓清史的教学与研究起了很好的作用。

继《简明清史》之后,戴逸以饱满的精力,笔耕不辍,又先后组织主编了列入全国重点规划的清史项目,如国家“六五”规划项目《中国历史大辞典·清史卷》、《中国大百科全书·历史卷》清史部分,以及《清代人物传稿》下编等大型史书。还精心组织策划了列入“七五”和“八五”规划项目的《清代中国边疆开发研究》、《十八世纪的中国与世界》。这些项目,都以新的视野,从历史与现实相结合的角度开拓了研究领域,体现了史学研究为社会主义现代化建设服务的方向。在研究这两大课题的过程中,他深深感到人物与时代有密切的联系,时代创造了人物,为人物提供了活动舞台,而杰出人物又以自己的思想和行动,反映了时代的特色,执行了时代的要求,完成了时代赋予的使命。由此,他又对乾隆产生了浓厚的兴趣,经过精心研究,从时代特点与个人思想、性格、作为相结合的角度,撰写出版了《乾隆帝及其时代》一书。这部著作有别于学术界已有的关于乾隆的传记类的图书,有自己独具的魅力和特色。

这里还有必要着重评述戴逸主编的《十八世纪的中国与世界》研究丛书及其亲自撰写的其中的《导言》卷,该研究丛书共分9卷,计有《导言》、《政治》、《军事》、《边疆民族》、《经济》、《农民》、《社会》、《思想与文化》、《对外关系》。戴先生曾在一篇论文中说:"为什么要研究18世纪的中国与世界",这是因为"18世纪对中国和世界都是十分重要的时代,甚至可以说是人类历史的分水岭,人类社会从农业文明开始走向工业文明,从此世界发生了天翻地覆的变化,这时西欧和美国等都先后从农业社会向工业化跃进,开始了近代化进程",①而当时的中国又如何呢?戴先生曾具体分析说:18世纪的中国正处在清朝的康乾盛世,社会安定,经济繁荣,文化昌盛,多民族国家的统一得到加强。但与进入资本主义社会的西方世界作横向比较,却一个是资本主义的青春,一个是封建主义的迟暮。当时的康乾盛世,貌似太平和辉煌,实则却正在走向衰世的凄凉。近代中国落后于西方,实际上在18世纪已埋下祸根并露出征兆。有感于18世纪对中国与世界有如此重要的意义,如何从对18世纪的中国与世界进行对比研究中,深刻认识当时中国的国情,分析当时清朝统治者决策的得与失,从中总结历史经验与教训,当有重要的历史意义和现实意义。在此认识基础上,戴先生又提出:"研究18世纪的中国与世界,就是要把中国和世界连成一体,改变中国史和世界史分割和孤立的研究习惯,中国是世界的一部分,只有把中国放在世界坐标系中去考察,才能给中国正确定位,而世界又必须包括中国这样一个巨大的有机组成部分,如果离开中国,世界史不是完全真正的世界史。"②而要将中国放在世界坐标系中去研究,就要对中国和世界各国特别是西方世界进行比较研究,

---

① 戴逸:《18世纪的中国与世界》,载《人民日报》1995年9月20日。
② 同上。

既要看到"18世纪中西方国家的共同性,"又要找出"18世纪中西方国家的差异"。① 只有这样才能会通中西,科学地总结历史的经验与教训。根据上述立意和方法,戴先生对18世纪的中国历史展开全景式的论述,并立足于中国,与世界上其他国家在可比性方面进行比较。戴先生又将此一研究丛书设计了《导言》卷作为丛书的纲要,又按照政治、军事、边疆民族、经济、农民、社会、思想文化、对外关系等范畴,各自独立成卷,对18世纪的中国作出比较客观的、综合的历史分析。戴先生本人撰写的《导言》卷,以阐明18世纪是世界历史的分水岭为开篇,又从中西各国对比的角度,简明扼要的论述了近代化问题,农业、手工业、市场、经济区域、阶级、城市、政治、军事、边疆、思想文化、科学技术、对外关系等各个方面。该卷主旨鲜明,史论结合,既有丰富的典型史料,又有思想性和理论色彩,确然是大家手笔。应该说,戴先生主编的《18世纪的中国与世界》及其亲自撰写的《导言》卷又是一部开拓清史研究领域的鸿篇巨制,迅速得到国内外学术界的高度评价。国际18世纪研究会主席、德国著名学者约翰·施洛巴赫,在为该书写的《序言》中指出:"这是一件有里程碑意义的事情","这部著作定将为这个时期的研究奠定基础,并开创对其特征的充分探讨"。② 国内一些历史学家也纷纷肯定性地指出,该书"选择了18世纪的中国与世界作为研究对象,焦点定在18世纪的中国,但又不限于中国,而是把中国放在世界历史的背景下,与西方各国从各方面进行比较研究,这就不

---

① 戴逸:《18世纪的中国与世界》,载《人民日报》1995年9月20日。
② 约翰·施洛巴赫:《18世纪的中国与世界·序言》,上海出版社1999年版,第1—2页。

仅在史书的体例和研究方法上有所创新,更重要的是经过对 18
世纪的中国与世界各国比较研究,破解了近代中国为什么落后
于西方这一巨大的历史课题",因而本书"有助于了解当代中国
诸多现实问题的来龙去脉,加深对当代中国国情的认识和了解,
并为探索中国走向现代化的道路提供坚实的历史理论依据"。①
足见《18 世纪的中国与世界》的学术价值和影响。

除上面介绍的戴逸的重要代表作之外,他已出版的著作还
有《履霜集》、《步入近代的历程》、《繁露集》、《语冰集》、《当代
学者自选文库·戴逸卷》等论文集、随笔集,其中包括了大量清
史方面的专题论文。如《闭关政策的历史教训》、《汉学探析》、
《清代的封建土地占有形式》、《乾隆初政和"宽严相济"的统治
方针》、《乾隆朝北京的城市建设》、《中国的〈四库全书〉和法国
的〈百科全书〉》、《中国民族边疆史研究》、《乾隆金川战争中的
天时、地势和人心》、《乾嘉史学大师钱大昕》等等。从戴逸的各
种清史专著,再到其一系列各方面的清史论文,反映了戴逸对清
代的政治、经济、军事、文化,边疆、民族、对外关系等各个领域,
均有精湛研究,其对清史全面地、系统地把握,确无人能望其项
背。在戴逸的多本论集中,也有不少他对有关清史论著撰写的
序跋与评介。此外,他还主编了不少有价值的大型史书和工具
书,其中重要的还有《二十六史大辞典》、《中国近代史通鉴》、
《清通鉴》(与李文海共同主编)、彩图本《中国通史》(与龚书铎
共同主编),后两种前不久还被评定为中国图书界的最高奖
项——中国国家图书奖。

---

① 李文海、龚书铎、张岂之等:《专家简评〈18 世纪的中国与世界〉》,《清
史研究》2000 年第 1 期。

　　戴逸治学的主要特点是：一贯坚持以马克思主义唯物史观为指导，思想敏锐，长于理论分析，且具有鲜明的时代感，重视史学研究的社会功能；体现了史与论相结合，宏观研究与微观分析相结合，他的著作既有丰富的史料，又有精辟的理论阐发；既有广阔的视野，又有微观的具体考证；富于文采，语言清新活泼，优美流畅，可读性强。我国古代史论家认为一个优秀的史家，应具备史学、史识、史才、史德四长，戴逸则继承和发扬了我国古代的优良史学传统，说他是当代具备史学、史识、史才、史德四长的一位优秀历史学家，确非溢美之词。

四、推动清史研究事业，呼吁编写大型清史

　　戴逸对历史学特别是清史的贡献，一方面体现在以极大的学术勇气，开拓清史研究领域，接连不断地推出具有开拓创新性的论著，并组织了一系列具有重大价值的研究课题，同时又主编了一些列入国家重点规划的清史项目。另一方面又反映在他为推动清史研究的发展做了大量有益的工作，为组织清史研究队伍，建立清史研究机构，培养提携清史研究的新生力量，并一再呼吁编修大型清史等方面。

　　近三十年来戴逸为推动清史研究事业，可谓殚精竭虑，不遗余力，由于他德高望重，曾连任过北京市历史学会、中国史学会会长等学术领导职务，经常出席国内外重要的学术会议，能在各种场合，利用各种机会，大讲清史研究的重要意义，清史的重要地位和影响，清史研究的现状和前景，清史研究的方法，以及如何搜集整理和使用清人文集、宫廷档案等。他也在清史有关的各种专题学术会上发表对清史上的历史人物、事件等问题

上的看法和见解,大多能以渊博的学识、精辟的见解,给人以启迪,使各方面对清史研究引起关注,把清史的学术讨论不断引向深入。

为使清史研究有稳定的基地,有一支固定的研究队伍,在各有关领导方面的支持下,在中国人民大学建立了清史研究所,他积极参加筹建,并长期担任该所领导,至今仍任名誉所长,又始终是该所名副其实的学术带头人。他为全所确定研究方向,制定研究规划,确立研究项目,指导和培养青年教师和研究生。经过近三十年的苦心经营,清史研究所已成为国内外有影响的,也是全国规模最大的清史研究基地,既出成果,又出人才。他在提携和培养清史研究新生力量方面也循循善诱,呕心沥血,早在 20 世纪 50 年代初,他就培养了不少中国近代史——晚清史的研究生。进入改革开放的新时期之后,作为国务院学位委员会于 1982 年评定的首批博士研究生导师,已先后培养了国内外的四十多位硕士、博士研究生。这些青年学子经过戴先生的培养大都已成为清史学界的新秀,有些人都已晋升为教授和博士研究生导师,成为清史研究的骨干和中坚,使清史研究后继有人。

为推动清史研究,提携和鼓励后进,他还为不少中青年清史研究工作者出版的清史论著撰写序言,这些文章多收录在其几部论文集、随笔集中。令人钦敬的是这些序言并非是应景式的抽象溢美之词,而常常是结合该书的研究范围和内容,既评论该书的长短优缺,又阐发他个人对有关问题的见解,如其为孔祥吉的《康有为变法奏议研究》一书所写的《中国近代史研究如何深入》,为朱雍的《不愿打开的中国大门》一书所写的《失去的历史机遇》、为张玉兴编选的《清代东北流人诗选注》所写的《龙庭亦是豪游地海月边霜未觉愁》、为柯愈春的《清集簿录》所写的《开启清代诗文集宝藏的钥匙》等序言,其本身就是与各书研究范围相关而阐发了深刻见解的论文。

戴逸对清史研究事业的推动,更突出的还表现在他多年来一再呼吁要重视和着手对大型清史的编纂,且已为此做了大量扎实的工作,早在清史研究所成立之初,他就呼吁"把大型清史的编写任务提到日程上来"。① 他当时还提出了编写大型清史的规划与设想,主张这部史书可以包括以下几部分:(1)清代通史;(2)清代人物传;(3)清史编年;(4)清代专史;(5)清史图表;(6)清史书目。另有两个附录:南明纪和太平天国纪。虽然由于各种原因,上述规划尚未能实现。但他领导下的中国人民大学清史研究所,则对规划中的某些部分做了不少工作,且已产生了一批可喜的研究成果,如 12 卷本的《清史编年》、多卷本的《清代人物传稿》等。国内有关清史研究单位的一些学者,还编写出版了 10 卷本的《清史全史》。再者全国各地的清史学者,还撰写出版了清史各领域的专史、专题论著、人物传记,及各种文献、档案、资料汇编,都为大型清史编修积累了许多研究成果。最近,他又再一次呼吁"纂修《清史》此其时矣"! 鉴于近年来清史学界的发展,他认为现在修清史,同二十年前、同解放初期情况大不一样,学术条件和经济条件都已逐步成熟了,国家强盛,盛世修典是我国历史上的传统,而修清史,就是一代盛典,对清朝近三百年的历史进行总结,传之后世,应是我们这一代人的责任。而且,现在学术条件也比较成熟了,经过二三十年的积累已出了许多成果和史料,许多档案也进行了整理、特别是已出版了

---

① 《清史研究通讯》1982 年第 1 期。

好几部清史通史方面的著作,涉及了各方面的问题。因此,编修清史,已是时机适宜,不要错过。他还建议这项工作,必须有连续的工作班子,如成立清史馆,组成清史编委会,而且清史编委会最好由一位副总理来挂帅,有了强有力的领导,再有一定的编制、规划及运作经费,大型清史的编写就可提上日程,进入实际操作。①

戴逸之所以再三呼吁编修大型清史,一方面是为了继承和发扬我国"易代修史"的传统,基于学术文化事业发展的需要,出于一个清史研究工作者的强烈事业心和责任感;另一方面也是为了早日实现我们党和国家老一辈领导编纂清史的夙愿。新中国成立不久,董必武同志就曾向中央建议要修两本书,一本是修中共党史,一本是修清史。到1959年周恩来总理曾找明史专家吴晗谈修清史的问题,并委托他考虑怎样纂修清史。为此,吴晗当时确也提出过编纂清史的设想,如建立常设机构,集聚和培养研究队伍,搜罗资料,整理和翻译满文档案与外文资料,甚至连史馆的建址、内部编制等,都提出过具体设想。吴晗还把这些设想向戴逸详细交谈过,一则征询意见,二则也希望他能担负起培养清史人才的工作。② 但由于随后来临的三年困难时期,这些计划和设想不得不暂时搁置。到了1965年10月,周总理指示中宣部筹划清史的编纂工作。为此,中宣部于当年召开了部长会议,专门讨论了修清史的问题,会议决定成立编纂委员会。委员有7人:郭影秋、关山复、尹达、刘大年、佟冬、刘导生、戴逸。

---

① 李梦超采访整理,戴逸谈《纂修〈清史〉此其时也》《瞭望周刊》2001年第8期。

② 参见戴逸:《吴晗同志和我谈清史编纂》,《繁露集》,中国社会科学出版社1997年版,第242页。

同时,又委托中国人民大学成立清史研究所。为贯彻这次会议精神,中国人民大学的校领导很快向戴逸传达了会议决定,并责成他考虑和制订成立清史研究所及编纂清史的方案。① 可见,有关领导是想要戴逸实际上具体负责清史编纂的有关学术事宜。戴逸与上述清史编纂委员会中那些德高望重的领导及前辈史学家相比,他当时还没有进入不惑之年,是其中最年轻的一位,但也已是中青年史学家。这既反映了领导对他的重视和寄予的厚望,也说明他确已具有学术上的实力。不过,好事多磨,中宣部有关编修清史的决定,很快便被此后不久爆发的"文化大革命"的狂风暴雨所淹没。后来,在中国人民大学老校长、明清史专家郭影秋的关注建议下,才于1972年、1978年又相继成立了清史研究小组、清史研究所,戴逸也才得以参与清史所的筹建,并全身心地投入清史研究工作。到20世纪70年代末,重新复出工作的邓小平同志,曾批复了一封建议国家修清史的人民来信,并转给中国社会科学院,当时任社会科学部副主任的刘导生同志曾向戴逸传达了邓小平同志的批复,说明邓小平同志对编修清史也十分重视。

党和国家老一辈领导人十分关注和重视清史的编纂,有关方面也对戴逸寄予厚望,加之,与他本人的研究志趣又十分吻合。他十分热爱清史研究,以研究清史作为自己的终生职志,几十年如一日,脚踏实地、辛勤耕耘,终于成为新时期清史研究的杰出代表人物。而今,戴逸先生虽已满头银发,七旬有五,仍老当益壮,雄心不已,为清史事业而昼夜操劳。最近,他又承担了

---

① 戴逸:《悼念郭影秋同志》,《繁露集》,中国社会科学出版社1997年版,第237页。

国家"九五"规划项目——"中国近代西部开发史"的课题研究。我们祝戴逸先生永葆学术青春,并为他一再呼吁的大型清史的编修作出更大贡献。

（原载《社会科学战线》2001年第3期）

学 者 之 路

——商鸿逵教授传略

习 之

1983 年 11 月 10 日凌晨,我国著名的明清史专家商鸿逵教授,因脑溢血突发,不幸去世。噩耗传出,数以百计的唁电、唁函从国内外纷纷发到北京大学历史系,发到商鸿逵教授家中。

因为事发太突然了,许多人都不能相信,这位步履轻健、精神矍铄的老人就这样匆匆离去。中国人民大学清史研究所得知消息后,专门派了两位同志到商老家中探看是否属实;厦门大学历史系收到讣告后,前往邮局发拍唁电的同志在路上又犹豫了,他无法相信这个令人悲痛的消息,决定先写信询问一下;辽宁省社科院的同志们更清楚地记得,就在一个月前,商先生还曾同他们一起健步登上了清北陵 108 级台阶。……他们怎能相信,从此再也看不到这位平易近人的老学者那神采奕奕的目光,听不到他在学术讨论会上的侃侃谈话,得不到他那循循善诱的教诲。

但这一切都是千真万确的事实。

当商鸿逵教授的助手和研究生们走进那间简朴的书房帮助清理遗物时,书房里除去几架与明清史研究有关的书籍和少许旧衣物外,书桌上和书柜里堆满了大批文稿。这就是商先生留下的最珍贵的遗产。他用自身的言行给学生们树立了治学和为人的楷模。人们仿佛看到,商先生那消瘦的身影依然在书架前翻看着书籍,依然在书案前撰写着论著,准备着讲课提纲。……他就像一头老牛,在辛勤的耕耘中默默地结束了自己的一生。

一、血气方刚

1907 年 1 月 23 日(清光绪三十二年腊月初九),保定府"马号"市场"华记"鞋店中出生了一个男孩。这给严冬中的小店增添了无限的喜悦和温暖。鞋匠出身的父亲盼望这孩子长大成人继承家业,把店铺生意做好,母亲则一心希望儿子将来能够做官。

不管是做买卖也罢,当官也罢,书总是要读的。9 岁那年,祖父揪着辫子把这孩子送到私塾中,由先生起了个大名叫商鸿逵,并且起了个号叫"子上"。

幼年的商鸿逵很快便以出众的聪敏好学赢得了先生的赞许。不识字的父亲总觉着孩子能学会算账,写副对联便可,并不想无休止地花钱供他读书,几次提出退学,但遭到望子成龙的母亲的反对。而私塾先生也着实喜爱这个聪明的孩子,他宁肯不收钱,也要留下这个学生。由于著名的莲池书院的影响,保定私塾中保留了传统的朴实学风,这给予幼年的商鸿逵极深刻的印象。

14 岁那年,他离开私塾,考入了保定崇真中学。这是一所法文学校,这里的学习生活大不同于私塾。年轻的商鸿逵离开了旧式的书案,走出了古老的书屋,来到了空气清新的庭院。五四运动后的北方,中国共产党和国民党中的一批革命先驱积极宣传马列主义和反帝反封的民主革命思想,在一些新式学校的青年学生中造成较大影响,把他们带入到更广阔的天地之间。

1924年秋天,年轻的商鸿逵和法文学校的几名同学一起来到了五四运动的发源地北平,考入了中法大学文科。在红叶似火的香山脚下,在风景幽雅的碧云寺中,青年时代的商鸿逵开始了大学的生活。在这里,他结识了一位高年级同学,这位同学对法国文学的精通而独到的见解,使他神往而钦佩。而那铿锵有力、慷慨激昂的演讲,更深深地吸引住了他。这位受人敬爱的同学就是当时学生会领导人之一的陈毅同志。

和所有血气方刚的青年一样,商鸿逵在陈毅领导下参加了学生会的工作。他们向校当局要求改善学习和生活条件,到附近乡村讲演,宣传打倒军阀,反对帝国主义列强瓜分中国的阴谋。……

1925年3月12日,中国革命的先行者孙中山先生不幸于北平病逝。灵柩停放在中央公园(今中山公园),并定于4月2日移厝碧云寺。消息传到中法大学,悲痛之中的学生们组成挽灵队,承担了将灵柩从西山脚下挽入碧云寺安放到金刚宝座最高层的任务。当年的挽灵队留下了一张珍贵的合影照片,中央是一块"中山不朽"的横匾。陈毅同志站在右边,他身后的光头青年就是商鸿逵。

1926年3月18日,刚刚从保定探家回校的商鸿逵立即投身到向段祺瑞执政府请愿的队伍中。身边同学中弹倒下,他背起受伤的同学跑进医院。解放后,章世钊先生曾专函向他询问当年请愿斗争的细节,可惜复函已无从查找了。

商鸿逵在中法大学学习到1929年。按照学校规定,毕业考试前三名可以保送到法国留学。他满怀信心参加了考试,却名列第四,失去了保送留法的机会。他因此大病一场,病愈后一面在中法大学图书馆寻到一份工作,一面下定决心去投考北京大学文科研究所的研究生。

这一次他终于如愿以偿。一个令人寂寞的秋天傍晚,他踱回公寓推开房门时,一个信封落在地上,里面是录取通知书。

二、弃文就史

20世纪20年代末到30年代初的北京大学文科研究所是人才荟萃之地。著名学者刘半农、胡适、钱玄同、马衡、孟森等人都是研究所的导师。商鸿逵在这里的第一位导师是著名文学家刘半农先生。刘先生不仅擅长新旧诗歌、杂文,并且对文学史和语言音韵等都有高深造诣。商鸿逵当时除从刘先生学习外,还被派往一家星云堂书店兼做经理。他晚年回忆起这一段生活时,曾说道:"刘先生是我在大学读书时期最早、最亲近的老师。我的粗通翰墨,略解文艺,就是经他指导传授和熏陶影响的。"(《〈赛金花本事〉和赛金花》)

刘半农先生曾经是五四新文化运动的一员战将,但自从留学归国,地位日高,与旧日的战友鲁迅先生等人愈来愈无话可谈了。甚至商鸿逵提出要去拜访一下鲁迅先生,也遭到刘先生反对。这段时间里,商鸿逵除去帮助刘先生编印了《半农杂文》之外,自己也开始在上海《宇宙风》等杂志上写了《这一年》、《猫苑抄》之类的杂文。然而更使他感到兴趣的还是明清思想文化史,他先后撰写了《校〈桃花扇传奇〉》、《梅文鼎年谱》和《清初的理学界》等文,开始走上一条脱离政治的学术道路。

1932年冬季的一天,刘半农先生来到研究所,谈起清末名妓赛金花的事情。当时中法大学陈伯平教授正拟写一个法文本的《赛金花传》,于是刘先生提出先写一个中文本传。刘先生带着商鸿逵通过古琴专家郑颖孙介绍结识了赛金花,并约定每周请她谈两个半天,准备谈完后再搜集些材料,便动手撰写。谁知谈话尚未告结,刘先生即赴西北考察方言,染上了"回归热",回北平后多方医治无效,不久便去世了。

为了履行与书店签订的合同,商鸿逵在悲痛之余撰成了《赛金花本事》。当时按照胡适先生的嘱咐,这本书只是如实记述了赛金花本人所忆所述。

书出版了,在社会上也颇引起一点轰动。不少地方邀请他去演讲,上海还写信来请他商议拍影片,但他都一一谢绝了。导师突然病逝,使初登文坛的商鸿逵感到茫然,他需要去探寻一条新的治学之途。

他对明清史素感兴趣,所以当校方征求本人意见时,他便提出改从孟森先生研治明清史。这一年他已经 26 岁了。

孟森先生是一位严肃而博学的老人,当时已经年近七旬。他清末曾留学日本,投身政治。民国后专力于明清史研究,著述甚丰。拜过老师后不久,商鸿逵没有想到,这位老先生竟到公寓来看望他了。询问过平时学习情况后,孟先生对他说道:"我看你每天除了去图书馆,就在这里用功,不必出去。至于上厕所……"他指了指门后的痰盂。这样严格的要求使商鸿逵深感惊诧。

"文史不分家",这是中国传统学术研究的一种说法。但实际上,自从 20 世纪 20—30 年代西方研究方法引进中国后,文与史便逐渐分离开了。自从弃文就史以后,商鸿逵不再去写那些小品文,而开始一字一句地去读《清实录》。

　　当时和他一起从师孟森先生的还有单士元、张鸿翔、吴丰培等人。每天早晨,他们随先生到北平图书馆,为先生备好笔墨,开始了一天的学习生活。孟先生正在编写《明元清系通纪》。每天到这里来读书的还有一个年轻人,他就是后来著名的明史专家吴晗。商鸿逵在这座图书馆中还结识了赵万里、向达、谢国桢、启功等人。

　　1935年,商鸿逵在读书的基础上写成了《清代著作要籍年表》,不久又发表了《颜元传》,得到了老师们的好评。历史是一门严肃的科学,来不得半点马虎和侥幸。他牢记住了孟森先生的教诲:"我们做的学问要像石头般硬,砸到地上须是一个坑。"

　　几年埋头书屋的研究生生活是商鸿逵一生治学的关键,但却也将其从广阔的社会天地之间推回到书丛桌案之前。他看不到那些反对日本帝国主义侵略中国和反对国民党政府卖国政策的激动人心的斗争场面。作为北京大学学生,他竟然不知道这一年北平发生了"一二·九"运动。十年前那个刚刚从保定返校便投身于"三·一八"请愿斗争的血气方刚的青年不见了,现在的商鸿逵成了一个埋头书屋不知天下大事的书生。

　　任何不过问政治的人,也同样无法摆脱政治风浪的冲击。1937年7月7日,日本帝国主义发动卢沟桥事变,北平沦陷了。许多大学师生迁往内地。孟森先生因年事已高,留守北京大学,商鸿逵亦留下未走。70岁高龄的孟先生,目睹日军暴行,忧愤成疾,延至当年冬天去世,学业被迫中断了。

　　这是北平沦陷后第一个令人难过的严冬,也是全国人民在中国共产党领导下奋起抗战的第一个冬天。商鸿逵在战火硝烟气味中埋葬了自己的老师。陈叔通先生为此专门拍来电报,代表学术界同仁向他表示了赞许和感谢。

他开始逐件清理先生的遗物。在一次清卖旧书时,因有几本马列著作为日特发现,他被带到日本宪兵队。幸亏碰上个翻译官爱好文史,又读过他的东西,才卖了人情,将他放出来。

亡国的耻辱,丧师的悲痛,撕扯着他的心,他陷入极度苦闷之中。

三、抉 择

在那国破家亡的岁月里,商鸿逵和所有沦陷区的人民一样,备尝了亡国的耻辱和生活的艰辛。在日本帝国主义侵略军占领下的北平,光凭中法大学留守处发给的微薄薪金难以维持一家人的生活,然而他又不肯出卖中国知识分子的良心去换取高薪,去充当汉奸。于是不得不为一家人衣食而奔波,学术研究工作几乎完全停顿了。

每当晚上坐在桌案前,他眼前出现的便是日本侵略军无故殴打中国人的情景,日本军官被击毙后大搜捕的场面。……他无法安下心来翻看眼前那些记述着中华民族千百年来荣辱兴衰的史籍。只感到那浓黑而沉重的夜幕仿佛要将这小屋连同他一起压垮。他在这令人窒息的黑暗中生活了整整 8 年。

1945 年 8 月,抗日战争终于以侵略者的失败和中国人民的胜利结束了。八年艰苦抗战,使人们认识到了中国共产党的功绩和力量,但长期在政治上迷惘的商鸿逵却错误地把国民党和蒋介石当成"抗战英雄"。就在这年冬天,他加入了国民党。

人生道路的选择是一生的关键,有时看起来似乎只是一步之差,实际上则是长期步入歧途的必然结果。

在国民党内的两年间,商鸿逵亲身体会到了国民党政府的腐败无能。他亲眼目睹了青年学生和全国人民"反饥饿,反内战"的斗争浪潮。在政治生活的风浪中,使他感到,孙中山先生的"三民主义"已经被歪曲和篡改了。作为国民党北平宣传负责人,他必须为当局控制大学,破坏和镇压学生运动去宣传;作为一个信奉孙中山先生"三民主义"的大学教授,他又到处大讲"三民主义"。他既遭到进步青年学生们的反对,同时也受到国民党特务的警告威胁。正是在这种矛盾的困境之中,他逐渐清醒过来。

1947 年底,国民党组织重新登记,商鸿逵没有登记。他对友人们讲:"我看现在国民党人中,最像孙中山先生的只有宋庆龄夫人。"他决心脱离国民党,开始对人生道路的新的抉择。

1948 年春天,解放战场形势发生了重大变化,随着人民解放战争的节节胜利,国民党内革命民主派与国民党右派彻底分裂。商鸿逵也在这时参加了中国国民党民主促进会(即国民党革命委员会前身之一),并亲手为组织刻制了第一枚公章。在联络发展民革成员,到国民党军队内策反等秘密工作中,他开始了一种完全新鲜的政治生活。

晚上,他一个人坐在灯前,拿出民革内部秘密传阅的《新民主主义论》,打开第一页,"中国向何处去",这个鲜明而关键的问题立刻吸引住了他。毛泽东同志对中国历史特点的精辟而准确的分析,对于旧三民主义和新三民主义的论述,都使他钦佩不已。这是毛泽东同志早在抗日战争最困难的 1940 年写成的著作。那时他就已经给中国的前途作出了预见:"新中国站在每个人民的面前,我们应该迎接它。新中国航船的桅顶已经冒出地平线了,我们应该拍掌欢迎它。"现在,这艘新中国的航船已经驶到身边,绝不能再走错一步了。在黑暗中,他已经感到黎明的晨曦。

一些朋友和学生给他送来飞机票和轮船票,劝他去台湾。商鸿逵一一拒绝了,他说:"国民党实在太腐朽了,没有任何前途,我不能再跟他们走了。"

1949年初,中共代表来到北平,谈判和平解放北平的条件。商鸿逵异常兴奋,连夜为中共代表刻制印章,5人代表中3人的印章都出自他之手。

十多年来动乱的生活结束了,他要用自己的知识和本领为新中国工作。他为自己曾走错路而感到愧对那些早年参加革命的故友和学生,他也为自己对新中国的诞生做得太少而深感不安,他愿意多做一些,再多做一些。就在这时,他接到了周扬同志代表华北人民政府签发的聘书,被聘请为国立中法大学教授。

1949年10月1日,当毛泽东主席在天安门上升起第一面五星红旗时,商鸿逵作为游行队伍领队之一,正置身于奋发狂欢的人流之中,走在新中国的光明大道之上。

四、读书最乐,康健是福

每个亲身经历过旧社会黑暗的爱国知识分子,也就更能体会到新中国的光明。他们身上虽然还带着旧社会的痕迹,但他们是真心将自己置身于新中国大厦的砖石之中的。

1950年10月,商鸿逵先生由中法大学转到北京大学历史系任教后不久,美帝国主义侵朝战争爆发了。他和广大爱国知识分子们一样,响应党中央提出的"抗美援朝,保家卫国"的号召,以笔为武器,写书写文章,歌颂中朝人民源远流长的友谊,介绍中朝人民并肩抗击侵略者的历史,并把稿费捐给国家,购买飞机,支援前线。

1951年,商鸿逵先生在《进步日报》上发表了《明代援朝最后胜利中的大将陈璘和邓子龙》。这篇文章曾受到周恩来总理的表扬。不久,天津《益世报》和香港报纸也先后全文转载。他还同张政烺等先生合写了《五千年来的中朝友好关系》一书。书中写到明代援朝抗倭战斗时,他总是把明军和朝鲜军队称为"我军",把日军称为"敌军"。他用这样鲜明的立场表达了自己的感情。他已经开始努力学习用马克思主义指导历史研究了。

当时他在系里开讲了"清代学术史"和"中国近代人物研究"两门课。经历了十多年坎坷,他真希望能安心从事教学与科研。但是事情却未尽如愿。

由于在干部忠诚老实运动中受到处分,从1953年起,系里安排他只讲"中国历史文选"。商鸿逵先生没有计较这种明显带有惩罚性的安排,他以广博的学识、透辟生动的讲解,赢得了学生们的爱戴和欢迎。每当他面对着教室里的青年学生们时,便完全进入了知识传授的乐趣之中。

1957年,商鸿逵先生在讲授"中国历史文选"的同时,撰写并发表了《略论清初经济恢复和巩固的过程及其成就》,显示了他在清史研究方面的扎实的功力。当时的系主任翦伯赞先生读过这篇文章后,深表赞许。

在那些年月里,教学和科研工作总要不同程度受到政治运动的冲击。1957年反右运动中,商鸿逵先生虽然未受其难,但也陷入了一种苦恼的处境之中:早在20世纪30年代,日本出版的中国文化名人辞典中就有了商鸿逵先生的名字,而20年后,他却落到这样的地步。不能开课甚至写出文章也难以发表。对于一个学者来说,学术地位并不取决于学术水平,而往往要取决于一些政治的和非政治的复杂关系,这确实使人感到茫然不解。商鸿逵先生在这种茫然中,事业心的火花几乎要泯灭了。

他把精神寄托在读书上。每周除上课外,其余的时间都用来读书。在阅读并整理了大量史料后,他病倒了。以后大约有一年左右时间,他不得不停止读书,因为一读书便感头晕难支。在讲台上,他仍然坚持给一届届的同学认真地讲授着"中国历史文选"。望着一代代青年,抚着自己斑斑双鬓,商鸿逵先生百感交集,他用粉笔在黑板上写下了赠送给同学们的一副对联:"读书最乐,康健是福"。对于一位学者来说,如果失去了读书的机会和健康的身体,他的学术生命也就真的结束了。

商鸿逵先生有一句名言:"搞学术研究就好像抽大烟,上了瘾,就永远停不下来。"他就是这样一个搞学术研究上了瘾的人。待身体稍好一些,他又开始工作了。

1963 年,商鸿逵先生在讲授"中国历史文选"的同时,又开讲了"明清赋役制度"的专题课,并且发表了《论康熙平定三藩》和《谈明末袁崇焕坚守宁锦的敢战敢胜精神》等文。他在文章中,运用毛泽东同志的军事思想和历史唯物主义观点对历史人物及事件进行了分析研究,在理论上有了进一步提高。

正当商鸿逵先生准备在学术上尽量多做一点贡献时,全国政治空气又紧张了起来。1965 年 11 月,姚文元在上海挑起了对吴晗先生《新编历史剧〈海瑞罢官〉》的攻击。这股冷风立刻给史学界带来了严冬的寒意。一天,《文汇报》来人,邀请商鸿逵先生写一篇文章,参加这场"讨论",他答允了。商鸿逵先生在那篇题为《从假海瑞谈到真海瑞》的文章中写道:"对海瑞几乎全部否定,这是不够公允的,也是不能令人信服的。"如果姚文元对《海瑞罢官》的批判果真出于"可嘉"的用意,"由此引起大家对历史剧及历史人物的研究和争论,大大有助于文化学术繁荣",那当然无可厚非。"只是,我们批判这个剧本,只可就文论文,不可超出其外,抽取其中某些情节来敷会影射政治范畴的问题。这样一来,必定要影响百花齐放、百家争鸣的开展。"鉴于当时的形势,朋友和家人都劝他把这类文字删掉,他说:"我在文章中称之为'赘言',实际上都是非讲不可的话,怎么能删去呢?"不肯昧着良心用假话打扮自己,这是中国正直的知识分子的优秀传统。而这些优秀可贵的东西,在人妖颠倒的年代,却成了"罪状"。

十年内乱开始了,商鸿逵先生被"横扫"进了"劳改大队"。在长时间闹剧般的"打倒"声中,他练成了一种抵御的本领——超脱。比如有一次他休息回家,因未到"群众专政小组"报到,被勒令到"牛棚"去写检查。大概是出于对"牛棚"之类名词的"文革"新义生疏,他出去片刻后,竟回来报告说四处找寻,未见有牛棚。弄得那些造反派们也哭笑不得。

1968年秋天,他被系里的造反派赶出了原来的住房,搬到一间狭小的房间去住。他不得不卖掉家具,并恶痛以几分钱一斤废纸的价钱卖掉了大批珍贵的藏书。赶车拉书的车把式和废品收购站的老收购员,看着这些书,都不禁叹息。这哪里是什么"文化革命",这是对人类文化的空前摧残!

1969年,商鸿逵先生来到了江西鲤鱼洲的"五七"干校。这位满腹经纶的史学家成了放牛翁。每当水牛吃草嬉戏时,商鸿逵先生便坐下来,望着眼前茫茫的水乡田舍,他感到自己的生命在耗逝。两年后,当他重返北京,回到那间狭小的房间里时,他深有感触地在笔记本上重新写下了那副对联:"读书最乐,康健是福。"

1974 年春天,商鸿逵先生利用随工农兵学员下乡之机,开始给他们辅导历史文选。谁知这番苦心却险些被戴上"毒害工农兵"的帽子而遭批判。许多好心人劝他不要再干这种"蠢事",但他感到困惑不解:难道自己真的错了?难道几千年灿烂光辉的文化真的要被这场可悲的所谓"革命"永远埋葬掉?……当商鸿逵先生清晨经过北京大学校门外的恩佑寺遗址时,捡回来一片残瓦,他提笔在上面写道:

今早往海淀街买菜,步行经恩佑寺门前捡此残瓦。当清康熙末夺嫡斗争激烈,四子胤禛靠隆科多之助而成功,即于此寺设康熙像位,不时瞻拜,以表孝敬,盖意在掩饰夺位。

这就是历史,它严肃无情地记下了人们的功过是非。这一片残瓦,激起了商鸿逵先生对工作的渴望。一家人挤在那间十几平方米的小屋里,连放一张桌子的地方也没有。他买回一块木制菜板,坐在马扎上,在屋外的空地,就在这块切菜板上写成了《一六四四年山海关战役的真相考察》、《略论清初对北疆的经营》的草稿,及给工农兵学员打基础的《中国通史三字经》等文。

1976 年 10 月,是全国人民欣喜若狂的日子。横行十年的"四人帮"被送上了历史的审判台,灾难结束了。1978 年 5 月,那篇在菜案上完成的学术论文《一六四四年山海关战役的真相考察》发表了。商鸿逵先生感到异常激动。这位年过七旬的老人,深深地感到科学的春天真的到来了。

五、羞为老骥伏枥悲

北京大学燕东园 28 号是一座两层的别墅式小楼。"文化大革命"前翦伯赞先生曾住在这里,"文化大革命"中,著名史学家邵循正先生在这里渡过了一生的最后几年。自从商鸿逵先生搬进来以后，小楼上书房的灯光又亮了。

每天清晨四点多钟，他就开始了一天工作。六点多钟，下楼打太极拳。七点多钟吃早饭。上午或去图书馆，或在家中工作。午睡后和晚饭后也都是工作时间。他很少和家人一道看电视，每逢周末，全家吃过晚饭，他便又照例去书房工作。这时只有小外孙女能把他叫回来。"爷爷，去看《姿三四郎》!"这是命令式的，商鸿逵先生不得不屈服了。

谁不愿意有一个舒适安逸的晚年？谁不知道教学和伏案之辛劳？但商鸿逵先生顾不得去考虑这些。每当想起十年浩劫中失去的宝贵时间，每当想起那些被迫害致死的故友和他们的未竟之业，他便感到自己肩负着一种义务和责任，应该在自己有生之年去拼搏，尽量多做一些。

商鸿逵先生晚年的工作确实是惊人的。从1978年到1983年这5年当中，他在报刊上先后发表了四十余篇文章。其中《关于康熙捉鳌拜》、《清初内地人民抗清斗争的性质问题》、《论康熙》、《康熙收复台湾及其善后措施》、《康熙南巡与治理黄河》、《清代孝庄孝钦两太后比评》、《论清代的尊孔和崇奉喇嘛教》、《康熙平定三藩中的西北三汉将》等论文，在史学界都有较大影响。郑天挺先生曾经说："商先生治清史三十余年，成绩斐然"，"他搜集不少资料，互相比证，得出正确结论，又不陷于考证"。

商鸿逵先生继承了前辈敏捷而严谨的治学之风。在撰写《试论清初对西北边疆的经营兼评对噶尔丹的斗争》时，为了解决民族问题中的一些难点，他反复听取意见，一篇文章竟改了几年之久。《论康熙争取台湾及其善后措施》一文发表时，题目中

"争取"二字被改成"收复"。商先生看到后说:"'争取'一词是经我反复思考方定下来的。郑成功驱逐荷兰殖民海盗,这是名正言顺的收复。康熙皇帝与郑氏都是中国人,用'收复'就不太得当了。"《孝庄文皇后小记》是一篇仅三千余字的小文章,但却揭示了清初复杂政治斗争中的关键人物及其作用。在《清孝庄孝钦两太后比评》一文中,商鸿逵先生用生动的笔法对比出了清初的博尔济吉特氏与清末那拉氏这一前一后两个历史人物的美丑优劣。即使是应邀为报纸文艺版撰写的《康熙与南苑》之类短文,他也要亲自到图书馆一遍遍核实材料。商鸿逵先生又不拘泥于前辈旧史家的窠臼。他在沈阳清代人物评价讨论会上曾经讲道:"我们对历史人物评价,主要看其对国家、人民、对整个中华民族有无贡献。我们既不能站在明朝的立场上,也不能站在清朝的立场上,而应该用历史唯物主义观点去分析历史人物,才能做到既不溢善,也不隐恶。"(1983 年沈阳清代历史人物评价讨论会上的发言)在评价历史人物时不能忽略传统道德标准,要注重人品分析。否则的话,在清朝代明统一的过程中,吴三桂也可以被美化成正面人物,而史可法、李定国反而成了历史的罪人。这些谈话加上他对清军入关前后社会矛盾的分析,在与会的同志中引起较大反响。

这是商鸿逵先生第二次也是最后一次到沈阳。作为一个明清史专家,他对沈阳有着特殊的感情。他应嘱为永陵等文物部门挥笔题词:

系乎明之姻亲尊为清之肇祖子孙继业代明有德者居之何愧为咏永陵

他还在另一首题诗《咏兴京》中写道:

巍巍兴京地,形胜迥不凡;勃然代明起,因势非因天。

用简明的诗句写出了优秀的少数民族满族建清代明的生机勃勃的气势。

除去撰写论文与参加学术活动之外,商鸿逵先生在这几年当中,还撰写了《康熙传》初稿。主编了《清实录中的满名汉释词典》、《清代笔记中的史料类钞》、《清会要》等书。

1979年,商鸿逵先生在《文献》上发表了《倡议编纂〈清会要〉》一文,雄心勃勃地提出要组织人力,动手编纂这部大志书。上海古籍出版社决定出版这部书后,他又先后发表了《简谈关于编纂〈清会要〉》及《编纂〈清会要〉的例说和门类子目及采用资料》等文,并亲手撰写了《清会要》中的《纪元篇》。这些工作引起了海内外学者们的重视。

大抵学者们一旦有了点名气,就要著书立说,署名主编,不肯去编集整理别人的东西。但商鸿逵先生却花了大量心血,整理了他的老师孟森先生的全部著作,先后编辑了《明清史论著集刊》及续刊,整理了《明清史讲义》、《满洲开国史讲义》,补完了《明元清系通纪》。有人说孟森先生幸亏有商先生这样的弟子,才使一生研究成果得以彰于后世。这话只说了一半,因为商鸿逵先生放弃自己的研究花时间整理前辈的遗著,更主要的还是为了后人,让前辈的成果为今后的研究发挥作用。

1980年秋天,商鸿逵先生在家中办起了周末清史专题讨论会,每到周六,系里一些中青年教师、商先生的助手和研究生们便开始了热烈的学术讨论。他们的一些质量不错的论文就从这里产生了。1983年春天,商鸿逵先生又自己出钱请来教师,在家中办起满文班,让系里明清史专业的教师和研究生们学习满文。他自豪而风趣地把这种家庭研究班比做日本电视连续剧《姿三四郎》中的宏道馆。他说:"我们这里也是个'宏道馆'。

在这里,每个人都要练就一身治学本领,出去后都得像个样子。"他还亲手写了"与海内胜流相角逐"的条幅,送给助手徐凯同志,鼓励他努力作出成绩。

商鸿逵先生晚年还始终坚持为本科生和研究生上课。尽管他已经在大学讲台上四十余年,但每次上课前还总是认真准备,让学生们得到更新的更丰富的知识。他讲起课来风趣而生动,深入浅出,内容充实,很受学生们欢迎。大教室里挤满了听课的人,其中不少是闻讯而来的外系外校学生。不管是谁来求教,商鸿逵先生都要认真解答提出的一个个问题,认真地为他们去翻看一条条史料。他经常不能午休,接待着各地各行业来访来求教的客人;他也经常晚间工作结束后还不能入睡,回复着一些酷爱历史的从不相识的青年们的来信。他总是那么认真,那么不厌其烦。在这忙碌之中,他感到充实与满足。

熟悉商鸿逵先生的人,都知道他的书斋叫"澹爽斋",书斋的匾额是容庚先生写的。澹爽就是淡于名利,求得爽畅,其义出于《老子》中"澹兮其若海"一句。商鸿逵先生确实是这样做的。凡是求教过商先生的人都记得,见面第一次,他总是谆谆告诫学生们,若要决心从史,就要准备"一辈子受穷"。想过舒服日子,就不要搞学问,可以去当官、做买卖、开饭店。不仅对国内学生,即使是外国学生也一样要求。一位名叫伍德维夫的美国博士生,从师商鸿逵先生后,深受其影响,他对人讲:"我去过许多国家,见到不少学者,但从未见到过像商先生这样治学和这样为人的老师。"

商鸿逵先生有许多中外学术界的朋友,也有许多工人朋友。北京大学附近海淀镇一些商店的老师傅,清华园门卫的老同志,都同商鸿逵先生挺熟识,但却往往不知道他是一位有名望的大学教授。他确实没有教授的架子,衣着朴素,风趣健谈,平易近人。把自己看做一个最普通的人,不追求名利地位,踏踏实实地去做许多人们看来极普通的事,这就是商鸿逵先生最可贵的作风。正因为有了这种精神和作风,他才能够历尽坎坷而不消沉。几十年风风雨雨没有摧垮他,党的十一届三中全会的春风使他返老还童了。有人说,人就像一架机器,当他衰老时,说不定什么时候会停下来。但人绝不是机器,因为人有思想,能够奋斗,能够激发出无穷的热情。

许多老朋友既为商鸿逵先生充沛的精力而感高兴,又为他过度劳累感到担心。有人劝商先生不要这样拼命,但他们哪里知道,他正是要在这不多的时间去拼命工作。他曾不止一次说过:"要我停下来不工作,除非是死。我倒下去的那一天,宁肯倒在书桌上,也决不愿倒在病床上。"

1983 年 9 月,从沈阳开会回来,他顾不上同家人讲述会议的情况和外出见闻,又一头扎进书房——书桌上摊开着《清会要》的材料,茶几上摆放着《康熙传》的初稿,紧张的工作又开始了。

1983 年 11 月 6 日是个星期天,商鸿逵先生接待了来访的文学界客人,并答应为人民文学出版社出版的《刘半农文集》撰写前言。7 日上午,到校医院看病,血压已超过 200 毫米水银柱,医嘱须休息,但他下午又到系里开会。8 日,参加统战部召开的征求党外人士意见座谈会。晚上,还要抽出时间为《文史知识》明史专号撰写《明末三案》。谁能相信,这竟是一位 76 岁高龄老人的工作日程!11 月 9 日清晨四点钟,商鸿逵先生书房的灯光照例又亮了,他开始了新的一天的工作。6 点 10 分,他写完了《明末三案》的稿子,照例准备下楼去活动。他拖着疲惫的身躯走到楼梯口,终于支持不住,倒下去。……

　　他在极度疲劳中倒下了,但他是心甘情愿这样去做的。他是在欣慰中倒下的,因为他实践了自己生前的意愿——工作到了最后一刻。

　　商鸿逵先生没有来得及留下任何遗嘱,却用他一步一步的深深的脚印,给我们展示出了中国老知识分子一生曲折的道路。

（原载《社会科学战线》1985 年第 2 期）

双子星座垂范史苑
道德文章馨著学界

——朱寰教授与新中国世界中古史
学科构建与发展述论

王晋新　　王云龙

　　翻开新中国的学术史,一个高度概括了 1949 年以来的世界中古史中国学派发生、发展历程的名字——朱寰,不可绕过地矗立于学统之脉的山巅。朱寰先生出生于 1926 年 1 月,祖籍山东文登,世居枕千山余脉、襟渤海宏泓、滨复州河艮的辽南瓦房店市。在"春江潮水连海平,海上明月共潮生"的秀丽家乡,朱寰先生度过了艰辛早慧的童年,稚齿丧父,孤儿寡母依托祖、叔为生。祖父是乡村私塾教师,叔父亦执教于乡间小学,收入微薄,而家庭人口众多,生活拮据,有时甚至无隔宿之粮。祖、叔的国学功底深厚,对孩子们施教严格。先生自幼看着母亲的眼泪成长,弱冠之年,昼读史诵经,间以劳作贴补家用;夜秉烛苦读,领经典之真谛,悟圣贤之大道。先生在接受《四书》、《五经》、《左传》、《史记》等家学的开蒙后,随叔父去复州城高小就读,幸得学识渊博的姜云霞(字彩桥)先生的悉心教诲,文理诸科精进,含英咀华,孜孜以耕读,佼佼于同侪。高小结束,朱寰先生考取张学良将军创设的、当时东北基础教育的第一名校、坐落于盛京八景之魁的万泉河畔——沈阳第二工科;中学未毕业即考取大学。东北光复后先入国立长春大学外语系,后转入东北大学(1951年改名为东北师范大学),学习历史。1951年毕业留校任教,历任历史系教研室主任、系主任,世界古典文明史研究所所长和世界中古史研究所所长。现为东北师范大学荣誉教授、博士生导师,曾任国务院学位委员会历史学科组成员、国家社会科学基金会历史学科评审委员。在社会上兼任中国世界上古中古史研究会名誉理事长等职。

几十年来,朱寰先生矢志史学,淡泊名利,潜心求索,为我国世界史学科、特别是世界中古史学科建设与发展作出了突出贡献。

一、世界中古史学科的双子星座

建国初期,百废待兴,世界史学科建设提上了日程。建国至今,全国性世界史教材编写有两次。朱寰先生全程参与了这两次世界史教材编写工作,并且是世界中古史部分的主持者。这两部世界通史是新中国世界史学科体系的两座彪炳青史的里程碑,其中由朱寰先生主持的世界中古史,被誉为新中国世界中古史学科的"双子星座",是新中国世界中古史学科由凿空肇基到学派黉宇的学术路标。新中国建国初期,我们刚刚取得全国革命的胜利,建设事业从头开始。国家总的方针是"向苏联学习"。在建国后最初10年间,世界史学科的创建自然走学习苏联的道路。首先,就是翻译前苏联的教材和参考资料。因为我国在这个学科领域没有系统研究,加之帝国主义实行全面封锁,主客观两方面条件使得新中国在世界历史的教学方面只能从翻译苏联教材和教学参考资料做起。当时的物质生活条件和学科建设状况与现在无法同日而语。

高校教材是本学科学术水平的载体，是学科建设的基础，也是培养专业人才的依据。但是在1949年以前的旧中国，所谓历史学，主要是指中国史，至多不过扩及周边国家和地区的历史，世界史作为一门独立学科尚未形成，根本谈不到我国自己的世界史教材。正如吴于廑先生所说，世界历史学不是中国土生土长的，而是从西方引进的。大约在1840年前后，西方传教士和学者将西方世界历史学断断续续地介绍到中国来，经过一个世纪的移植和培育，世界历史学才具有雏形。新中国建立后，始获得蓬勃发展。朱先生是新中国培养出来的第一代世界史学工作者。他在老一代世界历史学家的精心培养教育下，逐步成长。与同事们合作，他先后翻译苏联著名史学家科斯敏斯基的《中世纪史》、斯卡兹金的《中世纪史》（第二卷）、谢缅诺夫的《世界中世纪史》等专著和大学教材，同时翻译许多历史文献资料和历史地图等。其中有的通过学术交流，介绍给国内其他高等院校和历史学界，一定程度上满足了当时教学与研究的急需。此后，在学习苏联的基础上，结合本国的教学与研究实践，编写出了本国的教材。

建国10周年之际，中共中央宣传部决定总结10年来教育改革和课程建设的经验，加强高等院校文科教材建设，以提高教学质量。重点是集中国内史学界的优势力量，编撰一部适合需要的《世界通史》教材。中央宣传部周扬副部长亲自挂帅，抓高校文科教材建设工作。中央委任周一良教授、吴于廑教授两位史学泰斗任《世界通史》主编，在周、吴二位世界史元戎主持下，分卷组成编写班子。朱寰教授分担主持中古史分册的编写工作。在 20 世纪 60 年代初国家经济社会极端困难的情况下,经过国内世界史领域著名专家学者组成的学术集体艰辛努力,历经两个寒暑,终于完成《世界通史》(四卷集)初稿。后经过认真修改定稿,始正式付梓。

这部自编《世界通史》教材的诞生,是我国世界历史学科发展的一个里程碑。它标志着我国世界史学科开始走上独立发展的道路,同时也是新中国世界中古史学科的肇基之作。1962 年《世界通史·中古分册》问世以后,东北师范大学学报编辑部采访本卷主编朱寰先生时,请他谈谈新教材的特色。朱先生从总体上比较了新编教材与苏联原有教材的异同。新编教材的社会分期(与上古史和近代史的分期)及中古史内部的阶段分期,采用了苏联教材的说法,但在内容体例方面,却有许多重大改革,主要有以下三个方面:(1)在体例上给予亚洲、非洲、拉丁美洲各国家各民族的历史以应有的地位;(2)在论点上基本克服了大国沙文主义倾向,尽量做到平等、公正地说明大小、贫富、强弱不同国家的历史贡献;(3)在内容上注意到世界各国、各地区之间分散闭塞状态的逐步克服,增补了国家间、地区间交往和交流的历史。对于中国与世界各国的经济文化交流史,则重彩浓墨,给予充分地说明。这一切都表明新编《世界通史·中古分册》是当时史学界一部承上启下的科学著作。

这部《世界通史》的问世,引起国内外学术界的重视。被誉为"中华人民共和国成立以来第一部综合性的世界历史著作。……(它)体现了中国学者当时的世界史的认识和研究水平"。① 1979

---

① 吴于廑:《世界史》,高等教育出版社 1994 年版,第 9 页。

年,香港文化资料供应社将这部书重新排版发行,并向读者评介道:"《世界通史》系中共建国后,集中了当时的著名历史学家……编撰出来的巨著。这样规模的世界历史著述,在中文出版物中,诚属罕见。"此书在 1972 年、1980 年先后两度修订再版,发行数十万册。它对我国一代学子和史学工作者产生了意义深远的影响,还被排成大字本,供中央领导审阅。

十年内乱期间,教学和科学研究完全陷入停顿状态。1976 年粉碎"四人帮"以后,国内局势才逐渐好转。1978 年党的十一届三中全会后,拨乱反正,确立了改革开放、建设"四化"的正确路线。我国的史学界也迎来了科学的春天。经过几年的努力,史学观念发生了深刻变革,研究领域日益拓宽。伴随着世界历史研究工作的不断深入,吴于廑教授提出了世界历史的宏观研究理论。他认为世界历史自原始、孤立、分散的人群,向全世界密切联系,形成一个整体的过程。世界历史学科的任务在于对这一过程进行系统、全面地探讨,综合考察各地区、各国家、各民族的历史发展,阐明人类历史的演变,揭示其规律和格局。吴先生的观点得到学界同仁的认同。宏观史学理论的确立和发展,表明我国史学界对世界历史的认识更加理论化。为了总结几十年来世界历史学的发展、成果和经验,为了培养跨世纪的史学人才,国家教委在 20 世纪 80 年代末,委托吴于廑教授和齐世荣教授主持编撰一部具有中国特色的、反映中国当代最高学术水平的《世界史》。全书共分古代、近代、现代三编,每编分为上下两卷,共六卷。古代史编下卷(即世界中古史部分)由朱寰、马克垚两位先生共同主持。经过几年的努力,中古史分卷脱稿,于 1994 年 5 月由高等教育出版社刊行问世。

《世界史·古代史编·下卷》是中国世界中古史学科在 20 世纪 90 年代学术发展成果的集大成之作,是国际学术界中国学派的扛鼎之作,无论是体例,还是内容,都体现了中国学者的宏观史学理论和观点。这部著作凝结了朱寰先生等为杰出代表的中国世界中古史学者在 20 世纪 90 年代所达到的具有国际水平的学术成果的精华,注重探索人类封建文明发展的规律性;正确阐述了封建时代人类的和平交往、战争冲突、宗教扩张等因素在历史发展中的作用。吴齐本六卷集《世界史》,堪称我国世界历史学科发展的又一里程碑。

从周吴本四卷集《世界通史》的问世,到吴齐本六卷集《世界史》的编撰出版,风雨漫漫 30 年。它凝聚了中国整个世界历史学界同仁的智慧,体现了中国世界历史学科在不同时期的发展水平,是我国世界历史学科独立发展过程中的两座丰碑。朱寰先生先后参加了这两座碑铭的"镌刻"工作,为中国特色的世界中古史学科体系建设和发展作出了突出的贡献。

二、从中古国别到社会转型的
多领域开创性研究

"专其所及而及之,则其及必精。"①,朱寰先生不仅长于学科体系的构建,而且在世界历史发展重大问题的专题性研究方面,也作出了启领学科、导引后学的开创性研究。他不仅以恢弘的视野将中古时代的人类文明做全面地考察,从而把握世界历史的总体性和联系性,而且还对某些特定的国家和地区、特定的

---

① (宋)苏洵:《嘉佑集》第 8 卷,第 10 页。

历史事件和历史人物进行专题研究的个案考察。"览古玩青简,寻幽穷翠微",朱寰先生的研究成果具有拓荒识标、敏锐深邃、论见真灼、钩沉辑佚、探微烛幽的特质。

　　15—18 世纪大航海时代和哥伦布远航是中古社会向现代世界转型的关键时段和重大事件,是世界历史承前启后的变迁轴心,也是朱寰先生数十年来始终关注的重要课题之一。早在 1958 年,朱寰先生发表了《哥伦布生平及其远航》①一文。指出哥伦布横渡大西洋,开辟从欧洲直达美洲的新航路,是人类历史上震古撼今的创举,也是世界历史上划时代的大事件。它标志中古历史的终结和近代历史的开端。其代价是航队在所达地区的烧杀抢掠,带给土著居民的灾难。后来,我国学界一位名宿,发表文章,提出不同论点。他认为哥伦布是世界上殖民主义灾祸的元凶,他的远航给美洲印第安人带来灾难,因而把哥伦布全盘否定。朱先生撰写《应当怎样评价哥伦布?》②一文,与这位先生商榷。文中认为评价历史人物,必须结合当时的历史时代,进行全面的考察。将其同他以前人物相比,看其言行对人类社会文明发展起什么作用。哥伦布大航海的创举,开辟了从欧洲到美洲的新航路,给全世界人类由分散孤立,走向联系密切,形成一个整体准备了条件,这是其航海活动作用影响的主流,应予以肯定。一文激起千重浪,从而在史学界引发了关于资本原始积累时代哥伦布评价问题的学术论战。应论战之需,朱先生相继发表了《再论哥伦布的评价问题》③、《哥伦布及其时代》④、《哥

① 《历史教学》1958 年第 3 期。
② 《世界历史》1979 年第 2 期。
③ 《东北师大学报》1981 年第 2 期。
④ 《世界史论集》第 5 辑,东北师范大学出版社 1981 年版。

伦布与大西洋航路的发现》①、《哥伦布》②等多篇论文,从不同角度、不同层面对哥伦布进行了全面系统的分析评价。他的观点得到了国内多数学者的赞同。

1992 年,在纪念哥伦布航抵美洲开辟新航路 500 周年的北京国际学术研讨会上,朱先生再次阐述他对哥伦布等航海家评价的基本观点,并同参加该会议的外国学者讨论了关于哥伦布及其远航的一些具体问题。他的论点得到与会外国学者的关注。朱先生与王晋新博士联名向大会提交了《略论大航海时代的西欧社会》的长篇论文。1993 年,又与王晋新博士联名发表了《论西欧大航海活动的科技文化条件》③。这表明朱寰先生对该问题的研究向更深更广的方向发展。

起源于中古时期的罗斯国家历史是整个世界中古史的重要组成部分,朱寰先生在这一领域从古罗斯土地制度到法律、社会经济状况等方面都作出了开创性的学术贡献。朱寰先生《莫斯科国家封建土地制度的变革》④、《关于俄国封建社会农民的生产和生活状况问题》⑤、《彼得和康熙对外政策浅论》⑥、《略论〈罗斯法典〉产生的社会条件》⑦等论文,并主编了《简明俄国史》⑧一书,此外尚有一大批关于俄罗斯历史与世界中古史的译

---

① 《历史人物论集》,吉林人民出版社 1982 年版。
② 《世界著名探险家》合订本,商务印书馆 1991 年版。
③ 《社会科学战线》1993 年第 1 期。
④ 《历史研究》1984 年第 2 期。
⑤ 《中外封建社会劳动者状况比较研究论文集》,南开大学出版社 1989 年版。
⑥ 《社会科学战线》1987 年第 3 期。
⑦ 《求是学刊》1994 年第 3 期。
⑧ 该书由上海外国语教育出版社 1987 年出版。

文和译著。

关于古罗斯国的起源问题,是世界中古史的重大问题,国际学术界历来有不同说法。苏联某些历史学者,为了避开诺曼人的一支瓦里亚格人建国说(即"诺曼起源说"),只说古罗斯是东斯拉夫人的国家,以强调斯拉夫人在建国中的作用。为此甚至有的学者将古罗斯建国的时间提前三百多年①,编造了一个"基伊建国"的神话,并在 1955 年罗马第 10 届国际历史科学大会上发表。我国史学界过去一直沿用苏联的东斯拉夫人国家说。朱先生自 20 世纪 60—70 年代以来,即关注这一问题,仔细地研究古罗斯和拜占庭的文献资料、东欧的考古资料和语言学资料,在此基础上吸收了国际学术界的最新研究成果,撰写了《论古代罗斯国家的起源》②一文,提出古罗斯国家起源于诺曼人的一支瓦里亚格人征服的观点。文中他进一步指出:"一个国家的建立,通过外来征服战争这一特殊的交往途径而出现,是历史上一种屡见不鲜的常例。"西欧日耳曼诸国的历史可为佐证。这篇论文史料翔实,逻辑严密,具有很高的学术价值,是我国俄罗斯史研究的一次重大突破。

朱先生在长期的教学与科研实践中,深切地体会到史学理论与史学方法论的重要性。朱先生曾与学生谈及撰写史学论文的三要素(理论分析深刻、资料翔实可靠、文字通顺典雅)时,将史学理论和研究方法放在首位。"木受绳则直,金就砺则厉",他说:"一本著作和一篇文章的质量,关键在于理论正确和观点

---

① 苏联学者将古罗斯建国时间从《往年纪事》记载的公元 9 世纪提早到公元 6 世纪中期。

② 《社会科学战线》1979 年第 1 期。

深刻新颖,如果没有坚实的理论基础,没有对问题的深刻分析,没有区别于前人的新意,好比大厦建立在沙滩上,不摧自垮。但是理论不是空泛的议论,更不是教条地罗列,而是文章的灵魂,文章的指导思想。有了灵魂再以充分的资料作为根据,正确运用史论结合的方法和语言文字通畅、典雅,自然会写出优秀的论文。"

朱先生认真学习马列主义理论,自觉以唯物史观观察问题,以唯物辩证法研究问题,同时也注意考察现代西方的史学流派,吸收其合理部分。历史的比较研究方法,自 20 世纪 80 年代初在我国兴起。朱先生对此十分重视、提倡。1983 年春,他曾邀请国内数十名中外历史学专家会集长春,讨论历史学比较研究的理论和方法问题。他在大会上做了长篇发言,系统地论证了比较研究的定义、内涵、特征和意义,以及运用这一方法的局限性和应注意的问题,开我国比较史学理论和方法讨论之先河。这次会议推进了我国世界中古史研究方法的变革。后来,朱先生发表了《世界历史与比较研究之我见》①一文,文中对历史比较研究的目的、类型以及方法、条件等做了全面、系统的阐述。这篇论文立论高远,分析深刻,说理清晰,是我国史学界在史学方法论探索方面的一篇力作。

封建土地制度是中古世界的经济基础,是封建经济形态的集中体现,而各个封建国家的土地制度的具体形态则是千差万别的。只有对建立于封建土地制度基础上的不同形态的封建经济体做具体的分析,才能对整个中古世界的封建经济作出条分缕析的比较研究。朱寰先生在平时的教学与科研中,对于这一

① 《历史研究》1994 年第 1 期。

重大问题有意识地运用比较研究手段,成效显著,先后发表了《论封建土地国有制的性质问题》①、《莫斯科国家封建土地制度的变革》②、《高丽王朝田柴科土地制度研究》③、《略论日耳曼人的农村公社制度》④、《罗马与汉代的农业政策》⑤等论文。从1983 年起,他同其他学者合作,承担国家"六五"重点课题,联袂撰写了《亚欧封建经济形态比较研究》⑥的专著,书中对中、日、英、俄四国的经济形态的不同类型进行比较研究,既分述各国封建经济形态的演变,又对各国的经济领域作出综合比较,从封建土地制度、阶级结构和城市经济三大方面九个问题中,揭示各国封建经济形态所具有的特殊性;在个性基础上,再总结出各国封建经济形态发展的共同规律。这是一部在世界历史恢弘的视野中,展开深邃的理性思考的硕果。它既具有深刻的历史意义,又体现出鲜明的时代特性。

20 世纪 90 年代以来,朱寰先生在中古世界向现代社会转型方面倾注了极大的学术热情,取得了丰硕的学术成果,以史论结合的严谨体系,令人信服地回答了现代化之所以发生只能在西欧而不是其他地区这一困扰当代世界史学界的重大课题。⑦朱寰先生主持的"八五"国家社科基金项目《亚欧十国社会转型

---

① 《松辽学刊》1983 年第 1、2 期合刊。
② 《历史研究》1984 年第 2 期。
③ 《历史研究》1989 年第 5 期。
④ 《史学月刊》1991 年第 1 期。
⑤ 《经济—社会史评论》第 1 辑,三联书店 2005 年版,第 46 页。
⑥ 该书由东北师范大学出版社 1995 年出版,2001 年被教育部选定为研究生教材。
⑦ 朱寰主编:《欧罗巴文明·序》,山东教育出版社 2001 年版。

比较研究》①,是朱寰先生关于前现代向现代社会转型的学术思想的集大成之作。

朱寰先生不仅是国内史学界所公认的著名学者和权威,在国际学术界也具有相当高的知名度。著名的美国芝加哥大学东方研究所的一家刊物曾刊发专文详细介绍朱先生的学术成就。在学术上,他与各国史学界有着相当广泛的联系。已故的美国中世纪学权威、依阿华大学教授萨特兰特先生生前与朱寰先生交往甚密。1988 年 5 月,应美国西密西根大学中世纪研究所所长奥托·格朗德勒教授的邀请,朱寰先生赴美参加"中世纪学第 23 届国际年会",并在会上作了"中世纪史研究在中国"的专题报告,介绍了中国学者中世纪史研究的发展状况,受到与会的外国同行的欢迎。而后又应邀赴依阿华大学,与该校历史系部分教授学者进行学术交流。他向美方学者介绍了自己在俄国史研究上的进展及成就,并就如何评价亚历山大涅夫斯基王公等历史人物发表了即席演讲,受到美方学者的高度评价。1990 年 11 月,他应日本关西学院大学小玉新次郎教授和日本东方学会理事长护雅夫教授的邀请,东渡扶桑,参加了在京都召开的东方学会第 40 届年会,并前往关西学院大学讲学。1995 年秋,朱寰先生作为中国历史学家代表团成员,赴加拿大蒙特利尔参加第 18 届国际历史科学大会。在会上介绍了中国史学界在经济史研究方面的现状及所遇到的问题,并阐述了自己的看法。目前,朱寰先生创立的东北师范大学世界中古史研究所已与美、英、法、德、荷、比、加、塞、波、俄等十余个国家的史学机构建立了相当紧密的学术联系。

---

① 商务印书馆即将出版该书。

三、呕心沥血　培育芳华

朱寰先生出身于教师世家,自幼在祖、叔从事教育的耳濡目染中,对教师工作怀有深厚感情。从教 55 年来,一直壁立于教学前沿。"得天下英才而教育之"①乃人生一大乐事,朱先生既是这样说的,更是这样做的。朱先生把为国家培养人才视为时代赋予的神圣使命,坚持贯彻党的教育方针,认真培养每一个学生,四十余年,乐此不疲。他培养的本科生难以计数。自 1978 年以来,培养研究生 62 名。其中硕士生 35 名,博士生 27 名。他们的工作岗位,分布在大江南北,长城内外,遍及全国各地;还有的学生负笈海外,历欧风美雨,卓而有成。他们中绝大多数人成为高校或科研单位的学术骨干。许多人已拥有教授、副教授、研究员、副研究员的职称,成为国家的高级专门人才。朱寰先生不但言传身教,而且全力以赴地为后学搭建施展才华的学术平台。由于朱寰先生和几代学者的共同努力,1988 年东北师大世界上古、中古史被评为这一学科领域国家唯一重点学科,2001 年东北师大历史学科被评为国家重点学科,2002 年东北师大世界史学科被国务院学位委员会评为一级学科博士学位授予权单位。

在近三十年的研究生教学工作中,朱先生一向以"高目标,精培养,严要求"为准则。他要求学生树立高目标、成大业,即在学好本专业的基础上,向老一辈史学大师们学习,博古通今,学贯中西。常言道:"志乎上者得乎中。"他说:"瞄准太阳总比

---

① 《孟子·尽心上》。

瞄准树梢打得高",没有高目标,不立大志,就成不了大业。根深才能叶茂,具有深厚的功底和广博的知识,才能有高精尖的作品。实现高目标虽然要经过长期的努力,但千里之行始于足下,三年学习应是良好的开端。为此,他精心设计培养规划,并为研究生创造好的学习条件。朱先生有针对性地设计每个学生的专业方向、外语语种。例如,一位回族研究生,其父是伊斯兰教的著名大阿訇,本人对阿拉伯史、伊斯兰教史非常感兴趣,朱先生鼓励他确定以阿拉伯史为研究方向,并送他去北京语言学院学习阿拉伯语、波斯语,后经国家教委批准,送往伊朗德黑兰大学留学一年,回国后答辩取得博士学位。其他博士生,也都按照本人的特点,分别确定英国史、德国史、法国史、日本史、拜占庭史等为研究方向,并根据研究方向之需要,选学第一外语、第二外语。有的在校学习,有的送外国语学院学习,然后出国留学或与相应国家的学者联合培养,既提高了学生的外语水平,又有机会搜集资料,为完成毕业论文及以后的研究工作奠定了良好的基础。

朱寰先生把培养研究生看做是教书育人的系统工程。在学习期间,不仅让研究生掌握专业及独立进行研究的能力,而且也重视学生如何做人,努力使其灵魂得到升华。他向学生提出"三严"要求,即在政治理论上要严格,不能出差错,差之毫厘,失之千里;在治学方面要严谨,追求真理应实事求是,不可随波逐流,人云亦云;在史学教育方面要严肃认真,敬业执著,不能沽名钓誉,哗众取宠。有一位研究生喜作翻案文章,又不能自圆其说。朱先生要求他严肃地对待科学和事业。他说:"如果经过缜密研究,有理有据,不仅可在课堂上翻案,还可以在刊物上发表。如果是没有根据的胡思乱想就不是严肃的科学态度。"

朱寰先生经常以"天才出于勤奋"这一名言鼓励、鞭策学生。他说:"就人的资质而言,绝顶聪明的天才是极少数;生性愚钝,冥顽不灵的蠢材也为数不多;绝大多数人都是中才。若勤奋努力,中才可以升为天才;若怠惰懒散,中才必堕为蠢材。"但他不主张死读书,提倡多用脑,多思考,多写作,不囿于成说,不受条条框框的限制。他鼓励学生参与史学界的学术争鸣,要有敢为天下先的精神,以增长才干。

朱寰先生在研究生培养工作中极端认真、勤奋,从不放过讲课、讨论、批作业、指导论文等接触学生的机会,及时抓住学生每一个智慧火花,加以鼓励培植;同时也不放过学生言行中任何一点错误与不足。

四、道德立身 乐在奉献

"道德当身,故不以物惑。"①朱寰先生的治学道路和工作经历并非一帆风顺。五十多年来,社会动荡沉浮,斗转星移,人世沧桑,经历坎坷,但他能几十年如一日,对教育事业一往无前。他在大是大非面前,旗帜鲜明,立场坚定;小是小非面前,冷静豁达,从不计较个人得失,不纠缠个人恩怨。他对祖国赋予的教师使命铭记不忘。为了当好先生,首先当好学生。20世纪50年代,他边工作边学习,学理论,学外语,搞研究,写讲稿,如饥似渴、孜孜不倦。他为自己订下"三更入睡"的训条。长此以往,体力不支,患病住院。1961年春,未愈出院,参加周吴本《世界通史》编写和修改定稿工作。任务重,工作紧,身体不适,常发

---

① 《管子·戒》。

低烧。又值国家三年经济困难,食堂伙食简单而限量,每每以白水煮菠菜根佐餐,创业艰难,可见一斑。朱先生就是在这样主客观条件下,坚持夜以继日的工作,最后高质量地完成了42万字的《世界通史·中古分册》这一成名之作。过度的疲劳和睡眠不足,导致严重的神经衰弱,双手震颤,端水、执笔均感困难。时年先生仅三十余岁。而且随着年龄的增长,病情日趋严重。然而他并未因此而减轻工作,相反教学、科研任务却日趋繁重。在培养硕士、博士研究生的同时,写出大量的文章、专著、教材和教学参考资料。另外还承担着校、省、国家的社会工作,少有闲暇。"业精于勤",朱先生的论著甚多,弟子遍及国内外,所凭借的正是这种敬业乐勤的高尚精神。

古人云:"有第一等襟抱,第一等学识,斯有第一等真诗。"[1]朱寰先生在事业上的追求、成就,正是他的人格、情操的真实反映。他道德文章兼而有之,而正直朴实、谦虚谨慎恰是他人格方面的重要特点。朱先生自工作以来,先后担任一些行政职务和社会工作,他都能以事业为重,团结同志,一道前进。他担任历史系系主任时,为了便于班子内同志放手工作,常常推功揽过。有的老教师对于新班子一时不够理解,不参加全系会议,朱先生即刻到他家去介绍会议情况,征求对新班子工作意见,使其深受感动,以后主动支持工作。"惟善以为宝。"[2]朱先生为人厚道,朴实无华,并有一颗非常善良的心,但是他在处理工作时,从不以原则做交易。比如他多年来任系、校、省历史学科组组长,在评定教师高级职称时,他内心虽然同情被评审者,但他一贯坚持

---

① 清·沈德潜:《说诗晬语》。
② 《礼记·大学》。

标准,实事求是,不徇私情,认真做好每次评定,有"公平组长"之雅称。朱先生虽然在工作上有一定成绩,学术上有相当深的造诣,但是不居功,不自傲,从来都是谦虚待人,谨慎做学问,尊师重道是其所长。他先后从师于杨公骥、郭守田、陈连庆、邹有恒等著名教授,后有幸得到周一良、吴于廑两位史学巨擘的指教,受益良多。对于各位师长的指教秉承吸取,永志不忘。他赞赏"三人行必有我师"的观点,并善于发现别人的优点,以他人之所长,补自己之不足。他尊重同仁,从不议论、针砭他人。一位朱先生的大学同窗,与之共事几十年的教授说:"我最佩服朱先生那种谦逊为人,谦逊治学的高尚品格。"这也完全可以代表我们学生的心声。

朱寰先生在事业上有理想、有抱负、有毅力,但是从来不追求个人名利。他无论是在履行行政职务,或是参加学术活动,总是置身于群众之中,冷静地思索,主动与同仁切磋,默默无闻地做好应该做的一切。自 1978 年至今近三十年间,没有通过自己的职权为自己呈报过一次先进,就是群众选他,也不上报,主动把荣誉让给别人。然而他关心群众的疾苦,同情弱者,捍卫正义,仗义执言,为别人的正当要求奔走,不怕琐碎,不惧辛劳。自己经常是素衣淡食,几十年来一直过着俭朴的生活,但是却在经济上资助同学、同事或朋友,并引以为乐。"苟利国家,不求富贵。"①朱寰先生身居斗室,心系天下,在 2003 年春季"非典"肆虐的时期,《人民日报》发表了朱寰先生的一封信。这封信通过新旧社会的对比,表达了朱寰先生对在党和政府领导下,战胜"非典"的信心与乐观精神。朱寰先生在信中说:"编辑同志:我

---

① 《礼记·儒行》。

叫朱寰,现任东北师范大学荣誉教授、历史系博士生导师,今年已经77岁了。抗击"非典"的战斗打响后,我每天都关注这方面的情况。当我看到从中央到地方,党政领导亲临防治第一线靠前检查指挥,看到广大医务人员将个人生死安危置之度外,看到全国人民在党和政府的坚强领导下,万众一心、团结得像一个人似的与"非典"搏斗的件件感人事迹,我的心就激动不已。我是经历了新旧两个社会的老人,又是一个史学工作者,遇事爱作历史的比较。有文字记载以来,灾害和疫病便不绝于书。在世界历史上,每次疫病的流行,无一不大批牺牲人的生命,在这一点上,古今中外概莫能外。1347年至1351年的黑死病(鼠疫)传遍整个欧洲,有1/3的欧洲人死去。15世纪末,发生在美洲的天花,使西印度群岛和加勒比海地区印第安人在50年内几乎死光。在我国,不同历史时期,不同的社会制度下,防治疫病的态度和能力大相径庭。1945年到1947年东北地区鼠疫流行,当时的国民党政府无能无德,根本不管人民死活,根本没有什么有效的防治。感染上了就只能坐以待毙。那时每天都往出抬人,死人多时就用马车往出拉,凄惨的哭声让人的心直发抖。当年我有个表哥住在辽源市(那时叫西安市),有一次我去他家串门,表嫂还给我做饭吃,可过了十几天我再去时,表哥伤心地告诉我,表嫂染上鼠疫已经死去了。新旧社会两重天。当"非典"袭来,我们民族蒙受灾难时,党和政府义不容辞挺身而出。各地都在极短的时间内建立了防治"非典"的网络,使"非典"疫情在较短的时间内得到了有效的控制。在中国的历史上,只有代表人民利益的中国共产党领导下的社会主义制度才能做得到。在"非典"肆虐时,我们的政治经济社会仍在正常运转,我现在每天读书、讲课,该干啥还干啥,心里特别踏实。我打心里感到,这是由于有对人民高度负责的党和政府,由于有值得信赖的党和政府。在我们党的正确领导下,一定能克服一切困难,夺取抗击非典的最后胜利。"①朱寰先生具有包容寰宇的博大仁爱之心,"视人之国,若视其国;视人之家,若视其家;视人之身,若视其身。"②2004年底,印度洋发生特大海啸,沿岸国家人民生命财产受到巨大损失。当时,朱寰先生正在国外,他老人家以耄耋之年,积极参与住在国的赈灾救助活动,并给国内的同志发函,代他向有关救助机构捐款。这种气节在当下商潮滚滚、物欲横流的社会时尚中是多么可贵,多么可敬!

朱寰先生在我国世界史研究领域已经开拓、耕耘五十多个春秋。55年前,当我国世界历史学科尚属初创时,朱先生即参加了这一宏大的文化建设工程。几十年来,筚路蓝缕,孜孜以求,虽然历尽坎坷,艰辛备尝,但却始终无怨无悔,矢志不渝。如今,先生年已八旬,却仍然坚持工作在教学科研的第一线,为加强本学科的建设不懈地努力着。"莫道桑榆晚,为霞尚满天",我们衷心地祝愿先生健康长寿,同时也祝愿先生在学术领域里再作簧宇闳开之行。

(原载《社会科学战线》2005年第3期)

---

① 人民网2003年5月19日。
② 《墨子·兼爱中》。

答客问:漫说我的学术经历和理念

刘 泽 华

一日肖史先生来访,要我写写自己的学术经历和取得的学术成就,我很犯难,碌碌多年而少有为,不知从哪里说起。他提议,由他来问,我来答,于是遂有下边的答客问。在问答之中略述个人的一些经历和学术理念。

客问:1979 年初你被破格提升为副教授,在南开和史学界曾引起广泛影响,请问,为什么花环落在你头上?

答:那年我都四十有四了,当了二十多年助教,还说"破格",很难为情。不过,此前近二十年没有晋升过职称,也确实是一个让人瞩目的事。当时没有个人申请制,至今我也没有打问过是谁提议的以及如何决定的,"谢恩"都不知道找谁! 我猜测,至少有两条依据:其一,我在"文化大革命"中没有恶行和遭人恨的事;其二,我想同我主持编写、出版《中国古代史》(百万字)有关,另外我还有其他一些文章。

客问:据我所知,"文化大革命"期间各高校编写的古代史有多部,大多没能出版,你主持撰写的《中国古代史》怎么能出版?

答:别人写的为什么没能成活,说不清楚。我们写的之所以能出版,我想主要有两点:第一,参加写作人员没有因这样与那样的政治事变而产生内部纠葛。1971年复课后我们认认真真从事历史研究与教学,没有在内部搞过所谓的"路线斗争",相反,我们提倡实行百家争鸣,不同意见协商调和,求同存异,所以大家一直能合作;第二,我们没有贯彻"以儒法斗争为纲重新改写历史"。1974年提出这个口号,影响了整个史学界,我们不是一点影响也没有,但我们的框架依然是以阶级斗争为主线。"四人帮"垮台后稿子大体仍然可用,局部调整即可,于是就由人民出版社出版了。

客问:听说你在1974年北京开的"全国法家著作注释会议"上与主持者唱了"反调",不同意"以儒法斗争为纲重新改写历史",引起特别"关注",是这样吗?

答:这次会是遵照毛主席指示开的,会议结束时,除毛主席、周总理、叶剑英以外,全体在京政治局委员接见了会议的出席者,包括邓小平在内。江青、张春桥等有长篇讲话。江青开头问,今天是几号? 今天是8月7日,历史上有"八七会议",今天我们也是"八七会议",要斗修正主义、要批儒等等……真是不伦不类。在这次会议上,一窝蜂式地大讲"以儒法斗争为纲重新改写历史"。"儒法斗争贯彻到现在,贯彻到党内"等等。我很愚钝,不知政治用意,再三说这种提法不符合历史,不符合马克思主义,会上会下一再嘟嘟囔囔,儒法斗争在东汉白虎观会议之后基本消失,怎么会贯通到现在和党内? 不能用儒法斗争取代阶级斗争。严格地说我也说不上是唱"反调",只是不知时务罢了。等到1978年《历史研究》与《人民教育》编辑部联合写文章,对这次会议进行清理时,他们发现竟然整了我的专门材料。这份材料也让我看过。这就是所谓的"反潮流"吧。由于我对儒法斗争在历史上的定位离历史事实不太远,所以在写《中国古代史》时没有太多的胡来,另外对诸如"让步政策"问题、"反攻倒算"问题、统治阶级政策的评价等等问题,都留有余地,这对《中国古代史》的成活无疑有重要作用。

客问:20 世纪 70 年代末你写的《砸碎枷锁 解放史学》、《论秦始皇的功过是非》以及《关于历史发展动力问题》等文,在史学界曾引起很大反响,历史学界与理论界对历史动力问题还展开了一场大讨论,你是怎么提出问题的?

答:说来话长,只能长话短说。"文化大革命"之初,1966 年6 月 3 日《人民日报》发表了《夺取资产阶级霸占的史学阵地》的社论,传达了最高指示:"史学要革命"。可见史学革命在"文化大革命"期间的意义有多重。经历过的人都有体会,一波"革命"就会造成一片禁区,"革命"越深广,禁锢的就越多。"四人帮"垮台后大家忙于批判他们的政治上的"影射史学",对"史学革命"很少涉及。我感到不破除对"史学革命"的迷信和禁区,便无从谈史学界的拨乱反正。于是写了《砸碎枷锁 解放史学》这篇长文。适逢 1978 年 6 月要召开"全国史学规划会议筹备会",我有幸被作为特邀代表。这次会的规模很大,有数百人,"文化大革命"中被打入另册的"反动学术权威"几乎都出席了。我是一个名不见经传的老助教,何以能作为特邀代表?后来有关人士告诉我,就是因为我在 1974 年"法家著作注释会议"上有"反潮流"之举。恰好当时我写了这篇文章,会议主持者要我在会议上发言。由于切中肯綮,引起很大反响,以致招来否定"文化大革命"的非难。因为当时还处于"两个凡是"时期,情有可原。由于有黎澍等人的支持,《历史研究》很快刊登了全文,所以对史学界的思想解放起了推动作用。

关于秦始皇的问题，在当时也是一个敏感的政治议题。人所共知，领袖不止一次以秦始皇自喻，因此秦始皇成为一个神圣的"代号"，形成望秦始皇而生畏的局面。我们（与王连升合写）评秦始皇的功过是非的目的十分明确，就是要把秦始皇还给历史，同时要批判秦始皇的残暴和罪过。文章在《历史研究》一刊出，便接到一批愤怒的来信，说我们"项庄舞剑，意在沛公"，意在"砍旗"云云。我希望年轻的读者，把我们的文章放到当时的历史文化环境里读读，比较一下，会有兴味的！

阶级斗争是历史发展唯一的动力、真正的动力，是多年来，特别是 1949 年以后不可怀疑的铁律，谁碰了这个问题，都没有好下场，不是右派就是反革命修正主义分子等等。"阶级斗争为纲"是我们那个时代的最强音，是"文化大革命"的理论基础。1976 年批判"四人帮"的文章很多，但没有对"阶级斗争为纲"的理论进行必要的反省，然而这恰恰是"文化大革命"的生命线。我们（与王连升合作）经过反复的思索，认定必须向这一理论提出质疑和挑战。但当时形势是不容许"正面"提出问题的，这是涉及"旗帜"的大事。于是我们只能采取迂回的方式，你看，《关于历史发展动力问题》这个题目本身就是"中性"的。就我们而言，当时只能用打着红旗"修正"红旗的办法来反思这个大问题。于是从生产斗争是历史发展的根本动力入手来纠正和修正阶级斗争是历史发展的唯一动力说。这篇文章在即将发表之际，又被 1979 年在成都召开的"全国史学规划会议"选中（会议向全国征稿），要我在大会上发言。这中间还有一点小小的插曲。起初要我做大会发言，然而在即将开会时又通知我不讲了，没有过一天，又要我讲。这也反映了会议主持者的矛盾心情。我在大会上宣读了文章，几乎同时，《教学与研究》也刊登出来,于是立即引起史学界和理论界的热烈讨论,一些地区和大学召开了多场专题讨论会,在不长的时间里发表的文章数以百计。我们的文章有否这样与那样的不足,另当别论,但有一点是令人称意的,即打破了阶级斗争为纲这一观念的神圣性,使它变成了一个可以讨论的问题。

客问:你 1978 年讨论的战国"授田制"问题,最近几年被史学界重视起来,认为你揭示了一个重大的历史制度,你是怎么发现这个问题的?

答:1971 年写教材(内部铅印稿)时已经提到这一史实,但未及细论。1976 年以后,我开始重新审视历史上的"阶级"问题。对过去把历史简单地装入两大对立阶级的口袋(奴隶主阶级与奴隶阶级,地主阶级与农民阶级),深深感到过于简单化和教条化。如何走出来? 当时我与同仁们拟定从研究历史上实际存在的等级与身份入手来重新勾画阶级关系。为此我对战国时期的社会等级与身份进行了系统的、全面的考察,写了一系列的文章。1978 年《南开大学学报》为此辟了专栏连续发表有关研究成果,开栏首篇文章就是我写的《论战国时期"授田"制下的"公民"》。经过二十多年的学术验证,学界公认战国的"授田"是一个大制度,有关文章不下二十篇。近几年来人们在追述学术史时,承认我这篇文章是最早的发轫之作。

客问:你研究战国的社会等级和身份得出了怎样的历史结论,这同你讲的"王权支配社会"这一观点有否关系?

答:你提的问题切中要点。战国秦汉是中国两千年封建君主专制社会的形成和定型时期。当我研究了社会各阶层与不同身份的形成机制后,我得出结论:作为占主导阶级与阶层的那部分社会成员,主要靠政治资源而形成和维持的。我在《历史研究》发的一篇文章的题目是:《从春秋战国封建主的形成看政治的决定作用》。所谓政治权力主要指"王权",所以我在三联书店(北京)出版的《中国传统政治思想反思》一书中又用"王权支配社会"来概括我对中国历史特点的认识。

客问:1988年8月11日、12日《人民日报》接连两天发表了对你的专访,就是由你的《中国传统政治思想反思》一书出版引起的。记者以"专制主义:中国传统思想文化的必然归宿?"为题凸显问题,文中又评论说:"这可是一个相当大胆的论断。"这些年高扬传统文化的浪潮一浪高于一浪,把民本主义高高扬起,你今天对此有否变化?

答:我依然坚持上述看法。一定要注意,战国时期的百家争鸣是争要建立什么样的君主专制主义,绝不是体制上君主专制主义与民主主义之争!我们的先哲没有设计出民主体制,哪怕是贵族民主体制。这是我的一个重要学术观点。民本观念我也认为很值得高扬,但民本不是"元"命题,民本与君本之间是一种组合结构,而主导是君本。离开君本说民本是片面的。

客问:你说君本与民本是"组合结构",请你把"组合结构"再说的具体点如何?

答:在传统政治思想中,我们的先哲几乎都不从一个理论元点来推导自己的理论,呈现出来的是一种辩证结构。这种结构的特点我称之为"阴阳组合结构",有时我又称之为谓"混沌结构"。说起来有点麻烦,这里不妨开列一些具体的阴阳组合命题,诸如:圣人与圣王,道高于君与君道同体,天下为公与王有天下,尊君与非君,正统与革命,民本与君本,人为贵与贵贱有序,纳谏(听众)与独断,"四勿"与人各有志,教化与愚民等等。这些命题是互相组合的,一方不能单独成立,但双方又不是对等的,而是一种阴阳关系,即主辅关系。研究中国的政治思维不能从一个角度切入,否则会顾此失彼。

客问:上海人民出版社出版了你的《中国的王权主义》一书,为什么你又用了这个提法?

答:在 20 世纪 80 年代讨论中国传统文化特点时,有一种影响很大的说法,即中国传统文化的特点是人文主义,针对此说我提出了中国传统人文主义的归结点是王权主义。后来我把王权主义的范围又扩大了,我在《王权主义概论》中有如下一段论述:

从历史的总过程看,我仍相信生产力的发展状况与生产关系决定着社会的基本形态。这是最基础性的看法。王权支配社会问题是在此基础上提出的一个具体的社会运行机制问题。这是既有联系又有区别的两个不同层次的问题。前者要回答这个社会何以是这样? 后者则是回答这个社会运动的主导力量是什么? 就中国古代社会而言,我认为区分这两个不同层次对更真实地把握历史过程是有意义的。

在社会生产力发展缓慢的历史时期,在生产力还没有突破现有的社会关系以前,社会的运动主要是受日常的社会利益关系之间的矛盾驱动的。这里所说的日常利益是指形成利益的社会条件没有什么大的变化,利益的内容大体相同,利益分配和占有方式大体相同。社会利益问题无疑有许多内容,但主要的还是经济利益。在长达数千年的中国传统社会中,经济利益问题主要不是通过经济方式来解决,而主要是通过政治方式或强力方式来解决的。这样政治权力就走到历史舞台的中心,并在相当长的时期内成为社会运动的主角。

中国从有文字记载开始,即有一个最显赫的利益集团,这就是以王——贵族为中心的利益集团,以后则发展为帝王——贵族、官僚集团。这个集团的成员在不停地变动,而其结构却又十分稳定,正是这个集团控制着社会。这是一个无可怀疑的事实,我的问题就是以此为依据而提出的。

这种王权是基于社会经济又超乎社会经济的一种特殊存在。它是社会经济运动中非经济方式吞噬经济的产物,是武力争夺的结果,所谓"马上得天下"是也;这种靠武力为基础形成的王权统治的社会,就总体而言,不是经济力量决定着权力分配,而是权力分配决定着社会经济分配,社会经济关系的主体是权力分配的产物;在社会结构诸多因素中,王权体系同时又是一种社会结构,并在社会的诸种结构中居于主导地位;在社会诸种权力中,王权是最高的权力;在日常的社会运转中,王权起着枢纽作用;社会与政治动荡的结局,最终是回复到王权秩序;王权崇拜是思想文化的核心,而"王道"则是社会理性、道德、正义、公正的体现,等等。过去我们通常用经济关系去解释社会现象,这无疑是有意义的;然而从更直接的意义上说,我认为从王权去解释更为具体,更便当。

王权主义是上述现象的总称,我所说的王权主义既不同于社会形态,也不限于通常所说的权力系统,而是指社会的一种控制和运行机制。大致说来又可分为三个层次:一是以王权为中心的权力系统;二是以这种权力系统为骨架形成的社会结构;三是与上述状况相应的观念体系。

客问:你说的"王权主义"是一个否定性的概念吗?是否意味着全面地反传统?

答:哦!不能这样看,如果这样看,或者是我没有把道理交代清楚,或者是存在着误解。这其中有五个问题要进行研究:第

一,历史事实的判断问题,就是说,中国历史的主体是王权主义
(君主专制主义)吗? 对此我深信不疑。如果有人说,中国古代
不是王权主义,我很希望能展开讨论。认定中国古代是君主专
制主义是史学界的普遍认识,甚至是共识。既然是共识为什么
我还要反复说呢? 我认为正因为是共识,反而没有深掘其内涵。
毫无疑问,早在 19 世纪末一些哲人开始提出批评中国古代君主
专制,但进一步批判的是五四时期的哲人。但当时哲人们忙于
现实的问题,没有能深入地分析。这件事关乎社会转型的大问
题,需要更多的人来做深做透,我自信我的研究不是简单的重
复。第二,王权主义在历史上有过历史的合理性吗? 对此我取
历史辩证法的观念来看待,君主专制主义是一种社会秩序和社
会资源控制与分配体系,它有其必然性和历史的合理性。我从
来没有说过中国历史上不该有君主专制主义。在叙述历史的时
候,我认为只能用辩证分析的方式来对待,要在矛盾中陈述。第
三,研究王权主义的现代意义问题。这个问题又有很多层面,一
句话,我的看法是:要现代化就要从王权主义中走出来,对王权
主义有个"蜕壳"的问题。要充分认识,从历史中走出来不是一
朝一夕的事情,要有整整一个时期的不懈的蜕变过程。第四,这
是否会引出民族虚无主义? 我认为,说中国古代是王权主义同
民族虚无主义是两回事,只要历史地看待王权主义就不是虚无
主义。站在时代前进的立场对遗留的王权主义持批判态度,更
说不上是虚无主义。在我看来,民族虚无主义不单单是对历史
持何种看法,而是对民族历史与现实创造力是否有信心的问题。
有一种不可忽视的现象,即有些人把民族的生机归根到远古,不
相信我们的民族有新的创造力,这是在复古气氛中来搞民族虚
无主义,对此不可不引起思索。第五,关于反传统与继承、弘扬

传统的问题。我认为通常说的"反传统"或"发扬传统",其提法似乎都过于简单,都会舍弃许多东西。这种提法的确极其明了和概括,泛泛地这样说未尝不可,但真正以此为旗号的人是很少的,大凡都是批评对方的用词。如果有人说我反传统,我就不以为是准确的。我自认为我是以"分析"为务的。另外,王权主义在现实中还有其表现和影响,我对其持批判立场,对此更不宜用"反传统"来概括。

客问:在中国古代政治思想史方面,你与你的合作者有系统的著作问世,多达二十多部,在这个领域,南开是重镇,你是领军人物,这是如何得来的?

答:哦!说起来不复杂,主要有四点:一是笨鸟先飞;二是咬住青山不放松;三是有一个学术自由联合小团队;四是水涨船高。

客问:从20世纪80年代你写了一系列的历史认识论和政治思想研究方法论的文章,你基于什么要研究这些问题?

答:"文化大革命"以后学术面临从教条主义走出来的大问题,在此情况下,没有认识论的自觉,就没有学术的自觉。假设我没有在历史认识论和政治思想研究方法论上下工夫,我不会取得现在的成果。历史认识论内容很多,我集中研究了"考实性的认识"、"抽象性认识"、"价值性认识"、"是非性认识"和"通变性认识"。前三项都有专文,后两项只有一个论纲,没有完成,至今遗憾。在我个人认识问题上有一个重要的转变,这就是我选择了"马克思主义在我心中"这一定位。在封闭的情况下,我长期受马克思主义的教育,从思想与情感上是自觉的接受的,但基本属于"外铄型"。开放后,传来众多的思想观念,我也深深感到在被禁锢时期所学的马克思主义有很大的片面性,但我比来比去,仍认为马克思的思想更深刻,我仍然选择了马克思主义,但与过去相比,有一个重大的变化,我不再轻信别人对我的灌输和规定,诸如"统一"到什么地方去云云。我依然尊重这类的说教,但在我看来这仅仅是多元中的一家而已。关于认识的多元性或多样性问题,我在《史家面前无定论》、《除对象,争鸣不应有前提》、《思想自由与争鸣——战国百家争鸣的启示》、《增强历史研究的主体意识——答李晓白问》等文中作了详细的论述。"马克思主义在我心中"对我十分重要,是我自主意识的标志。过去我是"外铄型",跟着"风"转,有时跟不上,要找差距,要自我检查等等。有了这一点就有了自主意识,有了学术逻辑和学术理念。

我主张学术自由,对学生也一样。我可以自豪地说,我从来没有要求过学生必须与我一致,相反总是鼓励学生们与我争鸣,并能对我的观点提出批评,但有一条要求,即必须有证据。我还有一条自己的立法,凡属能有理有据与我进行商榷的,要给以高分。在我看来,培养学生独立自主学风,首先要鼓励学生敢于与教师面对面的争鸣。以上不是自诩,是我的教育理念。我相信我的学生们会给我作证!

客问:15 年前你在《求是》上发表了《历史学要关注民族与人类的命运》的文章,这可能吗?历史学是否会因此走向实用主义之路?

答:应该说,历史学就是研究民族和人类的"命运"之学,如果历史学不以此为己任,那么历史学就会变成茶余饭后的消遣小物,中小学可以不设历史课,大学没有必要设专业,社会科学院也无须设专门的研究机构,但这行吗?哲人说过,要灭一个民族,要先消灭其历史,可见历史关乎着"命运"。如果历史工作者和研究者缺乏"命运"关怀意识,恐怕是缺乏了自觉性,应该补足。关怀"命运"的方式是各式各样的,要百花齐放,求同存异。至于会不会走向实用主义,我看,有人搞实用主义也应该允许。另外,有人一说道"御用学者"就嗤之以鼻,其实大可不必,20世纪80年代我在一篇文章中曾论述过,"御用学者"也是一种学者,古今中外都有,不仅是职业的选择,也是一种"使命"的选择。重要的是在认识上要平起平坐。

客问:你的文章的转载率很高,仅《新华文摘》就有十几篇,有什么窍门和关系?

答:这些年约稿的多,来不及写,反而有些被动。过去我的文章,都是"自流稿",转载不转载是人家的选择。我没有花过版面费,也没有托过人。至今我依然自信,只要下了工夫,有学术个性,不愁没有地方发表。

客问:有人说你们已形成一个学派,你怎么看?

答:哎呀!学派是自然形成的,我从来没有建立学派的想法,也从来没有要求我的学生必须接受我的观点。如果有些学术同志,那绝对不是我个人的扩大,而是共同切磋的结果。在我们这个小群体里,实行的是学术自由、互相尊重学术个性,在许多问题上各不相同。现在把话说回来,也不要把学派神秘化,只要有一定的学术个性,又有一些人持大体相同的见解,就可以说是一个学派。人不多,就是一个小小的学派吧。

(原载《社会科学战线》2004年第4期)

把握历史规律 探索社会进程

——历史学家庞卓恒的历史哲学探索和跨学科研究

吴 英

庞卓恒的历史探索,首先集中于历史哲学的探索,而他的历史哲学探索又主要集中于历史规律的探索;同时,他以自己对历史规律的理解,运用于跨学科的实证研究,以检验他对规律的理论认识的是非得失,进而进一步完善对规律的认识。

但是,究竟什么是规律呢? 1954 年他带着这个问题进入了北京大学历史系。系主任翦伯赞充满哲理的学术报告,胡钟达老师关于东西方社会不同发展道路的雄辩讲演,再加上年轻讲师钟泽民推理严密的哲学课,很快把他推进了历史哲学的"深山老林":从《德意志意识形态》到《费尔巴哈与德国古典哲学的终结》和黑格尔、费尔巴哈的著作,从《资本论》、《哲学的贫困》到《反杜林论》和《自然辩证法》等等,如饥似渴地学而思、思而学,都围绕着一个目标:要找到"什么是规律"的答案。根据他自己从旧中国到新中国的体验和他当时把握的历史知识,模糊地感到,就社会历史发展的规律而言,似乎可以说,一个社会各阶层之间,特别是当权者与老百姓之间,齐心合力程度越高,就可能发展越快;反之,就可能发展慢,甚至停滞、倒退。

反右斗争开始后，他被划为"极右派"分子，受到"保留学籍，劳动察看"处分。

在北京门头沟和十三陵公社下放劳动中，庞卓恒虽然没有条件读书，却利用农村这个现实课堂继续探索什么是规律的答案。在"大跃进"和"公社化"高潮中，他和社员们参加"深翻土地大会战"，兴高采烈到公社食堂吃"大锅饭"；一起拿着竹竿驱赶麻雀"除四害"；不久以后，他又目睹食堂解散，吃玉米核粉、榆树叶和梨树叶掺和的窝窝头；他目睹自己的房东农民大哥在饥饿、浮肿和极度的痛苦挣扎中死亡……面对这一现实，他继续苦苦思考：什么是规律？

改革开放以来，社会发生了巨大的变化。庞卓恒似乎从这一历史巨变中获得了理解整个历史运动的关键性启示，他重新阅读马克思恩格斯的著作，重温中国和世界的历史进程，形成了更加明确的认识：原来，所谓历史发展的动力，就是包括领导者和普通大众在内的历史创造者们谋求生存和发展的实践活动及其形成的合力；所谓历史发展的规律，就是包括领导者和普通大众在内的历史创造者们在谋求生存和发展的实践活动中必然要"吃一堑，长一智"的规律，必然要通过个体和群体的实践活动推动自身的实践能力从低级向高级发展，从而推动自己在经济、社会、政治和精神等生活领域的交往方式以至整个社会形态从低级向高级发展的规律。这些认识成果最初表述在他公开发表的第一篇论文《马克思主义关于历史动力的理论及其现实意义》中，后来比较系统地发表在他的第一部专著《人的发展与历史发展》一书中。

庞卓恒认为，"如果研究历史不能揭示规律，那就不如到山沟赶毛驴"。他充分肯定波普尔（Karl Popper）对海森堡以量子力学的"不确定关系"否定因果决定论所作的批评,也充分肯定他认定只要能掌握骰子被抛掷出去的全部初始条件就一定准确预见到它最后落定的必然结果的论断;但同时指出,波普尔最终把"因果决定论"归结为"形而上学"而排除于科学之外,表明了他在逻辑上的自相矛盾;而他把唯物史观揭示的社会历史发展规律等同于宗教神学的命定论和法西斯主义的种族决定论而加以诋毁,则表明了他的社会阶级偏见。对于当代西方另一位科学哲学大家亨普尔(K. G. Hempel),庞卓恒充分肯定他确认一切历史解释和自然科学解释一样,都必然包含着一个"普遍规律假设",从而肯定了社会历史科学与自然科学本质上的共同性;同时又指出,亨普尔所说的"普遍规律"并不是真正的因果必然性规律,只是人们从经验观察或感受中归纳出来的一些"经验规则",本质上同"天下乌鸦一般黑"之类的归纳性论断没有区别,因而至多只具有一定的或然性,而不具有普遍的、概莫能外的因果必然性。庞卓恒认为,人类社会历史发展的因果必然性的普遍规律,不是人们常说的某几种生产方式或社会形态依次更迭的规则,而是由人类生存特性决定的实实在在的因果必然性规律:人类要生存,就必然要吃喝住穿;要吃喝住穿就必然要从事物质生产和与此相应的实践活动;而且必然要在这些实践活动中不断地"吃一堑,长一智",不断积累和增长经验、智慧和能力,从而不断地推动自己的劳动生产方式和经济、社会、政治和精神等生活领域的交往方式以至整个社会形态从低级向高级发展。这个普遍规律是没有例外的。至于在从低级向高级发展过程中,要经历那些具体的社会形态,各个民族由于各自所处的空间时间条件不可能完全相同,各自的发展形态和模式也就必然各不相同,至多只能对相似条件下出现的相似形态或模式归纳出某些相似特征;他经过详细考证认定,马克思在《〈政治经济学批判〉序言》中所说的"四形态"更迭的"规律"(即后来人们所说的"五种社会形态规律"的依据)实际上是马克思对欧洲历史进程所作的"大体上"的归纳,不是对人类历史普遍规律的表述;相比之下,马克思在同一时期写作的《1857—1858年经济学手稿》中归纳的"三形态"或"三阶段",更接近于对人类从低级向高级发展普遍必经的历程所作的概括:"人的依赖关系(起初完全是自然发生的),是最初的社会形态,在这种形态下,人的生产能力只是在狭窄的范围内和孤立的地点上发展着。以物的依赖性为基础的人的独立性,是第二大形态,在这种形态下,才形成普遍的社会物质变换,全面的关系,多方面的需求以及全面的能力的体系。建立在个人全面发展和他们共同的社会生产能力成为他们的社会财富这一基础上的自由个性,是第三个阶段。第二个阶段为第三个阶段创造条件。"①庞卓恒认为,这个"三形态"或"三阶段"的概括,包含着人的生产能力的发展推动社会形态从低级向高级发展的因果必然性,而这正是唯物史观揭示的人类社会历史发展的普遍规律的核心内容。

庞卓恒以他对社会历史发展规律的这些理解为理论框架,先后在以下领域做了跨学科的实证研究,提出了自己的一家之言:

一、关于中西古代和中古社会的比较研究。他从中西古代先民生产生活方式的差异入手,探寻中国和西方走上不同发展道路的初始原因。他认为最大的差异是中华先民没有经过漫长

① 《马克思恩格斯全集》第46卷(上),人民出版社1979年版,第104页。

的游牧、游耕时期,在五六千年前的仰韶和龙山文化时代,就在黄河、长江两大流域中下游广大地域从原始的采集、狩猎生活过渡到了定居村落文明;而西方大多数近代民族的先民,如古希腊人和拉丁—罗马人,从长期游牧的古印欧族群分离出来,直到公元前八九世纪才逐渐定居下来,日耳曼人直到公元后 5 世纪征服西罗马帝国以后才最后定居下来。

中华先民不是像古希腊人、罗马人、日耳曼人那样,靠着铁制农具和畜耕技术和个体家庭耕作方式进入定居农耕生活,主要是使用极简陋的木石工具,靠着巨大的氏族、宗族组织的大协作劳动生产方式进入定居农耕文明;由此决定,在古希腊、罗马形成了充满战争、征服和竞争的奴隶制和斯巴达、特萨利亚、克里特那样的古农奴制社会,在中世纪形成了领主—附庸制和庄园农奴制的社会;在中国则形成了以"天子—子民"为两极的先秦时期的"宗族奴隶制社会"和战国秦汉以后的宗法式封建制社会。从经济文化发展水平来看,大约 14 世纪以前中国明显处于先进地位,这是因为,中国由于靠着巨大的氏族、宗族组织的大协作劳动生产方式进入定居农耕文明,很早就形成了以血缘和准血缘关系为纽带的宗法性的社会和政治组织体系,它能够把千百万人的微弱的个体力量十分有效地组织起来,形成一个巨大的"大家庭"式的共同体,发挥出巨大的"集体生产力",从中产生出足够的剩余产品,由此转化成为至今令世界惊叹的物质和精神文化成果;而同一时期的西欧,很多时间处于游牧、迁徙、征战的动荡之中,或处于城邦之间或封建领主之间的争夺和混战之中。中国虽然也常发生战争和动乱,但大协作的生产方式促使中国很早就形成了坚固的大一统传统,即使遭遇"合久必分"的震荡,但终究还是"分久必合",而且"合"的规模越来越大。这使得中国可以在较长时期连续不断地积累文明成果,不像西方那样多次发生毁灭性的大震荡,多次从近乎"粗野的原始状态"重新起步前进。但是,大约从十四十五世纪以后,西方开始从落后变先进,而中国则开始从先进变落后。促成先进变落后和落后变先进的根本原因是什么呢? 庞卓恒认为是生产力的对比发生了变化。他强调生产力不能用"两要素"或"三要素"的"有机结合"或"性质和水平"之类的模糊用语来描述,而必须视为劳动者个体或集体的物质生产实践能力,而且以产量或劳动生产率来衡量,例如,在小生产农业社会,可以粗略地以农民的人均粮食产量来衡量。他计算的结果显示,大约十四十五世纪以后,中国农民人均粮食产量和除去自身消费、上缴租税以后的"净余率"(约相当于经济学家们所说的"储蓄率")明显低于英国。他还发现中国农民的人均粮食产量从战国秦汉到隋唐呈上升趋势,宋元明清呈停滞甚至下降趋势。他认为,作为小生产农业社会的基本动力的农民劳动生产力的这种消长变化,是促成中国由先进变落后、西方由落后变先进的终极原因,也是决定中西封建社会延续时间长短悬殊的终极原因。不过他承认,酿成这个终极原因的因素,不是单一的,而是多元的。其中一个最突出的因素是,中国那一套宗法性的社会和政治集权制度以及相应的一套纲常伦理,本是为了把千百万微弱的个人生产力组合到一个大协作的"大家庭"而建构起来的,虽然在漫长时期确曾发挥过促使中国经济文化发展水平居于世界先进地位的积极作用,但是它们同时也意味着对千百万个体力量的严密控制和限制,这就极不利于马克思看重的那种个人力量的增长和个体的发展。相比之下,西方自从日耳曼人摧毁西罗马帝国以后,原有的各种"文明礼制"几近荡然无存,人们不得不从近乎粗野的原始状态重新起步。粗野意味着落后,同时也意味着束缚的粗疏。正是在所谓"黑暗的中世纪"的一千年间,西欧人的生产能力逐渐发展和积累起来,终于跨上了落后变先进的里程,从 16 世纪率先开始从马克思说的人类社会进化的第一大阶段向第二大阶段过渡。

二、关于中西历史文化的比较研究。庞卓恒在广泛吸取西方人类学家和中外文化学者关于"文化"、"文明"的研究成果基础上,提出了他自己的文化定义:"文化是人群在长时期共同的经济、社会、政治和精神等领域的社会实践活动中形成的行为方式、思维方式和相应的物质和精神的人工制品(器物、制度、习俗和精神领域的符号体系)的总和,其核心是人们从社会实践活动中产生出来、反过来又制约和规范人们的社会实践活动、并决定各种行为方式、思维方式和人工制品兴废更迭的价值观。"这个定义包含着关于文化的产生、发展和演变的规律的提示。他认为,文化研究也像其他社会历史现象研究一样,如果不能揭示其中的因果必然性规律,就说不上有真正的科学价值。他对文化的发展规律作过如下表述:"人类的一切人工制品和决定那些人工制品兴废更迭的价值观,必然随着人类谋取生存和发展的实践活动和实践能力的发展而发展。"这一表述显然就是他的文化定义的直接延伸。庞卓恒回顾了 20 世纪初新文化运动时期李大钊等一代先贤所做的中西文化比较,指出其得失。认为中西古代先民的文化价值既有"异中有同"的一面,也有"同中有异"的一面。"异中有同",指的是古代中国人和西方人确实存在着崇尚和谐安定(和合)和崇尚竞争取胜(分争)的差异。这是因为中华文明经历了数千年协作性的生产、生活方式,决定了它自然要产生一种相应的崇尚和谐安定的价值观;而西方文明经历了数千年竞争性的生产、生活方式,也自然要产生一种相应的崇尚竞争取胜的价值观。但是古代中华文明并不是拒绝一切竞争,古代西方文明也并非完全排斥和谐安定。"同中有异",指的是在强调个人的从属地位方面古代中国人和西方人的价值观同中有异:都强调个人的从属地位;但由于生产生活方式毕竟还存在着差异,这就决定了个人从属地位同中有异。总的来看,古代、中世纪的西方社会给予个人独立存在的空间比中国的天子—子民社会给予的空间要大一些。到近现代,中西双方生产生活方式都发生了根本性变化,文化价值观也相应地发生了变化;但是,由于双方的生产生活方式在更新的同时也都还对历史的遗产有所继承,文化价值观上也都各自在不同程度上继承了自己的遗产。不过,总的趋势是,随着现代化进程的推进,相互的交往和联系日益密切,生产生活方式和价值观方面互相借鉴和取长补短的趋势日益增强。

三、关于现代化历史过程的比较研究。庞卓恒对当代西方的现代化理论和发展学理论作了系统的考察,认为它们最大的缺陷是始终没有科学地说明什么是"现代化",什么是"发展",更说不上揭示其发展的动力和规律了。他认为,所谓现代化,就是从马克思说的第一大形态或第一大阶段过渡到第二大形态或第二大阶段,并从第二大形态的初级阶段发展到高级阶段,并为进入第三大阶段准备充分条件的过程。从第一大形态过渡到第二大形态,在生产力和经济交往方式方面的变革,主要就是从小生产农业和自然经济为主发展到社会化大生产、并且以非农产业和普遍的商品货币交换为主的经济,与之相应,在社会交往方式方面的变革,就是从"人的依赖关系"转变为"以物的依赖性为基础的人的独立性"的关系。粗略地看,马克思所说的第二大形态似乎仅仅是指资本主义社会。如果这样理解，资本主义的现代化道路就成了从第一大形态——小生产农业为主的封建社会——过渡到第二大形态的现代社会的唯一道路。但马克思本人指出过实现现代化的另一条道路，就是避开资本主义的"卡夫丁峡谷"而又充分吸取资本主义的"一切积极成果"的道路，中国实际上就是走的这一条道路。这就是社会主义的现代化道路。它在生产资料所有制上超越了资本主义私有制占主导地位的形态，但在经济和社会交往方式上，仍然属于马克思说的"以物的依赖性为基础的人的独立性"为特征的那个第二大阶段。中国提出由计划经济转型为社会主义市场经济和社会主义初级阶段理论以后，中国社会属于马克思说的第二大阶段的属性尤为明显。由此，庞卓恒认为，马克思说的社会主义实际上有两种：一种是从发达资本主义的社会化大生产、大交换基础上过渡的社会主义，另一种是从小生产农业和自然经济、半自然经济占主导地位基础上向现代化过渡的社会主义。前一种社会主义是发达资本主义的后继形态，属于第三大形态的初级阶段；后一种社会主义是资本主义现代化道路的替代形态，其初级阶段仍然属于第二大形态或第二大阶段。

四、关于当代发达资本主义国家和发展中国家经济社会变迁和发展趋势的研究。第二次世界大战以后，在新的科技革命推动下，西方资本主义似乎焕发出了新的生命活力，特别是20世纪90年代以后，随着苏联解体和东欧剧变，日裔美国人福山出版《历史的终结》一书，宣称从此以后资本主义的永恒存在代替了社会历史的变迁；20世纪90年代美国的"新经济"近十年的持续增长，更使人们觉得资本主义似乎已经永远摆脱了周期性危机，能够像永动机那样永无休止地繁荣下去了。庞卓恒认为,这一切都是无视历史发展规律而产生的错觉;第二次世界大战以后西方资本主义发达国家确实发生了巨大的经济和社会变迁,但那些变迁不是表明资本主义具有永不衰竭的活力,恰恰表明已经进入它的"终结"时期。其中一个突出标志就是累进所得税和作为"第二次分配"的社会保障支出占国内生产总值的比重空前增大。今天的西方资本家赚的利润往往一半以上交税,成为"第二次分配"基金。这本身就说明"自由的资本主义私有制"已经不可能照旧存在下去。"征收高额累进税"本是《共产党宣言》提出的"对所有权和资产阶级生产关系实行强制性的干涉"的措施,也就是向社会主义过渡做准备的措施;这些措施在当今西方国家普遍推行,表明那里已经出现了从第二大阶段向第三大阶段过渡做准备的某些征兆。庞卓恒还特别重视西方社会产业结构和阶级关系的变迁,即第三产业的产值和就业人口超过第一产业和第二产业总和,以及与此相关的"白领"——"中间阶层"发展成为主要社会阶层的趋势。他认为当代西方社会的"白领阶层"大都应该属于恩格斯说的"脑力劳动工人阶级"。他们在生产过程和管理过程中越来越占据主导地位,意味着纯粹的资本家越来越成为恩格斯说的那种"多余的阶级"。这本身就是"劳动发展史"和劳动阶级的"个体发展史"进入了一个新的阶段的标志,而且他认为这是促成当代西方社会经济、政治和意识形态领域发生一系列变迁的根本因素。所有这些变迁都表明西方资本主义发达国家已处于第二大形态的高级阶段,也就是第二大形态的最后阶段。至于当代发展中国家的经济和社会变迁,他认为大都还处在第二大形态的初级阶段,但由于在信息时代有可能实现跨越式发展,到本世纪中后期或晚期,第三世界国家的人均国内生产总值有可能达到与发达国家大体相当或相去不远的水平。庞卓恒强调,他的研究结论都只能看作尝试性的假设,有待学界同仁的批评和世界历史进程本身的验证。

(原载《社会科学战线》2001 年第 4 期)

张玉法教授的史学人生

黄自进　潘光哲

1992 年张玉法先生荣膺中国台湾"中央研究院"第十九届院士的学术桂冠,成为在台湾本土的学院里工作不懈、必然获得肯定的指标人物之一。在 2002 年方甫开春的时分,张玉法先生从近史所专任研究员的工作职位上退休,他的史学人生,却远远还没有达到退休的时候。

一

张玉法先生是在战乱里成长和锻炼出来的史学家。1935 年 2 月 1 日,张玉法先生诞生于山东峄县台儿庄附近的农村,这处老家,是片饥寒和恐怖交织成的土地,压迫着他从童年起,就得尝受战火动荡的苦涩滋味。方始侥幸进入中学之门,内战的炮火,就逼促他走上流亡万里的道路。1949 年的夏天,少年张玉法的漂泊步伐来到了澎湖,紧接着到了员林,在员林实验中学的校园里,他找到了好像可以暂时喘口气的地方。在中台湾的一隅,张玉法勤学苦读,想要为自己的生命寻找一条出路。①

1955 年,怀着可以通晓"古今中外"的憧憬,张玉法以第一志愿考进了台北的台湾师范大学史地系。在史地系庞杂而多样的课程里,张玉法逐渐伸出了知识的触角。王德昭和张贵永教授的系列西洋史课程,让他眼界大开;李树桐、朱云影与曾祥和三位老师平易近人的风范,以及他们对于学生的关怀,也使他念念不忘。郭廷以先生的"中国近代史"课程,更是一绝。长相威严的郭先生,让学生望而生畏,上课的时候,没有学生敢坐在前三排。不过,郭先生的特殊作风,却让张玉法由衷的佩服。有一回考试,郭先生出了四道考题,他只答完一个半题,下课钟响,只好交卷,张玉法心想,这一科一定不及格。没想到成绩出来,竟然得了 86 分。张玉法主动向老师查问原因,郭先生居然答复道:"我是依程度打分数,只要有见解,就算答一题也可以拿满分。"郭先生独特的学术标准,深切地刻镂在张玉法的知识心灵上。

年轻的张玉法已经有心于研究工作,在宽广的知识世界里,探索着自己的未来道路。但是,他还不曾步入中国现代史的无涯领域;东汉史、唐史和以郑成功为中心的南明史,都一度是他的研讨主题。1959 年,张玉法以史地系历史组第一名的优异成绩毕业。在戴上学士方帽子的前夕,为了报考台大历史研究所,陈寅恪的几部名著成了张玉法的案头书,他更苦心完成了三万多字的《唐代藩镇论》,编了十万多字的藩镇年表。可惜,他失败了,无缘进入杜鹃花城。始终心系于研究,不愿在中学"误人

---

① 张玉法:《走上研究中国现代史的道路》,收入《中国论坛》编委会编:《我的探索》,《中国论坛》杂志社 1985 年版,第 233—237 页。

子弟"的张玉法,自以为对新闻有兴趣,转而以政大新闻研究所为目标,一战成功,他的身影,也就开始出入在指南山畔,道南桥头。

进入新闻研究所之后,张玉法的知识兴趣和研究热情,却无法从当时偏重于新闻实务技术层域的课程里得到满足,几经思量,他决定还是回到历史研究的本行,要以新闻史领域作为硕士论文的题目。他原本打算研究近代新闻史,指导老师赵铁寒教授则认为,在当时环境与气氛下研究近代史难免动辄得咎,他只好以传播学的观念来整理中国古代传播史,在 1964 年完成了题名为《先秦时代的传播活动及其对文化与政治的影响》的硕士论文。① 取得硕士学位后,张玉法仍然面临着志业未竟,何去何从的问题。百般无奈之下,得到朱云影老师的指点,他决定"毛遂自荐",大胆地写信给郭廷以先生,表明自己的研究志趣,想要到近史所工作。几经曲折,他的治学心愿,终于得到郭先生的肯定,而告实现。从 1964 年 7 月起,近史所的殿堂,成为张玉法先生此后的安身立命之地;集结在这座殿堂的研究队伍,也多了一位生力军。在近史所工作期间,和其他同辈同仁一样,张玉法先生也得到福特基金会的赞助出国进修,远赴美国哥伦比亚大学"取经"的历练,师从韦慕廷(C. Martin Wilbur)和唐德刚等先生的经验,使他的治史视野愈加宽宏,并完成了《西方社会主义对辛亥革命的影响》("The Effects of Western Socialism on the 1911 Revolution in China")为题的论文,再取得另一个硕士

---

① 张玉法:《先秦时代的传播活动及其对文化与政治的影响》,台北嘉新水泥公司文化基金会研究论文第 43 种,1966 年;现易名为《先秦的传播活动及其影响》,台湾商务印书馆 1993 年版。

学位(1970 年)。

二

身为近史所的"新鲜人",张玉法先生初时承担的工作相当琐碎,既标点整理档案,也跟着沈云龙先生做口述历史访问,还奉命"远征"到是时仍位居南投草屯的中国民党党史会的史料库调查近代史资料。

在郭廷以先生的指点下,中国现代史开始成为张玉法先生上下求索的知识领域。毕竟,时代的变动是他的亲历经验,追溯这场变动的历史根源,正是为自己的生命历程与时代动荡找寻答案。何况,向这个领域进军,"有报纸可读、有档案可查、有当事人可资寻访",未及而立之年的张玉法先生,更觉得有信心。只是在他蓄势待发的 20 世纪 60 年代中期,中国现代史这个研究领域还不是台湾史学界的"显学";即使到了 70 年代中期,在政治禁忌的压力之下,这个领域的学术意义还需要深切呼唤,即如张玉法先生当时的述说:"从世界的史学眼光来看,现代中国史的研究已无须提倡,但从国内的史学界来看,仍然需要大声疾呼:请正在从事现代中国史研究的学者设法提高水准,请在门外徘徊不决的学者勇敢地走进来。说简单一点,现代中国史的研究需要量的增加和质的提高。……"①

然而,"初生之犊不畏虎",张玉法先生还是毅然地投身其

---

① 张玉法:《拓展国内现代中国史研究的途径》,原刊《人与社会》卷 2 期 5(1974 年 12 月),收入先生著:《历史学的新领域》,联经出版公司 1978 年版,第 183 页。

间,百折无悔。身为开拓深化中国现代史研究领域的先行者之一,他以身作则,以自己充实的研究成绩作为示范,为提升中国现代史研究成果的质与量,猛进无已。在整理和纂辑中国现代史领域的文献资料方面,张先生奉献了无数的心力。他领导主编《中国现代史论集》十大册,与张瑞德教授合编《中国现代自传丛书》这套大部头的丛书系列,推动《清末民初期刊汇编》的影印出版等等,都是厚植中国现代史研究的基础资料;他与陶英惠教授等合编《山东文献》,又与同乡通力合作编撰《山东人在台湾》系列,也是为刊布与流传家乡文献的壮举。张玉法先生投注的心血,是现今台湾的中国现代史研究显现一片璀璨局面的主要动力来源之一。

三

在研究中国现代史领域的漫长征途上,张玉法先生的工作起点是现代政治史这个课题,出于对政治史的兴趣,他决定先展开"民国初年的政党"的研究。但是,张玉法先生意识到,民初政党作为政治现象的一幕,更有着长远的历史脉络,是"鸦片战后数十年中西洋文化冲击与感受的结果",如果仅仅切取民国初年的片段来理解,并不能全面掌握这个来自中国域外的制度的"移植和成长的过程"。① 因是,为了深化这个主题的历史脉络和意义,张先生追本溯源,从更宽广的历史背景入手,先后完成了《清季的立宪团体》(1971 年)和《清季的革命团体》(1975

---

① 张玉法:《清季的立宪团体·自序》,台北"中央研究院"近代史研究所1971 年版。

年)两本巨型专刊,为描摹"革命党"和"立宪派"的历史图像,建立了比较全面而扎实的基础。历经二十年的苦心经营,至1985年,连附录合计,全书厚达560余页的《民国初年的政党》始告竣工,才为这个研究主题写下句点。

《清季的立宪团体》、《清季的革命团体》和《民国初年的政党》三部大书合为一璧,是学界研讨清末民初政治史的必读经典。张先生写作这三部书的基本理念,以大规模而全面性地自清末民初的报刊文献或是档案里调查材料、积累资料为起点,①持精密细致的"史实重建"为原则,不尚空谈,更不以转贩或依傍某种社会科学理论为鹄的;从"革命党"与"立宪派"的对立争斗,又如何转折为民初政党分合不已的诡谲局势,描摹出逼近于历史原来场景的多彩图像。因此,这三部大书实如各个主题的"百科全书",资料性强,可信度高。

专题研究是现代史学的趋向,透过一个又一个的专题研究,历史多元而复杂的本来面貌,逐渐浮现在人类的知识领域里。身为专业史学工作者,张玉法先生在中国现代政治史这个课题方面的成绩,是史学专业化的表率,也是后来者意欲更上层楼的基石。

四

在20世纪60—70年代的台湾,由于现实政权压制同意识形态禁忌缠搅在一起,中国现代史领域的研究和写作,存在着不少禁区,以求真存实为目标的史学研究,一旦还原历史的真相,

---

① 从张玉法的《近代史国书报录,1811—1913》(文刊《新闻学研究》,期7—9,台北政大新闻研究所,1971年),即可想见其涉猎的广泛程度。

很难不被联想为"以古讽今"。因是,中国现代史研究,不仅在专业和普及之间徘徊,也在学术和意识形态之间彷徨。在这样的时代背景下,张先生的《中国现代史》于1977年问世之际,便有着独特的意义;这部书的问世,也是张先生以个人的学养识见,用一己之力写作中国现代史通史的滥觞。

张先生谦称,《中国近代史》这部书是以教学讲义为基础而完成的。究其实际,那还是中国现代史的研究成果依据相当匮乏的时代,既然欠缺可资依傍的写作根据,张先生只好亲自投入史料的浩瀚海洋里,开展写作。例如,关于"二次革命"失败之后,国民党人的进退出处,即引征《革命文献》为据。① 在戒严体制之下问世的这部书,依据严谨的学术规范,详注出处,述事也尽可能地跳脱意识形态的牢笼,绝不编造历史神话;每章章末更附有堪称详细的参考书目,对中国现代史的研究不识之无的后生小子而言,实无异于知识的海洋里可以导引路向的灯塔,深受好评与欢迎。也正因为不随波逐流的关系,这部书被有心人士一状告到警备总部去,差一点被列入"儒以文乱法"的禁书书目里。所幸,大江东流,势不可当,国民党威权体制终于被迫崩解;而《中国现代史》这部书的生命力,则长存永续到21世纪的今天。张先生不以这部书的广受欢迎而自满,精益求精,添写了1949年之后的台海两岸发展史,于2001年推出了新版,以更精致丰富的面貌与读者见面。

全帙将近七百页的《中华民国史稿》,问世于1998年(已有2001年修订版),是张先生的另一部中国现代史通史。这部大

① 参见张玉法:《中国现代史》,台北东华书局1979年版,第3章,注105—108。

史，是前中国台湾中央研究院院长吴大猷催生的《最近两百年中国史》的一部分。在原先的构想里，这部《最近两百年中国史》由三册构成，上册是"晚清篇"，由台湾中央研究院院士刘广京撰写；下册是"中共篇"，由近史所同仁陈永发执笔；中册"民国篇"即是本书。

写出一部让两岸的国民与学者都能接受的《最近两百年中国史》，是吴大猷院长和三位执笔者设定的写作目标，立意虽佳，实践起来，却是高难度的学术工程。随着时代的改变，政治干预和忌讳不再，学术自由的空气清新而芬芳，张先生动笔之际，自是如意自在。

中国现代史的领域涵括广泛，举凡政治、社会、经济等等各个主题都可以自成单元，各有通史。在政治通史方面，《中国现代政治史论》和《近代中国民主政治发展史》就是张玉法先生贡献给史学界的重要成果。《中国现代政治史论》以概念化的取径，叙论中国现代政治发展里的七种政治形态："君宪政治论"、"政党政治论"、"复辟政治论"、"军阀政治论"、"训政政治论"、"宪政政治论"、"派系政治论"，自成一说。以时间序列先后，分期述说自辛亥革命以后，到 20 世纪 90 年代海峡两岸为争取实现"德先生"而奋进的历史，是《近代中国民主政治发展史》的主要内容。虽然，张先生是在参照许多研究成果的基础上写成这两部书的，其中亦颇有足可显示张先生个人独特见解之处。像《中国现代政治史论》里对于民初政党的基本立场，即分别提出"官权党"（即政府党；但非执政党，因政权由袁世凯掌握）与"民权党"（即反对党）的概念，①在《近代中国民主政治发展史》里，

---

① 张玉法：《中国现代政治史论》，台湾东华书局 1988 年版，第 58—59 页。

对于 1908 年至 1928 年间的民主政治的实际成就,则分成 8 个阶段,依据民主化的 6 项指标,逐一列表计分,并提出"行政权独高的趋势"的论断。① 读者可以不同意张先生的论说,但是不能不承认他努力自成一家言所耗费的心血。

在现代史学的发展脉络里,写作任何形式的通史,总是吃力不讨好的苦差事。19 世纪的英国名史家阿克顿爵士(Lord John Emerich Dalberg Acton,1834—1902)想要撰作《自由的历史》(History of Liberty)这部大书的雄图,始终没办法实现。阿克顿爵士自己批评德林格尔(Dollinger)的话,则正可以解释原因所在:"他不愿依据不完备的资料来写作,可是,对他而言,资料总是不够完备。"②时代的禁忌和资料的限制,并没有阻止张玉法先生写作中国现代史通史的雄心壮志,他交出了一份可观的成绩。不过,在这个"上帝不存在,万事皆可为"的价值多元的时代,他绝不认为自己写下的这些大部头通史,就是"最后历史"(the ultimate history),百代不易。然而,写出有深度的通史性著作,让比较逼近于实相的历史知识得以普及于大众,应当是史学工作者务求尽其本分的努力之一。张先生的业绩,正是"不容青史俱成灰"的明证。

五

在个人全心积极投入研究中国现代政治史与写作通史著述

---

① 张玉法:《近代中国民主政治发展史》,台湾东大图书股份有限公司 1999 年版,第 25—28 页。
② 引自:G. P. Gooch,*History and Historians in the Nineteenth Century*,Boston:Beacon Press,1959 paperback ed.,p.359。

的漫漫征途上,因缘际会,张玉法先生也参与了相关的集体研究队伍,在广袤的史学领域里,又打下了另一方多娇江山。

张先生在美国哥伦比亚大学"取经"期间,结识了李又宁教授,同学相契,于是通力合作,在妇女史研究领域里稍有驻足,共同编出了《近代中国女权运动史料,1842—1911》以及《中国妇女史论文集》各两大册,成为开展研究基础与积累研究成果的入门之书。就当下方兴未艾的妇女史研究而言,张先生无疑也占有倡导风气的先驱者的一席之地。①

现代化研究则是耗费张玉法先生许多学术精力的另一项主题。在李国祁与张朋园两位教授的倡议下,近史所和师大的一时俊彦,共组集体研究队伍,要以"区域研究"和"专题研究"的取向,探索中国现代化的历史轨迹。在这项曾经激起台湾史学界千层堆雪般回应的研究计划里,张先生承担的课题有两项:第一,以老家山东曲阜的现代化历程为对象,完成了《中国现代化的区域研究——山东省,1860—1916》这部厚逾八百页的专刊,是同一计划里最具"分量"的一部。其次,他探讨了作为工业化后来者的中国,在发展现代工业的历程里,出现了什么样的状况,遇到什么样的问题,分别就"外资工业"、"官办工业"、"官督商办工业"与"民营资工业"进行专题研究,各自发表论文,最后集结为《近代中国工业发展史(1806—1916)》一书出版。

现代化研究的理论基础,当然借镜于西方社会科学的果实。但是,张先生不囿于既有的理论,他依据大量的山东地方志为素材,详尽地描述山东一隅如何跌跌撞撞地走上现代化的道路。

---

① 后来,张先生撰有《近代中国妇女史研究的回顾》一文,收入陈三井主编:《近代中国妇女连动史》,台北近代中国出版社2000年版。

现代化研究虽是集体研究的课题,也容许个人自有创意,张先生以1916年为定点,为传统社会里的"现代性"评分,政治部分41%、经济部分24%、社会部分34%,①即是同一群研究队伍里的其他学者没有的估价。② 于今,"现代化研究"的取向已若强弩之末,它在中国台湾脉络下的学术史意义有也待阐扬总结;但是,当祖国大陆正也号召开展现代化研究的时分,③张先生参与这群研究队伍的既有业绩,应有相当的借鉴意义。

身为曾经"出洋取经"的史学研究者,张玉法先生也尝试恰如其分扮演好引介新知、激荡观念的角色,参与《人与社会》、《新知杂志》和《中国论坛》等杂志的编务,是他努力于结合学术和社会关怀的展现;而他在20世纪70年代推出的《历史学的新领域》一书涵括的若干论文,更是具体的例证。举凡"史学量化"、"心理史学"或"比较历史"等等一度相当新鲜的研讨取向,张先生都"野人献曝",意欲有所引介。④ 虽然,他自己承认,涉猎所及的相关作品大都"浅偿即止",这些文章也大都停留在"蜻蜓点水"的层次。然而,张先生的这些文字,扮演的毋宁是帮助史学界打开窗子的角色,也有相当的学术史意义;至于窗户洞开视野大增之后,如何深化积累,就有待于接棒者的用心了。

从西方史学的新成果里找寻灵感,一直是台湾史学的主流趋势,"现代化研究"与张先生引介的史学"新知",则是一波时

① 张玉法:《中国现代化的区域研究——山东省,1860—1916》,台北"中央研究院"近代史研究所1982年版,第845—846页。
② 张朋园:《中国现代化的区域研究:贺桥与发现》,《近代中国区域史研讨会论文集》,台北中央研究院近代史研究所1986年版,第866页。
③ 最明显的例证是已故北京大学教授罗荣渠的号召。参见罗荣渠:《现代化新论》,北京大学出版社1993年版;余例不详引。
④ 均收入张玉法:《历史学的新领域》,不详引。

代趋势的表率之一。已经涉足于更为广阔天地的后继者,当然可大言不惭地宣称自己的认知视野,已然超越前行先贤。可是,哪有一笔画成龙,不要忘记了,人类的知识板块的厚实,都仰赖于前辈学人的心灵结晶。在学术的殿堂里,只有保持对先行者智慧的谦卑之心,才有超越他们的可能性。

六

中国现代史的研究,渐次成为一门学科,是在20世纪中叶才起步的。在这个学科的形成历程里,笃实的前辈学人筚路蓝缕,为这个学术领域发凡起例,各尽其分,张玉法先生则是在这列学人队伍最前面的领先者之一。

在暂时挥别近史所的专职位置之后,张玉法先生仍将继续完成以山东为主要对象的几个专题,诸如以山东为例,探讨民国时期中央与地方的关系;战后国共在山东的军事势力消长等等。退休,绝对不是张先生悠游岁月的开始。青年时期曾经涉足过的中国古代史领域,即使已经放下近四十年了,张先生仍未忘情。毕竟,他曾在那儿贯注过许多心血,那是他的生命不能抛却的一部分;所以,未来他也可能进行如《中国通史》这样更具规模的历史写作工程。史学界的朋友和后生小子都诚挚地祝福张先生永远福寿康乐,能够实现他的心愿。对历史的认识和沉思,可以帮助我们理解自己与自己的存在处境。张玉法先生的史学人生,正提供给我们这样的无限智慧。

(原载《社会科学战线》2003年第1期)

现代南洋研究的拓荒者姚楠

陈 玉 龙

一

1935 年 1 月,一艘英国轮船公司的邮船正乘风破浪由上海开往新加坡。一位"长年踯处在一个熙熙攘攘闹市中"的 23 岁上海青年,站在甲板上,"看到了海上日出日落,见到了无数海鸥飞鱼"。"海阔凭鱼跃,天高任鸟飞。"壮丽的海上景色,使他"思潮起伏",想起"旅游南洋是一回事,南洋研究又是一回事。我不应满足于旅游,而应继续进行研究工作"。①

这位在甲板上立下宏愿欲以毕生精力尽瘁南洋研究的青年是谁? 他就是现代中国南洋研究的拓荒者之一姚楠先生。

姚楠,字梓良,笔名施平、南迁,1912 年生于上海。早在他15 岁的时候,进入上海著名的"南洋中学",就和"南洋"结下"不解之缘"。1929 年秋,他进入当时在中国号称华侨最高学府的国立暨南大学,边工作边读书,在该校附设的南洋文化事业部工作,着手翻译了一本荷兰东印度公司官员撰写的《十七世纪

---

① 姚楠:《星云椰雨集》,新加坡新闻与出版公司 1984 年版,第 1—2 页。

南洋群岛航海记两种》（商务印书馆"汉译世界名著"之一）。这是他早期的处女译作,也是他毕生从事南洋研究长达六十多年学术生涯的开端。

姚楠"在赴星途中",想起了"三国时代的朱应、康泰,晋代的法显,唐代的玄奘、义净,元代的周达观、汪大渊,明代的马欢、费信、巩珍,清代的谢清高、王大海、李钟珏"等人"都是在游历海外各国后写下不朽名著,迄今仍为世界各国研究东南亚的学者们一致公认为宝贵的材料";他又想起了"中国和南洋关系密切,南洋华人又是那么众多,但是自从欧洲人侵入这个地区以来,中国的研究工作远远落于人家之后",于是他"暗暗下定决心,立下了宏愿",①决心改变这种落后状态。

二

风华正茂的姚楠踵先贤之步武,壮游南下,初见星洲。在他侨居星洲的 7 年(1935—1942)当中,他和几位志同道合者,筚路蓝缕,以启山林,用实际行动改变了上述落后状态。这不仅打下了他个人"毕生从事东南亚研究的基础",而且为我国近几十年的南洋研究开辟了道路。

姚楠一踏上新加坡的土地,就着手搜集有关东南亚史研究的资料,并在报刊上发表文章。其中比较长的有两篇,一篇是《星洲开辟史》,一篇是《马六甲古代史》。姚楠从他学术生涯的发轫之初,就选定南洋研究为其主攻方向。他数十年如一日,焚膏继晷,辛勤耕耘,锲而不舍,未尝稍懈。

----

① 姚楠:《星云椰雨集》,新加坡新闻与出版公司 1984 年版,第 3 页。

姚楠旅居星洲 7 个年头,其活跃与积极,可以说是他一生中的鼎盛期。当时他的主要活动有两大项:其一、在星洲日报社任职,主编《星洲十年》年鉴;其二、从事南洋研究——创办"中国南洋学会"和《南洋学报》。两大活动之间有着有机的联系。对姚楠来说,两者先后集于他一身,是一而二,二而一的。

1938 年,星洲日报社出版一种期刊,名为《星洲日报半月刊》,其中有《南洋研究》一栏。姚楠摘译的荷兰东印度公司一个船长的航海记,题为《东印度航海记》(现已将全书重译,由北京中华书局出版),后来他又陆续写了一些有关南洋民风的文章,主要是从中国古籍中摘录的一些资料,另外还发表了一些其他文章,因而与该报发生关系。1939 年初他正式进报社工作,接着出任《星洲十年》年鉴主编,时年仅 27 岁。

《星洲十年》是一部侧重记叙 1929—1939 年新加坡和马来亚发展的巨著。用姚楠自己的话来说:"《星洲十年》重视学术研究、重视华侨史研究,做到了科学性和知识性并重"。① 它既是年鉴,又是地方志,是南洋研究的重要参考书和新加坡、马来亚发展的历史文献。而《星洲十年》编纂处,则荟萃了我国海外最早的一批南洋研究者。它实际上成为南洋研究的摇篮。姚楠和他的几位志同道合者以此为基地,以此为过渡,播下了南洋研究的种子。

值得一提的是,星洲日报社经理林霭民先生具有远见卓识,他在一篇题为《两年以来》(为纪念该报创刊二周年而写)的文章中,积极提倡与赞助南洋研究,曾提出令人鼓舞的主张,这在客观上为南洋研究提供了有利的条件。

---

① 姚楠:《星云椰雨集》,新加坡新闻与出版公司 1984 年版,第 18 页。

1940 年 2 月，《星洲十年》问世，编纂处的工作告一段落。《星洲日报》增辟了《南洋史记》和《南洋经济》专栏，南洋研究出现了可喜的景象。

当时马来亚方面研究东南亚的机构，只有"英国皇家学会马来亚分会"，成立于 1877 年。它的会员与设在伦敦的英国皇家亚洲学会会员享受同等权利，但入会资格比较严，会员大多数是英国官员和学者。华人必须提供学术著作，并由理事会一致通过，才能成为会员。当时新加坡华人中，只有写过《星洲华人百年史》的宋旺相、著名侨领余东璇和新加坡提学司的视学官陈育崧。1940 年，姚楠和另一位已故著名南洋研究学者许云樵先生也成为该会会员。

应该说，姚、许等人参加这个学会，对于他们后来单独创建"中国南洋学会"是一个很大的推动。他们认为，"皇家亚洲学会的水平虽然高，但吸收的华人会员实在太少。南洋华人如此众多，学术界人士也不算少，为什么我们自己就不能成立一个学会呢？"[1]

1940 年 3 月 17 日，姚楠与著名作家和同事郁达夫（《星洲日报》副刊《星洲文艺》主编）、关楚璞（《星洲日报》总编辑）、许云樵（《星洲十年》专任编辑）、张礼千（《星洲十年》专任编辑，1955 年逝世）、韩槐准（研究考古和园艺）、刘士木、李长傅 8 人正式创立南洋学会，起草学会章程。这是最早在新加坡成立的研究东南亚的学术团体。姚楠为该会的创始人之一。当时刘、李 2 人不在场，实际只有 6 人。6 个发起人当中，星洲日报社同人就占 5 人。所以有人说：《星洲十年》编纂处是南洋学会的摇

---

[1]　姚楠:《星云椰雨集》，新加坡新闻与出版公司 1984 年版，第 52 页。

篮,是有充分根据的。

会议假余东璇街南天酒楼举行。上述 8 人,除韩槐准外,皆为理事。大家原来推选姚楠为理事长,但他谦让。他说:"我当时只有 28 岁,也不配当理事长"。① 经协商,不设理事长,而设一名常务理事,公推姚楠担任,主持会务。许云樵兼《南洋学报》主编。会址就设在姚楠的寓所中峇鲁路永丰街 61 号 2 楼。该会的邮政信箱(P. O. BOX709 号)也是姚楠以学会常务理事名义向当地政府申请为豁免注册的团体(即不受社团注册条例的限制,可以自由活动的团体),获得批准后向邮政局登记办理的,这个号码一直沿用至今。学会成立后,《南洋学报》亦于1941 年 6 月创刊,迄今亦有四十多年的历史了。

南洋学会的全名称是"中国南洋学会",冠以"中国"二字,既标明这个学会是华人的组织,同时也充分表现了中国人民的自豪感。它标志着中国学者披荆斩棘,扬眉吐气,开辟了新领域。英文名称则未加"中国"两字,称做 The South Seas Socjety Singapore,简称 S. S. S. S. 。

如今该会已经拥有几百名会员。"荣誉会员中,有英国皇家亚洲学会会长温斯泰德爵士、法国远东学院院长戈岱司(按:应为赛岱司)教授、大印度学会考古主任韦尔斯博士、荷兰莱敦大学汉学院院长戴文达教授,他们都是国际公认的东南亚研究专家。基本会员除东南亚各地学术界的知名人士外,在中国的就有岭南大学副校长陈序经教授,中山大学教授岑仲勉、朱杰勤,厦门大学教授林惠祥,中央艺术(应为美术)学院教授常任侠,云南大学教授方国瑜,商务印书馆编审部长苏继顾等,团体

① 姚楠:《星云椰雨集》,新加坡新闻与出版公司 1984 年版,第 53 页。

会员除东南亚地区各学术机构外,还遍及英、美、苏、日、法、荷、西、波、匈等国。由此可见,一个在 1940 年诞生,只有几个人发起的南洋学会,发展是何等迅速啊!"①而《南洋学报》亦出到 36 卷,《南洋学会丛书》已出二十多种。

拓荒者当年播下的种子,如今已开绚丽之花、结壮硕之果了。近年来中国对东南亚史的研究,不论在组织机构或是研究成果方面,都超过了过去任何一个时期,呈现出百花齐放,欣欣向荣的大好局面。五十多年前还是青年的姚楠如今已是年逾古稀的老人。他在英国邮船的甲板上所发下的宏愿也基本实现了。作为后继者的我们,今天重温这一段历史,既感到兴高采烈,有幸和前辈分享光荣和骄傲;又感到创业维艰,守成不易,恢弘斯学,任重道远。

令人悼惜的是,"中国南洋学会"的几位创始人均先后辞世,姚老是硕果仅存。几年前卸任的南洋学会会长魏维贤先生称许"姚先生是一位名副其实的南洋学会功臣","姚先生已成为我会硕果仅存的创办人"。② 学术界对姚先生的成就作出了公正的评价。

1941 年 12 月 8 日,太平洋战争爆发后,姚楠怀着对他的第二故乡新加坡(整整旅居 7 个年头,占他七十多年全部征程的十分之一)无限深情,怅然告别,于 1942 年 1 月 29 日携眷乘船驶往仰光;同时他又怀着一片赤子之心和满腔爱国热忱由仰光飞赴重庆,回到了祖国,为抗战效劳。

---

① 姚楠:《星云椰雨集》,新加坡新闻与出版公司 1984 年版,第 60 页。
② 姚楠:《星云椰雨集·序》,新加坡新闻与出版公司 1984 年版。

三

姚楠回到重庆行装甫卸,就在前南洋研究所任职,继续从事南洋研究,可以说是易地再战。

他在旅渝期间以及 1946 年复员东下南京后直到 1949 年南京解放前夕,先后在《大公报》、《广西日报》、《文史杂志》、《经济汇报》、《东方杂志》、《新中华》和《旅行杂志》等著名报刊上发表有关东南亚论文,共达六十余篇。如果从 1935 年算起,到目前为止已近九十种。可谓硕果累累,成绩斐然。

此外,他还翻译了英国人哈威的《缅甸史》、温斯泰德的《马来亚史》,美国人西·内·费希尔的《中东史》、约翰·卡迪的《战后东南亚史》等巨著;著有《马来亚华侨史纲要》(被列为民国时期中央研究院蚁光炎奖金授奖著作)、《古代南洋史地丛考》、《中南半岛华侨史纲要》、《战后南洋经济问题》……等专著十余本。他虽年逾古稀,但壮心未已,仍认真校阅已故学者苏继顾遗著《岛夷志略校注》,并为该书出版写前言。他重译《东印度航海记》,并与复旦大学章巽教授共同主编《中西交通史地名辞典》。他还担任了《东南亚历史辞典》和《中外关系史译丛》主编,参加《世界历史辞典》编委会工作。现在正为上海译文出版社审阅一套英国著名历史学家汤因比所编的《现代国际关系史》丛书(中译本共 23 卷约 1600 万字),正是:"老牛明知夕阳短,不用扬鞭自奋蹄。"

姚楠不但是毕生尽瘁于南洋研究,而且在培育人才、培养后进方面也作出了重大贡献。

四十多年前(1945年),他就任前国立东方语文专科学校①校长,那时他只有33岁,在当时的大专院校中,算是最年轻的且有真才实学的校长。他出任校长后,十分重视东南亚研究,不久该校成立研究室,先后培养出不少东方语文翻译人才和研究亚洲问题专家。

1949年上海解放后,他曾受聘为华东革大外文专修学校(上海外语学院的前身)东语系主任。1952年院系调整后,任上海译文出版社编审,北京大学、复旦大学历史系兼任教授,中国社会科学院、南亚研究所兼任研究员。目前他还担任好几个全国性学术团体的负责人(如中外关系史学会副理事长、中国东南亚研究会副理事长、中国海外交通史研究会顾问、全国华侨史学会理事兼上海市华侨历史学会副会长、中国太平洋历史学会理事等)。贾余勇、放余热,此志未衰。

令人感到遗憾的是:1957年以后姚楠受到不公正的待遇,封笔锁笺达20年之久,因而未能充分发挥其特长。同时他现任上海译文出版社编审,每年要承担大量而繁重的审稿定稿任务,分散他不少精力。要不然的话,姚楠在南洋研究方面的成果会更多、收获会更丰、贡献会更大。

他的著作《星云椰雨集》②于1984年6月在新加坡出版后

---

① 前国立东方语文专科学校,1942年秋创办,校址设于云南呈贡,其前身为大理东方语文训练班。1945年迁往重庆,1946年复员东迁南京。1949年4月南京解放,同年秋,奉令与北京大学东方语言系合并,该校设有印、缅、泰、越、印、尼、日、朝、阿等语科。

② 《星云椰雨集》,姚楠著,新加坡《联合早报》丛书之一,新加坡新闻与出版有限公司,图书出版部,1984年版。为什么要题名《星云椰雨集》呢?作者自序云:"盖'星'系星洲简称,'云'喻南洋研究如白云般地丰富多彩,'椰'象征热带风光,'雨'则既有滋润星洲文化、艺术、科学园地,使之广开绚丽花朵、结出丰硕果实之意,又有怀念旧雨故交之情。"

引起新加坡新闻界、出版界、文化界、教育界、金融界等方面的普遍重视。《联合早报》总编辑黎德源先生的序言和《联合早报》的新书介绍都给予很高的评价。黎德源的序言说:"有高深的史识与做学问的火候,回忆文字自成一格,叙说之中带有抒情,论评之间含有哲理,不愧为史家之作。"

姚楠倾毕生心血灌注于南洋研究,成果丰硕,著作等身。他的多年老友黄葆芳先生在《姚楠与星洲》一文中对姚楠的道德文章也作了全面的评价和衷心的颂扬。他写道:"姚楠数十年来以全部精神投入译著工作中,尤其对南洋问题的深入研究,作出了很大贡献。他也是新加坡'南洋学会'硕果仅存的发起人;当年辛勤播下的种子,今日已花开灿烂,果实丰润,成为国际间有名的学术团体,其功不可没,值得我们敬仰和怀念。他自弱冠直到古稀之年,从未离开文化工作岗位,是个勤于执笔的学者,说他著作等身,应不为过。"①"在我所认识的学者中,他是最能忘私而又乐于负重的一位。"②揆诸事实,并非溢美之词。

我拜识姚先生近四十年,且忝为其门墙桃李,溯忆重庆和尚坡初睹教颜,南京紫竹林亲炙教益,师友之谊历久弥笃,故深知其为人。道德文章,士林推重;平易近人,可敬可亲。一部《星云椰雨集》充分流露了他对祖国深沉的爱和对新加坡的无限眷念,倾诉了赤子心声。

纵观姚楠生平,他给我的总的印象是:他对祖国无比热爱,对南洋一往情深,对师友满腔赤诚,对妻子情真意笃,对艺术素养深厚。他在这五方面,表现了可贵的坚韧和"爱的执著",这

① 姚楠:《星云椰雨集》,新加坡第216页。
② 同上书,第217页。

是一般人难以臻入的佳境。

正因为如此，所以在他身上具有充沛的青春的活力，虽年逾古稀，并无老态颓颜；虽历尽沧桑，仍不失其赤子之心。

本文结束前，谨就姚先生的为文、治学和文章风格略陈一二：

其为人也，"望之俨然，即之也温"，是一位胸怀坦荡、平易近人的忠厚长者。

其治学也，勤奋如春蚕吐丝，劬劳如工蜂酿蜜，取精用弘，锲而不舍；

其为文也，如行云流水，舒卷自如；如飞泉泻玉，莹彻可鉴。诗情画意，跃然纸上。

岁月如流，五十个春秋，弹指一挥间。当年一个青年在英国邮船的甲板上所立下的宏愿，如今基本上实现了。我国的东南亚研究正方兴未艾，呈现出前所未有的壮阔景象。拓荒者当年播下的种子如今已枝繁叶茂、蔚然成林了。后继者正从前辈手里接过接力棒奔向遥远的前方，奔向胜利的彼岸。

（原载《社会科学战线》1988 年第 3 期）

孜孜不倦研究非洲史的中国学者

——郑家馨教授的学术成就评述

孙 吴

　　回顾新中国人文社会科学的发展历程,人们不难发现诸多学者跋涉的足迹。当代中国人文社会科学的重要特征就是它明显的政治阶段性和时代实用性。一门学科的兴衰往往同时反映出学者们的政治抉择和学术意趣。历史学,作为一门基础的人文学科,最能体现学者们的心路历程。"一切真历史都是当代史",所谓"古为今用,洋为中用",每个从事人文社会科学研究的人似乎都从现实出发来解释历史。在20世纪五六十年代,苏联教科书支配着中国人的思维,学习俄语、研究布尔什维克的历史成为一时风潮。随着中美关系的解冻,学术界也如同发现了新大陆,学者们纷纷转向对美国历史的探讨,美利坚的"现代化之路"、美国"西部开发"成了人们急切问询的课题。在熙熙攘攘的学术淘金队伍之外,有一小部分学者虽也讲求学术的经世致用,但并不跟风赶潮,而是执著地将眼光聚焦在被一些人称为"黑暗的大陆"——非洲,其中北京大学历史学系的郑家馨教授就是在中国非洲学领域中几十年默默耕耘的一位。

一

郑家馨先生1934年生于福建福州,1958年考入中国最高学府北京大学,毕业后留校任教,有幸跟随中国世界史领域法国史和非洲史研究的开拓者杨人楩先生做助教。郑先生毕业的时候正是非洲大陆独立运动风起云涌的时代,中国与不结盟运动及整个第三世界的关系空前加强,长期以来遭受帝国主义和殖民主义侵略和压迫的共同命运使亚非拉被压迫民族在反帝反殖的斗争中走到一起。受此鼓舞,北京大学历史学系在全国高校人文社会科学机构中率先单独成立了专门的亚非拉教研室(至今亚非拉教研室仍是北大历史学系的几大特色之一),杨先生在开创法国史研究并达到很高成就的时候,毅然将自己学术研究的重点转向非洲,开垦了一片处女地——中国的非洲学。不幸的是,在随后的"文化大革命"中,杨先生受到迫害,于1973年病逝。作为杨先生的助手和大弟子,郑先生与何芳川、陆庭恩两位先生立即开始齐心合力整理杨先生的遗稿,直到十年后,即1984年,经过种种曲折,由人民出版社以《非洲通史简编》的书名出版。这期间,郑先生尤其付出了大量的心血。从此,中国人有了自己的第一部通史性非洲学著作。

除了为整理出版杨先生的遗作奔忙外,20世纪80年代郑教授还做了两项重要工作:一是参与编纂《中国大百科全书》,任非洲史部分副主编。另一是从1986年起,担任国家"七五"哲学与社会科学重点项目《非洲通史·近代卷》的主编,该卷与何芳川、宁骚二位教授主编的古代卷和陆庭恩、彭坤元二位教授主编的现代卷一起于1995年由上海华东师范大学出版社出版。

该书集中了国内非洲研究方面的最新成果,一经问世便受到学界的高度重视,中央电视台和中国非洲史研究会一起为该书举行了首发式。当年这套大约两百万字的非洲学巨著便被评为国家优秀图书,获得多项奖励。

郑先生一直站在教书育人的第一线,他给学生们开设的"亚非拉近代史专题研究"备受欢迎,选课率一直很高。在多年讲授和研究的基础上,郑先生与何芳川先生的合作成果《世界近代史·亚非拉卷》于1990年正式出版。该书运用马克思主义历史唯物主义原理,剖析了第三世界国家几百年来从闭关自守到被迫改革开放的历程,从中总结出发人深省的历史经验和教训。值得称道的是,该书打破了历史教科书语言沉闷的气氛,文笔优美,气势磅礴,给读者耳目一新的感觉。

为了拓宽中国学者非洲研究的国际视野,进入世界前沿领域,1990年,北京大学派遣郑先生作为高级访问学者到英国苏塞克斯大学(Susex University)研修非洲史。在英国的图书馆里,郑先生充分利用当地的有利条件,阅读、复印了大量的第一手档案资料。在与英国学者的交流中,郑先生结识了象舒拉·马克斯(Shula Marks)这样的诸多非洲问题专家。带着丰富的研究成果,郑先生如期回到国内,将最新的知识传授给学生,他相继给研究生开设了非洲古代史、非洲近现代史、南非史等课程。只有走出去才能引进来。继郑先生访英后,国外非洲学者纷纷踏上中国土地。著名的如美国耶鲁大学非洲学家汤普森(Leonard Thompson)教授,他在看到北大的非洲史的研究成果和中国非洲学界的成就后,十分惊讶和钦佩,认为在中国这样的环境里能将非洲学发展到这一步实属不易。在非洲黑人部落中生活了多年的莫桑比克问题专家艾萨克曼夫妇也对北京大学非洲学者的学术成就赞不绝口。随着改革开放的深入,这样的文化学术交流也日渐扩大,并对中国和非洲国家的政界产生了一定的影响。1998 年 5 月曼德拉总统访问中国并到北大作演讲,他很高兴地带回了中国学者们撰写的有关非洲的学术著作。

在与同人合作著书的同时,郑先生个人对非洲历史问题的研究也结出了丰硕成果。他的研究重点是南非,尤其注重从经济角度入手,以"历史合力论"来剖析南非与种族主义和种族隔离制度的形成和发展有关的学术问题。他先后给硕士和博士研究生开设了南非通史和南非史学史等课程,以教学促进科研,先后在《世界历史》、《西亚非洲》等著名学术刊物上发表了一系列探讨"阿非利卡人在南非不断进行扩张并最终将南非据为己有的原因"的学术论文。于 1981 年第六期《世界历史》发表的《南非开普殖民地的建立和殖民土地扩张》,首先解决了南非历史中一个令人困惑的问题:当葡萄牙和英国等欧洲新老殖民者纷纷从好望角海岸擦肩而过的时候,为什么荷兰人要在南非这块当时既不产黄金,又不能作为奴隶供应地,而且内地广大地区也不适于经营农业的地方开拓殖民地? 南非的欧洲移民人数甚少,但从 18 世纪初起布尔人却在南非内地掀起了大规模的、持续的土地扩张狂潮。推动这个早期土地扩张运动的主要因素究竟是什么? ——其实这也是研究南非历史必须首先加以解决的最基本问题。郑先生通过与当时世界上其他殖民地的比较,紧紧抓住世界市场及其对荷兰人的影响这根主线,并从阿非利卡人的阶级结构进行解析,指出是当时国际贸易的推力和阿非利卡人社会结构中存在的张力促使人数极少的布尔人发出了极大的能量,从以地中海气候为主的海岸一步步迈向荒芜的内地从事牧业。阿非利卡人这种与外部市场的联系是当地土著的科伊桑人和班图黑人(包括科萨人和祖鲁人)所不具备的,这也正是阿非利卡人得以征服原住民族的有利条件。因为阿非利卡人确立优势的"三大法宝"——除了体现精神因素的《圣经》外,枪支和牛车,这两样制胜的武器全都依赖外部市场的供应。这种与外部资本主义市场的日益扩大的联系是阿非利卡人在早期阶段沦为南非草原上的"白人部落"而又与当地的黑人部落有所区别的根本所在。在《社会科学战线》上发表的《论布尔人大迁徙中经济因素的作用》总结了郑先生多年来对这一问题的思考,进一步详细解释了导致布尔人大迁徙的各种因素,尤其是经济因素的作用。如果说《南非开普殖民地的建立和殖民土地扩张》和《论布尔人大迁徙中经济因素的作用》说明了阿非利卡人能够在南非立足并扩张的经济因素,《论十九世纪以前南非的社会经济结构》(载中国非洲史研究会:《非洲史论文集》,生活·读书·新知三联书店1982年版)则主要探讨了早期原住民族何以被人数极少的荷兰后裔所征服,但主体民族却并没有被灭绝,从而能够在后来的历史发展进程中和殖民者抗争并最终依靠人口数量的优势重新成为自己主人的原因。搞清楚这一问题非常重要,因为原住民族从濒临灭绝的窘境到重新站立起来的过程一直是南非历史发展的主题。1994年以来南非发生的剧变充分说明了这一点。郑先生指出,在近代世界几个欧洲移民殖民地中,南非有着独特的历史命运,它与世界上其他也曾被欧洲人征服、移民的一些殖民地的命运迥然不同。在澳大利亚、新西兰、加拿大和美国,欧洲人的殖民侵略和随之而来的大批移民所造成的结果是,土著居民基本上被消灭(如美洲的印第安人),而由欧洲移民取而代之。但在南非,欧洲移民却始终未能取代土著民族。当然在南非的三个主要原住民族中,由于社会经济发展水平的不同,他们的命运也不一样。桑人的狩猎—采集经济使他们的抵抗力最弱,他们在南非境内几乎被全部消灭,遭到种族灭绝的厄运,到 1957 年只剩下二十余人;科伊人的社会经济发展程度虽比桑人高一些,但他们仍处于游牧经济阶段,社会组织也比较松散,结果他们虽然对布尔人的侵略进行了顽强的抵抗,并使后者向内地的扩张推迟了三十年,但他们作为南非的一个独立民族也不复存在,他们一部分人如同动物一般被捕杀,一部分人迁出境外,剩下的人则全部被同化,失去了自己的语言和文化特性,如今只在混血的有色人中留下后裔。与桑人和科伊人不同,班图人的经济发展水平已经处于农牧混合经济阶段,他们的社会组织程度也比较高,当欧洲人到来之时,他们正在向国家的门槛迈进。班图人的农牧混合经济能够较好地适应和利用南非的自然条件,促进生产力的提高和社会组织的进步。他们在非洲大陆自北向南的长期迁徙过程中,历经磨难,养成了善于趋利避害,利用自然条件,减轻自然灾害的本领,这种历史首创精神使他们能够把农牧混合经济结构变为吸取和恢复民族力量的源泉。《殖民土地扩张与南非各民族的历史命运》(载《世界民族研究论文集》,四川人民出版社 1981 年版)是郑先生提交给世界民族研究大会的学术论文,通过经济结构的对比阐明了阿非利卡人剿灭桑人,捕杀和同化科伊人,却无法斩尽杀绝科萨人和祖鲁人的深层原因。《英布战争的性质辨析》引入了南非历史舞台上的最后一个主要角色,即大英帝国在南非历史发展进程中的地位及其影响。英国人的决定性作用不仅表现为他们从阿非利卡人手中接管了开普殖民地,和布尔人一起打败了原住民族的抵抗,然后驱迫着布尔人进行大迁徙,利用自己雄厚的资本开发了世界上最大的金矿,更集中体现在英布战争及其深远的政治后果。英布战争是英国在第一次世界大战前进行的规模最大的一场战争,其惨烈程度前无仅有,但极富戏剧性的是,在南部非洲大草原上进行的这场两个白人民族之间的血腥战争,尽管英国人竭尽全力并最终取得了胜利,但结局却是史无前例的:大英帝国向战败者赔付巨款,并在随后成立的南非联邦中将政权拱手让给了战败者。从此,20世纪的南非历史注定了成为阿非利卡人主宰的历史,他们从胜利者手里拿走了整个南非的果实。郑先生认为,关于这场战争性质的正义性或非正义性,其实用不着多说,这场战争的帝国主义性质也不言自喻,学者们要做的工作应是探究何以导致这场战争,这场被列宁称为"第一场帝国主义战争"之一的英布战争为什么会以胜利者向战败者赔款,然后共同统治班图黑人民族的结局收场。郑先生这篇文章的贡献恰在于回答了这方面的问题。这几篇系列文章抓住了南非历史发展的主要线索,解决了联邦成立前南非历史上几乎所有的重大问题,可以说奠定了中国人研究南非历史的基础。在此基础上,目前,郑先生正在全力著述《南非史》,非洲学界同人都在翘盼着该书的出版,预计该书将在2002年与读者见面。

随着中非关系的进展,历史上的中非关系也成为郑先生关注的课题之一。中国与非洲远隔重洋,相距万里,从纯粹自然地理的角度看,两者没有什么必然的联系。但从遥远的古代起,分别地处太平洋和大西洋海岸的中国和非洲人民就凭着他们非凡的勇气和毅力,借助一叶风帆,互通讯息和物产,为人类友好交往史写下了模范篇章。一方面正是地理上的距离使双方产生了交往的需要,另一方面则是由于中非两地各民族的天赋禀性,使中国和非洲人民在两千多年的交往中,不像中国和西方或非洲和西方之间的关系那样,充满了血与火,而是礼尚往来,相互之间几乎没有任何利害冲突。在近代他们共同遭到西方列强的入侵,都有一段屈辱的历史,在反抗殖民主义的斗争中曾互相支持;在取得独立后,则互相帮助,可谓同呼吸,共命运。当南北距离日渐拉大之时,中国和非洲携手迈入了21世纪。郑先生从现实出发,从历史入手,来探讨中非关系的源远流长和现实意义。郑先生的可贵之处是并不因为现实需要就对历史上的中非关系加以强调或夸大,而是实事求是地加以考察。针对一些学者对中国与南非在近代以前有过往来的推测,郑先生经过考证,认为古代中国和南非之间不可能有交往,因为马达加斯加湾的洋流和季风造成的屏障并不比好望角的滔天巨浪易于穿越。北京大学出版的《中国与非洲》(2000年1月出版)一书已将郑先生的这一研究成果吸收进去。尽管郑先生本人在非洲研究方面取得了很大成就,但他认为,我国的非洲学研究依然很薄弱,在1997年于北戴河召开的中国非洲史研究会年会上,郑先生与其他十几位非洲学者一起上书国家领导人,盼望政府有关部门支持和加强对非洲的研究工作。党和国家领导人对此极为关注,明确给予批示要求有关部门加强这方面的工作。目前,尽管中国非洲史研究会是个规模不大的学会,但却搞得异常活跃,参加者不仅有北京大学和全国其他高校的专家学者,还有中国社会科学院的研究人员,以及新闻单位和政府各部门中与援非工作有关的人员,甚至还有公司管理人员。中国的非洲学正在迈上一个新的台阶。郑先生认为,尽管从总体上看,非洲是一个贫困的大陆,但非洲学并不贫困。当代流行的各种经济和社会发展理论,无论是西方的"现代化"理论还是"发展"理论,以及现在盛行的"可持续发展"理论,如不经过非洲实践的检验,都将是不完整的理论。非洲的现实和非洲学本身最有资格验证各种经济和社会发展理论的正确与否,因为非洲是当前各种矛盾最复杂、最集中的地方,正在从各种经济和社会发展阶段向现代社会过渡。非洲是一个充满希望的大陆,非洲学是一门充满希望的学科。

二

郑先生是位涉猎极广的学者,除了集中精力研究非洲特别是南非历史外,他还对殖民主义史和世界文明史有着独到的研究。因为研究非洲历史问题离不开对殖民主义史的研究,更回避不了世界文明史提出的问题。实际上,郑先生是把非洲史研究放在世界文明史和殖民主义史的大背景下来研究的,而不是为了考证一个小问题而钻牛角尖。他认为只有从世界文明史和殖民主义史的宏观角度来看非洲的历史和现实,才能给非洲学一个确切的位置。从迄今为止的考古学成果来看,非洲无疑是人类的发源地,尽管也有一部分学者认为亚洲也是人类祖先的起源地之一。非洲的史前文明在数百万年的时间内一直走在各大洲的前列,为人类丰富多彩的发展奠定了基础。但从近代起,非洲首先沦为欧洲人的殖民地,而它又是殖民主义最后撤离的一个大陆。非洲的贫困和欠发展乃至不发展与殖民主义密切相关,可以说,每一个大国的富强都离不开非洲。毫无疑问,殖民主义对非洲历史发展进程产生了深远的影响。如何看待殖民主义在非洲的所作所为,不仅关系到对非洲近现代历史的理解,还关系到能否对殖民主义进行的总的客观的评价。而殖民主义史研究,在我国学术界基本上是一个空白。这些年来,即使对外国人所撰写的专著的翻译也比较少。就国际学术界而言,这个领域的研究也相对落后,过去主要集中在一些殖民宗主国,部分西方学者做了一些专题性研究,主要包括三个方面:移民史、帝国史、海外扩张史。西方学者的论点大多是为殖民主义辩护。作为一个饱受殖民主义掠夺的国家,中国学者有责任和义务在这一领域进行开拓,并提出自己的见解。目前国内对殖民主义的历史作用看法不一,有的学者以全盘否定的态度来简单地对待这个问题,遭到包括郑先生在内的一部分学者的反对。因为早在1850年,马克思就提出过殖民主义具有"双重使命",即"破坏性使命"和"建设性使命"的论点。对于马克思的"双重使命"理论,国内学者们的看法也并不一致,有的学者认为理解这一提法的理论前提是接受人类历史发展进程的多线论,即东方社会(亚洲)有着其不同的发展机制和动力。有的学者认为要承认马克思的这一理论,前提是承认资本主义的历史进步性和暂时存在的必然性。还有的学者认为马克思的"双重使命"理论具有普遍意义,但必须搞清楚两个问题:"破坏性使命"和"建设性使命"各自起着什么样的作用? 是否前者主要是消极性作用,后者主要是积极性作用,抑或两者均含有消极作用和积极作用?有的学者认为,殖民主义的两重性是世界历史上政治价值观与经济价值观相背离的矛盾现象,那么,在探讨殖民主义的作用时,就要防止将道德评判与历史研究相混淆。有的学者认为对于人类历史上正义与进步完全背离的二重性现象,例如殖民主义"双重使命"这一著名的历史悖论,一方面要充分地揭露殖民主义的罪恶,一方面又要适当地肯定它的客观历史作用及其作为"历史的不自觉工具"的某种进步性。凭着对马克思关于殖民主义的"双重使命"的深刻理解,郑先生坚持认为,仅仅批判和否定殖民主义的历史罪恶是不够的,我们既要看到殖民主义的"破坏性"一面,又要看到殖民主义的"建设性"一面。无论"破坏性"或"建设性",既有消极作用又有积极作用。如马克思所言,掠夺方式取决于生产方式。"破坏性"和"建设性"作用的大小,积极性和消极性的强弱,必须具体问题具体分析,因为它们既取决于宗主国的生产力水平和社会制度及其文明程度,又取决于殖民地的社会经济状况和社会发展程度。总之,我们不能生搬硬套马克思的殖民主义"双重使命"理论,而要把这一理论和具体的历史分析结合起来。在北京大学召开的专题学术研讨会上,郑先生的观点得到许多学者的一致赞同。1995 年《世界历史》发表了郑教授关于这一问题的学术观点,随后《新华文摘》予以转载。郑先生以坚实的研究表明了自己对殖民主义的理解。多年来,他不仅在通史教学和研讨班中,组织各个层次的学生和进修教师讨论有关殖民主义的许多重大理论问题,而且着手具体研究殖民主义在各个地区造成的不同后果。在他的带领下,北京大学历史学系亚非拉教研室申报的多卷本《殖民主义史》课题被列为国家"八五"哲学社会科学规划重点研究项目,该课题还同时得到国家教委"八五"专项科研基金项目资助,目前《殖民主义史》已先后出版了《东南亚卷》、《南亚卷》和《非洲卷》。其中《非洲卷》分量较重,因为非洲是殖民主义侵略的重灾区,历史上备受西方殖民列强的压榨,至今仍在遭受新殖民主义或后殖民主义的侵扰。不把非洲遭受新老殖民主义侵略压迫的历史讲清楚,也就无从理解非洲人民的"非殖民化"运动,也就无从理解非洲政治地图的变迁和经济边缘化的艰难处境。总的来看,郑先生任课题项目主持人的这套《殖民主义史》的特点是:(1)把殖民主义作为一个世界历史范畴,从资本主义世界体系的整体结构中,去阐明"中心"国家的发达与"外围"国家不发达的关系。(2)重点剖析英、法等一些主要殖民国家的殖民政策,研究不同的殖民政策与各国的资本主义发展趋向的关系,历史上不同阶段的资本主义所采取的殖民政策之间的重大差别。(3)重点剖析一些殖民地,如印度、南非、阿尔及利亚等,研究殖民主义因素对它们的经济、政治、社会和文化的影响。(4)重点研究一些国家反殖民主义斗争的正反面经验教训及其对"非殖民化"的相应影响。

郑先生关于殖民主义的研究成果也受到了社会有关部门的重视。他与同人合写的《英国如何撤出殖民地》比较了英国与其他殖民国家殖民撤退策略的不同,以及英国在不同的历史阶段殖民撤退策略的不同,总结出了英国殖民政策的特点,对第三世界国家政府的应对操作也会起到一定的借鉴作用。在香港回归以前,许多全国人大代表都读过这本页码不多的书。①

站在历史的高度,可以洞察现实中发生的一切。目前,郑先生正与北京大学历史学系部分教师一起,合力撰写一部多卷本的、具有中国特色的《世界文明史》。其中郑先生担负的一部分近代中国、日本、印度、埃及、土耳其的内容已经完稿。

多年来,郑先生一直担任着北京大学历史学系亚非拉教研室主任,教工党支部书记,多次被评为优秀共产党员。1992—1999 年,担任北京大学历史学系的《北大史学》执行主编。目前,他仍担任北京大学非洲研究中心副主任,中国非洲史研究会副会长。他教过的学生大多已经成为学术骨干,活跃在国内外的非洲学界。他指导出了中国第一个非洲学博士,还曾指导过

---

① 参见《人民日报》1993 年 3 月 31 日,第 2 版。

殖民主义史方向的博士后研究工作。虽已年过花甲,郑教授仍然每日笔耕不辍,他的最大愿望就是尽量为中国的非洲学事业多做一些事情,多贡献一份力量。

(原载《社会科学战线》2000 年第 5 期)

深宵感怀录

罗 尔 纲

一、两位拯救过我的医师

我一生多病,医好我的医师多位,我都永铭心头。而尤其使我感激的是周君常、王慰曾两位。[①]

周君常是同济大学毕业留学德国的医学博士,莫干山疗养院医师,在上海静安寺路设有个诊所,每星期在诊所看病三天,凡同济大学同学介绍去看病的青年学生都收半费。那是 1928 年秋的事,我在澳门得了很重的虚脱病,扶病来上海。浔州同乡会的负责人见了我,摇头说:"你几斤米都吃不完,还来上海做什么!"那时社会与今天依靠组织不同,只赖同乡会照顾。浔州是清代的府名,下属桂平、贵县、平南、武宣四个县。在上海成立有一个浔州同乡会,专照顾浔州四县来上海读书的学生。我听了他们的话,知道是怕我死了,要麻烦他们,低头无言。后来进了中国公学,咳嗽痰中带血,更加害怕了。幸亏得贵县中学同学刘福曜同志介绍去请周君常医师诊治。他看病很仔细,对病人

[①] 本文所记师友以交往时间的先后为次第,谨此记明。

又很同情。看了三次，到第三次他判断准确了，就对我说："你不是肺病，痰中的血，是支气管喉头咳出的，你放心。你的病，是神经衰弱症，病久了，就感觉严重。这种病不是专靠药物医治，也不是短期能医好的，主要是靠锻炼，是一种缠绵的病，而不是致命的病，千万不要害怕。你读的中国公学在海滨，适宜休养，你目前可把学校当作休养院，好好锻炼，病是会好的。我开些长期可服的药给你，照方去药房买，不必再来看了，半费的诊金，你们苦学生也是困难的。"在我病困到了这地步，得到周君常医师这个指示，何止是黑夜明灯，简直救了我的命。我遵照他的指示，上课后就休息，不看书，不学习，真个把学校作为休养院。中国公学在吴淞炮台湾，滨江临海，从吴淞镇起到炮台湾筑有一条长堤。除大风、大雨、下雪天外，下课后我就到堤上散步，每当潮来时，惊涛拍岸，使人心旷神怡，有海阔天空之感。中国公学同学晚餐后始出海边长堤散步，那时真个是人群如织。平时海边却寂静无人。炮台湾海边有一座木码头，下面浸在水中，上面是铺平的大木板。我每天去睡在木板上观看海天。暑天常到海中游泳，潮来时，让海浪把我抛起抛落。我还洗冷水浴。就是这样在中国公学锻炼了两年，到毕业时，病情稳定了。其后于1932—1933年，我回到家乡广西贵县（今改称贵港市）做中学教员。家乡是亚热带气候，我家后园临东湖，春夏秋三季都可游泳。这样一来，病除身轻，康健恢复了，都出自周君常医师之赐。

第二位拯救我的医师是南京精神病院王慰曾院长。20世纪50年代我工作太忙，1955年冬，有一天傍晚下班回家，下公共汽车后转入小巷就到宿舍。可是那天精神错乱了，迷了路，一直向前走，后来下意识地转回头，找不到路回家，又东闯西撞，给同宿舍的人发现带回家，出了一身冷汗。第二天，组织把我送入

南京军区医院医治。医院把我放入重病房,经过二十多天全身
检查,并服药治疗。出院时的诊断书上是神经官能症,需要休
息。第二年到北京医院医治。服药、打针、电疗、水疗、体疗都
用,每天好似上班一样到医院去,医治到 1958 年夏不愈。我要
回南京,去北京医院领取诊断书。医师主张我休养,又说:"南
京精神病防治院院长王慰曾教授,是中国神经精神病医师第一
把手。你回南京去请他诊治。"我回南京后,到南京精神病防治
院看病。因为没有向北京医院取介绍信,所以不好意思说要王
慰曾院长看病,这样经过两年多,看我病次数最多的是一位姓杨
的医师。有一次,派病历的同志对我说:"今天杨医师不在,我
给你请王院长看。"我说:"最好。"进了诊病室,王院长把我两年
的病历看过后,对我说:"罗先生,我知道你。"就十分仔细地检
查我全身。他又对我说:"你的眩晕病很重,人多的地方就会眩
晕,这是神经官能症,候诊室人很多,你以后挂了号,就到楼上会
客室等我,我会来看你。你现在又有高血压症,不能晕倒,一倒
就很危险,你也不能去开会,我给你向组织说明。"组织听了南
京精神病防治院的意见,指示我以后不论小会、大会都不要参
加。后来在南京医治了三年病也没有医好。1964 年春,我在南
京太平天国历史博物馆的工作已经完成,要回北京,去南京精神
防治院领诊断书并向王慰曾院长道谢。那时,我因病多年不愈,
越来越感加重,十年以来,曾有几家医院的医师主张我休养。不
要做工作。因请问王院长是否去休养会有好转。王院长说:
"你的病是一种不适宜于休养的病。休养有两种:一种是全身
休养,这种休养不要做工作,例如严重的肺病,必要时需要这种
休养;另一种是脑力休养,脑力休养要集中,不要分散,就是说要
把脑力集中到一点上,然后才不至于思想分散,胡思乱想,以加

重病势。要脑力集中，就不能不工作，但必须按病情去工作，这就是最好的休养。你这样的病情，如果把工作全部放下，到休养院去休养，那肯定会使你的病马上加重的。"我回北京后，就遵照王院长的指示。我最重要的工作是 1976 年秋至 1988 年秋，《太平天国军师负责制》、《天朝田亩制度实施问题补考》、《太平天国政权考》、《水浒传原本和著者研究》等等可算是我的代表作，都是在这 12 年内才写的，五次修改的《太平天国史》是到 1985 年才改成的。《罗贯中水浒传原本考订》是到 1988 年秋才完成的。如果当年没有王慰曾院长对我病症这个高明的指示，不但没有这些工作，恐怕连我这个人早已不存在了。每念及此，对王慰曾院长辄不胜感激之至！

周君常、王慰曾两位医师指示我的话，都是历经实践才取得的医学上的至理名言，谨记于此以志铭感，并以告世之同病者。

二、贺 昌 群

我认识贺昌群同志是吴晗同志介绍的。那是 1934 年 8 月的事。那年从我家乡广西贵县重来北平，带有一部贵县修志局新发现的天地会文件。我认为这部重要的天地会文件应该发表出来以供众用。那时贺昌群同志在北平图书馆工作，主编《北平图书馆馆刊》，就由吴晗同志送去请他发表。他还兼编《大公报》副刊《史地周刊》，我写的《水浒传与天地会》，就是在这年 11 月 16 日在这个周刊上发表的。

1937 年秋抗日战争起，我们曾在广西庆远见过一面。抗战胜利后，我于 1948 年 4 月来南京，贺昌群同志在中央大学任史学系主任。他请我兼任教授。这年 11 月，我回了家乡。

1950 年 8 月我再来南京。那时贺昌群同志改任南京图书馆馆长。这年 12 月，南京筹备纪念太平天国起义百周年，我们都是筹备委员。他腾出南京图书馆成贤街正馆的东楼作为筹备会的办公室，并调了一个主任来担任事务工作。他还亲身到图书馆书库去翻出具有重要史料的书籍作为展品，给展览会添加了生色。

贺昌群同志这一个做法，启发了几年后我在南京图书馆和其他一些图书馆的"摸底"工作，从而发现了许多为人称道的珍本、孤本。

1951 年展览会结束后，成立南京太平天国史料编纂委员会，我们又都是这个编委会的委员。展览会开过后，成贤街正馆收回了展览会办公室。贺昌群又立即把编纂委员会移往南京图书馆山西路分馆。那时中央文化部要我负责筹备太平天国纪念馆，就在那里办公。贺昌群同志于 1954 年才调回北京，任科学院图书馆长。他在此以前，一直是尽大力帮助进行筹备太平天国纪念馆的工作。

所以，今天南京太平天国历史博物馆的成立，与从南京图书馆"摸底"出来作为建馆基础的种种重要的珍贵的书籍，应该说出自贺昌群同志的功劳。

三、陈 寅 恪

陈寅恪先生学贯中西，名扬四海。1937 年秋日本侵略我国，北大、清华和社会科学研究所等机关南迁，都群集于湖南长沙圣经学院。在圣经学院辽阔的广场上，每天都是人山人海站在路旁无聊地观望。

一天，在我旁边忽然有人急促地叫着说："这是陈寅恪！这是陈寅恪!"我还没有见过陈先生的风采,听闻叫声,正打算追去看,忽然想到这是没有礼貌的,停止了。

过了两个月,社会科学研究所派我回广西接洽迁桂林的事,住在环湖酒店。这是个寒冬之夜,约在七点半左右,听有人叩房门。开了门,原来是陈寅恪先生! 对陈寅恪先生光临我这个小小的助理研究员的住所,真是天外飞来的喜讯!

我恭迎陈先生进来坐定。他说今夜到旅馆访友,见住客牌知我住在这里,就来看望,不访朋友了。

陈先生一坐下来,就说看过我许多考证,接着一篇篇加以评论。他一直坐到深夜 11 点,旅馆要关门,服务员来通知,我送他出旅馆门口,他才依依不舍告别。这件事距今 57 年,如在眼前。我深感惭愧,也极感惊奇。陈先生是研究教导隋唐史和撰著文学考证的。我研究的太平天国史和他距离那么远,我又不是他的学生,他为什么这样关心我的著作呢?

今天回想起来,使我豁然感到陈寅恪先生胸怀的旷达,润物无边。我一生最着力的苦作是 20 世纪 80 年代末以后十年对《水浒传》原本和著者的研究。我的《水浒传原本和著者研究》一书出版时,使我想到如果陈寅恪先生在世时我能写出,得陈先生过目,那将是多好的事啊!

四、董 作 宾

董作宾先生是国际著名的中国考古家,殷历史的研究尤驰名中外。我没有研究过历法。董作宾在当时的中央研究院历史研究所工作,我在中央研究院社会科学研究所工作。都同迁在四川南溪县李庄镇,但在两个不同的村子,平时没有联系。1941

年冬,我回广西,到宜宾候船。董先生有事到宜宾也要逗留。于是我便乘此机会向董先生学习。我住了几天先走了。我向董先生学习历法的基本知识。到第二年10月,董先生大著《天历发微》刊出,寄来贵县给我。董先生对天历编制的考定,是一大功绩。近年发现的太平天国文献已证实他的正确。我当时就认识到。但在天历的实施上,天历错前一日始于何时,我和他却有不同的论断。在刊物上发表讨论达两年之久。后来我从广西再搜集到新证据带回李庄。他在新证据面前,承认了我的判断,用甲骨文写了一副对联来贺我。董先生是世界驰名的殷历法专家,我是向他学习的学生。他的甲骨文对联又是不肯轻易送人的。一个星期天午后,竟跑了几里崎岖山路亲自送到我住的集体宿舍来,满面笑容地当众向我道贺说:"你对了,我写副对联向你道贺!"他的话刚说完,我和同事们都对他肃然起敬。今天追忆起来,老一代学者舍己从人,服从真理的风度,使我不胜景仰。

五、程砚秋

程砚秋同志幼年丧父。6岁时,因家贫券与刀马旦荣蝶仙为徒,学青衣,合同8年。11岁开始登台演唱。13岁倒嗓,声带音哑。这时荣蝶仙与上海戏院订立一个月的合同,要程砚秋去上海演出。先是罗惇曧(字瘿公)曾看过程砚秋的演出,发现他很有培养的前途,得知他在倒嗓期间将去上海演出,很着急,即向银行借700元给荣蝶仙解除合同。让他提前出师,保护了他的唱腔。[①]

[①] 参见林印:《程砚秋》,朱信泉、严如平主编:《民国人物传》第四卷,中华书局1984年版。

罗瘿公是一位闻名的文史作家,广东顺德人。少年就读于广雅书院。1903 年癸卯科副贡,以优贡官京曹。后任邮传部郎中。1911 年与樊增祥、林纾等创诗社。1912 年历任北京总统府秘书、参议、顾问,国务院秘书等职。1913 年参与梁启超发起的万生园修禊会。著有《太平天国战纪》、《中英滇案交涉本末》、《中俄伊犁交涉本末》、《中法兵事本末》、《中日兵事本末》、《藏事纪略》、《红拂传》、《文姬归汉》等。

罗瘿公多才多艺,他还对程砚秋的才艺大力加以培养。程砚秋演的戏剧与众不同,如《青霜剑》、《荒山泪》、《春闺梦》等表现下层妇女的不幸遭遇,间接反映在旧时代统治下人民的悲惨命运。这都与罗瘿公的教育和培养分不开的。到 1924 年 9 月 23 日罗瘿公在北京逝世。程砚秋披麻戴孝以报其恩。程砚秋这一懿行,最为社会称颂,人们钦敬其为人。

1934 年春,我再来北京胡适之师家。江冬秀师母说:"你很称颂程砚秋,今夜他演《青霜剑》,我包了个包厢,请您去听。"这个剧,演明代烈妇申雪贞诛杀豪绅恶霸方世一为夫报仇事。程砚秋的演出,把申雪贞的英烈行径,于幽咽婉转,曲折低回的唱腔中,蕴涵着一种刚劲的力量,感人心脾,使我随着剧情的起伏而起伏,久久不能自已。

我对程砚秋的懿行和艺术的倾服,是理所当然的。而我这个伏处书斋的人却为他所知,这就出我的意外了。

那是 1956 年的事。那年我在南京得了很严重的神经官能症,而负责建立太平天国纪念馆的任务也完成了,9 月 20 日后,就向北京本单位中国科学院近代史研究所请求回京医治。因为房子还未修缮,叫我先到科学院青岛休养院休养。那时,程砚秋也在文化部青岛休养院休假。我要到青岛的消息传开,他很高兴要等候我到来一叙生平。可是,我要到国庆日南京太平天国纪念馆成立后才能离开。他休假期满后还等候我好几天。而他在国庆后就有演出的任务。他不能再等候了,只得托同在文化部休养所假期未满的中华书局编辑姚绍华同志代他向我表达他的愿望,并请到京后相叙。

去青岛前,我妻已病了,到青岛后病加重,我因妻病,使病势加重,到了1957年1月,才由党支部书记周超同志亲到青岛接我们到北京医治。我妻一到北京,即入北京医学院第三医院长期住院。我因每星期有三天下午要去医院看她,还带有一个5岁患有痴呆症的女儿来京,我不能住医院,只得每天好似上班一样去北京医院进行打针、电疗、水疗等等疗治。这样,一直到1958年春天都在天天跑医院。就在那时候看报惊悉程砚秋同志逝世。我掩报凄怆! 今天追怀起来,人的相知,都是从历久交往而来。我与程砚秋同志还没有交谈过,而彼此竟然如此相知。白居易有句诗道:"相逢何必曾相识。"我和程砚秋同志却可说是"相知何必曾相聚"呢!

六、俞大缜

俞大缜是北京大学英语系教授,曾国藩的曾外孙女。她久闻母亲曾广珊说太平天国忠王李秀成被俘后劝曾国藩反清为帝但曾国藩不敢的曾家口碑。1964年7月,全国掀起对李秀成大批判,打李秀成为叛徒。凡是以前对李秀成这问题沾过边的人,都被打为叛徒辩护士,作为批判的靶子。在此狂风暴雨横扫全国的时候,俞大缜认为她有责任把曾家这个口碑说出来,于是挺身而出,向周恩来总理上了书。回想当年这个风瘫病废在床的老妇人,她无视一切的胆量,真可说是排山倒海之勇。

　　李秀成批判是当时文化思想战线大批判的组成部分,同作为"文化大革命"的序幕。接着就是"文化大革命"。在"文化大革命"当中,俞大缜一直把这件事压在心头。到1976年秋,她托一位在我单位工作的邻居通知我,说有事要面告。那时我在南京疗养,不知是什么事,没有回信。1977年秋,我回了北京。到家没有几天,她知道了,立即托她在北京大学同事卞之琳教授来看我,说她有重病,怕一旦无常,口碑失传,所以急要告知我。她知道我有病,说如果我不能去她家,她就叫人用小车拖她来我家。她的话使我十分感动。我请卞之琳教授带贾熟村同志代我去访问她。贾熟村详细地记下了她的谈话。过几天,她又扶病竭力挣扎将曾家口碑用墨笔亲自记录给我。到1981年春,我乘两广举行太平天国起义130周年纪念大会时把口碑和访问记在1981年3月2日《广西日报》刊布。同年4月19日,《人民日报》以《李秀成伪降新证》为题作了扼要的报道。于是李秀成伪降曾国藩的真相始大白于天下,国家遂恢复苏州忠王府为全国重点文物保护单位,动工修缮。(新华社南京4月1日电苏州忠王府经国务院核准,恢复为全国重点文物保护单位,最近已动工修缮,见1982年4月2日《光明日报》报道。)当《广西日报》寄到时,我叫女儿送去给余大缜教授。那时她的眼睛已不能阅读了。我女儿逐字逐句念给她听。她听念到说也感到有责任把这口碑提出来向周恩来总理上书时,就感慨地说:"那时当我要提出这个口碑时,不少亲戚朋友都劝我不要惹祸。到后来我要找你父亲时,我一位朋友又劝我说很多事都是定调子的,李秀成已定为叛徒了,不要再找你父亲了。我明知这个口碑说出来,对我是会惹祸的,对曾家是不利的。我与曾家是亲戚,与李秀成无亲无戚,只是觉得把他打成叛徒,太冤枉了,我所以无论如何都要说了。"

俞大缜教授这几句很平淡的话,今天特别在我的耳边响亮。她对人民负责、对历史负责的精神都在这里表达了出来。她见义勇为,是永远为人们所赞美的,她留下的嘉言懿行,也将与《李秀成自述原稿》永留于人间。

(原载《社会科学战线》1999 年第 2 期)

费孝通治学特色与学术风格

丁 元 竹

费孝通教授是 20 世纪 30 年代初中国学术发展转折时期出现的一代学者,他以对中国社会分型式的社区研究,确立了自己鲜明的学术特色,他是 20 世纪初兴起的以实地研究,开拓中国学术发展新路向中的人们的杰出代表。因此,探索他的治学与学术风格,可以使我们看到中国的学术在什么样的背景下成为脚踏实地的科学。

一、"到实地去"——"正确的求学之道"

费先生的治学方法和学术风格形成于燕京大学,成熟于英国伦敦经济学院。其标志是:他最初在燕大提出以实地研究来替代仅仅靠地方志资料、历史考据来研究风俗和文化的方法,①以及 1937 年他提出以实地研究开拓中国学术的"求学之道"。②

---

① 费孝通:《亲迎婚俗分布之研究》(系燕大毕业论文),《社会学界》第 8 卷,燕大社会学系 1934 年出版。
② 费孝通:《伦市寄言——关于实地研究》,天津《益世报》1937 年 3 月 10 日。

在后来的学术探索中,如云南调查(1938—1939 年)、小城镇研究(1982—1986 年)、发展模式研究(1982 年以来)中,他不断地完善自己的方法。

理论研究与实地研究的结合是费先生治学方法的第一个特点。这既表现在进入实地社会研究之前,他曾经批判地继承了学者们以往的理论与方法,也表现在他赋予了理论和理论研究以新的含义,这种含义本身也是费先生学术风格的一部分。

1930 年由东吴大学转入燕京大学是费先生试图"先学社会学原理",①并以此作为认识中国社会的工具的最初标志。在燕京和清华的 5 年学习和研究中,他研究了本世纪影响着人类学和社会学发展的四大学派——进化学派、传播学派、功能学派和批评学派。在对各派的分析和比较中,他认为:"功能学派在人类学上贡献最大,而最基本的一点,就是将人类学从历史性质转变为科学性质。"②他认识到了功能学派,尤其是马林诺斯基的田野调查方法对于人类社会认识的意义。当然,在后来的进一步研究中,他又逐渐认识到了这个学派的局限性。③ 功能学派实地研究的方法和风格对费先生影响最大,这些影响后来都反映在他的《花蓝瑶社会组织》和《江村经济》中。对于当时美国社会学的两个基本派别的首领——哥伦比亚学派的吉丁斯(A. Giddings)和芝加哥学派的帕克(R. Park)的比较研究,④使他对

① 《从事社会学五十年——答〈中国青年报〉》,《中国青年报》1980 年 11 月 1 日。

② 费孝通:《人类学几大派——功能学派之地位》,《社会思想》1933 年第 24、25 期。

③ 费孝通:《浣乡寄语——论马氏文化论》,天津《益世报》1937 年 5 月 5 日。

④ 《费孝通及季亭史二家社会学几个根本分歧点》,《派克社会学论文集》,燕京大学社会学系 1933 年出版。

于集合行为、体察和统计等一系列至今仍左右着社会学和人类学研究方向的基本方法有了全面性地把握。在史禄国（Shirokogoroll）指导下进行的人体测量研究，导引他后来对于社会进行分类型研究，其中包含对中国文化内部变异的研究，这成为他后来分析中国社会的组织和结构的基础之一。

在他的治学中，理论和方法可以理解为受过科学训练的人们所具有的一种认识能力。这种能力并不直接体现在研究结果中，而是间接地反映出来。在英伦留学期间，他曾写信告诉国内的战友们："我们的理论不在道破宇宙之秘，只是帮你多看见一些有用的事实，'理论无非工具'"，①"科学的职务，就在叙述和阐明事实，所以需要种种名词，种种概念"。② 理论和方法在他的研究中的作用之一是收集资料、分析资料、叙述资料和解释资料的手段。例如，他在瑶山和江村的调查中，都曾使用了人文区位学的方法来分析社区的市场体系及村落的区位组织。社区实地研究结果的准确性和可靠性，恰恰是这种运用理论能力的体现。费先生的学术风格也就表现在这里，在对他的全部著作深入分析之后，更容易体会到这一点。所以，他说："没有社会理论作底子，社会研究也无从着手"。③ 在他的学术活动中，理论是"底子"，并不是认识本身，也不是学术追求的最终目的。他以这样的形式将理论研究与实地研究结合起来，这样，他将人们通常所说的理论仅仅作为认识的手段，赋予理论以新的含义，也使自己的学术风格具有鲜明特色。

---

① 费孝通：《浣乡寄语——论马氏文化论》，天津《益世报》1937 年 5 月 5 日。
② 费孝通：《理论与实地社会研究》，《社会研究》第 45 期，1937 年。
③ 费孝通：《社会研究的程序》，《北平晨报》1937 年 10 月 11 日。

 以事实来说明和解释被研究的问题是费先生治学方法的第二个特点。这实际上包含了他对于阐释和说明的方法及认识的逻辑等研究方法的一系列独到的看法。他的治学的基本目的在于将中国社会的实地状况揭示出来，"为行政者的一切有效的政策"①提供事实根据。后来，特别是近十年来，他在进行这种认识的同时，也部分地参与了变革中国实际的活动，他对于社会问题的揭示和说明主要有这样的特点：他以理解的形式来说明对象。理解在费先生的认识方法中表现为一种"体悉"，②即将自己置身于被研究对象的大环境中，来理解"各部分间具有微妙的搭配，在这搭配中的各部分并没有自身的价值，只有在搭配里才有它的功能"。③ 他实际上认为，每一个被研究的对象都存在于各种相互联系的"搭配"中，对象的存在意义决定于其在整体中的作用，或者说，对象的作用决定于整体的结构，揭示了整体的结构就可以理解对象的存在、特点和意义。所以，体悉到的内容就是规定对象的意义。当对象的意义在整体中被规定出来后，体悉的目的便达到了；当对象的意义被表达或逐次展开时，本身就是在解释和说明。《花蓝瑶社会组织》是一个很好的例证。在对"限制人口习俗"的说明中，他分析了瑶山的土地制度、生态环境、宗族组织等因素，认为"这种习俗显然是对于现有瑶山处境的一种适应"。④ 后来，他对于各种发展模式的研究也是如此。从他分析的各种模式中，我们可以看到：模式是在各

---

① 费孝通：《社会研究能有用么》，天津《益世报》1936 年 7 月 22 日。
② 费孝通：《社会研究的关键》，天津《益世报》1936 年 9 月 2 日。
③ 费孝通：《桂行通讯尾声》，天津《益世报》1936 年 6 月 3 日。
④ 费孝通、王同惠：《花蓝瑶社会组织》，江苏人民出版社 1988 年版。

种特定条件下发展出来的方式,他称之为"配方"。① 实际上,他试图在对各区域的各种发展条件的分析中理解和说明一种模式是怎样形成的,它发展的条件和可能性是什么。他的这种理解和解释方法在表达形式上的特点是:既不是演绎的,也不是归纳的。他不从理论上推演出事实应当怎样,也不从一个具体的事实来推演出抽象的理论。对于问题的解释已经隐含在他对全部事实的理解之中,因此,他的行文中很少有名词行话,也很少引经据典。

胡适曾经指出,中国传统的治学方法,特别是清代以前的学者,缺乏一种归纳精神,因此不能认为是科学方法,而清代兴起的"朴学"采取了"归纳的精神","于是有清代学者的科学精神的出现,这又是中国学术史上的一大转机"。② 胡适是一个用西学方法解释中国国故的著名学者,他将归纳和演绎都视为人们认识的有效方法。归纳和演绎方法的确是人们常用的基本方法。费先生从对象的整体来理解和解释对象则具有其自己的逻辑特点:在对特定社区和区域的分析中,他以对象的条件分析为基本框架,当整个结构被揭示出来后,对象获得了解释。这是一种很类似功能主义的解释方法。贝利认为:"功能主义只通过发现现象在大系统中的功能来解释现象的存在。"③当然,并不是所有的功能主义者都在实地研究中用事实来解释现象。帕森斯(T. Parsons)就是一个以理论和术语为特征的功能主义者。在这一点上,费先生很类似于他的老师马林诺斯基,后者对超卜

---

① 1991 年 4 月 14 日费孝通与笔者的谈话。
② 胡适:《清代学者的治学方法》,《胡适文存》第 1 集第 2 卷,远流出版公司 1986 年版,第 163 页。
③ 贝利:《社会研究的方法》,浙江人民出版社 1986 年版,第 244 页。

连岛上居民交易体系的分析,就采用了以事实本身来解释和说明问题的方法。与他的老师不同在于,费先生在解释若干类型之后,又进行类型的比较,以达到对于整体的把握。就整体性解释而言,它既不是归纳的,也不是演绎的。当然,若干类型的比较具有归纳的特点,因为它以典型来代表类型,但又非全部是归纳的,因为类型的比较已非简单的归纳了。在习惯于以归纳或演绎来进行理论建构和解释的视野中,费先生的方法特色是显而易见的。

以一条思想为主线,不断地拓展自己对中国社会的认识,是费先生治学方法的第三个特点。认识中国社会是他 20 世纪 30 年代初就立下的志愿——从那时起,他立下了"为研究中国社会树立基石的责任"的志愿。① 55 年后,他依然没有改变自己的初衷,在回答他的同学利奇(E. Leach)的批评时,他说:"我确有了解中国全部农民生活,甚至整个中国人民生活的雄心"。② 他的思想的主线是寻求如何使中国发展起来,当然,他的这个思想主线的内容是在不断地丰富的。最初,他认为,"中国的基本问题是农民的贫困问题"。③ 到 20 世纪 80 年代后,他又将这一思想引申到农村的发展和现代化方面来。

他采取了以类型分析为特点的对中国社会进行整体分析的方法。这种分析方法导源于他早年所受的人类学和社会学训练,尤其是关于人体测量和人体解剖的实践,使他发展出了以典型分析把握类型,再以类型比较达到对整体的把握。早在大瑶

---

① 费孝通:《桂行通讯尾声》,天津《益世报》1936 年 6 月 3 日。
② 费孝通:《缺席的对话》,《旧燕归来》,江苏人民出版社 1991 年版,第130 页。
③ 费孝通:《江村经济》,江苏人民出版社 1986 年版,第 201 页。

山调查期间,他就和前妻王同惠立志用 20 年的时间,把"中国
社会组织的各种型式实现在这世界上"。① 瑶山是他们分析的
第一个类型,江村是第二个,后来在抗日战争期间他和他的学生
张之毅分析了三个农村类型——禄村、玉村和易村。20 世纪 80
年代以来,他又陆续地分析了苏南模式、耿车模式、温州模式、珠
江模式、宝鸡模式等十几个地区的发展型式。并逐步得出了
"农工相辅"、"无工不富"、"因地制宜,多种模式"等一系列切
合中国实际的发展理论和发展策略。表现在他的治学轨迹上就
是一系列记述和分析各种类型的文章,如《小城镇,大问题》
(1983 年)、《小城镇,苏北初探》(1984 年)、《港行漫笔》(1985
年)、《温州行》(1986 年)、《海南多民族地区开发问题漫谈》
(1987 年)、《海东行》(1988 年)、《南岭行》(1989 年)、《甘肃
行》(1990 年)。1991 年春夏,他又考察了四川、延边等地区。
从他发表的全部著作来看,大部头的著作几乎都曾经是研究通
讯或研究报告的整理。《花蓝瑶社会组织》的基本内容已经发
表在《桂行通讯》的 19 封信中;《江村经济》的最初内容也已经
反映在 1936 年 6 月至 8 月的《江村通讯》里面;《生育制度》正
式出版前,曾在《东方杂志》等期刊上连载。所以,他的一篇篇
文章,是一个认识者不断探索的记录。他试图在不断分析各个
类型的基础上,"用比较方法把中国农村的各种类型一个一个
地描述出来"。② 他始终相信,"通过类型比较法是有可能从个
别逐渐接近整体的"。③ 实际上他试图通过各种典型的解剖,再

---

① 费孝通:《关于悼念同惠的通讯》,《社会研究》第 123 期,1936 年。
② 费孝通:《缺席的对话》,《旧燕归来》,江苏人民出版社 1991 年版,第
130 页。
③ 同上。

比较它们，找到它们之间的共同点，即我们通常所谓的"一般"。同时，他又看到它们的不同，即它们各自在特定条件下发展的可能性，"整体"应当被理解为一般与个别的结合。

综观费先生的全部著作和学术活动，他很少顾及学科的界限，即他不以通常人们所理解的学科为自己的研究范围。在学术领域中，这通常是一个很重要的问题。他经常把各门学科结合起来，在实地调查中分析各种问题，或者说，他把各种知识——社会学的和人类学的知识应用于实地研究之中。在瑶山的调查中，他既采用了被称为芝加哥学派基本社区分析方法之一的人文区位学方法，也使用了被称为人类学家马林诺斯基使用的结构分析方法。而且，他认为，学科的存在只有在职业训练中才是有意义的，真正对问题的分析不应当有学科的限制。[①]他把这种方法称为"综合的实地研究"。[②]

费先生治学方法的第四个特点是从小处着手，以小见大。这主要表现在选择社会研究单位的时候，他总是选择有限空间的地区和人民作为研究单位，并通过小小的研究单位来揭示整个社会结构及其变迁的趋势。

费先生是从村落的分析开始了他认识中国社会的学术生涯的。广西大瑶山和江苏的开弦弓分别代表了两个研究的起点。《花蓝瑶社会组织》的研究是他为了掌握复杂社会结构而进行的一次尝试。他当时认为："研究中国文化的困难，就是它的复杂性，不但地域上有不同文化形式的存在，就是在一个形式中，

---

① 1991 年 4 月 15 日费孝通与笔者的谈话。
② 费孝通：《关于实地研究》，《社会研究》第 44 期，1937 年。

内容亦极错综。"①他把中国文化按地域进行了划分,认为不同地域中的文化是不同的,这种思想可能导源于他对人类学,尤其是功能人类学和传播人类学,以及芝加哥人文区位学派的研究——它们都试图从特定的区域对文化作出解释,并认为人们的生存和生活方式与外界的自然环境有一种调适关系。② 我们可以从《桂行通讯》、《花蓝瑶社会组织》、《江村通讯》中看到这些观点的影响。他在《亲迎婚俗分布之研究》中已经看到了中国的地理和历史因素所造成的社会结构的复杂性,所以他决定从少数民族地区开始他的研究,因为在他看来,"那是边境上比较简单的社区"。③ 这次研究奠定了他后来认识中国社会,尤其是民族社会的基础,其中隐含了"后来所发表的许多学术观点的根子或苗头",④特别是1989年他提出的关于中华民族多元一体的理论。在1936年,他就在瑶山看到了"形成一更大的'中华民族'的向心动向"。⑤

《小城镇,大问题》⑥是一个包含了对小城镇本身地位的认识和费先生治学方法在内的有丰富内容的命题。小城镇作为一个社会结构的环节,凝聚了中国社会结构变动中的种种矛盾,尤其是自1979年中国实行农村联产承包责任制以来出现的种种社会问题都与小城镇联结起来。联产承包责任制的实行,推动了农业的发展,农产品的剩余要求发展商品生产,建立商品交换

① 费孝通、王同惠:《花蓝瑶社会组织》,江苏人民出版社1988年版。
② 哈奇:《人与文化的理论》,桂冠图书有限公司1984年版。
③ 费孝通、王同惠:《花蓝瑶社会组织》,江苏人民出版社1988年版。
④ 同上。
⑤ 同上。
⑥ 《费孝通学术精华录》,北京师范学院出版社1988年版。

中心也势在必行。商品经济的发展也导致了农村产业结构的变化,农村剩余劳动力问题日益严重,农村剩余劳动力的出路就成为中国社会发展的关键。乡镇企业"异军突起"为解决剩余劳动力提供了一线希望。后来,乡镇企业的兴旺成为小城镇发展的基础。小城镇问题就是在这样的背景下产生的。"1984年上半年,小城镇问题一时成为农村改革领域内的热门话题,其中为人们谈论最多的,便是费孝通教授的著名文章'小城镇,大问题'。"①早在开展小城镇研究的初期,费先生就认为:"这是个可以搞出国际水平成果的研究领域。"②选择小城镇作为研究单位,不仅可以揭示出中国社会发展中的基本矛盾,从中也可以看到隐含在发展中国家现代化进程中的基本矛盾。从1986年起,费先生又将小城镇的研究推向两个方向:"一是横向扩展,即从江苏省本身的深入研究进一步发展到全国性的比较研究;二是纵深发展,即从农村——小城镇——中等城市——大城市,以至整个城乡关系的综合研究。"③所以,费先生不论是对民族发展的研究,还是对农村发展的研究,都是从小处着手,逐步扩大的。

作为一个实地研究者,费先生非常善于捕捉生活中被人们认为是习以为常的烦琐小事,从中看到整个社会结构。1936年夏天,他由北平返回江苏的吴江进行后来被人们称为人类学发展史里程碑的江村调查。到江村不久,他在"巡视"中,发现村中的商店特别小,这引起了他的注意,于是他从商店的数量和经

① 王于:《大转变时期》第37页,河北人民出版社1987年版。
② 费孝通:《论小城镇及其他》,天津人民出版社1986年版。
③ 江苏小城镇研究课题组:《小城镇区域分析》,中国统计出版社1987年版。

营方式入手,进而找到"航船制度",①最后把江村区位组织揭示出来了。从这里,他看到了一个"一乡中各村中心"②的作用,小城镇问题的萌芽就隐含在这里。

从小处着手和以小见大的治学方法是费先生关于社会研究的基本理论和基本方法的反映。他认为,社会"有它特具的社会组织",③应当"抓住不放的就是一个可以着手的关键"进行分析。他的参与观察为主的实地研究方法也影响了他的治学方法,他认为:"在实地观察中去捉住关键,一半是靠研究者理论的训练,一半是靠研究者的悟性",④这种悟性也许是研究者的经验和能力的综合运用。

综上所述,理论与实地研究结合,在实地研究中解释研究的问题。从小处着手,不断地探索中国社会的发展,是费先生治学方法的基本特点。这些特点使他在中国学术史上具有别具一格的地位,他的治学方法是他学术风格和一百多年来中国学术思想发展和演变的结果之一。

二、"真正的学术"是"有用的知识"

要真正理解费先生的治学方法,我们必须去追溯他的学术思想形成的各种背景,以及他在这个背景中所形成的各种观点,诸如他的科学观、知识观和学术价值观。他的治学方法,是由他的科学观、知识观和学术价值观决定的,后者融为一体,成为他

---

① 费孝通:《江村通讯》(二),天津《益世报》1936 年 7 月 22 日。
② 同上。
③ 费孝通:《社会研究的关键》,天津《益世报》1936 年 9 月 2 日。
④ 同上。

的学术风格。

费先生和现代史上的许多先进知识分子一样,是在中国社会发生蜕变时期踏上学术征程的。他和他的同代人、他的前辈,都使自己的学术深深地打上了那个时代的烙印——以寻求中国出路为己任。1933 年,在评价他的姐姐费达生献身于乡村蚕丝业的精神时,费先生认为,她是在寻求中国的道路。他认为:"一个真正有心救中国,有理想肯努力的人,是到处可以发现发挥他的力量的地方。人们在自己能力的所及之外,做一些实际关于民族有益的具体工作,且大家合作起来,可将中国振兴起来。"[1]寻求救中国之道路应当被理解为那一代知识分子的共同要求,只是人们从各自不同的角度努力罢了。费先生当时认为,社会研究工作者的任务在于"能详细地把中国社会的结构,就其活动的有机性,作一个明白的描述,使建设国家的人有所参考"。[2] 在燕京和清华期间(1930—1935 年),他努力学习认识中国社会的各种理论和方法,他将以往参加政治活动的热情,变成一种认识中国社会的实际行动。他认为,欲改造社会必须先认识和了解社会。他曾经批评当时的乡村运动的建设者们,认为他们"很多是犯了单刀直入的错误。而且,整个的中国也犹如一盘碎局。由于对中国社会缺乏了解,将山河搞得破碎的局面"。[3] 在他看来,中国社会要走出困境,首先必须对中国社会进行深刻的认识,未来的国家和社会发展的选择应当基于对中国社会的了解。他反对在没有对中国社会进行深入研究之前就

---

[1] 费达生(费孝通代笔):《复兴蚕丝业的先声》,《大公报》1934 年 5 月 10 日。

[2] 同上。

[3] 同上。

急于改造它。

基于这种认识和目的,他主张应当使社会科学成为民族自救的手段,使学术成为有用的知识。在学术方向上,他坚决反对以学术本身为目的的学术研究活动。1936 年 12 月的天津《益世报》发表了一篇关于学术方向的文章,其中提到学术研究的目的在于"为研究而研究"。费先生当时远在英伦,在读了这篇文章后,他致函燕京大学的同学,对这种观点提出了批评。他写道:"'为研究而研究'是一辈'寄生性'学术的护身符。'学术尊严'我是不从的。我所知道的是'真正的学术',是'有用的知识'。"①后来,他又在许多文章中,批判"为研究而研究"这一倾向,认为它在中国社会科学的发展中是一种有害的倾向。因为"为研究而研究"是一种受兴趣驱动的活动,"为研究而研究的人,一旦兴趣不同了,就可以为不研究而不研究了"。② 1990年,他又以类似的语言批评了那种流行于西方人类学界的"以人类学来消磨时间或表现才能"③的研究倾向。在他看来,中国的学术研究的真正价值在于"用得到的知识来推动中国的进步",④否则它无异于游戏和玩麻将。

1979 年,费先生受命恢复被停止 27 年之久的中国社会学,作为这门学科的领衔人,他在社会学恢复初期就明确提出,中国社会学理论研究的目的在于为社会发展提供一套认识工具。他反对"为理论而理论"和"为计量而计量"的学术倾向。在初访

---

① 费孝通:《再论社会变迁》,《社会研究复刊》1937 年第 64 期。
② 费孝通:《关于变动中的中国农村教育的通讯》,天津《益世报》1937 年 2 月 10 日。
③ 费孝通:《人的研究在中国——个人的经历》,《读书》1990 年第 8 期。
④ 同上。

美国之后,他认为二十多年来,外国社会学有很大发展,它们注重资料考证的精神是值得学习的,"其洞察入微,思考周详处令人折服"。他提出,中国社会学"在处理大量的社会现象时",①应当向发达国家学习。同时,他又指出西方社会学中存在一种过于"玄虚"的计算操演,他主张中国社会学在初期应当避免"为计量而计量的偏向",②他的目的在于使社会学"面向中国人民的生活",③"研究如何使我们的国家一步一步地达到高度的物质文明和精神文明的目的"。④ 他的学术价值观也体现在他关于中国社会学重建的实践中。这一点儿都不奇怪,一个人认为学术应当是什么样子,他就会主张学术应当以什么样的形式发展。从 20 世纪 30 年代中期反对"为研究而研究",到 80 年代反对"为理论而理论"和"为计量而计量",反映了费先生学术风格的一致性。

这样,我们就可以部分地理解费先生为什么在治学方法上坚持理论研究必须与实地研究结合,对于中国社会的解释和说明只能基于对中国社会实际材料的收集和分析,以及他一直以一条思想主线为导引,不断地探索中国社会的各种型式了。

费先生以追求有用的知识来实现自己的学术目的。这又使我们触及到了他的知识论。

费先生认为:实地研究包含着一个重要的意思:知识是人们对于事物的认识,事物本身是常在变迁的,所以任何人类已有的

---

① 费孝通:《赴美访学观感点滴》,《民族与社会》,人民出版社 1981 年版,第 137、143 页。
② 同上。
③ 同上。
④ 费孝通:《略谈社会学》,《中国青年报》1981 年 5 月 12 日。

知识都需要不住地加以修改和增添。获得知识必须和知识由来的事物相接触。直接的知识是一切理论的基础。在自然科学中，这是已经无疑问的，而在社会科学中还有许多人梦想着真理从天外飞来。① 他对于知识的理解包含了三层意思：第一，人类对于外界的认识是在不断发展和变化的，每一代人都会对自己所处的社会和环境进行探索，这不仅因为外界在变迁着，人类自身也常在变迁着，没有万古不变的知识；前人已经获得的知识仅仅是对特定时代的认识，并不能成为后人知识的源泉。第二，认识者只有在与被研究对象接触时才产生知识，离开了客观事物本身，认识将成为无源之水，无本之木。第三，理论是在知识的基础上形成的。要建立科学的理论，必须深入地研究客观的事物研究社会和环境。

我们把他的这一观点和学术风格视为自清代，特别是五四新文化运动以来中国学术思想发展的必然结果，也包含了这样一个意思：他的知识观表明了中国学术思想和方法的发展进入了一个新的阶段。我们可以从两条线索来说明这一点。

第一条线索是中国故有的学术思想的发展，亦即国故学的发展。中国古代学术思想经过战国时代的"诸子百家争论"逐渐确立了儒家思想的主导地位。先秦思想，主要是"诸子之学"，到汉代产生了经学，到魏晋时有玄学产生，约略相当于今天的哲学，到宋代又有道学、义理之学、理学的产生。胡适认为，宋明理学在中国学术史上代表着中国传统的治学方法，"他们偏重于主观的见解，不重物观的研究"。② 张横渠说："义理之

① 参见费孝通：《伦市寄言——关于实地研究》，天津《益世报》1937 年 3 月 10 日。
② 胡适：《胡适文存》第 1 集第 2 卷，远流出版公司 1986 年版，第 163 页。

学,亦须深沉方有造,非浅易轻浮之可得也。"①顾炎武说:"古之谓理学,经学也。"②曹聚仁(国学家)对这句话做了如是解释:古人所谓理学是从经学中提炼出来的,所以应当从经学中寻找义理的旧解。③朱熹是理学的最大代表,他的主要治学方法是从经学、史学、文学、音韵、自然科学中概括出一些认识论和方法论的原理。理学代表了中国古代学术的基本特征。

中国的学术发展到清代,有了转折,这就是朴学的产生,即文字学、训诂学、校勘学和考订学。胡适认为这几门学问具有科学精神。④梁启超则说:清代学术思潮是"对于宋明理学之一大反动"。⑤他认为,清代中国学术思潮对于宋明理学的反动,因人因派而异。颜元、李塨为一派,他们认为:"学问固不当求诸冥想,亦不当求诸书册,惟当于日常行事中求之。"⑥黄宗羲、万斯为一派,他们以史学为根据地,并"推之于当世之务"。⑦还有一派是王锡阐、梅文鼎,他们专攻自然科学,开中国自然科学之端绪。这几个派别在治学方法上明显地区别于宋明治学方法。胡适把他们的治学方法的特点概括为:"只是两点:(1)大胆的假设。(2)小心的求证。"⑧胡适实际上承认这个时期的学术已经具有了近世的所谓科学精神,他说训诂和文字学等具有这种精神是有其道理的。这表明中国学术思想已经发展到一个新的

① 张载:《经学理窟·义理》。
② 顾炎武:《与施愚山书》。
③ 曹聚仁:《中国学术思想史笔记》,三联书店1986年版。
④ 胡适:《胡适文存》第1集第2卷,远流出版公司1986年版,第163页。
⑤ 曹聚仁:《中国学术思想史笔记》,三联书店1986年版。
⑥ 同上。
⑦ 同上。
⑧ 胡适:《胡适文存》第1集第2卷,远流出版公司1986年版,第163页。

时期。

19 世纪末叶,中国传统学术的一个重要发展,是古典非正统哲学,即所谓"诸子学"的复兴。① 这种复兴很大程度上导源于朴学演化的内在逻辑,推进朴学的主要动力,源于 17 世纪和 18 世纪儒生们对宋明理学的儒学原则诠释的不满。这样,在朴学中有一种儒学"回向原典"的内在冲力,由于这种冲力而形成了一个汉代古文经学和今文经学的复苏运动。这些研究就其性质而言,大体上是语言学和校勘学的。清代中叶少数人的兴趣所体现的思想在晚清已变成多数人的兴趣。更有意义的是,当这种对非正统的古代典籍的兴趣蔓延时,这种兴趣趋于从理论变为更加现实化,因为一些知识分子转向这些典籍更多是出于对人生和社会问题的关怀。无论在何种形式中,"诸子学"都成为时代思潮的一个重要因素。②

20 世纪初是中国学术思想发展的又一个新时期,五四运动明确提出"科学"与"民主"的口号,给中国学术的发展注入了新的生机。这个时期关于科学与人生的争论把中国知识分子划分成两个截然不同的阵营③:一个是以张嘉森为代表的所谓"玄鬼派",他们提倡"内省精神生活"论,相信这种内心精神生活是超越科学之外的。其中包括国学大师梁启超,也主张恢复宋明理学。科学家丁文江领导的现代科学家阵营坚决驳斥"玄鬼派",坚持科学与科学方法的方法论。这场争论持续了一年多。对中国学术思想的发展产生了影响。许多受过西方教育的学者,如

---

① 曹聚仁:《中国学术思想史笔记》,三联书店 1986 年版。
② 同上。
③ 胡适:《文化的冲突》,《中国基督教年鉴》(英文本)1929 年。

胡适等人则用西方的科学方法来研究中国传统的资料,这就是后来人们所谓"国故学"。训诂、考证、文字都是国故学的一部分,历史也是如此。后来对费先生有重大影响的几位学者,如吴文藻、潘光旦等都曾经受过国故学的教育,他们二位既曾师从过梁启超,也都受过西方科学的教育,这种训练为他们采用中西结合的方式研究中国社会打下了基础,他们也在一定程度上影响了费先生。对费先生有较大影响的另一位学者是顾颉刚,他曾指导费先生的学士论文写作,费先生最初从国学的角度研究风俗也是受了他的影响。

第二条线索是西方学术思想和方法对中国学术思想方法的冲击,及中国学术界对它的态度的变化。一百多年来,中国人对于西方科学和文化的态度曾经历过几度变化。五四运动在中国人民心中树立起了科学和民主的旗帜,但由于这个运动刚刚开始,到1927年,它所做的大多是介绍西洋的东西。如胡绳先生所说:"这个时期的文化运动者,在介绍西方科学和文化的时候,是全盘受之态度的,因为那时厌旧心情激起了趋新的心情,而凡西洋的都新,所以凡西洋的都介绍。"①到了1928年,即大革命失败后的第二年,中国社会科学界对西方社会科学的研究出现了四种情况:一是解说他们的学说和理论;二是应用它们来研究某些科学问题;三是应用它们批判某些理论;四是应用它们于中国社会的研究和对国故的研究。

发生在1929年至1935年期间的新启蒙运动和学术上的三次争论,表明了中国知识界对于西方文化有了更深入的认识。新启蒙运动的意义在于:它使人们逐渐抛弃以往全盘吸收西方

---

① 辽宁大学哲学系编:《中国文化问题论战》,第19页。

文化,忽视中国文化的倾向,从而转向对中国社会本身的研究。从某种意义说:"新文化启蒙运动"是自五四运动后的又一次思想解放运动,也是一场认识方法上的革命。它使人们认识到中国有自己"比较个别的民族性格,这一切都要认真地研究","中国的地理与物质环境自有它的特点,不能与别的国家相提并论……中国的历史文化更有它的特殊之点,更不能和任何别的国家混为一谈"。① 学术上的三次论战发展到后期,尤其是关于中国农村社会性质的论战明确地提出了"以理论和实践相结合的方法为根本方法",②预示着中国学术发展新阶段的到来。

这两条线索告诉我们,到 20 世纪 30 年代,中国的学术思想发展在对待"国故"和"西学"的态度上已经具有了成熟的标志,这就是:必须用科学的方法来研究中国固有的历史和文化,实际上这是中西学结合的过程,介绍西学必须结合中国的社会实际才是有意义的。

费先生可说是五四运动后的第二代学人。五四运动中有两代学人,即五四运动中的老师和学生。第一代学人是李大钊、陈独秀、胡适、周作人等;学生诸如吴文藻、吴泽霖、顾颉刚等。五四时期的两代学人携手并肩,敢于用西方的观点来看待中国。老师比学生更早地转向西方,他们向西方学习的热情溢于言表。胡适心中的"易卜生主义",周作人的通过"照搬西方"来改革中国戏剧的必然性尤具代表性。然而,学生们转向西方时,在强调学习西方的同时,更注意中国社会和文化的特殊性。③

①　潘光旦:《谈"中国本位"》,《华年周刊》第 4 卷第 3 期,1935 年。
②　《中国农村》第 1 卷第 1 期,第 6 页。
③　费孝通:《亲迎婚俗分布之研究》(系燕大毕业论文),《社会学界》第 8 卷,燕大社会学系 1934 年出版。

　　费先生的治学风格正是在这样一个治学背景下形成的。在燕大的三年中,正值燕京大学提倡收集地方志之时。他用了两年时间,在图书馆查阅各类地方志,阅读《古今图书集成》、《方舆汇编》、《职方典》等,以地方志和《古今图书集成》为基础,绘成近代亲迎婚俗地理分布图;并查阅了大量古籍,如《尚书》、《诗经》、《春秋》等,以此来追溯亲迎婚俗的历史演变以及它们的地理分布。同时也用一些其他的理论和方法,对于婚俗进行解释,如传播学方法和人文区位学方法。他写道:"苟吾人承认文化传播与移民有密切关系,凡限制移民之种种自然的及社会的环境,亦必影响于文化之传播,是以文化区域之界限,可自其地理及社会背景与移民之关系加以解释。"①《亲迎婚俗分布之研究》的基本方法是中国传统的国学方法与人类学和社会学方法的结合,它体现了费先生踏入社会科学领域后,最初的治学风格,也是那个时代的治学风格的反映。当然,就国学的研究的成分来说,在他的学术活动中要比他的前辈少一些。而且在一开始进行这项研究时他就已经表现出对这种研究方法的不满意,他认为这种研究在"方法上没有多大贡献"。② 1937 年在伦敦,他读了冀朝鼎著的《中国历史上的经济轮区》后,对于社会科学的治学方法作了较明确的表述:"若是我们要研究社会,第一是要注重材料的来源,而最好的是根据有训练的实地研究报告。有实地研究经验的人会告诉你,他对于自己观察得来的材料有时还是不敢确定其必然可靠,而想根据片言只语的官报来作研

① 费孝通:《亲迎婚俗分布之研究》(系燕大毕业论文),《社会学界》第 8 卷,燕大社会学系 1934 年出版。
② 费孝通:《中国文化内部变异的研究举例》,《大公报社会问题副刊》1933 年 6 月 10 日。

究。任何严谨的学者是不敢尝试的。"①可以看出,费先生对以往研究的担心有二:一是资料的真实性是否可靠;二是资料是否完整。对于婚俗的研究,使他看到资料的完整性是十分重要的,所以,他主张社会研究者应到实地中去亲自接触被研究的对象。他主张和坚持在实地中获得知识的学术风格是近代以来中国学术思想发展的一个必然结果。近世以来中国学术的发展是一个以其自身内在逻辑演变与西方文化冲击交互作用的过程。

除了坚持知识必须从实地中获得外,他还坚持知识的有用性,他主张学术研究应当追求有用的知识,只有有用的知识,才是真正的学术。大约有四种思潮影响了费先生的这一思想的形成。其一,是中国近代以来的社会变动。对中国前途的探求是中国人的共同要求。费先生1934年在以其姐费达生的名义发表的《复兴蚕丝业的先声》中说:"大家都在救国,什么叫救中国? 救中国,救中国,力当着手于具体的救国的一端。"②他力主从具体的工作做起,来拯救这沉沦中的民族。后来,他又对他的同学林耀华先生说:"我们不要去参加政治活动,除非我们明了中国社会。"他从理论上视认识社会是一种社会分工,旨在为社会变革提供一种工具。其二,中国近代社会的蜕变和各种矛盾危机的气氛,使进步的文化人产生了一种强烈的忧国忧民、匡时济世的历史责任感。改变中国旧学之虚空,"经世致用"是近代先进文化人的共同要求。"经世致用"代表了一种对汉学的社

---

① 费孝通:《读冀朝鼎著〈中国历史上的经济轮区〉》,《社会研究》第51期,1937年。

② 费达生(费孝通代笔):《复兴蚕丝业的先声》,《大公报》1934年5月10日。

会道德淡漠而作出反应的儒学倾向,这种汉学曾支配 18 世纪的思想界。这一大思潮的核心,是回归儒家人道主义的两大中心思想——"修身"和"经世"的要求。① 其三,帕克(R. Rark)的影响。1932 年,芝加哥学派首领帕克来燕京大学讲学,对费先生产生了重大影响。在帕克走后不久,费先生写道:"他所给予人们的不是普遍的知识,而是生命,一种能用以行动的知识,这种知识并非由客观的描摹可以获得,一定要有自己主观的探索才能得到,所以,我说是生命。"②他赞成帕克关于知识功用的观点。其四,费先生早年曾受到功能主义人类学的影响。他在去伦敦经济学院师从马林诺斯基之前,已经接触了功能主义人类学,并认为"功能学派具有科学性质"。③ 他所谓科学性质是指功能派以实地研究取代了对历史资料的臆测。马林诺斯基在其学术活动中,坚持应用人类学的方法,1934 年他到非洲访问,这使他更加相信:"人类学家对于政策制订方面有重大的贡献。"所有这些,都影响了费先生,他在英伦期间,曾参加了应用人类学的讨论班,并多次在文章中提到这个讨论班及他们关于人类学在非洲的应用问题。马林诺斯基开了应用人类学的先河。费先生关于知识的实用性的观点,是近代中国文化和学术思想演化及西方学术思想交互作用的结果。马林诺斯基在给《江村经济》写的序中说:"他充分认识到,要正确地解决实际困难,知识是必不可少的。费博士看到了科学的价值在于真正为人类服

---

① 参见张灏:《梁启超和中国思想的过渡》,第 15—34 页;梁启超:《清代学术概论》,第 51—52 页、第 79 页。

② 费孝通:《社会学家派克教授论中国》,《再生》第 2 卷第 1 期,1933 年。

③ 费孝通:《人类学几大派——功能学派之地位》,《社会思想》1933 年第 24、25 期。

务。对此,科学确实经受着严峻的考验。真理能够解决问题,因为真理不是别的,而是人对真正的事实和力量的实事求是。"①这是马氏对费先生学术风格的另外一种形式的表述。

(原载《社会科学战线》1992 年第 2 期)

---

① B·马林诺斯基:《江村经济·序》,《江村经济》,江苏人民出版社 1987年版,第 1 页。

一个伟大知识分子的人生道路

——诚挚追悼一代宗师费孝通教授

王 胜 泉

我的老师、中国著名社会学家费孝通教授仙逝多日,许多朋友对我说:你与他那样熟,写点回忆文章吧。但是,提起笔来,千头万绪,涌上心头,不知该回忆些什么。我从 1947 年认识他,至今已有 58 个年头。费孝通作为一代进步知识分子的代表,反对国民党的血腥统治和内战,要求和平,要求民主,要求学术自由,要求人民当家做主,希望中国能走上富裕强国之路。他的一生丰富多彩,历经各种磨难,自始至终,一直是共产党的好朋友。这是一个伟大的知识分子走过的人生,其中有许多生活琐事同样值得我们深思。

一、清华园胜因院的长谈

1947 年秋,我考入清华大学建筑工程学系,师从著名建筑学家梁思成、林徽因、吴良镛。这时,国内局势已十分危急,国民党统治者倒行逆施,残酷镇压一切民主力量。同年 7 月 4 日,国民党政府颁布《剿平共匪叛乱总动员令》,声称"对于煽动叛乱之集会及其言论行为,均应依法惩处"。10 月 23 日,国民党政府派大批军警和特务包围南京中国民主同盟总部,并强迫民主同盟于 10 月 27 日宣布解散,拉开了内战序幕。这时,国民党统治区的经济已陷入混乱状态,物价成倍飞涨,法币迅速贬值,民不聊生,前途无望,工商业濒临绝境。10 月中旬,浙江大学学生会主席于子三遭到非法逮捕和严刑拷打,惨死狱中。噩耗传来,清华园学生掀起怒潮,我们连夜组成游行队伍,进城在北大五四广场集会声讨,掀起一场"反对非法逮捕、反对特务、反对屠杀青年"的反迫害斗争。在游行队伍走出五四广场时,与国民党军警、特务发生冲突。一场混战中,我的头部和左臂都受了伤,接受了血的洗礼。返校之后,我义愤填膺,觉得在如此黑暗岁月,"不是学盖大楼、盖别墅的时候",而是应该"学一套救民于水火的本领",于是决定转系。当时清华大学规定:凡工科学生,必须选修一门社会科学。我当时选的是社会学,授课者为吴景超教授。但是,当我与魏姓同学(也是 1947 年进清华,读的是社会学系)商量此事,并请他陪我去见吴景超教授以便请教转系之事时,魏却建议我去见费孝通教授,理由是费先生也是先读医科,后来转读社会学,一定有切身体会。于是,由他向费先生代为请求,约定一个下午到胜因院费的寓所去见他。

应该说,这不是我第一次见费孝通。由于他是当时清华园很有名的民主教授,许多群众集会,他都来参加、发表演讲。而我当时作为一个积极参加学生运动的进步青年,这些集会自然也都会参加,因此,见到费孝通是很经常和容易的事。但是,直接到他家去拜访并请教个人问题却是第一次,为此,心中有些惴惴不安。胜因院教授宿舍是两层楼,楼上是卧室,楼下是书房和客厅。他是在书房接见我的。当听我叙述了个人的苦恼和决定,他藏在眼镜后面的大眼睛立即闪跃出兴奋的光芒。他说他也曾参加过1927年兴起的学生运动,但是,后来学生运动失败了,许多朋友抓的抓,走的走,散了。他自己也心情懊丧,生活孤独,有点泄气。当他准备考大学时,就想,做人只要能洁身自好,于人有益就是了,于是他选择了东吴大学医科,准备将来进入协和,毕业后当个好医生,为人治病,准备通过学医来服务社会,改革社会,免除人们的痛苦。但是,两年后,生活教育了他,使他认识到:人们最痛苦的,不是来自身体上的疾病,而是来自社会所造成的贫穷。于是,他在转学到燕京大学时,毅然改学社会学,决心学一门了解社会、解剖社会、改造社会的学问,毕业后服务社会,免除人们的痛苦。因此,他对我下决心转学社会学,不但是举双手赞成,而且是十分理解,并称赞我是他的"同道"。费先生的这番话消除了我心中的不安情绪,一下子就拉近了他这个著名学者、洋博士和我这个来自穷乡僻壤的无名小子的距离,而且坚定了我读社会学系的决心。我进入社会学这个领域,至今已有五十多个年头了。但是,他当时讲话的激动面容还深深印在我的心头,似乎就发生在昨天一样。从1947年至今,社会学在中国经历了废除、恢复、重建、大发展的曲折命运,费孝通教授本人也是如此。但是,费孝通当年教导我:"一个年轻人,要心中装着国家,装着民众,不是为个人名利,而是为国家富强、民族兴盛去奋斗。我们要牢记先贤名句:先天下之忧而忧,后天下之乐而乐。我们要立志为国,立志为民,了解社会,服务社会,做一个对社会有用的人、高尚的人。"这些话一直在我耳边回响。我是十分感谢费孝通教授指引我进入了社会学这门学科。我为自己有幸结识费孝通教授这样的中国一代优秀知识分子代表而自豪。胜因院的午后谈话决定了我人生的道路,费孝通可以说是影响了甚至是引导了如我这样一代知识分子的人生之路。

二、我们决心留下来迎接解放

1948 年秋季开学,我正式成了社会学系的学生。但是,我却不与 1948 年新入学的社会学系的新生一块上课,因为他们必修的社会学概论我已念过,可以选课了。我选的第一门社会学专业课是费孝通教授开的"社会变迁"。与我同选此课的是当时读社会学研究生的周光灿,两个人每周到费家去上一次课。从此,我成了费家的常客,费师母(孟吟)成了照顾我这个穷困而又远离家乡的穷学生的恩人。我已不记得在费家吃过多少次饭,总之是给了我无限温暖和亲情。

费孝通教授讲课,一向是不按部就班,照本宣读。这次教我们的"社会变迁"课,也是如此。他开课第一讲,就是拿出五本英文书,叫我们一一去读,然后写出读书报告,提出问题,在堂上讨论。我记得,除了英美关于社会变迁的教科书外,还有一本就是他自己写的《江村经济》(《中国农民的生活》),不过是英文本。我的家乡是苏北偏僻农村,当时已读了一些马克思主义经济学的书和中国经济分析的文章,因此就以阶级分析观点对这本费先生最自豪的著作提出批评,并以自己家乡的实例一一加以说明。本来我心中十分担心,怕由此引起他的震怒,扣我的学分。谁知他听了我的批评,不仅不震怒,反而详细询问我的家乡苏北农村的具体情况,听到与苏南农村情况大不相同时,还不时在本子上记下来,课上得十分融洽。待这五本书讨论完后,他给我们两人布置了一道研究课题。当时,他正与社会学系美籍教授 Robert Redfield 和一些年轻教员探讨"中国绅士的社会地位"问题,想对中国封建社会中的皇权、绅权以及官僚、外戚、宦官、世族、军阀间的权力斗争和变迁脉络,理出一个头绪来。于是,他叫我们每个人到图书馆借《汉书》一部,通读一个月后,向他报告对汉代封建权力的结构分析的一些看法。由于我当时只是大学本科生,图书证只能借少量书,无法借卷数很多的线装《汉书》,于是费先生便将他的借书证交我使用,并为此给当时图书馆出纳部写了一个条子说明情况。记得当时我持条去借《汉书》和其他许多参考书时,图书馆一位老职员还悄悄问我:"你是王同惠(费的前妻)的什么人?"实际上,我只是他的一名普通的授业弟子而已。但由此也可看出费是多么热爱教育工作。在这样尽心授业的老师教导下,我又怎会不努力呢?

在这一个月内,我经常去费家。原因是我当时是一名大学本科生,基础科学知识还十分欠缺,搞科研更是彻头彻尾的门外汉,而这项课题研究却是十分复杂、难搞,因此,我不能不经常去请示。于是,费先生如保姆一样,从如何读古书、查《康熙字典》和朝代纪年表,到分清本纪、列传、附传,又如何从事件中看出权力斗争痕迹,以及怎样搜集资料、辨别资料、拟定提纲、决定主题、提出论点,等等。总之,费先生给了我手把手的直接指导,使我真正体验到什么叫学术工作,社会科学的学术研究该如何进行,以及怎样小心求证和如何建立理论体系。我仿佛身入宝山,一下子见到学术研究这个新天地,受益之深,终身难忘。当时我在社会学系的另一位授业老师史国衡教授说:"这是研究生的教学方法,你能得到费先生亲自指导,十分不易,你要珍惜啊!"我听了很感动,因而也就更努力了。

但是,好景不长,我们的书斋研究被窗外炮声击碎。这时,人民解放军已进入夺取全国胜利的决定性阶段,辽沈战役、济南战役、天津战役、淮海战役都已结束，解放军百万大军兵临北京城下。我家当时已迁往台湾，父辈都在台湾做官，他们纷纷要我尽快赴台。我犹豫难决。当时，清华大学校长梅贻琦要带一些著名教授乘飞机南下，我就问费先生："你走不走？"他说："我不走，我要留下迎接解放。"费孝通当时还给我讲：一个人的一生要遇到许多人生关头，要头脑冷静，慎加抉择。否则，一失足成千古恨。知识分子要迎接光明，不要追随黑暗。你要好好地想一想，做新中国的开创者？还是做旧社会的殉葬品？你的前途在哪里呢？真是一席话惊醒梦中人，费孝通的态度促成了我不去台湾的决断。我后来读费孝通在当时给 Redfield 教授的信中说："我认为我留在北平的决定是正确的。我相信如果西方让我们自己建设我们的国家，中国会在我有生之年赶上现代化的西方。解放这个字不是空洞口号，它具有具体含义。"①我想费孝通教授是以十分欣喜的心情迎接解放的，他是真诚地愿为新中国的诞生和现代化在中国的实现而奉献自己的才智。这也是当时绝大多数清华园教授们的心声。这包括与共产党合作的中国民主同盟成员，如我的老师潘光旦、费孝通，也包括与国民党有历史渊源的其他教授，如我的老师吴景超、陈达等。"解放区的天是明朗的天"真的是众人共同心声。在历史抉择关头，费孝通的选择是决心迎接解放，做共产党的朋友，而且终生不悔，直至仙逝。费孝通是进步知识分子的表率！我为有这样的老师而骄傲。

---

① 戴维·阿古什：《费孝通传》，董天民译，时事出版社 1985 年版，第 11页。

三、"大课"和知识分子思想改造运动

1949 年 5 月 5 日,清华大学校务委员会成立,费孝通是该委员会的九位常委之一(另有叶企荪、张奚若、陈岱孙、周培源、钱伟长及讲师、助教代表和学生代表各一),并担任"大课"的组织领导工作。所谓"大课",是因为参加听课的不仅有全校学生,而且有全校教学人员和职员工友,规模之大,在清华可以说是史无前例,因之被人们称之为"大课"。实际上,这是全校师生员工共同必修的政治课,这门课程的任务是改造思想。后来,费孝通在《我们的大课》一文中说:

> 我们每一个人都是在旧社会里生长大的,旧社会里封建的、官僚的、买办的势力多多少少影响我们,养成了我们的坏习惯和坏思想。我们不但要在社会制度上打倒和消灭封建、官僚和帝国主义,而且还得在我们自己的思想和习惯上根除它,如果留着祸根,这些习惯和思想每一分钟、每一秒钟都在长出封建、官僚和买办的社会制度来。……政治教育在我们大学里已有了很长的历史,(但只有)人民夺得了政权,建立了人民的国家,我们才能合法地、正规地、大规模地、有系统地进行政治教育。政治教育能成为大课是人民权利的结果。①

这篇文章发表后,费先生曾问我:"同学们有什么意见?"我说:"大家都认同这篇文章的观点,但对其中'如果留着祸根,这些习惯和思想每一分钟、每一秒钟都在长出封建、官僚和买办的

---

① 《费孝通文集》第 6 卷,群言出版社 1999 年版,第 50—51 页。

社会制度来'很不理解,也似乎不符合社会学根本理论。"他当时笑而不语,至今我也没有弄清楚他当时怎么会写出如此极端的话来。

"大课"进行半年之后,进行思想小结,每人一份,交到大课委员会,积累下来,达数千份之多。这时,我在选修费的"农村社会学",课堂之余,时常讨论"大课"中的问题。有一天,费先生叫我到大课委员会去读这些小结,并为他做些资料性工作。后来,这些思想小结实在太多,费先生就将图书馆楼下他的办公室(与吴景超教授的办公室为邻)交给我使用。这样,我也得以较为具体深入地了解到当时知识分子思想改造的一些实际情况。根据这些思想小结的材料,我曾列举了一系列清华学生和教职员工的不满情绪和牢骚讲给费先生听。例如:"大课是思想统治"、"我们的思想很正确,用不着改造"、"中国既然是四个阶级的联盟,为什么只有我们知识分子要改造?"、"小资产阶级思想有什么不好?"、"还有思想自由吗?"、"功课那么重,学大课花那么多时间值得吗?"等等。后来,费先生在一次报告中,曾一一触及这些问题。他指出:"大课绝不能是自上而下的命令,而必须是群众的自觉运动。改造思想和镇压反动派是完全不同的。改造是为了团结;镇压反动派,不许他们乱说乱动是为了保护人民,给大家创造一个能在民主方式下改造自己的条件。因之,这和思想统治本质上刚刚相反。"但是,费孝通没有料到,在很快就展开的"三反"、"五反"和知识分子思想改造运动中,他自己也成为改造对象。我曾亲耳听到他这样检讨:

> 在批判会上,同学们的排炮打中了我。我魂灵在震动,我初次切实地感觉到,我过去实在危害了纯洁的青年。他们控诉我是完全应该的。……只有严厉地指责我,控诉我

的罪过,才能更清楚看清我们共同的敌人。……从出国起到解放前夕,我一直是帝国主义的俘虏。我从丧失民族立场一直发展到危害民族。……我认敌为友,在行动上犯了严重的政治错误。我为了自己的生命而牺牲了更多的人民的鲜血。(我的理论)本质上是反对革命,反对斗争,反对土地改革,维持封建势力,反对工业化,给帝国主义造殖民地。①

50 年后,当我重读他的这些言辞时,真的从心头感到无限悲伤。一个一心一意想加强学生政治思想教育的中年教授,在尽心尽力做了那样多对人民、对革命十分有益的教学工作之后,却要骂自己"反对革命",并列举那样多罪状,他的心情该是何等沉重啊!我想今日青年是难以理解的。不过,我却很能理解费先生为什么这么做。因为费孝通的老师,也是我的老师,当年清华大学社会学系主任潘光旦教授虽然在三次检讨中把自己骂了个狗血喷头,也依然没有过关。这时还"挂"在那里,上不着天,下不着地。试想,费孝通作为他的得意门生怎敢不百般辱骂自己呢?从潘光旦、费孝通的身上,我感受到做社会科学的学术研究工作的"危险性"。我当时已经毕业,分在了劳动部政策研究室工作。我曾私下偷偷问费孝通:"现在作研究是不是太危险?搞不好真会身败名裂。我是不是该换个工作?"我记得费孝通当时很生气地说:"你不入地狱,谁入地狱!新中国刚建立,百废待兴,问题很多,我们不去研究它让谁去呢?这是我们这一代知识分子的责任,而且责无旁贷!"他的话使我内心有愧,因而决定继续搞研究,而且一直坚持至今。

---

① 《批判我的资产阶级思想》,50 年代出版社 1952 年版,第 16—33 页。

四、我们都反对取消社会学系

清华大学社会学系在解放前是一个"名系",在国内外享有盛名,教授有潘光旦、吴景超、陈达、吴泽霖、费孝通等人。1948年的《清华年刊》的"院系漫谈"中,称社会学系是"本校法学院最大的一个系"。这也是当时我所以转入此系的缘由之一。但是,在迎接解放、庆祝新中国成立的热潮日子中,传来了一个令人沮丧的消息。苏联已取消了社会学,中国也将在高等学校中停办社会学系。这时,清华社会学系已成立了系务委员会,而我作为学生代表也就经常可以在系务委员会上听到这方面的消息。例如,当时新成立的教育部的一位苏联专家称:社会学是专门反对马列主义而出现的一门资产阶级伪科学,必须彻底取消。这引起了清华社会学系中许多教授的反对,费孝通也是激烈反对者之一。大约在半年多之后,1950年3月7日,费孝通写了一篇文章《社会学系怎样改造》。这篇文章的内容在写作前曾在清华社会学系系务委员会上讨论过,该文明确提出:"当其他社会科学性质的学系尚分别存在时,社会学系亦无先予取消的必要,而且正可以社会学系为基础加强马列主义基本理论课程。"[①]到了8月份,教育部的高等学校课程改革委员会颁布了《各大学、专科学校文法学院各系课程暂行规定》,其中就包括了社会学系,并定位为"培养政府及其他有关部门(如内务部、劳动部、民族事务委员会等)所需工作干部……及中等学校以上师资"。我作为坚持主张办社会学系的学生代表自然也感到

---

① 《费孝通文集》第6卷,群言出版社1999年版,第44页。

欢欣鼓舞,对费先生的敬意也就进了一层。

这时,清华社会学系开始分专业组。当时共分三组:民政组、劳动组、民族组。学生毕业后分配方向是:内务部门、劳动部门、民族事务部门。这时,我已听说费孝通将到中央民族学院担任副院长,并被任命为中央民族访问团副团长兼第三分团团长,去贵州。在一次讲课中,费孝通曾要我参加他率领的访问团,一块去贵州对少数民族问题进行实地调查。但是,我这时已在听陈达教授开的"劳动问题"课程,并迷上了中国劳动问题的调查研究,因此我没有报名参加民族访问团,而是报名参加了中南工矿考察团,跟随吴景超教授去湖北大冶钢厂进行了实地社会调查,回来后申请分配到劳动专业,并于1952年在社会学系劳动专业取得了学士学位,分配到中央劳动部政策研究室工作。从此,费孝通进入到民族学领域,我则进入了劳动科学领域,在学术上属于不同领域。但是,1952年全国进行院系调整,社会学系被取消,费孝通对此甚为不满,而我们则成为社会学最后一班毕业生,也对此十分不理解。因此,从1952年之后,逢年过节,我还是会到费家去问候费先生和费师母。那时候,他已搬到中央民族学院宿舍南排1号,与我的另一位老师潘光旦比邻而居,而潘光旦则是我们社会学系学生最尊重的教授。他的学术造诣和道德文章都令人敬仰,在我一生中是十分少见的。当时,我们都希望恢复社会学系。

这样平静地过了几年。1956年举行国际社会学会,苏联派了代表团参加,中国则没有派代表团。美国《新时代》杂志提出了这个问题。1957年初,中共中央宣传部组织成立了"社会学工作筹备委员会",由当时中央劳动干部学校副校长陈达主持其事,并在同年6月9日在南太常寺甲12号召开了会议,出席者有费孝通、雷洁琼、吴景超、李景汉、吴文藻、陈达、袁方等人。我曾看到劳动干校党委整风办公室报送的"会议纪要",上面明确写着:"科学院准备了一些经费(约五万元)及编制名额(五人左右)。"①显然,这是在党领导下、有组织的一项活动,是得到组织同意的。于是,吴景超写了《社会学在新中国还有地位吗?》,费孝通写了《关于社会学,说几句话》,开始了后来被称之为"向党、向社会主义猖狂进攻"的"复辟资产阶级社会学高潮"。但是,我想恐怕很多人不知道,真正提倡、主导这次社会学活动的部门,正是中共中央宣传部。当时参加此事的唯一中年教师袁方是中共党员,是"奉党委之命"去参与此事,并非个人私自行动。当反右运动开展后,参加开会的教授除雷洁琼外,都被打成右派,而袁方则被划为"极右",下放北大荒劳动改造。后来我与袁方谈及此事时,他真是哭笑不得。而反右派斗争,又与费孝通的名文《知识分子的早春天气》有关。现在回头看这件事,深感其中值得记取的经验、教训实在太多了。

五、"早春天气"与费氏的悲哀

我一向认为,在《费孝通文集》中,《知识分子的早春天气》是一篇最能反映费氏文风特色的文章。这是费氏作为社会学者与政治家两重身份最佳结合的体现,也是费氏不同于他人的独特文风的最好表露。当时,费孝通是中央民族学院副院长、国务院专家局副局长、中国民主同盟中央常委兼文教部副部长、著名

① 原文见《反对资产阶级社会科学复辟》第二辑"附录",科学出版社1958年版。

社会学者,而且正在调查知识分子问题。后来他在《早春前后》一文中回忆说:"二月初从西南回到北京,民盟中央要我做一次口头汇报,谈我离京半年中各地看到有关知识分子问题的情况。我提到了两个盖子的话:'百家争鸣'揭开了一个盖子。这个盖子一揭开,知识分子的积极性是冒起来,表示在对科学研究的要求上,还有一个盖子要等'互相监督'来揭。这个盖子一揭开,开出来的是知识分子对政治的积极性,他们会改变过去对国家大事不大关心的那种消极情绪。但是,我接着说:第一个盖子开得还不够广,许多领导同志不大热心。第二个盖子似乎还没有揭,有点欲揭还罢的神气。我是主张揭盖子的,因为盖子总是要揭的,迟揭不如早揭,小揭不如大揭,揭开了比冲开为妙。"①

这一年,我与费孝通见面次数增多。缘由是我的同在劳动部工作的老师陈达教授受命要去参加斯德哥尔摩世界人口会议,为了准备论文,抽调了几个人协助他,我也偶尔参加讨论。由于人口问题是社会学重要领域,故费孝通有时也参加讨论。我记得费孝通曾给人说,他写此论文时,起初用的是"春寒"二字,但后来考虑,认为当前"春意"是主要的,若再加上"寒"字,在表达上未免走了拍,也就不能把知识分子表现出来的积极性托出来。后来思索很久,想出了"早春"两个字,才感到合意,因为这个字眼和近些年知识分子在改造运动中产生的晚秋感觉正好对上,错得开,刚好表达出他们心理上的转机。我对费孝通此文的态度和当时众多知识分子一样,认为是说出了知识分子的心里话,而且认为这篇文章前半篇主要写的是"春",后半篇主要写的是"早",主要意思是指出当时知识分子心中已感觉到了

---

① 费孝通:《往事重重》,辽宁教育出版社 1998 年版,第 260 页。

光明和温暖,给人以许多信心和希望,但又提出了需要进一步思考的问题。特别是结尾处一连串 10 个问号,确是足以让人警醒和深思。总之,我对此文是十分肯定的,十分拥护的。

但是,随着历史发展在此后出现的曲折,这篇文章却为费氏埋下了被打成"右派分子"的祸根,几个月后成了他"反党反社会主义"的一个主要罪证。我至今还保留《人民日报》1957 年 8 月 19 日上面发表的一篇文章——《费孝通反动活动的面面观》。该文内容摘要如下:

> "解放前,费孝通一贯接纳反动官僚、政客、学阀和帝国主义外交人员、文化特务、学术骗子,借他们的力量往上爬。"

> "去英国,他勾结帝国主义学者、功能学派头子马凌诺斯基。"

> "在美国,他勾结哈佛大学的费正清夫妇(美国特务)。……费孝通是一贯勾结美蒋的政治掮客。"

> "费孝通是个不学无术、专门钻空子的政治野心家。……他吃饱了饭,不做正经事,专门找落后分子发牢骚,言不及义。"

> "解放以来,他发表了五六篇学术论文,都是盗窃旁人的成稿略加改编而成。"

> "他家根本没有二十四史,也从来没有读过二十四史,但他却在那篇臭名远扬的《早春天气》说什么:'连我自己都把二十四史搬上了书架,最近还买了一部《资治通鉴》。'来大吹大擂,炫耀自己。"

我读到此文时,真的如读天书。我心中问道:这里写的是费孝通吗? 后来,我对费氏在 1957 年反右运动中的厄运才有所了解。后来,费孝通曾回忆说:"1957 年,气氛突然改变,我不知道这一变化背后是什么,但是我发觉自己落入陷阱。"①我觉得,这固然是费氏的悲哀,同样也是中国的不幸。费孝通作为知识分子的知心人,他了解知识分子,他熟悉知识分子,他的心与知识分子的心相通;作为共产党的朋友,他向党反映知识分子的情况,又有何罪呢? 中国知识分子的命运实在是和国家的富强相联系,一个打击、怀疑甚至歧视知识分子的中国又怎能富强呢? 费孝通的命运有其广泛的代表性。只要看一看费孝通在以后的日子里对国家民族作出何等巨大影响和贡献,就可以知道他当时的遭遇是多荒唐,而他竟然能挺过来,又热情地在党的领导下工作了 50 年,真是十分不简单! 称得上是一条硬汉子!

六、费氏的"右派"生涯及遭遇

1957 年反右之后,我好几年没有见到费孝通教授。一直到 1960 年以后,我才又偶尔在过年时到费家去给费孝通拜年。但是,这次会面中,我发觉费孝通已经发生了很大变化,往日那个充满智慧、谈笑风生、生气勃勃的高级知识分子不见了,与我谈话的已是年近老迈、语言迟缓、毫无生气的一位老学究。后来,费曾自己回忆道:"我的右派帽子摘掉后,仍然是个摘帽右派。虽然不是严格地按敌人对待,我依然在正常社会之外。我们同一般社会隔绝,我们有自己的社会。当然,我们可以看书,但是,没有新出版的人类学和社会学的书。我读历史书和翻译老书。我的智力不可能有大的进步。相反,我内心十分混乱。我缺乏

---

① 费孝通:《从实求知录》,北京大学出版社 1998 年版,第 463 页。

自信,那是我思想的真实状态。最后我只有放弃希望,没有奋斗目标。我不能忍受回顾,也没有未来。没有未来,又不想回顾,而还活着,那是太坏了。"①

1987年10月,费孝通访问美国,在纽约市立大学亨特学院与巴博德教授有过一次长谈,少有地谈到他在反右和反右后的情况:

巴:中国的知识分子问题是什么?

费:有许多问题。举一个例子说,他们没有受到很好的待遇。他们不被信任,报酬太低,不受尊敬。……因此,我写了一篇关于知识分子的文章,题目是《知识分子的早春天气》。这篇文章周恩来在旅行中看过。他在一次会上公开表示:这是唯一的一篇有说服力地表达知识分子内心思想的文章。

1957年,气氛突然改变。……从那时起我进入了一生完全不同的一个时期。……然后,他们摘掉我的帽子,或者说去掉我这个标签。

巴:那是在1959年。

费:1959年。……没有人会出版我写的任何东西。这时我被称为摘帽右派。所以事实上我仍然是一个右派分子。那是阶级斗争。……那时候我的思想实际上停滞了。我不能写作,这便造成智力停滞。我开始怀疑自己:我到底是不是错了,我是在保护资产阶级吗?我错在哪里?我不很明白。但我也不认为他们是错了。麻烦就在于此。他们不应该这样看待我。……我被孤立。没有人想要访问我,

---

① 费孝通:《从实求知录》,北京大学出版社1998年版,第471—472页。

除了我的妻子。我的女儿在学校。

巴:你的妻子和女儿也为此受到影响吗?

费:是的。当然,由于我,我女儿进大学有困难。……整个家庭由于我的处境受到影响。我哥哥被划为右派分子,因为他同情我。这就像某种传染病,我们都成为不可接触的人。我不想给别人造成麻烦,所以我独自留在家里。①

但是,即使不读书,不写文章,不参加社会活动,同一般社会隔绝,心如死水,没有未来,也不想回顾,只是独自留在家里,费氏也难逃阶级斗争的厄运。因为所谓的"文化大革命"很快就爆发了,费孝通陷入了更悲惨的境界。他曾在《经历、见解、反思》一文中回忆道:

> 那是在 1966 年 9 月 1 日,那一天一切都改变了。我们突然被当作人民的敌人,叫牛鬼蛇神。……我们被带出去游斗和展览,头上戴一顶高帽子,身上挂块牌,写明我是牛鬼蛇神。小孩都嘲弄我们,我们被带到人群之中。他们呼口号,我自己也得跟着喊"打倒费孝通"。……我们不得不站在那里背诵我们的罪行。就我来说,我不得不反复承认我是一个反党、反社会主义的右派分子。……后来整个学院被送往"五七"干校劳动。……我是没有目的生活着。不展望、不回顾,可以随时强自取乐。……但是没有希望。②

后来,费孝通曾告诉我们这些他的学生,当时,他曾想到去死。可是,他又想到,如果自杀,老婆也活不成,孩子要背一辈子

---

① 《费孝通文集》第 11 卷,群言出版社 1999 年版,第 168—170 页。
② 费孝通:《从实求知录》,北京大学出版社 1998 年版,第 472—475 页。

反革命家属的包袱,对不起她们,于是打消了自杀的念头。听到此我们无不眼中泪花滚滚,心中悲伤万分。一个有才能、有贡献、有作为的高级知识分子竟然在当时落到如此下场,这难道不是人间一大悲哀吗?是不是也是中国的一大悲哀呢?多年以后,在一次闲谈中,费孝通曾对我说:"为什么反右给国家造成这样大危害?""反右让知识分子走投无路,到头来使得国家也走投无路。现代化是科学文化发展的结果,而科学文化是要靠知识分子来发展的。焚书坑儒与秦二世灭亡的历史值得三思!"这真是至理名言!

七、为重建社会学而尽心尽力

1972 年,费孝通从干校回到北京,参加《世界史》的翻译工作,算是从体力劳动者又变成了脑力劳动者。但是费孝通的心情仍是十分沉重的,他曾用"杯弓蛇影,令人心悸"八个字描述当时心情。这样一直到 1976 年周恩来、朱德、毛泽东相继逝世之后,一举粉碎"四人帮",他的处境才有了好转。他写出了"文化大革命"后的第一篇文章《蓄意歪曲、无耻篡改——批判江青母系社会就是女人掌权的谬论》。① 当时,我们这些他的学生曾欣喜万分,奔走相告,为费教授的"复活"而欢呼。实际上,这篇文章宣传了"无产阶级专政下继续革命"理论,高唱"阶级斗争"学说,充斥了"两个阶级"、"两条道路"、"两条路线"的教条,是费氏所写文章中最蹩脚的一篇论文,实在难以恭维,但当时却是难得极了。

---

① 文章见《中央民族学院学报》1977 年第 2 期。

1977 年底，费孝通向当时筹备成立中国社会科学院的胡乔木、于光远写了一封长信，呼吁重视民族问题研究。在信的结尾处，他写道：

> 阔别多年，未免疏远。岗位工作又使我们联系了起来。归相识还应重新相认。……三四十年代之初生之犊，看来已甘为巴滇山道上背盐的驮马矣；牛也罢，马也罢，驰驱未息，诸可告慰。余不一一。①

但是，时代在巨变，社会所要求于费氏的绝不是只做一个"背盐的驮马"。1979 年，邓小平提出了"社会学要补课"的要求。这件光荣的任务落到了费孝通的头上。但是，当费孝通要求原来搞社会学的人参加讨论时，反映很差，有人甚至说："好容易从社会学中爬出来，现在不能再陷进去了。"但是，历史前进的车轮是阻挡不住的，1979 年 3 月 15 日社会学座谈会终于召开，并成立了中国社会学研究会，讨论筹建社会学系的问题。这次座谈会我也参加了，并担任研究会理事和以后成立的北京市社会学会副秘书长。费孝通在以后一次讲演中曾说：

> 在十年浩劫里，我们许多社会学界的老师、朋友没能这样活过来。我这余生可以说是得之意外。我觉得，我应该好好地用它来在事实上证明：社会学是一门可以为人民服务的学科。为了给前人昭雪，为了实现我早年的夙愿，也为了使后人不背上包裹，一种责任感，成了一种内在的动力，使我毅然打消了先前的顾虑。同时，从继续认识中国社会的意愿出发，我要在我的晚年为社会学科的重建尽点力。②

---

① 《费孝通文集》第 7 卷，群言出版社 1999 年版，第 195 页。
② 费孝通：《社会调查自白》，知识出版社 1985 年版，第 69 页。

从此,费孝通迎来了学术上的又一次丰收和辉煌。他三下、四下江村,提倡乡镇企业,欢呼苏南模式,写了《小城镇,大问题》这篇名文,走遍了全国各地,研究区域发展,提倡潘光旦的"中和位育"理论;他访美、访苏、访日,走遍全世界,得了许多国际学术奖项,当选为中国民主同盟主席和人大常委会副委员长。在社会学界,能有这么多成就的人,实在很少很少。在他从事科研活动 60 年时,我曾写过一篇长文:《一生探索,志在富民——为费孝通教授从事科研 60 年而作》,①我在文章的结尾处说:

> 费孝通教授作为一代爱国主义知识分子的典范,真正做到了活到老,学到老,把自己的一生都献给了中国人民追求民富国强的幸福道路的探索之中。他的科学探索精神值得我们永远景仰和学习。

八、在费孝通的指引下耕耘社会学园地

1978 年之后,我在费孝通教授指引之下,又开始重新耕耘社会学这块科学园地。《中国社会学年鉴 1979～1989》曾载有当时全国从事社会学教学和科研活动的教授和研究员小传,我也在其中。我的小传介绍我"主要从事人口劳动、社区(城市与农村)社会学研究",实际上,我当时主要是对安徽、山东的农村进行广泛、具体、系统的社会调查,并在此基础上编写"中国农村社会学"教科书,而这一学科任务正是为重建社会系的学科体系所迫切要求的。主持此事的费孝通教授在《社会学概论》的"前言"中曾这样写道:"解放前我虽在一些大学里教过社

---

① 文章见《社会科学战线》1994 年第 2 期。

学的课程,但我个人的主要兴趣在于社会调查。……(编教科书)是用我之短。"①因此,当许多人要他主编"中国农村社会学"这门社会系学生必修课的教科书时,他就坚决地一口否决。经过一段酝酿,这个任务落到了我的头上。我向他提出:可否以他的著作如《乡土中国》、《乡土重建》、《江村经济》等为本,并参考杨开道几十年前编的那本教材,来编辑这本"中国农村社会学"教科书? 他对我说:我们的任务是在中国建立起一门有中国特色的社会学,而中国已经并正在发生许多变化。安徽农村改革已促成中国农村巨变,你到安徽农村去进行深入的社会调查之后,再开始组织人编写教科书吧! 而且要和安徽农村工作者密切合作。就这样,我来到了安徽,进行了6年深入农村调查,并与安徽省委原秘书长、省社科院院长欧远方和安徽农村社会学会会长辛秋水研究员合作,共同主编、出版了"中国农村社会学"教科书,为重建有中国特色的社会学尽了力。这时,《小城镇,大问题》一文正风行全国,乡镇企业的异军突起正引起邓小平和党中央领导同志的关注,对乡镇经济和乡镇社会的发展规律的探讨成为人们的迫切要求。费孝通教授为此作了许多演讲,也写了许多文章,在这方面作出了巨大的、无人能代替的贡献。例如:在全国城市发展战略研讨会上,费孝通教授应邀在会上作了一个关于城镇发展理论的报告。后来经我整理成文,公开发表。在最后审定此文时,我提出:"应当编写一本乡镇经济学和一本乡镇社会学。"他说,他已答应中共江苏省委,准备用两年时间,在江苏用典型的、深入的、直接观察的,并以定性在前、定量为后的调查方法,把小城镇这只麻雀解剖出来。乡镇经

---

① 费孝通主编:《社会学概论》,天津人民出版社1984年版,第2—3页。

济学和乡镇社会学的编写,你还是找安徽省委合作吧。于是,我找了安徽省委农村政策研究室周曰礼主任等人合作,由安徽人民出版社公开出版了《中国乡镇经济学》和《中国乡镇社会学》,为中国乡镇经济、社会研究,贡献了一份力量。由于《中国农村社会学》、《中国乡镇经济学》和《中国乡镇社会学》的作者都是安徽的学者和实际工作者,于是就被戏称为"皖派社会学者"。例如著名社会学家、上海大学社会学系主任邓伟志教授著文说:"这些作者是皖籍人,根在安徽,多年来一直在安徽农村调查,尝过安徽农村改革的甜果。实践出理论。安徽农村改革的实践,必然会升华出推动人们研究中国农村的社会学理论,农村改革的光辉实践,必然产生出一批农村社会学的杰出人才。我们祝愿安徽的社会学事业一步步走出江淮,跻于世界学术之林。"时间过得真快,上面这些事都已是20年前的事了,抚今追昔,令人不胜感慨。中国的老一代知识分子是多么的纯真、朴实和可敬又可爱哟!他们的人生路程同样是可歌可泣,值得赞叹!谁说知识分子只是舞文弄墨的文人,他们的一生同样可以十分伟大、十分夺目、十分光彩。他们是人民的功臣,历史应该记得他们的劳苦和命运。

九、结 束 语

2005年4月25日,噩耗传来,费孝通教授离我们而去,享年95岁。近年来,我因从事两岸经贸活动工作,担任北京台湾经济研究中心副理事长,又多年在美国、加拿大居住,与费孝通接触渐渐少了。当然年纪大了,行动不便,也是一个原因。2002年召开党的十六大,忽然发现列席名单中有费孝通,真是十分高兴。因为这预示他身体仍然健康,并仍然参加政治活动,真是一位永葆青春的年高德劭的学者。但是,2005年4月25日报纸却载有费氏业已仙逝的消息,我真是从内心感到分外悲伤。抚今忆昔,万般悲痛涌上心头。记得中国国内有人评论费氏:费孝通无疑是现代中国社会中这样一类知识分子的典型。他们亲身经历了中国社会自辛亥革命以来发生的所有变迁,自幼深受传统文化熏陶,又接受了地道的西式教育;既是才高学著、见闻博洽的学者,又满怀政治热情、活跃于政治舞台,成为一代政治明星。

我记得1999年9月15日去参加中国民主同盟、清华大学、中央民族大学共同召开的纪念我的老师、也是费孝通的老师潘光旦教授诞辰100周年座谈会,费孝通在讲话中说:有些文章说潘先生"含冤而死",可是事实上他没有觉得冤。这一点很了不起,他看得很透,懂得这是历史的必然。……潘先生经历了灾难,可是他不认为应该埋怨哪一个人。这是一段历史的过程。潘先生是死在我身上的。他确实没有抱怨,没有感到冤。他的人格不是一般的高,我们很难学到。造成他的人格和境界的根本,我认为就是儒家思想。儒家思想的核心就是推己及人。儒家不光讲"推己及人",而且要"一以贯之",潘先生是说到做到了的。我想,潘先生这一代知识分子在这个方面达到的境界,提出的问题,很值得我们深思。是的,我们今天同样应该这样评价费孝通走过的人生道路。他同样是"人格不是一般的高",他"在这方面达到的境界,提出的问题,很值得我们深思"。我现在面对这位"伟大"的知识分子,只想讲一句话:

信哉,斯言矣! 安息吧,我敬爱的老师。

(原载《社会科学战线》2004年第5期)

中国第一位女民族学者

——王同惠女士传略

宇　晓

　　民族学作为一门以世界各民族文化为核心研究对象的独立学科,当然要求力图达到对研究对象的全面了解和诠释,而任何民族都有一部分社会文化生活只有妇女们才能较深刻地理解体会,因此,民族学的研究必须要有女性学者去参与。但是,在中外民族学的早期发展史上,却很少有女性研究人员的介入,研究队伍中几乎都是男性,由于性别差异的限制,他们对世界的另一半——女性的生活圈子很难做到深入的观察和了解,从而使民族学的研究受到局限。就这一角度而言,我们从女民族学者的出现及其数量情况也可以看出一个国家或地区民族学的发展水平来。例如,在 20 世纪三四十年代,美国文化人类学处于繁荣期,这与鲍亚士(Franz Boas)所培养的以米德(Margaret Mead)、本尼迪克特(Ruth Benedict)等为代表的一批女人类学家开辟了许多新领域,提出了许多新学说,是有很大关系的。① 再如,日本民族学在 20 世

---

①　Lowie, Robert. *The History of Ethno-logical Theory*. New York, 1937. pp. 129 – 130, p. 155. Richard, Handler. "Ruth Benedict, Margaret Mead, and the Growth of American Anthropology," *Journal of American History*, Vol. 71, No. 2, 1984.

纪中期以后的繁荣时期里,也涌现了以中根千枝、君岛久子等人为代表的一批女民族学家。

在我国,从1926年蔡元培初倡民族学的研究,到1934年底"中国民族学会"成立,其间出现了一批或职业性或业余性的民族学研究者,他们对西方民族学各流派的学术思想作了大量介绍,也对中国的边疆民族作了一些实地调查。但是这当中,没有女性参加。直到1935年,我国才有第一位女性进行了民族学的调查研究工作,她就是为考察瑶族社会文化而献身的王同惠女士。王同惠女士可谓是中国的第一位女民族学者,正是她,以自己宝贵的生命年华为代价,开启了民族学"中国化"的里程。

一

王同惠女士是河北省肥乡县赵寨村人,1912年出生于一个比较富裕的家庭,父亲曾担任过河北省议员和县长。她是独生女,4岁丧母,由外祖母抚养,以后进入北京的笃志女中,中学毕业后考入燕京大学,就学于燕大社会学系。当时的燕京大学社会学系主任是吴文藻先生,他是一位身兼社会学家和民族学家的"两栖"学者,特别重视对学生进行民族学知识的教育,因而他领导下的社会学系的学生大都受了社会学和民族学的双重训练。而王同惠女士则尤在民族学方面表现出了她的学术兴趣和天资。关于这一点,吴文藻先生有一段追忆,他说:"我得识王同惠女士,是在民国二十三年的秋季,我的'文化人类学'的班里。二十四年春她又上了我的'家族制度'班。从她在班里所写的报告和论文以及课外和我的谈话里,我发现她是一个肯用思想,而且是对于学问发生了真正兴趣的青年。等到我们接触多了以后,我更发现她不但思想超越,为学勤奋,而且在语言上又有绝对的天才,她在我班里曾译过许让神父(Lep. Lious Schram)所著的《甘肃土人的婚姻》一书(译稿在蜜月中整理完成),那时她的法文还不过有三年程度,这成绩真是可以使人惊异。"①阿古什(David R. Arkush)教授后来根据一些人的回忆在《费孝通与中国革命时代的社会学》中也谈到了人们对王同惠的印象:"在燕京她给人的印象是严肃、直率、果断。她衣着朴素,常穿着一套浅蓝色的外衣,不尚修饰,更不像都市上流社会的许多女孩子那样佩戴珠宝和烫梳卷发。……她健谈于一些严肃的话题,并喜欢与人辩论。她常在课堂上向老师提出问题,以致个别同学认为她是个好表现自我的人。一些同学一开始并不怎么欣赏她,但日子一长,她的勤奋和天资便广泛赢得了人们的钦佩。"②

王同惠与后来成为著名社会学家、人类学家的费孝通相爱,他们在共同学习社会学、民族学的过程中,互勉互励,1935 年初俩人合译出版了美国学者奥格本(William F. Ogburn)的《社会变迁》(Social Change, with respect to culure and original nature)一书(上海商务印书馆出版)。1935 年 8 月,王同惠和费孝通结为伉俪,俩人由志同道合的同学,进而成了"终身同工的伴侣"(吴文藻

---

① 吴文藻:"导言",见王同惠:《广西省象县东南乡花蓝瑶社会组织》(简称为《花蓝瑶社会组织》),广西省政府特约研究专刊,1936 年版。注②言及的王同惠那部译作系译自比利时传教士 Lious Schram: *Le marriage chez les t'ou – jen du Kan – sou*. shanghai, Imprimerie de la mission Catholique, 1932。

② Arkush, R. David. *Fei Xiaotong and Sociology in Revolutionary China*. Cambridge, Mass: Council on East Asian Studies, Harvard University, 1981. p. 61.

语),在美丽的燕大校园举行婚礼 4 天后,他们即应广西省政府的特约出发去研究所谓"特种民族"。他俩之所以要应约去广西做这项民族调查研究,既有个人的原因,也有深刻的学术背景。

王同惠和费孝通奔赴广西从事实地调查的前一年,即 1934 年,是中国早期民族学发展的一个重要转折年代。以 1934 年为界,此前的中国民族学尚属移植和萌芽期,此后则进入了民族学"中国化"的阶段。从 1926 年蔡元培先生在中国正式倡导民族学研究到 1934 年底"中国民族学会"成立,中国的早期民族学者们虽然做了不少工作,①但这段时期里的中国民族学研究总的说来还处于对西方民族学的模仿和照搬阶段,"仍不脱为一种变相的舶来品",②严重脱离中国的实际。大约从 20 世纪 30 年代初,特别是 1934 年前后起,一些受过社会学、民族学教育的人们已不再满足于对西方民族学和社会学的这种移植,费孝通和王同惠就是其中的两位,他们为从西方人类学、社会学著作的教科书里得不到对中国民族社会文化的认识而苦闷,常在这种苦闷中讨论,觉得自己既已受了相当的理论训练,"就应该走到实地里去,希望能为一般受到同样苦闷的人找一条出路"。③ 当时,许多民族学者都纷纷开始著文对中国民族学的发展道路提出自己的设想。早就萌发了"民族学中国化"思想的吴文藻大约正是在这个时期,接触到了西方刚刚兴起不久的民族学功能

---

① 陈永龄、王晓义:《二十世纪前期的中国民族学》,载《民族学研究》第一辑,民族出版社 1981 年版。

② 吴文藻:《社会学丛刊·总序》,见费孝通《禄村农田》(《社会学丛刊》乙集第一种),商务印书馆 1943 年版。

③ 费孝通:"编后记",见王同惠:《广西省象县东南乡花蓝瑶社会组织》,广西省政府特约研究专刊,1936 年版。

派的学术思想,通过与众多学说的比较,他觉得功能派的观点和方法很适合运用于中国各族社区的研究,并希望在运用这种方法进行深入实地研究的基础上发展出具有中国特色的民族学和社会学理论体系。① 他在课堂内外都兴奋地谈到这种看法,王同惠、费孝通显然在他们去往广西实地调查前夕就曾深受这种思想的影响。费孝通在王同惠遗著《广西省象县东南乡花蓝瑶社会组织》(简称《花蓝瑶社会组织》)的"编后记"里曾说:"我和同惠……想为研究社会的人提供一个观点,为要认识中国社会的人贡献一点材料。"

"我们所要贡献的是什么观点呢? 简单说来,就是我们认为文化组织中各部分间具有微妙的搭配,在这搭配中的各部分并没有自身的价值,只有在这搭配里才有它的功能。所以要批评文化的任何部分,不能不先理清这个网络,认识它们所有相对的功能,然后才能拾得要处。"显然,这正是功能派的基本观点。他又说:"这一个观点是我们从书本上获得,从老师们的口中传授,从我们有限的观察中证实,而且由我们的判断中认为至少是一个研究文化、认识中国社会最好的工具。但是我们亦明白要把这观点贡献给大家,给大家采用,抽象的说理是没有用的,只有由我们自身作则,做一个实例。树立一个实例说明了这种观点的用处,自然会使大家共同乐用。"②花蓝瑶社会的研究就是

---

① 林耀华、陈永龄、王庆仁:《吴文藻传》,载《民族研究》1987 年第 4 期。龙平平:《旧中国民族学的理论流派》,载和龚、张山主编:《中国民族历史与文化》,中央民族学院出版社 1988 年版。金天明、龙平平:《论吴文藻的民族学"中国化"学术思想》,载《中央民族学院学报》1986年第 2 期。

② 费孝通:"编后记",见王同惠:《广西省象县东南乡花蓝瑶社会组织》,广西省政府特约研究专刊,1936 年版。

他俩为"树立一个实例"而作的尝试。

费孝通、王同惠原本想用这种功能的方法去研究中国文化的主体部分——汉族文化,但汉族社会文化内部纷繁复杂,一时难以进行,而且本族人研究自己民族的文化,若未经一番长期而严格的实地调查的训练,不容易获得客观的态度。身为汉族的他俩鉴于研究本族的文化须受一番严格的训练,而"训练的方法就是多观察几个和自身不同的文化结构",便想到"边疆上比较简单的社区中去"开始他们的探索工作。而费孝通个人学业上的原因和广西省政府的一项工作计划则直接促成了他俩的这次民族学实地研究之行。

师从清华大学俄籍人类学家、民族学家史禄国(S. M. Shirogokoroff)教授攻读民族学和体质人类学的费孝通于1935年夏获硕士学位,并通过考试获得公费留英资格。史禄国劝他在出国前到中国边疆民族社区进行实地调查,搜集资料以便留学期间进行研究。这与他和王同惠原来就有的要到边疆民族社区作实地调查研究的想法正相吻合,他下了前去做一番人类学、民族学实地探索的决心。而这时,刚好广西省政府有研究"特种民族"的需要,特邀受过民族学训练的他们前往,于是俩人便决定结了婚同去。他们在和吴文藻先生就这项研究进行过多次讨论后,便在蜜月中出发了。

二

王同惠和费孝通途经上海等地,辗转一个多月,于1935年9月18日到达了广西南宁。他们在其间的这段蜜月旅行里,一起校对了王同惠所译的那本比利时传教士许让的民族志著作。

一到南宁,他们便开始和广西省政府商定研究方案。受过严格的体质人类学训练的费孝通在王同惠的协助下,测量了设于南宁的"特殊民族教育师资训练所"(当时由刘锡蕃主持)苗、瑶、侗等族学生的体质。王同惠女士还从一名叫斯洛特的外国传教士手里借到英国人克拉克(S. R. Clarke)所著《在中国西南诸部落中》一书,她通览了全书并作了摘录。后来利用逗留柳州候船之日迻译了其中的一节——《贵州黑苗的葬俗》。① 同年10月10日他们到了象县,18日开始进入瑶山。在广西省教育厅科员唐兆民和象县教育科科员张荫庭以及地方向导的陪同下,他们爬山涉水,经王桑,过门头,到了六巷。因为民族学的社区实地研究需要在一个地方住定,作较长时间的"参与观察",而体质人类学的测量则要求到各村去就地工作,所以到六巷后,他们的分工是:王同惠住在六巷专门进行花蓝瑶社会组织的研究,而费孝通则分访各村从事体质测量工作。在六巷期间,他们主要寄住在花蓝瑶"瑶头"蓝公宵家。蓝公宵之子蓝济君从"广西特种民族教育师资训练所"毕业,后来当过象县东南乡乡长。蓝济君的妻子蓝妹国与王同惠认了"老同"(即亲密朋友),王同惠的花蓝瑶调查工作得到他们夫妇的很多帮助。王同惠和费孝通在六巷调查期间,与瑶族人民结成了深厚的情谊,蓝妹国曾追忆说:"我比同惠大几岁,她是河北省肥乡县赵寨村人,不习惯南方的生活,特别不习惯吃瑶山的饭菜,可是她十分亲近我们,有时还和我们一

---

① 王同惠这节译文载于《晨报》副刊《社会研究》1935年第113期,系译自克拉克原著的第71—76页,请参见:Clarke, R. Samuel. *Among the Tribes in Southwest China*. 1911, China Inland Mission. pp. 71—76。

道做家务,晚上还经常和我们促膝谈心到深夜。村中大人小孩生了病,她和费孝通无私地将带来备用的药物给我们治病,并传授给我们防病治病和生活以及生产知识,还和我们照相留念,他俩和我们相处得十分好。"①

费孝通、王同惠二人既定的计划是要对瑶族各集团如花蓝瑶、坳瑶、茶山瑶、板瑶(盘瑶)等一个个地仔细加以调查,调查结束后,费孝通赴英留学,王同惠则回燕京大学继续做研究工作。1935 年 11 月 20 日王同惠和费孝通完成了花蓝瑶的研究后前往坳瑶区域的古陈。在古陈村他们住在东南乡副乡长盘公西家,和古陈民众相处得也很融洽,据该村年过八旬的老人盘亚谢回忆:"老费夫妇,虽是北方人,通过唐兆民、张荫庭两个翻译,和村上男女老少还是讲得来的,他们住在村上,十分尊重瑶民风俗习惯和规矩。"②结束了对古陈坳瑶的调查后,他们又要转移到平南县罗运乡的坳瑶村落去工作,没料到就在这途中的12 月 18 日,竟发生了不幸的惨剧。关于这一不幸的意外事件,吴文藻先生有一段简明扼要的记述:"由古陈至罗运的一段山路,极其曲折险峻,而和他们同行的向导,又先行不候,以致他们走迷了路,误入一带竹林之中。林中阴黑,他们摸索着走近一片竹篱,有一似门的设备,以为是已到了近村,孝通入内探身视察,不料那是一个瑶人设下的虎阱!机关一踏,木石齐下,把孝通压住。在万千惊乱之中,同惠奋不顾身地把石块逐一移开,但孝通足部已受重伤,不能起立。同惠又赶紧出林呼援。临行她还再

---

① 温永坚:《费孝通、王同惠考察大瑶山轶事》,原载 1986 年 12 月印行的《金秀文史资料特辑》,转见自费孝通、王同惠:《花蓝瑶社会组织》,江苏人民出版社 1988 年版,附录之六。
② 同上。

三的安慰孝通,便匆匆地走了。她从此一去不返,孝通独自在荒林寒夜中痛苦战栗地过了一夜。次日天刚破晓,便忍痛向外爬行,至薄暮时分,才遇见瑶人,负返邻村。孝通一面住下,一面恳请瑶人四出搜寻,到第七天才在急流的山涧中,发现了同惠的遗体。"①她已不幸失足坠崖身亡。

为了探索认识中国社会的门径,为了调查研究中国民族的社会文化,年方 23 岁的王同惠女士就这样牺牲在瑶山,把自己宝贵的生命年华献给了瑶族人民。瑶族同胞按照当地的民族风俗,为不幸坠崖牺牲的王同惠女士举行了隆重的悼念仪式,然后又在坳瑶"瑶头"盘公西的指挥下,护送受伤的费孝通及抬送王同惠女士的遗体出山,直到上船。王同惠女士的遗体由费氏友人华毕等人起岸,安葬在当时的广西大学校园即今之梧州市邻的白鹤山上。②

---

① 吴文藻:"导言",见王同惠:《广西省象县东南乡花蓝瑶社会组织》(简称为《花蓝瑶社会组织》),广西省政府特约研究专刊,1936 年版。注②言及的王同惠那部译作译自比利时传教士 Lious Schram:*Le marriage chez les t'ou – jen du Kan – sou.* shanghai, Imprimerie de la mission Catholique,1932。

② 关于王同惠女士在瑶山调查、牺牲及遗体运送出山安葬的具体经过,请参见温永坚:《王同惠女士考察瑶山始末》(载于中国人民政治协商会议广西壮族自治区委员会文史资料编委会 1988 年 12 月印行的《广西文史资料选辑》第二十八辑)以及注⑩所揭文。又:王同惠女士为考察民族社会牺牲在瑶山的消息传到当时的北平后,引起了燕京师友们的震惊。他们无一不为失去这样一位民族学、社会学研究队伍里的年轻女将而痛惜,北平《晨报》副刊《社会研究》将 1935 年的第 123 期辟为"追悼王同惠女士专号",该刊编者撰载专文介绍了王同惠女士入桂行程及遇难经过,并发表了吴文藻、李有义、李鲁人、杨淑英、徐雍舜等人的追悼祭文,以及费孝通与林耀华等人《关于追悼同惠的通讯》。

悲痛欲绝的费孝通很久才从自己那沉痛的情绪中恢复过来。痛定思痛,为了纪念妻子,他于 1936 年春,在上海和北平把王同惠在花蓝瑶社区所搜集的调查资料略加整理,编成了《广西省象县东南乡花蓝瑶社会组织》(简称《花蓝瑶社会组织》)这部王同惠女士的遗著。这本民族学实地研究专刊就是王同惠——这位中国民族学研究中的女先驱留给后人的一份宝贵的遗产。①

三

由费孝通整理而成的这部王同惠遗著共六章,书名虽只标及"花蓝瑶社会组织",但内容却并不仅限于此,而是涉及了花蓝瑶社会文化的各主要方面。

家庭是各民族社会的基本细胞,是最重要的一种社会组织,因而家庭制度在民族学、社会学的研究中成为最核心的课题之

---

① 王同惠女士的这部遗著的单行本是于 1936 年由燕京大学以"广西省特约研究专刊"名义出版的,但其主要部分曾分节连载于天津《益世报》的副刊《社会研究》1936 年第 9,10,11,12,13,14 期。除该著和前面已提及的译著外,王同惠女士存世的著作还有她与费孝通合写的《桂行通讯》。《桂行通讯》是他俩为北平师友们所写的调查过程报导,共 19 小节,其中王同惠执笔所写的有 5 小节,即该通讯之七"百丈村"(载《晨报》副刊《社会研究》1936 年 1 月 8 日,第 118 期)、之十"门头瑶村"(同上刊 1936 年 1 月 22 日,第 120 期)、之十二"六巷(一)"和"六巷(二)"(载天津《益世报》副刊《社会研究》1936 年 5 月 13 日,第 2 期)、之十八"六巷(三)"(同上刊 1936 年 5 月 27 日,第 4 期)。而她存世的译作尚有《实业的发展和民族的相互关系》、《人口数量学、人文地理学及人文区位学的领域和问题》(原作者为人文区位学即人类生态学研究的主要倡导人之一麦肯纳 R. D. Mckeniez)两篇,分别载于北平《晨报》副刊《社会研究》,1935 年第 89,91 期。

一。王氏遗著对花蓝瑶社会的考察即自家庭生活开始。在第一、二、三章中，用了全著近一半的篇幅，比较详细地描述了花蓝瑶的家庭制度及其在生产生活中的功能运作情况。"第一章家庭(上)"先由家庭的成员构成和与之相关的人口节制习俗谈起，继而叙述花蓝瑶的择偶、订婚、结婚、离婚、再醮等家庭组合和解散过程中的种种礼仪和手续，并对花蓝瑶在家庭继嗣上的双系制和两性生活上的情人制度予以了特别的注意。她敏锐地指出，花蓝瑶的人口限制习俗实际上是对耕地有限的一种积极调适，而双系制则又是对人口限制习俗的良好适应。"第二章家庭(中)"则从生育第一个孩子在保有长住娘家或"试婚"风俗的花蓝瑶社会中对于家庭组合过程最后告成的意义谈起，细致入微地描述了吃满月酒等礼仪的过程及其社会意义，接着便比较详细地介绍了花蓝瑶儿童少年的个体社会化模式和无生育能力的夫妇为了家庭延衍而产生的收养养子的习俗。最后从个体的死亡是家庭分子的解散，是家庭成员在社会组织中之功能消失的角度，论述了花蓝瑶的丧葬习俗在不同社会角色的死者身上的具体表现，注意到了有子女者和无子女者、因婚姻关系而进入某家庭者与由生育或收养而成为家庭分子者在丧礼上的重大差别。对家庭生活中的种种宗教信仰活动和观念，如祖先崇拜、鬼神观念、巫术医疗等内容，在本章里也作了交代。"第三章家庭(下)"则详述了花蓝瑶的经济生产、家庭内部分工、财产继承方式和衣、食、住、行、用等方面的物质生活状况，从而阐明了家庭组织作为经济活动单位的这一部分功能运转情况。

遗著的"第四章亲属"，描述了花蓝瑶的宗亲关系和姻亲关系的构成及其在性质、功能上的区别。根据实地的观察认为，在花蓝瑶中亲属称谓注重长幼行序的区分,姻亲亲属和宗亲亲属的称谓表现出混合的状态,宗族组织发挥着最基层的社会管理的职能,但由于其他因素的制约,宗族已呈现出衰微的趋势。"第五章村落"论述了花蓝瑶的地域群落与血缘组织——姓氏之间的交错关系和单形、复形并存的两种聚落形态;并认为:水田耕作要求的定居生产是花蓝瑶永久集中型村落形成的基础,但是由于山区的自然环境所致,工作场所和住宅的距离等因素又构成一种与集中势力相对应的分散力量,"这分合的两种势力的平衡,形成了现有花蓝瑶社区的区位组织"。在这一章里,遗著还对花蓝瑶的王桑、门头、古浦、大橙、六巷五个村落的人口变迁和村落的内部社会分工、聚落内部在经济上互通有无的无息借贷关系,以及村落内外的小商品交换作了叙述。最后则详细地考察了花蓝瑶以村落为基本单位运行的社会控制机制——石牌制度以及具有村落整合功能的群众性宗教活动。

该著最后一章,即"第六章族团及族团间的关系",运用俄籍民族学家、人类学家史禄国关于民族共同体及其内部关系的理论和分析方法,[①]考察了花蓝瑶在瑶族整体中的地位以及与瑶族其他集团之间的关系,认为来源不同的花蓝瑶、坳瑶、茶山瑶、板瑶和山子瑶等集团都自我认同为瑶人的主要条件是由于汉族的同化压力而强化了的各集团之间的"向心动向"。同时,遗著还叙述了花蓝瑶与汉人之间的文化接触与涵化趋向,注意到了土地问题在瑶族内部关系和瑶汉关系中的微妙地位,初步

---

① Shirogokoroff, S. M. *Psychomental Complex of the Tungus.* London: K. Paul, Trench, Ttubner & Co., Ltd., 1935. pp. 12—39.

探讨了瑶族内部族团分化与阶级分化部分重叠的现象以及因阶级利益的不同而形成的对汉文化的不同态度。

四

在今天看来,这部实地调查专刊与以后的一些中国民族学实地研究著作相比,是要显得单薄得多。然而我们并不能因此而低估了《花蓝瑶社会组织》一书在中国民族学发展史上的地位。因为,"判断历史的功绩,不是根据历史活动家没有提供现代所要求的东西,而是根据他们比他们的前辈提供了新的东西"。[①] 这本研究专刊,实际上乃是中国民族学者第一次运用"功能法来实地考察一个非汉族团文化的某一方面而得的收获",[②]提供了前人所没有的新东西。关于《花蓝瑶社会组织》在中国民族学史上所具的方法论上的意义,吴文藻在为该专刊写的"导言"中即已有所阐发。当时他把这种运用民族学、社会学的微型田野调查方法结合中国实际来研究民族社会文化的工作称做"社区研究"。他说:"我们虽已屡次作文阐述社区研究的意义和功用,介绍社区研究的近今趋势,并且还讨论过社区研究的实行计划,但常苦于没有这种专门研究专刊的实例,可以贡献给对于社区研究有兴趣的同志。现在王同惠女士牺牲了她的

---

① 《列宁全集》第 2 卷,人民出版社 1984 年版,第 154 页。

② 吴文藻:"导言",见王同惠:《广西省象县东南乡花蓝瑶社会组织》(简称为《花蓝瑶社会组织》),广西省政府特约研究专刊,1936 年版。注②言及的王同惠那部译作系译自比利时传教士 Lious Schram:*Le marriage chez les tóu－jen du Kan－sou.* shanghai, Imprimerie de la mission Catholique, 1932。

生命给我们立下了社区研究的基石,给我们留下了一个宝贵的成就,社区研究有了这一实例,将来继续工作自然比较容易了。"①将这部专刊与它以前的和同时代的中国民族学、人类学调查报告放在一块来比较,我们就会发现,它具有脉络清晰、语言生动的特点,它不像当时其他的民族学调查报告那样对所调查民族的文化和社会生活特质作孤立而烦琐的记述,也不像某些民族学家那样死抱住一个理论模式来对中国民族的社会文化生搬硬套,用西方资产阶级古典进化学派先验的阶段论去肢解整合着的民族文化实体,而是以功能为纬,结构为经,把社会组织各方面的有机的、内在的联系揭示了出来,展现在人们面前的不是构成社会组织的一堆拆散了的"零件",而是一幅社会组织结构关联和运转机制的图景。这部专刊与那些为学术而学术的学究式撰述有着明显的区别,它将民族学的研究与中国民族的实际问题密切联系了起来,对此,台湾"中央研究院"民族学研究所的研究员黄应贵先生也说:"王同惠在研究花蓝瑶社会组织时,不仅利用功能理论的观点清楚地告诉我们花蓝瑶人如何适应土地不足的问题,以及适应此问题所导致各制度间的连锁反应;更进而说明该社会文化本身所有的适应能力,因外力的侵入而破坏了其可能有的平衡稳定状况。如此,使这研究本身,不仅能突破当时功能理论的限制,且正视了花蓝瑶人当时所面临的实际问题。这个研究的水准,直到今天,我们有关高山族的研

---

① 吴文藻:"导言",见王同惠:《广西省象县东南乡花蓝瑶社会组织》(简称为《花蓝瑶社会组织》),广西省政府特约研究专刊,1936 年版。注②言及的王同惠那部译作系译自比利时传教士 Lious Schram: *Le marriage chez les tôu – jen du Kan – sou.* shanghai, Imprimerie de la mission Catholique, 1932。

究上,仍少有能出其右者。"①这种评价,当不为过。

关于其方法论上的学术史意义,还值得指出的一点是:尽管王同惠女士当时主观上是否有运用马克思主义阶级分析法来进行民族学调查研究的企图我们不得而知,但客观上她却是在实地中发现了瑶族社会的阶级分化问题,并本着科学的态度,考察了瑶族内部的阶级压迫剥削关系和属不同阶级的亚民族集团之间相互斗争的情况,②在民族学的实地研究中运用阶级分析法,这在中国民族学史上还是第一次。

王同惠的遗著《花蓝瑶社会组织》对于她那个时代的中国民族学而言,不仅在方法论层面上有着不可忽视的学术意义,而且在瑶族民族学具体问题研究的层面上也有其承先启后的开拓性成就。例如,遗著对瑶族内部各族团之间的文化互动关系和瑶汉文化的涵化过程予以了特别的注意,第一次对瑶族的多元一体格局和形成机制作了独到的分析,为后人研究瑶族的民族认同、社会文化变迁及与异民族的关系提供了宝贵的材料和参照系。"第六章族团及族团间的关系"在我们看来,可说是全著最精彩的部分。

王同惠无疑是最早对瑶族的计划生育习俗、双系制问题、长住娘家或"试婚"风俗、"情人制度"等文化事象做正规的民族学调查研究的人。在她之前,虽有颜复礼、商承祖《广西凌人瑶人调查报告》(中央研究院社会科学研究所专刊第贰号,1929 年出版)和任国荣《瑶山两月观察记》(《中山大学历史

① 黄应贵:《光复后台湾地区人类学研究的发展》,载台湾《中央研究院民族学研究所集刊》第 55 期,1984 年 6 月出版。
② 参见王同惠:《广西省象县东南乡花蓝瑶社会组织》,广西省政府特约研究专刊,1936 年版。

语言研究所周刊》1928 年第 4 集）、庞新民《两广瑶山调查》
（1935 年 9 月中华书局出版）等关于瑶族的调查研究著作，但
由于他们没有受过正规的民族学、社会学的训练，所以对那些
比较重大的瑶族民族学问题根本就没有引起注意，有人对其
中的个别问题即便是有所述及，亦多语焉不详，解释不清。王
同惠的瑶族调查研究工作显然比他们的有进步。她不是把瑶
族的社会文化特质简单地罗列出来，而是将它们放到社会的
结构—功能机制中去考察，从而得出了一些十分独到的观点。
例如，对瑶族的"情人制度"，王同惠遗著认为，它在有生育节
制原则的花蓝瑶社会中，一方面是有"性选择"的功能，从而使
优秀强壮的男子的后裔生存的机会更多，更利于在汉族同化
的压力下维持文化的持续；另一方面则"是使他们对于家庭的
要求偏重于它的经济作用。在一个家庭需同时满足经济及感
情双方要求的社会组织中，时常因感情生活的不能满足，而引
起家庭的破裂，因而影响到夫妇间经济合作的不能维持。一
个人的感情生活比之物质生活是容易变迁的，而经济的共同
生活却需要比较固定的合作。尤其是像在花蓝瑶一般的社会
中，每个人都须劳动才能维持生活的情形下，家庭组织的不稳
固对于各人的经济生活会发生严重的结果。这种使各个人能
在家庭组织之外去满足他们感情生活的情人制度，在维持家
庭组织的固定性上，确有相当的功效"。[①] 这段分析无疑是十
分精辟而耐人寻味的。王同惠遗著还第一次通过亲属称谓和亲
属制度来研究瑶族社会文化，尽管遗著中的亲属称谓表的记音

---

① 参见王同惠:《广西省象县东南乡花蓝瑶社会组织》,广西省政府特约
研究专刊,1936 年版。

符号不够正确,表格也不合通行的标准并且过于简略,但毕竟是开了瑶族亲属制度研究的先河。

以上论述表明,王同惠女士的《花蓝瑶社会组织》这部遗著正如刘耀荃、胡起望二先生在总结瑶族研究史时对它所评说的那样:"这是年轻的人类学工作者一次开拓性的研究成果。"①王同惠的这项花蓝瑶"社区研究"的学术价值在后来国内外学者对瑶族的民族学比较研究中也逐渐体现了出来。例如,日本著名民族学者竹村卓二教授曾主要利用王同惠女士遗著中的材料,结合其他人的调查报告,对广西的瑶族进行了文化生态学和社会结构特殊性征等专题方面的深入的比较研究;他在自己的代表作《瑶族的历史和文化》一书中引用王同惠女士的遗著《花蓝瑶社会组织》就不下于二十多处;同时还不止一次地用"仔细"、"敏锐"这样的字眼来评价王氏对花蓝瑶文化的观察和分析。② 此外,日本学者牧野巽教授等还专门撰文评介过王同惠的这部遗著。③ 这些学者都把王著看做是中国较具有代表性的、经得起时间考验的早

---

① 刘耀荃、胡起望:《1949—1984 年我国瑶族研究综述》,见乔健、谢剑、胡起望编:《瑶族研究论文集——1986 年瑶族研究国际研讨会》,民族出版社 1988 年版,第 13 页。

② 参见(日)竹村卓二:《瑶族的历史和文化——华南和东南亚山地民族的社会人类学研究》,日本东京弘文堂 1981 年版。此见广西民族学院民族研究所 1986 年 1 月刊印的朱桂昌、金少萍的中译本,第 7,26,35—36,39,42,43—44,46,48—49,77—78,196,301 页。又见竹村卓二:《关于瑶族社会组织的若干特征——以广西花蓝瑶的家族和婚姻作为研究的中心》,载于日本《社会人类学》1959 年第二卷第二号。

③ 参见(日)牧野巽:《王同惠〈花蓝瑶社会组织〉读评》,载早稻田大学社会学会《社会学年志》第 12 号,1971 年 3 月。后来该文收入《牧野巽著作集》第七卷,日本御茶水书房 1985 年版。

期民族学实地研究报告之一。

最后还值得一提的是,在王同惠之前做瑶族调查研究的那些人,包括一些职业民族学工作者,对他们所调查的瑶族往往大多不免带有大汉族主义的轻蔑和猎奇的态度。20世纪20年代至1935年间所出版的瑶族调查研究著作的作者们,如前面提及的颜复礼和商承祖、任国荣、庞新民以及《岭表纪蛮》(1935年上海商务印书馆出版)的作者刘锡蕃等都是如此,他们的著作里不乏对少数民族落后习俗滥加渲染之处,轻蔑之词比比皆见。以这种带着大汉族主义情绪的局外调查研究方式,根本不可能达到对瑶民族文化的真正了解。在这方面,王同惠女士及其遗著则与他们和他们的著作大相径庭。在《桂行通讯》第十小节"门头瑶村"里,她写道:"没有进瑶山之前,人们都向我说瑶人的房屋是如何如何的坏,而且臭得厉害。但是我们却没有这种印象。"她以近乎礼赞的口吻叙述了自己对瑶族一些良好美俗的印象:"带我们的人,异常和气而且有礼貌。瑶人,都是很有礼貌的,不只是对我们如此,他们自己彼此间也都很和气。在王桑时,村长执着酒杯很骄傲地向我们说:'不用怕丢东西,瑶人是晚上开着门睡觉的,也从没打架相骂的事。'"①费孝通在《花蓝瑶社会组织》"编后记"中也回忆道:"我们在瑶山中的工作真使人兴奋,我们已忘却了一切生活上的困苦,夜卧土屋,日吃淡饭,但是我们有希望,有成绩,一直到我们遇难,一死一伤,三个月中,我们老是在极欢乐的工作中过活。在遇难前一日,我的妻还是笑着向我说,'我们出去了会追慕现在的生活的'。……瑶

---

① 费孝通:"编后记",见王同惠:《广西省象县东南乡花蓝瑶社会组织》,广西省政府特约研究专刊,1936年版。

山并不是陷阱,更不是一个可怕的地狱。瑶山是充满着友爱的桃源!"王同惠和费孝通与瑶族人民打成一片,在研究工作中与被调查者建立了良好的互助关系,这不但在当时难能可贵,就是在今天也依然是我们从事民族学实地调查工作的榜样。

王同惠女士的调查研究之所以能有比前人和同时代的人独到的收获,原因固然很多,而她作为一个女民族学者的身份亦当是其中的重要因素之一。费孝通在追忆他和王同惠女士的瑶山民族学调查时就说:"在文化研究中,女子有许多特殊方便的地方。这是人情之常,觉得女子不可畏,而且容易亲近的。文化研究需要亲切的观察,女子常能得到男子所调查不到的材料。"①吴文藻先生也说:"在研究民族社会生活中,女考查员的地位,是极重要的,因为家庭内部生活的种种,是必须由女考查员来作局内的研究。同惠是现在中国作民族考查研究的第一个女子。"②王同惠女士在实地调查过程中与当地瑶族妇女结下深厚情谊,凭着女性的身份,深入到花蓝瑶社会生活世界的另一半——妇女的生活圈子中,这是男学者们很难做到的,可见,女性的参与对于民族学研究的发展具有多么重要的意义。

中国第一个女民族学者——王同惠女士虽然英才早逝,但她在民族学研究的园地里所留下的影响却是不可抹没的。吴文藻

① 见王同惠:《桂行通讯》之十一——"门头瑶村",载北平《晨报》副刊《社会研究》1936 年 1 月 22 日,第 120 期;后又转载于《费孝通民族研究论文集》,民族出版社 1988 年版。

② 吴文藻:"导言",见王同惠:《广西省象县东南乡花蓝瑶社会组织》(简称为《花蓝瑶社会组织》),广西省政府特约研究专刊,1936 年版。注②言及的王同惠那部译作系译自比利时传教士 Lious Schram:*Le marriage chez les t'ou – jen du Kan – sou.* shanghai, Imprimerie de la mission Catholique, 1932。

先生在王同惠遗著的"导言"中就曾悲怆而又肯定地宣告:"同惠是死了,然而孝通还在她的永远的灵感中活着,我们这一班研究社会人类学的人,也要在她永远的灵感中继续奋斗。"王同惠女士和费孝通先生一起进行的这次瑶山实地调查,对费孝通先生后来的学术思想影响是很大的。《花蓝瑶社会组织》系由费孝通根据王同惠的调查材料整理而成的,其中自然融入有费孝通的思想;因而也可以说是王费二人的共同著作。费孝通先生于1987年在这部著作的"重版前言"中就明确表示,他在重读自己在青年时代和亡妻合作的这部学习成果时,不断发现他"后来所发表的许多学术观点的根子或苗头。"①

在王同惠女士为中国民族学研究事业捐躯以后的半个多世纪里,中国民族学得到了较大的发展。尤其是新中国成立四十年来,中国民族学者们深入各民族社会做了大量的调查研究工作,民族学的研究在中国不断成长起来,研究队伍日益壮大,并涌现了一批卓有成就的女民族学者。王同惠女士若亡灵有知,定会为此而感到欣慰。愿我们的民族学工作者,特别是女民族学工作者们,在王同惠女士用生命去开启的民族学"中国化"道路上,努力奋进,为建设有中国特色的民族学不断作出自己的新贡献。

(附记:在写作本文的过程中,承蒙胡起望先生慷慨提供他

---

① 费孝通、王同惠:《花蓝瑶社会组织·重版前言》,江苏人民出版社1988年版。关于瑶山民族学调查之举和《花蓝瑶社会组织》一书在费孝通学术思想发展过程中的影响,即费本人所谓的"苗头",笔者在《论民族学"中国化"问题:历史的透视与现状的思考》这篇待刊的长文中已另作蠡论,此处姑不予详析。

所收藏的现已很难见到的一些有关材料,并予以热情指教;施联朱教授亦曾给以热情支持。特在此一并深致谢忱。)

（原载《社会科学战线》1991 年第 2 期）

郦正教授的社会探寻与文化情怀

漆　思

一、人生阅历与学术道路

一个学者真正的学术思想与文化生命往往根植于其深厚的人生阅历与生命感悟。这在文化哲学与社会发展研究领域的著名学者郦正教授身上得到了充分的体现。追寻郦正教授的人生阅历与学术道路，贯穿着的一条中心线索是对社会深刻前卫的探寻与对文化执著关爱的情怀。

郦正于 1957 年 10 月 23 日出生于吉林省长春市。他入小学的第二年，就爆发了"文化大革命"，在懵懂与混乱中度过了童年。1969 年他们全家被下放到吉林省辉南县的山区。他在那里的学习主要是参加生产劳动。1972 年全家迁回长春，他进入东北师大附中读书。在这所闻名遐迩的学校里接受了三年多较为正规的教育，为他日后的学业奠定了扎实的基础。1975 年夏，他中学毕业后去吉林省九台县龙家堡公社插队当知青。同年冬，他被抽调到吉林省凿岩工程公司参加三线建设。在那些艰苦的岁月中，他仍不忘如饥似渴地发愤读书。也正是在农村当知青与后来在三线当工人的苦乐年华与人生磨炼，造就了他乐观坚毅的品格和笑傲困难的豪情。

1977 年恢复高考,邴正考入吉林大学哲学系本科学习。在吉林大学这所著名的知识殿堂里,他如鱼得水,遨游于文史哲交汇的海洋。通过大学期间系统的学习,他自觉感悟到哲学就是对人生智慧的热爱,就是对人性真善美与自由的追寻。在本科毕业时撰写的学士论文是对真理问题的探寻。1982 年他考取哲学硕士研究生,师从国内著名哲学家高清海教授。1985 年 1月获哲学硕士学位,硕士学位论文是《试论价值现象的本质》,这体现了他对价值问题的追问。硕士毕业后留系任教,期间他参与撰写了高清海教授主编的《马克思主义哲学基础》(人民出版社)这部代表当时国内最高水准的哲学体系改革与创新的重要著作。同年 8 月考取在职哲学博士研究生,继续师从高清海教授。1988 年他与人合著了探究西方思想史发展脉络的《思考世界的十个头脑》(辽宁教育出版社)一书。1990 年获哲学博士学位,博士学位论文是《人类自我意识与文化批判》,这被高清海教授在该书出版后的序言中高度评价为"那是一篇相当精彩的博士论文",①这其中体现了他对文化哲学与社会发展问题的深刻反思。接着 1990 年出版了《追寻自由》(中国青年出版社)一书,这标志着他初步从哲学视野中完成了对人性真善美与自由的求索。

名师出高徒。正是由于他的恩师高清海教授的精心栽培与言传身教,引导青年学者的邴正真正步入学术的堂奥,使他与孟宪忠、孙正聿、秦光涛、孙利天等一起在学术界被誉为高清海教

---

① 邴正:《当代文化与人·序言》,吉林教育出版社 1996 年版,第Ⅵ、Ⅳ页及封面书评。

授早期的得意弟子,活跃在当代哲学研究的前沿。他继承发扬高清海教授哲学学派的学术传统,立足于哲学、社会学与文化学的自觉综合,从文化与社会关系的层面拓宽、深化了对人的问题的具体研究,成为国内文化哲学与社会发展研究领域的著名学者。

由于出色的教学与研究工作,邴正于 1986 年被晋升为讲师,1990 年被破格晋升为副教授,1994 年再次被破格晋升为教授,成为当时校内最年轻的文科教授。1993 年他任吉林大学社会发展研究所副所长,成为国内率先提出跨学科研究社会发展问题的开拓者之一。1995 年任吉林大学哲学社会学院党委书记兼副院长,把哲学社会学院建成一流的国家级哲学教学与研究基地。1996 年任吉林大学党委副书记,成为当时最年轻的校级领导。1997 年被遴选为博士生导师,1998 年被评为教育部跨世纪优秀人才。2000 年他被调到吉林省社会科学院任副院长,同年任院长,为推动吉林省人文社会科学事业的发展开创了崭新的局面。同时他还担任了吉林省政协常委、省社科联副主席、省青联副主席、省政府决策咨询专家等职。

多年来,邴正教授一直从事哲学、文化学、社会学的教学和学术研究。先后撰写出版著作十多部。在《中国社会科学》、《哲学研究》、《光明日报》等学术报刊上发表论文一百余篇。其中 8 篇学术论文被《新华文摘》全文转载。他先后荣获 1994 年全国青年社会科学优秀论文专家提名奖、1994 年吉林省建设有中国特色社会主义理论研讨会优秀论文一等奖、1995 年获吉林省第三届哲学社会科学哲学优秀论文一等奖及社会学优秀论文一等奖等科研奖励二十多项。先后获得国务院政府特殊津贴(1994 年)、吉林省有突出贡献中青年优秀专家(1996 年)、教育部跨世纪人才(1998年)、吉林省首批(1998年)及第二批省管优秀专家(2001年)、吉林省政府决策咨询委员(1998年、2001年)、长春市市管优秀专家(1996年)、吉林省优秀教师(1994年)、吉林省十佳理论工作者(1997年)等荣誉称号。

二、学术视野与思想创见

十多年来,邴正教授主要致力于文化哲学和社会发展理论的研究。依照从抽象到具体,从理论到实践的原则,他主要从"文化精神变迁和当代人与文化的矛盾"、"当代文化与社会发展的趋势及其问题研究"、"后发展理论与马克思主义社会发展理论探索"、"全球化背景下的文化冲突与民族精神重建"等几个逻辑层次,形成了他自己独到的学术视野与思想创见。

(一)文化精神变迁和当代人与文化的矛盾

从20世纪80年代中期开始,邴正就确立了从广义的人文意识出发,自觉追求哲学、史学、社会学与文化学的跨学科综合,将自己的学术方向确定为文化哲学与社会发展研究,较早地提出了许多深刻、前卫的思想观点。在他80年代后期撰写的博士论文《人类自我意识与文化批判》中,从人类自我意识与文化精神变迁的考察中,率先提出了人与文化的矛盾已上升为当代社会面临的主要矛盾与重大课题,当代社会发展迫切需要增强文化批判与人类自我反省意识的前瞻性观点。这在"9·11"事件等反映出的人类社会文化矛盾与全球文明冲突的现实情境下更显示出其深刻的洞察力和前卫的预见性。这一思想观点在90年代中后期随着国际学术界如亨廷顿的"文明冲突论"、贝尔的"资本主义文化矛盾论"、萨义德的"后殖民主义文化批判"等重视当代社会文化矛盾及文明冲突的学术思潮的传播而逐渐为国内学术界所认同,并在学术界产生了广泛的影响。

《人类自我意识与文化批判》这篇博士论文于1996年被吉林教育出版社正式出版,命名为《当代人与文化》。这部有着重要影响的学术著作被高清海教授在序言中作了如此评价:"作者试图解决的当代文化精神转折的第一个问题,是把哲学精神引向文化意识的回归。以此作为走向21世纪的中国哲学研究的一个生长点的努力,基本上把握了当代哲学的总体走向。作者试图解决的当代文化精神转折的第二个问题,是人类自我意识从自我迷信到自我反省的飞跃。作者从人类自我意识的角度,把人类精神的历程描绘为一个从自卑、自我迷信到自我反省的辩证过程,并把当代人类自我意识定位为自我迷信转向自我反省。视角十分独特,立论也颇新颖。"①也正如该书书评中写到的,"作者关于人与文化关系的思考,深刻而前卫;研究问题的角度和轨迹,科学而清晰。问世于世纪之交的这本书,不仅给哲学界带来一股清醒、强劲的风,而且给人类带来一份足以警醒、足以明智的关爱"。②

在该书中,邴正认为,哲学追寻的不是个人的自我意识,而是对人类自身特质的反思,因而是一种人类自我意识。这种人类自我意识并不能被抽象地把握,"文化如鉴"——文化是印证人类创造本质的一面镜子,因此要在人类历史实践创造的文化成果及其精神中得以确证。由于人类与世界之间的中介是实

---

① 邴正:《当代文化与人·序言》,吉林教育出版社1996年版,第Ⅵ、Ⅳ页及封面书评。

② 同上。

践,人类自我意识随实践的发展而不断深化。他从人类实践由采集实践、农业实践、工业实践到信息实践的发展过程,把人类自我意识与文化精神变迁相应归纳为从自恋意识、自卑意识、自信意识到自省意识。他特别指出,近代工业实践的特点是持续的创造性实践,由此产生的自我意识是自信。表现在近代哲学中,是人与自然的矛盾,其结论是人征服自然的人道主义、理性主义、个人主义的人类自我迷信。当代信息实践的特点是自我控制的创造性实践,由此产生的自我意识是自省。表现在现代哲学中,则是人与文化的矛盾,其结论是当代人类最重要的对象和对手是自身及其活动成果——文化。文化既是人类借以自我确证的本质力量,又是容易导致自我否定的对抗力量,人与文化之间存在一种辩证的矛盾关系。他把自我意识与文化之间的矛盾归结为生和死、有限和无限、时间和空间、理性和本能、个人和社会、自我证明和自我发展等两歧性矛盾。这种矛盾根源于实践自我分裂为自我意识和对象的过程,因而决定了自我意识和文化之间不断批判的辩证法。

邴正教授指出,当代文化自我意识必须建立一种符合当代实践发展需求的自我反省、自我批判、自我控制的自我意识。为此,第一,破除人类自我中心主义,变征服自然为建立人与自然重新和谐的关系;第二,破除历史至善论,变放纵式发展为合理的、有节制的社会发展;第三,破除极端理性主义,变文化崇拜为辩证的文化批判态度。只有在此基础上,才能真正确立对人与自然、人与社会、人与文化关系的重新理解。

(二)当代社会与文化发展的趋势及其问题研究

对社会发展与文化变迁作跨学科综合研究的发展哲学与文化哲学,是当代学术界的"显学"。20 世纪 80 年代末 90 年代初,邴正教授率先倡导并积极参与此项研究,成为国内该领域研究的开拓者之一。在提出了当代人类自我意识是自我批判、自我反省的文化意识这一观点之后,他用这一观点去研究当代社会与文化发展趋势及其问题,获得了全新的学术视角。他在《当代社会发展与文化观念的变迁》(《新华文摘》1993 年第 3 期)、《别了,传统理性主义时代》(《新华文摘》1993 年第 8 期)、《当代文化发展的十大趋势》(《新华文摘》1994 年第 4 期)、《社会发展研究——哲学介入现实的一种尝试》(《哲学动态》1993 年第 3 期)、《当代中国文化发展的六大趋势》(《新华文摘》1997 年第 4 期)等一系列论文中集中探讨了当代社会与文化发展的趋势及其问题。

首先,他系统地考察了当代全球的社会发展趋势,认为当代全球的社会发展正迈向信息社会,集中体现为以下五大发展趋势:第一,社会活动节奏的加速倍增化;第二,社会活动方式的信息一体化;第三,社会活动性质的利害两重化;第四,社会活动群体的全球协同化;第五,社会活动结构的信息社会化。他接着指出,上述趋势使全球面临十大新的社会问题:第一,社会变革频繁化;第二,代际冲突明朗化;第三,文化冲突普遍化;第四,时空联系同步化;第五,社会生活平等化;第六,生活选择个性化;第七,社会问题全球化;第八,国际交往协同化;第九,精神文化作用强化;第十,文明发展的自我反思化。因此,全球发展呼唤人类自我反省、自我批判、自我控制精神,寻求合理的、有节制的发展道路。

其次,他系统地考察了当代中国社会的发展趋势,集中归结为以下四大社会转型:一是从农业社会转向工业社会;二是从工业社会转向信息社会;三是从匮乏社会转向发展社会;四是从计划经济社会转向市场经济社会,以此为基础完成中国社会的全面现代化。他接着指出上述趋势使中国面临以下六大新的社会问题:第一是双重社会跨越的矛盾,即同时完成从农业社会到工业社会、从工业社会到信息社会的社会转型;第二是发展的不平衡性,区域差距、阶层差距逐步拉大;第三是人的现代化问题,公民的文化素质、能力结构、思想观念方面不适应现代化要求;第四是社会局部失控,旧的社会控制体制被废止,新的社会控制制度尚待完善健全;第五是人心失范,普遍缺乏精神信念,拜金主义、享乐主义、利己主义、消极浪漫主义和宗教迷信抬头;第六是文化冲突加剧,外来文化影响增大,传统文化面临冲击。

再次,他前瞻性地考察了当代全球文化的发展趋势,在《当代文化发展的十大趋势》一文中,他全面深刻地概括为:第一,文化性质从工业文化转向信息文化;第二,文化主体从区域文化转向全球文化;第三,文化状态从离散时空文化转向同步时空文化;第四,文化变迁从稳态文化转向动态文化;第五,文化权力由垄断性文化转向平等性文化;第六,文化层次由精英文化转向大众文化;第七,文化传递由纵向文化转向横向和逆向文化;第八,文化方法由分析文化转向综合文化;第九,文化结构由偏重物质文化转向精神文化;第十,文化态度由自信文化转向自省文化。在这篇文章的结尾,他指出:"纵观当代文化发展的大趋势,我们正在经历人类文化的全面、深刻的变革。这是人类文化的跨世纪转折。文化研究与文学创作不应忽视这一重大文化背景,而应顺应时代要求调整自身的内容、形式、风格和观念。"①这篇文章发表后被《新华文摘》、《人大报刊复印资料》、《读书》、《文摘报》、《经济参考报》、《文汇报》等报刊多次转摘,并收入《世

---

① 郦正:《当代文化发展的十大趋势》,《新华文摘》1994 年第 4 期。

纪之交的中国文化》一书,产生了重要的学术影响。他接着在
《光明日报》发表了《当代中国文化发展的六大趋势》,概括为:
第一,多重的社会跨越造成了文化的多重结构与过渡性的发展
趋势;第二,现代化的进程导致文化创新大于文化传承;第三,社
会开放程度的提高促使文化融合大于文化净化;第四,大众文化
与精英文化的冲突将随着市场经济的发展逐步走向兼容与综
合;第五,多重的文化变迁与冲突日益加大了社会对体现市场经
济需要的新价值和新道德的呼唤;第六,跨世纪的挑战呼唤民族
精神的再塑造与更新。在该文的最后他指出:"全部的文化发
展趋势,最终都凝聚到民族精神的跨世纪创新这一基本点上",
"我们应以优秀的民族文化传统和革命战争中形成的优良传统
为基础,兼收并蓄先进的外来文化和现代社会创新的文化内容,
形成一种属于 21 世纪的、保存了优良传统的、具有现代化内容
的、适应社会主义市场经济的新的中华民族文化。这就是走向
21 世纪的中国文化的最高使命。"①

(三)后发展理论与马克思主义社会发展理论探索

面对当代社会发展趋势及存在问题,邴正教授对社会发展
理论进行了深入的比较研究。他先后在《后发展研究的世界观
背景和两歧性矛盾》(《新华文摘》1992 年第 7 期)、《从经典进化论
到自主发展论》(《哲学研究》1992 年第 7 期)、《当代社会发展观的
重建》(《社会科学报》1992 年 9 月 24 日)、《人仅仅能认识、利用规律
吗》(《社会科学战线》1993 年第 3 期)、《走出匮乏》(《哲学动态》1995
年第 2 期)及《我对社会发展理论的研究》(《我的学术思想》,吉林大
学出版社 1996 年)、《社会发展哲学》(合著,高等教育出版社 1998 年)

---

① 邴正:《当代中国文化发展的六大趋势》,《新华文摘》1997 年第 4 期。

等一系列论著中,率先对后发展理论与马克思主义社会发展理论进行了开创性的探索,并先后主持组织了 1991 年至 1995 年间围绕社会发展理论的全国性学术研讨会 5 次,是国内该研究领域的开拓者之一。

他首先系统地考察了国外社会发展理论,把社会发展观的演变史划分为四个阶段:第一个阶段是自然哲学的循环论。第二个阶段是宗教的宿命论。第三个阶段是理性主义的经典进化论,其五大特征是:(1)理性先定论;(2)本体还原论;(3)单一模式论;(4)世界至善论;(5)自我中心论。第四个阶段即当代的社会发展理论。他把当代的社会发展理论归结为五大流派:一是现代化理论,其特点是西方中心主义,把现代化等同于工业化,进而等同于西方化;二是后工业社会理论,其特点是乐观主义,肯定发达国家快速发展的合理性;三是罗马俱乐部的社会发展理论,其特点是悲观主义,认为发达国家的快速增长是不合理的,提倡零增长的自然主义;四是后发展理论,其特点是提倡发展中国家选择自己的发展道路;五是马克思主义的社会发展理论。

邴正教授着重研究了后发展理论和马克思主义社会发展理论,因为这对中国社会发展具有实践借鉴与理论指导的重大意义。围绕后发展理论,他探讨了后发展理论的发展观特点、世界观背景和两歧性矛盾问题。他认为后发展理论的发展观特点在于提倡"走自己的路",主张"不模仿自己":第一,后发展理论认为后发展国家的不发达与发达国家的发达之间存在互补相关性;第二,后发展国家完成工业化只能选择不同于发达国家的发展道路;第三,后发展国家内部的发展道路也不尽相同,没有单一固定的模式;第四,对工业化本身的弊病进行了不同程度的批判。他认为后发展理论的世界观背景是马克思主义的社会资源匮乏论和20世纪欧美流行的文化相对主义。同时他指出后发展理论还面对着如下两歧性矛盾:一是高速发展造成的"马太效应"与"齿轮效应",使发展的差距越拉越大;二是信息一体化造成的心理不平衡和文化泛模式化,发展中国家文化泛西方化会使自身文化个性丧失;三是利害两重化使不同国家和民族共同承担人类发展的历史命运,发展中国家要背负更沉重的包袱。①

围绕马克思主义社会发展理论,他认为有两个显著特点:第一是以社会资源匮乏论为基础。人类历史活动起源于物质生活资料的匮乏,人们用实践的创造性活动来消除匮乏,但创造活动本身又不断制造新的匮乏。因此,发展是由匮乏引起的,社会分层也是由于匮乏造成的。匮乏导致阶级斗争和国际间的经济分工,从而推动着社会的发展。第二是以自主决定论为特征。马克思认为社会发展是社会存在和社会意识矛盾运动的结果,是人们自己创造活动的结果。马克思最早提出了传统农业社会与现代工业社会的分野问题,主张发展的自主性、多样性、可选择性和利害两重性。

邴正教授进一步提出了走出误区重建当代社会发展观的问题,主张:第一,破除社会发展的本体先定论,回归到马克思主义的人的自我决定论;第二,破除社会发展的本体还原论,回归到马克思主义的实践创造论;第三,破除社会发展的单一模式论,回归到马克思主义的辩证发展观;第四,破除社会发展的世界至

---

① 邴正:《后发展研究的世界观背景和两歧性矛盾》,《新华文摘》1992年第7期。

善论和人类自我中心论,恢复马克思的人类自我反省和自我批判精神。他强调指出:"人类必须从自我迷信中觉醒,代之以自我协调与自我控制,走有节制的、自主的、多元性选择的社会发展道路。这就是面向 21 世纪的社会发展意识,也是关系到人类前途的历史使命。"①

（四）全球化背景下的文化冲突与民族精神重建

近几年来,邴正教授从全球化的背景下探讨文化与社会发展的新问题,尤为关注全球化背景下的文化冲突与民族精神重建的重大课题。他在《哲学研究》、《中国社会科学》、《光明日报》、《学术月刊》、《社会科学战线》等报刊发表了《全球化与文化发展》、《马克思主义哲学与当代文化冲突》、《21 世纪文化理想的建构》、《当代人类发展与人学研究》、《重建精神家园的呼唤》等文章,提出了一系列新的学术观点。

他首先从文化的角度,把全球化界定为"人类社会的整体化、互联化、依存化"。② 整体化是指全球作为同一个社会整体而存在;互联化是指所有的国家和民族在信息、交往、利益方面的相关性;依存化是指国际合作与协调已成为任何一个国家和民族自身发展的基础和前提。全球化是市场经济发展、信息革命推动与科学技术普及的产物,也是社会发展所带来的全球性问题这一负面效应的结果。他指出全球化对文化发展的正负效应。正效应主要表现在:一是全球化拓宽了文化视野,推动人们从全球视角来重新构造文化活动,作为世界公民来思考问题;二

---

① 高清海、邴正:《别了,传统理性主义时代》,《新华文摘》1993 年第 8期。

② 邴正:《全球化与文化发展》,《哲学研究》1998 年第 10 期。

是全球化凸显了文化精神中的整体精神,促进了人的类意识的生成;三是全球化创造了当代文化的多样性,增进了不同文化之间的交流与融合。负效应主要表现在:一是全球化会造成文化更新强于文化传承,进而引起传统文化的危机与失落;二是全球化会造成大众文化重于精英文化,在文化快餐中失落了崇高与英雄主义气质;三是全球化会造成外来文化冲击本土文化,会导致某种文化入侵与文化殖民主义。在全球化的冲击下,就可能使本来存在的人与文化、文化与文化之间的矛盾冲突加剧。

他着重研究了全球化背景下的人与文化的矛盾以及文化与文化冲突问题。全球化主要在"化"什么? 他指出,归根结底是不同文化模式的碰撞、传播和冲击。他把21世纪人与文化的矛盾归结为创造与毁灭的矛盾、后现代性与规范性的矛盾、群体性与个性自由的矛盾、文化趋同与文化自主性的矛盾、文化的理想性与文化的消费性的矛盾。同时他认为全球化时代的竞争将主要是围绕争夺文化控制权、领导权而展开。为此中国必须迎接来自西方强势文化的挑战,立足中华民族优秀传统与社会主义市场经济,在马克思主义指导下的中国文化应当创造出新的文化精神和文明模式。哲学研究应责无旁贷地要通过回应文化冲突的挑战,为当代中华民族的文化转型与创造、为民族精神的重建而奋斗。

背负着这种文化使命,邴正教授从文化自我意识的角度,深入分析了中华民族传统文化的特点和存在的问题。他认为,中国传统文化的自我意识的基本特征是天人一体。儒家是一种英雄主义的文化自我意识,主张积极的天人一体。道家是一种自然主义的文化自我意识,主张消极的天人一体。其具体特征在于:第一,超强的自我中心论;第二,自我不是个人小我,而是群体大我;第三,自我不是理智的,而是实践的;第四,自我不是变易的,而是永恒的。其问题在于,第一,家族自我中心的群体主义;第二,家长自我中心的专制主义;第三,民族自我中心的天下观念;第四,文化自我中心的自我崇拜。这种民族传统文化必须进行现代化的转型与更新。他从当代文化人格演变的角度,分析了传统文化的现代化过程。认为当代中国人的文化人格随社会发展过程可分为四个代际,即传奇英雄主义的第一代(五四运动——新中国成立),普通劳动者的第二代(新中国成立——"文化大革命")、红卫兵—知识青年的第三代("文化大革命"——改革开放)。现代化的第四代(改革开放以来)。其文化人格的演变历程如下:社会理想从救亡、创业、砸烂旧世界到经济社会;个人理想从英雄主义、平凡精神、反叛精神到个人成就感;职业选择从职业革命家、公仆、军人到企业家;群体关系从军事共产主义、大公无私、斗争哲学到个性化;生活方式从艰苦奋斗、勤劳简朴、禁欲主义到鼓励消费;基本价值从牺牲、忠诚、造反到务实。

他进一步分析了市场经济条件下当代民族精神的建构问题。认为市场经济不仅需要物质条件,而且需要精神条件。而当前社会价值观方面存在三个误区:第一,拜金主义的狂热;第二,享乐主义的纵欲;第三,消极浪漫主义"不敢崇高"与"游戏人生"的困倦。这些误区表明当代人缺乏能够抚慰心灵、振奋精神、凝聚民族的普遍的精神支柱。为此他提出了"重建理想,再塑国魂"的主张。重新建构民族精神,首先必须依据以下三个原则:第一,文化融合与建构应追求多样性的统一,跳出唯一性的误区;第二,从实际出发,立足于当下中国文化与精神的现状;第三,分清层次,不再搞单一的精英文化,而是让精英和大众都能接纳。其次要有四大取向:第一,以马克思主义的世界观、人生观、价值观为主体的现代意识;第二,民族文化的优秀传统;第三,体现20世纪人类发展先进水平的全球文化;第四,社会主义市场经济的现实需要。他认为,当前应该用"创业敬业、自立守信、科学民主、开放进取"的精神来再塑国魂,建构一种既适应社会主义市场经济,又能提高精神境界和文化素养的新型的民族精神。①

邴正教授的文化与社会发展研究正是基于对自身肩负的文化使命的高度自觉。他曾在一篇文章的结束语中这样写道:"一种文化理想就是一个民族的民族精神。研究文化哲学也是对民族精神的追寻。一个在经济领域迅速崛起的民族,也一定要在精神领域崛起。"②

三、学术风格与文化人生

邴正教授在长期的教学研究和社会生活中确立了自己鲜明的治学风格与文化个性,其中体现着他为学与为人统一的治学精神与人生信念。

(一)治学风格

1. 注重发扬理论结合实践、学术参与社会的优良学风

在邴正教授身上,至少承担着学术与社会双重职责和使命。应当说,这两者并不矛盾,统一于他作为一个富有良知的中国当

① 高清海、邴正等:《社会发展哲学》,高等教育出版社1998年版,第119—144页。
② 邴正:《马克思主义与文化冲突》,《东疆学刊》2002年第1期。

代知识分子对文化与社会的双重关爱。用他自己的格言来说，就是"学术源于生活，知识回报社会"。

他先后被吉林省和长春市的一些部门聘为咨询专家、顾问，就现代化发展战略、城市化发展战略、文明城市建设、精神文明建设、意识形态工作、青年工作、文化教育等问题提出了卓有见地的见解和政策建议，是吉林省精神文明建设大纲的起草人之一，为地方经济与社会发展作出了突出贡献。多次被评为省、市优秀理论工作者、精神文明建设先进个人，并被长春市政府授予长春建城 200 周年活动宣传贡献奖。他作为课题负责人承担了"沟通结构演变与人类自我意识发展"、"当代社会发展与高校改革"、"马克思主义辩证法与当代社会发展趋势"、"马克思主义哲学与文化"以及"吉林省社会发展水平测量与分析"、"影响吉林省社会稳定重大因素分析"、"吉林地域文化对经济发展的影响"等国家及省部级科研项目，为文化与社会发展贡献着自己的学识。

2. 打通文史哲进行跨学科综合研究的学术风格

邴正教授的教学研究中无不激荡着哲学家的睿智理性、文学家的丰富才情与史学家的深厚慧识。凡是听过他的演讲和读过他的文章的人，都会为他的博学多识与情理并茂所折服。与今天的许多专业狭窄的博士或专家相比，他真正够得上一个博士与通才的称号。因为他博学多才，具有厚重的人文学养，自觉追求文史哲的融会贯通，确立了自己文情、史识与哲理相融会的学术风格。

他热爱文学，在哲学的理性沉思中，总是充满文学的激情与才华。在教学研究之余，还从事文学创作与评论工作。先后撰写了重大革命历史题材电影文学剧本《啊，黄埔》（已被长影买断剧本），电视专题片《历史不再沉默》、《放飞和平》、《中国大监狱》，策划并直接参与拍摄了大型电视纪录片《松花江日记》，这些电视专题播出后，都获得了全国、省市有关奖励。撰写发表了小说、诗歌、散文、随笔、文艺评论文章四十多篇。他还是全国性演讲与辩论赛的专家，作为总教练，曾率领吉林大学辩论队在1994年全国首届大专辩论赛上取得了优异的成绩，作为顾问使吉大摘取了1999年中国名校辩论赛的桂冠，并多次作为评委出席全国性大学生电视辩论赛，成为国内演讲与辩论领域的文化名人。

他热爱历史，曾通读中国二十五史与世界历史，特别是人类近现代史与思想文化史，往往从人类社会历史研究中感悟哲理，使他的学术充满了史识的慧解。这一点从他撰写审视人类自我意识历史演变的《当代人与文化》、反映西方思想史脉络的《思考世界的十个头脑》、反映文艺复兴的《巨人的时代》、反映中国20世纪文化人格变迁的《献给太阳的祭礼》及创作的大量影视文学作品中都能得到不同程度的体现。至于他的演讲报告更是能够沟通中外、纵横历史。从邴正教授的治学风格中我们更能领悟到"哲学史就是哲学"、"治学先治史"以及"文史哲不分家"的道理。

（二）教书育人

1. 邴正教授是一位优秀的教师，他乐为人师，善于把自己的学术研究与教书育人紧密结合起来，长期执教大学讲坛，为社会培养了大批优秀人才。从1985年起至今在吉林大学任教达18年。先后为本科生、硕士生、博士生、进修生开设历史唯物主义、社会学原理、社会学研究、马克思主义哲学与当代社会思潮、文化与社会发展战略、社会交流工程、公共关系等多门课程，教学态度认真,理论深刻,逻辑性强,密切结合实际,不断跟踪当代学术变革,表达生动形象,教学效果优秀,深受学生欢迎,在校内被大学生亲切地誉为"大学生导师"。近年来主要培养硕士与博士研究生,共指导硕士研究生28名,指导博士研究生22名。他继承高清海教授培养弟子的传统,以他的治学精神与人格魅力感召弟子们凝聚在他周围形成了一个充满亲情与学术氛围的精神家园。邴老师的学生总是被他的渊博学识与做人品德所感染,在弟子们的心目中他是永远的楷模与骄傲。他培养的研究生功底扎实,知识面宽,思维敏捷,理论与实践的结合能力和创新能力强,有许多弟子在教学研究与社会管理的工作中发挥着重要作用。

2. 邴正教授也是一名身体力行的社会教育家和播撒文明的文化使者,积极投身马克思主义理论普及和文明传播的社会教育工作,用自己的学术思想感染社会,不辞劳苦、不计报酬地进行着人文教育。他先后为各级政府、机关、社团、部队、学校、企业作学术报告和思想教育千余次。他认真深入的理论研究,深入浅出的讲授方法,严谨的学术态度,渊博的人文素养,生动幽默的风格,切中时弊的洞察,受到社会上普遍的赞誉,他是一位深受社会各界人士欢迎的专家学者。他无论在何时何处作报告,总是场场爆满,使听众深受教益。他还受教育部、文化部、中国社会科学院等部门邀请,作为特邀专家出席全国性专题工作会议并作主题研究报告。先后去香港科技大学、香港浸会大学、日本千叶大学、美国华盛顿大学、斯坦福大学、加州大学(圣迭戈)、加拿大多伦多大学、麦吉尔大学、俄罗斯远东大学、俄罗斯科学院远东分院、韩国釜山大学、庆南大学等学术机构做学术交流和学术访问,并在其中一些大学作专题学术报告。不仅如此,他在担任高校和社会科学研究机构的领导工作中,为发展文化教育与社会科学研究事业作出了积极贡献。

(三)生活情趣

邴正教授爱好广泛,多才多艺。他绝不是那种端坐在象牙塔中"从理论到理论"、"为学术而学术"的"书呆子型"学者,他总是充满着丰富多彩、乐观豁达的生活情趣。他总是对读书与创作情有独钟,大量阅读古今中外的文学与历史名著,他认为不懂文学与历史就无法透彻地研究哲学社会科学,在他的生活中总是洋溢着文学的激情、历史的智慧与哲学的梦想。他对写作总是充满着热情,曾有记者向邴老师的爱人询问他最大爱好时,他不假思索地说:"爬格子。"邴老师爬格子上瘾,后半夜睡觉是常事,兴奋时通宵达旦。他总是才思泉涌,经常一两个晚上就能写出充满才情与哲理的学术文章和文学作品。他十分推崇并践行古人"读万卷书,行万里路"的文化漫游,在读书创作之余,邴老师热爱爬山与旅游,融入其中探幽访古、赋诗寄情、抒发心志。他赋予爬山以感悟人生和提升境界的意蕴,多年来爬涉无数名山大川,特别是对长白山与松花江流域的自然文化进行了全方位的探寻和阐释,在回归自然与文化漫游中领略"会当凌绝顶,一览众山小"的人生情怀。他还多年来坚持冷水浴,几乎不得什么病,以此锻造健全的体魄与坚毅的品性,因为他崇尚毛泽东"野蛮其体魄,文明其精神"的大无畏的英雄气度。他热爱生活,极为珍视宝贵的人生,以充沛的精力与非凡的效率创造性地工作,而又总是在排满日程的忙碌中用心营造着充满亲情、爱情与友情的生活氛围。在他的弟子们眼里,邴老师是个大忙人,但他又总能在家里谈心、指导,参加师生聚会,关心着每一个学生的成长,学生的每一点进步都凝结着邴老师的心血,师生之情话来真是其乐融融,无以言表。他为人热忱敦厚,古道心肠,乐于助人。无论是对家庭、亲人、师长、同志、学生,还是整个社会,他都有一股满腔的责任心,充满着温情与善意的关怀。多年来无私地支持帮助和鼓舞启发他的学生、同学、同事、朋友,甚至仅与他有书信之交的年轻学生与基层群众,他都尽心尽力。正因为如此,他无论在文化圈还是社会各界,人缘极好,拥有许多真挚的朋友……透过这些生活的点点滴滴,我们就可以从中自然而然想到,邴正教授的人生是那样一种热爱生命、热情浪漫、多才多艺、有情有义、在现实中贯注理想、在平凡中蕴涵崇高的文化人生。

(四)文化人格

中国古代儒家讲:"尊德性而道问学,致广大而尽精微。"这句话也正是邴正教授文化人格的真实概括。在他身上体现了中国学人追求"立德"、"立功"与"立言"的统一。

"立德"体现在邴正教授身上就是成就完善的道德人格,真正在文化与社会中认识自我并实现自我。当邴老师的学生问及他最喜欢的一句格言时,他略假思索回答说:"认识你自己。"这是铭刻在古希腊德尔斐城阿波罗神庙中的一句话,使古今多少哲学家为此而上下求索。对这句话,邴老师有独到的见解。在他心中,"自己"是宇宙间的"大我"。"大我"既是人个体的存在,又是面对生死的人生体悟,同时还是对整个社会的理解。他认为只有认识了"自己",一个人才能正确估计自己,在社会中寻找价值体现点。邴老师在治学为人方面真正传承他的恩师高清海教授的"治学为人其道一也"的教导,他曾深情地说:"从导师身上,学到的不仅是知识,而且还有严谨的治学方法和正直的为人之道。"他总是以治学先"立德"来教导他的学生并以此自勉。"立功"体现在邴老师身上就是"知识回报社会",用自己的学术积极为社会建功立业,成就一番社会事业。邴老师身上饱含着一股理想主义与英雄主义的气质,立足学术、胸怀世界,有着远大的社会抱负。在对"大我"的社会认识中,邴老师对自己的定位是,参与社会、奉献知识,播撒文明。"立言"体现在邴老师身上就是发奋著书立说,提出真知灼见,创新学术理论。他著书立说已达两百多万字,至今在繁忙的工作中仍笔耕不辍,勤奋坚守在学术的前沿阵地。这种忘我的"立言"是在牢固的"立德"根基上为社会的"立功",是其追求为人与治学的"三立"之统一。

而在所有这些"立德"、"立功"、"立言"的背后,挺立起一个始终矢志不渝地探寻社会真谛、关爱人文精神的中国当代知识分子形象——永远洋溢着青春朝气的邴正教授正一如既往地以学者的良知和学术的方式,坚守在学术讲坛与思想前沿,辛勤地传承、创新着我们这个民族和时代的优秀文化,推进着社会的健全发展,在当今市场经济社会树立起人文精神的旗帜,探寻我们这个时代需要的文化理想与精神家园。

(原载《社会科学战线》2003 年第 2 期)

从哲学到社会学

——景天魁的学术探索历程

王俊秀　邹　珺　邓万春

景天魁,1943 年 4 月 8 日出生于山东省蓬莱市,家乡的秀丽风景使他心怀对美好事物的向往,深邃的大海和神秘的海市蜃楼激发了他无尽的遐想。1962 年怀着解开"社会之谜"的理想考入北京大学哲学系,从此开始了不懈的探索历程。然而大学毕业时遇到了"文化大革命",1968 年起先后在山西省和顺县的生产队劳动,到公社和县委机关工作,1973 年至 1978 年在《山西日报》社理论部当编辑。1978 年恢复招考研究生,景天魁考入中国社会科学院研究生院,攻读历史唯物主义专业,在相隔十年后回归了探索社会的漫漫学术征程。硕士毕业后留哲学所工作。从 1983 年开始在中国社会科学院研究生院攻读博士学位,1987 年获得哲学博士学位。1988 年起担任中国社会科学院哲学研究所历史唯物主义研究室主任。1993 年担任中国社会科学院社会发展研究中心主任,标志着景天魁学术历程从哲学层次探索向社会学层次探索的一个延伸。1995 年任中国社会科学院社会学研究所副所长,从此,他的学术研究在方法论上开始了"兼容与贯通"的全面尝试。1996 年被评为国家级有突出贡献中青年专家。1998 年他担任社会学所党委书记、副所长。2001 年起担任社会学所所长,并在同年 7 月于波兰召开的第 35 届国际社会学学会(ISA)上当选为副会长。2003 年担任第十届全国政协委员。

一、创立"劳动起点论"

在早年从事的历史唯物主义研究中,景天魁提出了历史唯物主义的起点问题,并且证明了作为哲学范畴的"劳动"是历史唯物主义的逻辑起点。从"劳动原理"出发,他认为,劳动的逻辑展开构成了历史唯物主义的"骨架",即劳动从对象化开始经过劳动分化、劳动异化、劳动社会化,最后达到劳动自主化,劳动在这五个环节、五个阶段的展开和发展构成了人和社会共同发展的历史。这被学术界称为"劳动起点论"。

不破不立,"劳动起点论"首先要"破"的就是对历史唯物主义的中国版斯大林式理解。在中国人习惯了的、沿袭下来的苏式教科书中,历史唯物主义被理解成几个基本概念和几条基本规律,即生产力和生产关系、经济基础和上层建筑、个人和群众等概念之间的一对对"决定"和"反作用"的"规律"关系。这种源于斯大林式《联共(布)党史简明教程》的理解是有缺陷的。景天魁尝试以系统的、动态的、历史与逻辑相统一的方式重新理解历史唯物主义。由于对马克思《资本论》等著作有过相当深入的研究,因而他有理由猜想,以马克思对黑格尔《逻辑学》和《精神现象学》的深刻理解和对辩证法的卓越见解,马克思的历史唯物主义应该有一个严密的逻辑结构,只是后来人没有找到正确的逻辑起点,因此没有构造出这个逻辑结构。中国 20 世纪

80 年代初期的历史唯物主义研究中缺乏对"劳动"这一基本范畴的研究。恩格斯晚年曾提示,马克思主义"在劳动发展史中找到了理解全部社会史的钥匙"。沿着恩格斯启发的思路,景天魁创立的"劳动起点论"至少有如下的理论贡献:

第一,提出了历史唯物主义的逻辑结构和逻辑起点问题,并且给予了独到的回答。逻辑起点的问题非常重要,因为"一经正确地确定了逻辑起点,也就等于抓住了整个逻辑结构"。按照马克思认同的"从具体到抽象"的科学思路,景天魁证明了劳动范畴具备了作为逻辑起点的三个条件:(1)它是整个研究对象中最简单、最普通、最基本的东西,是最"简单的抽象";(2)它本身所包含的内在矛盾是以后整个发展过程中一切矛盾的胚芽,或者说包含着尚未展开的概念的全部丰富性;(3)逻辑的起点也同时是历史的起点。而相反,社会存在、生产力、生产关系、实践、主体人等范畴都不足以满足这样的条件,因此不适合作为历史唯物主义的起点。劳动创造了人,劳动创造了社会,劳动是人类生活的第一个基本条件,是对社会生活最本质的抽象,劳动是历史唯物主义的起点,由此开始可以解释其他范畴,乃至构造整个历史唯物主义理论的逻辑结构。

第二,系统论述了劳动范畴的逻辑展开,这构成了历史唯物主义的逻辑结构或"骨架"。景天魁一一界定了劳动发展的五个环节,即劳动的对象化、劳动的分化、劳动的异化、劳动的社会化和劳动的自主化。这五个环节相继出现,并一起构成了历史唯物主义的范畴体系。对此,他围绕两个方面展开论证:(1)他考察了劳动范畴的发展史,从古希腊到近代古典政治经济学,从德国古典哲学到马克思,从《1844 年经济学哲学手稿》到《资本论》;(2)通过考察劳动概念的形成和发展的历史与社会史的一致性,从逻辑与历史的统一上论证了"劳动的逻辑展开是历史唯物主义的逻辑骨架"。以上历史唯物主义逻辑起点和逻辑结构的研究构成了"劳动起点论"的主体内容。当时,这一理论发现和创新对于理解历史唯物主义无疑具有很重要的理论价值和现实意义,因此赢得了当时学术界的普遍关注。

第三,提出了劳动的展开过程、社会发展过程和人的发展过程三者相统一的观点。劳动的五个环节的发展是一个否定之否定的辩证过程,对于以劳动的发展为基础的社会发展和人的发展来说,也同样经历了肯定、否定、否定之否定的阶段。景天魁从范畴之间的逻辑关系出发,运用从抽象上升到具体的方法,认为在劳动、人、社会三者之中,人是最复杂的,如果离开社会去说明人,那只能是说不明白的抽象人,离开社会的改造谈人的解放只能是空谈;"要想揭示人的奥秘,就必须揭示社会的奥秘;要想揭示社会的本质,就必须从劳动入手"。这样就确定了"劳动——社会——人"的逻辑顺序和方法论原则。

第四,提出了历史唯物主义逻辑体系的初步构想,确定了从劳动到社会总体的逻辑进程。如果说劳动是逻辑的起点,那么,对社会总体的认识就是逻辑的终点。按照景天魁的理解,历史唯物主义这个庞大的逻辑体系有五个层次:劳动本身、劳动过程、现实社会生活的生产和再生产、全面的社会生活、社会总体。要实现从劳动到社会总体的逻辑进程,要用从简单到复杂的概念系统再现和把握客观世界从简单到复杂的系统形成过程及系统的规律性,就要运用系统分析方法等现代科学的方法。至于具体的方法,那是需要进一步探索的课题。

第五,提出了建立历史唯物主义逻辑体系的基本原则和基本方法。长期以来人们习惯于从本体论的角度看待历史唯物主义范畴,景天魁认为历史唯物主义不仅有本体论意义,而且更重要的是有认识论、方法论意义;不仅是关于社会发展一般规律的学说,而且还是认识社会、认识人的一般方法,是社会辩证法、社会认识论和社会发展逻辑的统一。

二、创建"社会认识系统"

在社会存在本体论研究中表现出明显认识论兴趣的景天魁接着转向了专门的社会认识论和社会科学方法论的研究。

(一)社会认识的系统论:对一般认识论的超越

景天魁认为,社会认识论不是一般认识论在社会领域的推广与应用,而是对一般认识论的超越。社会认识论不再是一般认识论所自认为的纯粹"反思"或思辨的学问,而是努力在哲学认识论和科学方法论之间、在哲学抽象与具体实践之间建立起紧密联系、相互贯通的桥梁,发展为新的综合性学科。跟一般认识论相比,社会认识论具有更深厚的经验科学的基础,因此对于打通社会科学与社会哲学之间的"脉络"而言,也是一次超越和挑战。在《社会认识的结构和悖论》前言的末尾,景天魁很自觉地说,"它也许会成为一个转折点,即从原来只在哲学范围内思考,转到了'哲学——专门科学——社会技术学'的路子上来。目前,我大概刚刚走到哲学到专门科学的半路上,以后的道路还很艰难"。以景天魁渊博的知识素养和顽强的求实精神,哲学研究是他追求真理的起点,却不是他的归宿。知难而进是他的个性,从此他走上了一条"吾将上下而求索"的艰难而独特的学术道路。①

---

① 对景天魁来说,"上下"指知识的纵向不同层次。

（二）社会认识系统的结构和模型

从系统论和认识论的结合出发，探讨社会认识系统如何可能以及其整体结构和统一机制问题。首先，景天魁思考的是"人们实际上是怎么认识社会的"。从这一思路出发，社会认识系统是异质的和丰富的，是前科学、科学、"外科学"（非科学）的统一，也是理性认识和非理性的统一。其次，景天魁以主体—客体关系作为标准，把社会认识"谱系"划分为七种认识方式，即科学认识方式、技术认识方式、艺术认识方式、价值认识方式、宗教认识方式、日常认识方式和哲学认识方式。从认识论角度逐一确定了这些认识方式的思维特点和主客观结构，在此基础上，建立了社会认识系统的直观图式。虽然社会认识系统的直观图式是初步的，虽然知识系统的结构模型是定性的，但是对进一步的形式化模型的建构来说，却是必要的前提和基础。

把社会认识和一般认识看做一个系统来研究，却能够"导向认识论、价值论、实践论的真正统一，从而丰富辩证唯物主义认识论"。同时，这有助于克服人文认识和科学认识的对立、人本主义和科学主义的对立，实现社会认识的大综合和社会价值的大综合。

（三）社会认识系统中的悖论

要从社会认识系统的整体性出发研究其结构和功能，阐明各种认识方式的内在联系和统一方式，会难以避免地面对社会认识系统的悖论问题。悖论问题过去被看做纯粹的思维现象，而不论其社会认识的根源；社会认识领域也缺乏悖论的视角，一概笼统地用似是而非的所谓"矛盾分析"取代了对悖论的真正研究。景天魁将这两者联系起来进行了精彩的研究，得出了走向"整合性思维"的结论。

　　景天魁认为,尽管悖论表现为一种思维现象,其中的一些却可以有深厚的社会根源:社会生活和社会认识中的自我涉及性的循环现象,在一定条件下就会产生悖论。悖论与形式逻辑的思维方式有关,但不是逻辑错误,也不能简单归结为形而上学思维的产物;悖论发生在人们的思维要明确地把握事物的辩证本质的时候,它是确定性与非确定性、清晰性与模糊性、变动性与静止性之间的矛盾的一种特殊表现。在社会认识领域引入悖论研究,有助于揭示社会认识因自我相关、主客体相互缠绕和相互转化而引起的特殊性质,将社会认识的本性以更尖锐、更集中的形式暴露出来,从而有助于把该研究推向深入。社会认识系统的研究,因为本质上是关于认识的认识,内在地含有导致循环的可能;因为社会认识、对人的认识本质上都是一种自我认识;因为对人及其社会行为的认识中存在所谓"自适应"现象,存在复杂的自我相关现象,所以,在社会认识论研究中,"只有通过对社会认识系统的悖论的研究,才能揭示出社会认识系统矛盾运动的实质。因此悖论研究,就成为理解社会认识系统的关键"。

　　景天魁不仅对一般知识论和悖论研究有相当精要的概括,而且更重要的是在前两者结合的基础上,探讨了悖论形成的根源,深入研究了社会认识系统中的悖论。论证涉及说谎者悖论、理发师悖论、非自状形容词悖论、罗素集合论悖论等否定概念的自我涉及问题,在这些经典悖论的分析中概括出悖论的逻辑结构。从柏拉图的"一般知识悖论"到现代科学中的系统思维悖论,再到"社会认识系统的悖论"的概念分析和表述,景天魁按照"历史与逻辑相统一"的思路一层层揭示了社会认识结构中存在的悖论性特点。最后,他还考察了解决悖论的几条思路,即深入揭示对立面相互联系和相互过渡的中间环节(如马克思对资本形成中的悖论的解决），寻求矛盾在更高层次上的综合（如量子力学中波粒二象性的提出），实现辩证逻辑的形式化（如弗协调逻辑的提出）等。而景天魁采取的"一种比较现实的办法"，是"从研究现代科学的整体化经验和从哲学上提高矛盾综合的能力入手"。"整合性思维"的提出就着力于奠定社会认识方法论的思维基础。

（四）呼唤"整合性思维"

景天魁提出"整合性思维"的概念，并认为这是符合现代科学本性的一种辩证思维的新形式。现代科学已经进入综合、交叉发展的新时代，哲学应该参与这一知识建设，提供新的思维方法、思维形式。所谓"整合"是相对于分化、分解而言的。各门学科、学派发展了自己的概念语言、理论范式，要实现整合，就要解决各种概念语言的相互沟通、互换和各种范式之间的对话。社会认识的七种不同方式之间，也有相互转换机制的任务，否则难以完成建构"社会认识系统"的任务。

"整合性思维"是什么？还没有足够的案例来加以说明，但可以期望的是：它是一定程度形式化的辩证思维，努力实现的是形式化与非形式化、逻辑与非逻辑、理性与非理性的统一。景天魁认为，"整合性思维"的特征是：（1）综合统摄分析，综合贯穿于认识的全过程，但每一步综合都伴随着分析；（2）分析和综合相互渗透，融为一体，分析和综合不以牺牲部分和整体的关系为代价；（3）表现形式上是形式化与非形式化的统一，是科学知识和非科学知识的结合；（4）在表现形态上，是从抽象到具体的理论形态和从理论具体到具体实践的应用形态的统一。

因为这项研究主要是社会认识论方面的开创性研究，有着如景天魁所意识到的局限："我们只能在哲学的层次上作出一般性的理论分析,这是第一步,具体的工作留待以后再陆续展开。"我们在景天魁的后续研究中可以看到整合性思维的痕迹和案例。

三、社会学方法论与马克思

社会学在长期经验研究积累和理论探索后形成了"多重范式"的现状,景天魁认为无论从经验层次还是从理论层次,社会学都需要"规范化"。而中国社会学还面临着一个如何将西方传入的社会学中国化的问题。他进一步指出社会学的规范化和中国化其实是结合在一起的同一个过程。

要实现社会学规范化和中国化应该开展对社会学方法论范畴的研究。因为大多数古典社会学家由于所处的历史条件、所面临的基本问题和当时整个社会科学的分化程度的限制,往往将社会哲学和社会学的经验内容直接关联起来,"不可避免地导致了社会学具体经验性概念的玄思化和本应是理论抽象纯净形态的社会哲学概念的经验化。这就难免造成不同层次概念的混同"。

而概念本身却反映着理论的广度和深度。另一方面,一个理论的提出不可避免地会具有一定的时代性和个人性,随着时间的推移这种时代性和个人性就成为该理论的局限性。景天魁指出,"如果说这种时代性和个人性降低了社会学理论和理论观点的累积效应,使得后人对于前人的理论具有了较大的选择余地的话,那么比较而言,社会学基本概念的可累积性就显然高得多了。""……比起理论的变更来说,概念体系的演变却要缓慢、平稳得多。由此可以说,在社会学近 200 年的理论纷争和更迭过程中,作为历代社会学家的智慧沉积下来的共同的结晶,是相对稳定的社会学概念体系。"

社会学的概念体系是很庞杂的,很难在社会学概念与非社会学概念之间划出分明的界限。以往对社会学概念体系的划分主要有两种,一种是根据社会学概念所包含的内容来划分,可以分为个人、人际关系、社会结构和文化四个层次;另外的划分方法是依据概念的本质,把概念从功能、性质等分为描述性或解释性概念以及观察到的或思维构成的概念。景天魁将上述两种划分的方法结合,提出了新的概念层次划分体系。

(1)具体性概念

(2)中层理论概念

(3)一般性理论概念

(4)元理论范畴

具体性概念在社会学意义上指对实际事物的较为初级的抽象,它偏于感性直观,又不是感性的。在逻辑上具体性概念与实际事物有着较为直接的联系,它只含有较少的抽象规定性;在功能上具体性概念具有指称和描述的功能,但解释力很小;在学科建设上,具体性概念对社会学具有重要意义,它使得社会学的陈述切近实际生活。中层理论概念不完全等同于美国社会学家默顿所赋予的含义,在外延上包括有限范围的对象,在内涵上具有与日常语词意义不同的属于社会学学科性质的抽象规定。但它的抽象程度并不高,大体上还是经验概括性的,与实际事物比较接近。中层理论概念兼有经验概括性和理论概念性,具有从经验过渡到理论研究的桥梁作用。一般性理论概念的外延可以覆盖社会学的普遍领域,其内涵完全是学科性抽象规定的概念。一般性理论概念在社会学的概念体系中具有广泛的解释力,构成了社会学理论的基本语言。元理论范畴(或方法论范畴)为数不多,没有明确界定的外延,也不指称任何确定的对象,内涵极其单纯,不由(社会学学科内的)其他任何概念来规定,但却可以解释社会学其他层次的任何概念。社会学元理论范畴构成了社会学和社会哲学相互沟通的纽带和桥梁。

景天魁重点强调的是元理论范畴在社会学研究中的作用,元理论范畴主要包括个体与整体、结构与过程、事实与价值等成对的概念,社会学方法论首先应该从个体与整体这对范畴开始,因为这是社会学理论的中心范畴。他在分析了个体与整体的悖论后,认为当代社会学方法论陷入了"两难困境",只有通过马克思的方法论才能综合、超越个体主义与整体主义的对立。

景天魁认为马克思在实践意义上、历史发展意义上、逻辑意义上以及方法论意义上解决了个体与整体的统一问题。在实践意义上,"马克思既不承认有什么脱离社会(实践)而孤立的个人,也不承认有什么脱离个人活动的像纯粹自然界那样的不具有属人性质的'社会'。尽管对个人可以进行科学抽象,对社会(整体)可以进行科学抽象,但这种抽象如果是辩证的话,那就必须以承认个人、人的活动和社会的统一为前提"。在历史发展过程中,个体和整体经历了人的依赖关系、以物的依赖性为基础的人的独立性和建立在个人全面发展和他们共同的社会生产能力成为他们的社会财富这一基础上的自由个性这三个阶段的原始统一,和在阶级划分和阶级统治形式中实现的个体与整体的对立和冲突的统一,以及必然走向的个体与整体的和谐统一。在逻辑意义上,马克思的思维辩证法从具体(现实的具体经验)到抽象(概念规定),再到具体(概念规定的综合)三个阶段来说明个体与整体的统一。如何在方法论意义上解决个体与整体的统一,景天魁提出了借鉴中国传统的综合性思维和创造整合性思维的新形式的策略。

四、中国发展社会学的基本概念: 时空压缩和超越进化

(一)时空压缩

"时空压缩"是景天魁"用来描述中国发展社会学的问题意识在当代、在中国实现现代化过程中的建构性场景"的一个重要概念。

对社会现象而言,既存在一种外在的自然时间和空间,也存在一种作为社会现象的内在因素的社会时间和空间。这一社会时空对于形成社会运动、社会生活和社会过程具有构成性的意义。因而,时空特性就可以作为社会发展研究的一个重要维度。从社会时空这一维度出发,传统并不等同于过去,传统是形塑现实的东西,在社会发展中,传统代表了时间的连续性、空间结构的稳定性、时空特性的同一性。相对于传统性而言,现代性的时空特性主要是非连续性、断裂性、非确定性和风险性。后现代性则致力于形成对于时间和空间的新概念,主张建立过去、现在和未来的和谐关系,反对现代性把过去、现在和未来割裂和对立起来的思想。传统、现代性和后现代性的一些引申含义,如地域性与全球性、特殊性与普遍性、一元性与多元性、封闭性与开放性等问题,也可以在时空框架内进行讨论。传统社会一般是地域性的,内向的,倾向于强调和固守自己的特殊性;现代性意味着向外扩张,扩展生存和交往空间;后现代性的取向是走出要么封闭要么开放的怪圈,力图摆脱特殊主义和普遍主义的对立。因

此,他指出,"社会发展的许多重要问题是可以纳入时间和空间这个对话框内加以研究的"。

就中国发展社会学而言,中国社会发展所面临的时空特性与西方国家相比,一个重要的特点就是对话结构的不同。在西方社会的发展进程中,先是传统与现代性的对话,然后是现代性与后现代性的对话,对话结构总是二元的。而当代中国就不同了,"改革开放的中国就面对着传统性、现代性与后现代性的前所未有的大汇集、大冲撞、大综合"。"第一,传统性、现代性和后现代性这三个不同时代的东西集中压缩到了一个时空之中,对话结构由二元变成了三元;第二,在欧美,这三者是一个取代另一个,一个否定另一个,一个排斥另一个。在当代中国,却必须把这三个本来相互冲突的东西形成相互协调、相互包含、择优综合的关系……;第三,这个过程是学习过程,但又不能照抄照搬,而必须进行制度创新、机制创新,走出一条既不脱离世界文明大道、又适合国情的属于自己的道路;第四,这个过程不容许是一个慢慢进化的过程,还必须在一个不太长的时间里解决中国历史性的任务。"他指出,具备这四个规定的时空特性就称之为时空压缩,意思是说,中国当前社会发展的时空条件是有限的,而且难以延伸,是相对紧缩的、被挤压的。这种紧缩和挤压,一是来自内部,一是来自外部。就内部而言,我国的人均资源占有量低,对实现现代化发展是极大的约束。外部的挤压和压缩主要是由世界资本主义体系的全球扩张和中国的后发劣势造成的。在世界资本主义体系的全球扩张过程中,落后国家要么被拉进这一体系受挤压,要么被排斥在这一体系之外受打压,总之,中国社会发展"所处的时空是已经被建构了的,是紧缩和挤压的结构"。

"时空压缩"的概念是针对英国社会学家吉登斯的"时空延伸"的概念而提出的。吉登斯作为一个西方发达国家的社会学家,他所感受到的时空结构是延伸性的。他是站在全球化过程的全球扩张这一极来理解全球化的,因此他只看到了"时空延伸"这一面,它的另一面就是时空压缩,对于广大发展中国家的人们而言,全球化给他们的感受主要是时空压缩。

(二)超越进化

"如果说时空压缩是一种困境,超越进化就是走出困境的出路。"景天魁认为,面对时空压缩的不利处境,采取超越进化的路径,超越西方现代化过程中的固定模式,建立一种超越性的协调关系是可能的。

以社会进化论为基础的西方发展社会学,往往把"发展"等同于"进化",认为社会发展是单一方向性的、有连续性的、自生自发的、阶段性的。西方国家处于进化的最高阶段,发展中国家只有照搬发达国家的模式,重复发达国家的进化阶段,才能实现现代化。这种进化论逻辑忽略了时空特性这一基本前提。在时空延伸的结构中,可以假设资源和环境承受能力的无限性,但在时空压缩的结构下,这种无限性变成了有限性和硬约束。"因而,单线进化假设所实际依据的前提条件不存在了。"相应地,这种进化论逻辑对于发展中国家的社会发展来说也失去了解释力。

"实际上,在发展中国家的经验中,已经有大量的实例证明,在时空压缩的结构中,发展是采取了超越进化的方式。"超越进化的含义为:(1)传统性、现代性和后现代性的统一。就人与自然的关系而言,在发展工业化的同时高度重视环境保护和环境治理;就人与人的关系而言,在市场经济的发展中重视人伦关系的塑造。(2)连续性与非连续性的统一。"在连续性和非连续性的统一中,突出非连续性的特征,是发展中国家的所谓'发展'的应有之义"。(3)普遍性和特殊性的统一。走向世界意味着接受普遍性的东西,但如果放弃了特殊性,普遍化的过程就可能走向反面。走出绝对普遍主义和绝对特殊主义的偏执是发展的必然逻辑。(4)时空压缩与时空延伸的统一。在压缩中求延伸,变压缩为延伸。这种延伸不是西方式的强行扩张,而是自我约束的、互利的、可以协调的延伸。"这既是对时空压缩的超越,也是对时空延伸的超越"。

五、基础整合的社会保障体系①

"基础整合的社会保障体系"这一概念,是景天魁关于社会学研究兼容与贯通思想的具体体现,是其从社会哲学、社会科学方法论和社会学三个层次研究社会发展问题所作探索的一部分。这一部分本是对社会学具体应用层面的探索,但作为社会政策的研究他没有仅仅局限于对纷繁的问题的解决,而是采用了"整合性思维"的策略,兼容与整合现有的社会保障理念,在"时空压缩"的发展社会学背景之下阐释了"基础整合的社会保障体系"概念的含义,在这个概念下探索解决我国现存社会保障的制度问题,其中体现了他一贯坚持的方法论,就是他注重社会学研究中概念体系的划分,从不同层次概念的相互联系和相

---

① "基础整合的社会保障体系"是中国社会科学院社会政策研究中心"中国社会保障体系研究"项目的集体成果。景天魁在他主编的同名专著中,对这一概念的含义作了阐释。

互转换机制中寻找贯通不同层次社会发展研究的方法。

首先,基础整合的社会保障体系概念是针对我国近年来社会保障制度建设中出现的问题提出的。近年来我国社会保障制度改革步伐加快,在养老、医疗、就业、社会救济、社区建设和住房制度等方面相继出台了一系列的政策法规,但是,这些制度基本上是单项推进的,没有形成结构合理、功能互补的完整体系,最终造成社会保障制度建设缺乏整体效应。

其次,基础整合的社会保障体系是在整合现有社会保障理念的基础上提出的。景天魁认为当前的社会保障研究存在着严重的理念缺失,造成社会保障制度研究在最基本的目标和原则问题上难以达成共识,以致出现各类政策和制度相互冲突的现象。他指出现有的两种理念分别是效率主义和平等主义,效率主义认为中国应当建立以家庭储蓄养老保障为主,民营的医疗保障为辅,社区的社会救济保底,廉价高效灵活多样的社会保障系统;平等主义则认为社会保障不能实行"义务—权利"对等的原则,而要实行"平等主义"的原则,范围扩及全民,所有中国公民凡是生活处于困难时都应该得到国家的帮助。统一的社会保障体系应该有统一的标准,实行按需分配而不是按级别、素质等要素分配。

景天魁把基础整合的社会保障体系概括为六个"基础"和六个"整合":其一,以最低生活保障线为基础,整合多元福利。主张把基础养老金与最低生活保障线统一起来。认为在我国总体上达到小康社会的发展阶段,最低生活保障线只能确定在生存线以上,温饱线以下。其二,以卫生保健为基础,整合多层次需求。认为医疗与卫生的花费巨大效果却很有限,因此应该以卫生保健为基础,采取多样化的方式满足人们的医疗需求,不搞统一的医疗保险制度,而让企业和个人根据自己的财力选择大病统筹还是门诊医疗。其三,以服务保障为基础,整合资金、设施、机构、制度等多方面保障。主张合理利用我国文化传统资源,如"伦理"、"人情"等,通过互帮互助、互惠互赠等形式来充实服务保障。其四,以就业为基础,整合多种资源。主张把失业保险金在相当大的程度上转化为就业促进金,一旦失业,就必须参加再就业培训,以发放培训费代替失业保险金。其五,以社区为基础,整合政府作用和社会力量。认为社区的真正意义在于整合政府和市场,社区是整合的基础,而不是社会保障的主体。以社区为基础的社会保障目的在于改造社会,调适人与人的关系,重塑公正的社会结构,增强社会的自我维护能力。其六,以制度创新为基础,整合城乡统筹的社会保障。强调城乡统筹不是城乡统一,而是整体的保障体系,不同的保障水平,灵活的保障方式,多样化的保障模式。

六、中国社会发展理论

在发展研究中长期占据统治地位的西方发展观在中国改革开放的现实面前,日益显现其片面性和局限性,中国改革开放的事业呼唤适合中国社会发展现实的中国社会发展观。因此,考察和批判西方发展观就成为探讨中国社会发展观的第一步。与学界很多以西方理论裁定中国现实,削足适履的做法相反,景天魁以中国现实去反思西方发展观,认为改革开放的实际对西方社会发展观的"唯工业主义"、"片面增长主义"、"消费主义"、"进化主义"提出了挑战。这些片面的西方社会发展观的根本特征是两极对立,其根源就是西方式的"二分法"。与西方社会发展观以"两极对立"为特征相反,他认为中国传统的社会发展观是以整体和谐为特征的。考察中国社会思想史,"关于发展的观念是与变易观、整体观、协调观密不可分的,并且正是它们构成了中国传统社会发展观的特点"。整体论讲的是社会发展的本体;协调论讲的是社会发展的状态;变易论讲的是社会发展的本质。在整体论上,中国"天人合一"的思想构成了中国式的整体论的内核、特色和基础。在"天人合一"的基础上,建立了人伦型社会,形成了以人伦网络为依托的整体发展观,调适人伦网络的价值原则就是"仁"。在这个意义上,人的发展是在整体中实现的,是一种整体现象。因此,社会的整体发展就不是社会的每一个分子单独发展的"集合",而是一种整体状态的改善和优化,整体内部的协和,以及与环境的统一。这种整体发展观主要是协调论。协调需要有制度保障,礼乐是协调人伦关系的基本制度,"惠民"则是调节人们之间利益关系的基本措施。"惠民"就是不与民争利,给人民应得的利益,并以此原则处理民、国、君三者的关系。中国古代的变易论则体现了中国传统思想对发展过程的理解。讲"变"不是一味地"变",而是有变、有常,常与变相统一。"因"与"革"也是统一的,"因"是继承,"革"是创新。中国传统的社会发展观崇尚整体与和谐,但并"不是不讲矛盾,不讲对立,而是在统一中把握对立,不走极端,允执其中。讲和谐,讲协调,也都是相对的,动态的"。

中国传统的整体协调的发展观到底为我们今天克服和超越片面发展观提供了哪些启示和理论支持呢?一方面,"整体协调,首先是强调协调发展,其次是区别于局部协调,着重于强调人与自然、人与社会、社会与经济、经济与科技、科技与教育、物质文明与精神文明的全面的、系统性的协调发展"。而要实现这种整体协调发展,关键要处理好两个方面的关系:一是经济与社会之间的协调发展,一是经济与环境之间的协调发展。处理好这两个方面的关系,就为解决其他方面的协调发展提供了基础条件。另一方面,讲整体协调并非不讲斗争,发展也是对立面的斗争。发展也是一种矛盾形式,只不过这种矛盾形式有它的特点:1.相容性与非相容性的统一。在社会发展过程中遇到的矛盾,其矛盾双方往往既是不相容的,又是相容的。例如公平和效率,一味追求公平就取消了效率,一味追求效率就取消了公平,这是社会发展中的矛盾双方的非相容性;但是,效率是公平的基础,公平也是效率的条件,这是矛盾双方的相容性。在实际工作中割裂矛盾的相容性与非相容性的统一就会犯错误。2.形式性与实质性的统一。在思想和工作中,不区分实质性矛盾和形式性矛盾,或者把其中一种矛盾归结为另一种矛盾,是导致错误的根源。3.循环性和非循环性的统一。社会发展中的矛盾,其矛盾双方常常表现出相互缠绕、互为前提的循环性;从另一角度看,发展又表现为对循环的突破,单纯的循环就无所谓发展。循环和非循环的统一就是社会发展的螺旋式上升过程。

中国传统整体协调的社会发展观的确可以为我们认识和避免西方那种片面的发展观提供有益的启发。"不仅中国的国情要求我们走整体协调之路,中国的思想传统也要求选择整体协调;不仅中国和其他发展中国家的切身经验证明了只有坚持整体协调才能保持持续发展,而且从理论上看,发展作为一个矛盾形式,它的本质要求也是整体协调。这样,走向整体协调,就不是外在条件限制下的被动选择,而是一种内在的、主动的选择。"

兼容与贯通是景天魁最近二十多年学术研究的不懈追求。

从他走过的社会发展研究的历程中我们可以清晰地看到这种追求的轨迹。如果说社会学的兼容和贯通是从方法论的角度提出的,而作为一个研究者对其他学科的兼容就不仅在方法上,而且还要在内容上。从景天魁这些年的著作中我们可以看到他在哲学、社会学领域的探索中大量吸收其他学科的内容,借鉴了其他学科的方法,例如,在《社会认识的结构和悖论》一书中涉及的学科就有数学、系统论、控制论、协同学、文学、艺术、语言学、物理学、美学、逻辑学等。正是在这样的兼容与贯通中,他才能运用整合性思维,提出社会认识系统的分类。

景天魁希望在社会认识方法论的整合下实现社会哲学、社会学和社会学应用(社会政策)各层次的贯通,这一理想直接反映在他这些年所从事的不同研究上,从社会哲学层面上和本体论意义上研究社会发展的一般过程,到从社会科学方法论的层次上探索社会发展的认知结构,再到社会学层次上的理论探索和应用研究,产生了"超越进化"的理论预设、"时空压缩"的发展社会学和"基础整合的社会保障体系"的理论。在这些研究中所提出的概念从抽象到具体,从宏观到微观;研究的方法从逻辑推理到经验实证,从定性到定量。他正朝着他认为"极具活力和挑战性的理想目标和更高境界"不断努力着。

(原载《社会科学战线》2003 年第 6 期)

理论创新与社会关怀

——李强教授的社会学人生

叶 鹏 飞

"为天地立心，为生民立命，为往圣继绝学，为万世开太平"——宋儒张载的这句话道出了许多中国知识分子的人生追求。李强先生在积极探索中国社会发展规律的历程中，毫无保留地体现出这种"民之所好好之，民之所恶恶之"的社会关怀。

作为李强老师的学生，从本科时代算起，我已经很荣幸的跟随他学习了6年，而相识则有10年之久。光阴荏苒，与李强先生相处的日子总是令人难忘，一起冒酷暑于南国，趟泥泞于中原，穿梭于田间地头、工厂车间……在一次次的调查和讨论中，深深地感受到在他温和雍容的形象背后，始终坚持以一个学者的责任和情怀致力于研究解决中国社会的现实问题，不断寻求社会学的理论创新，追求社会公平与正义。

李强先生不仅是一位严谨的学者，同时是一名积极的社会活动家，他始终希望通过自己的研究和探索为我国经济社会管理提供有益的参考。李强先生有很多的荣誉和兼职，他1995年曾获国务院政府特殊津贴，1998年被评为国家教育部第一批"跨世纪优秀人才"，担任中国社会学会副会长、教育部社会科学委员会委员、国家民政部政策咨询专家组顾问、北京市政府专家顾问团委员等等,这些荣誉和兼职所承载的,不只是它们对于个人的影响,更是李强先生关注社会进步的道义和责任。

一、走上社会学的探索道路

李强先生走上社会学的研究道路,或许是一种偶然,但无疑与他所处的历史时代密不可分。个人的命运无时无刻不与国家的命运息息相关。李强先生对于中国社会现实的关注,对于处在社会底层的弱势群体的同情,起始于他青年时代所经历和感受的坎坷历程。用他自己的话说,就是"九年的兵团生活,几乎相当于九年的'参与式社会观察'"。

李强先生 1950 年出生于北京的知识分子家庭,父亲解放前曾执教于北京大学,解放后在冶金工业部,是我国采矿和有色金属方面的专家。1968 年李强先生从北京四中毕业时,正逢上山下乡的年代,年仅 18 岁的他同众多同学一道,远赴黑龙江宝清县参加生产建设兵团的劳动。李强先生种地、烧砖、伐木、盖房,干过很多农活,还当过瓦工班长。今天的李强先生不沾烟也不嗜酒,但在那段艰苦的岁月里,李强先生却不能不通过抽烟来对付一种叫"小咬"的蚊虫,通过喝酒在隆冬时节抵御寒冷。值得一提的是,"文化大革命"期间很多人烧书扔书的时候,一位叫陆国起的当地人却以收藏书籍为喜好,以至他的家成了一个小图书馆,为李强先生这些知识青年提供了极为难得的阅读空间。

在农村的 9 年,李强先生实际上也成为一名普通的农民。他与当地的老乡生活在一起,工作在一起,了解他们心中的真实想法和需求,并和他们建立了深厚的感情。他认识到老百姓对生活的基本需求很现实,就是希望提高生活水平,而国家"左"的政策不符合老百姓的心愿和需要。从当地老乡的身上,李强先生学到的不只是烧砖、盖房之类的生活技能,更重要的是中国农民所特有的朴实坚忍的品质,以及如何在困境中面对生活的挑战。这段生活对李强先生后来的社会学研究影响很大,促发了他对现实问题和底层群体的关注。正如后来李强先生在一次席间和我们谈道:"现在下岗失业人员很多都是经历'文革'的一代,他们曾经失去很多机会,现在又处于非常不利的地位,作为同时代的人,我们更感到有责任去维护他们的利益。"

　　1978 年李强先生考入中国人民大学国际政治系,1982 年和 1985 年分别获得法学学士和硕士学位。学习期间,李强先生学习了苗力田、吴大琨、吴易风、高放等一批学术前辈的课程,在政治、哲学和社会思想方面受到了良好的理论熏陶。本科毕业后,师从人民大学国政系导师李良多教授,在探讨国际政治的同时,李强先生也深深地意识到,我们需要更多面对的是中国本身的问题。从此李强先生与社会学结下了不解之缘,他的目光开始聚焦于中国现实问题的研究。三年研究生的生涯,李强先生数不清多少次往返于居所与北京图书馆之间,阅读了大量的社会学中外文书籍。读书使李强先生收获颇丰,得以比较全面地掌握社会科学的基本理论,并且在社会研究的实证方法上取得很大进步。研究生毕业后,李强先生留校任教,在人民大学社会学研究所讲授社会学理论与方法的课程。

　　1990—1991 年李强先生获中英友好奖学金,在英国布里斯特尔大学进修社会学,1992 年在美国密执安大学进修社会调查研究方法。通过在英美的进修学习,李强先生更为明显地感到我国社会科学研究的方法与西方国家还存在较大的差距,这也影响到后来他在自己所做的所有社会学研究中,始终遵循科学的实证传统。

二、从贫困研究到社会分层

20 世纪 80 年代的中国,贫困问题变得十分现实,贫富差别也逐渐显现出来。李强先生通过对社会的细致观察,意识到社会贫富问题的重要性,于是着手从各个方面进行探索。在李强先生看来,贫富是人类社会最关注的问题之一,许多社会问题都是由于贫富差距引起的。社会要发展,第一个要解决的就是怎样让社会上的多数人能够脱贫致富。

1987 年李强先生写作了《贫困文化研究》的论文,从文化角度解释贫困的发生和延续,指出贫困一旦形成为一种文化,就成为一种痼疾,解决起来难度很大。丰富的生活是一种文化,贫困也是一种文化,贫困文化一旦形成,就会代代相传。该研究指出了解决我国贫困问题任务的长期持久的特点。解决文化贫困的根本途径,在于大力发展教育。我国的改革开放,为教育事业的大发展提供了契机,教育对于一个国家来说,是促进国民富裕的最深厚的基础。当年的李强先生还不到 40 岁,但他的文章由于对现实问题的关注和思路的新颖受到了有关领导同志的赞扬,获得在人民大会堂举办的纪念党的十一届三中全会论文奖,这是改革开放以后社会科学方面的首次国家级奖励。

1989 年李强先生出版了《中国大陆的贫富差别》,较早地对大陆的贫富差别问题进行了剖析。在后来的研究中,李强先生就贫富差距问题提出了"群体外差距过大,群体间差距过小"的观点。认为各地区之间、行业之间、企业之间或单位之间这种较大的群体间差距，以及同一行业、企业或单位内部的微小差距，是极不合理的社会现象，是导致社会分配不公的主要因素。

从研究贫富差距问题开始，李强先生进入了他的权威研究领域——中国社会分层的研究。他总结 50 年来中国社会分层结构的变迁，对社会学的财富、权力、声望三元分层理论进行了扬弃，提出了认识中国社会特有分层现象的核心概念"政治分层"和"经济分层"。政治分层是指根据人们的家庭出身、政治身份、政治立场和政治观点，将人们分成高低不同的社会群体，这是改革开放以前中国社会的特殊分层现象。改革开放引发了一场深刻的社会变革，李强先生将其归纳为两个方面，一是群体分层结构的分化重组，二是社会制度的变迁。从理论上进行概括，就表现为政治分层标准的弱化和经济分层标准的兴起。改革开放后的中国社会，社会分层主要是依据经济标准进行的，同时也不排除其他分层标准的存在。很多学者关心改革开放后中国社会的分层差距是扩大还是缩小的问题，但李强先生认为，由于政治分层与经济分层的性质截然不同，比较两者不平等程度的高低实际上是做不到的。改革前的中国社会，经济上的平均主义对于政治上的高度不平等起到了一种"纠偏"或平衡的作用。而今天的中国社会，尽管经济的不平等有了极大的上升，但由于政治歧视的废除、政治平等主义的实施，也同样对经济上的不平等起到了"纠偏"或平衡的作用。

李强先生考察当前中国社会群体的利益分化，并根据改革以来人们利益获得、受损的状况，突破传统社会群体"工人、农民、知识分子、干部"的分析范式，提出了"四个利益群体"的划分：特殊获益者群体、普通获益者群体、利益相对受损群体和社会底层群体。在社会群体急剧变化的情况下，这种划分不失为观察今天社会的一个最佳视角。比如作为一个大群体的农民，其内部分化也是十分明显的，有百万富翁，也有食不果腹者，如果不作出新的界定，就无法反映这种巨大的差别。并且，利益群体的划分，使其内部构成可以随着利益的变化随时进行调整，从而不至于陷入内容与外延相剥离的状况。

李强先生在研究中国社会分层的过程中，缓解社会矛盾是他持有的一个基本理念。由此李强先生对社会的中间阶层给予了高度重视，认为尽快使我国从经济分化时期转入中间阶层兴起的时期，是中国走出从身份分层转入经济分层演变时需要稳定又易激化矛盾这一困境的基本途径。逐渐在中国兴起的中间阶层必将占据社会主体，这是现代社会走向稳定的重要结构原因。中间阶层在社会矛盾中起着缓冲的作用，当它成为社会主体时，就会阻止上下层的直接冲突和矛盾，还会以温和、渐进的意识形态占据主导地位，使极端思想没有市场；同时，中间阶层将会以社会大多数的身份引导社会消费，保证庞大稳定的消费市场。但中国社会在今后的一段时间内，还不可能形成力量雄厚的中间阶层。中间阶层的长期短缺，使得"社会紧张"在一段时期内还难以消除，为此需要积极培育形成社会中间阶层的社会条件。

三、对社会底层群体的深切关注

可以说，对于底层群体的关注是李强先生走上社会学探索道路的一个重要原因。这一原因同时也预示着李强先生在他的学术道路上，必然倾注心血于对社会底层的关怀和研究。从20世纪90年代初期开始，李强先生在十多年的时间里未曾间断对城市农民工、城市流动人口的研究，提出了一系列理论观点。2004年李强先生出版了研究农民工问题的专著——《农民工与中国社会分层》，对过去十多年的研究成果和心得进行了总结。

李强先生指出，中国城市农民工是城市中一个非常特殊的社会群体，他们处在城市边缘，是城市的"边缘人"，在生活方式上构成城市的一个特殊亚文化群体。造成农民工特殊社会地位的首要制度原因是户籍制度，户籍制度曾经有效地维持了建国后的资源分配秩序，但它阻止了农民进城，阻止了生产要素向高效益地区自由合理的流动，等于剥夺了农村中最具活力的农民的发展权，成为束缚农民生存发展的一种身份制度。因此，作为束缚农民发展的身份制度的核心——户籍制度应予逐步废除，彻底打破其"社会屏蔽"的功能。

李强先生认为，数以亿计流入中国城市的农民工，他们主要的就业形式是非正规就业。这种非正规就业具有正向社会功能，为中国庞大的失业、流动人口和过剩农村劳动力留下了巨大的生存空间。因此，要改变目前对于非正规就业的管理对策，改变一些地方打击非正规就业的做法，采取扶持帮助的政策，以此来协调社会各个阶层利益，维护社会公平。李强先生发现，农民工是职业流动最为频繁的群体，但他们并不能像城里人一样可以通过档案制度获得职业地位的积累。多数城市农民工处于无保障状态，时常受到失业、疾病的困扰。为此李强先生提出了建立三条保障线的对策建议。李强先生还从剥夺理论的角度对农民工的权利进行了分析，指出现阶段绝对剥夺还属普遍现象，提出了多阶剥夺的观点，认为绝对剥夺降低以后，相对剥夺问题还会再提出来。在最近几年的研究中，李强先生发现城市中的外来人口可以分为两个不同的群体："外来市民"与"外来农民"，指出他们的构成和需求有较大的差别,应采取区别对待的管理政策。

"精英循环"理论是李强先生研究农民工和社会底层群体的一个重要视角,由此提出他的底层精英的观点。2001 年李强先生发表了《给"底层精英"以上升渠道》的论文,提倡开辟流动渠道,使农民工中的高素质者拥有上升到上层群体的机会和条件。他认为城市农民工是农村中典型的精英群体,与未流出的农民相比,他们具有年龄、教育等多方面的优势。但这样一个精英群体在城市中却是长期居于社会的底层,他们的就业局限于收入低、环境差、待遇差且极不稳定的"次属劳动力市场"。他借鉴皮奥里(Michael J. Piore)的解释,指出这种劳动力市场的区分,并不是纯粹技术性的,而是由特定的社会体制作出的控制,其结果又固化了农民工的行为特征及其生活模式。次属劳动力市场的价格是低廉的,就业是不规范的,农民工的职业很大方面是通过初级的熟人关系进行的,这使得农民工被排斥在主流的社会关系网络之外,脱离了正规的管理体制。其中,非正规职业者占有很大比例,他们带有一种比较普遍的"社会不满"情绪。李强先生赞同帕金(Frank Parkin)的社会排他(Social Exclusion)理论,认为"集体排他"的结果是产生一个利益一致的"共同集团","个体排他"产生的是分散的身份群体;现代社会的基本趋势是从"集体排他"转向"个体排他",从而消散整体利益一致的对抗,实现现代社会的稳定。从帕金的分析模型出发,李强先生指出了我国目前对于城市农民工采取的是"集体排他"的政策,农民工的职业、行业被一些部门进行了严格的限定,结果便是形成了一个单一的蓝领职业的城市农民工集团,激化了底层精英与主体社会的矛盾。因此,取消对于城市农民工的种种限制,赋予他们以自由竞争的就业渠道,可以缓解社会矛盾,保证社会的稳定和发展。

四、探析中国的社会结构

李强先生近两年关于中国社会结构的分析思路,是他多年研究社会分层和流动的成果总结和理论升华。他先后提出两个核心概念——"三元社会结构"和"丁字型社会结构",为把握中国社会的宏观结构提供了新的理论视角。

基于对城市农民工在社会结构中特殊地位的分析,李强先生认为流入城市的农民工实际上突破了传统的城乡二元结构的束缚,开创了三元社会结构的模式。三元社会结构是指在城市与农村之间出现了一个巨大的流动于城乡之间的社会群体——农民工群体。中国的二元社会是计划经济的产物,而三元社会则是由计划经济向市场经济过渡的产物,它更确切地反映了目前中国的实际情况。第三元群体的本质在于它与农村居民相比占有一定的城市资源,而与城市居民相比又只是占有十分有限的城市资源,是一个被排斥在正式的城市居民之外的非正式城市群体。这个新产生的群体不是一个统一的阶级,而只是一个新的身份群体。李强先生指出,三元社会结构也可以称为"双重二元结构",即是指中国的城市人口和农村人口目前都是由两种群体组成的。无论是哪种说法,都是典型的中国特色。

李强先生对三元社会结构的未来进行了分析,提出了三元社会结构会是中国的一个长期现象,它的决定因素来源于三个方面:一是中国城市化的潜力、方式和进程,二是户籍制度的变革,三是中国产业革命、产业变迁的道路和方式。李强先生的论断将会在实践中得到检验,然后这一提法对于我国政府的决策来说,无疑具有重要的参考价值。正如李强先生在同中央领导同志的一次谈话中所提到的:"改革二十五年来,中国社会最大的变化,莫过于社会结构的变化,而巨大的流动人口和城市农民工是中国社会结构变化的核心内容,社会和谐应以这一部分利益调整作为一项重要的不可或缺的支柱才能最终完成。"

"丁字型"社会结构是李强先生对于中国社会结构作出的一个崭新论断。李强先生在今年新发表的论文《"丁字型"社会结构与"结构紧张"》中,采用国际社会经济地位指数(ISEI)的方法分析了全国第五次人口普查数据,发现中国社会结构发生了重大的改变,既不是传统所说的"金字塔型",也不是西方社会中产阶级占主体的"橄榄型",而呈现为一个倒过来的"丁字型"社会结构。大量的(约占全部就业人口的63%)处在很低社会经济地位上的群体,其内部的分值惊人的一致,在形状上类似于倒过来的汉字"丁"字的一横,而"丁"字的一竖代表一个很长的直柱型群体,该直柱型群体是由一系列处在不同社会经济地位上的阶层构成。李强先生指出,这种社会结构反映了一个严酷的社会现实,即社会下层的比例过大。"三农问题"、"区域发展不平衡问题"等,都是这种丁字型社会结构的反映。与金字塔型结构相比,丁字型所表现的阶层之间的界限更为突出,是直角式的,下层与其他阶层之间几乎完全没有缓冲或过渡,是非此即彼的二分式结构。李强先生提出造成这种丁字型社会结构的直接原因是户籍制度,这种结构的社会后果是导致社会群体之间甚至整个社会处于一种"结构紧张"的状态。要想从紧张型社会进入宽松型社会,最根本的还是要完成社会结构的转型,其核心是实现群体结构的转变。在这里,李强先生的理论落脚点又回到他关于社会分层理论的基本思想,希望通过扩大社会的中间阶层来解决中国社会问题,促进社会稳定和发展。

五、开拓城市社会学的新领域

1999 年李强先生调任清华大学社会学系主任,致力于加强学科建设,在学科发展中实现"文理结合",尤其强调发展城市社会学、医学社会学这两个新的研究领域。通过李强先生的努力,清华社会学系与清华建筑学院成功地实现了合作,交叉培养部分研究城市社会学的博士生。

李强先生认为,城市的建设绝不仅仅是一个简单的建筑问题。只有把社会生活中的"人"的因素考虑进来,才能形成城市。以为城市建设只是盖楼,以为"城市建筑"只是一个把"人"抽出去的"建筑设计",恰恰丢掉了建筑的精髓。近两年,李强先生带领学生在北京什刹海地区的改造项目、广西南宁市城市规划项目中,成功地实现了社会学的介入,走出了社会学承担社会规划职能的第一步。

李强先生目前对于城市社会学研究的探索,也是他关于农民工问题研究成果的提炼和延伸,集中体现在他对于中国城市化问题的分析上。李强先生指出中国城市化的主要困境在于长期积蓄的矛盾使今日城市化的步伐举步维艰;地区之间差异极大,发达地区与落后地区的城市化处于完全不同的阶段,以及巨大的人口压力。李强先生分析了中国城市化的五种模式,即小城镇模式、中等城市模式、大城市模式、城市群模式和乡村生活城市化的模式,在此基础上提出这些发展模式是否可以作为选择,关键不在于模式本身,而在于所处的环境和条件。中国城市化的发展道路显然不应固守在某一种模式上,而应该兼收并蓄,根据不同情况采用多种模式。特别是李强先生所提出的"乡村生活的城市化",对于面临巨大农业人口压力的中国来说,无疑具有更重要的现实指导意义。

2004 年李强先生发表《中国城市布局与人口高密度社会》的论文,提出了大量流动人口进入城市以后带来的人口高密度社会问题。李强先生在分析全国第五次人口普查数据的基础上,提出人口高度密集的东南沿海城市带的形成是难以避免的。"东南沿海线"是与传统"爱辉——腾冲线"大体平行的划分东南沿海省份与其他地区的线条,该线东南是我国农村人口的主要流入地,预计是未来中国人口最为集中的聚集区,也是未来中国城市化发展最为迅速的地区。李强先生还指出了人口高度密集的居住方式所带来的社会高风险,并从密集人口自身生活方式的角度,分析了如何防范这种高风险。

李强先生曲折丰富、充满追求的学术人生,远非我这一篇文章所能尽述。相信每一个与李强先生接触的人,都会从他的学术观点中得到启迪,因他的师者风范而深受感染。

(原载《社会科学战线》2005 年第 6 期)

政治学领域的拓荒者

——记我国著名政治学家、法学家王惠岩教授

王书君　张贤明

1979 年 3 月，邓小平同志在党的理论工作务虚会上指出："政治学、法学、社会学以及世界政治的研究，我们过去多年忽视了，现在也需要赶快补课。"①根据这一指示精神，国家准备成立中国政治学会筹委会。但当时中国政治学界人才奇缺，偌大的一个中国，仅仅找到了 23 名对政治学有一定研究的人。正是这 23 个人挑起了中国政治学发展的重担。在这 23 个人当中，大多数是两鬓斑白的老先生，当他们聚在一起畅谈中国政治学的发展前景时，自然把目光都落在了他们当中最年轻的学者——来自长春的王惠岩身上。老先生们对他说："你的担子比我们更重啊！"王惠岩教授知道这话的分量，也明白摆在自己面前的一定是一条等待开拓并充满艰辛的路。王惠岩教授没有辜负众望。回到长春后，他以拓荒者的胆量、智慧和勇气，辛苦努力，终于开创了一片新天地。

从 1979 年到现在，十几年过去了，筹委会的老先生们都相

---

① 《邓小平文选》第二卷，人民出版社 1994 年版，第 180—181 页。

继退出了教学与科研第一线,只有王惠岩教授还活跃在中国政治学理论研究的战线上。这棵学术界的常青树,在贫瘠的土壤中萌生,经历了风雨的洗礼,最终在改革开放的年代里开花结果,为中国政治学的发展作出了突出的贡献。

一、沧桑历尽　意笃志坚

王惠岩教授 1928 年 3 月 4 日出生在辽宁省法库县一个回族家庭,自幼家境贫寒,父母目不识丁,全家靠父亲做一点小生意来维持生计。父亲虽不识字,但决心要让自己的孩子成为一个有知识的人,所以父亲不顾家庭贫穷,把王惠岩送进了小学读书。天资聪颖的他,顺利完成小学学业,以优异成绩考入中学。这时候,家里人口又增加了,排行老大的他,下面还有一个弟弟、四个妹妹,家里生活更加困难。王惠岩教授一边要读书、一边要帮助父母干活挣钱,养家糊口。生活的艰辛磨炼了他的意志,坚定了他求学的信念。中学毕业时,他先后报考了几所大学,都接到了录取通知书,最后,他选择了东北行政学院(后改名为东北人民大学,即吉林大学的前身)。那年是 1948 年,他刚刚 20 岁。

东北行政学院是中国共产党创办的第一所大学,专门为党培养干部。学校初创,学习条件很艰苦。没有桌椅,就用木板凑合;没有钢笔,就在一个木棍上绑上笔头制成蘸水笔。那时生活实行供给制,一周仅改善一次伙食。但是在知识的殿堂里,物质上的匮乏算不得什么,久经生活磨难的王惠岩教授丝毫不觉得苦,他像一个如获至宝的孩子扎进了知识的海洋,如饥似渴地汲取着知识养分。1951 年,他以优异成绩毕业于东北人民大学研究生班,当时学校要选拔一批优秀的学员留校任教,他自然成为最佳人选。留校后,他最初在马列主义教研室任教员,1952 年到法律系法学理论教研室。无论在哪个岗位上,他都以满腔热情投身其中,他常说,要给学生一滴水,自己必须先有一桶水。他非常喜欢《礼记·学记》中的一句话:"学,然后知不足,教,然后知困。……故曰教学相长也。"在教学中,他正是坚持这样做的。他讲的课深受学生欢迎。由于工作态度严肃认真,教学效果良好,1952 年,刚毕业不久的他就被评为讲师,是当时学校最年轻的讲师之一。后来,他又被选为学校校务委员,是当时校务委员中最年轻的。

天有不测风云。也许是应了孟子的那句话:"天将降大任于斯人也,必先苦其心志,劳其筋骨。"事业上刚刚起步的他,如同正欲高翔的雄鹰,忽然被疾风骤雨吹落云头。1957 年的反右运动中,他被错划为右派,旋即下放到农场劳动改造。坎坷的命运没有使他意志消沉,他坚定自己的信念,相信党总有一天会洗清自己蒙受的不白之冤。那期间,他在繁重的体力劳动之余,仍坚持学习、研究和思考问题。五七干校解散以后,王惠岩教授被调回他日夜怀念的吉林大学,当了一名普通的图书馆管理员,对于这一工作机会,他十分珍惜。王惠岩教授回忆起当年在图书馆工作的情景时说:"那个时候,学校在校生比较少,到图书馆借书的人也不多,所以工作也较轻松。但是,对我来讲,耽误的时间太多了,需要补充的知识太多了,面对万卷图书,深感自己知识的贫乏。于是,自己就充分利用时间尽可能多看点书。在图书馆一待就是一整天,中午也不回家吃饭,在食堂对付一口就回到图书馆看书。现在回想起来,那一段时光真是没有虚度,正是那段时间使我从书籍中吸取了大量养分。"王惠岩教授在图书馆几年间,利用工作余暇,反复研读了《马克思恩格斯全集》、

《列宁全集》、《斯大林选集》、《毛泽东选集》，并做了数十本厚厚的读书笔记，为他后来的教学科研工作打下了坚实的理论基础。

"四人帮"被粉碎以后，王惠岩教授得以平反。他感到，十年浩劫，使法学、政治学学科遭到严重摧残，亟待恢复和发展。他更感到，自己已经许久没有站在讲台上履行一个教师的职责了。他急切地想回到属于自己的三尺讲台，更想立即着手从事法学、政治学的科学研究。王惠岩教授先是从图书馆回到了原来工作的单位吉林大学法律系法学理论教研室，1980 年 11 月，受学校委托负责组建吉林大学政治学研究室，他任研究室主任。对王惠岩教授来说，宽松的政治环境，良好的学术氛围，为他大展宏图提供了条件。但他深知，脚下的路还长，唯有努力探索，才能有所建树。"路漫漫其修远兮，吾将上下而求索！"他时常以此自勉。

二、教学相长　桃李满园

王惠岩教授的治学之路充满着艰辛。在他刚刚涉足法学和政治学领域时，面前可供参考的东西较少，他是凭着顽强的毅力通过艰苦的自学摸索出来的。他要通过自学去掌握自己并不熟悉而又要教好的课程，他要做的都是一些创造性的工作，其难度可想而知，常常是教完一次课，还不知道下次课怎么讲。王惠岩不知流过多少汗水，不知熬过了多少日日夜夜。书看了一本又一本，讲稿写了一遍又一遍。家里人都十分理解和支持他，他们知道，正是这种孜孜以求的拓荒精神，推动着中国学术研究的发展。

从留校任教至今，他先后讲授过《马列主义基础理论》、《马克思主义经典著作》、《国家与法的理论》、《宪法》、《法学概论》、《中国政治与法律制度史》、《政治学原理》、《法学基础理论》、《行政管理学基本问题》、《马克思主义认识论与科学决策》等。从这份课程目录可以看出，许多课程并不是他以前所学的专业，有的甚至在国内具有开创性，没有现成的经验和资料可供借鉴。但是，他通过讲课、刻苦自学，都较好地完成了教学任务，从而不断拓宽和推进自己的教学科研领域。王惠岩教授治学严谨，他每次讲课前，都认认真真地备课，反复思考、推敲，即使是讲过了几十遍的课程，他仍坚持讲一次写一次教案。他说："每次备课、写教案都有新的体会，同时也可以及时吸收新成果、新知识。教师应讲师德，不能敷衍学生。"王惠岩教授讲课很受学生欢迎，他在学校开设《政治学原理》选修课时，教室总是挤得满满的，学生们对王惠岩教授讲课的评价是逻辑性强、层层深入、语言简练、思想深刻。正因他教学工作质量好、成效突出，曾荣获吉林大学教学质量特等奖，多次获教学优秀奖，连年被评为优秀教师。1985年被评为吉林省高校优秀教师，1993年获全国普通高等学校优秀教学成果奖。

王惠岩教授最早在全国招收政治学专业硕士研究生，他是全国首批政治学理论专业博士生导师之一。他十分重视人才的培养。他对社会科学领域的跨世纪人才有自己独特的理解，他认为，社会科学领域跨世纪人才不能单纯按年龄和知识结构去衡量，更应该重视意识形态领域的"接班"。因此，他在治学态度、思想品质，尤其是马克思主义理论基础素质和修养方面，对弟子要求十分严格。他要求弟子必须具有扎实的马克思主义理论基础，必须在思想上成为真正的、坚定的马克思主义者。他有一套自己的培养研究生的方法，他在要求弟子练好基本功的同时,鼓励他们勇于开拓创新。他认为,研究生的学位论文是综合表现研究生的理论基础和科研能力的标志。在通常情况下,研究生的论文题目应当选择导师熟悉的领域,便于指导。但政治学专业在我国是间断了 30 年后新恢复的专业,有许多新领域、新的分支学科在我国还处于初始或空白阶段,导师并不熟悉。在这种情况下,他鼓励学生在选择论文题目时,选择新课题,探索新领域。他认为,对研究生经过两年的严格培养,已具有了较好的理论基础和科研能力,而且年轻人思路敏锐、精力充沛,有创新精神,可以大胆让他们到新领域中去探索。而导师虽然对新领域不熟悉,但在基本观念和科研方法上可以加以指导。在研究生根据题目搜集大量资料后,导师可以指导他们如何整理、分析;在研究生初步研究的基础上,导师可以指导他们写论文大纲,与他们一起讨论。如《智囊系统在美国政府决策中的作用》、《现代行政决策过程探析》、《论伊斯顿政治系统理论中的系统方法》、《西方"政治社会化"剖析》、《西方大战略学探析》、《政治传播学探讨》等论文题目,有的他熟悉一些,有的一点也不熟悉,但在他的指导下,文章质量都比较高。他指导的博士论文《论公共权力的合法性》、《论民主的自由内涵及其哲学基础》,得到政治学界的好评,被认为在中国政治学研究中具有开创性。他认为对研究生论文的指导不仅仅是个科研方法的问题,更重要的是基本观念的指导。在这方面,他始终以马克思主义的立场、观点来指导和要求学生,他认为这是指导研究生撰写论文时最根本的要求。在他的精心雕琢下,他培养的硕士、博士大都已成为国家各级机关、大专院校及社会团体的领导和业务骨干。每当他谈起自己的弟子们时,都感到无比的自豪和欣慰。

王惠岩教授以其深邃的思想,辅之以严谨的治学态度,使得他科研之树硕果累累。他的主要代表著作有:《政治学原理》(获"光明杯"奖、国家优秀教材奖)、《领导科学》(获吉林省优秀著作一等奖)、《行政管理学》、《中国政治制度史》、《城市规划与设计原理》、全国第一部《法学辞典》(常务编辑与撰稿人)等十余部,并参与编撰《中国大百科全书·法学卷》(法学理论撰稿人)、《中国大百科全书·政治学卷》(编辑委员会委员、政治学理论分支副主编)。发表的重要论文有:《吉林省民族乡调查报告》、《论政治统治体系》、《论列宁主义国家学说的基本点》、《关于政治体制改革的若干思考》、《邓小平同志关于社会主义民主与法制理论》、《社会主义民主与人民代表大会制度》、《中国的政治发展》、《论当代中国政治学的发展》等数十篇。

由于王惠岩教授教学与科研工作成绩斐然,从 1991 年起享受国务院突出贡献专家津贴。

王惠岩教授在从事繁重的教学和科研工作的同时,还承担了大量的社会工作。在吉林大学,他从助教起直至成为教授,担任过教研组组长、教研室主任、校委会委员、政治学系主任等职务,现在是行政学院政治学教授、博士生导师,担任中国政治学会副会长、国务院学位委员会法学学科评议组成员、全国哲学社会科学基金政治学学科评审组副组长、中国行政管理学会理事、吉林省行政管理学会副会长、吉林大学社会科学学术委员会副主任、学位委员会委员、校务委员会委员、政治学分学位委员会主席、行政学院学术委员会主席等职务。

三、艰苦创业　勇于探索

1996 年金秋,吉林大学迎来了学校的 50 华诞,行政学院也举行了建院 3 周年庆典。庆典会上,近千名师生欢聚一堂,回忆过去,展望未来。人们不会忘记,从 1983 年创办政治学系、1993 年创办行政学院至今,从零起步,现已为国家培养了数千名的专科生、本科生、硕士、博士,拥有一个博士点、四个硕士点,一流的师资队伍、一流的教学设施,吉林大学行政学院经过 13 年的艰苦创业,在全国高校同类院系中最具实力和影响。这一切无不凝聚着王惠岩教授这位建系元勋的心血。

建国初期,我国一些高等学校曾设有政治学系,1952 年院系调整时均被取消。直到党的十一届三中全会以后,停滞了近三十年的政治学研究开始恢复。1980 年根据中央恢复政治学专业的指示,吉林大学开始筹建政治学专业,1981 年设立政治学研究室,王惠岩教授任研究室主任,全面负责筹建工作,并招收了建国以来经国家批准招收的第一批政治学硕士研究生。1983 年初,经原教育部批准建立了政治学专业.并设立了政治学系,他任系主任。这是全国第一个政治学系。作为系主任,他深知自己肩负的责任重大。如何办系,怎样制订教学计划,确立什么样的培养目标,选定什么教材等一系列问题都需要思考、探索并具体实施。那时候,在他麾下只配了一位秘书,许多事情都要靠他一人去策划、办理。没有师资,他求贤若渴,亲自到一些教师家做工作,恳请他们到政治学系任教。没有图书、没有教室、没有教学设备,他就恳切地求助于学校各有关部门尽力解决,为招收第一届政治学专业本科生做准备。为搭起政治学系这个架子,他呕心沥血。为了确定政治学系的培养目标,制订教学计划和课程设置,他组织教师反复磋商,探索出了一条办学的新路。首先确定了政治学系的培养目标是培养具有系统、广博的马克思主义政治学专业知识的国家政权管理干部(包括各级国家权力机关和行政机关)以及政治学专业的教学与科研工作者。在制订教学计划与课程设置方面,以马克思主义为指导,借鉴了国际上一些国家综合大学政治学系及我国旧大学的政治学系的课程设置的经验,根据本国的实际情况,除开设马列主义政治理论和必要的科学文化课外,还开设一系列政治学的专业课。这些专业课共分为四大部类。第一部类是政治学理论与历史,第二部类是各国政治、政治制度,第三部类是行政管理,第四部类是国际关系与外交。这些课程有的是必修课,有的是选修课,有的是专题课。上述计划和方案完全是一种新的尝试和探索,经国家教委推荐,为全国其他高等学校设置政治学专业起到了示范作用。

政治学在我国恢复之时面临的首要问题,就是创建具有中国特点的、适应当代政治需要和教学需要的政治学学科课程体系。政治学原理作为政治学专业的一门最主要基础课,其课程体系的创建,是关系整个学科的恢复及本专业各主干课程教学开展的最为紧迫的问题。他作为国内为数不多的早年从事政治学教学与研究的学者,多年来未放弃对政治学的兴趣,一直关注着这一学科的重建,在这方面积累了大量资料和研究成果。所以,在政治学恢复之时,他把创建政治学原理课程体系当做重建政治学专业的首要工作来做。他在以往研究的基础上,以马克思主义为指导、考虑我国政治发展的需要,并结合和借鉴了当代西方政治学的研究成果,初步创建了适合我国当代政治需要的马克思主义的政治学原理课程体系。这一课程体系以国家政权为核心,研究国家政权以及围绕国家政权的主要政治现象、政治关系及其发展规律。其中主要包括:国家政权的基本理论、国家政权的发展规律、国家政权的结构及组织形式、国家政治总格局

（政治统治体系）、国家机构、政党与政治团体、政治家、政治领导与决策。以国家政权问题为核心构建政治学原理课程体系，这在国内是首创，从国外政治学发展的角度看也是一个重大突破。它符合马克思主义基本原理，适应当代中国政治发展的需要，抓住了政治现象的本质和核心，并把政治现象作为一个有机整体，作为一个动态发展过程来研究。他的政治学原理课程体系被国内政治学界公认为逻辑性强、现实性强，具有深厚的理论功底。它为我国政治学学科的恢复和发展，奠定了基础。

在政治学原理课程体系初步建立之后，他从 1981 年开始按这一体系给研究生讲授，1983 年起又为本科生讲授，并在此基础上不断充实完善，1985 年由吉林大学出版社出版了他的《政治学原理》第一版，至此，以马克思主义为指导的具有中国特色的政治学原理课程体系在我国初步确立。1989 年又出版了他的《政治学原理》（修订本）。实践证明，王惠岩教授所创建的政治学原理课程体系在教学实践中产生了良好的社会效果和广泛的社会影响：根据此体系培养了大批理论基础好、有工作能力的本科生，培养了一批理论功底雄厚扎实，具有较强科研能力、工作能力的博士研究生、硕士研究生；政治学原理课程体系的创立为政治学专业其他主干课程内容和体系的确立提供了依据，为整个政治学专业的建设和发展奠定了基础；他所创立的这个体系及其内容，得到国家教委的肯定。国家教委先后委托他主编《政治学原理教学指导纲要》和《政治学原理教学大纲》（高等教育出版社 1993 年出版）。同时，这个体系又被国家教委自考办选定为政治管理专业和行政管理专业政治学原理课的体系，他被指定为《政治学原理》全国统编教材的主编，于 1991 年 6 月由高等教育出版社出版发行，在全国使用，培训了大量的政治与行政人才。他的《政治学原理课程体系的创建与发展》获国家优秀教学成果二等奖;他所创建的这个体系得到了国内政治学界的广泛确认,国内许多大学新建的政治学专业采纳了他的体系。他的《政治学原理》(修订本)连续 7 次印刷,共发行了 12 万册,并获得了首届"光明杯"优秀社会科学著作奖、国家教委优秀教材奖、吉林省社会科学优秀著作一等奖。

四、皓首穷经　发展创新

王惠岩教授经过长期的研究探索,在法学、尤其是政治学理论方面创造性地提出了一系列理论观点。形成了一整套的学术思想,成为我国著名的法学家、政治学家。

他在马克思主义经典作家关于政权理论论述的基础上,对之进行了新的阐述。他认为,过去在讲国家的作用时,强调国家的作用就是一个阶级对另一个阶级专政的工具,或称国家是一个阶级压迫另一阶级的工具。这种观点虽然是正确的,但很狭窄,不能解释现代社会政治生活中的许多实际问题。他认为,应根据马克思主义经典作家的有关论述对之进行新的阐述。他认为,恩格斯在《家庭、私有制和国家的起源》中谈到国家的作用时指出:国家的作用是缓和冲突,是把冲突控制在"秩序"的范围以内。这是说凌驾于社会之上的国家是缓和不可调和的矛盾冲突的,其目的是把冲突控制在"秩序"的范围内。这为我们提供了两点新的启示:第一,任何类型的国家的作用都是缓和冲突的,而缓和冲突的方法应当是多种多样的。它可以采取民主的方法、改良的方法、妥协的方法、协商的方法,也可以采取暴力镇压的方法。至于在什么时期采取什么方法,这要根据矛盾的冲突的程度与条件来决定。第二,国家无论采取什么方法,都是为了把社会控制在"秩序"范围内。所谓"秩序",是指由一定生产关系所决定的社会秩序。只要维护、巩固了社会秩序,就是维护了在生产关系中占统治地位的那个阶级的根本利益。国家的阶级性质是这样间接地体现出来的。

他认为运用这一新的观点,可以对当代各类国家出现的政治现象作出马克思主义的解释。如西方出现的"福利国家",其实质仍然是资产阶级国家,它只不过是垄断资产阶级在强大的工人阶级和广大人民群众的压力下所采取的一种改良主义方法,是把冲突控制在资本主义生产关系所决定的"秩序"范围内的一种方法,其根本目的还是维护垄断资本的统治。

如果一种类型的国家,它所采取缓和冲突的方法,不是为了把社会控制在"秩序"范围内,而是超越了或者改变了这种"秩序",这就必然导致国家政权性质的改变。他根据马克思主义政权基本理论,对国家作用和性质的新的理解和阐述,是当前研究各种类型国家职能,特别是社会主义国家职能的理论上的突破。

社会主义现代化过程中,社会主义民主政治建设是一项紧迫的、重要的、艰巨而复杂的任务。进行社会主义民主政治建设,必须进行政治体制改革。王惠岩教授一直关注着中国的民主政治建设,并从理论上阐述了有关政治体制改革中所遇到的重大原则性、方向性问题。这些阐述集中反映在他对民主理论的论述上。他认为,建国以后,我国理论界对于民主曾经有过许多说法,但只有从国家形态的层次上理解民主,才符合马克思主义经典作家的原意。从国家形态的层次上理解民主,其中包含着民主的性质、民主的形式、民主的运作三层内涵。王惠岩教授着重阐述了民主形式问题,提出了自己的权力结构思想。他认为,民主形式是指享有民主的主人用什么样的形式对社会进行统治,或者用什么样的形式对社会进行管理。实际上就是用什么样的政权组织形式来体现民主的问题。明确地说,就是指一个国家采取什么样的根本政治制度的问题。可以说,任何一种类型的民主,都必然体现为一定的政治制度,都必须在一定的组织原则下才能成为现实。在西方国家,民主体现为议会制和总统制等各种不同的政治形式,但都体现了三权分立的原则。在社会主义国家则体现了议行合一的原则,在我国称为民主集中制。

王惠岩教授认为,社会主义民主形式优越于资本主义民主形式,其优越性在根本上表现于社会主义国家的权力结构上,即议行合一的原则相对于资产阶级三权分立原则的优越性。因为,任何类型的国家中都存在三权,即立法权、行政权和司法权;所不同的是,在于三权关系所构成的权力结构的不同,而形成了不同的政治制度。在奴隶制和封建制国家中,通常采取行政权高于立法权、司法权,或者把立法、司法两权融于行政权之中,并集中在一个人或一个机构,这种权力结构所要求的政治制度必然是专制制度。资本主义国家的权力结构是三权分立,三权分立所体现的三权关系是相互制衡。他指出,在批判三权分立时,有些人批判权力制衡,这是不准确的,因为任何权力都需要制衡,否则就会滥用权力,甚至走向专制。三权分立的要害在于三种权力的平行制衡。这种权力结构所反映的民主是有限的,它不能适应更高的民主要求。因此,从政治权力的发展规律来看,它必然地要被适应更高民主的权力结构所代替。

社会主义国家政治制度所遵循的是议行合一的原则,议行合一也存在三权关系,只不过社会主义民主政治下的三权关系不是像资本主义国家那样三权之间制衡,而是行使立法权的人民代表大会的权力高于行政、司法两权,是最高权力机关。这就在三种权力关系中突出了代表人民意志的立法机关的地位,其他两权要隶属和服从立法权。这种权力结构适应社会主义民主的要求,适应最广泛民主的要求。用民主的标准来衡量,社会主义国家的议行合一,比三权分立要民主得多,这是历史的进步。由于体现"议行合一"的政治制度在实践中只有几十年的经验,因此,还有许多有待进一步完善的地方。随着社会主义民主发展,它的优越性必然会充分地体现出来。

他认为,从权力结构方面认识社会主义民主,可以得到两点启示。第一,在我国的政治生活中,行政机关和司法机关一定要在观念上和行动上接受国家权力机关的监督,决不能同权力机关抗衡,这是社会主义民主的原则问题;第二,社会主义中国的政治体制改革一定要遵循这样一个基本前提,即改革是要逐步完善议行合一制度而不是向三权分立制度演变,否则,就是历史的倒退。

王惠岩教授研究政治学,能够兼收并蓄,大胆借鉴西方政治学研究方法。他在列宁关于无产阶级专政体系理论的基础上,批判地借鉴了西方政治系统分析理论的方法,在阶级分析的基础上运用系统分析观点,并结合社会主义政党制,提出了政治总格局的思想。他认为,政治总格局是指一个国家中代表各阶级、阶层和各种利益群体的政治组织之间的相互关系及运作机制。在中国就是中国共产党领导的各种政治组织所构成的政治统治体系。其中特别是中国共产党领导的多党合作与政治协商制度。

他认为,政治总格局即政治统治体系应具有作为系统的四个一般特征,即集合性、整体性、有序性、变动性。结合这四个特征来认识分析社会主义政治总格局和社会主义政党制,他得出以下结论:首先,社会主义政治统治体系是由政党、国家机关和各种社会政治组织三个部分集合而成的。如果孤立地、片面地强调所谓党的一元化领导,忽视其他社会政治组织的作用,破坏了其他部分的相对独立性,不发挥其他部分的各自功能,就会出现以党代政、以党代群、党政不分、党群不分等问题,就会影响社会主义政治统治体系的正常运转,破坏政治统治体系的结构,结果会大大降低政治统治体系的整体功能。其次,就社会主义政治统治体系的整体性而言,共产党、国家机构、各民主党派和各群众团体之间是有机的整体。每一个组成部分都是整体中不可缺少的。再次,在无产阶级的政治统治体系中,共产党处于领导核心的位置,是人民民主专政体系中的指导力量,其他各种社会组织都起着"传动装置"的作用,党要通过各种社会组织调动广大群众的积极性,来实现无产阶级专政的任务。社会主义政治统治体系的这种有序结构不能改变,不能被打破,不能出现错位,否则,就会破坏整个体系的有序性,使政治统治体系陷入混乱状态。最后,社会主义政治统治体系处于不断发展、变化的过程中。我国在党的十一届三中全会以后,实行了对外开放对内搞活经济的方针政策。随着经济体制改革的深入,原有的政治体制的某些方面、某些环节已经不适应经济发展的要求,为了改变这种状况,在共产党的领导下,开始了从上而下的、有步骤的改革。他认为,我国的政治体制改革不能打破中国政治体制的总格局,即我国是工人阶级领导的,以工农联盟为基础的人民民主专政的国家,代表工人阶级领导权的中国共产党必然地在政权中居于领导地位,代表其他阶级、阶层、利益集团的政党和政治团体处于被领导地位。这个格局不能变,变了就改变了政权性质。因此,社会主义国家的政党制度,无论实行一党制或多党制,共产党的领导地位,执政党的地位,不可动摇,更不能改变。绝对不能搞西方的两党或多党制,这是社会主义国家政治统治体系所决定的。这一理论观点精深独到,很有说服力。

近半个世纪的辛勤耕耘,使王惠岩教授在国内外政治学界和法学界享有了很高的声誉和地位。他经常应邀到全国各地讲学,所到之处,皆受到热烈欢迎,并被南京大学、武汉大学、四川联合大学、中山大学、东北大学等聘为兼职教授。他曾先后到过美国、日本、韩国,以及中国香港、澳门等地讲学和进行学术交流,并受到有关国家和地方的政府和研究机构的高度评价,称他为"大学者"。1988 年他的名字被收录在英国剑桥国际传记中心编著的《澳洲与远东名人词典》中。

(原载《社会科学战线》1997 年第 4 期)

勤学慎思 宁静致远

——田克勤教授治学之路

柏 维 春

用"辛勤耕耘、硕果累累,轻名薄利、宁静致远"来描述田克勤教授的学术成就和学术生涯,恐怕再恰当不过了。如果说百余篇学术论文、十余部著作只给人以数量上的概念的话,那么其学术观点被学界同行及权威刊物反复摘引,则不能不说是向人们展示了更深层次内容。

一、求 学 之 路

每个人都有自己的求学之路。每个人又都未必能完全按照自己的意愿选择求学的道路。田先生的求学之路,可以说是既曲折又幸运。他自幼喜欢文学,爱读小说,敬仰作品中的英雄豪杰,更崇拜书的作者,也有过长大当作家的浪漫心迹。《牛虻》、《钢铁是怎样炼成的》、《青春之歌》、《水浒传》及《三国演义》等文学名著,令他心驰神往,直至废寝忘食。这个过程既丰富了他的文学和历史知识,又使他对人生的感悟逐步加深。

20世纪70年代初,他进入东北师范大学政治教育专业学习。从此与政治学结下了不解之缘,也从而放弃了当作家的理想,致力于对中国现当代政治问题的研究。自毕业后被留校任教,开始了长达二十余年边教书边读书的求学之旅。在这二十多年中,为了丰富自己,他夜以继日地读书学习,不断调整自己的知识结构,提高自己的教学科研能力。即使在"文化大革命"中后期政治运动迭起、派性斗争严重、"读书无用论"泛滥的情况下,也没有动摇他坚持读书的决心。当回忆这段旧事时,他深有感触:那些日子里,我把别人用来搞运动、拉帮结派的时间都用在了啃马列原著,和丰富自己的知识上了。这为后来他能够具有深厚的马克思主义理论修养和科研功底奠定了基础。

苦与乐,从来都是孪生兄弟。多年的苦读与笔耕,使得他刚过而立之年既华发早生,不惑之龄已是头发黑白参半。如今刚到知天命的年龄,便出现了颈椎骨质增生并导致右臂麻木,使得他握笔写字都感到十分困难,这是最令他生恼的事。但回顾自己的求学之路,他觉着苦中有乐,而且其乐无穷,无怨无悔。

谈到自己的成功,田先生总是忘不了他周围的环境和师友对他的推动和影响。他所在的政治系中共党史专业,学术气氛浓厚,且有一批学识渊博、治学有方的专家学者。在全国较早获得了中共党史硕士学位授予权,并成为本专业全国 4 个博士点之一。这优越条件,无疑为他科研水平的升华起到了不可低估的作用。

20 世纪 80 年代伊始,田先生作为东北师大中共党史学科带头人、党史专家郑德荣教授的学术助手,参加了由郑先生主持的多项国家、国家教委和省社会科学规划项目的研究工作,使他直接站在学术研究的前沿,学术研究水平迅速提高,并结出了丰硕果实,得到各方面的肯定和承认。1992 年破格晋升为教授,

1993 年国务院学位委员会批准他为中共党史专业博士研究生导师。同年获国务院颁发的政府特殊津贴,并荣获吉林省优秀教师称号。1995 年,被东北师范大学确定为跨世纪中青年学科带头人,1996 年荣获吉林省"十佳理论工作者"称号。其学术成果分别被载入《中国 100 所高校社科教授概览》、《中国当代学者大辞典》、《中国师范教育通览·名家卷》等有很大影响的出版物中。

1995 年他被国务院学位委员会聘为博士和硕士点通讯评议专家;1996 年被国家教委聘为"九五"社科项目评审"马克思主义学科组"成员;同时,他还应聘担任吉林省普通高校高级职务评审委员会评委、吉林省社会科学研究系列评审委员会评委、吉林省社会科学优秀成果评审委员会评委、吉林省社会科学"九五"规划项目马列主义、科学社会主义学科规划组成员;并担任国家教委邓小平理论研究中心理事、东北师范大学邓小平理论研究中心主任、吉林省党史学会副理事长、吉林省统战理论研究会副会长等学术职务。

二、成 果 丰 硕

近年来,田教授主要致力于毛泽东思想、邓小平理论和国共关系等领域的重大课题研究,并取得了丰硕的成果。

1982 年至今的 15 年中,他在中央和省级刊物发表论文近百篇,由他主编、主笔公开出版的著作、教材二十余部。其中代表作有:《国共关系论纲》(1992 年)、《毛泽东思想科学体系论》(1997 年)、《中国新民主主义理论与实践研究》(1991 年)、《中国革命史重点问题研究》(1989 年)、《中国革命的理论与实践》

(1997 年)、《邓小平理论与当代中国社会发展》(1993 年)等。

值得一提的是他的个人专著《国共关系论纲》,被称为是一部"成功地解决了国共关系研究中的史论结合的问题"、"独具特色地研究国共关系的论著"(《党史信息报》1993 年 5 月 16 日第三版)。该书针对目前国内学者在国共关系的研究中大都侧重于史而忽略论的情况,侧重于从宏观上对国共关系的基本问题进行整体性研究,在党史界较早并深入地从国共两党政策相互作用的角度对国共两党 70 年来聚分离合、错综复杂的关系进行了比较系统、全面、深层次的探讨,得到了理论界的高度评价和重视。他的具有代表性的论文:《试论第二次国共合作的形式》、《国民党派系的角逐与南京政府在全国统治的建立》、《张闻天对群众路线思想形成发展的贡献》、《毛泽东思想方法的体系及其特征》、《抗日战争与党在指导思想上的历史性飞跃》、《对国共两党关系几个问题的探讨》、《邓小平建设有中国特色社会主义理论体系的丰富内涵》、《建设有中国特色社会主义理论体系的形成及其基本结构》、《论解放思想与实事求是是统一的理论和实践意义》等等,也和他的专著一样,由于所反映出来的观点、思想方法及求实创新精神在学术界引起较大反响。他在主攻科研方向上发表的成果,有相当部分受到学者专家的重视和好评,有些成果被作为该专题研究的重要参考资料。在他发表的论文中,有三分之一以上被《新华文摘》、《中共党史文摘年刊》、《中共党史通讯》、《民国档案》、《党史信息》、中国人大复印报刊资料《中国革命史研究荟萃》、《中国现代史研究概览》等权威性的报刊转载、摘发或评价。1993 年,田克勤教授参加了中共中央宣传部在上海召开的全国第一次邓小平建设有中国特色社会主义理论研讨会,其入选论文《建设有中国特色社会主义理论体系的形成及其结构》,被人民日报、新华社记者撰写的会议纪要重点摘发,在中央各报和上海各报发表,论文及主要观点被转载、引用二十余次,在国内产生较大影响。

20世纪90年代以来,田克勤教授多次参加由中共中央宣传部、中央党史研究室、中央文献研究室、国家教委等召开的全国性学术讨论会,并多次主持以本省为主、面向全国的,以毛泽东思想和邓小平理论为主题的学术讨论会,多次应邀到省内外高校、党校及研究机构为本专业学者、干部及师生作学术报告。在吉林省已经进行的三次社会科学评奖中,共有14项成果(含合作)获奖,其中独立获奖的6项成果中,一等奖2项,二等奖4项。他多次承担国家和省级科研项目,近年来先后承担并完成了国家社科基金项目《中国共产党延安时期与毛泽东思想》、国家教委"八五"社会科学基金项目《毛泽东思想科学体系研究》、国家教委"九五"社科基金项目《邓小平社会主义发展战略思想研究》及吉林省"八五"社科规划项目《邓小平改革、发展、稳定思想研究》、《邓小平理论科学体系研究》等。他领导的东北师大邓小平理论研究中心还多次与省市理论宣传研究部门合作,为推动吉林省及长春市邓小平理论的学习、宣传、研究及走向实践作出了重要贡献。

三、见解独到

田克勤教授长期致力于毛泽东思想、邓小平理论及国共关系研究,已经形成了稳定的研究方向和思路,提出了自成一体的学术观点。

在国共关系研究领域,他侧重于国共关系的整体性、理论性研究,对国共两党关系进行了历史与逻辑、理论与实践结合的全方位、多视角的探讨。他分析了国共关系在现当代中国政治生活中的地位及作用问题。认为,这是一个相当复杂却又必须深入探讨并得出正确结论的问题,用一般的政党关系理论很难充分地研究它、说明它。解决这一难题的钥匙是必须从现代中国社会最基本的阶级关系的分析入手。他明确提出,关于国共关系演变的原因:第一,中国社会主要矛盾的变化,是国共关系状况演变的基本根源。当民族矛盾成为中国社会主要矛盾时,国共两党就能携起手来进行合作;而当社会主要矛盾发生变化、阶级矛盾成为主要矛盾时,两党的合作关系就会遭到破坏。第二,两党的根本政治路线的正确与错误,是两党关系变化的内在决定因素。从总体上看,两党的政治路线的正误都会对国共关系的变化产生重大影响。但由于两党在中国政治舞台上实际所处的地位不同,角色相背,特别是由于两党所代表的阶级利益与民族的、人民大众的利益的关系不同,这种影响又是很不平衡的。第三,20 世纪 20 年代以来国际关系变动的影响,也是国共关系演变的一个重要因素。关于国共关系的历史特点,他认为,国共两党的关系,既不同于一般情况下执政党与在野党之间的关系,也不同于国共两党与中国其他党派的关系。它是中国近代史上存在时间最长、情况最为复杂而又多变的一种特殊党派关系。它有如下特点:其一是两党关系基本形态(合作与对峙)演变的反复性;二是两党关系主要内容(始终围绕军队和政权问题)的延续性;三是两党关系具体形式的多样性和不平衡性。针对上述三个特点,他强调应当本着"一国两制"的原则,全面、正确地总结两党关系的历史经验,为今后两党关系的变化和发展找到最佳的方式。他还分析探讨了第二次国共合作形成的原因、条件,第二次国共合作的特殊形式,以及"一国两制"下国共关系可能采取的形式等问题,提出了较为深刻的见解。特别是在第二次国共合作的形式问题上,他认为,第二次国共合作实际上形成的两党遇事磋商的特殊合作形式,虽然是一种很不完善的形式,但却是唯一使两党合作得以坚持的一种有效形式。它提供了两支军队、两个政权、两种社会制度并存与合作的宝贵经验。

在毛泽东思想研究方面,田克勤教授独辟蹊径,有别于目前国内研究者或侧重于毛泽东思想发展史、或侧重于基本原理的研究,而是注重对毛泽东思想科学体系的整体研究,形成了一系列研究成果,显示出他在毛泽东思想研究方面的深厚功力。

关于中国新民主主义革命理论的体系,田教授认为,中国新民主主义革命理论是一个结构缜密、内容丰富的科学体系。它的基本框架是由以毛泽东为代表的中国共产党人,对中国新民主主义时期的基本国情及中国革命特点的分析,对中国新民主主义革命的基本经验的总结,对贯穿于中国新民主主义革命理论内容之中的基本立场、观点和方法提炼等四个部分构成的。认为《新民主主义论》等著作的写作与发表,标志着中国新民主主义革命理论体系的基本确立。

关于毛泽东方法论思想的体系及其特征,田克勤教授认为,毛泽东的方法论思想体系是由一般方法(即具有世界观意义的最基本的原则和方法)、特殊方法(即主要适用于某一特殊领域的基本原则和方法)、具体方法(即实施一般方法和特殊方法的手段、措施等)三个基本层次构成的。这三个基本层次之间相互联系、由浅入深、相互渗透和相互作用,形成了毛泽东思想的方法论体系。他分析概括道:毛泽东思想的方法论体系具有实践性、客观性、辩证性、丰富性、系统性、开放性和民族性。

关于邓小平对毛泽东思想科学体系的认识和概括,田克勤教授特别指出,这是一个非搞清不可的问题。邓小平对毛泽东思想体系的理解和掌握具有其鲜明的特征。一是邓小平特别强调毛泽东思想是一个由一系列基本理论观点构成的完整体系,因而一定要从整体上去把握它的精神实质,不能进行割裂,也不能从表面上去分析它、对待它和运用它。要运用它的各个方面基本原理的体系,分析和解决实际问题;二是邓小平特别强调毛泽东思想作为一个完整的科学体系,是牢固地建立在马克思列宁主义的世界观和方法论的基础上的。要求从毛泽东思想的理论基础,从它的基本立场、观点和方法上去认识和掌握它的科学体系;三是邓小平还特别强调要从毛泽东思想的发展上,从坚持与发展毛泽东思想的统一上,去深入理解、全面掌握和运用毛泽东思想的科学体系。田克勤教授认为,邓小平对毛泽东思想科学体系及其特征的精辟概括,抓住了毛泽东思想的本质、核心和基本精神,为《关于建国以来党的若干历史问题的决议》全面阐述毛泽东思想,正确评价毛泽东和毛泽东思想的历史地位,提供了科学的理论依据,也为我们今后更好地坚持和发展毛泽东思想指明了方向。

邓小平理论是社会主义建设事业的指导思想和伟大旗帜,其形成、发展和完善经历了一个过程。早在 15 年前,田克勤教授就着手研究邓小平关于社会主义建设的思想,近几年来,更集中于这一领域的研究,取得了令人瞩目的成果。他指出,研究任何一个理论,一般都应从整体、全局、体系入手,这样才能对理论的全貌有一个初步的认识;根据这个认识,再对理论体系中的每一部分作深入的研究。对于邓小平理论,他依然主张从思想体系上进行整合研究。认为只有这样,才能准确抓住理论的精髓,揭示历史的本质,并为坚持和发展党的指导思想提供科学的基础。

首先他强调要从总体上把握邓小平理论的体系及其基本精神,提出了邓小平理论体系的基本框架由下述几个层次构成:第一层次,立论的基础。邓小平同志提出的解放思想、实事求是、走自己的路,是建设社会主义的思想路线,也是邓小平理论思想方法论的实质和哲学基础;邓小平同志回答的什么是社会主义和怎样建设社会主义等问题,反映了邓小平理论的本质所在,是邓小平理论的逻辑前提;邓小平同志的一系列从社会主义初级阶段的实际出发建设社会主义的论述,是邓小平理论形成的国情依据和现实依据。上述三个方面,共同构成了邓小平理论的科学基础。第二层次,理论主体。田先生突出地指出,邓小平理论的核心内容是"一个中心、两个基本点"的基本路线所提供的理论框架,强调以经济建设为中心,坚持四项基本原则,坚持改革开放,要与各方面的改革发展目标紧密衔接起来,正确处理好一个中心同两个基本点之间、两个基本点之间、一个中心两个基本点与各方面改革与发展目标之间的辩证统一关系。第三层次,各方面具体的方针、政策。

其次是他强调要正确理解和处理邓小平理论与马列主义特别是毛泽东思想的关系。他在著述中反复强调这样的观点:邓小平理论是对毛泽东思想科学原理的继承和重大发展。邓小平理论对毛泽东思想的继承关系是十分明显的,它们都是中国共产党人在中国革命和建设实践中,坚持从中国实际出发,把马克思主义的普遍真理与中国的具体实践相结合,集中党和人民的智慧而创造出来的。两者在本质上都属于马克思主义的思想体系,又都具有中国特色。因而应该坚决反对和抵制任何把邓小平理论与毛泽东思想割裂开来的错误做法。同时也应该看到,邓小平理论对毛泽东思想的发展也是十分明显的。这种发展不是一般性的、渐进式的量的增加,而是呈现出了明显的阶段性的质的飞跃。其中最为突出的就是突破了前人关于社会主义的若干传统观念,实现了对社会主义理论整体认识的巨大飞跃,形成了一系列具有中国特色的社会主义理论。

可以说,对传统社会主义模式的突破,是邓小平理论形成的一个重要前提条件。这种突破主要表现是:在发展阶段上,突破了认为无产阶级夺取政权后就可以很快进入共产主义的观念,提出了社会主义长达百年的初级阶段的新观点;在根本任务、主要矛盾和检验一切工作的标准问题上,破除了"以阶级斗争为纲","以阶级和阶级斗争观点"作为观察一切问题、检验一切工作的根本标准等"左"的错误思想,以及离开生产力发展抽象谈论社会主义的历史唯心主义观点,确立了"三个有利于"是检验一切工作标准的新观点;在发展模式和发展道路上,突破了把社会主义看成固定不变的单一发展模式的传统观念,树立从本国实际出发走自己发展道路,并逐步形成了社会主义市场经济的新观念。正是从上述意义上说,邓小平理论产生的背景是在中国改革开放条件下,在总结社会主义建设经验教训的基础上,为了指导社会主义初级阶段的各项建设事业而逐步确立的,因而又具有理论的相对独立性。

再次,田教授把邓小平理论同中国社会发展的实践和前景联系在一起加以研究,在学术界对邓小平理论的研究中,是一种开创性的工作。在其所著《邓小平理论与当代中国社会发展》一书的前言中,他写道:邓小平理论是有中国特色的社会发展理论。面向现代化、面向世界、面向未来的社会发展视野与实践的创造性精神,是邓小平理论的基本思想和主题。如果不把这个理论同实践,即中国社会发展过程联系起来,就失去了理论本身存在的条件和价值。之所以说邓小平理论是社会主义改革开放事业和社会主义现代化建设的一面伟大旗帜,就是因为它来源于现代化建设实践、植根于现代化建设实践、指导现代化建设实践并在实践中得到发展。

四、勤 学 慎 思

总结田克勤教授治学的历程,可以这样概括:一是勤学慎思,二是治学方法得当。他认为,一个人无论做什么工作,首先都要勤学。人非生而知之,若成就一番事业,非下苦功不可。一位著名的学者曾说过,同博大精深的人类文明宝库中浩瀚的知识海洋相比,任何一个人即使是伟人的成就都不及格。学习,其实是一个宽博的概念,它既包括向书本学习,向师长学习——这当然是主要的,因为人不能事事亲身实践——也应包括向实践学习,这是万万忽视不得的。毛泽东曾提出:"读书是学习,使用也是学习,而且是更重要的学习。"①总结过去要学习,面对现实要学习,前瞻未来更要学习。尤其是在当代,新的科技革命向人们提出了严峻挑战,世界发展日新月异,新的自然科学和社会科学成果层出不穷,只有不断地学,才能使自己适应社会发展的需要。

田克勤教授认为,只勤于学习是远远不够的,还要勤于思

---

① 《毛泽东选集》第一卷,人民出版社 1991 年版,第 181 页。

索。孔子说:"学而不思则罔,思而不学则殆。"他是主张学思结合的。毛泽东也非常强调要善于思索。他曾引用孟子"心之官则思"的说法,对解放思想、开动脑筋作了很好的注解。强调必须提倡思索,学会分析事物的方法,养成分析的习惯。提倡思索,对于做学问的人来说,就是要敢于经常提出一些"为什么",不盲从书本,也不盲从名家,更不应该盲目地相信自己。提倡思索,就是要善于遵循正确的认识路线,独立分析和解决问题,慎重提出自己的见解。总之,学习与思索是密不可分的,两者统一于实践。

　　多年的耕耘,田克勤教授形成了具有自己特点的治学道路和方法。第一,他十分重视经典著作的研究,扎实地掌握本专业及与本专业相关专业的基本理论和基本知识。他认为这是一个学者成功的基础和前提,是原动力。多年来,他对马克思主义经典著作情有独钟,反复学习领会、咀嚼,力求准确掌握马克思主义的精神实质。同时,也翻阅、研读了大量的社会科学名著。第二,始终站在学科前沿,关注学术发展动态。田教授一贯要求他的学生要在打好基本功的同时密切注视本专业的学术进展状况,并及时参与讨论和探索,这也是他自己多年的做法。第三,关心现实问题,坚持理论联系实际,善于运用掌握的基本理论和方法,回答社会主义建设实践中提出的问题。他一贯反对讲大话、套话、做空文章的虚假学风,主张运用新知识,了解新情况,解决新问题。他认为,如果社会科学研究不深入实践、不联系实际、不解决问题,则称不上是学术研究,没有任何价值。第四,做学问先要学会做人。做好学问实际上是一个系统工程,它既有基本功、思维方式、思想方法、客观条件等问题,更有个人的道德观念、价值观念问题。做学问是一件要求相当程度的身心修养的事情，来不得虚假、投机、追名逐利。田教授倡导欲做好学问，先修养其身心，做到心情恬淡超然。他给自己定下的座右铭是：勤学慎思、轻名薄利、宁静致远。

（原载《社会科学战线》1997 年第 6 期）

天行健　法行健

——张文显教授素描

乔　迈

　　43 岁的张文显是法学教授。他当这个教授已有 6 年。当初晋升他为教授的时候属于"破格"，那时候他看起来有点年轻。"十年媳妇熬成婆"，他仿佛还不到"成婆"的气候。不过，1994 年 7 月 6 日《人民日报》发表介绍这位教授的文字，仍然称他为"青年法学家"。张文显的确显得年轻，他矫健身材，书生面孔，目光中闪耀着自信，前额上却尚未雕刻出表示智慧深邃的皱纹。人年轻，事业亦年轻。法学在中国——恕我陋见——尽管曾经有张友渔等前辈那样渊博的大家，但法学的青春活力，很可能是在张文显这个年龄段的一大批人走上学术前沿以后才开始的。

　　前辈张友渔先生 94 岁谢世，谢世前依然思想活跃，睿智如虹。依此推论，张文显仍将有 50 年好时光，足以为中国法学振兴发达而建功立业。有一位外国人这样问邓小平：为什么你把香港继续实行资本主义制度规定为 50 年不变呢？中国总设计师回答说：50 年间大陆的发展差不多可以赶上香港了。50 年而潜龙飞天，这是没有问题的，更重要的是，像张文显这样的学者现在正年轻。

一

1988 年伊始，有过一个全国法学、经济学界中青年学者对话会，半民间性质的。地点在北京，北京的与会人数也多。但是，对话一方的中国法学界少壮派们和会议组织者一致推举张文显为首席发言人。张文显不具备地理优势，他的工作单位是偏居关东一隅的吉林大学法学院。这种推举可能是一种荣誉，更可能是一种学术认同。年轻意味着简洁和单纯，不大容易被条条框框束缚，不怎么考虑前瞻后顾，你行你就上，我能就我来，如同穆桂英的宣言："我不挂帅谁挂帅，我不领兵谁领兵。"

对话会开得电光四射，石火乱飞。张文显的发言，明明应该讲法学和法理学，比方说议题是一块蛋糕，法学关心的是蛋糕的分配，经济学注意的是蛋糕的制作，分配的原则是公平，制作讲究的是效率。张文显却说，公平和效率应该放在一块儿统一考虑，法学研究不能拘泥于法本身，它要扩大自己的视野。这一扩大，就等于把他们那双血脉充盈的手伸到人家经济学王国去了。法学家张文显大谈经济学，或曰经济法学，他还谈起了国际经济学界的这个派那个派，闹得大家很惊奇，惊奇之后就笑，说：这个人到底是搞什么的？他特别介绍和评价了美国芝加哥大学教授、著名经济学家科斯，讲了科斯的创见。科斯果然于 1991 年获得了诺贝尔经济学奖——这是后话。

这次中青年学者对话会的另一方也不弱。他们的首席发言人也是经纶满腹。无独有偶，殊途同归，对方也讲了科斯，也把自己的触角往前延伸了一下。他的立论大致是：在新时代面前，我们要考虑的不仅是经济运行过程,还要解决经济运行背后的制度基础即产权关系问题,称之为新制度经济学。这样一来,在中国中青年法学家和经济学家那里,电光石火就交进到了一起。你中有我,我中有你,异彩纷呈而又目标一致,煞是好看。所以他们有力量。

为了开那个会,这些人春节都没过好。大年初三张文显就上了火车。一行五人,占了整个一节车厢——大过年的都在合家团聚,没有几个人热衷于旅行。从长春到北京,傍晚上车赶一宿夜路第二天上午才到。五个年轻学者舍不得睡觉,天高地阔水远山近地神侃了一夜,侃累了就翻出扑克来猛打,好像古人的苦于昼短夜长便秉烛而游。反正有的是精神头,有的是干劲大。开起会来也是这样。为了节省开支,他们住了一家招待所,为了提高效率,他们早饭几乎不吃,中饭只吃肯德基,边吃边说话,晚餐还是同样的快餐,一讲讲到后半夜。这么样做学问,什么学问做不出来?

这些人无形中形成了一个群体,张文显属于这群体中的核心人物之一,特别是在他有了一定"官职"以后。他从吉大法学院副院长、院长作到吉林大学副校长,"权"越来越大,为他当好召集人提供了方便。张文显为他们的"沙龙"界定的规则是:这里是思想和言论的自由市场,每一个人既是供给者又是消费者,一身二面,每一种意见之是否有意义,仅在于是否有人乐意接受,无须鉴定。他没有提"三不"(不抓辫子、不扣帽子、不打棍子),因为在他们这些人中间,原本就不存在这种东西。他们每年聚会一次,自己选地点自己张罗经费,今年是在大连经济开发区开的,那里有张文显的一个同学,他给解决吃住,这就带有一点类似外国人喜欢搞的"民间后援会"味道。今年他们讨论的主题是"市场经济与现代法的精神"。这是一个大题目,一个时代的大题目,这些中青年学者,就喜欢这样的题目,他们的脉搏随时代而跳动,热血为时代而奔流,他们往往比时代还要超前一点,他们自我鞭策着奔跑,力争使自己的思想和研究成果带有某种超前性、预见性和示警性,也就是指导性。这是学术工作的本旨。

张文显是搞法学基础理论研究的,他的研究有一个特点,就是与实践紧密结合。除了开讨论会、撰写论文、出版专著、给学生上课,他还非常乐于提供咨询和立法建议,他的《关于游行示威的立法建议》、《反腐倡廉,重在法制》、《关于宏观经济调控的几点思考》和《市场经济是法制经济——市场经济立法问题》等建议和报告,都因其内容的切中时宜和实用价值,被中央和地方立法机关或党政机关所采纳,使理论变成了积极的社会效应。

说到社会效应,我们不能不提到他的著名论文《中国步入法治社会的必由之路》。直到最近,张文显还说,"这是我迄今最重要的一篇文章"。民法学家、中国人民大学教授佟柔先生一开始就评价说:"你说清了我们民法未说清的问题。"这篇一万六千字的论文可能也是张文显已发表论文中被引用得最多的一篇。

那是1988年的事。那年法学界有一个会,因其重要性,后来就有人评说为中国法学的"奥林匹克"。当时党的十一届三中全会召开已有10年了,全会提出的"发展社会主义民主,健全社会主义法制"的历史任务完成得怎样了,还有些什么问题,法学家们在做着怎样的思考和展望?现实生活中的许多重大经济政治问题迫切期待理论,其中包括法学理论的研究和指导、配合与支持,法制建设本身,也亟待法学理论导向。按照中国法学会会长王仲方的说法,"这个问题不仅正在增加法学界的迫切感,也正在增加党和国家领导层的迫切感"。

中国法学界适时地召开了"十年法制建设理论讨论会"。会议在北京召开,与会九十余人,提交论文 62 篇。《中国步入法治社会的必由之路》就是其中最重要的论文之一。

张文显的论文开宗明义,毫不含糊地指出:"改革和发展的大潮已把中国推上法治社会的历史走向",而"实现法治的决定因素是商品经济的充分发展"。通篇论述就以法治社会与商品经济的关系为中轴,剥茧抽丝,递次展开。论文写道:"法治是以商品经济为基础的。纵观法治的历史,法治总是与商品经济相关,而与自给自足的自然经济和以国家垄断为内容的产品经济无缘。法治的实现程度取决于商品经济的发展程度。"

在对论点的阐述中,这篇文章的一个显著特点,是旗帜鲜明,观点清晰,绝不含糊其辞,模棱两可,这就使他的文笔具有尖锐的批判锋芒,而这也正是青年学者的崭新文风。在批判中发现和在批判中创造,极大地加强了论文的感染力和说服力。这个批判对象就是自然经济和产品经济的社会政治伦理或称社会文化基础。据我看来,张文显这篇论文最有力量的部分就在于对相对于自然经济和产品经济社会的法治社会文化基础的论证。法治社会的文化基础是什么呢?文章指出,那是商品经济所可能孕育的"社会意识"。这种"社会意识"包含哪些内容呢?它包含有社会契约观念、政治市场观念、思想市场观念、主体意识、权利观念和平等自由观念。这就是说,我们仅有一个商品经济还不行,我们必须在建立商品经济的同时,培育和健全上述一些基本"社会意识"。只有这样,一个健康、健全的法治社会才能出现。不错,法治社会需以民主和法治的"社会意识"作为其文化基础,但唯有商品经济才能孕育出民主和法治的"社会意识",这是立论的前提。在人类文明史的各个发展阶段,都有个别先进的思想家产生并表达过民主和法治思想,但是,作为一种根深叶茂的社会意识,"民主和法治意识只能产生于商品经济发达的社会"。马克思用一句话就把这个思想讲得明明白白:"商品是天生的平等派。"

至于为佟柔先生所看重的关于民法的论述,我认为可能是张文显论文中如下的思想:人们通常讲一个国家的宪法是母法或根本大法,其实,如果我们着眼于法的精神而不是法的形式,法的经济分析而不是法本身,那么,我们就会看到,宪法意识和宪政要求产生于商品经济,宪政和宪政传统来源于民法和民法传统。因此我们说,宪法不过是以根本大法形式对民法原则的确认、移植、转化和升华。

关于民法在社会中的重要作用,张文显的看法肯定是非常深刻的:"没有民法和民法传统的社会,要实行宪政和法治是极其困难的,甚至是不可能的,而在民法完备,民法原则已成为公认的社会生活标准的社会,要想彻底废除宪政和法治,实行独裁和人治,也是极其困难、不可能长久的。例如,在我国,自19世纪末到中华人民共和国成立,宪政运动屡遭失败,'钦定的'或'公决的'宪法都未曾实施过。……产生这种现象的很重要的一个原因就在于我国缺乏民法传统,民法精神尚未深入人心。"

这段议论很精彩,而且是很中肯的,所以,他的结论也十分警策:"我国的法制建设要特别强调民事立法和民事司法,注重民法精神的培养。"就是使法深入到每一个老百姓心中,形成观念,造成传统甚至是习俗,那样一来,我们社会的长治久安,繁荣发展就有保障了,当然,从根本上说,"这有赖于商品经济的充分发展"。

商品经济的充分发展,将推进政企分家;将打破政治权力垄断;将释放出一种巨大能量,保证既定规则高于人格化权力即法大于权;将造就出宏大的企业家队伍使之成为法治的坚实社会政治基础;将把人们从"羞于言利"的思想束缚中解放出来,使人们更加关心切身利益,从而强化公民参与政治和法律的意识;将促进法律社会化,提高人的法律文化素质。总之,它将摧毁产品经济、自然经济和半自然经济,使专制主义、国家本位、官本位、义务本位、宗法观念、个人迷信和人治思想等封建政治法律传统失去其赖以存在的经济基础,使主体意识、权利意识、契约精神、竞争意识、平等观念、社会责任感和法治观念在全社会生根开花。

以上就是《中国步入法治社会的必由之路》这篇重要论文告诉我们的主要内容,也可以说是论文作者对中国法学——经济学建设的一个重要贡献。写作论文的那一年,张文显37岁。

二

张文显不是天生的法学奇才。他能够成为出类拔萃的法学家,看起来像是年少得志,实际上带有很大的偶然性。社会哲学初级教程讲,偶然性寓于必然性之中,这是讲普遍意义,但人生难测,世事纷繁,有一万个人就有一万条不同的人生轨迹,特别是在一个变幻莫测的时代里,一个人更难于精确把握自己的命运。我们宁愿相信偶然性决定人生这个神秘命题,只有在这个命题下边,我们才可以约略寻觅所谓必然性的因果,那往往也是草蛇灰线。张文显给我们的启示,存在于他的个性之中,那就是他非同寻常的坚强毅力,前呼后应,我们看到了这样一条清晰的生命线。

张文显自小就灾难重重,有几回几乎是死里逃生。

他出生在古老中原河南省镇平县草王庄。张文显是农民的儿子,贫苦的中原农民之子。贫苦有一个好处,就是使人无法安于现状。张文显时时对自己的处境不满足,永远保持着改变命运的强烈愿望,概源于此,亦得益于此。

张文显 1951 年出生,到七八岁时赶上了使全中国人民谈之色变的"三年困难时期",饥馑像千百万只饿虎在中国大地上肆虐,全国灾荒数河南,那里饿死的人最多。张文显回忆说,小学校下了课,同学们走出教室,都一排排坐在墙根底下喘气,没有人玩,没有人急着回家,家里并没有一顿饱饭等着他们。张文显对那段日子的许多细节记忆犹新,但是他感到非常奇怪,唯独想不起自己怎么熬了过来居然没有饿死。

可能由于另外的灾难转移了对饥饿的注意。正是那个时候,他大病临头,头上长了一个瘤子,挨着时日不去看医生,直到小脑袋抬不起来,左邻右舍说,这孩子没命了,家里大人才咬着牙送他去公社卫生院,不知道怎样稀里糊涂做了切除手术,却没有给缝合,或许到应该缝合的时候,主刀大夫饿得完全没有力气了吧? 他竟活了过来,不能不说是奇迹。那天我去采访,张文显给我看他的后脑勺,那里有一条纵向深沟,约一公分宽五公分长,乌亮的头发遮盖着,人们通常不会注意到。那时候,我为他的"命大"高兴之余,不免生出了一个奇异的念头,我想:这个人如今学富五车,思辨雄谲,莫非都因为这条深沟里深藏着智慧?

头瘤手术之后没几年,小学还在念着,张文显又一次灾难缠身,这回是大病临腿。他的一条腿不知道怎么回事不听使唤了,很短时间内就一点也不能动,如果我们现在分析,那大概属于腿神经麻痹、风湿或静脉曲张什么的。那时候在贫苦的乡下,一个小孩子,只要死不了,腿疼就不算病。期末考试时候,他拄着拐杖,拖着病腿,照样去参加,他考了第一名。老师见此情形,大为疑惑,禁不住问了一句:你抄谁的卷子?少年张文显委屈得满脸通红,眼泪也流了下来。别的老师走过来说:这孩子从来就是好学生。那位老师也说:是啊,可他一个学期没来上课呀!

张文显虽然没上课,可从来没放弃学习。他是一个在内心里极端自觉读书上进的孩子,恶劣的环境和磨难不能压倒他,何况他的禀赋聪颖。

镇平县在伏牛山南,属南阳市辖地。南阳不是寻常地方,天地毓秀,人间钟灵,城南之卧龙岗居住过中国人的智慧化身诸葛亮,唐诗人刘禹锡作《陋室铭》,里边有"南阳诸葛庐",诸葛庐就在这个地方。湖北襄樊附近也有个南阳,也有卧龙岗,据说也是诸葛亮隐居之地。那么就有两个诸葛亮了,可能不止两个,中华民族是一个智慧民族,智者数不胜数,张文显就是一个,不过我们是现代人,不称智者而称学者罢了。

学者张文显身上一定感染有故乡南阳的毓秀钟灵之气,天资优秀超群,但我们还是相信他的后天努力吧。

中学只读了一年,他就赶上了"文化大革命"。"文化大革命"是不读书的,但张文显读。没有人教他就自己读,语文数理化几门功课,他都自学完成了,还跑到学校图书馆里,翻出一本四角号码字典,从头到尾死记硬背,他还一直坚持写日记,写日记就是练笔做文章。工夫不会辜负人,后来他回乡当知青,当民办教员,抽调到云阳钢铁厂当工人、当会计、给《战地通讯》写小稿,样样拿得起放得下。

21 岁时,时来运转,张文显被调到南阳地委办公室当干部。革命需要在干部队伍中"掺沙子",他是以工人阶级身份被选中的,地委相中了他的文笔。既有文笔,他就有机会参与一些大小材料经验报告、领导讲话的写作。他没写过,但他不陌生,即使陌生,那还可以学习,在一个肯学习的精神和肯付出努力的态度面前,世间实在没有什么能够难住我们的。那时上边忽然又指示干部们阅读《哥达纲领批判》等 6 部经典了,机关掀起了读书热潮,有人把这当做"政治任务",难免"表面轰轰烈烈,实际敷敷衍衍",宝贵时间空流过去,张文显却利用这机会,认认真真阅读,结果是掌握了知识。这也显示了他的聪明。

转眼又有了一个更大的机遇。这个机遇成了我们在本节开头所说的偶然性改变人生的有力佐证。如果没有这回事,张文显可能继续作一个好的机关干部,然后是科级、处级、厅局级的往上升,在仕途上春风得意,"衙斋卧听萧萧竹,疑是民间痛苦声",也不失为人民服务。

哪里敢想会有保送上大学一说呢,又怎敢指望会选到自己头上。消息传出,一下子就有十几个人条件合格报了名,其中有地委书记的秘书,地委副书记的儿媳。地委书记姓乔,乔书记一言出而乾坤定,浮云散,他说:"既然群众民主评定无记名投票张文显是第一名,那就是张文显去!"

假如乔书记不这么说呢?

那时上大学不用全国统一考试,是全国统一分配名额,南阳地委在分给他们地区的名额里边发现有一个吉林大学"政治"专业的,就说:这个名额留给地直机关吧,别的专业都分下去给基层。张文显荣幸地得到的,就是这个名额。

假如那年南阳分不到这个"政治"专业呢?

完全是偶然性！张文显兴冲冲赶到长春报到,吉林大学说:怪了,我们没有"政治"专业呀,我们只有政法专业,属于法律系。查一查,果然是搞错了,不知道在什么地方由什么人把"法"改成了"治"。差之毫厘谬之千里。吉林大学对河南新生张文显说:怎么样,你就来读法律系吧,我们这个系很不错的,1946年有了东北人民大学(吉大前身)就有了法律系,"文化大革命"以来,全国"砸烂公检法",许多大学的法律系都"砸烂"了,只有北大和吉大的硕果仅存,怎么样,你愿意将错就错吗?河南新生忙不迭地回答:我愿意,我太愿意了。

这是1974年9月的事。当时的张文显不是现在的张教授,"条条大路通罗马",当时他面前没有条条大路,只有这一条还被判定为错了,只要能允许上学,别说是将错就错,就是错上加错他也不惧,他太想上大学了。他如愿以偿。

假如没有当初那个错改,张文显会怎么样呢?

历史有意造成一点疏忽,莫非是不忍看中国失去一位出色的法学精英?看起来,我们有必要为"错"字适当恢复名誉了,"错"并不是一律不好,某种情况下它可能比"正"更讨人喜欢,老百姓的智慧中有一条叫"歪打正着",大概就是这个意思。张文显以这个偶然的"错"为起点,从此一步步——如近来人们频频使用的一个词汇那样——"走向辉煌"了。

三

以前曾有人认为,中国的法学是"幼稚"的科学,其主要表现为:法学基础理论研究长期受"左"的路线干扰,政治化和政策化倾向严重,在诸多法学根本问题和重大问题上,没有形成自己的理论;对法学基本范畴的研究十分薄弱,无法建构起科学的法学理论体系;在应用法学方面,尤其是同经济、科技和政治有关的法律问题研究,与国际先进水平相比差距很大;法理学对部门法学和法制实践的指导功能相当疲弱。

这种局面在党的十一届三中全会以来的十余年间有了很大改变。"左"的桎梏逐步解除之后,老一代法学家的积极性和能力得到解放,尤其令人鼓舞的是,中青年法学家迅速成长,走上中坚岗位,为我国法学"脱幼"和走向成熟起了披坚执锐、冲锋陷阵的作用。张文显们的崛起突出地彰扬了这种趋势。

仿佛是意识到了自己的历史责任,亲自经历过"文化大革命"以前的中国社会,当过"知青",成为"文化大革命"高峰之后第一批大学生的这一代人,继往开来,前瞻后瞩,既不为自己是所谓"工农兵大学生"而自卑,也不因系统教育不足而自弃,他们中间的杰出者很好地利用了宝贵的上学机会,发愤忘食,乐以忘忧,即或在碰到意外的坎坎坷坷时也不气馁,专心致志为承担社会使命而进行充分的知识准备。

张文显入学不久,反教育"回潮"逆流泛滥,好多课程被迫停了下来,连开设外语课也被影影绰绰批判为"洋奴哲学",不讲了,张文显明明记得,马克思说过,外语是人生斗争的武器和工具,怎么能和什么"奴"的哲学连在一起?他串连上几个同学自己坚持学,天天清早5点半钟就爬起来,凉水抹把脸,跑到鸣放宫前边大树林子里嘟嘟哝哝背单词,林中小鸟见他们嘟哝得有趣,就也放开嗓门唧唧喳喳乱叫,鸟声和他们的声音交织,矮墙外边早起的路人都听不大懂,只依稀感觉到那里洋溢着青春生命的欢乐。他们还从一位老师手里借来一本《实用英语语法》,张道真先生编写的,书只有一本,你传给我,我传给他,张文显下决心抄书,全书四百多页,一页一页抄,词汇、语法、全抄,书抄完了,大部分也记下来了。本科毕业考研究生,都愁外语,他不愁,顺利过关。1983 年,有了一个中美法学交流计划,要在中国大学里选拔一批青年人到美国去做访问学者,攻读学位。张文显报了名,他拥有法学硕士学位,专业资格不成问题,但前来招生的美国人不大看重专业资格,只对英语程度严密把关。考试在北京进行,美国人亲自组织考试,最后录取了 7 个,张文显是其中之一。他被录取到著名的哥伦比亚大学。

英语是叩开世界之门的一把钥匙,现在在校的大学生们都懂得这个道理,并且有极好的学习条件,他们不会想到张文显为了获得这把钥匙,付出了怎样艰辛的劳动。他和他的同学必当付出那样的艰辛,责无旁贷。后来的事实说明,他们当初的付出是很值得的。

张文显在美国待了一年半。假使外语不行,这一年半时间可能仅够他用来学习人家的语言。他的时间一点没有浪费,几乎不用怎么借助辞典,他就遍览了当代西方法哲学的代表性著作。

他是根据拉特格斯大学法学院教授科恩的建议这么做的。朱利叶斯·科恩教授是一位名望甚高的法学家,也是一位具有世界眼光的学者。美国大学不承认中国学历,张文显要读博士必须重读哥伦比亚大学的硕士。科恩教授曾于 1981 年在吉林大学讲学三个月,张文显是他最得意的学生,他了解张文显,认为重读硕士是浪费。他以学者的直率问他:"张,你来美国,是关心虚名呢还是注重实学?"张文显说:"我来这里很不容易,我的国家期望我学有所成,这也是我的想法。"教授说:"我很高兴你这么想,那么,我建议你,不要读硕士也不读博士了,你去钻研西方法哲学吧,具体做法我会给你安排的。"

科恩教授给张文显列了一个书单,内容涉及美国法律制度、法律文化和西方法哲学等领域。张文显按照科恩教授的建议,在哥伦比亚大学专门研究当代西方法哲学。他选了格里纳沃特、艾克曼等著名教授的法哲学课程。一年多下来,他系统地了解了西方法哲学和法律文化的精髓,最终使他有能力对西方法制理论进行中国化的借鉴、改造和移植,为中国法学的振兴做贡献。我们理应为此向科恩教授表示敬意。

张文显回国的时候,头上没有罩着美国博士的光环,一些人为他感到惋惜,说以他的实力,戴一顶博士帽回来,本来易如探囊取物,要知道,这样的帽子是很耀眼的,多少人梦寐以求,而他竟把难得的机会轻轻放过去了。

张文显怎样出国的又怎样回来了。他不是空手回来的,他拿着一本书,很厚的书,书名叫做《当代西方法哲学》,它的分量可能不比任何一篇博士论文轻。张文显把这本有分量的书献给哺育他成长的祖国。她是我们大家的母亲,没有她就没有我们大家,没有你和我,没有土地、山脉和大河小河,没有课桌、课本和校园风景,没有大学生和学者以及种种受尊敬的学衔。她曾经很贫弱,她正在健壮起来,如凤凰涅槃之青春神采再现,那是因为她的儿女们有志气又有出息。儿以母荣,母以儿贵。她向世界说,我是中国。她这样说的时候脸上满是庄严的笑。世界向她说,中国我们尊敬你。他们这样说的时候神情中怀有敬畏。我们从小到大,我们挨饿受累,先是趔趄着后来是奔跑着越过了历史走向今天和明天,除了祖国母亲我们一生又复何求!她的一切都为我们,我们的一切都为她,我们的知识、智慧、心血、挫折和成功,我们舍却了的个人荣耀,我们高高举起的论文和书,我们含着爱得深沉的眼泪大声说:祖国,这是献给你的!……

《当代西方法哲学》出版之后,引起了法学界的关注,国内同行认为这本专著"打开了封闭多年的西方法学的窗口,开阔了人们的视野,提供了新的思维和研究框架",是"一本别开生面并对繁荣我国法学极有意义的新作"。朱利叶斯·科恩教授高兴地称赞说"像张这样研究西方法哲学从前还没有过"。中美法学教育交流委员会主席爱德华教授交给张文显一张支票,让他买书带回国继续研究,说"花多少钱你自己填上好了"。这是一种殊荣。后来,张文显还被推选为中美法学教育交流委员会委员、国际法律哲学和社会哲学学会会员,不提。

张文显回国,真的买回来好几箱子书,那些书都很贵,动则二三十美元一本,幸亏有爱德华教授的支票,不然他买不起。他没有独享这些珍贵资料,他不希望也不追求自己一枝独秀,他说:"中国法学建设是一株大树,需要大家浇水,众人培植,使之根深叶茂,繁花似锦,硕果满枝,不能单靠一个人和几个人的力量。"他毫无保留地把他所有的资料和书借给或赠给需要它们的单位和个人,他不懂得资料封锁和研究课题保密,他认为这些陋习是自然经济条件下小生产者观念的产物,完全不适应于现代学术建设。现代社会的特点是开放和交流,电子计算机的推广和普及,"现代信息高速公路"的国际联网,为学术成果人类共享开辟了极为广阔、极其诱人的前景。又古老又年轻的中国法学必将走向世界,已经开始走向世界,为此必须在国内做好准备。他团结一批中青年学者每年一次聚会就是这努力的一部分。他在吉林大学,一边干劲十足地搞研究,一边给本科生和研究生上课也是出于这个目的。他从来不吝于把自己最新的研究成果和自己掌握的国内外学术信息介绍给学生,他的课生动活泼,信息量大,思想深邃,耐人寻味。对于比他还年轻的学生和学者,他更是热情洋溢,潜心竭力,帮助修改和推荐发表他们的论文,有时把自己的科研成果也给加了进去,却从不"坐车"、"借光"署名,他恨不得年轻人一下子就成长起来,比自己更有成就。为了扩大培养范围,他有求必应,四出讲学,还担任了中国人民大学法学院兼职教授和法学理论博士生导师,兼任《当代法学》、《法制与社会发展》主编。

自 1987 年以来,张文显已出版学术专著 7 部,发表论文 90 余篇。他的论述新颖、大气,有见地,总能引起反响。1993 年,司法部有关专家做过一项统计,在法学界中,张文显是学术评价值最高的核心作者之一。他不仅在国内被公认为"杰出的青年法学家","为新时期我国法理学的发展做出了积极贡献",在海外也有很高知名度。早在 1987 年,美国福特基金会就在一份报告中向世人宣告:"一颗新星正在中国法学界升起,他就是吉林大学法学院的张文显先生。"香港大学法律系主任陈弘毅教授在题为《中国发展中的权利和人权理论》长文中,以翔实介绍张文显的学术观点为主线,评介大陆十年来法律权利义务研究的发展,称他是中国权利学说"最杰出的倡导者"。美国华盛顿大学、英国牛津大学、日本札幌大学和早稻田大学等世界著名学府,都有关于他的学术思想的评介。1992 年,张文显作为大陆首批访问台湾的法学学者中最年轻的成员,惊喜意外地发现,宝岛上不少人读过他的著作,法学家石之瑜先生特意赶到台北,对张文显说:你的思想在台湾法学界有相当影响。

和前辈法学家比较起来,张文显和他的同龄人是幸运的,他们学术活动开始的时候,恰好也是中国历史上最为昌明隆盛时期开始的时候,在改革开放建设有中国特色社会主义现代化强国的总国策推动下,法学振兴的迷人工程在 20 世纪 80 年代启动,90 年代突进,21 世纪辉煌的大趋势已毫发毕现,不可逆转。张文显们恰好在大好华年赶上了这伟大的盛举,他们的成功就不再是偶然的了。时势造英雄,时势也造学者,反过来,英雄和学者们也将以自己的勋业推动时势向着理想的方向更快更好地转化。此时此际,站在法学之巅上,有着矫健身材、书生面孔、从容而自信的我们这位青年学者,前望古人,后望来者,他在想什么呢? 他想起了他最喜爱的人生格言,"天行健,君子以自强不息"。是的,天行健,人行健,法亦行健,中国法学在可以望得见的几十年间,大发展,大动作,一个科学化、实践化、现代化和国际化的中国法学,必将煌煌于世界法学论坛。

(原载《社会科学战线》1995 年第 1 期)

坎坷半生铸辉煌

——著名法学家李龙先生学术思想纪要

李占荣　汪公文

　　著名法学家、浙江大学法学院院长、武汉大学资深教授李龙先生，经历坎坷，学术成就辉煌。且不说半个世纪前他挺身而出公开指责赫鲁晓夫时的胆识，也不说40年前在两国关系紧张时期他公开称赞铁托总统为伟大的马克思主义者的勇气以及身陷囹圄22年的冤屈，也不讲7年前他作为中国法学家代表团团长出席在阿根廷召开的国际法律哲学与社会哲学代表大会以及率领大陆法学家代表团赴中国台湾省推动两岸学术交流的贡献，也不提他作为著名法学家受到邓小平、江泽民等党和国家领导人接见的荣耀……本文仅就其造诣高深的学术思想作简略概括。

　　作为一名法学家，先生现任中央实施马克思主义理论研究与建设工程法学组主要成员、中国法学会常务理事、全国法理学研究会副会长、全国高校法学教学指导委员会总顾问、全国法学教育研究会副会长、国际法律哲学与社会哲学协会中国分会副会长。他在法学理论方面硕果累累、自成体系。他笔耕不辍，出版学术著作28部，发表论文160多篇。他不但站在学术前沿，而且创造了诸多学术前沿;他始终把中国社会的法律实践作为出发点和归宿进行理论探索,体现了"形而上"与"形而下"的高度统一。笔者试图将先生的主要学术思想概括为三个相互关联的理论体系:法与法学——宪政与人权——依法治国与政治文明。其中法与法学是理论起点,宪政与人权是核心,依法治国与政治文明是理论与实践结合的典范。

一、理论起点:法与法学

先生在法与法学方面成就巨大,其代表性成果获国家级一等奖 6 项,这在法学界是独一无二的。这些代表性成果是:《良法论》(主编,武汉大学出版社 2001 年版,获司法部优秀科研成果一等奖)、《宪法基础理论》(独著,武汉大学出版社 1999 年版,获全国优秀教材一等奖)、《中国法学教育的改革与未来》(教育部重大教改项目,主持人,高等教育出版社 2001 年版,获国家级优秀教学成果一等奖)、《人权的理论与实践》(执行总主编,武汉大学出版社 1996 年版,获教育部社科成果一等奖,并在国务院社科领导小组主持的建国 50 年来的第一次社科基金优秀成果评比中获重大项目奖)、《法理学》(排名第三,北京大学出版社,高等教育出版社 1999 年版,获国家级优秀教学成果一等奖)、《法理学》(国家社科基金重点项目,排名第二,高等教育出版社 1994 年版,获国家优秀教材一等奖)以及发表于《中国社会科学》、《法学研究》、《中国法学》等刊物的一些相关论文。

(一)**法的解析**

对于法的认识是整个法学研究的逻辑原点。我们对于法的认识犹如"盲人摸象"一般,因认识立场、认识观念、学术背景甚至人生阅历等因素的不同而有所差异,其中贯穿着人与神、自然与社会、权利与权力、民族与国家、暴力与正义、契约与工具、道与术等诸多难以理清的思辨和笔墨官司。法,这个困扰了人类千年的难题需要每一个时代的法学家都给出一个答案。而事实是:我们谁也无法一劳永逸地解决问题! 先生对法的解读基本上从法——良法——宪法三个层面展开。

先生认为,从终极意义上讲,作为人们行为规范的法将永远陪伴人类。因此,法是每一个时代常议常新的命题。在我们这个时代,我们对法的认识都只是提供一个分析问题的范式和框架。作为一名马克思主义法学家,先生承认在阶级对抗社会里法是统治阶级意志的体现,其最终决定因素是物质生活条件,法是一种意志但它不是以意志为基础的,而是以社会为基础的。除了物质生活外,其他社会因素如民族、道德、历史传统、人口、地理环境等等,均对法有一定影响。因此法是调控社会关系或人们行为的社会规范,是具有国家意志性的社会规范,是规定人们权利义务关系的社会规范。先生突破了传统的认识框架,创造性地提出了新的认识框架:本体论(即法的本质、法的本原和法的要素),价值论(即正义与秩序、自由与平等、公平与效益),范畴论(即权利与义务、民主与法制、人治与法治、主权与人权,法律意识与法律行为),运行论(即立法与法律体系,法律适用,法律遵守,法律监督),关联论(即法律与国家、政治、政策,法律与道德、宗教,法律与科学技术),从而构建了崭新的法理学学科体系。先生在其著名的论文《法与政治文明》中从法与政治文明的关系角度揭示了法的属性:从过去来看,法律是文明的产物;从现在来看,法律是维护文明的手段;从将来来看,法律是促进文明的手段。

法有善恶之分。纵观历史,绝大多数政治家、法学家都用不同方式或侧面回答过良法问题,但有一条历史规律:良法治国者兴,恶法治国者亡。2001年,先生出版了著作《良法论》一书,这是他积几十年学术研究和思考对中国法治理论作出的新的贡献。该书最大的成功或学术成就就在于提出了良法之治这一命题本身,这一命题表明了先生的学术立场和学术关怀。先生认为,中国法治进程最大的问题在于所制定的宪法、法律、行政法规、规章等规范性法律文件本身还有很大的问题,所以立法是良法之治的逻辑前提。

先生在充分关注民族精神的同时系统探讨了中国学者和西方学者的良法思想及其标准,创造性地提出了关于良法的现实标准。他认为:良法包括法的实质良善性和形式良善性两个方面,前者即法的实体正义,蕴涵法的人文性、价值性、合理目的性,是自由、平等、秩序、效率、正义之载体。法的形式良善性是指立法、执法、守法和护法各环节中普遍遵守的基本原则。在良法标准的界定原则上,首先要尊重法律自身的发展规律,坚持普遍性与特殊性相结合,经验总结与逻辑推理相结合,价值、规范和事实相结合。确定良法的基本标准是价值合理性、规范合理性、体制合理性和程序合理性,他们分别是良法的核心要素、形式表征、实体要件和运行保障。先生还对法的形式合理性的一般原则做了深入独到的分析,认为法的形式合理性是人类文明进步的表现,是科学技术不断造福人类的结果,反映了人权保障的时代特色和千百年来人类对正义追求的不断深入和强化,法的形式合理性既有各国国情不同而出现的特殊性,更有人类法制文明成果共同享有和相互借鉴利用的普遍性。良法理论的形式合理性体现在六个方面,即确定性原则、平等原则、国情原则、人本价值优先原则、无矛盾性原则和自治原则。与此同时,先生还探讨了良法价值标准的理念模式和体制模式,即正义是良法价值理念模式的核心和灵魂,效率只是良法的重要价值理念形态之一,而秩序则是良法的基础性价值理念形态;中国法治建设的伟大目标是把握时代精神,学习其他国家法律体制的长处以发展本国的法律,建立一种"个人利益与社会利益并重"的社会主义良法价值体制模式。毫无疑问,先生对良法这个法学理论中的重大主题和社会经济发展中的现实问题的系统研究开创了该专题研究的先河,尤其是他关于中国法治之法的价值定位、规范选择以及程序控制的论证具有重大的理论和实践意义。先生主编的《良法论》不但以学术著作的形式表达了对良法之治的学术追求,而且是国内第一本关于良法的学术著作,全书框架结构和内容编排也体现了编者及作者高深的法学理论素养。该书站在历史的高度,从西方学者的良法思想及良法标准到中国学者的良法思想及良法标准,体现了作者的高瞻远瞩、继往开来的理论勇气。

宪法是人类文明发展到一定阶段的产物,是"一张写着人民权利的纸"。如果说法律至上、法律至圣、法律至贵和法律至信共同构成法律权威的基本内容,那么,作为"法律之法律"的宪法权威就具有逻辑必然性。宪法权威不仅是对宪法地位的判断,更主要的是对其权威地位的来源的法理判断,是一个价值问题。只有在宪法权威的政治性、道德性和国家性相一致时,宪法才获得了真正的权威。

作为中国宪法学研究的杰出专家,在构建良法的基本理论之前,先生出版了专著《宪法基础理论》,标志着"宪法基础理论"这一新兴边缘学科在我国创立。不久,他在武汉大学和浙江大学率先设立了该博士研究生专业方向和博士后研究方向。在法学界,绝大多数学者要么只研究某个部门法,要么只在理论法学的某一分支钻研。难能可贵的是:先生在理论法学方面立足于法理学和法哲学,造诣颇深,同时又在部门法领域立足于宪法学,成就斐然,体现了作为国内德高望重的法学大家的理论素养。

什么是宪法?如何认识宪法?与对法的认识一样,我们不必追求统一的模式和标准。先生认为,只要从宪法的起源、宪法的核心内容、宪法与其他法律之间的异同以及宪法的本质四大方面着手就能够揭示其内在属性。他从宪法基础理论的思想入手,考察了古今中外宪法基础理论的历史发展线索,①以史为鉴,正本清源,从而奠定了该学科的渊源基础。他对宪法规范进行了深入研究,认为宪法规范是由规则、原则、国策、概念、程序性和技术性规范构成的规范体系,其中规则是主体,原则与国策是核心,概念、程序性与技术性规范都是不可缺少的内容。与其他法律规范相比较,宪法规范内容更加丰富、结构更加复杂、范围更加广泛。通过对宪法规范进行分类,并从语言、结构、内容和形式四个方面对宪法规范的基本要求进行界定,进一步揭示了宪法规范的根本性、最高性和纲领性等特征,建立了宪法规范的基本理论。我们知道,任何一门学科体系的建立主要取决于基本范畴的确立和对基本范畴之间逻辑关系的准确把握。对于宪法学的基本范畴这样一个极其重大而又艰难的课题,学术界

---

① 李龙先生将西方宪法思想的主题概括为四点:1. 制衡论,它是宪法思想的灵魂。2. 民主论,它是宪法思想的基础。3. 人权论,它是宪法思想的价值追求。4. 宪政论,它是宪法思想的行动纲领。参见李龙主编:《西方宪法思想史》,高等教育出版社 2004 年版,第 2—5 页。

的研究甚少,更谈不上共识。先生迎难而上,对宪法的基本范畴进行了深刻而系统的探讨,创造性地提出并论证了宪法学的五大基本范畴,即宪法与宪政、主权与人权、国体与政体、基本权利与基本义务、国家权力与国家机构。在此基础上,先生创立了宪法的价值理论:从宪法的国家价值看,宪法是立国的政治宣言、治国的法律依据、建国的基本纲领和卫国的有力武器;从宪法的社会价值来看,安全、民主与秩序是其应有之义;而宪法的法律价值则主要体现为立法的基础、法律平等和正当程序三方面。先生并没有停留在宪法的历史与现实问题上止步不前,他全面细致地考察了经济全球化的宏大背景,大胆地提出并论证了宪法发展的新趋势:经济立宪是时代的主流,保障"可持续发展"是 21 世纪立宪的新特点,宪法的本土化与国际化紧密结合是历史发展的客观要求,宪法对人权的保障更加完备与完善。这些真知灼见将引领中国宪法研究准确把握时代脉搏,不断推陈出新。

(二)法学之辨及法学教育之源流

作为国内最知名的法学教育家,先生一直在法学教育领域辛勤耕耘,取得了辉煌的成就。先生法学研究的一大特色是通过法学的理论来检视法律实践,反过来又通过对法律体系的反思与重构来深化对法学的认识。就法与法学的关系而言,先生认为:法是法学研究的主要对象,良法是对法进行善恶价值判断的结果,它和具有效力至高性的宪法是法学研究中极其重要的内容。但是法学研究并不以此为限,法律现象是法与社会现象相结合的结果,毕竟不同于法,所以它也是法学的重要研究对象。

先生认为,法学的品格就是对法学是什么以及有什么用的阐释。法学是"治国之学"、"强国之学"、"权利之学"、"正义之学"。其中"治国之学"、"强国之学"是关于法学的价值论阐释；"权利之学"、"正义之学"是对法学的本体论阐释。

法学成为治国之学的原因在于：法学通过对法律的阐释，论证政治的合法性；法学提供治国之道，从而使法学成为治国之学；法学提供治国之术，从而使法学成为治国之学。

法学的强国功能主要体现在法学对社会变革的意义以及从制度经济学上的论证。在一个落后的国家，强国的进程在很大程度上是一个变法的过程。变法实际上是对过去的利益分配、权力分配格局的调整，而这种调整又必须在现有的法律框架内循序渐进式地完成。法学的阐释和批判功能能够为法律变革提供知识资源。从制度经济学的论证看，制度对经济增长有重大的意义，而制度经济学研究的制度是广义的，法学的研究对象——法律只是其中之一，但法律相对于其他制度而言，更能满足制度经济学中对制度的基本要求。因此，法学客观而言具有强国的功能。

法学为什么可以成为"权利之学"呢？先生认为，权利是人的自由本性的要求，权利概念传达了人类对社会的基本理解，权力不过是权利的派生物，没有权利与权利之间的妥协，权力根本无从诞生。权力的终极目的是服务于权利，是权利得到更加充分的张扬。在公法领域，权利问题最集中的表述就是"人权"这一经典性的概念，如果说公法学研究的价值中心是如何保障国家公共权力运作之下的公民的基本人权的话，那么，私法学研究的则是如何协调权利与权利的冲突。从价值层面看：权利是首要的，是义务存在的正当性根据；权利是义务的目的，义务是实现权利的手段。从发生学的角度来看，权利的产生先于义务。

随着人类社会的发展,人享有的权利越来越多,共产主义社会就是一个人人享有高度人权的社会。

法学为什么是"正义之学"呢？在他看来,正义问题是隐藏在法学骨髓里的无法消解的文化基因,没有正义就没有法律,没有正义就没有法的其他价值。正义是法的价值基础,也是法律的理想。正义还蕴涵了法的其他价值,如平等、自由等。没有正义就没有法律的进化,正义推动着法律的进化,是法律进化的内驱力。由此,以法律现象及其发展规律作为研究对象的法学从一定意义上讲就是"正义之学"。显然,先生对法学品格的精辟概括将人们对法学的认识提高到了一个新的高度。

在法学研究领域,虽然人们对于决策的民主化、科学化已有一定认识,但对于决策的法律化,特别是对法学在国家决策中的地位与作用,尚未论及。先生开创了该研究的先河。在《论法学在国家决策中的地位与作用》一文中,先生以深邃的眼光总结了国家兴旺的历史法则:凡重视和发挥法学在国家决策中的地位与作用的国家,必然兴旺发达,甚至会取得举世瞩目的成就。即使面临严重的困难,也能迎刃而解,至少也能得到缓解;任何不同的社会制度,都不能违背这条历史法则。先生以美国和法国为例,论证了当今世界是"法律的王国"这一命题,他指出:无论是在困难时期,还是在繁荣阶段,法学都始终是发达国家决策的重要武器。这不能不引起我们对当代中国的深刻反思。

先生考察了 19 世纪末 20 世纪初,近代市场经济演变为现代市场经济的历史,发现正是经济学与法学的相互渗透与配合,宏观调控与法的功能的有机结合,使世界经济得到了迅速发展。

即使是作为战败国的德国与日本,甚至连原来比较落后的东亚"四小龙",在经济上取得的举世瞩目的成就也是充分发挥了法学与法律的特殊功能。法律的发展是法学理论发展的结果,也只有法学才能深入回答法律实践中的一些问题,只有具有规范性、强制性、普遍性的法律才能解决这些问题。法学在国家决策中的重要地位与作用,也是对外开放和民主政治的必然要求。至于民主政治与法学的关系,应该说是社会发展,特别是现代文明的重要内容与标志。无论是从理论上揭示民主的内涵,阐明民主的形式、原则和程序,还是从实践中提供民主的模式框架,法学都起着不可代替的作用。第一,民主是一种政治制度,也是一种政治体制。而这些正是法学、特别是宪法学研究的对象。第二,民主有三大原则,即多数原则、程序原则、少数原则,既涉及实体问题,又涉及程序问题,这也是法学研究的重要内容。第三,民主是一个过程,必须从实际出发,并具有强烈的阶级性,这是马克思主义法学理论的基本观点。法学在国家决策中的重要作用,可以概括为如下几个方面:提供理论根据、提供程序模式、提供表现形式和提供保障措施。国家决策的实施,既要通过宣传教育,也要通过必要的强制手段予以保障。在利益多元化的当今世界,国家决策正确与否,直接涉及民族的存亡与国家的兴衰。我国正处在改革的关键时刻,国家的决策更具有现实意义。因此,充分重视和发挥法学在国家决策中的地位与作用,不是单纯法学这一学科的前途问题,而是国家的战略问题。

法学教育承担着培养实施法治所需法律人才的重任。先生在不断探索法学理论前沿问题的同时,努力地探求法学教育的规律,并以独特的方式运用于法学人才的培养之中。

历史是求证现实的公理。先生在《中国法学教育百年回眸》一文中回顾了中国法学教育的历史源流,总结出了每一发展阶段的基本特点,并在此基础上作了认真的反思,特别是重点分析了法学教育与社会变革、法学教育与职业教育、法学教育与高等教育的相互关系,以探索法学教育的规律。该研究奠定了法学教育研究的历史基础,开拓了法学教育研究的视野。毫无疑问,在中国法学教育发展的百年历程中,能够对此进行如此全面而深刻的总结和反思的法学家,还寥寥无几,先生就是其中的一位。

回顾历史是为了更好地把握现在。先生是最早关注中国法学教育变革的学者。他在《论中国法学教育的改革》一文中提出并论证了法学教育改革的内容:关键在于更新法学教育观念、根本出路在于拓宽专业口径、合并为一个专业,并确定了法学专业的 14 门核心课程,使法学教育形成了科学的规范。先生强调改革的重点在于加强基础,增强后劲,核心在于更新教学内容,突出实践环节、目的在于培养高素质的"四有"新人。他的这些关于法学教育的思想最终被国家采纳,直接催生了高校法学本科诸专业合并为一个法学专业的改革。

作为硕士生、博士生和博士后的导师,先生在注重普及法学人才教育的同时,对高层次法学专门人才的培养也倾注了大量心血。他担任众多学术职务,以海纳百川的胸怀为中国的法学教育事业献策献力。他曾任武汉大学法学院副院长、代院长,现任浙江大学法学院院长、教授、博士生导师,武汉大学法学院资深教授、博士生导师,还被聘为全国许多高校的兼职或客座教授。先生有其独特的育人观:能教好书的教师是三流教师;能培养学生创造性思维的教师是二流教师;而能将学生培养出一种境界的教师才是一流教师。① 我们深切感受到先生与学生的关系可以用良师益友来形容,比如中国政法大学校长、教授、博士生导师徐显明先生不仅是先生的学生,也是先生的好友。每当见面之际,学生除对先生的敬仰之外,也畅谈学术研究之得失。先生运用先进的法学教育理念通过辛勤劳动,换来桃李满天下。他培养指导法学博士后 7 名、法学博士 42 名、法学硕士 50 名,他(她)们在各自的工作岗位上已经作出并将继续作出杰出的贡献,其中有的担任法院院长、检察院检察长,有些成为高级律师和政府高级官员。大多数弟子秉承师业从事法学教育工作,其中有 5 人已担任大学校长、副校长,6 人担任学院院长,14 人已晋升教授并成为博士生导师。而武汉大学法学院教授、博士生导师、著名的青年法学家汪习根先生就是众多弟子中的佼佼者之一,他是全国优秀博士论文获得者。他跟随先生十几年,不但全面传承了先生的法学思想,而且与先生一起共同开拓了许多新的研究领域。

二、实践核心:宪政与人权

宪政与人权是法治的实践核心。先生对宪政与人权的理论构思宏大、论证精细。其代表性成果有:《人权的理论与实践》、《宪法基础理论》、《宪政规律论》(载于《中国法学》1999 年第 4 期,该文开创了国内最早系统探讨宪政规律的先河)以及载于《中国社会科学》、《法学研究》、《中国法学》等刊物的一些相关

---

① 参见汪习根、陈焱光:《李龙教授在法学理论和法学教育方面的建树》,《中国地质大学学报》2002 年第 2 期。

论文。

（一）宪政理论

宪法至上是法治的灵魂，而宪政是宪法学研究的核心内容，也是一个颇具争议、见仁见智的问题。先生认为，宪政是以宪法为前提、以民主政治为核心、以法治为基石、以保障人权为目的的政治形态和政治过程。因此在理解和分析宪政问题的时候就必须明确以下几点：宪法实施是建立宪政的基本途径，建立有限政府是宪政的基本精神，树立宪法的最高权威是宪政的集中表现，实行法治是宪政的基石。作为马克思主义的法学家，先生对社会主义的民主宪政给予了极大关怀。在《民主宪政与精神文明》一文中，他从民主宪政与精神文明关系的高度进行了精辟的论证：民主宪政有着丰富的内涵，无论是观念还是制度，无不闪耀着精神文明的光彩。民主宪政的核心是尊重人、爱护人、强调人民当家做主。主张人民意志高于一切，要求提高人的素质，而这正是精神文明的崇高境界。民主宪政的载体是代议制度、权力制约制度和司法公正制度，而这正是制度文明，属于精神文明的范畴。一次合法的选举，一项有力的弹劾，一次生动的审判，都是深刻的道德教育，都是文明之举。民主宪政强调法律权威，主张法律至上；弘扬民主，反对专制；要法治，不要人治。这正是精神文明的内容和要求，也是精神文明建设的推动力。宪政本身就是一种文明。是社会进步的重要标志，其中的宪法意识、民主意识、权利义务观念、守法观念、法律面前人人平等观念等等，都是精神文明的应有之义。民主宪政突出依法办事、依法律己，强调自律与他律，要求人们以宪法和法律作为自己行为的准则，而这些恰恰是社会主义精神文明所强调的。

为了探索宪政规律，把握宪政和宪法的演变与发展态势，指导宪政实践,推动依法治国的进程,先生与其弟子汪习根教授发表了著名的论文《宪政规律论》,指出宪政规律是宪政制度构建及其运作过程所具有的普遍属性和一般特征,是站在世界宪政发展史的角度,从纷繁复杂的宪政现象和宪法规范中离析出来的宪政共性,体现为立宪规律、行宪规律和护宪规律。该文通过考察世界宪政发达史,从纷繁复杂的宪政现象和宪法规范中高度抽象地总结出宪政制度构建及其运作过程所具有的一般属性与普遍规律。

就立宪规律而言,宪政经历了人权立宪—政治立宪—经济立宪的漫长演进过程,并正在向知识立宪过渡。这反映出宪法变迁的内在规定性。就行宪规律而言,国家权力状态是宪法运行关注的焦点,从单纯控制国家权力发展到既控制权力、又保障权力,体现出一条普遍的行宪规律。具体地说,在古典的宪政理论中,行宪是以控制政府权力为核心内容的。而经过漫长的历史演变后,行宪之内容与中心不仅在于控制政府权力、防止专制统治,更应超越对专横地行使国家权力予以控制的传统理论,而通过宪政设计与宪法运行来保障国家权力的运行,以实现经济效率、民主管理及其他社会价值,达到控权与保权的有机统一,以一个既受限制而又高效运行的政治权力系统来最好地维护人民权利。就护宪规律而言,在考察了世界宪政发展史、总结宪法监督特有的内在规律性、预测违宪审查制度的发展趋势之后,指出护宪规律体现为以下三个方面:(1)违宪审查活动从自发到自觉以至制度全面理性化;(2)违宪审查主体从无组织到有组织以至组织机构专门化趋向;(3)违宪审查方式从多重混合审查模式趋近于司法诉讼程序化。

毫无疑问,这些对宪政规律的探索与研究填补了宪法学在这一学术领域的空白,不仅在理论上丰富和发展了我国的宪法学基础理论,而且对我国因循世界宪政的发展规律进行具有中国特色的社会主义宪政建设具有极其重要的实践价值。目前,在这一研究的基础上,包括笔者在内的先生的许多弟子们在先生的指导下开始了对人权立宪、政治立宪、经济立宪以及知识立宪的专题研究,我们坚信先生开拓的宪政学术事业会取得更多成果。

(二)人权理论

人权是一个横跨哲学、政治学、伦理学和法学等学科领域的宏大课题,在法学领域,人权研究已经突破传统的国际法的限制而延伸到了宪法学、法理学、刑法学、行政法学等部门法学之中。先生是当代中国最早探索人权问题的法学家之一,也是对人权问题进行宪法学和法理学研究的先驱,并取得了突破性成就。他将传统个人主义的人权观与马克思主义的人权理论进行了比较研究,创造性地提出了构建中国特色的人权法体系的理论设想。

先生的人权理论自成体系。从人权观来看,当今世界存在两种对立的人权观,即马克思主义的人权观和资产阶级的人权观。我们应当坚持马克思主义的人权观,同时承认资产阶级人权观的历史进步性的一面。从认识论的角度看,人权是一个不断发展的范畴,所以应当从静态和动态两方面来把握。而对人权的内涵可以从道德、法律和现实三个层面来揭示:即人权是一种道德权利,是作为一个人应当享有的权利;人权就其实质而言,是国内法管辖的问题,因而一般来说又是一种法律权利;这两种权利仅仅为人权的实现提供了可能性,因此人权必须是一种实有权利。

从人权的历史和实践来看,人权是历史性与现实性的统一;既要看到发达国家人权保障比较充分的一面,也要充分认识其不足;既要看到广大发展中国家人权保障普遍低水平的现实,也要看到近年来不断发展的趋势;既要将人权看成主要是一国主权范围的事,也应看到国际人权的监督和保护的进步意义。只有科学、客观地考察和分析一国人权的现实状况,并在尊重一国主权的前提下,国际社会的人权状况才会在和平环境中发展。否则,借保障人权之名,行侵犯人权之实,可能事与愿违,或被少数别有用心的国家利用,从而构成对国际人权的践踏。而且,对广大发展中国家而言,没有国家的独立与主权,没有民族的发展权和人民的生存权,其他任何人权都是空谈。

从人权的科学含义来看,人权就是人作为人应当具有的权利,即基本人权。从广义来讲,人权既包括基本权利,又包括公民权,是个人人权与集体人权的统一。

先生曾主持国家社科基金"八五"重点项目《人权的理论与实践》,从理论与实践的结合上对人权问题进行了全面的、系统的和历史的考察与研究,划清了马克思主义人权观同资产阶级人权观的界限,批判了西方一些国家在人权问题上对我国的攻击,提出了进一步完善我国人权制度的建议;同时,以大量的篇幅对国际人权斗争作了充分的考察与评述。该书体现了思想性、理论性、科学性与资料性的统一,是当时我国全面、系统地研究人权问题的一部代表力作。值得一提的是,先生在人权领域的造诣直接影响到他的弟子,他指导的博士生汪习根教授在这一领域取得了突破性进展,获全国优秀博士论文奖,其《法治社会的基本人权——发展权法律制度研究》一书作为人权研究的又一力作受到广泛关注和好评。

从宪政与人权的关系看,宪政是以保障人权为目的的政治形态或政治过程,人权保障的程度是考量宪政的重要尺度。

三、理论与实践结合的典范:
依法治国与政治文明

依法治国与政治文明是当代中国法学面临的重大课题,也恰恰是先生主持的两项国家社会科学基金重点项目,这也从侧面反映了先生在中国法学研究中的重要地位。这方面的代表成果有:《依法治国方略实施问题研究》(武汉大学出版社 2001 年版,本书系国家"十五"重点图书,获湖北省人民政府社科一等奖)、《新中国法制建设的回顾与反思》(教育部重大招标项目,中国社会科学出版社 2004 年版)、《论依法治国》(武汉出版社 1997 年版)以及发表于《中国法学》、《法学研究》等刊物的相关论文。

(一)依法治国理论

依法治国是人类对治国模式的理性选择,也是人类社会发展到一定阶段的必然要求。先生是当代中国最早探索法治问题的法学家之一,他高瞻远瞩,从多个角度探讨了依法治国的理论。

先生系统研究了古代希腊、罗马时期的法治思想,近代和当代西方的法治理论,中国古代的重法思想与近代的法治主义,中国法律近代化过程中的法治观以及当代中国的法治理论,在此基础上,先生针对法学界存在的错误认识,论证了依法治国的科学含义,即依法治国就是共产党领导人民依照宪法与法律,通过各种渠道和形式,管理国家事务,管理经济、文化事业和管理社会事务,把各项工作纳入法制的轨道,使社会主义民主制度化、法律化,并使这种法律和制度不因领导人的改变而改变,不因领导人的看法和注意力的改变而改变。需要特别强调的是:先生始终从国情出发(而不是从抽象的理念出发)研究法律问题,因而他的理论都是建设性的。在他含冤守狱22年期间,他全面深入地学习了马克思主义,并对国家、社会和人生进行了深刻的反思与体悟,在之后的法学实践中他系统研究了马克思、毛泽东和邓小平的法律思想,先后出版了《马克思主义法学著作导读》、《毛泽东法律思想研究》和《邓小平法制思想研究》三部学术著作。这在"西学泛滥"的中国法学界构成了一道独特的风景线。

先生还率先大胆提出人治与法治的根本区别不在于是否有法律体系和司法实践,而在于是否树立了法律至高无上的权威,即当法律同领导人的意志发生矛盾时,是领导人的意志高于法律,还是法律权威高于领导人的意志。当法律权威高于领导人的意志时是法治;当个人权威尤其是权力执掌者的权威高于法律权威时便必然是人治。难能可贵的是,他在20世纪80年代末90年代初就提出并坚持将该观点载入全国高校法学专业统编教材之中,反映了先生追求真理献身科学的精神和超人的胆识与智慧。先生认为,抛开意识形态,仅从科学意义上看,邓小平的法制思想可以概括为:民主立国论、法律权威论、两手建国论、法制观念论、法制原则论、权力制约论、经济法论、民主法制统一论、民主与专政结合论以及政法队伍素质论,而其核心仍然是依法治国。

先生对依法治国方略的实施问题进行了深入的研究,对古代的法治模式、近现代的法治模式和当代的法治模式进行了系统分析,在对英国法治模式(rule of law)与德国法治模式(rule by law)进行比较分析的基础上,大胆地提出了建立具有中国特色的社会主义法治模式的构想。他首次系统地提出并论证了如何构筑良法的体系,并全面探讨了依法治国方略的实施步骤并重点突出了"依法治国与执政党执政方式的转变"。从内部看,他重点研究了立法法治、行政法治和司法法治的具体对策和措施;从外部看,将法治置于整个社会的政治经济和文化大背景之中进行宏观研究,表现了他探索求真的科学精神和巨大的理论勇气。

(二)政治文明理论

政治文明是人类的崇高理想和追求,也是政治实践和法律实践无法绕过去的一个重大问题。先生正在主持国家社科基金重点项目"政治文明与法治国家"。从先生已经公开发表的成果看,业已形成了比较系统的思想。

先生考察了政治文明的渊源,指出政治文明这一概念是马克思首次提出来的。他认为政治文明泛指政治领域的进步状态。如果说物质文明是人们改造自然的成果,精神文明专指人们在改造客观世界的同时改造自己的主观世界的成果,那么政治文明就是人们改造国家的成果。文明的政治理念是整个政治文明的先导。文明的政治理念主要有:自由、平等、民主、人权、人民主权、宪政、法治等等,这些理念的核心就是用崭新的眼光来看待人、对待人,就是"以人为本"。如果从政治文明的层面来理解以人为本则至少有三个方面:第一,保障人权是政治文明的出发点与归宿,换句话,不讲人权就无政治文明可言;第二,人是政治生活的主体,"一切权力属于人民"(这里讲的人是指具有国籍的自然人),集权政治不属于政治文明,而是其对立物;第三,人的主观能动性得到发挥,人的尊严和价值得到实现。政治文明的载体是制度,因此,文明的政治制度是政治文明的关键要素。文明的政治制度的关键是:民主、权力分开和控权、法治。但在现代国家里,民主有三大原则业已成共识,即多数决策、程序正义、保护少数(安全)。因此,离开这三大原则的政治制度绝不是文明的政治制度。我们在辨别某个国家是否存在政治文明时,不能单纯看它喊什么口号、打什么旗号以及在形式上建立了什么样的政治制度,而主要是看它追求什么。文明的政治理论、文明的政治制度、文明的政治秩序和文明的政治目的,是一个不分割的整体,它们相互配合、相互作用,共同展现政治文明光彩。

先生认为,在当今世界,政治文明的要义就是顺应历史潮流,代表最大多数人的利益,并从制度上予以保障。当然,代表最大多数人的利益,必须是现实的和可预测的,应该表现为人民物质和文化生活水平的提高,表现为民富国强,表现为促进整个人类社会的进步和可持续发展。其中的关键在于与时俱进,本质在于执政为民。

先生系统论证了政治文明的两种历史形态。政治文明的初级形态为资产阶级共和国,即资产阶级民主政治,很显然,资产阶级共和国的建立,是人类社会的巨大进步,迎来了政治文明的初级阶段。之所以说它是初级阶段(初级形态)是基于如下两个方面:第一,其政治目的不文明。在资本主义私有制条件下,各政党不可能立党为公,而是立党为私,一旦它们执政时,首先谋取的是本党的利益,是本党成员占据政府要位,而不能唯才是举,更不可能执政为民。第二,全社会有一股有一定势力的逆流,且不说黑社会势力,就是政治目的卑鄙的政治势力,一旦通过他们的政党上台,容易导致法西斯的产生。

社会主义法治是政治文明发展的高级阶段(状态),理由是:首先,社会主义法治是以公有制为主体、多种经济并存为基础的治国方略和政治体制,阶级对抗已局限在一定范围之内,人民在根本利益上是一致的,这就避免因阶级对抗而造成的对社会的严重后果,人民也就能集中精力和时间进行各种创造性劳动。其次,我国社会主义法治以马列主义、毛泽东思想、邓小平理论为指导,使人的思想解放和整个人的解放结合,从而使政治文明得以升华,使"以人为本"的政治理念实现理论与实践的统一。再次,社会主义法治是绝大多数之治,体现的是绝大多数人的意志和利益,符合历史发展的规律,代表先进生产力发展的基本要求,使"人民创造历史"、"人民是国家的主人"由美好的愿望变成光辉的现实。另外,在社会主义法治国家里,民主已经不是手段,而是目标和行动,人民依法管理国家事务和社会事务,干部则是"人民的公仆"。最后,社会主义法治将全面落实马克思关于"权力分开"的思想,在坚持和完善共产党领导的前提下,实行依法执政,贯彻党必须在宪法和法律范围内活动的原则。执政党和国家机关都受人民的监督,权力制约,依法办事已成为全社会的共识。当然,先生也清醒地认识到:建设社会主义法治国家和建立政治文明是一个宏大的系统工程,需要全国各族人民共同奋斗,与时俱进,在实践中不断创新,不断完善,不断发展。从依法治国与政治文明的关系看,政治文明要求摆脱个人的主观任性,因此政治文明的运作方式必然是法治,依法治国既是政治文明的标志,也是其客观要求。

笔者将先生的学术思想概括为"法与法学、宪政与人权、依法治国与政治文明"三对范畴只是一种基于逻辑考虑的分析思路。事实上,先生的研究范围决不限于此,而且,先生对以上三对范畴所涉及的六个领域之间的关系都有深入系统的研究,鉴于篇幅和本文的主题,这里只略作概括:法治是人权的形式和载体,要实现人权就必须实施法治;宪法至上是法治的灵魂,依法治国就是依良法治国、依宪法治国;而要实行法治,就必须首先提供充分的法学理论支撑,法学教育是培养法治人才的基本途径;宪政是宪法学研究的核心内容,人权问题是政治文明的终极关怀,而宪法正是这种关怀的最佳表达;法治是政治文明的基本运作方式,宪政是政治文明的核心;法和政治文明不可分离,政治文明是法的价值核心,法治是政治文明的基本方式,政治法治化是实现政治文明的必由之路,法治与政治文明具有一致性,依法治国的过程,实质上也是推进政治文明的过程。

(原载《社会科学战线》2004 年第 6 期)

学 者 之 梦

黄 士 元

一、初 入 学 界

　　长期以来,中国的刑事诉讼法学研究不甚发达,以至于在陈瑞华的《刑事审判原理论》出版之前,除了李心鉴的《刑事诉讼构造论》、宋英辉的《刑事诉讼目的论》等少数专著之外,刑事诉讼法学者并未能奉献出多少具有启发性和创造性的思想和学说。相反,当时占主导地位的著作仍然是一部部的法学教科书,以及一些带有教科书体例的所谓"学术专著"。在攻读法学博士学位期间(1992—1995 年),陈瑞华试图通过博士论文的写作对刑事审判制度中的基本理论进行较为深入的研究,为中国刑事诉讼理论的发展作出具有开拓性的学术贡献。现在看来,这一抱负在一定程度上得到了实现,尽管还没有达到期望值。1997 年 2 月出版的第一本专著《刑事审判原理论》即是在博士论文基础上经过修改和完善写成的。在这部专著中,陈瑞华最大的学术贡献,是对刑事诉讼价值这一在刑事诉讼法学中具有根基性理论的研究。在该专著中,为刑事审判程序设定了三项基本的价值标准和目标:内在价值、外在价值和次级价值。其中,内在价值是指程序自身符合正义要求,外在价值是指程序因具备产生公正结果的能力而具有工具性,次级价值即程序符合经济效益的要求(这一价值标准相对于前两者而言居于次级地位);同时,探讨了"最低限度程序公正标准"的概念,并提出了刑事审判程序的六项最低限度程序公正标准:程序参与原则、中立原则、程序对等原则、程序理性原则、程序自治原则、程序及时和终结原则。

应该说,前述对刑事审判价值的探讨为陈瑞华进一步研究程序正义理论奠定了基础。其后,陈瑞华又陆续发表了一系列有关程序正义理论的论文,包括《刑事审判程序价值论》(《政法论坛》1996 年第 5 期、第 6 期)、《程序正义论:从刑事审判角度的分析》(《中外法学》1997 年第 2 期)、《通过法律实现程序正义:萨默斯"程序价值"理论评析》(《北大法律评论》1998 年第一卷第一辑)、《走向综合性程序价值理论:贝勒斯程序正义理论述评》(《中国社会科学》1999 年第 6 期)、《程序正义的理论基础:评马修的"尊严价值"理论》(《中国法学》2000 年第 3 期)等。事实上,2005 年出版的《程序性制裁理论》这一专著也是程序正义理论的一部分,是对前述程序正义理论研究的延续和拓展。即使到现在,程序正义理论也还是陈瑞华正从事的研究课题,已经成为挥之不去的学术情结。

除程序正义理论外,《刑事审判原理论》还从刑事审判与行政、立法以及与其他纠纷解决方式区别的角度分析了刑事审判的基本特点;对无罪推定原则、审判独立原则、直接言词原则、一事不再理原则等基本原则,从理论上作出了新的解释和论证;明确提出了"诉讼职能的区分和制衡"的思想,并进行了理论上的论证和对策分析;从实现程序价值的角度,分析了刑事审判模式的区分和发展规律,提出了作为刑事审判程序理想模式的"参与模式"这一概念,并认为,从长远的角度来看,中国刑事审判程序应当以"参与模式"作为发展和改革的方向。《刑事审判原理论》出版后,在法学界引起不小的反响,不仅多次获奖,而且还被多所大学和法学院列为法学研究生学习诉讼法学的必读参考书。根据苏力教授 2004 年就中国 1997 年以来法学著作引用率的实证分析,该书还被列为引用率最高的前 15 部中国法学著作之一,也是唯一一部进入这一排名的诉讼法学类著作。不过,按照陈瑞华教授自己的话说,"从今日的眼光来看,虽然这本专著具有较新的理论视角和较强的创新意识,虽然其资料的整理是全面的,部分观点的表述是全新的,但是,其中一些观点已经显得有些不合时宜了,其中所运用的法学方法也似乎有些幼稚;这部带有浓重'思辨'色彩的'学生期作品',也缺乏笔者近期所强调的'问题意识'"。"这本书可能不属于我的巅峰之作,甚至就连代表作都算不上,但它却奠定了我一生的学术基础,培养了我的学术兴趣和热情,使我树立了以学术为业的信念"。

二、激 扬 文 字

1995 年 7 月,陈瑞华在中国政法大学获得诉讼法学博士学位,随后进入北京大学法律学系从事博士后研究工作。1997 年 6 月工作期满出站,并留校任教。从 1995 年到 1999 年,一直为北大研究生开设"刑事诉讼理论"这门课程。正是这一教学活动为陈瑞华全面思考刑事诉讼的前沿问题提供了一个难得的契机,开始尽量从新的理论视角解释刑事诉讼立法和司法实践中的问题。在这四年的讲课实践中,他经过读书、思考、社会调查,积累了一些资料，也沉淀了一些新的学术思想，最终于 2000 年 1 月出版了第二本学术专著《刑事诉讼的前沿问题》。

《刑事诉讼的前沿问题》的基本思路是，通过对中国刑事诉讼法学进行系统的回顾、总结和展望，就刑事诉讼制度背后的一系列观念进行重新分析和评价，对左右着刑事诉讼程序的司法体制进行反思。其中比较重要的学术贡献主要包括：对 20 世纪中国刑事诉讼法学的发展进行了系统的回顾和反思，其中对民国期间刑事诉讼法学发展状况的研究消除了很多学者对民国刑事诉讼法学的神秘感，发现民国刑事诉讼法学研究虽已达到相当水平，但主要还是以欧陆法为摹本的"引进法学"；对刑事诉讼的基本理论范畴进行了全面的分析；对传统证据法学的理论基础进行了深入的反思，提出应以"形式理性观念"和"程序正义理论"作为证据法学的理论基础（这一观点在一定程度上也引发了学界对此问题的讨论）；研究了过去长期为人们所忽略的问题——刑事诉讼的纵向构造问题，提出我国现阶段"流水作业式"的纵向构造已经产生诸多负面影响，应改造为"以司法裁判为中心"的纵向构造；从宏观的角度，运用比较和实证的分析方法，对我国侦查、起诉、第一审、简易程序、普通救济程序以及再审程序进行了系统分析，探讨了这些程序设计背后的价值观念、哲学基础和司法体制。

相比于以往发表的论著，这本书更多地采用了评论和反思的写作手法。其中既涉及对中国刑事诉讼法学理论的反思，也包含着对中国刑事诉讼制度的评述。但是，陈瑞华明确指出："撰写本书的目的绝非在于贬低中国刑事诉讼法学研究取得的成果，也不是仅仅在于对中国刑事诉讼制度甚至整个刑事司法制度的一味批判。"相反，作者的真实意图是，"通过对中国刑事诉讼法学理论的现状进行反思,推动这一学科走向深入和精密,走向哲理化和实证化;通过对中国刑事诉讼制度和司法制度的细致深刻的实证考察和评论,推动这些制度的更深一步的改革"。

相比于以往发表的论著,陈瑞华的这本书更为关注中国司法实践中的问题。如果说《刑事审判原理论》试图运用思辨、比较等研究方法构建一种理论的话,《刑事诉讼的前沿问题》则更多地关注中国司法实践中的问题,其中对司法鉴定制度、证据展示制度的探讨就显然是在回应当时司法改革运动。当然,事后反思,这本书也明显地受到对策法学的影响,以推进立法和改进司法为研究的归宿,导致即使发现了实践中的问题,对问题的分析也仍来自于法条,缺少富有新意的理论论证和阐释。

2000年9月出版的第一本随笔集《看得见的正义》,也可以看做是关注中国司法实践的产物。通过与法官、检察官、警察、律师的广泛接触(主要以讲学、调研等途径),作者一方面感到"一种活生生的现实扑面而来",以往对司法实践不准确的认识得以修正,另一方面发现司法实践工作者需要那些能够对司法实践中存在的问题予以解释、对司法界的改革探索具有指导作用的理论。在这本随笔集中,试图通过一种非学院式的语言,把刑事诉讼中一些较为成熟的思想、观点透过一个个活生生的案例表达出来,以期满足司法实践工作者的上述需要。

三、转 型 之 作

2002年,陈瑞华作为高级访问学者赴美国耶鲁大学法学院访学。访学期间,与美国、加拿大等国的法官、检察官、律师进行了深入的交谈,并通过各种途径对美国、加拿大的刑事司法制度的运作有了直观的了解。同时,通过查阅刑事诉讼法学与人权、宪法、侵权法等方面的大量最新文献,打通了刑事诉讼法学和其他法学的学科藩篱,开始把刑事诉讼法学的研究放在更大学术视野中,注意与其他法学学科的交叉;还对原先就很感兴趣的美国程序性制裁机制(包括排除规则、撤销起诉制度、推翻有罪判决制度)进行了特别研究,从而为以后全面研究程序性制裁理论打下了良好的基础。

2003年7月,陈瑞华的第三部学术专著《问题与主义之间——刑事诉讼基本问题研究》出版。这本专著是近三年来研究刑事诉讼问题的成果总结,涉及司法权的性质、刑事诉讼中的权利救济、程序性制裁、未决羁押、法院变更罪名、重复追诉、证据规则等一系列的问题(在这一意义上说,本书属于专题性研究),而把对这些问题的研究整合为一个有机整体的重要线索是法学研究的方法论问题。本书之所以取名为《问题与主义之间——刑事诉讼基本问题研究》,一方面是因为作者对胡适先生所提出的"多研究些问题,少谈些主义"这一命题有了新的认识,另一方面也是因为近年来在法学研究方法上发生了一个相当重要的转型。这一转型是基于对"中国问题"的逐步深入的认识,以及对中国法学研究状况的反思而作出的学术选择。这样研究的思路,按照陈瑞华教授的简练表达,就是"中国的问题,世界的眼光"。其中,"中国的问题"应当是法学研究的具体对象,"世界的眼光"则应是研究者所持的思路和所要达到的境界。具体而言,中国法学要想作出自己的独特贡献,就不能只是重复研究西方学者研究过的问题,重走西方学者走过的老路,而必须从本国正在发生的重大社会转型和法制改革中寻找问题,通过对中国问题的描述和分析,对问题的现状作出尽可能精确的解释;然后,就问题的解决提出一些带有假设性的思路,并对解决方案的局限性和可行性作出剖析;最后,在针对具体问题作出解释和提出解决方案的基础上,尽量使对问题的分析由特殊走向一般,由个别走向普遍,从而最终使有关理论得到发展,提出一些西方法学所无法提出的法律思想和理论。当然,在对"中国问题"作出独立的学术研究时,中国学者必须培育自己独特的学术眼光,尤其要借鉴西方法学的研究成果和研究方法。

陈瑞华的这本书还提出了刑事诉讼法学的两大基本课题:一是摆脱行政治罪的理念,实现诉讼形态的回归;二是走出认识论的误区,树立"刑事诉讼活动不仅仅是一种认识活动,更是一系列法律价值的实现和选择过程"的观念,为刑事程序和证据规则重新确立理论基础。

四、走向成熟

在写作《问题与主义之间——刑事诉讼基本问题研究》一书的过程中,陈瑞华就发现了刑事诉讼法学中的一个崭新课题——程序性制裁理论,并对其进行了初步的研究。在该专著出版后的一年多时间里,他又集中精力对该课题进行了系统、深入的研究,并于2005年1月出版了《程序性制裁理论》这一专著。

在内容上,《程序性制裁理论》是对前述程序正义理论研究的延续和拓展。作者在长期的刑事诉讼法学研究中发现:在我国,实践中普遍存在的程序性违法并不会受到追究,有关程序性违法的立法基本上是"口号式"、"宣言式"的,没有规定违反程序法的法律后果,更谈不上什么程序性制裁;相反,对于程序性违法行为,英美法系国家有排除规则、撤销起诉、发回重审等程序性制裁措施,大陆法系国家则有诉讼行为无效制度。作者认识到,即使程序法的设计再符合程序正义,如果没有针对程序性违法的制裁机制,程序法仍然无法得以实施。以前的程序正义理论讨论了何种刑事诉讼程序才符合程序正义的要求。现在看来,更重要的问题是,程序法作为最容易被违反的法律,一旦被违反,违法者应受到何种处罚,违法行为应否仍具有法律效力。令人遗憾的是,面对我国现阶段程序性违法普遍存在、刑事诉讼制度运作不良的严峻现实,我国法学者并没有从理论上作出回应和解释,除了对排除规则的零星讨论,连普遍接受的概念体系都没有建立。作为我国第一部以程序性违法的法律后果为研究对象的学术专著,《程序性制裁理论》提出并分析了"程序行为法"、"程序性制裁"、"程序性裁判"、"程序性法律责任"、"程序性裁判"、"程序性辩护"、"程序性上诉"、"宪法性侵权"、"宪法性救济"等一系列新的法学概念,初步形成了一个以权利救济为中心的程序性制裁理论,从而拓展了刑事诉讼法学的学术版图,有助于刑事诉讼基础理论的发展。具体说来,在这部专著中,运用经验实证研究方法,对警察、检察官和法官违反刑事诉讼程序的成因以及官方治理程序性违法行为的主要方式进行了深入的反思和评论,讨论了运动式治理方式的局限性以及实体法律责任的缺陷,论证了程序性制裁方式的正当性和理论基础,分析了中国现行的程序性制裁制度的主要不足,并就程序性制裁制度的完善以及与程序性制裁有关的程序性裁判、程序性辩护、程序性上诉以及宪法救济等制度的重构,提出了系统的理论设想。

在研究方法上,《程序性制裁理论》贯彻了一种新的分析问题的思路,强调对问题的解释,注重运用科学方法研究法律问题,应该说在研究方法的使用上已趋于成熟。全书的整个篇幅都围绕着程序性制裁问题展开,循着发现问题、分析问题、提出假设、展开论证(包括证实和证伪)、得出一般性结论的步骤谋篇布局,使得对问题的分析逐步走向深入,而不再流于对西方概念和理论的简单重复或者综合总结。全书注重在发现真正问题的基础上对问题作出准确的、富有新意的解释,强调对实务界、其他学者甚至所提出的解决这些问题的"对策"的反思,强调在运用逻辑实证方法的基础上,使用经验的或社会的实证方法研究法律的实施状况。全书共援引已公开发表的案例三十多个,援引案例的写作风格已经形成。当然,在很大程度上,通过援引个案进行实证研究只是没有办法的办法,只是权宜之策,具有情境的合理性。因为现阶段法学者在研究刑事司法实践时,并没有多少官方资料可资参考,亲自到司法实践中收集素材、掌握数据又面临着重重困难。

昔日的梦想已经化为现实,陈瑞华教授已经成为法学界国内外知名学者。"路漫漫其修远兮,吾将上下而求索",陈教授正以百倍的信心,向下一个更高的目标攀登。

(原载《社会科学战线》2005 年第 5 期)

民俗文化学巨擘

——记钟敬文先生

汪玲玲

钟敬文教授以一生精神致力于中国民俗文化事业,建立了民俗文化学理论体系,培养了一支根基深厚的民俗文化学队伍,为弘扬祖国民族文化和社会主义精神文明建设,立下了汗马功劳。

一

20 世纪 20 年代初,在五四运动洗礼中,先生接受了民主和科学精神,一边创作诗歌散文,一边搜集民歌和民间故事,在《歌谣》周刊发表。从此他爱上民间文学,并从此时以新的人文科学观念从事民间文学和民俗学工作,与周作人、顾颉刚、沈雁冰(茅盾)、赵景深等人,共同致力于平民文化宣传工作。20 年代末期,钟敬文先生在中山大学执教,与顾颉刚等人,成立了中山大学民俗学研究会,参加《民间文艺》及《民俗》周刊的编辑工作。

最初他搜集广东少数民族民歌,发表了《中国疍民文学一脔——咸水歌》、《客家山歌》以及《台湾民歌》、《马来民歌》等。同时他以更多的精力钻研中国古籍,著书之余也去搜集人民口头上的民间故事,他写出大量神话、传说及民间故事的比较研究论文。其中有《楚辞中的神话传说》、《中国天鹅处女型故事》、《中国地方传说》、《槃瓠神话的考察》、《老獭稚型传说的发生地》、《老虎与老婆儿故事考察》、《呆女婿故事试谈》、《马头娘传说辨》、《〈山海经〉是一部什么书》、《中国民间故事试探》二章(《蛤蟆儿妇》、《田螺精》)、《印欧民间故事型式表》(与杨成志合译)、《中国印欧民间故事之相似》、《中国民间故事型式》、《中国神话之文化史的价值》等等,其中除单行本《楚辞中的神话与传说》及《印欧民间故事型式表》外,都收入《钟敬文民间文学论集》下册(上海文艺出版社 1985 年版)。集在一起,已大体具备比较民间故事学的规格。仅以《中国天鹅处女型故事》为例,已经足以说明中国民间故事的研究已经很好地弘扬了中国文化精华的世界影响。

《中国天鹅处女型故事》是特别富于"诗之美丽"情趣的世界性范围的故事类型,在世界各地广泛流传,在 20 世纪初英国哈特兰德博士与日本西村真次教授都有专门研究。但哈特兰德多从欧洲取材,西村真次虽然涉及日本及中国此类故事,但在他的研究中也仅只引用一个中国故事,还是蒙古族的。鉴于外国学者不了解此类故事在中国的丰富矿藏,钟先生披览文献,田野调查,类比分析,旁征博引,全面论述了中国此类故事的各种类型,以之和世界天鹅处女故事进行比较研究。他详细比较了天鹅处女故事在中国的流传发展,并确认晋代干宝《搜神记》中的毛衣女故事是世界这类故事的最早原形,而且其情节既优美也相当完整,要比世界上这类故事早上几个世纪。说它不但在

"时代观上"占着极早的位置,从故事情节看也是"最原形的"。钟先生这一发现大大丰富了世界民间故事的宝库,在英日两国名家的研究基础上对世界故事学作出了新的贡献。今天我们明显地看到,他已经大步跨越了外国专家的研究领域,丰富了世界民间故事学,而且他涉及的大量人类学知识,如关于变形、沐浴、禁忌、天际淹留等民俗学知识上的论述,在20世纪30年代的中国文化界也是全新的。他同时以流传于朝鲜,越南和中国同一类型的《老獭稚型传说的发生地》(天子地——风水的传说)的三种不同形式作比较研究(特别举《赵匡胤出生的传说》为例),说明它是"道地国货,一点也不觉得是从别个民族传来的生疏的东西,是中国输向邻国的文化,是中国文化对朝鲜和越南深重影响的结果"。这从我们今天民间对葬事仍存在着"看风水"的习俗来看,也是一脉相承的。

钟先生早年对《印欧民间故事式》的翻译和研究,对《中国民间故事式》的辑集,都是引起国内外学者瞩目的"开发"。对中国乃至世界民间故事研究起了极大的推动作用。

当时在日本的何敬思读到《歌谣》周刊、《民俗》周刊上民俗学方面的文章和一些丛书中的专著时,他感受到了"新国学"的出现的惊喜。他说:"忽视我们的心境好像来了一阵风暴,觉得中国学术界起了革命,使一个向来不问国学的门外汉,忽然感到从没有的预期的不可名状的惊异"。(《民俗》月刊第4期)于是他自豪地把我国的民俗学研究情况介绍给日本的《民族》杂志。钟敬文先生更把自己的多篇论文,送到日本发表。他20世纪80年代培养的日本民俗学家加藤千代引日本著名民俗学家关敬吾的话说:"钟敬文的文章,是把我们的注意力引向口承文艺的契机之一。在这个意义上,应当说钟敬文教授是我在日中口承文艺比较研究方面的前辈。"

二

从 20 世纪 30 年代到现在,钟先生的学术发展经历了三个高峰时期。

(一)第一个学术高峰期(1930—1937 年)

钟敬文先生 1930 年到杭州大学执教,同时与娄子匡一起成立了杭州民俗学会,出版两期大型学术性刊物《民俗学集镌》,还在报纸上开辟民俗副刊栏目《民间》及《孟姜女》,在杭州民众教育实验学校,讲授《民间文学纲要》,开了民间文学进入课堂的先例。同样他也像在广东办讲习班一样,也在这里办班训练民俗调查队伍。

1934 年先生求学日本早稻田大学,师从人类学家西村真次教授,学习神话学和民俗学理论。他以两年的时间,贪婪地读着外国关于人类学、社会学、哲学方面的大量著作,并写出了有分量的一些民俗学研究著作(如前所述),在国内外发表。在这期间,他接触了马克思主义,坚定了为下层文化献身的志向,毅然抛弃了早期纯文学理论的观点。

1943 年他在《前奏曲》中提出:"研究民俗仅仅是一种对所谓'纯客观的真理'的满足么?不,决不这样,比起这个,它实在具有更重要的社会价值!"于是他指责了外国民俗学家的殖民主义者的立场,"至于利用神话做欺骗土人的工具,以达到他们(统治者)在殖民地修筑铁道等目的,更是铁一般的确证,不消我们细说了"。而我们的研究目的是为了发掘我们祖国的文化财富,建设我们祖国,目的根本不同。他郑重声明:"这群学问绝不是一种装饰品或赘瘤,而是有利于我们的社会,乃至人类整个社会的上进、改造的一部分重要知识!"

在《民间文艺学的建设》一文中,他更从民间文学本身诸特征大胆提出它应该形成一门独立的科学。他所提出的民间文学的几个特征,都和今日《民间文学概论》里所提出的集体性、口头性、变易性、传承性、社会功能性大体相同。他说:首先,民间文艺的制作是由群众来完成的,"它彻头彻尾地是集团的创作品"。其次,民间文艺,是纯粹地以流动的语言为媒介的文艺,就是所谓"口传的文艺"。反之,文人文艺却大抵是以比较定型的文字为媒介的文艺,就是所谓"书本的文艺"。民间文艺由于它口头性的特点,必然带来变易性的特点。再次,尤其重要的,是两者机能的差异。民间文学往往和民众最要紧的物质生活的手段(狩猎、渔捞、耕种等)密切地连接着,甚至它已成了这种生活手段构成的一部分。换言之,它在这里,是民众维持生存的一种重要的工具。它和一般所谓高级的精神的表现或慰藉物是很不同的。

钟先生那时已是有名的年轻诗人和散文家,郁达夫在选他的《西湖雪景》等四篇散文入《中国新文学大系·散文二集》时,在"导言"中说他的散文"清朗绝俗,可以继周作人、冰心的后武",这些赞美都没有使年轻的钟敬文留恋自己消闲的散文园地。一些主张"美雨欧风急转轮,更弦易辙为图存",一心打倒孔老二的全盘西化者,也为他所唾弃。他认为,"在两种文化的接触交汇过程中,自然要有主体和客体。如果我们创造的新文化,失去了民族的主体性(像身体没有脊梁骨),即使真能现代化,那又有多大意义呢?"同时他也分辨出在主体文化中,下层民俗文化更是全民文化的主体,更能代表"民族之声"的部分,这更坚定了他为民俗文化献身的决心和斗志。所以人们说:从20世纪30年代开始杭州民俗学会的出色工作,继北大、中大之后,给民俗学运动带来了"第三次高潮",而"这次的旗手实实在在是钟敬文"。(汕尾日报《钟敬文百年之旅》)而就钟先生一生学术成就发展来说,只能说是第一个高峰的来临。这时他初步懂得了马列主义,有了正确指导思想。之后随着抗日战争爆发,民俗学又很快出现了低谷时期。

(二)第二个学术高峰期(1949—1957年)

1949年5月钟敬文由香港回到北京,筹备第一次全国文代会,同时受聘为北京师范大学中文系教授。

1950年3月下旬在钟敬文建议下,成立中国民间文艺研究会,郭沫若为理事长,老舍与钟敬文为副理事长,而实质性的主持人又当然落到钟敬文身上,这时他又办起了《民间文艺集刊》并出版相应文集。他满怀热情地撰写了《口头文学——一宗重大的民族文化财产》、《民歌中的醒觉意识》、《歌谣与妇女婚姻问题》等等,从民间文学的推倒三座大山、妇女反封建等民间意识介绍口头文学的战斗性和它们的社会作用等方面,作了广泛宣传。同时他把民间文学课带进了北师大课堂。现在回想起来,他在课堂上给我们讲民间文学的几个特征及其社会功能,以及20世纪70年代末受教育部委托钟先生主编的《民间文学概论》中所讲的民间文学特征的有些章目都是来自他30年代中期《建设民间文艺学》的框架。原来他是早已胸有成竹,科学地建立起大学课堂上的学术体系规格。此时当然他又非常敏感地接受了苏联人民口头文学创作理论的影响,加进了人民性,也就是强调文学的阶级性特点,这在当时是一种进步倾向,是符合革命形势发展的。毛泽东《在延安文艺座谈会上的讲话》也肯定了民间文学是"萌芽状态文艺"的作用,是人民生活源泉的一个重要组成部分,因此把人民性作为民间文学第一特征写进讲义,并没有错。只是在讲马列主义和阶级性时强调过分,带有左倾教条主义倾向而已。但由于政治上向苏联一边倒,文化上也必然如此,如钟先生所说是一种"国情"! 便很难避免失当之处。20世纪50年代中期,中国民间文艺研究会的机关刊物《民间文学》发刊,不久,在全国范围内特别是通过各地民研会组织民间文学的搜集整理工作,此时,三大史诗的搜集已经初步开展起来。钟敬文先生的民间文艺学思想体系也已经有了全国性影响,他的6名专业研究生也分别走上全国主要的几个大学,民间文学、民间文化的学科体系及其在民间的影响,已遍及全国。这一时期虽然因为极左思潮影响,民俗学被阉割、取缔,只剩下民间文艺学,毕竟也突出了民俗学中最重要部分,得到发展,因而可说是钟先生学术活动的第二个高峰。

可惜好景不长,随着一个个政治运动,极左政治思潮冲击到各文化领域,先是1957年反右斗争中钟先生被错划成"右派",接着是"文化大革命"十年浩劫,民间文学活动一律被诬为"四旧",统在扫荡之列,人被划为牛鬼蛇神,书被毁于一炉。民研机关被关闭,课程被取消,人员被转业。但是就在这种被迫不能工作,人格受辱的情况下,钟敬文先生也没有忘记他的民间文学。我们从他发表论文的末尾所注完稿年月,得知当20世纪60—70年代,他写出《晚清时期民间文艺学史试探》、《晚清革命派著作家的民间文艺学》、《晚清革命派作家对民间文学的运用》、《晚清改良派学者的民间文学见解》等一系列重要著作。特别用心地研究了鲁迅对民间文学在理论上、评价上和写作上的应用,他得出结论:鲁迅就是杰出的民间文艺学家。因而写出了《作为民间文艺学家的鲁迅》一文。

（三）第三个学术高峰期（1979—1999 年）

1978 年钟敬文先生受教育部委托,在全国范围内培养民间文学教师,办教师培训班,编写民间文学教材。他在教师培训班上做了"民间文学与民俗学"的讲演,这是建国后第一次提"民俗学",人们才第一次从他的讲学中知道外国民俗学、人类学理论,得知民间文学与民俗学的学科定义和它们互相包容的关系以及这门学问产生的历史背景。原来在国外,民间文学是民俗学的组成部分,民间文学是民间文化的核心,它和民俗学文化学是互相交叉的学科,含有丰富的内涵。

1979 年,先生满怀激情地写了《五四前后的歌谣学运动》一文,用以纪念五四运动 60 年。同时也有学者写了《"五四"民俗学运动的性质和它的历史作用》(两文都发表在《民间文学》上)为民俗学平反。两文都得到了强烈的共鸣,后者还得到《新华文摘》及日本《中国民话之会会刊》等刊物及文集转载。同年钟敬文先生联合顾颉刚、白寿彝、容肇祖、杨坤、杨成志、罗致平等,发表了七教授的《建立民俗学及有关研究机构的倡议书》,交1979 年第 4 次文代大会通过发表。比这更早的还有乌丙安也写了"恢复民俗学"的上书,交社会科学院,得以在内部刊物发表。一时恢复民俗学呼声甚高。

于是 80 年代初成立民俗学部,附设在民间文艺研究会,出版学术刊物《民间文学论坛》,民俗学理论论文如雨后春笋,破土而出。钟敬文首先发表了《民俗学的功用》等重要文章。

1983 年 5 月在全国各省民俗学会纷纷成立之后,中国民俗学会在北京成立,钟敬文先生荣任民俗学会理事长,直至今日。北师大以钟敬文为主编的《中国民间文学史》作为"六五"计划出版,这时钟敬文教授已经招收了数十名硕士生和博士生,大量培养人才。并成立民间文化研究所,他亲自任所长,指导学术活动。接着民俗学各种专著及少数民族三大史诗相继出版。于是在 20 世纪 80 年代初期,随着改革开放经济高潮的到来,以民俗学复兴为契机,一个广泛的文化寻根热潮勃然兴起。到 80 年代中期,钟先生倡议发起一个全国范围内组织搜集普查民间文学运动。

1984 年由文化部领导编辑的《全国民间文学三套集成》(民间故事、民间歌谣、民间谚语),由周杨任总主编,钟敬文为总副主编之一,同时任《民间故事卷》主编。

从 1979 年到 1989 年十年间,民俗学和民间文学事业有了长足的发展,是和钟敬文先生的研究、活动和大量具体学术指导分不开的。

在 20 世纪 90 年代后期,钟敬文先生主编了《民俗学概论》,这是集全国学术力量集体完成的权威性著作,作为大学教材,也是民俗学复兴之后理论的升华。同时他在这一历史时期也撰著了《刘三姐乃歌墟风俗之女儿》、《洪水后兄妹再殖人类神话》、《从文化史角度看〈老鼠娶亲〉》、《屈原与民俗文化》、《对待外来民俗学学说理论的态度问题》、《对民间故事探究的一些认识和意见》等重要论文,特别是前几种都是年轻时写过的题目,又经过几十年的蕴琢,积久勃发之作,虽皆篇幅不长,大多别有新见,启人生智。

到 1989 年纪念五四 70 周年的时候,钟先生又用新学说来纪念这个非凡的节日,他提出了"民俗文化学"的新概念。将"民俗学"这一科学名称和概念,升格为一门新学科,改称为"民俗文化学"。把"民俗"、"文化"两种交叉的学科在名称和内容上合而为一,名之曰"民俗文化学"。这是在由 1979 年纪念五四 60 周年到 1989 年纪念五四 70 年的十年间,民俗学复兴带来文化大发展的结果,也是钟敬文学术思想发展到高峰,继第二个高潮之后,迎来的第三次高潮,这第三次学术高峰也正是全国民俗学大复兴、大发展的黄金时期。

总的看来,钟敬文先生的三个学术高峰期是和五四以来 80 年间的民俗学运动发生发展紧密相连的。是五四民俗学运动产生了钟敬文;又是钟敬文发展了五四民俗学运动。第一个学术高峰期(20 世纪 30 年代)是"新国学"发生期(也是钟敬文成长期);第二个学术高峰期(20 世纪 50 年代)是民间文艺学建设时期;第三个学术高峰期(20 世纪 80 年代至 20 世纪末)是民俗学复兴和发展期。这一时期又可分为三个阶段,即:(1)文化热潮的兴起(20 世纪 80 年代);(2)"民俗文化学"的提出(20 世纪 90 年代);(3)"民俗文化学"的建立(20 世纪末)。至建立学派的提出,其学说已达到了巅峰。

三

在 1989 年纪念五四 70 周年,中国社会科学院召开的国际学术讨论会上,钟敬文先生提出"民俗文化学"学科新概念。在《民俗文化学发凡》中:"民俗文化简要地说是世间广泛流传的各种风俗习惯的总称。"

民俗文化包括物质文化、社会组织、意识形态和口头语言等几个方面。五四时期民俗学活动重视口头文学,宣传通俗文艺,提倡白话和推行国语,以及收集整理一般民俗资料,这四种事实,要比单纯的民间文艺学范围更宽泛。大体上它们都属于民俗学范畴——他们既是民俗学现象,也是文化学现象。从历史本身讲它们表现了两个学科(民俗学与文化学)之间的交叉现象,用以前的"民间文艺学"、"民俗学"等名称去概括这些事象,显然有些不够,于是大胆创用了"民俗文化学"这个新名词。它比较符合五四的史实,也切合当前文化热潮的广泛内涵,非更此名不足以概括这门学科的丰富内容。此外还考虑两点:一是这样更符合我们的国情,中国是一个文明古国,也是一个民俗大国;二是作为文明古国,它的内部是有层次区别的,有上层文化和中下层文化,民间文化属中下层文化(包括民俗是基础部分)。五四以来的民俗、民间文学活动既是民俗现象也是文化现象。文化热潮中更显示出民俗与文化交叉中出现的学科特点。民俗本来就是文化现象,加上文化两字,就更鲜明地突出这门科学的特点。

钟先生在《关于民间文化》(亦即民俗文化)中提出"三大干流"的说法。他认为文化的范围很广泛,它是一个庞大的复杂的综合体。中国传统文化有三个干流。首先是上层社会文化,从阶级上说,即封建地主阶级所创造和享有的文化;其次是中层社会文化,即城市人民的文化,主要是商业市民所有的文化;最后是底层社会的文化,即广大农民所创造和传承的文化。这三种文化各有自己的性质、特点、范围、结构形态和社会机能,有彼此互相排除的一面,也有互相关联、互相渗透、互为影响,复杂交错的一面。这三大干流的说法,大体也相当于民俗文化学(简称民间文化)的三个层次的说法。这种提法的科学性就在于它来源于中国传统文化的实际。如以目前学术界的文学来说,上层有传统的古典文学,中间层有市民的俗文学,下层有民间口头文学。用列宁的"一个民族两种文化,统治阶级文化和被统治阶级文化"的分法,就不好对待"俗文学",它是哪个阶级都用的一种文学形式。我们不能机械地运用阶级分析方法,简单硬性给一种文学形式以归属。所以他根据国情把中国文化划分为三个层次,三种干流而又清楚地说明它们中间的辩证关系,这是一种合乎规律的创见,是阶级分析法的一种发展,这是这位学者的长处,他不停止在一点看问题,所以中外学者一致认为"他在学术上永远年轻,没有停止在一个地方,他不断在前进"。这是很高的评价。1998 年 12 月,在北京召开的中国民俗学会第 4 次代表大会及中国民俗学运动 80 周年纪念大会上,学会理事长钟敬文作了关于"建立中国民俗文化学派"的发言,其时他已 97 岁。他在会上提出建立学派的必要性和可能性,提出中国是"多民族的一国民俗学"的概念,中国民俗学的独特性格就是"多民族的一国民俗学"。因为中国的社会结构,决定了中华民族的整体形态,决定了我们必须以一国多民族民俗为研究对象,它与东方的日本、西欧的德国大都是单一民族不同。中国有 56 个民族,以汉族为主体,是个多元一体民族,有悠久的历史。是世界民族文化最丰富的大国,非常需要民族团结,强化人们的爱国精神和民族意识。从宏观考虑需要加强这门学科的独立性,这也是世界学术对话的需要。他在阐明成立学派的旨趣和目的时,是从清理、弘扬中国各民族的民俗财富;增强国民文化知识和民族意识;资助国家新文化建设的科学决策;丰富世界人类文化史与民俗学文库四个方面论述的。钟先生既重视批判继承民俗文化遗产,也特别强调民俗文化在强化民族凝聚力上的社会作用。他说:"共同的民俗信仰和习惯,常默默地把跟别的成员的行为、心态牢牢凝结在一起。这种近乎神秘的民俗文化凝聚力,不但要使朝夕生活呼吸在一起的成员被那无形的仙绳捆束在一起,把现在活着的人跟已经逝去的祖宗、前辈连接在一起,而且它还把那些分散在世界五大洲的华侨,华裔的人们也团结在一起。"

"为什么会产生这样的现象呢? 因为祖国有博大精深的传统文化在照耀着、在哺育着他们,在吸引着他们。而在民族传统文化中,源远流长的民间风俗、风尚所起的凝聚作用,是特别值得瞩目的! 这正是我们尊重民俗文化学的高度社会价值之所在。"

更令人感动的是,这位胸怀学科发展大事的年迈老人在学事繁忙之余,也还是"犹余微尚恋诗篇"。他虽放弃了写新诗,写散文的消闲文字,但他却把从幼时读私塾时的关于中国诗学格律的训练,还到他的学术事业中来,这就是我们经常能在书法题词中看到他的一些旧体诗,他这种恋诗情结至老不衰。他阅历广,看书多,他看到了我们祖国传统文化的无尽宝藏,而其中的下层文化——民俗文化,有些是国宝中的"稀有金属"。他有名言道是:"一言山重须铭记,民族精华是国魂。"他为了发掘民族精华重振国魂,不惜付出任何代价,一生辛勤耕耘、开矿,也不遗余力地唤醒后来人有意于此。他自己整整有 20 年的宝贵年华被政治运动剥夺了,他用勤奋耕耘找回了这段时间,工作到100 岁,他牺牲了自己写大型专著《山海经研究》、《女娲考》的计划(他有充足的资料积累),把他的学术观点、资料出处,交给他的博士研究生,叫他(她)们去完成,他用自己的心血,培育了新绿。

他吟诗道:

舍得将身作泥土,
春风酬尔绿茵园。

　　他喜欢新绿,喜欢满园春色。他已经从他亲手培养的众多学生的身上,以及全国广大从事民俗工作的专业及业余的同志们身上,看到了这支学术新军的活力,也从全国民俗文化的大繁荣、大普及、大提高,看到人民精神面貌的巨大变化,他感到欣慰。但他作为一个创业者,一生致力于文化革命的一代宗师,仍谦虚地说自己只是"时代的小人物","只是一个耕耘时间较长、涉猎园地较广的诚实的农夫而已"。这是何等崇高的朴素的心态? 无怪乎人们说他"学为人师,行为示范"。他在首都学术界一百余人祝贺钟敬文百岁寿辰大会上的书面答辞中还提出绿色文明的渴望,在《绿色文明倡议书》上签名,表达了他歌颂生命的美好愿望。

(原载《社会科学战线》2002 年第 1 期)

真情豪气满乾坤

——记吾师王锺翰先生

邱 永 君

我以历史学博士之职业信誉向读者保证:本文内容皆本人
亲历、亲闻,且经过王锺翰先生审阅定稿。——笔者题记

众所周知,王锺翰先生乃当今清史满族史领域之权威学
者,因著有《清史杂考》、《清史新考》和《清史续考》而获"王三
考"之雅号。先生素以治学严谨、功底深厚、文笔洗练而著称,
其研究视野几乎涵盖了清史满族史的各个领域,使后学者辄
发望尘之叹。1994 年,蒙先生不弃,我得以忝充弟子之列,自
此出入先生之门,耳濡目染,得先生教诲颇多。先生之德、才、
学、识,已广为学界所称道与熟知,故而兹不复赘;而作为出生
于南国的一介书生,以近九旬之高龄,在历经坎坷磨难之后,
仍能保持鲜明之个性、坦诚之心地、高尚之人格,堪称难能可
贵。尤其是先生之豪气,足令向以北方大汉而自居的我时常
自愧不如。此文拟就本人亲见亲闻,从另一角度将先生之风
采予以展示,以飨读者。

一、幸遇良师

初闻先生之名，是在我读大学时。虽然我的专业是石油机械，但自幼便对文史有极大的兴趣。尤其是清史，因相去不远，对我吸引力更大。当时学校图书馆有《清史杂考》一册，我便借来浏览。发现此书与当时的一般历史类著作颇有不同。其行文古雅浅近，观点鲜明公允，论证精详谨严，令我耳目一新。从此我便知先生大名，但总觉是远在天边，无法企及。后我决心改行学史，投考北京大学历史系硕士研究生并侥幸成功，列于清史专家袁良义先生门下。良义师对王锺翰先生十分推崇，每每提及先生之道德文章，敬佩之情溢于言表。1994 年我临近毕业，曾就去向问题征询良义师意见，良义师云："你若想获得真知而非博取虚名，就应往投王锺翰先生。"恰逢当年北大历史系许大龄先生退休，而王天有先生尚未获博导资格，明清史博士点空招。我权衡者再，颇感为难。其一，以北大学生之虚荣狂傲，断难轻易离开母校而改换门庭；而想不离北大，则须改变专业，对我而言，此既不现实也不情愿。其二，锺翰先生有泰斗之威，而我自忖学识浅陋，资质平平，若往投不中，则徒招其辱。幸好早我一年毕业之师姐杨海英已考入先生门下，并应允为我引见。于是我便下定深造之决心。路人皆知，近年来学术风气大坏，奔竞请托之事已司空见惯。我亦难免俗，数请海英同学转达对先生之仰慕，并表示出登门拜访的急迫心情，但均被先生以"未考试前，应避瓜田李下之嫌"为由婉拒。不得已，只得黄卷青灯，拼搏数月。三场试毕，我有幸被录取，心中之悬石落地。高兴之余，早将拜访先生之事置于脑后。未料得先生却极为认真，托海英同学告我:"当尽快还其'夙愿',随时欢迎前来。"而此时我已扬长而去,作逍遥之游矣。

1994 年 9 月 12 日,我报到伊始,先生当日即招我往见。这是我第一次得睹先生风采,虽已是 81 岁高龄,但仍目光深邃,鬓发未白,思维敏捷,步履矫健。握手寒暄之后,先生正色道:"早就听说你很想见我,考前有所不便,而试后我立即转告于你,你却杳如黄鹤,音信皆无。至今我恭候你已有数月之久矣!"我当时面红耳赤,无言以对,初次领教了先生之直率、认真与批评艺术之高超。羞愧之余,暗下决心,要以先生为楷模,言必信,行必果,与长期以来沾染之种种不良习气做顽强斗争,脱胎换骨,以副学者之名。

曩日素闻先生治学严谨,开课后才真正得以领教。以"清史史料学"课程为例,先生每周布置读史料若干页,第二周则先命我将校出之各种错误(包括史实、错字、脱夺、衍文、标点等)一一指出,并讲明缘由。但即使字斟句酌,标点符号亦逐一核对,直至目酸头重之后,每次在我指出错处之外,先生仍能再补充多种。我渐渐对自身校勘能力丧失信心,而开始有消极应付之举。先生责我为何屡有纰漏,我每每以"基础较差、头脑鲁钝"对。一次,先生严肃批评我曰:"经过观察,你进步缓慢之原因,乃缺乏刻苦认真之态度,而又以'头脑鲁钝'为自己开脱,此伎俩焉能瞒得过我? 当今时日,皆你好我好,能讲逆耳之言者能有几人? 我看你可造,才批评于你,不要自作聪明,文过饰非,而诳人害己。若以此语为良言,望日后能刻苦自励,以不负宝贵时光。"此后,我学习态度大变,再不敢造次。再者,先生于学生论文之审阅,极为认真,总是逐字逐句修改,标点符号亦不放过;尤其强调字词之典雅、行文之简洁、注释之规范。先生多次强调:

"孔子尝云：'言之无文，行之不远。'文者，文采也。史学文章若无文采，则索然无味。白话文固然是当今潮流，然满纸'的'、'了'，实令人不忍卒读，更何谈传世？行文简洁之奥妙盖在于此。再者，史料、引文必有出处，注释定要规范，不然则不能及格，望谨记之。"后来在论文写作过程中我越发认识到先生教诲之价值。治古代史者所写之文章，必引用大量史料，而史料皆为文言，且多简洁古朴。若文章正文满纸'的'、'了'，松散少文，则颇不相谐，给人以不伦不类之感。而当今史学文章大多患于此种文风，而不知病在何处也。文章毕竟不是口语，应有炼句之意识。读先生之文章，不仅用词准确，意境至美，且读之朗朗上口，闻者如沐春风。讨教其中秘诀，先生云："古人有'炼句'之法，'推敲'之典尔当知之。写文章断不可随心所欲，不仅用词须反复推敲，平仄亦当考虑，朗朗上口之奥妙在乎此也。欲思行文简洁，今送尔一法：要不惜文章短小，能以一字表达者，决不用两字；能以两字则不用三字。望共勉之。"寥寥数语，令我茅塞顿开。因遇名师指点，加之起点甚低，我的写作水平在短短一两年内即有显著提高，重温旧作，大有不堪回首之感。

二、师生义重

先生出身耕读小康之家，为家中季子。因受双亲垂爱，10岁之前终日流连于故里之绿水青山，因而发蒙较晚。对于此事，先生从不讳言。10岁时，先生始有向学之请，从此入私塾读经，先后师从数位当地名儒。因天资聪慧，加之刻苦自励，颇受诸师激赏，被视为可造之才。后得入由美国基督教会与雅礼校友共同出资兴办的新式学校——长沙雅礼中学深造，全面接受西式教育。当时国学影响尚浓,西学风气亦炽。这种特定环境为先生日后之知识结构与治学方式打下了坚实基础。1934 年,先生考入燕京大学历史系,从此出入邓之诚、洪煨莲先生之门,成为邓洪二位大师之得意门生,并将师徒兼父子之真情厚义保持终生,历经磨难,老而弥笃,确令人钦羡不已。先生每每提及与二位恩师之过从,经常是双目中蕴涵着泪水,言语中荡漾着真情,似是带我神游于那遥远的过去,沐浴哲人智慧之光。

先生与我谈及,邓之诚先生(1887—1960 年)乃中国现代史坛令人景仰之大师,以家世显赫、天资绝伦、功力深厚、志趣古雅、气节高尚,堪称一代奇人。而其晚景之凄惨、身后之凋零,又足致良知未泯之人怆然涕下。

邓先生字文如,号明斋,又号五石斋,祖籍江苏江宁。清光绪十三年生于成都的一个世代簪缨之家。清道光年间曾鼎力支持林梣公则徐禁烟抗英的邓公廷桢是其曾祖。祖名文基,字竹荌;父名梣,字小竹。同治、光绪之际,先生之祖、父相继游宦川、滇,皆有政声。文如师十二龄时侍母自蓉入滇,后随父游宦东川、蒙化、腾越、开化、广南、云南诸府,得以遍历滇中。后定居昆明,前后客滇者十有八载。

文如师早慧,喜读书,耽文辞。既承家学之渊源,加之髫龄即就傅发蒙,于六代书史,诗词曲赋,涉猎尤多。又入成都外国语专门学校法文科,因而接触西学颇早。及长,于小竹公滇中诸府任所,独承庭训,国学功力日深。旋考入云南两级师范学堂,专攻文史。禀赋绝伦,品学兼优,文采飞扬,试辄冠曹。虽文弱书生,然侠肝义胆,豪迈不羁。咸有济世之心,抱凌云之志。

文如师既卒业,以弱冠之年,出任《滇报》主笔。时值戊戌维新失败,保守势力猖獗,人心混乱,地暗天昏。文如师年少气盛,对国内外时局及地方政事多有臧否,笔锋犀利,一泻千里,辄为时贤所赞许。且不顾世代所受皇恩之隆,毅然与有"乱臣贼子"之目之革命党人暗中联络,密谋反清。其时革命党初兴,反动势力强大,反清义士前仆后继,不惧肝脑涂地;文如师亦心向往之,辄解囊相助,甘冒风险。辛亥之年,山雨欲来,神州板荡。文如师挺身而出,与同道挚友戮力覆清,舍生忘死,四处奔波达一年之久。武昌首义,清室覆鼎,诸君奔走相告,欢欣鼓舞。文如师适兼职于报馆,以如椽之笔,发震耳之声。盛赞共和,讴歌光复;五色旗下,共庆新生。然好景不长,孙文辞职,袁氏窃位,倒行逆施,日甚一日。以致群雄并起,民不聊生。文如师忧心如焚,然无计可施,徒发慨叹。及袁氏称帝,举世哗然。蔡松坡秘密入滇,首举义旗,并挥师入蜀,势如破竹。文如师欢欣鼓舞,热情参与其中。旋自滇回蜀,谒见蔡将军松坡,又晤孙中山、黄克强,及倒袁都督唐继尧、陆荣廷、陈二庵、汤芗铭等,为之划策出谋,运筹帷幄;少年豪气,直冲斗牛。直至袁氏归西,共和再造。其后,文如师目睹政局之风云变幻,始有倦怠之意。至1928年,蒋氏当国,文如师赴金陵往见,陈治国之策,直抒胸臆,蒋氏虽执礼颇恭,然不置可否。文如师以不见用,便决意退出政坛,专志于学术。先后受聘于北京大学与燕京大学,任历史系教授。其时虽年方不惑,却颇显老成,终年着一袭蓝布长衫,手执黎杖,不苟言笑。学生皆呼之"邓老头",文如师亦欣然领受。唯授课之时,从不用讲稿,或慷慨陈词,如数家珍;或奋笔疾书,字有法度。众学生心悦诚服,以听其授课、睹其风采为莫大享受。

先生对文如师之才学人品心悦诚服,故而望门投止。文如师亦激赏先生之勤奋好学,师生情义与日俱增。文如师著述素以行文酣畅、文采飞扬著称于世,时人有"文曲星"之称。且工诗赋,喜收藏,通金石,擅篆刻,有古名士风。先生则刻意模仿文如师行文风格,每有习作,必呈请批阅。文如师亦逐字润色,多予指点。后先生对我云:"文如师时常训诫:'做人之道首要在诚实,任何情况下皆应讲实话,做学问亦复如此。'我讨教做学问之门径,文如师嘱我:'有两部书须反复研读,一曰《日知录》,一曰《资治通鉴》。'我当时尚不明此言之道理,久之方悟出个中奥妙。两书共同之处有二:一是经世致用,一是治学严谨。于是我便将其作为日后治学之圭臬。文如师嘱我要'惜墨如金',方谓自重。我铭记于心。进而仿文如师风格,以文言写作论文。先生稍加润色,虽不敢自夸洗练,但总求字斟句酌,不坠空谈,颇得读者谬爱。饮水思源,皆文如师教诲之功也。"程门立雪之敬、桃李报春之真情溢于言表。

洪煨莲先生(1893—1980年)则属于另一派学者。据先生回忆:煨莲师谱名正继,又名业,煨莲(William)乃留美时自取之名。其祖籍福建闽侯,为当地望族,其父长期宦游在外,曾任知县。煨莲师幼承庭训,熟读经史;继而留学美国,入哥伦比亚大学历史系,历时五载,获硕士学位。回国后长期担任燕京大学教务长兼历史系主任,唯以中国史学之发扬光大并走向世界为平生所愿。其具体做法是:其一要建立历史学科的学科规范并推进科学研究方法之形成。其二是用现代方法编纂引得(Index),即索引,形成大型系列工具书,以便将中国浩如烟海的史籍重新分类排列,以资利用。其三是要发现和培养一批掌握现代史学方法的新型史学家。众所周知,历史学在中国有着悠久的传统和独特的研究方式,是"国学"的重要组成部分。但传统的中国史学在理论框架、学科规范、研究法则等诸多方面显得模糊不清,随意性、主观性有余,严肃性、客观性不足。虽然像"乾嘉学派"之考据方法带有一定的科学成分,但也只是于微观角度于不自觉之中与现代科学研究方式有类似之处而已。从广义上讲,将中国传统史学定义为"史料学"亦不为过。洪先生于此状况深引为痛,决心予以更张。煨莲师在攻读研究生时,即接受过严格的西方式学术训练。他推崇洛克维尔教授所提倡的史学研究法,并将其归纳为五"W"方法。简要言之,史学研究无非是搞清历史的人物、时间、地点、原因和过程五大要素,即 Who、When、Where、Why、How,即可称为五"W"研究法。研究任何历史问题,皆须沿上述五条线索去锤追查,从而发现问题、分析问题、解决问题。寥寥数语便揭开了传统史学的神秘面纱,变歧途亡羊为曲径通幽。接下来便是成立引得编纂处,筹措专项经费,延聘专门人才,针对中国传统检字法烦琐、互歧之现状,于 1930年创立"中国字庋撷法",并先后编辑、出版了经、史、子、集各种引得 64 种,81 巨册。在此过程中,编纂处形成了较为规范的编纂程序,即选书、选本、钩标、抄片、校片、标号、稿本、格式、校印、撰序。因程序严密,故而使得如此繁杂的工作忙而不乱,井井有条。其四是发现并培养一批新型史学人才,并结合他们的特长和兴趣为之确定研究方向。如安排郑德坤研究考古,齐思和研究春秋战国,瞿同祖研究汉代,周一良研究魏晋,王伊同研究南北朝,杜洽研究唐代,冯家升研究辽代,聂崇歧研究宋代,翁独健研究元代,田农(继宗)研究明代,房兆楹、王锺翰研究清代。其强大的弟子阵容覆盖了中国古史之全部断代,大有将百代汗青尽收囊中之气势,一支现代史学编队就此崛起。同时,煨莲师认为,欲治中国史学,必当以西学为参照,只有眼界开阔,中西对比,方能获得真知。否则,作茧自缚,闭门造车,终究难成大事。故而成立哈佛—燕京学社,使推荐众弟子先后赴哈佛大学深造成为制度,让他们有机会开阔思路,获取新知。众弟子亦不负师恩,皆刻苦自励,学成归国后,在各自的领域里多有建树,成为当代史家阵营中璀璨的群星。就此可以想见,烜莲师虽年方而立,却胸怀宽阔,抱负非凡,立志高远,大有"学术战略家"之气度。

先生又回忆道:"烜莲师乃当时新派人物,身材颀长,风度潇洒;西装革履,气宇轩昂;口衔烟斗,不怒而威。每当初次与某学生谈话,必先英语,语速极快;继而国语,引经据典。辄致闻者满头大汗,不知如何应对。其实,待熟悉之后便可体会到烜莲师极其平易近人。我因选烜莲师以英文所授诸课程,被其才学所折服。继而出入其门,得教诲尤多。烜莲师亦视我为可造之才,因而垂爱有加。我史学之根柢虽承之于文如师,而真正走上清史研究之路,却是受烜莲师指导。本人之处女作《辨纪晓岚手书简明目录》,即是由烜莲师提供史料,启发思路,甚至题目亦是烜莲师所出。待完成后,又推荐至《大公报》,终使拙文得以发表。这对我建立起研究清史之信心与兴趣,影响极大。"

邓洪二师虽风格迥异,志趣不同,然却相互欣赏对方人品才学,遂成为莫逆之交。而先生同时被二位大师所激赏,亦成为燕园之佳话;并以勤奋刻苦、品学兼优,成为首位"司徒雷登奖学金"获得者。先生性豪爽,喜交游。因当时无家眷拖累,故而颇显洒脱。每逢周末,必邀二三知己,或登峭壁于西山,或泛扁舟于北海。登高远眺,曲水流觞,尽享林泉之美、自然之趣。先生颇擅豪饮,大有太白"斗酒赋诗"之雅,一二斤白酒乃寻常之事,不足挂齿。1937 年,日寇进占北平,燕园成为孤岛。先生以一介书生之弱,不能投笔从戎而救国难于万一,心中郁郁,常借酒浇愁。尝与两位同学对酌,三人竟饮白酒至九斤之多,终致酩酊大醉,倒卧街衢。适逢燕大某 Old maid 路过此地,颇为愤慨,立即告知司徒雷登校长,提出应予严厉处分,以正校风。司徒颇不以为然,不想小题大做;又素知先生乃煨莲教务长之得意门生,便嘱其处理此事。煨莲先生深知自己学生心中之痛楚,不忍再雪上加霜,故而将此事委托文如先生处理。先生此时酒力已过,心中惴惴,趋入邓府,恭立俯首,以待发落。未料得文如师早已备酒等待多时矣。"钟翰,先饮此杯!"而后,文如师莞尔笑曰:"欲饮酒尽可来我处,何必醉卧街衢,以被人笑?今后注意。若无他事,尔可回矣。"至是先生善饮之名大震。不久,有日本宪兵队借故来燕园造访,实则宣威施压于燕大也。按外交礼仪,校方设宴款待,与之周旋。而有宪兵队长姓华田者颇为好饮,提出邀燕大一人对酌,以较酒量。座中司徒、煨莲等诸学者平日皆不饮酒,便以"不胜酒力"辞。而华田气焰益炽,不肯甘休。司徒急中生智,即与煨莲曰:"燕园皆知钟翰善饮,何不招来救驾?"先生于是奉师命入座。真乃"养兵千日,用兵一时"也。请日人择酒,华田答以啤酒。先生闻之窃喜,暗思"啤酒与水何异?"便以瓶做杯,与华田对饮。待饮至第十瓶时,只见华田"太君"面如猪肝,双目一闭,"扑通"一声,倒卧于桌下!而先生面不改色,谈笑风生。古人以"折冲樽俎"来表示不战而祛敌之境界,而此时竟成现实矣。诚然,真正意义上之较量还应是在战场,但以文弱书生胜倭国武士于挑衅之时,亦可聊慰平生。自此,燕园由是有"钟翰斗酒退倭奴"之典,善饮之名更是尽人皆知矣。先生亦向引此事为自豪,每每提及,仍眉飞色舞。

先生豪饮之雅,一直保持至20世纪90年代中期。时我已列为弟子,聚餐时,先生不仅劝诸生尽兴,且身体力行,每次皆饮白酒半斤以上,啤酒则饮3—4瓶,而面不改色。受先生感染,王门弟子亦多善饮,席间少有扭捏扫兴之辈。外界盛传,先生选择弟子标准之一乃是否善饮,虽属笑谈,然亦非空穴来风者也。

先生与文如、煨莲二师之情义,经历过多次严峻考验。珍珠港事件爆发后之翌日,日寇即占领燕大,旋文如、煨莲二师竟成阶下之囚。二师皆有家眷,而其薪水乃唯一生活来源。尤其是文如师子女众多,且皆不置生业。对此飞来横祸,全家乱作一团,茫然而不知所措。先生时为独身,立即自动肩负起赡养救助诸师家眷之责任,将维持最低生活水准之外的所有收入皆用于此;并与燕大同学组织营救、募捐,以共赴国难。恰有燕大早期校友、天津大企业家宋棐卿先生被燕大诸师之气节与先生高义所感动,慷慨解囊,设立救助基金,按月为落难诸师家属发放救济金;并高薪聘用先生入宋氏所属公司为职员。自此,先生每周乘火车奔走于京津之间近三年之久,并兼做手工艺品生意,所得全部资助邓洪二师眷属,并遵宋棐卿先生之委托,负责将救助基金按月发放至所有落难诸师家属手中,直至诸师获释。从此,先生与二位恩师情谊益深,几情同于父子。后先生与师母涂荫松女士结婚,曾应文如师之邀,于邓府居住达一年之久,充分显示出这种因共赴国难而益加巩固起来的真挚师生情谊。

时至20世纪50年代,地覆天翻。面对纷至沓来的场场政治运动,文如师此时已是惯看秋月春风的白发渔樵。他对当时应接不暇的种种变故反映消极,做冷眼观,这引起了某著名马列史学大师(姑隐其姓名)的强烈不满。一次,先生陪文如师参加由市委统战部召开的知识分子座谈会。会上,该"大师"慷慨陈词:"我们已进入一个全新的时代。有人自恃有些旧学功底,就对抗思想改造。我奉劝某些人,不要自视过高。其实,过去的所谓'国学'都是封建糟粕,一文不值!"在座者皆知其所指,而文如师此时双目紧闭,一言不发。散会后,先生送文如师回寓所,一路秋风萧瑟,落叶满阶。师生二人比肩而行,皆默然无语。但先生看到了文如师脸上的无奈、目中的茫然。不久,院系调整开始,先生被调往中央民院,殆其与"顽固落后"的文如师渊源之深、过从之密不无干系。但此事断不能使先生疏远文如师。1957年,先生第一部论文结集《清史杂考》出版,特恭请文如师题写书名,文如师亦欣然命笔,聊可慰其孤独寂寞也。文如师晚年处境十分不妙,虽被留在北大,但被束之高阁。名曰研究生导师,而又无研究生可"导",事实上是剥夺其授课之权。数年后,教授重新核定工资,又以其无授课记录为理由,将工资下调三级。文如师蒙此屈辱,心中之郁闷可想而知。一次,先生前往探望,文如师长太息曰:"钟翰,我欲辞去北大教职。我自知已来日无多,门人小子如尔等者不下百十人,若每人每月送我5元钱,即可衣食无虞矣。"先生理解恩师之痛楚,然而却无力相助。只能婉转相劝曰:"当今不比从前,我等每月拿出5元不成问题,然衣食虽可无虞,北大断不会再为您提供住房,届时先生将无家可归矣。"此事遂寝。想邓之诚先生历经辛亥风云,声播民国学界;日伪时期身陷囹圄而坚贞不屈,出狱后仿伯夷、叔齐"不食周粟"故事,坚拒北平多所伪高校之聘,靠变卖古董维持生计,直至光复。其浩然塞乎于天地之间的民族气节多为社会各界称道,被公认为士林之楷模;而此时却只能是苍凉气短,无可奈何。但即使在如此情形之下,文如师仍能够保持平和之心性、达观之胸怀,终日以诗文古玩自遣。1960年1月6日(农历己亥年腊月初八),一代学术大师在凄凉孤寂中黯然辞世。时先生已被定为右派,下放沈阳,竟未能相送,成终身之憾事。先生尝与我云:"我与文如师情同父子,却未能见上最后一面,人生之残酷何以至此!唯文如师弥留之际,内子涂荫松昼夜侍奉于左右者有日,可略补歉疚。每每思之,恨与愧并!"后先生应文如师后人之邀,含泪题写文如师碑文并书丹,文中行行寄憾,字字凝情,表现出先生对恩师之真挚情感。就我观察,先生对邓洪二师之膺服崇拜似已达到言听计从之境界。1948年,先生奉煨莲师之命回燕大主持引得编纂处工作。辞行时,煨莲师问曰:"钟翰是否吸烟?"先生以"不吸"作答。煨莲师曰:"吸烟为至美之事,既可提神,复可助思,其乐无穷,胜饮酒者多矣。"并以烟斗一支加上等烟丝一筒相赠。以煨莲师本意,是想以吸烟取代先生嗜酒之积习。而先生不但豪饮如故,却从此又终日烟斗在手,吞云吐雾,颇有乃师之风。师母责之"戕害身体",先生每以"谨遵师命"对。直至30年后,先生已年近古稀,仍终日吞烟把酒,持之以恒。师母以先生健康计,强令二者必去其一,由先生自择。先生反复权衡,饮酒乃其乐无穷之事,而吸烟虽是谨遵师命,数十年间却并未体味到多少快乐,于是立戒之。

煨莲师自20世纪40年代中期便滞留美国,漂泊异乡,晚景凄凉,直至1980年去世。其间一直关注着国内事态之发展,冷眼旁观诸弟子之表现。对门人中少数出卖灵魂者之行径,曾表示过极大愤慨;同时对先生之品行曾予以高度评价。临终时,煨莲师特委托先生全权处理其留存于国内的两万余册古籍,先生将之全部无偿捐赠中央民大图书馆;煨莲师辞世后,先生与同门诸学长翁独健、周一良等诸先生一同将出版《洪业论学集》之稿费捐出,作为"洪业奖学金"基金,奖励北大、民大等两校历史系本科生、研究生,同时作为对煨莲师之纪念。1982年,先生应邀访美,时煨莲师已谢世逾二载。先生徘徊于煨莲师墓前,洒扫祭奠,久久不忍离去。至今,先生仍与煨莲师后人书来鸿往,多有交游,以延旧谊也。

三、夫妻情笃

　　史学是一门需要潜心研究之学问,而潜心首先是静心。静心必以家庭和睦、稳定为基础。先生一生经历坎坷,萍踪不定。从中学、大学、留学到 1957 年政治挫折,外部环境殊为恶劣。而数遇挫折而矢志不移,与师母涂荫松女士(1917—1998 年)之支持抚慰关系至大。据先生回忆:"自 1949 年结婚开始,家务均由其一人全部承担,无论发生何种情况,家中始终宁静如水,恰似避风之良港,无任何后顾之忧。这给了我莫大安慰与鼓励,也为我能继续于逆境中坚持治学提供了必要条件,不然,内外交困,后果不堪设想。而为此,她付出的代价太多太多,每每思之,总觉有愧于心,对她不起!"

　　"钟翰一介书生,惜时如命。做饭做不好,她不让我做;洗衣洗不净,她也不让我洗。故而我终生几乎不做任何家务。当然,'文化大革命'中,老伴下干校受尽折磨,三子女插队离京,我一人独守空巢,不得已曾敷衍一时。从结婚时起,她既要完成工作,又要支撑家庭,使我能潜心史籍。数十年如一日,从无怨言。搬入民院高知楼前,虽几易住所,皆蜗居斗室,条件极差,阴暗潮湿,使其终致患哮喘、风湿等多种疾病,个中艰苦,一言难尽。1957 年,我因与吴文藻等诸先生一同贴写一份大字报而被划为右派。做此事前我并未与她商量,横祸飞来,她从无一言埋怨于我,对我一如既往,就像是这一切都未曾发生。其实,她受迫害程度不亚于我。我工资降低,引起生活水平下降,她坚决辞掉保姆,一切家务均落在她肩上。随之而来的是三年困难时期。供应大减,粮油紧张,但又断不可使正在发育成长的孩子挨饿。

一次我们去商店丢掉 19 斤粮票，为不给家人增加心理负担，我们二人每顿减饭量，以弥补'损失'，而不让儿女三人少吃一口。现在想来，说她作出自我牺牲也不为过。"

"那时我敬业精神极强。譬如，调民院后，家仍住北大中关园，回家骑车只需半小时。但我从来都是周一清晨离家，周六下午方回。正是由于时间上的优势，我通读清代史料多种，摘抄卡片盈箧，为我最喜作之考据、点校打下了一定基础。细细回想，我赢得的时光均因她付出了代价而来，其功不可没。感慨之余，负疚之情油然而生。"

师母不幸去世后，先生不顾年高，洒泪相送；并把管仰屋，撰《悼内子文》一篇，情真意切，读者亦无不为之怆然。

由于种种原因，与先生同代之学者之配偶多文化程度颇低而不相谐者。师母曾受过高等教育，又有留学加拿大之经历，集新女性之胆识才干与中华传统美德于一身，于当时实属凤毛麟角。为辅佐先生之研究事业，却甘愿自我牺牲，令人深感可敬而又可惜。《诗经·邶风·击鼓》云："死生契阔，与子成说；执子之手，与子偕老。"先生与师母以一生之追求，已达到此诗中之意境，实令我等钦羡之至。

四、谆 谆 教 诲

先生对弟子如我等者，向来是耳提面命，不遗余力。我曾讨教处世之道。先生曰："外圆而内方。外圆乃体现灵活性，而内方则体现原则性。而就本人而论，后者做得较好，而前者多有不足。譬如，在哈佛攻读博士学位时，某教授授课时出现错误一处，我以年轻气盛，立即予以更正，并指明出处。该教授极为尴尬,后于课堂上当众认错,我颇为自得,并钦服教授之修养。未料得他给我的期末成绩为'B',并停发奖学金,这意味着我将不再具有申请博士学位之资格,出手之凶狠,令我始料未及。我求助于煨莲师。他问清内情之后,郑重对我曰:'你发现教授有错误,予以指出,应予肯定,然方式与场合皆颇为不妥。你是否想过教授之情面?当年我亦曾发现当代汉学大师伯希和著述中有重大错误一处,但并未声张,而是待见面后单独予以商榷,伯氏颇为感激。你若课下单独与教授探讨,定当是另一种结果。事已至此,我亦无能为力。此教训望能谨记之!'这是我一生所遇之首次重大打击,成终身遗憾,代价不可谓不大也。似乎这就是外圆之道,我于此方面多有缺憾,你当引以为戒。"临近毕业时,我尝请教未来之路。先生沉思良久曰:"孔子云:立德、立功、立言。立德者,圣人之为也,非我等凡夫俗子所能企及;立言者,著书立说者也,此乃我辈之本业,只要精进不息,当不难有所成就;而立功者,即兼济天下,为国分忧,向为我中华历代士子所追求之标的。经观察,你似具有行政才干,若有机会参与管理,为国效力,万不可推辞退却也。"我于分配工作一年有余之后,奉命负责我所科研管理工作,即是谨遵师命之具体体现。我越来越体会到,当时良义师劝我投考民大之正确和得入王门之幸运。是先生改变了我的一生,使我从浑浑噩噩中翻然猛醒,开始真正懂得做学问、做人之门径,是为安身立命之根本。饮水思源,感慨良多。

五、壮心不已

岁月不居,流光似水,转眼间世界已跨越世纪,更始千年。

而先生学术青春永驻,新作迭出。2001 年 2 月,辽宁大学出版社出版了先生的新著《清史余考》,这也是先生的第四部论文结集。(先生当可称"王四考"矣)。因师生之谊,先生以一册赠我。只见其装帧秀美,古朴雅致;纸张洁润,散溢墨香;排版得当,点校精详;内容宏富,文笔酣畅;又有当代书法大家启功元白先生题写之书名墨宝为之增色。诸美俱备,真乃书中之精品也。

《清史余考》共收先生近作 29 篇,其中论文 18 篇,书序、书评、追忆等 9 篇,自述 2 篇。一部分论文,是对先生毕生学术实践的总结、反思、修正,还有若干篇论文,是对旧有专题的进一步探讨,解决了许多史家关注的问题。如清朝前期满族社会发展问题、清军入关对满族所产生的特殊作用和重要影响问题、清朝前期的党争问题等。尤其是于一些历史疑难问题,进行了一而再、再而三之精密考察,几十年间锲而不舍,且逐步深入,渐入佳境。诸如清前期满族社会性质问题、雍正帝夺嫡问题等等,莫不如此。例如,先生于五十年前利用燕京大学图书馆藏传抄本《抚远大将军奏议》撰写《胤禛西征纪实》,对官书语焉不详的雍正朝西征史实予以说明。而五十年后,又利用第一历史档案馆藏满汉文档案撰为《康熙敕谕抚远大将军胤禛档》一文,填补了胤禛西征史事中之缺略。

对于清代史料与制度的透彻把握,是老一辈史学家共同的优势,但能够熟练掌握包括满文在内的多种语言,并用以解决一系列难题者,即便在中青年学人中亦并不多见。先生在治学实践中始终发挥了这一特长,凡是涉及满族史中关键名词和概念之阐释,乃至对一些重大专题之讨论,都努力从满文档案入手,以期达到事半功倍之效果。他在《满族在中华文化发展过程中的贡献》一文中强调:"对中国学者来说,如果想专攻清史和满族史而不懂满文，不能利用满文文献资料，亦是不啻隔靴搔痒，将始终不能抓住解决问题之关键。"此论对于清史研究者来说，堪称金玉良言。而《满文档案与清史研究》一文，除强调满文档案不可替代的重要性之外，还特别援举自己以档证史的几个实例，以此说明正是满文档案，帮助自己抓住了问题之关键，从而使诸如明代女真人分布、清代旗地性质等一些基本课题的研究，取得新进展。

不过，先生在充分肯定满汉文档案价值之同时，亦曾说过"尽信档不如无档"。他结合自己考辨康熙帝遗诏出自伪造之实践，指出档案亦有其局限，不应盲目信从。科学之态度，应是对档案进行严格鉴别、认真考核，进而得出结论。此问题恰恰极易被一些研究者特别是中青年学人如我等者所忽略。

先生治史，从编纂引得开始，数十年来手披目验，对清代诸种文献之版本来源及史料价值，已经熟悉到左右逢源、融会贯通之程度。书中《陈梦雷与古今图书集成及助编者》、《四库禁毁书与清代思想文化》、《记半通主人藏半部"史通"》诸篇，无不显示在这一方面驾轻就熟之功力，而读者在阅读此类文章中也时时能够感受到他对书籍的嗜好和优游其中物我两忘之乐趣，对于当今一代学者而言，已是一种难以企及之境界。

据刘小萌师兄云，1993年先生80寿辰时，学界诸同仁与弟子集会祝贺，先生曾有言曰：此番《续考》出罢，下次当出《清史余考》。我忝列门墙后，目睹先生壮心不已、自强不息之豪情，竟使得一介慵懒钝鲁之人，亦渐渐懂得以勤补拙，努力进取。在先生《清史余考》的编辑过程中，我遵嘱负责编目，从而有幸能为先生夙愿得偿而尽绵薄之力。先生去年又尝对我云："倘若再能出论文集，命名为《清史补考》可也。"先生以年逾米寿之高龄,仍志在千里,笔耕不辍,且以不懈之求索,亲身实践孔子所云之"不忧不惧,自省不疚",孟子所云之"富贵不能淫,威武不能屈,贫贱不能移",于人格修养方面达到了凡人难以企及之境界。其真情豪气弥漫于宇宙之间,当视为浩然之气之孑遗,足可副"君子"之盛名也。怎能不令后学晚辈如我等者,在敬佩与汗颜之余而见贤思齐,闻鸡起舞!

（原载《社会科学战线》2002年第3期）

自称"边缘学者"的周星教授

凡　秋

改革开放以来,天公抖擞,不拘一格,在我国的社会科学及人文学术界涌现出一批又一批优秀人才,著名青年学者、北京大学社会学人类学研究所周星教授便是其中突出的一位。

要从外观上看,中等偏矮的身材,消瘦的面庞,浓黑的粗发,风风火火,周星教授一副干练模样。

与周星教授相约讨论或请教什么问题,并非难事,他总是会热情诚恳,坦率直言,与人为善,对谁都很有建设性;但要采写一篇有关他本人的报道或记事,却不那么容易,他总会推三阻四,不大愿意接受采访。对他来说,前者属于工作,自当一丝不苟,后者就大可省略了。

周星,1957 年 9 月出生于陕西省丹凤县。1975 年高中毕业后,作为知识青年去秦岭大山深处的一个社办林场种了 3 年树,当绿树成荫、果树挂果时,高考恢复了,他以陕西省商洛地区文科状元的优异成绩,于 1978 年 2 月进入西北大学历史系考古专业学习。从此一发不可收,学士、硕士、博士、博士后、教授、博士生导师,一步一个脚印,走的稳稳实实,没有过大的闪失。

大学 4 年,如饥似渴地遨游在知识的海洋里,周星学习之用功,至今还常有他的老师和同学们谈起。读一读著名考古学家石兴邦教授十多年后为周星的考古学文集《史前史与考古学》(陕西人民出版社1992年版)写的那篇热情洋溢的序言,你就能想见当年他勤奋刻苦的情形,用周星自己的话说,他是怀着一颗"童心",认真而又执著。凭着这童心,20年来他始终保持了一种追求学问的精神,保持了对尽可能多的事物、现象及问题的兴趣。从大学时代起,20年来他发表了上百篇(部)的学术论著、调查报告、译文和评论,其涉及面之宽、新见解之多,常令人吃惊。

1982年2月,周星以优异成绩考入中国社会科学院研究生院历史系(中国社会科学院历史研究所),先后师从尹达、杨向奎、张政烺、石兴邦诸教授,攻读中国古代史专业史前史研究方向的硕士课程。3年奋斗之后,以《黄河中上游新石器时代的住宅形式与聚落形态》(1985)为题的硕士学位论文,获得了很高的学术评价。这篇论文反映了周星从事学术研究的风格:视野宽广,严谨求实,富有创见、综合性和想象力。他有关中国史前史与考古学的研究,体现了一种强烈的走出琐碎零乱的材料,进入社会、历史、生活及文化之描述的努力。史前史的史料学与方法论、住宅形式与聚落形态、史前遗存及族属推定、器物本位与聚落本位、分类与认知、考古学与民俗学及文化史的关联、考古人类学及民族考古学、史前文化与古典文明、城堡国家与中国国家形成过程史等等,周星提出的一系列命题、概念、思路及初步研究,固然不是无懈可击,但谁也不会否定其中的价值及创新性,事实上,它们也都程度不同地产生过广泛的影响。不少老师和同学都说,如果不是后来他离开了这个领域,周星完全可能在上述课题等方面作出更多的成绩。

1983年冬天,为硕士课程学习的需要,周自强教授带领周星和他的几位同学,一起前往云南、四川做有关少数民族社会历史的考察。8年以后周星回忆说,那次少数民族地区之行,是他学业的转折点,基诺山、西双版纳、大理、大凉山,是这些地方改变和影响了他一生的学术方向。尽管周星并不认为此前他的学术追求没有意义,但比起探索几千年前的社会和文化来,现实人们活生生的社会生活与文化确实更让他着迷,而且,他感到对于中国少数民族社会及文化的探索,更富于挑战性、更刺激、更困难,也更有意义。于是,他决心转向民族学研究,硕士毕业时,他婉言谢绝了中国社会科学院历史研究所的挽留,选择在中国社会科学院研究生院工作,以便为自己的学术转向打好基础。

1986年3月,周星再次以优异成绩考入中国社会科学院研究生院民族系(中国社会科学院民族研究所),师从杨堃教授,攻读民族学专业民族学的理论与实践研究方向的博士课程。又是三年多的发奋、再发奋,1989年4月27日他提交的论文《政治民族学要论》(1989),在中国社会科学院民族研究所组织的答辩会上得到答辩委员们的一致赞赏和高度评价。来自7人答辩委员会的决议、3位专家的同行评议及12人学位评定委员会的审核,一致认为论文达到了博士学位水平。1989年7月15日,周星在中国社会科学院研究生院获法学(民族学)博士学位,成为我国自己培养的最早一批民族学博士之一。

说到博士论文,周星曾有一段特别的经历。根据原来的教育背景和知识基础,他计划中的博士论文题目,是想写有关中国不同地区的建筑及居住文化传统方面的内容,比如,中国北方的帐幕建筑与居住文化传统、黄河流域的土木建筑与居住文化传统、长江流域及南方地区的干栏建筑与居住文化传统等,进一步再在每个大传统内区分出不同的亚传统或类型,进而探讨不同的建筑及居住文化传统或其亚型之间的文化关系等。他开始搜集论文资料并有了不少积累,但后来一个偶然的缘故,却使他完全搁置了这个题目。

1987年5月,周星应邀参加一个"座谈会",主题是论证"民族理论"作为独立学科的地位,他在发言中提出了有关"政治民族学"的意见,引起了与会者的热烈讨论。可后来在拒绝发表他意见的同时,却有刊物组织文章对其观点断章取义地进行了批评,有关座谈会的简述,也没有反映出座谈会的真实情形。周星说,他原本只是提一个看法,不被接受没关系,但对一种学术意见横加指责又不给对方申辩的机会,很不公正。于是,为进一步说明自己的观点,征得导师同意,他临时把博士论文题目改成了有关政治民族学方面的内容。论文改题跨度很大,当时写这个新题目确实也有较大压力,为此,他花了比别人更多的努力,并申请延期半年毕业。尽管他对最后完成的论文并不满意,或许原来有关建筑与居住文化传统的题目会更好些,但决定改题并认真执著地完成它,确实从一个侧面反映了他的学术童心、勇气和性格。

认真听取导师和各位专家的意见后,周星对博士论文做了进一步修改,并将其中1/2左右的篇幅以《民族政治学》(中国社会科学出版社1993年版)的书名正式出版。专家和学术界的评论认为,周星的研究对我国民族学体系的优化、研究领域的开拓和民族学之科学性和现实性的增强等,都作出了较大贡献,具有重要的理论和实践意义;同时,也表明他对繁复的资料有较强的组织驾驭能力,在基础理论和民族学专业知识方面,均有坚实的基础。《民族政治学》的出版,得到了学术界的好评,被一些民族院校采纳为重要的教学参考书,还被有的专业教师选为教材,在我国民族学界包括台湾的边政学界,都引起了广泛关注。

周星的民族学研究,并没有局限在某一个方面,相反,他涉猎广泛,其研究常有独到之处。民族范畴的正义、作为历史文化现象的民族、作为政治共同体的民族、民族关系、民族心理、民族文化、社会文化变迁、婚姻制度与村寨关系、少数民族的文化特点与地方发展、区域多民族格局的历史过程、西部发展与少数民族等等,都是他的研究课题。收入《民族学新论》(陕西人民出版社 1992 年版)一书中的诸多论文,反映了其民族学研究的风格:论题丰富多样、论述有思辨与实证结合的特点、重视田野工作,富于社会责任感、对研究对象的关怀以及依然的严谨和认真。《民族学新论》被学术界评论为"中国民族学的新风声",说它"闪耀着年轻学者创新的智慧之光"。

1989 年 9 月,周星有机会进入北京大学社会学研究所的社会学博士后流动站,师从费孝通教授,从事民族社会学、农村民俗调查与人类学社区研究等方面的博士后研究工作,成为我国最早的一批文科博士后研究人员。据他自己说,博士后经历使他的研究有了一个新起点,境界和自觉性都有了提高。受费孝通教授的影响,他开始更努力地注意多做实地调查和田野研究,向研究对象学习,自觉地尝试实践社会学与人类学相结合的研究方法,尝试着将历史研究与现实研究相结合,更加看重学术研究的社会责任与时代使命。经过两年的努力,周星顺利完成了博士后期间的研究任务,主要包括:1. 博士后研究项目"黄河上游多民族地区专题研究";2. 参与费孝通教授主持的国家"七五"社会学重点课题"边区与少数民族地区发展问题研究"的部分田野调查(甘肃省临夏、兰州、金昌及内蒙古包头等地)和最终成果(研究报告)的撰写;3.在费孝通教授指导下,从事中华民族多元一体格局及我国民族关系的研究,发表了一批论文;4.参加国务院发展研究中心西部课题组"九十年代中国西部发展战略"研究的部分工作与研究报告的撰写;5.参加中日两国民俗学家联合进行的国际研究计划"中日江南稻作农耕民俗文化研究"等等。在有关边区开发的研究报告中,周星分别讨论了我国西北少数民族贫困地区如何从其民族文化和地方传统的资源中获得发展基点的问题,以及我国西部国有大中企业面临的人文生态失调问题,提出了实现生产要素扩散,搞活大中型企业的建设性观点,并已得到西部一些企业改革实践的证明。

1991年9月,周星博士后出站,留在北京大学社会学人类学研究所工作,被聘任为副教授。1992年3月至1993年3月,在日本学术振兴会资助下,周星来到日本国立筑波大学历史·人类学系,作为"外国人特别研究员"(JSPS Postdoctoral Fellow),从事民俗学及人类学的博士后工作,具体课题为"关于比较民俗学的方法论基础的研究"。东瀛访学,进一步扩展了他的学术视野,强化了他质朴实在的学风,实际上也使他的研究领域进一步扩展到了民俗学。在涉及中国大陆与我国台湾地区、日本本土与冲绳的几项东亚民俗文化的比较研究中,如有关石敢当、椅子坟及龟壳墓、境界与象征(桥俗)的研究论著,都先后获得了国内外同行的积极评价。

归国以后,周星的教学、科研及行政工作日益忙碌,进步和成长也特别迅速。几年来,他为北京大学社会学系历届研究生开设的"民族学与人类学专题研究讲座"、"民俗学专题研究讲座"等课程,以信息量丰富、材料翔实、角度新颖、观点独特而深受同学们欢迎。他注重从日常生活中产生命题,深入浅出和充满激情的讲座,给人们留下了深刻的印象。除指导本科论文写作、指导硕士和博士课程的研究生之外,他还承担一些国内外访问学者的指导及有关合作研讨等方面的任务。他的学生以及同他有过接触的访问学者都说,周星老师的知识面很宽,学问的风格朴实无华,并善于教学相长。1995 年 6—7 月和 1997 年 1 月,由北京大学承办的国家教委首届和第二届社会文化人类学高级研讨班获得了成功,周星始终参与其中,为其策划、组织和实施做了很多工作。不少参加这两届研讨班的专家和同行都说,周星博士是个热心人,他能团结人,能吃苦,能与人沟通交流。在费孝通教授学术指导下,由周星和王铭铭把研讨班的讲演编成《社会文化人类学讲演集》(天津人民出版社 1996 年版)一书,出版后受到了读者们的广泛欢迎,被认为是一部很好的人类学读本。

1991 年 6 月,周星的研究报告"西部发展与少数民族",获北京大学第二届青年优秀成果一等奖。从 1992 年起,任北京大学社会学人类学研究所人类学与民俗研究室主任;同年 11 月,《民族学新论》一书获北京大学光华安泰青年科研成果奖。1993 年 8 月,《民族学新论》又获第八届北方十五省市自治区哲学社会科学优秀图书奖。1994 年 6 月,参与发起成立北京大学人类学与民俗研究中心,任该中心常务副主任兼秘书长,并参与创办《人类学与民俗研究通讯》;同年 8 月,破格晋升教授;几乎同时,被选拔为"北京大学优秀中青年学术骨干";同年 12 月,《民族政治学》获北京市高等学校第三届哲学社会科学中青年优秀成果奖。1995 年 9 月起,任北京大学社会学人类学研究所副所长;10 月入选北京市跨世纪理论人才"百人工程"。这年年底,由于在科学、教育事业和经济建设中作出了突出贡献,周星荣获中国博士后科学基金会颁发的 1995 年度"国氏博士后奖励基金",成为我国文科博士后初次获得此项奖励的学者之一。1996年获准任博士生导师。1997年起,开始指导博士研究生;同年3月,入选国家7部委组织的"百千万人才工程"。周星就是这样马不停蹄,他工作节奏和前进步伐之快,真让人有些眼花缭乱。

几年来,周星参加和主持的备类研究课题主要有:1.参加由费孝通教授主持的国家"八五"重点课题"中华民族凝聚力的历史形成与发展"研究;2.参加由潘乃谷教授主持的国家社会科学基金"八五"课题"民族地区的资源开发与脱贫致富"研究;3.主持国家教委教育科学"八五"规划青年专项课题"苗族地区的教育与发展问题研究";4.主持北京市哲学社会科学"八五"规划研究项目"北京流行现象研究";5.参加中日联合组成的"西南中国民俗调查团"的研究计划:"汉族与周边诸民族之民俗宗教的比较研究——纳西族、彝族和日本民俗宗教的比较民俗学考察";6.主持国家教委人文社会科学研究"九五"规划项目"城镇生活方式变迁研究——以节庆体系和生活节奏为核心"等等。为完成这些课题的工作,周星长期坚持不断和反复的实地社会调查,坚持文献研究与田野研究相结合,几乎每年都争取机会去野外考察。周星认为,作为现实生活的观察者、参与者和研究者,不仅应该读万卷书,更应行万里路,这样才能使自己的研究贴近生活,进而为人民服务。现在,上述课题有的已经完成,成果已正式出版并获得好评,如潘乃谷和周星联合主编的《多民族地区:资源、贫困与发展》(天津人民出版社1995年版)一书;有的通过了课题鉴定,成果有待进一步整理发表,如有关社会流行现象的研究;有的正在撰写最终报告;有的则是刚开始进入调查阶段。在苗族地区教育及发展问题的研究中,根据实地调查,他集中讨论了多元文化教育及双语文教学等一系列重要的理论与实践问题,在拓宽教育研究的视野、更新教育观念等方面,该研究都有一定的突破。在有关中华民族凝聚力的研究中,周星提出的民族与文化的多重认同观、族际文化共享等见解,也相继成为该课题研究中比较重要的新突破。

其实,周星的研究工作远远超出了上述课题的范围。除西部发展与少数民族之间关系的研究、族际社会里民族关系的研究等之外,他还先后进行过民俗文化与地方传统方面的研究、丧礼与坟墓研究、谐音象征研究、民间镇物研究、社会结构论如"围墙社会"问题的研究、少数民族的医药生活及文化研究、少数民族的法文化传统研究、人类学的知识论研究、公厕问题研究等等,他有关这些方面的论文,先后在学术界产生了比较广泛的影响,也都获得了较高的评价,其成果多具有重视田野调查、理论联系实际和多学科相互渗透等特点。周星有关纳西族医药生活及文化的研究,将文献与田野、历史和现实相结合,从人类学之整体观和知识论的立场,比较全面地阐述了纳西人医药生活及文化的体系、特点和形成过程,为我国的纳西学研究增添了新的视角,开拓了新的空间。周星在从事有关凉山彝族法文化传统的研究时,特别注重与当地本民族出身的学者之间的对话与交流,他认为,这样的对话交流,乃是研究者知识和心得的重要来源。在对话交流的基础上,他有关凉山社会中"死给"现象等问题的研究,引起不少彝族学者的讨论和关注。

周星主要从事民族学(社会文化人类学)、民俗学及社会学有关多学科专题的研究工作,但有评价说,他的研究常具有跨专业的特长,这作为一个青年学者,这确实是不多见的。对他的某些研究论著,实际上较难进行学科归类,差不多是几个专业的命题、风格、材料和方法经常交织在一起。用他自己的话来说,他的知识来源很多、很杂,想问题也常不按既定的学科专业的框框去限定,通常总是围绕一个感兴趣的问题展开,不大讲究会被怎样评价。他说自己是个边缘学者,像个杂家。谈到有关学科地位的评价时,他坚持认为自己的研究没有什么学科的地位,而且这也不是他要追求的目标。按他的看法,现行学术体制下的"单位"、"师承"、"辈分"、"学科划定"等因素,都会干扰学术研究的深入和学术评论之良性机制的形成。某人想获得某学科的地位,通常要按照以上这些方面去设计才行。所以,不谈学科地位之类的问题,人们反而会更自在些。关于什么是边缘学者,他解释说,这么多年先后学习过不少学科专业,分别受到来自不同方面的影响,因此,已经难以完全归属于某个特定具体的专业,而自己的研究兴趣也已不大能被某某"圈"内的人们承认或理解。但边缘有边缘的好处,既不必为学术"正统"的危机烦恼,也不用担心会感染上"圈"内的偏见,由于较少拘束,边缘地带也自有驰骋创造力的空间余地。

周星教授热心学术事务,有很多社会兼职,这是因为在他的自我定位中,学术研究、社会工作和生活本身是三位一体的。目前他在学术机构或组织的任职主要有:中国民俗学会常务理事兼副秘书长、中国民族学学会理事兼副秘书长、中国都市人类学会理事、中国社会学会民族社会学专业委员会理事、北京市"九五"哲学社会科学规划社会学专家组成员、中央民族大学民俗文化研究中心客座研究员(1996—1998)、日本冲绳国际大学南岛文化研究所特别研究员(1993—1999)等。

提起这些年的学术生涯,周星说他在每一阶段都有很好的老师的指点与鼓励,像大学时的王世和教授、硕士阶段的尹达、石兴邦、周自强等教授,后来的杨堃、刘尧汉、费孝通等教授,不仅在学问方面,而且在做人的境界方面,也给予他深刻的影响。他特别提到杨堃教授经常教诲的一句话:你不仅是我的学生,你还是所有在知识上能成为你的老师的人的学生。1996年1月12日,周星在钓鱼台国宾馆俱乐部举行的"国氏博士后奖励基金"的授奖仪式上代表获奖者发言,他说他和许多人一样,都是改革开放政策和新生的国家博士后制度的受惠者,而不是个人有多能耐。作为一名"边缘学者",周星教授时刻让头脑保持着清醒,他说自己一个很大的遗憾是没能及时抓住机会出国留学去系统地学一学,眼下已有了知识不足的紧迫,必须抓紧时间继续学习;可是,目前的烦恼是潜心静气读书、思考、调查和琢磨问题的时间越来越少,对此,应该努力调整,改变这种状况。

的确,周星不是那种轻易放弃的人,他还会在广泛的领域里继续努力。不久,他的民俗学著作《境界与象征》和译著《汉族民俗宗教的社会人类学研究》将陆续出版,他还有许多事情包括计划中的课题要做,他不会停歇,我们希望不断听到他匆匆进取的脚步声,不断看到他取得新的成绩。

(原载《社会科学战线》1997年第5期)

后 记

　　2004 年,我们编辑《〈社会科学战线〉创刊 25 周年精华集》一书,将《社会科学战线》创刊 25 年来各个学科各个栏目发表的部分名作、力作、佳作汇编成册,分哲学卷、经济卷、文学卷、历史卷和综合卷,计 175 万字,由吉林人民出版社出版。2005 年,我们又编辑《20 世纪中国学术回顾》一书,将近十多年来《社会科学战线》刊发的不同学科不同专题的学术进展及回顾总结性文章汇编成册,分上、中、下三卷,计 95 万字,由吉林人民出版社出版。上述二书的编辑出版,在学界和刊界产生较好的反响,受到读者的普遍欢迎。进入 2006 年,我们开始编辑《为学与为道——中国学人的学术之路》一书,试图将《社会科学战线》创刊以来陆续发表的近百位学术大师泰斗及中青年知名学者的学术传记结集出版,以飨读者。

　　在《20 世纪中国学术回顾》一书《后记》中,我们曾指出:"20 世纪对于中国人来说,是一个波澜壮阔、可歌可泣的世纪;对于中国文化和中国学术来说,则是一个起伏宕荡、异彩纷呈的世纪。在这刚刚过去的百年里,中国文化和中国学术经历了从批判继承到创新发展、从感性认知到理性升华的艰难历程,一句话,经历了从传统到现代的嬗变。"与这样一个特点相对应,中国学人在 20 世纪所走过的道路显然也是极不平坦的,可谓有起有落、婉转曲折。在本书记述的近百位学人中,既有已经作古的各个学科的大师泰斗,也有仍在耕耘"服役"的知名专家,还有紧步后尘的青年俊秀。正是他们以及更多的"他们",把 20 世纪的中国学术一步步推向前进,并为 21 世纪中国学术的繁荣发展奠定坚实的基础。本书所述不只是部分中国学界精英的求学治学经历、人生经历,同时无疑也是 20 世纪中国学术、中国文化乃至中国社会发展艰难曲折历程的一个缩影。本书从不同的侧面、不同的角度记下了中国学人的理想、信念、热情、激情,记下了他们的执著、感悟、心得、体会,记下了他们的痛苦、辛苦、欣喜、欢乐,记下了他们的刚毅、韧劲、劳作、贡献,一句话,不完整地记下了他们的为学与为道、梦想与追求。作为编者,编辑此书的过程,可以说是使我们的心灵再一次受到震撼的过程。从他们身上,不仅可以见出中国学统的独特魅力,从一定意义上说,还可以见出中国的希望和未来。因而一种崇敬之情、一份责任感使命感油然而生。

本书由吉林省社会科学院院长、《社会科学战线》社长邴正教授、《社会科学战线》主编邵汉明研究员策划并主编,《社会科学战线》副主编王卓研究员、《社会科学战线》副社长于德钧副编审任副主编。《社会科学战线》的历任主编王慎荣研究员、关德富研究员、周惠泉研究员、赵鸣岐研究员任本书顾问。在本书的编辑出版过程中,《社会科学战线》编辑部的所有编辑和编务人员也都付出了不同程度的辛劳。人民出版社在出版上给予了有力的支持,本书所收作品的作者给予了友好的配合,特别是方国根编审和李之美编辑付出

了大量的劳动,凡此都令编者特别感动。在此谨致编者真诚
的谢意。

编 者

2006 年 3 月 1 日